D1096735

BIBLIOTHÈQUE

DE LA PLÉIADE

LACLOS

Les Liaisons dangereuses

ÉDITION ÉTABLIE,
PRÉSENTÉE ET ANNOTÉE
PAR CATRIONA SETH

GALLIMARD

CE VOLUME CONTIENT :

INTRODUCTION

Dangereux, satanique, mauvais, noir, atroce, méchant, immoral, scandaleux, condamnable, terrible, infâme, corrosif, pernicieux, mais aussi admirable, moral, intelligent, original, charmant, spirituel, étonnant, plein d'intérêt, bien écrit, utile, voilà certains des termes utilisés, depuis 1782, pour qualifier *Les Liaisons dangereuses.* Les superlatifs se concurrencent : roman le plus dangereux (d'Allonville) ou même le seul livre dangereux (André Suarès), le plus spirituellement écrit (Bombelles), l'unique roman réaliste (Arnold Bennett), le chef-d'œuvre des mauvais romans du XVIIIe siècle (Radiguet), le plus profond des livres impurs (Louis Blanc), le roman le plus intelligent (Laurent Versini), un livre sans rival au monde pour la profondeur de l'analyse et le cristal du style (Robert Kemp), l'un des deux meilleurs romans français (André Gide), le plus grand livre du XVIIIe siècle (Léon Daudet), le plus beau roman jamais écrit (Barbey d'Aurevilly). Dès sa parution, blâme et éloge se sont révélés paradoxaux. L'œuvre serait exécrable mais (ou parce que) réussie. L'écrivain serait talentueux, donc coupable. Il serait digne de l'estime des gens de lettres pour son style, mais encourrait la condamnation des individus bien pensants pour son message. Il prétendrait peindre le vice pour en dégoûter, mais réussirait seulement à corrompre les individus vertueux. Il aurait composé un chef-d'œuvre, mais peut-être un chef-d'œuvre à dénoncer, « un livre auquel son auteur ne craignit pas de supposer un but moral, quand il était un outrage universel à la morale de toute la nation [...] et qui méritait d'être livré aux flammes par la main de l'exécuteur public, quoiqu'il soit digne, dans son genre, d'occuper une place classique dans les meilleures bibliothèques ». Le cas serait unique. Terminant le paragraphe dont est extraite la citation, le comte de Tilly, qui a connu Laclos, ajoute en point d'orgue le titre de l'ouvrage qu'il vient d'évoquer : « Je crois avoir nommé *Les Liaisons dangereuses.* »

Il est des livres dont la parution est attendue impatiemment par un public friand de nouveautés et amateur de talents littéraires. *Les Liaisons dangereuses* n'est pas de ceux-là. Son auteur, un nobliau de province qui fait carrière dans l'artillerie, n'a guère de réputation dans la république des lettres. On lui doit quelques vers charmants mais sans grand éclat imprimés au détour des pages de recueils collectifs comme cet *Almanach des Muses* dont la publication annuelle en décembre et le petit format élégant font un cadeau d'étrennes idéal. Le militaire a aussi commis un poème sur une femme de petite vertu qui a progressé dans la société grâce à ses charmes, l'*Épître à Margot*, attribuée à divers hommes de lettres, mais qui lui revient. Le texte a connu un succès de scandale parmi la bonne compagnie au cours des premiers mois de 1774 : d'aucuns ont appliqué ce persiflage à la favorite, la comtesse Dubarry.

Quelques années plus tard, l'écrivain tente de percer au théâtre. Il échoue. Il avait pourtant mis toutes les chances de son côté ; adaptant *Ernestine*, une histoire de la célèbre romancière sentimentale, Marie-Jeanne Riccoboni ; collaborant avec un musicien chéri du grand monde, le chevalier de Saint-George, épéiste et violoniste de talent, premier mulâtre à jouir d'une telle vogue parmi le Tout-Paris du temps ; donnant le spectacle d'abord sur une scène privée le 18 juillet 1777, chez la très distinguée Mme de Montesson, elle-même dramaturge à ses heures, mais aussi épouse morganatique du duc d'Orléans, père du futur Philippe Égalité ; organisant ensuite la création officielle à la Comédie-Italienne, le lendemain, en présence d'un public élégant au centre duquel se trouve Marie-Antoinette, grande mélomane et lanceuse de modes. Le spectacle tomba, preuve qu'en matière de théâtre, le ridicule peut tuer : la réplique familière d'un personnage de cocher, « Ohé », reprise en refrain par Sa Majesté, divertie, et par d'autres membres du public peut-être moins bien disposés envers les librettiste et compositeur, se serait muée en commentaire méprisant. Laclos laissa là le théâtre, et une autre pièce, *La Matrone*, disparue comme le texte d'*Ernestine*, ne sortit même pas de ses cartons. Rien n'indiquait donc que l'officier, remarqué par les cadres de l'armée pour son inventivité et son insolence, allait entrer dans l'histoire comme romancier.

Les éditeurs, comme le sait tout écrivain, ne sont que rarement philanthropes — du moins envers les auteurs dont ils publient les œuvres. Un contrat est passé entre Laclos et le libraire Durand, le 16 mars 1782, pour un ouvrage intitulé *Le Danger des liaisons*. Ledit libraire ne pensait de toute évidence pas avoir affaire à un best-seller. Pour rentrer dans ses frais, il se réserve le produit de la vente des six premiers dixièmes d'un tirage de 2 000 exemplaires. Le romancier ne doit percevoir un pourcentage des profits qu'à partir du 1201e exemplaire écoulé. Il en reçoit tout de même cinquante pour son usage personnel. Libre à lui d'en faire hommage à ses proches, de les mettre en dépôt chez un bouquiniste ou de les revendre à son entourage. Les dernières modifications du texte, qui paraissent être intervenues après la signature du contrat, comprennent un changement de titre. *Le Danger des liaisons* étant déjà pris ou ne plaisant plus, le livre devient *Les Liaisons dangereuses*[1]. Une « Note de l'éditeur » finale est peut-être ajoutée à ce moment-là. Les deux parties prévues sont transformées en quatre volumes — ce qui permet de forcer un peu sur le prix. Une liste d'errata est dressée.

Le roman peut enfin être vendu. Il est répertorié sous le numéro 20 dans le *Supplément* au numéro 12 du *Journal de la librairie* (23 mars 1782), au titre des « Livres étrangers ». Il est également signalé, le jour même, dans le *Mercure de France*, parmi les « Annonces Littéraires » : « *Les Liaisons dangereuses*, ou *Lettres recueillies dans une Société, et publiées pour l'instruction de quelques autres*, par M. C.... de L.... 4 Parties. À Amsterdam, et se trouve à Paris, chez Durand neveu, Libraire, à la Sagesse, rue Galande ». Le livre, qui coûte 4 livres 16 sols, fait son entrée dans la presse, coincé entre le *Sermon pour l'Assemblée de Charité qui s'est tenue à Paris, à l'occasion de l'Établissement d'une Maison Royale de Santé en faveur des Ecclésiastiques et des Militaires malades* par l'abbé de Boismont, de l'Académie française (se vend à Paris, au profit de l'Établissement, chez les Pères de la Charité), et l'*Histoire du grand Duché de Toscane sous le Gouvernement des Médicis* traduit de Galuzzi. Cinq jours plus tard, le *Journal de Paris* signale la parution du roman immédiatement au-dessous de la solution du logogriphe, une énigme verbale parue dans le numéro de la veille : *zéro.*

Les auspices n'étaient pas forcément excellents. Le retentissement fut immédiat. Tout le monde paraît lire l'ouvrage mais bien peu de journaux imprimés en rendent compte. Alors qu'ils l'ont annoncé, ni le *Mercure de France* ni le *Journal de Paris*

1. Voir la Notice, p. 797.

n'incluent une critique du roman mais, dès le 9 avril, dans le cadre d'une polémique autour des femmes et de la lecture, le deuxième formule une recommandation à celles dont les époux sont encombrants : leur faire préparer « un cabinet bien éclairé, un bon feu, quelques Livres du jour, tels que *Les Liaisons dangereuses* », serait la meilleure manière, selon le publiciste, d'avoir la paix, de pouvoir courir les spectacles et les mondanités, peut-être même de laisser le champ libre à un amant.

L'un des tout premiers échos de lecture que nous avons du roman figure dans ce billet inédit de la célèbre Mme d'Épinay au tout aussi célèbre Meister, deux proches du baron Grimm et de Diderot :

> Md d'Epinay renvoie à Monsieur Meister le livre de M. Mercier et lui fait bien des complimens. s'il lui étoit possible de lui rendre pour trois ou quatre jours les deux premiers volumes de liaisons dangereuses, elle lui seroit bien obligée et si il n'y a pas moyen de l'avoir sans l'acheter elle lui seroit obligée de lui faire l'emplete des quatre volumes, le plutot qu'il lui sera possible. elle lui demande mille pardons de la peine qu'elle lui donne. Ce 11 avril 1782[1].

Mme d'Épinay, souffreteuse, sort peu — elle n'a plus qu'un an à vivre. Elle n'a rien perdu de sa vivacité d'esprit ni de son intérêt pour les nouveautés littéraires. Le billet en témoigne. Son bref échange avec Meister n'est guère surprenant : tous deux sont impliqués dans une entreprise éditoriale hors du commun dont Grimm est le maître d'œuvre : la *Correspondance littéraire* est diffusée en manuscrit dans les Cours européennes et peut ainsi se permettre des libertés inimaginables pour les feuilles officielles — que l'on songe à certains commentaires de Diderot dans ses *Salons*. Dès avril 1782, un article sur *Les Liaisons dangereuses*, généralement attribué à Meister, est inclus dans le périodique. S'il en est bien l'auteur, il n'est pas interdit de supposer que des conversations avec Mme d'Épinay et d'autres proches ont porté sur le livre. La recension débute en signalant implicitement sa raison d'être, à savoir la réaction du public parisien (réaction commentée également par Tilly ou Mettra, comme par Mme Riccoboni) : « Depuis plusieurs années il n'a encore paru de roman dont le succès ait été aussi brillant que celui des *Liaisons dangereuses, ou*

1. Fondation Reinhart, Winterthur, ms. 176/2.

*Lettres recueillies dans une Société, et publiées pour l'instruction de quelques autres, par M. C*** de* L***, avec cette épigraphe : *J'ai vu les mœurs de mon temps, et j'ai publié ces Lettres.* » Une reconnaissance immédiate accueille ainsi le livre — et l'auteur : dans les cercles intellectuels de la capitale, l'astéronyme n'avait pas suffi à cacher l'identité de l'écrivain aussitôt démasqué par le publiciste, qui rappelle ses quelques vers antérieurs, en particulier la trop célèbre *Épître à Margot*.

Comme le feront bien des critiques après lui, le recenseur commente un dénouement qui lui paraît rapide et insuffisant pour contrebalancer un poison corrupteur et charmant développé tout au long des quatre volumes. L'idée figure également en bonne place dans l'article du principal journal imprimé à rendre compte du roman, l'*Année littéraire* qui, malgré la disparition de son animateur « historique », Élie-Catherine Fréron, n'a pas infléchi sa ligne éditoriale et continue de fustiger les dérives des philosophes. Le livre de Laclos, après une brève présentation, est dénoncé par un lecteur fin et perceptif, révulsé par les manigances des libertins. Le publiciste, peut-être l'abbé Royou, dit l'horreur ressentie à la découverte du projet de séduction de la présidente de Tourvel et emploie, pour le condamner, un vocabulaire satanique auquel d'autres commentateurs, comme Baudelaire, auront plus tard recours. Il souligne la noirceur des personnages. Allant au-delà de Crébillon ou de Marivaux, l'auteur ne s'est pas contenté de montrer les travers du monde : il en a dévoilé le mécanisme avec courage et talent en déférant au tribunal de la vertu la coterie « de ces hommes du jour, qui à l'abri de leurs noms, de leurs richesses, jouissent avec une effronterie scandaleuse de l'impunité, et répandent partout la contagion de leurs mœurs perverses ». Faut-il juger utiles de telles peintures ? Ces images révulsent et blessent la délicatesse des mœurs. Pire que Juvénal ou Richardson, l'écrivain ne nous attendrit pas. Le journaliste ajoute encore que le roman lui paraît présenter des dangers pour le lecteur. Nous y viendrons. Ce premier article imprimé aide à comprendre la réception de l'œuvre. Il dénonce tout en admirant. Il a l'honnêteté d'exprimer un dilemme alors que d'autres se cachent ou refusent de s'avancer. Les comptes rendus dans la presse font lire, même lorsqu'ils condamnent un livre. Celui de Laclos n'avait peut-être pas besoin d'une telle publicité, mais elle n'a pas dû lui nuire.

Le tiraillement entre silence complaisant et dénonciation séductrice est explicité par l'auteur d'un long compte rendu paru dans le *Journal de Neuchâtel* en décembre 1782. Dès l'ouverture, le pasteur Chaillet avoue son embarras : il ne sait comment parler du roman et se demande s'il ne vaudrait pas mieux se taire. Il a été à la fois agacé et charmé par sa lecture — « j'admirais avec humeur », écrit-il franchement. Que faire face à un tel livre ? « Je sens que je ne saurais guère en parler sans donner l'envie de le lire, et je voudrais qu'on ne le lût point. Et cependant je ne puis me résoudre à m'en taire, parce que je crois avoir des choses intéressantes à en dire. » Chaillet exprime son désarroi, entre enthousiasme et dégoût, ne croyant pas à la vertu d'édification de lettres que l'auteur présente comme instructives : « moi, je ne les trouve que dangereuses, presque aussi dangereuses que les liaisons dont elles sont destinées à faire sentir le danger ». Le jeu de mots devait connaître une certaine fortune. La *Correspondance littéraire* affirmait déjà qu'il y aurait, dans Paris, « peu de liaisons aussi dangereuses pour une jeune personne que la lecture des *Liaisons dangereuses* de M. de La Clos ».

Voilà tracé implicitement le personnage de la lectrice innocente détournée de la vertu par les pages du roman alors même que des hommes sans scrupules s'en inspireraient pour rivaliser de goujaterie avec les héros de la fiction : « combien de jeunes gens étudieront dans *Valmont* les moyens de mettre en action leurs âmes vicieuses et corrompues ! » s'exclamait le publiciste de l'*Année littéraire*. Ces roués en puissance pourraient trouver dans les pages de Laclos des modèles et une incitation à « perfectibiliser leur scélératesse », comme l'écrit l'auteur de l'article consacré au romancier dans la *Bibliographie universelle ancienne et moderne* en 1819.

Il faudrait donc, par mesure de salut publique, interdire l'ouvrage à certains lecteurs, et avant tout aux jeunes femmes. Le discours revient fréquemment au cours des décennies qui suivent sa publication. Laclos lui-même a abordé la question, à une époque à laquelle toute fiction est encore considérée dans certains milieux — parmi les ecclésiastiques, certes, mais aussi certains médecins — comme susceptible de perturber le fragile équilibre de la « machine » féminine en provoquant à tout le moins migraines et vapeurs, mais aussi, dans les cas les plus extrêmes, des comportements nymphomanes. Le « Rédacteur », dans sa « Préface », laisse entendre que le danger représenté par l'ouvrage cesserait au moment où la jeune fille devient femme. Il cite à l'appui de cette idée le propos d'une mère de famille : « Je croirais, me disait-elle, après avoir lu le manuscrit de cette Correspondance, rendre un vrai service à ma fille, en lui donnant ce livre le jour de son mariage. » Le pasteur Chaillet, qui aurait sans doute eu son mot à dire s'il avait vécu à l'époque où *Madame Bovary* était offert par la République, avec d'autres classiques, aux couples qui venaient de passer devant monsieur le maire, commente l'affirmation : « Étrange présent de noces, que le roman où l'épouse infidèle, au moment où elle vient de violer le premier de tous ses devoirs, n'en devient que plus intéressante » — et on rappellera qu'ici *intéressante* a le sens de *touchante* ou *émouvante.* L'innocente Cécile de Volanges, la dévote présidente de Tourvel sont séduites par les courriers qu'elles reçoivent. Lire le roman épistolaire qui narre leurs aventures serait, pour une femme honnête, courir un risque comparable. Quelques années plus tard, l'auteur anonyme d'un écrit qui s'affirme injurieux, partial et diffamatoire, le *Tribunal d'Apollon*, est catégorique : « Malheur aux mères de famille qui, par leur coupable négligence, laisseront tomber ce roman dans les mains de leurs filles[1] ! » Face à de telles dénonciations, Laclos, triomphant, apprend à son épouse, dans une lettre d'Italie datée du 27 avril 1801, qu'il a offert un exemplaire des *Liaisons dangereuses* à l'évêque de Pavie : « ledit évêque dit à qui veut l'entendre que c'est un ouvrage très moral, et très bon à faire lire, particulièrement aux jeunes femmes[2] ». Le point de vue de l'ecclésiastique ne trouve guère d'échos parmi ses contemporains même si un Anglais assure, à l'été 1820, qu'il préférerait renoncer au charme du commerce amoureux que courir le risque de se comporter comme les abominables personnages de Laclos : l'œuvre a eu sur lui un effet plus marquant que le plus didactique des traités et il recommande d'en imposer la lecture à tout individu chez lequel l'on veut susciter le remords[3].

Les craintes générales de corruption du lectorat débouchent sur l'évocation de cas particuliers. Les scènes dans lesquelles *Les Liaisons dangereuses* sont l'intermédiaire d'une séduction se retrouvent au détour d'imitations, de pastiches ou de commentaires. Rétif de La Bretonne, dont le rapport à l'éthique est des plus ambigus, ne manque pas de montrer, dans *Monsieur Nicolas*, une mère imprudente qui laisse traîner l'ouvrage. Sa fille de quinze ans s'en empare et se passionne pour l'histoire ; le dernier volume fait défaut. L'adolescente ne recule devant aucun sacrifice pour l'obtenir : elle accorde les ultimes faveurs à un homme de quarante-cinq ans qui doit lui

1. Le *Tribunal d'Apollon ou Jugement en dernier ressort de tous les auteurs vivants, libelle injurieux, partial et diffamatoire*, par une Société de pygmées littéraires, Paris, Marchand, an VIII (1799), t. II, p. 12-13.

2. Laclos, *Œuvres complètes*, Bibl. de la Pléiade, p. 1075 (Laclos, *OC*).

3. Charles Cavendish Fulke Greville, *A Journal of the Reign of King George IV and King William IV*, Londres, Longmans, Green and Co., 1875, t. I, p. 34.

procurer la quatrième partie du roman[1]. Quelques années plus tard, Labouïsse dépeint une épouse fidèle, Honorine. Un petit-maître flatteur s'insinue auprès d'elle, la détourne de ses occupations habituelles et lui donne à lire Duclos, Marivaux, Crébillon. « Il ne lui restait plus qu'un pas à faire ; elle le fit. Elle lut les aventures de Faublas et le pernicieux ouvrage de Laclos. » Pendant une absence de son mari, elle cède à son soupirant. Le moraliste conclut l'anecdote en mettant un point final à son premier volume de *Pensées, observations et réflexions* avec le jeu de mots désormais familier : « l'impression que *Les Liaisons dangereuses* font sur beaucoup de ceux qui les lisent, prouve que la lecture des *romans* est aussi dangereuse que les plus dangereuses liaisons[2] ».

Pour se mettre en condition avant de recevoir son amant, Mme de Merteuil parcourait *Le Sopha* ou des contes grivois. Le roman dont elle est l'héroïne est ainsi mis en abyme dans d'autres textes plus tardifs par des personnages qui en deviennent lecteurs. Au sein d'un dialogue en deux scènes du délicat Monselet, créé chez Gustave de Rothschild, *Un livre leste* (1873), celui de Laclos, est le fil blanc du projet de séduction par M. de Fontevrault, bibliophile, d'une veuve dont le nom sonne comme l'écho du patronyme de Cécile, Mme de Molange. Montvèdre, dans *Sa fleur* (1898) de Champsaur, a lu et relu *Les Liaisons dangereuses. Le Sang noir* (1935) de Louis Guilloux montre le cynique Kaminsky offrant à Simone, sa jeune maîtresse, *Lamiel* de Stendhal et les *Liaisons dangereuses.* Plus près de nous, en 2000, Michel Garcin fait encore jouer au roman un rôle dans la liaison clandestine censée s'être nouée en 1788 entre Florent d'Albon de Pommerol, héros des *Lettres fort inconvenantes de deux libertins*, et la femme d'un avocat.

Même sans y être poussées par des don Juan cultivés, nombre de lectrices ont découvert les aventures du couple de libertins et de leurs victimes dans ce que Tilly décrit comme « un livre enfin que toutes les femmes ont confessé avoir lu quand tous les hommes auraient dû le réprouver ». Pourtant, certaines, s'inscrivant dans une tradition bien connue, auraient recouvert les volumes dans lesquels elles se plongeaient pour ne pas laisser deviner à quoi elles se consacraient. Léonard, dont les souvenirs sont peut-être apocryphes, livre un échange avec Marie-Antoinette (laquelle ne fut jamais une grande

1. Rétif de La Bretonne, *Monsieur Nicolas ou le Cœur humain dévoilé* (1794-1797), Bibl. de la Pléiade, t. I, p. 210.

2. Auguste de Labouïsse, *Pensées, observations et réflexions, morales, politiques et littéraires* (3e éd.), Paris, Michaud et Delaunay, 1818, t. I, p. 186.

consommatrice de littérature romanesque) qui la montre impatiente d'avoir l'ouvrage entre les mains. Une chose pourrait donner crédit à son propos : la Bibliothèque nationale possède un exemplaire de l'œuvre, dont la reliure, aux armes de la reine, est muette : ni nom d'auteur ni titre n'y figurent. Aurait ainsi été appliquée, pour la fiction de Laclos, l'approche réservée généralement aux livres véritablement scandaleux : les traités anticléricaux, les pamphlets pornographiques, tout ce qu'on désigne indifféremment, en cette fin d'Ancien Régime, par l'adjectif « philosophique ». Tilly, avec le regard rétrospectif du mémorialiste, se reproche d'avoir été un admirateur passionné du roman, mais aussi et surtout « de l'avoir prêté dans sa nouveauté à deux ou trois femmes qui se cachaient alors de le lire plus qu'elles ne se sont cachées d'accomplir tout ce qu'il enseigne ».

Le refus de lire — ou d'avouer qu'on a lu — le livre devient topique. Chef de file des auteurs édifiants, Mme de Genlis s'émeut, en 1782, d'apprendre que Rulhière, un homme de lettres du temps, expédiant à un ami en Italie, M. d'Héricourt, les nouveautés littéraires de Paris s'y est pris de telle sorte qu'il a pu laisser croire — ô horreur ! — que l'institutrice des princes avait eu l'effronterie de composer un tel écrit, elle qui venait de faire paraître *Adèle et Théodore*. Elle dit en avoir été malade pendant quinze jours, mais sa connaissance des *Liaisons dangereuses* n'aurait été alors que de seconde main. Elle ajoute en effet encore dans ses souvenirs n'avoir lu le roman pour la première fois qu'à l'époque où Laclos fut nommé secrétaire des commandements du duc d'Orléans — en 1788 donc. Avec le comte de Ségur, qui en a défendu la moralité, elle aurait alors évoqué l'ouvrage. Et la comtesse de soutenir, son opinion inchangée après la lecture, que les principes du livre sont exécrables et qu'il est mauvais sur le plan littéraire[1]. Citons encore un entrefilet des *Mémoires secrets* à propos d'une femme dissolue, la comtesse Holstein, proche de la duchesse de Chartres. Alors que sa mère veut la faire enfermer pour libertinage, elle pousse l'hypocrisie (à la Merteuil) au point de refuser ostensiblement de lire l'œuvre de Laclos. Quant à l'héroïne de la saynète de Monselet, *Un livre leste*, si elle qualifie son soupirant de Valmont, elle affirme n'avoir parcouru que quelques pages des aventures du vicomte romanesque. Comment ne pas songer à un propos de Frédéric Soulié qui, dans

1. Voir les *Mémoires inédits de Mme la comtesse de Genlis, sur le* XVIII*e* *siècle et la Révolution française, depuis 1756 jusqu'à nos jours*, Paris, Ladvocat, 1825, t. III, p. 178-[illegible], et t. IV, p. 10-12.

ses *Mémoires du diable* (1837), présente la scène de triomphe de Mme de Merteuil sur Prévan comme une métaphore de la lecture du roman par de fausses prudes : « elles s'abandonnent à lui tout entières… puis sonnent leurs laquais pour le mettre à la porte comme un insolent qui a voulu les violer[1]. » Nodier, étrangement critique, avait déjà condamné en 1834 le roman qui fut à la mode pendant son enfance : « Puisque les *Liaisons dangereuses* passent encore pour un ouvrage remarquable dans quelques mauvais esprits, il faut bien en dire quelque chose, et je ne sais jusqu'à quel point j'en ai le droit, car il m'a été impossible de les lire jusqu'à la fin[2]. »

L'auteur de *Trilby* n'a pas pu passer à côté de l'œuvre et de ses personnages. En effet, les héros de Laclos ont rapidement gagné un statut particulier dans l'imaginaire. L'un de leurs truchements, comme souvent en cette fin d'Ancien Régime, est celui de la romance. Immatérielle, elle se retient facilement et peut même avoir pour relais les analphabètes ou ceux qui n'ont pas lu le livre. De même que les contrefaçons permettent de faire circuler un ouvrage dont la publication officielle est entravée, la chanson, n'en retenant que certains aspects, tirant l'intrigue libertine du côté de la littérature sentimentale, offre une seconde vie au texte. C'est ainsi qu'à l'échec des paroles de Laclos mises en musique pour *Ernestine* répond le succès de romances dans lesquelles des tiers donnent voix aux amoureuses des *Liaisons dangereuses*. Nous les retrouvons au détour des pages d'almanachs et de la presse musicale naissante, qui faisait fureur. Cécile et la présidente, héroïnes malheureuses, expriment leurs plaintes dans des strophes qui doivent plus à la tradition de la musique attendrissante des salons qu'à l'ambiance du livre. Alors que le roman était la lecture à la mode, le marquis de La Maisonfort se trouvait à la campagne. Il a écrit, pour le musicien D'Obet ou Daubais, « la romance devenue presque célèbre parce que la reine Marie-Antoinette aimait à la chanter, des *Adieux de la présidente de Tourvel à Valmont* ». La souveraine mélomane muée en amoureuse adultérine par l'intermédiaire d'une chanson a dû en faire jaser plus d'un parmi les courtisans… Au nombre des compositeurs qui s'attachent à fournir un timbre pour des textes auxquels les demoiselles fraîches émoulues du couvent et les

1. Frédéric Soulié, *Les Mémoires du diable* (1837), Paris, Librairie nouvelle, 1857, t. I, p. 15.

2. Charles Nodier, « De quelques livres satiriques, et de leurs clefs », *Bulletin du bibliophile*, octobre 1834.

femmes de juristes de province pouvaient prêter leur voix, il faut compter Martini, dont *Plaisir d'amour*, qui date de 1783, lui vaut encore une petite célébrité deux siècles plus tard. D'autres auteurs ont voulu laisser entendre les personnages de Laclos dans des héroïdes et poèmes ou profiter, d'une manière ou d'une autre, de sa renommée.

Très vite, le roman a été porté à la scène indirectement, dans des pièces qui avouaient plus ou moins leur source. Sous le pseudonyme de Mme de Beaunoir, Alexandre-Louis-Bertrand Robineau fait jouer en 1784 *Le Danger des liaisons*. Il garde, dans cette comédie en un acte et en prose de style sentimental, un personnage de libertine, Mme de Saint-Far, mais les deux femmes victimes n'en font qu'une : l'innocente Cécile, épouse de l'avocat Mercourt, dont le nom paraît faire écho à la fois à celui de Merteuil et à celui de Gercourt. L'année suivante, Paris bruit d'une création aux Italiens, celle de *La Comtesse de Chazelle*, une comédie en cinq actes et en vers. Un personnage s'y nomme Gercourt. C'est… le valet. Dans la pièce, le comte de Surville contrefait le vertueux pour désamorcer les préventions de Mme de Chazelle et de son entourage envers lui. Les contemporains font immédiatement le lien avec *Les Liaisons dangereuses*. La représentation est un échec. L'auteur, qui a caché son identité, est Mme de Montesson. Voilà qui trace à nouveau en creux des liens précoces entre Laclos et le milieu orléaniste, perceptibles avec l'avant-première privée d'*Ernestine*. Au-delà des frontières, les Londoniens peuvent assister, en 1787, aux représentations de *Seduction*, une comédie en cinq actes et en prose, créée au Théâtre Royal de Drury Lane. L'auteur, Thomas Holcroft, est aussi l'adaptateur anglais du *Mariage de Figaro*. Des situations et des répliques sont démarquées des *Liaisons dangereuses*[1].

Le succès du roman conduit à une floraison de volumes s'en réclamant ainsi qu'à une génération d'imitations plus ou moins avouées. Il en va ainsi du *Vicomte de Barjac* du marquis de Luchet, publié en 1784 avec l'indication « par M. C… de L…, auteur des *Liaisons dangereuses* », encore signalé dans certaines bibliographies comme un livre de Laclos. Deux ans plus tard paraissent trois tomes dont l'anonymat n'a pas encore été levé. *L'Amitié dangereuse, ou Célimaure et Amélie, histoire véritable. Par l'Auteur des Liaisons dangereuses*[2] n'est pas l'œuvre de celui qui

1. Voir David Coward, « *Les Liaisons dangereuses* à Londres avant la Révolution », *Littérature et séduction. Mélanges en l'honneur de Laurent Versini*, Klincksieck, 1997, p. 836.

2. Paris, Buisson, 1786.

s'en voit attribuer la paternité. Même s'ils n'ont parfois aucun rapport avec le style ou le contenu du roman de 1782, les ouvrages y font allusion dès leur titre. Ainsi des *Vœux d'un gallophile. Nouvelle édition refondue suivie de Mélanges ; et d'anecdotes sur Stiépan-Annibal, soi-disant prince d'Albanie, ou Supplément au livre des « Liaisons dangereuses »* (1786) par Jean-Baptiste, baron de Cloots — le futur révolutionnaire Anacharsis Cloots —, ou de *La Femme vertueuse, ou le Débauché converti par l'amour. Lettres publiées pour l'instruction de quelques sociétés, dans le genre des Liaisons dangereuses* (1787) qui emprunte à *La Nouvelle Héloïse* son épigraphe. La veine ne se tarit pas. On peut se demander ce que les Londoniens ont pensé de *Laura Valmont, a Novel. Written by a Lady* ou les Parisiens de *Zélamire, ou les Liaisons bizarres*, volume du polygraphe Doppet, bien moins intéressant que son titre accrocheur ne le laisse entendre, parus tous deux en 1791. Les francophones allaient encore pouvoir lire *Les Dangers de la mauvaise compagnie, ou les Nouvelles Liaisons dangereuses* (an IX), qui se passe entre Paris et Manosque, *Le Bâtard de Lovelace, et la Fille naturelle de la marquise de Merteuil, ou les Mœurs vengées. Nouvelles lettres traduites de l'anglais* (ou plutôt écrites) par Cuisin (1806) en quatre tomes rocambolesques, ainsi que *Le Chevalier de Saint-George, ou le Débauché corrigé par l'amour. Ouvrage faisant suite aux Liaisons dangereuses* (1809) dans lequel l'amante meurt après que le libertin amoureux a été forcé de rompre avec elle. Cuisin indique ceci à propos du « manuscrit anglais » intitulé *Les Descendants naturels de Lovelace et de la marquise de Merteuil* qui serait à l'origine de son ouvrage : « ces personnages, qui me sont très familiers, sont des rejetons de pure imagination : je ne m'abuse pas sur leur prétendue origine, ni sur celle des illustres auteurs de leurs jours ; il m'a semblé cependant que l'on pouvait encore glaner après les moissons de lauriers qu'ont recueillies Richardson et Laclos, et sous des noms si fameux faire perpétuer sur leurs neveux l'intérêt et la célébrité qu'ont eus leurs immortels ancêtres[1]. » Swinburne définira encore en 1869 Barkilphedro, personnage de Victor Hugo dans *L'Homme qui rit*, comme un fils bâtard d'Iago et de sa sœur, Mme de Merteuil, reflet dégradé et diminué de ses géniteurs. Ainsi que l'écrit Michel Delon à propos du livre de Cuisin : « Cette image d'une descendance illégitime sonne comme un aveu ironique. La littérature romanesque au tournant du siècle est envahie par les enfants adultérins des *Liaisons*[2]. »

1. Pierre Cuisin, *Le Bâtard de Lovelace, et la Fille naturelle de la marquise de Merteuil, ou les Mœurs vengées. Nouvelles lettres traduites de l'anglais*, Paris, Martinet, 1806, p. 8-9.
2. Michel Delon, « Laclos aujourd'hui », dans *Deux siècles de « Liaisons dangereuses »*, Michel Delon et Francesco Fiorentino éd., Tarente, Lisi, 2005, p. 17.

D'autres opérations commerciales conduisent à ressortir des livres déjà parus en les rebaptisant pour créer une proximité illusoire avec le roman de Laclos. Il en va ainsi du *Frère inconnu dans sa famille à son retour de l'Amérique, servant de suite aux Liaisons dangereuses* (1788) qui, en 1785, s'intitulait simplement *L'Amitié fraternelle ou le Triomphe des vertus*. Et n'oublions pas le cas d'un contemporain de l'écrivain qui allait s'en montrer lecteur très (trop ?) fidèle, Nougaret, dont *Les Nouvelles Liaisons dangereuses ou Lettres du chevalier de Joinville* (1792) avait paru, en 1789, avec un titre plus banal, *Le Danger des circonstances, ou Lettres du chevalier de Joinville et de Mlle d'Arans, ainsi que de divers autres personnages intéressants*. La Préface, tout en affirmant que le roman se distingue de celui de « M. de La C** », insiste sur une parenté élective : « Je serais très flatté si cet ouvrage méritait d'être comparé à celui intitulé *Les Liaisons dangereuses* que je regarde comme le meilleur roman qui ait paru en notre langue depuis une vingtaine d'années. »

Ce meilleur des romans, le plus remarquable depuis *Julie, ou La Nouvelle Héloïse* de Rousseau, selon Nougaret, d'autres entendent en proscrire la communication. Les rumeurs circulent, les informations se contredisent. « On a parlé d'interdire la vente de cet ouvrage ; il est honteux qu'on s'en soit tenu au projet », écrit La Harpe dès le 8 mai 1782. Six jours plus tard, on lit dans les *Mémoires secrets* : « Le roman des *Liaisons dangereuses* a produit tant de sensations, par les allusions qu'on a prétendu y saisir, par la méchanceté avec laquelle chaque lecteur faisa[i]t l'application des portraits qui s'y trouvent à des personnes connues, il en a résulté enfin une clef générale qui embrasse tant de héros et d'héroïnes de société, que la police en a arrêté le débit, et a fait défendre aux endroits publics où l'on le lisait, de le mettre désormais sur leur catalogue[1]. » Le 14 septembre de la même année, le marquis de Bombelles, un proche de la Cour, inscrit ses réflexions dans un journal commencé à la naissance de son fils et destiné à lui servir d'instruction : « J'ai terminé aujourd'hui la lecture d'un livre qu'on vient de défendre et qui n'aurait jamais dû être souffert. Son titre est *Les Liaisons dangereuses*[2]. »

Il est légitime de se demander si l'interdit ou sa menace ne rend pas plus attractifs les volumes. Trois mois plus tard,

1. *Mémoires secrets pour servir à l'histoire de la République des Lettres en France depuis 1762 jusqu'à nos jours*, Londres, J. Adanson, 1777-1789, t. XX, p. 250,

2. Bombelles, *Journal*, Jean Grassion et Frans Durif éd., Genève, Droz, 1977, t. I, p. 145.

dans les pages du *Journal de Neuchâtel*, le protestant Chaillet a recours à une image bien catholique : « Moralement parlant, il me paraît incontestable que c'est un mauvais livre ; je le mets à l'index. » Lesuire, regrettant que l'antidote incluse ne soit pas à la hauteur du poison diffusé par le roman, y voit, en 1783, la raison pour laquelle il a « été arrêté par le Gouvernement ». Quant au futur Girondin Brissot, qui se fait encore appeler « de Warville », réagissant à la parution de la première traduction anglaise, il assure que « l'homme qui pense » proscrira « le roman tant couru aujourd'hui, qui a pour titre, *Les Liaisons dangereuses* ».

La nature des différentes interdictions évoquées n'est pas claire : la première trace de proscription juridique en France n'intervient qu'au XIXe siècle, et l'œuvre n'a jamais été inscrite parmi celles dont la lecture est défendue par le Vatican. Elle est toutefois reléguée dans l'enfer de certaines bibliothèques — dont celle de Romain Gagnon, chez lequel le jeune Stendhal, son neveu, la découvre —, et sa circulation a été entravée de manières diverses. La Restauration, qui n'appréciait peut-être pas la peinture d'une société corrompue d'Ancien Régime, prononça en 1823 la condamnation des *Liaisons dangereuses*, jugement confirmé en appel le 22 février 1824. La bibliographie de Jules Gay précise à propos du roman qu'« on le met à l'Index la plupart du temps dans les ventes faites en France ». Le livre circule dans la clandestinité ; en témoignent les poursuites réelles qui frappèrent des libraires et éditeurs. *Les Liaisons dangereuses*, comme *Justine* ou *Le Portier des Chartreux*, est en effet compris dans la liste des quatre-vingt-sept ouvrages immoraux dont la diffusion a valu à dix inculpés, parmi lesquels Gay et Poulet-Malassis, une condamnation devant le tribunal correctionnel, le 12 mai 1865, pour « outrage à la morale publique et religieuse, ainsi qu'aux bonnes mœurs, colportage illicite, etc[1]. ».

Pour un lecteur moderne, le livre de Laclos est très différent d'ouvrages comme *Justine* ou *Le Portier des Chartreux*. Longtemps, pourtant, *Les Liaisons dangereuses*, malgré le langage gazé, fut considéré comme un ouvrage obscène et, par voie de conséquence, dangereux pour les mœurs. Dans son *Histoire élémentaire et critique de la littérature* (1838-1844), Émile Lefranc traite ensemble Rétif, Sade et Laclos : « Ils jettent aux yeux de leurs lecteurs honteux des bacchantes et des courtisanes, des satyres, dans un état de dégoûtante nudité. C'est la corruption à son dernier degré ; c'est le paroxysme de la volupté dans

1. Voir Jean-Jacques Pauvert, *Anthologie historique des lectures érotiques. De Sade à Fallières (1789-1914)*, Garnier, 1982, p. 222.

toute son horreur ; c'est la nature humaine dans toute la bassesse de l'animalité, cherchant à animer les forces épuisées des sens par de nouveaux tableaux de dégradation et de brutalité[1]. » Laclos pornographe, voilà un reproche qui ne lui est plus guère fait de nos jours… en témoigne la floraison d'extraits du roman dans les manuels destinés aux lycéens et sa prescription pour certaines filières du baccalauréat.

À livre immoral, auteur immoral ? Bombelles pose la question en termes généraux : « Un homme qui sait présenter le vice sous une forme si neuve, si ingénieuse, peut-il avoir une âme honnête ? » Au moment de la publication de l'édition originale, l'identification supposée des personnages a accrédité l'idée que Laclos aurait raconté sa propre histoire. Certains contemporains ont ressenti de l'inquiétude en supposant que, pour montrer ainsi la perversité, il fallait l'avoir expérimentée. Comme le rappellent les *Mémoires secrets* dès le 14 mai 1782 : « Parce qu'il a peint des monstres, on veut qu'il en soit un. » Le romancier a souffert de cette publicité et est parti retrouver son régiment, auréolé d'une célébrité ambiguë. Roué de garnison, Laclos aurait, selon certains, exagéré des traits personnels peu reluisants pour engendrer le vicomte. Les partisans des Bourbons comme des Jacobins l'ont affirmé pour discréditer l'orléaniste[2]. La légende a la vie tenace : « Nul doute qu'il a été Valmont ! » s'exclame Heinrich Mann en 1905, avec cette admiration teintée de méfiance de tous les critiques qui ont voulu voir en l'auteur le modèle du séducteur. Nombre de biographes ont entretenu cette idée.

Se greffe sur ce portrait de l'auteur en libertin celui du romancier en scélérat, éminence grise du futur Philippe Égalité. Ceux qui proscrivent le livre en 1823 et 1824 l'accusent, comme le rappelle Jean-Jacques Pauvert, d'avoir provoqué la Révolution française[3]. La justice a ainsi sa part de responsabilité dans la création d'un mythe de Laclos, issu de la propagande contre-révolutionnaire[4], et qui culmine chez Michelet

1. Paris et Lyon, Périsse frères, 1841, t. III, p. 231.

2. Voir ainsi les *Antirevolutionary Thoughts of a Revolutionary Writer* de François Pagès (Londres, J. Easton et J. Wright, 1800, p. 21) : « Laclos qui a si habilement peint son propre portrait, c'est-à-dire qui a décrit le Crime et toutes ses machinations infernales dans son roman intitulé *Les Liaisons dangereuses* » (nous traduisons).

3. *Anthologie historique des lectures érotiques*, p. XVII : « Le choc fut de ceux qui contribuèrent à jeter notre société polie dans l'abîme révolutionnaire. »

4. Voir ainsi l'article « Laclos » du *Dictionnaire biographique et historique des hommes marquan[t]s de la fin du XVIIIe siècle, et plus particulièrement de ceux qui ont figuré dans la Révolution française*, Londres, 1800 : « Cet homme, plein d'esprit et de vices, prodige d'immoralité dans ce siècle immoral, s'était rendu célèbre avant

où l'écrivain devenu politicien est croqué sous les traits de « l'homme noir » face à la blanche Mme de Genlis, et avec toute la tradition qui condamne sans autre forme de procès l'œuvre d'un intrigant parfois rendu responsable du peu de succès de son prince. Et il convient de rappeler que l'écrivain fut, de son propre aveu, l'auteur « de fait » de cette *Correspondance politique de Louis-Philippe-Joseph d'Orléans avec Louis XVI, la Reine, Montmorin, Biron, Lafayette, etc.*, dont il demande à son épouse d'acquérir un exemplaire en brumaire de l'an IX[1]. Qu'un individu politiquement suspect — et il a dû le paraître après sa mort sous la plupart des régimes postérieurs à l'Empire qu'il avait servi avec éclat — ait commencé son activité pernicieuse par la publication d'un ouvrage moralement douteux pouvait paraître constituer une pente naturelle. La logique apparente de l'analyse a dû en satisfaire plus d'un, et l'historiographie française s'est complu à promouvoir Laclos pour donner de son patron, le duc d'Orléans, l'image d'un homme poussé par des arrivistes — et par « l'homme noir » en tout premier lieu. Les critiques des textes, souvent, n'ont pas été en reste. L'*Histoire élémentaire et critique de la littérature* d'Émile Lefranc dépeint ainsi le romancier comme le vis-à-vis parfait de Philippe Égalité, deux personnages aussi corrompus l'un que l'autre, chacun, tour à tour, maître et disciple dans une relation duelle perverse. À trop bien peindre le vice, ne devient-on pas, nécessairement, corrupteur de la vertu ?

Homme dangereux, Laclos le serait, implicitement, par son succès d'écrivain. A-t-on jamais assez souligné l'horrible danger des hommes de lettres, surtout lorsqu'ils se mêlent des affaires de l'État ? À une époque où les Chateaubriand, Lamartine ou Hugo s'impliquent dans la vie de la Cité, l'exemple devait faire frémir. Plus qu'une analyse de faits biographiques réels, cette vision de Laclos, qui a marqué de manière durable la critique, témoigne de la difficulté des Français à porter sur la Révolution un regard apaisé, ainsi que de leurs efforts pour la mettre en récit avec des figures représentatives de tous bords. Voir la fiction comme l'étape inaugurale d'une carrière politique dans laquelle une écriture mercenaire ou oppor-

la Rév[olution] par un roman intitulé *Les Liaisons dangereuses* ; et comme s'il eût voulu joindre l'exemple au précepte, [...] parmi les gens tarés qui environnèrent le duc d'Orléans, il fut celui de tous qui contribua davantage, non à le corrompre, d'autres y avaient réussi avant lui, mais [...] à le transformer en chef de parti, malgré la faiblesse, l'incertitude et la paresse toujours renaissante de son caractère. »

1. Voir la lettre de Laclos à sa femme de Milan le 26 brumaire an IX (17 novembre 1800), Laclos, *OC*, p. 993-994.

tuniste devait prendre le relais de la création romanesque ouvrait la voie à une lecture de la vie entière de l'auteur comme un parcours fondé sur une revanche à prendre.

Baudelaire décrit Mme de Tourvel comme « une Ève touchante », qu'il est le premier à présenter comme « seule appartenant à la bourgeoisie » parmi le personnel du roman, remarque contestable s'il en est. Dans la même lignée, l'importante biographie d'Émile Dard parue en 1905, *Un acteur caché du drame révolutionnaire, le général Choderlos de Laclos, auteur des « Liaisons dangereuses »*, juge que l'ambition de l'homme aurait été son moteur. Cela vaudrait autant pour ses inventions et sa carrière militaire que pour son roman, miroir de sa déception face à un monde corrompu, dans lequel les qualités individuelles n'étaient pas reconnues au sein d'une société inégalitaire qui ne permettait guère à la famille Choderlos, devenue péniblement de Laclos, de gravir les échelons d'une hiérarchie figée dont les cadres ne s'étaient donné la peine que de naître. L'analyse a ses adeptes. Voyant dans le roman le pamphlet d'un homme talentueux déçu par le régime aristocratique, elle a ouvert la voie à la critique marxiste d'un Roger Vailland.

La confusion fréquente entre l'homme et l'œuvre, souvent condamnés d'une même voix, la recherche de modèles des personnages romanesques parmi les membres de la société du sémillant officier, le rapprochement entre le texte fictionnel et un traité de perversion conditionnent l'essentiel de la réception des *Liaisons dangereuses* au XIXe siècle. Il n'importe guère, en réalité, de savoir à quelle Dauphinoise la présidente devrait tel ou tel de ses traits, et où se trouvait le fossé que Valmont l'aide à franchir. Le génie de Laclos n'est ni accru ni diminué par les éventuels liens que l'on pourrait déceler entre des faits réels et les épisodes narrés. Tout au plus peut-on espérer déceler, grâce à de tels repérages, un aperçu fugitif de la méthode de travail d'un écrivain dont les pairs ont souvent salué le talent.

Dès la parution du livre, les gens de lettres ont en effet été de grands lecteurs des *Liaisons dangereuses*. Mme d'Épinay et Mme Riccoboni, auteur d'une correspondance échangée avec Laclos au lendemain de la publication du roman et publiée avec celui-ci dans l'édition de 1787, sont toutes deux auteurs. Parmi leurs contemporains, Beaumarchais aussi lit les *Liaisons dangereuses*. Sade obtient les volumes lorsqu'il est à la Bastille, mais ne laisse aucun commentaire — si ce n'est peut-être, par dérision ou jalousie, le nom de Valmont, donné à un personnage d'*Eugénie de Franval*. Deux écrivains allemands, Schiller et Körner, découvrant l'œuvre en 1787, se demandent s'il n'y a pas toute une série d'écrits du même tonneau que leur ignorance de la littérature française ne leur permettrait pas de connaître. Stendhal a semé ses fictions et ses textes autobiographiques de références à une œuvre qu'il admire et à laquelle il croit tenir doublement par l'enracinement supposé de la fiction dans le milieu grenoblois comme par cette conversation de 1800 avec Laclos à la Scala, revendiquée dans la *Vie de Henry Brulard*, et dont Michel Mohrt a tiré, il y a quelques années, la matière d'une *Leçon de morale dans une loge* (1996), dialogue sur le sens de la création artistique. Les défenses et redécouvertes successives du livre sont, le plus souvent, le fait d'écrivains qui voient la qualité littéraire de l'ouvrage au-delà d'un succès de scandale circonstanciel dans lequel chacun s'était évertué à imaginer l'identité réelle de personnages fictifs.

Alors que le roman est interdit en France, *Les Liaisons dangereuses, drame en trois actes, mêlé de chants* de François Ancelot et Xavier Saintine, deux grands noms du théâtre du temps, est monté sur une scène officielle, avec l'aval, donc, des autorités. La première a lieu le 20 février 1834 au Théâtre National du Vaudeville. Qu'y voit-on ? La Guimard, une comédienne célèbre aux mœurs légères, est l'un des personnages. Mme de Merteuil, individu sulfureux dans le climat d'une France en pleine monarchie de Juillet, est remplacée par un second libertin, le chevalier de Chavigny, maître de Valmont, qui se bat en duel avec le plus talentueux de ses élèves. La scène de la bienfaisance du vicomte est rapportée et permet la séduction de la présidente, appelée Adèle. Celle-ci recueille dans ses bras Valmont mourant pour une scène finale touchante lors de laquelle ils proclament leur amour réciproque. L'intrigue est lissée. Le personnage si dérangeant de la marquise éliminé, son complice est racheté par sa fin édifiante dans les bras d'une Tourvel qui porte le prénom habituel de la sœur de Louis-Philippe. Le titre de la pièce renvoie au roman prohibé, le diffuse même. On ne peut manquer de trouver paradoxal le choix d'Ancelot et Saintine, qui proposent ainsi des *Liaisons dangereuses*, si ce n'est *ad usum Delphini*, du moins considérées comme sans danger pour le public très mélangé — et parfois analphabète — du Vaudeville.

Après cette production théâtrale, les pages d'Arsène Houssaye sur « Le Chevalier de La Clos », publiées dès 1846 dans *Le Constitutionnel* et reprises, en 1848, au sein de la très populaire *Galerie de portraits du XVIIIe siècle*, ont dû être, pour nombre de contemporains français et étrangers, la seule introduction

— indirecte — à l'œuvre, « monument curieux d'une époque évanouie ». C'est « à peine si quelques écoliers et quelques curieux littéraires [la] recherchent », selon l'homme de lettres, à une époque où aucune édition n'est disponible. L'indication de ces lecteurs, potaches ou amateurs de curiosa, au moins autant que de curiosités — c'est ainsi qu'il faut comprendre la formule du critique —, confirme la réception de l'ouvrage comme texte érotique, à se passer sous le manteau. Grand amateur du siècle des Lumières, Houssaye, avec des concessions apparentes au climat moral ambiant, offre quelques aperçus éclairants sur Laclos, météore dans le monde du libertinage littéraire, une sorte d'anti-Crébillon, prêt à reproduire la vérité *toute nue*. Cette vérité est celle des caractères et, en particulier, de la naïve Cécile : « Un homme d'un talent médiocre n'a jamais osé peindre une femme bête, — il y en a. Cécile Volanges fait le plus heureux contraste à Mme de Merteuil qui est le démon de l'esprit. » Houssaye aime un XVIIIe siècle de fêtes galantes, les bergeries de Trianon, le raffinement et l'esprit. Il relève un radicalisme incontestable des *Liaisons dangereuses* qu'il est loin de confondre avec la pornographie : peintre énergique, disciple de Rousseau et de Richardson, Laclos serait un grand écrivain, pas simplement l'auteur d'un livre à la leçon suspecte, un homme complexe et fascinant trop négligé des contemporains : « Il semble que l'avenir veuille oublier ce nom qu'il serait injuste d'inhumer dans *Les Liaisons dangereuses*. » Laclos arrive ainsi aux lecteurs par le filtre d'un critique fin. Ils ne sont peut-être pas conscients non plus, lorsque paraissent, dans la presse, puis en volume, *Georges et Cécile* de Paul Gaschon de Molènes (1843) ou encore *Les Roués innocents* de Théophile Gautier (1846), que les machinations d'aristocrates pour entraver l'union de deux personnages vertueux doivent beaucoup aux *Liaisons dangereuses*[1]. En un temps où la question de la moralité d'une œuvre d'art est au centre des interrogations — en témoignent notamment les procès retentissants intentés quelques années plus tard à Flaubert et à Baudelaire pour des écrits considérés de nos jours comme des classiques —, l'intrigue centrée sur les cabales d'un couple de libertins ne pouvait manquer de susciter l'intérêt des gens de lettres.

En 1849, le manuscrit du roman de Laclos ainsi que d'autres documents, dont le contrat de publication de l'édition originale,

1. Voir Marie-Luce Colatrella, « Peut-on réécrire *Les Liaisons dangereuses* ? Présence de Laclos au XIXe siècle (1830-1908) », *Europe*, n° 885-886, janvier-février 2003, p. 168-184.

sont offerts à la Bibliothèque nationale par la belle-fille de l'écrivain. Si le don est accepté, nulle publicité n'entoure cette remise et Léopold Delisle ne l'inclut point parmi les événements marquants de l'année dans son *Histoire du Cabinet des manuscrits de la Bibliothèque impériale*[1]. Seuls les *happy few* ont accès à l'autographe, comme à des versions imprimées des *Liaisons dangereuses*, et l'on peut se demander si c'est la crainte de poursuites qui a fait renoncer Poulet-Malassis à son projet d'une édition préfacée par Baudelaire, qui nous vaut de célèbres notes.

Proches d'Arsène Houssaye dans leur évocation de Laclos, les Goncourt, proposant, avec la misogynie érudite qu'on leur connaît, le portrait de *La Femme au XVIIIe siècle* (1862), poursuivent une tendance répandue à leur époque et qui a souvent servi à discréditer le roman : y voir un document véridique sur la corruption des dernières années de l'Ancien Régime. Ils l'en estiment d'autant plus, tout en jugeant qu'il y a une sorte de complicité perverse dans sa complaisance à montrer un Mal social inacceptable : « Laclos écrit d'après nature ses *Liaisons dangereuses*, ce livre admirable et exécrable qui est à la morale amoureuse de la France du XVIIIe siècle ce qu'est le traité du *Prince* à la morale politique de l'Italie du XVIe[2]. » Le jugement des deux frères prend ainsi le contre-pied de la lecture contemporaine tout aussi enthousiaste de Baudelaire pour lequel Laclos fait œuvre de moraliste. Champfleury, quant à lui, n'apprécie pas le roman, à cause de l'éthique finaliste qu'il y décèle ; il l'évoque à plusieurs reprises dans ses écrits, notamment autour de la question du réalisme, et il consacre dès septembre 1864, époque à laquelle l'ouvrage n'est toujours pas disponible en librairie, un article à Laclos dans *La Nouvelle Revue de Paris*.

L'œuvre interroge ceux qui y ont accès. Assurant que *Les Liaisons dangereuses* est le plus grand et le plus grave des livres d'un siècle, à condition de s'y plonger réellement[3], Lady Midhurst, personnage de *Lesbia Brandon*, roman inachevé mis en chantier dès les années 1860 par Swinburne, exprime le point de vue de toute une génération d'hommes de lettres anglais. *Une vieille maîtresse* ou *Les Diaboliques* témoignent de la lecture

1. Voir Annie Angremy, « Les Manuscrits littéraires modernes à la Bibliothèque nationale », *Bulletin d'information de l'ABF*, n° 144, 1989, p. 14-19.

2. Paris, Firmin-Didot, 1862, p. 170.

3. Voir Simon Davies, « Laclos dans la littérature anglaise du XIXe siècle », *Laclos et le libertinage, 1782-1982. Actes du colloque du bicentenaire des « Liaisons dangereuses »*, PUF, 1983, p. 255-264. Swinburne a été influencé par Laclos pour son roman *Love's Cross Currents* (1901).

de Barbey d'Aurevilly — tenté un temps de préparer une préface pour une réédition de l'œuvre de Laclos, ce « livre d'une si hideuse beauté[1] » — qui défend l'idée d'un réalisme du roman grâce entre autres aux fautes stylistiques de Cécile. Verlaine cite un passage des *Liaisons dangereuses* en épigraphe à un poème des *Romances sans paroles* et fait de l'héroïne de son *Histoire d'un regard* l'un des modèles de la marquise de Merteuil.

La méfiance générale demeure. Laclos attire et repousse. Le cas n'est pas sans faire songer à l'attitude qui avait cours face à Sade avant la publication de ses textes par Jean-Jacques Pauvert : on pouvait librement consulter sa biographie par Gilbert Lély, mais ses œuvres n'étaient pas en circulation. Entre une petite édition de 1833-1834 « Chez les Marchands de nouveautés » et une publication bruxelloise de 1869, le catalogue de la Bibliothèque nationale ne recense aucun exemplaire des *Liaisons dangereuses*. Pour lire le roman au cours de la seconde moitié du XIXe siècle, il fallait courir les bouquinistes ou s'en procurer des versions imprimées hors de France. En effet, à l'étranger, en particulier en Belgique où des éditeurs entreprenants et cultivés faisaient des curiosa d'Ancien Régime leur fonds de commerce, l'ouvrage de Laclos est donné par Jean de Rozez en 1869, puis par Auguste Brancart en 1885. N'en paraît à Paris qu'une version tronquée : Dentu, en 1891, offre aux lecteurs, jumelé avec *Les Exercices de dévotion de M. H. Roch* de Voisenon, *Les Liaisons dangereuses* de « C. Delaclos », en moins de cent lettres, le roman s'arrêtant, alors que la marquise vient de vaincre Prévan, sur une missive de la jeune Volanges inquiète à l'idée de dérober la clef de sa chambre pour le vicomte. L'effet est curieux. Les aventures n'aboutissent pas : Cécile n'est pas violée ; Valmont ne consomme pas sa liaison avec la présidente. En 1894 enfin, Garnier reprend l'intégralité du texte. Boulanger également. Testa et Besson illustrent cette dernière version. Dès la couverture, une femme nue dépoitraillée, sur fond de fleurs des champs, laisse entendre que ce volume de la « Bibliothèque dorée » s'auréole d'un parfum de scandale.

Le livre touche une corde sensible chez les hommes du XIXe siècle finissant. La génération nouvelle découvre, avec bonheur, un texte qui paraît être à la fois un hapax et une

1. Il s'agit d'une édition prévue chez Damase Jouaust en 1884. Voir la *Correspondance générale* de Barbey d'Aurevilly, Annales littéraires de Besançon, 381, Les Belles Lettres, 1989, t. IX, p. 72. La citation de Barbey provient du tome IV de son livre *Les Œuvres et les Hommes* (1865).

métonymie, une œuvre unique et le roman emblématique de la fin des Lumières. Les traductions se succèdent. Comment ne pas mentionner, en 1898, d'un côté la version extraordinairement fine en anglais préparée par le poète Ernest Dowson — qui, entendant parachever, lors d'un séjour à Arques-la-Bataille, son texte, s'est adressé à Davray[1], le traducteur de Wilde et l'un des journalistes du *Mercure de France*, pour obtenir un exemplaire du roman de Laclos —, et de l'autre le cas d'une édition berlinoise des *Liaisons dangereuses* dans l'allemand de Richard Nordhausen, qu'illustrent pas moins de 145 vignettes de Stassen et Mützel. 1898 est aussi l'année de la mort, à l'âge de 25 ans, de la tuberculose, du talentueux Aubrey Beardsley qui, deux ans plus tôt, imaginait un frontispice pour le roman en s'appuyant sur l'édition bruxelloise de 1869. Une suite iconographique semble avoir été prévue, probablement pour la version de Dowson. Elle n'a jamais vu le jour. Le Valmont adipeux, bâtard fin-de-siècle du Louis XV de Van Loo, seule image connue de l'artiste anglais pour illustrer Laclos, a paru dès 1896 dans le numéro 8 de *The Savoy*.

En France aussi, le tournant du siècle amorce une remise au goût du jour d'un livre autour duquel deux interprétations se concurrencent. Paul Bourget invite à un réexamen du texte : ses *Essais de psychologie contemporaine* (1883) font des *Liaisons dangereuses* « une sombre planche d'anatomie morale ». Ce roman d'analyse « dans la tradition française » est en passe, pour certains, de prendre sa place parmi les classiques, comme un maillon essentiel dans une chaîne romanesque dont *La Princesse de Clèves* serait le point de départ. Maupassant le cite au milieu d'une série de fictions dans sa préface à *Pierre et Jean* (1888). Faire du roman le reflet d'une société qui a existé, jusqu'à donner Laclos, plutôt que Stendhal, pour père du réalisme français, comme dans un propos liminaire de la traduction anglaise des *Liaisons dangereuses* par Dowson, c'est vouloir réhabiliter l'œuvre en y voyant l'une des sources de la modernité littéraire. À la même époque, Pierre Louÿs va jusqu'à conseiller à sa correspondante, la journaliste Augustine Bulteau, de ne pas collectionner les paragraphes inédits d'auteurs contemporains, mais de demander plutôt, comble d'originalité, « un passage choisi par Hervieu ou Régnier dans Crébillon ou Laclos[2] » pour lancer un album d'extraits d'un

1. Lettre inédite, mai 1897 (C1325 Ernest Dowson Collection, Box 1, Folder 1, Princeton, Firestone Library).
2. Lettre sans date (lot 175, vente du 13 février 2003 à Rennes, Bretagne Enchères).

genre nouveau. Les deux écrivains cités sont des lecteurs des *Liaisons dangereuses*. Hervieu offre d'ailleurs une pâle imitation du roman dans *Peints par eux-mêmes* (1893). Ils sont alors nombreux à emboîter de manière plus ou moins distante le pas de Laclos : Valery-Lucien-François Vernier (*Les Liaisons dangereuses d'aujourd'hui et autres histoires*; 1884), Octave Uzanne (*Les Surprises du cœur*; 1881), Félicien Champsaur (*Sa fleur*; 1898) et Remy de Gourmont (*Le Songe d'une femme*; 1899) montrent combien la fiction de 1782 a pu inspirer, une centaine d'années plus tard, des romanciers d'un siècle finissant[1].

L'un des facteurs, au début du XXe siècle, du regard renouvelé sur Laclos, dont la renommée dépasse dorénavant les seuls milieux littéraires, est un anniversaire. En effet, 1903 marque le centenaire de la mort peu glorieuse à Tarente du général d'artillerie épuisé. Une activité éditoriale importante s'engage avec la multiplication d'éditions du roman — dont une comprend des variantes collationnées sur le manuscrit conservé à la Bibliothèque nationale —, la parution des lettres inédites (1904) et celle de la poésie (1908) de Laclos ainsi que la sortie des ébauches de l'auteur sur l'éducation des femmes (1903 et 1908) et des notes de Baudelaire sur le roman. L'intérêt du public paraît soutenu pour tout ce qui regarde l'écrivain. La critique n'est pas en reste. En 1904 sort un essai de Boisjolin et Mossé, *Notes sur Laclos et les « Liaisons dangereuses »*; l'année suivante paraissent à la fois *Le Général Choderlos de Laclos, auteur des « Liaisons dangereuses » 1741-1803*, une biographie de Dard, plusieurs fois rééditée, tenant comme Bourget pour un écrivain père de l'école moderne du roman d'analyse, le *Laclos, 1741-1803*, de Caussy, et les traductions allemandes de Heinrich Mann et de Franz Blei.

À la même époque, Remy de Gourmont, dans ses *Promenades littéraires* (1906), s'émeut des décisions juridiques d'antan : « Comment qualifier le jugement qui condamne à la destruction un des chefs-d'œuvre du roman français, *Les Liaisons dangereuses*? C'est du pur vandalisme. » Son indignation trahit les efforts qu'il fallait encore faire pour imposer le roman comme autre chose qu'une histoire scabreuse d'autrefois. Il devenait pourtant difficile de passer à côté du livre de Laclos, même si l'on n'était pas lecteur de fiction. Un seul épisode, celui des « inséparables », fournit la matière de *Monsieur de Prévan ou le*

1. Sur ce Laclos tournant-de-siècle, voir Marie-Luce Colatrella, *Ce hideux chef-d'œuvre. Lectures, traductions, illustrations des « Liaisons dangereuses ». France, Allemagne, Angleterre. 1860-1914* (Université de Paris IV, 2005).

Législateur de Cythère, une curieuse comédie de trois actes en vers due à Gumpel et Delaquys, créée à l'Odéon le 30 mai 1907, au moment d'une effervescence éditoriale autour de Laclos. Journaliste à la mode, Prévan entreprend par défi de séduire trois femmes d'origine modeste qui font carrière grâce à leurs amants. Tout finit heureusement après des épisodes dans le cabaret de Ramponneau et le passage sur scène de trente-quatre personnages dont Mme de Genlis, des buveurs et une harengère. Nous sommes assez loin des *Liaisons dangereuses* et le livret fort mince ne laisse rien passer de l'esprit du roman.

La même année, nouveau témoignage de l'intérêt renouvelé accordé au livre de Laclos, est jouée une autre comédie en trois actes fort différente. Due à Nozière, elle a été créée — tout comme *Ernestine* avant la Révolution — sur une scène privée, en l'occurrence à Maisons-Laffitte, chez Robert de Clermont-Tonnerre. La première publique a lieu au Femina le 12 novembre 1907. Quelques libertés sont prises avec l'intrigue. Le dramaturge se veut moraliste, le théâtre devant, selon lui, servir à l'édification des spectateurs. S'il trouve juste le châtiment de Valmont, séducteur de la présidente et de Cécile, il refuse d'infliger à la marquise la petite vérole : « Il semble que les écrivains aient choisi cette maladie pour frapper les belles [...]. C'est une revanche cruelle qu'ils accordent aux laides qui sont demeurées sages. Nombre d'honnêtes femmes se sont réjouies en songeant que des figures jolies et triomphantes avaient été, — enfin — ravagées par un microbe équitable. Je n'ai pas eu le courage de leur accorder cette satisfaction et j'ai respecté l'irrésistible grâce de la divine Marquise. » Paradoxalement, malgré les affirmations d'ouverture, la pièce de Nozière parvient ainsi à garder quelque chose de l'ambiguïté de la fiction de Laclos à laquelle elle emprunte nombre de répliques.

Un autre écrivain, Henry Roujon, se réjouit du renouveau d'intérêt qu'il perçoit, mais y voit un phénomène de mode : « nous rendons enfin à Laclos la place qui lui appartient dans l'histoire des lettres. [...] Admirer Laclos sera une des élégances de cet hiver. Ses contemporains n'osèrent jamais aller jusque-là. Ils dévoraient son livre et n'osaient avouer qu'ils l'aimaient. Ce fut un succès en marge de la littérature. Et toute la vie de Laclos se développa ainsi, en marge de la gloire, en marge du génie, en marge du bonheur. Sa renommée n'est pas encore classée. » Il décèle une conspiration du silence des historiens de l'esprit français autour de l'auteur dont l'unique livre est un chef-d'œuvre : « Ouvrez un manuel d'histoire littéraire. Si vous y trouvez le nom de Laclos, ce sera dans la cachette d'une note, au bas de la page, ou sous quelque alinéa un peu honteux. Les générations se sont transmis à son égard une sorte de pharisaïsme effaré[1]. »

Au milieu de cette activité éditoriale, le silence de l'Université est en effet étourdissant. « Pour les critiques et les historiens littéraires, *Les Liaisons dangereuses* n'existent pas[2]. » C'est Léon Blum qui l'affirme, en 1908, au détour de l'évocation d'une adaptation théâtrale du roman. De telles remarques ont-elles piqué Gustave Lanson ? Ou est-ce plutôt le résultat de cet *annus mirabilis* pour Laclos que fut 1908, avec ses publications diverses — et parmi elles un roman de Tristan Bernard, *Deux amateurs de femmes*, dont les personnages sont, d'après la préface, « hantés par les souvenirs de Laclos » —, si, dès l'année suivante (1909), une nouvelle édition de l'*Histoire de la littérature française* accorde, du bout des lèvres, une petite place au roman. Crébillon fils et Laclos sont célébrés comme hommes de talent, *Les Liaisons dangereuses* qualifié de « chef-d'œuvre du roman d'analyse ».

Tout en restant, pour la majorité des auteurs de manuels et d'histoires littéraires, de ceux que l'on ne cite pas, dont le nom même fait frémir, petit à petit Laclos gagne en acceptabilité et en popularité. Les éditions se multipliant, chacun peut se faire une impression. Fer de lance du combat en faveur du romancier, des écrivains, qui reconnaissent un de leurs pairs talentueux. Le *Mercure de France* s'en fait l'écho à de multiples reprises, face à une méfiance de la critique « officielle ». Ce qui réhabilite le roman dans les milieux universitaires est peut-être, le propos de Lanson semble le confirmer, la tendance à y voir une étape essentielle dans la généalogie du roman d'analyse à la française. En ces années où Freud fascine la classe intellectuelle, *Les Liaisons dangereuses*, avec son intrigue fondée sur des manipulations, suscite l'intérêt de gens de lettres portés par l'idée d'une approche psychologique de la littérature, et semble donner corps à des théories de la perversion. Face à l'interprétation selon laquelle l'ouvrage serait la peinture réelle d'un monde corrompu, ou même un roman à clef, sorte d'autofiction avant l'heure, une autre le tient au contraire pour un livre froid, calculé. L'artilleur, dont la *Lettre à Messieurs de l'Académie française sur l'Éloge de M. le maréchal de Vauban, proposé pour sujet du prix d'éloquence de l'année 1787*,

1. *En marge du temps*, Hachette, 1908, p. 191-192.
2. Léon Blum, « Impressions et commentaires : *Les Liaisons dangereuses* », *Grande Revue*, 10 mai 1908, p. 156-168.

publiée en 1786, avait fait scandale, par son intelligence impertinente, dans les milieux militaires, et qui proposait en 1787, dans un *Projet de numérotage des rues de Paris*, de quadriller la capitale pour offrir des repères d'orientation aux habitants, aurait été géomètre à ses heures, créant pour sa fiction une mécanique froide et implacable à l'image des projets de séduction échafaudés par son couple infernal. Apollinaire assure ainsi que « Des mesures angulaires calculées par Laclos naquit l'esprit littéraire moderne ». Baudelaire l'aurait découvert, respirant avec délices « les bulles corrompues qui montent de l'étrange et riche boue littéraire de la Révolution » et de l'œuvre du fils intellectuel de Rousseau et de Richardson, Laclos[1].

Régnier, Gide, Giraudoux, Malraux, Suarès… la liste est longue des écrivains qui ont continué de clamer haut et fort les qualités du livre. L'un des ouvrages les plus mystérieux inspirés par *Les Liaisons dangereuses* paraît en 1926 sous le titre *Les Vrais Mémoires de Cécile de Volanges. Rectifications et suite aux « Liaisons dangereuses »*. Cécile tente de remettre les pendules à l'heure en dénonçant certaines interprétations de ce Laclos qui a décidément voulu la faire passer pour plus sotte qu'elle n'est. Elle conte son histoire, ses amours nobiliaires, ancillaires, étrangères, ses pérégrinations, ses maternités, sa vengeance sur la marquise de Merteuil.

Romancier à ses heures, mais surtout critique, Augustin-Thierry publie en 1930 un essai sur le roman, dont il analyse les mérites et les défauts, pour une collection intitulée « Les Grands Événements littéraires ». Deux ans plus tard, grâce à Maurice Allem, l'œuvre est publiée pour la première fois dans la Bibliothèque de la Pléiade, qui n'est pas encore passée dans le giron de Gallimard. Laclos se retrouve en compagnie de Baudelaire, de Racine, de Voltaire, de Poe, de Musset et de Stendhal, revanche éclatante s'il en est sur ceux qui le condamnaient comme un auteur du second rayon : habillé de chagrin discret, son roman peut désormais figurer en bonne place dans les meilleures bibliothèques.

L'après-guerre confirme que le livre est entré dans l'ère de l'analyse. Roger Vailland offre en 1953, dans *Laclos par lui-même*, une sélection de textes et une introduction éclairante, malgré les présupposés politiques qui l'informent. Une première thèse consacrée au roman est publiée, celle de Jean-Luc

1. Guillaume Apollinaire, *Œuvres en prose complètes*, Bibl. de la Pléiade, t. I, p. 873.

Seylaz : « *Les Liaisons dangereuses* » *et la création romanesque chez Laclos* (1958). Elle est suivie dix ans plus tard par la somme de Laurent Versini, *Laclos et la tradition*, qui situe, avec une érudition impeccable, l'œuvre dans un contexte littéraire. André et Yvette Delmas avaient déjà recueilli, en 1964, une première liste d'imitations et de suites des *Liaisons dangereuses* pour mettre en évidence l'importance fondamentale du texte dans l'évolution de la littérature. Depuis, les travaux se multiplient ; les éditions aussi. Le roman est de tous les cursus, de tous les concours, de tous les programmes, du baccalauréat à l'agrégation de lettres. Les publications, articles et livres, foisonnent. Le bicentenaire de l'édition originale a été marqué par un important colloque. Celui de la mort de Laclos par une rencontre à Tarente, mais aussi, et surtout, par la parution d'un numéro de la revue *Europe* et une première présentation de l'iconographie des *Liaisons dangereuses*. Les études se succèdent. Elles prennent souvent appui sur les avatars récents du livre : pièces et films.

Certaines grandes œuvres littéraires ont suscité ce que l'on peut appeler, avec Gérard Genette, des désirs « palimpsesteux ». *Madame Bovary* en est. *Les Liaisons dangereuses* également, de manière exceptionnelle, et ce, depuis deux siècles. S'il y a eu une floraison d'imitations allusives au lendemain du succès premier du livre, et, autour de 1900, une série de petites fictions épistolaires de la main de lecteurs de Laclos, ce ne sont pas, loin de là, les seuls dérivés du roman. Ceux-ci, comme en témoigne l'anthologie incluse en fin de volume, prennent des formes diverses. Le premier, peut-être, à s'être emparé d'un des héros fictifs pour lui faire vivre d'autres aventures est « P », un Allemand inconnu ou, du moins, le traducteur non identifié de l'une des versions allemandes des *Liaisons dangereuses*, publiée à Leipzig en 1798-1799. Il complète le roman par la narration, dans une postface, du devenir de Mme de Merteuil qui se fait criminelle avant de se repentir et de se consacrer aux autres. L'interprétation tente de redonner un sens moral au monde bouleversé de la fiction de Laclos. D'autres sont mus par la volonté de profiter du succès du livre ou de remettre en lumière l'un ou l'autre des personnages. La variété des formes et des choix ne laisse pas d'étonner.

Récrire un recueil épistolaire pour la scène ou l'écran peut sembler impossible. Un propos de José Cabanis qui oppose les charmes lents du roman à la rapidité nécessaire au théâtre pourrait le faire croire : « Je me souviens d'une pièce tirée des *Liaisons dangereuses* : Valmont était obligé de séduire la présidente tambour battant. Ce n'était plus un libertin : un hussard. Or, que nous importe la victoire sans les approches[1] ? » Pourtant, dès la parution du livre, nous l'avons vu, les dramaturges s'en inspirent. Certains épisodes sont théâtraux en soi, comme la remise de la clef de la chambre de Cécile telle que le vicomte la met en scène dans la lettre LXXXIV. Les allusions à l'univers du spectacle — Valmont bienfaiteur des pauvres en héros de drame larmoyant — et les citations de vers, dont celui du *Méchant* de Gresset par Mme de Merteuil dans la lettre LXIII, sont fréquentes au sein même du roman. Des modifications — des sacrifices souvent — demeurent nécessaires pour mettre en dialogues l'œuvre de Laclos, même si le resserrement des péripéties autour d'une poignée de personnages élimine certaines contraintes. On observe d'ailleurs qu'avant la radio et le cinéma, qui permettent de recréer l'intime, plusieurs adaptations réussies ont commencé sur des scènes privées ou dans de petits théâtres.

L'on ne s'étonnera pas non plus que l'une des versions scéniques, celle de Paul Achard, ait été créée à la radio en 1950, avant d'être montée pour la première fois le 15 mars 1952 au théâtre Montparnasse-Gaston Baty. La pièce est bien reçue, comme un « rajeunissement » peu interventionniste qui prend la logique théâtrale pour guide. De longueur inégale, ses huit tableaux mettent le roman en dialogues dans des cadres divers : le boudoir de la marquise, l'oratoire de la présidente, la propriété rurale de la tante de Valmont, le couvent des Feuillantines où meurt Mme de Tourvel, entourée par Mmes de Rosemonde et de Volanges.

L'essor des adaptations et réécritures se confirme au cours de la seconde moitié du siècle. En 1957, *Les Amants* de Roger Margerit emprunte certaines structures de la fiction de Laclos pour une histoire contemporaine de séduction d'innocents. Vers la même époque, un renouveau d'une tout autre nature préside à la version filmique du roman préparée par Roger Vadim et Roger Vailland, *Les Liaisons dangereuses 1960*, qui se déroule à Paris, à Megève et à Deauville, au milieu du XXe siècle. Mariés, mais libres à l'intérieur de leur union, Juliette — le personnage qui correspond à la marquise de Merteuil de Laclos — et Valmont sont incarnés par Jeanne Moreau et Gérard Philipe. Ils croisent Annette Vadim en Tourvel, Jean-Louis Trintignant en Danceny, Jeanne Valérie en Cécile ou encore Boris Vian, peu avant sa mort, en Prévan. Le milieu est celui des diplomates et de la grande bour-

1. José Cabanis, *Plaisir et lectures*, Gallimard, 1964, p. 254.

geoisie française. Le téléphone et un magnétophone permettant d'écouter le message enregistré par Danceny pour Cécile constituent des avatars modernes de certains courriers de Laclos. Quant à Juliette, elle n'est pas défigurée par la petite vérole, mais par une grave brûlure au visage subie au moment où elle tente, après la mort subite de Valmont lors d'un pugilat avec Danceny, de faire disparaître des documents compromettants. Un demi-siècle après sa sortie, le film frappe encore par son intelligence et le jeu subtil des acteurs.

La même Jeanne Moreau, près d'un demi-siècle plus tard, montait sur scène au Palais des papes à Avignon à l'occasion du soixantième anniversaire du festival, le 9 juillet 2007, pour lire, face à Sami Frey, le rôle féminin d'une réécriture étonnante des *Liaisons dangereuses* : *Quartett* (1981) de Heiner Müller, pièce d'échos et de souvenirs, confronte Merteuil et Valmont seuls, qui parlent pour eux-mêmes et leurs victimes, entre « un salon d'avant la Révolution » et « un bunker d'après la troisième guerre mondiale. » Les voix comme désincarnées dans un quatuor dérisoire à deux semblent redécouvrir la profondeur d'une souffrance qui peut être dite et non montrée.

Si la multiplication des transpositions au cours des siècles peut paraître étonnante, *Les Liaisons dangereuses* doit l'essentiel de sa célébrité actuelle à des films qui s'inspirent d'une autre pièce de théâtre. Préparée par un diplômé de lettres françaises d'Oxford, traducteur d'œuvres théâtrales à ses heures, Christopher Hampton, une adaptation du roman de Laclos (qui en garde le titre) est montée à Stratford-upon-Avon, avec vingt-trois représentations prévues, dans le petit théâtre de la Royal Shakespeare Company, « The Other Place ». La création a lieu le 18 septembre 1985. Le succès est immédiat ; transférée à Londres, la pièce remporte tous les prix. Elle sera rapidement traduite en français et jouée à Paris. Par le biais du cinéma, un peu plus de deux siècles après sa parution et une centaine d'années après un regain d'intérêt certain, le roman allait conquérir, dans la foulée, un nouveau public. En effet, en 1989, deux grands réalisateurs, Stephen Frears et Miloš Forman, ont souhaité présenter une version du spectacle anglais.

Les Liaisons dangereuses et *Valmont* ont, à leur tour, donné un relief nouveau au livre. Le film de Stephen Frears s'est imposé auprès du public comme l'adaptation de référence du roman de Laclos. Tourné dans de beaux décors — dont l'abbaye de Panthemont — avec des costumes luxueux et un couple de libertins joué par des acteurs de premier rang (Glenn Close et John Malkovich), il conclut sur une fin des artifices avec un

Valmont véritablement amoureux qui se jette sur l'épée de Danceny, et une Merteuil dont on découvre le vrai visage derrière le maquillage mondain.

Miloš Forman offre à bien des égards la contre-épreuve de l'adaptation de Stephen Frears. L'intrigue est revue : Gercourt veut rompre avec la marquise pour épouser Cécile. L'union aura bien lieu mais la jeune femme enjouée est alors enceinte de Valmont. Ce dernier n'est pas parvenu à renouer avec Mme de Merteuil qui s'est consolée dans les bras de Danceny. Le film est drôle, parfois sans subtilité, mais il a des échos d'un certain comique des Lumières, présent dans quelques scènes du roman, et que les versions modernes négligent le plus souvent.

Nombre d'adolescents ont été séduits, au cinéma, par *Cruel Intentions* (1999). Roger Kumble y situe l'intrigue des *Liaisons dangereuses* dans un lycée américain où les rapports humains sont compliqués par la circulation de drogues ou encore des désirs quasi incestueux. Plus audacieux encore, et très réussi dans son esthétique, le long-métrage de Lee Jae-yong, *Scandale* (2003), transpose les grands traits de l'histoire en Corée au XVIIIe siècle. Cécile devient Soh-ok, la nouvelle concubine de l'époux d'une Merteuil orientale, Lady Cho, Tourvel une veuve sage convertie au catholicisme, Lady Sook. *Michael Lucas' Dangerous Liaisons*, un film pornographique de 2005, démarque en partie les aventures des personnages de Laclos et les resitue dans un milieu homosexuel qui gravite autour de l'industrie newyorkaise de la mode. La télévision n'est pas en reste — en particulier avec le téléfilm de Josée Dayan qui réunit notamment Catherine Deneuve, Natassja Kinski et Rupert Everett (2003).

Des imitations et adaptations nombreuses ont été publiées au lendemain des transpositions cinématographiques. Certaines font référence au roman, d'autres à des versions filmiques ou dramatiques, comme si l'histoire était plus connue, désormais, par ses médiatisations que par le texte même de Laclos. Le héros de *Fanfare* (2002) d'Emmanuel Adely assiste à une représentation d'un opéra tiré des *Liaisons dangereuses* — et il y en a eu plusieurs[1] — alors qu'il réfléchit sur sa vie, ses relations et son avenir. Le roman de Marc Lambron, *La Nuit des masques* (1990), fait allusion à la pièce de Hampton. Paru la même année, *Les Successions amoureuses* de Georges-Noël Jean-

1. *Les Liaisons dangereuses. Opéra épistolaire* de Claude Prey (Strasbourg, 1974), *The Dangerous Liaisons* de Conrad Susa et Philip Littell (San Francisco, 1994) et *Les Liaisons dangereuses* de Piet Swerts et Dirk van der Cruysse (Gand, 1996).

drieu comprend 28 lettres rédigées entre le 21 juin 1989 et le 3 janvier 1990. Ayant vu, le 23 avril 1989, le film de Frears, les personnages jouent à l'anti-Merteuil et à l'anti-Valmont.

S'inscrivant dans une durée bien plus longue que *Les Liaisons dangereuses*, *Les Raisons dangereuses* (2002) de Valentine Chaumont se compose de 164 lettres qui s'échelonnent d'un 21 juillet à un 12 février, cinq ans après, sans qu'il y ait d'indication du millésime. Si, dans des textes inspirés par Laclos, Gourmont ou Champsaur avaient inclus des télégrammes, les réécritures actualisent parfois, avec plus ou moins de bonheur, la forme choisie grâce à des courriels ou à des sms. « Sarah K. » relève le défi de donner, dans *Connexions dangereuses* (2002), une version du roman pour les collégiens et lycéens d'aujourd'hui. Virginie et Bastien sont des Merteuil et Valmont au petit pied qui entreprennent de nuire à deux camarades de classe, Delphine, arrivée fraîchement d'une école de sœurs en Afrique du Sud, et Audrey, une fille mal dans sa peau dont on apprend qu'elle a été victime d'abus sexuels. Textos, lettres et journal livrent des tranches de vie de jeunes gens dont les actes inconsidérés engendrent des conséquences épouvantables. Proche de cet ouvrage de littérature de jeunesse à la fois par sa réactualisation des formes — il va jusqu'à inclure des courriers électroniques — ainsi que par sa fin tragique — la Tourvel moderne se suicide par défenestration —, *Nous sommes cruels* de Camille de Peretti (2006) témoigne d'un engouement pour les protagonistes de Laclos parmi des adolescents privilégiés d'aujourd'hui. Tout comme son héroïne, la romancière avoue s'être prise à une époque pour Mme de Merteuil, et l'équivalent de la marquise dans son roman s'appelle… Camille de Peretti.

Certains auteurs, moins marqués par l'influence des adaptations cinématographiques, ont adopté dans leurs fictions « palimpsestueuses » des stratégies narratives autres. Si la grande romancière néerlandaise, Hella S. Haasse, retient, en 1976, la forme épistolaire pour *Une Liaison dangereuse. Lettres de La Haye*, elle fait dialoguer par-delà les siècles Mme de Merteuil, réfugiée en Hollande après la fin des aventures narrées par Laclos, et une femme du XXe siècle qui l'interroge sur ses choix. Entre la Russie et la Belgique, *Passage des éphémères* (2006) de Jacqueline Harpmann propose, au sein d'une intrigue qui en renouvelle de nombreux enjeux, de subtiles allusions aux *Liaisons dangereuses*. D'autres ont préféré rédiger des textes sous forme d'autobiographies fictives. Redonnant, comme Hella Haasse, la parole à la marquise, établie aux Pays-Bas, Christiane Baroche publie, en 1987, *L'Hiver de beauté*. Là encore, une forme de modernité du personnage est mise en valeur par un échange au-delà des siècles, en l'occurrence avec une descendante. C'est le langage même de la marquise qui subit une sérieuse cure de jouvence chez l'un des plus talentueux parmi les « suiveurs » de Laclos à l'aube du XXIe siècle, Laurent de Graeve. On lui doit un ouvrage au titre ambigu, *Le Mauvais Genre* (2000). Il joue tout d'abord sur le genre littéraire : son livre comprend le journal de Mme de Merteuil entre le 7 janvier, lendemain de la mort de Valmont, et le 13, avec une lettre à Cécile dans laquelle la diariste révèle des penchants saphiques confirmés que le roman pouvait laisser imaginer. Le *gender* anglo-saxon informe aussi le texte. Les relations des uns et des autres sont incestueuses — la fille de Mme de Volanges serait née d'une liaison avec le vicomte. Le tout est raconté sur un ton souvent euphorique, dans une langue énergique et qui ne craint pas le terme propre. La marquise de Laurent de Graeve a mauvais genre à plus d'un titre[1], tout comme celle de Philippa Stockley, héroïne d'une fiction épistolaire réjouissante, *A Factory of Cunning* (2005), dont l'héroïne tient à Londres le plus élégant des bordels.

*

Trois grandes étapes marquent la réception des *Liaisons dangereuses*. Une réaction immédiate témoigne de la reconnaissance du public qui y voit un écrit exceptionnel, alors même que la plupart des journalistes restent silencieux. Tout le monde — ou presque — lit l'ouvrage, même si certains feignent, par décence, de n'avoir fait que le parcourir. Les éditions se multiplient, nombre d'entre elles sont illustrées, souvent par des artistes de talent, Le Barbier, Fragonard fils, Mlle Gérard, Monnet, Devéria… Les allusions de mémorialistes de l'Empire et de la Restauration confirment par leurs commentaires la présence, comme une référence partagée par toute une génération, de souvenirs des manigances de la marquise de Merteuil et du vicomte de Valmont, de la mort tragique de la présidente. Les hommes de lettres deviennent ensuite les champions d'un écrivain dont ils admirent l'incontestable talent. Dans un troisième temps, la reconnaissance universitaire vient couronner l'ouvrage, prolongée et relayée par des adaptations qui touchent un large public.

1. Pour une autre lecture « canaille » de la marquise, qui est rebaptisée Marie-Hortense, voir « Deux lettres oubliées de Mme de Merteuil », *Digraphe*, n° 63 (1993), p. 81-83.

Si l'actualité des *Liaisons dangereuses* est incontestable, il est légitime de se demander de quelles *Liaisons dangereuses* il est question. Souvent, il faut bien le dire, il s'agit des *Liaisons dangereuses* médiatisées par une série de films qui donnent du livre des versions pour notre temps. La malléabilité extraordinaire de l'œuvre, qui permet de la retrouver aussi bien dans les effusions adolescentes des personnages de Kumble que dans la Tourvel glacée du Coréen Lee Jae-yong, dans les sursauts hilares de Cécile, héroïne de la version divertissante de Forman, que parmi les neiges de Megève et les salons parisiens de Vadim et Vailland, pousse à s'interroger. Est-ce une analyse classique et hors du temps ou un ouvrage profondément enraciné dans une époque décadente ? L'œuvre de Laclos est sans doute tout cela à la fois, ce qui constitue sa force. Baudelaire définit, dans *Le Peintre de la vie moderne*, la modernité comme une part de périssable mâtinée d'intemporel, « le fugitif, le transitoire, le contingent, la moitié de l'art, dont l'autre moitié est l'éternel et l'immuable ». La définition vaut pour le roman de Laclos et le rend, justement, malgré les conventions mondaines ou les obligations désuètes, d'une surprenante modernité.

Certains enjeux appartiennent à un contexte socioculturel : la possibilité de rompre un contrat de mariage si la fiancée n'est pas vierge, la crainte du qu'en-dira-t-on dans une relation entre adultes consentants qui conduit Mme de Merteuil à cacher ses amours clandestines derrière un masque de respectabilité des plus convaincants. Des ressorts principaux du livre, plusieurs sont en revanche encore d'actualité : les vengeances amoureuses, les projets de débaucher une innocente ou une épouse vertueuse. Les ressorts et la psychologie des personnages, les fantasmes déployés — qu'ils soient ou non assouvis — sont de tous les temps. Les gestes de séduction sont reconnaissables au-delà des préjugés de classe de l'Ancien Régime. Réduire l'intrigue à la décision, par vengeance, de détourner une mineure et, par défi, de faire chuter une femme fidèle, c'est proposer un schéma atemporel. La simplicité de l'histoire contraste avec l'extrême sophistication du piège tendu par les deux libertins, de la forme littéraire choisie par Laclos.

Le genre choisi contribue en effet puissamment au succès de l'original et à la fascination qu'il exerce. « Le roman épistolaire, quand il ne s'élève pas à la hauteur philosophique des *Liaisons dangereuses*, est, crois-le, bien intolérable et ne dupe personne[1]. » Un personnage d'Octave Uzanne, fin connaisseur

1. Octave Uzanne, *Les Surprises du* cœur, Paris, Rouveyre, 1881, p. 43-44.

Laclos, l'affirme dès 1881. Aucun roman épistolaire, il est vrai, ne possède à la fois cette perfection structurelle et cette profondeur réflexive. Pour les contemporains de Laclos, le genre était des plus familiers. La plupart des premiers lecteurs des *Liaisons dangereuses* avaient soupiré avec la marquise de M*** des *Lettres* de Crébillon, tremblé pour la *Clarisse* de Richardson, frémi des turpitudes du scélérat des *Malheurs de l'inconstance* de Dorat — qui mettait déjà une complicité libertine au cœur d'un projet de corruption — et, surtout, « senti » passionnément avec Julie et Saint-Preux, les héros de *La Nouvelle Héloïse* de Rousseau, œuvre qui par le biais d'allusions diffuses offre un discret contrepoint au roman de Laclos. De Crébillon, de Mme de Lafayette, ou encore de dramaturges, de Racine à Gresset, il reste des échos. Mais cette tradition littéraire complexe et bigarrée, caractéristique des connaissances d'un homme cultivé de l'Ancien Régime finissant, rencontre un esprit du temps, celui d'une société désœuvrée qui trompe son ennui dans la surenchère des listes, comme dans un culte outré des apparences, et une architecture littéraire portée à son pinacle depuis l'étape inaugurale et essentielle des *Lettres persanes*.

Le phénomène de la polyphonie épistolaire permet d'exposer, sans médiation apparente, différents points de vue, de susciter d'infinies possibilités et de montrer des personnages qui ne sont ni noirs, ni blancs. De ce kaléidoscope de subjectivités surgissent parfois des interprétations contradictoires ou des convergences insoupçonnées. La présidente fait espionner Valmont. N'est-ce pas là une démarche fort éloignée du comportement d'une femme du monde au-dessus de tout soupçon ? Le même Valmont, mettant en scène, pour la duper, une rencontre attendrissante dont Greuze aurait pu représenter la conclusion, n'est-il pas pris par le bonheur inattendu d'avoir fait une bonne action ? Danceny juge sévèrement Cécile lorsqu'il apprend qu'elle a dû céder à Valmont mais ne s'interroge pas sur son propre comportement auprès de la marquise. L'une des grandes forces du texte de Laclos, et qui lui permet de garder toute sa saveur, est justement à rechercher dans cette complexité des personnages dont aucun n'est totalement sympathique, mais aucun non plus révoltant en tout, du moins aux yeux de nos contemporains.

Les réactions des lecteurs des XVIIIe et XIXe siècles, lorsqu'ils dénoncent l'ouvrage, se cristallisent surtout sur la perfidie des héros en se concentrant sur la figure de Mme de Merteuil. Valmont est peut-être une version aggravée du Lovelace de Richardson, un « scélérat méthodique », un « méchant », tel qu'on en trouve dans la pièce de Gresset ou dans *Les Malheurs de l'inconstance* de Dorat, mais la marquise n'aurait pas de modèle littéraire identifiable. La noirceur de la femme révolte. Dès avril 1782, Mme Riccoboni s'en émeut dans un échange de lettres avec celui qui avait adapté son *Ernestine* sans grand succès et se demande s'il est légitime de tout montrer. Quant au poète anonyme dont les vers se retrouvent, en juillet de la même année, au sein du *Mercure de France*, il montre que les turpitudes de l'héroïne de Laclos dépassent les modèles antiques :

Monstres de luxure et d'orgueil,
Les Saufeïa, les Thimèles,
Pour le malheur de Rome, hélas ! furent trop belles ;
Mais celles qu'on nous peint sous le nom de Merteuil,
Est-ce chez les Romains qu'on en prit les modèles[1] *?*

Le pasteur Chaillet, embarrassé face à la moralité suspecte de l'œuvre, ne manque pas de saluer, dans son compte rendu de décembre 1782, cette créature romanesque originale : « Son caractère est tout entier de génie. Il est dessiné et soutenu avec une singulière vigueur : il est tout neuf. Une longue lettre d'elle en donne la clef ; et cette lettre, la meilleure peut-être de tout le recueil, est un chef-d'œuvre en son genre. » Invention d'un auteur qui mit plusieurs fois en chantier un essai sur l'éducation des femmes et, plus largement, sur leur condition, la marquise est le produit monstrueux d'une société qui ne l'est pas moins. Elle révulse une lectrice comme Mme de Genlis, qui affiche un dehors irréprochable en publiant des textes édifiants, mais dont la vie personnelle fait jaser, et qui écrit du roman : « Il n'y a nul talent dans la conception de la femme perverse qu'il représente ; elle est seulement grossière et dégoûtante[2]. » Robert Kemp ajoute pour sa part : « La monstrueuse marquise m'inspire autant d'horreur qu'à Mme Riccoboni, mais je suis fier du Français qui l'a peinte[3]. »

Si Baudelaire évoquait déjà une « Ève infernale », la fascination

1. *Mercure de France*, 13 juillet 1782, p. 48-50. En guise d'aide-mémoire pour le lecteur distrait, ou qui serait rentré tardivement de la campagne, restant dans l'ignorance des succès littéraires du moment, une note identifie Merteuil : « C'est le nom d'un personnage du Roman des *Liaisons dangereuses.* » Cela confirme qu'il est encore acceptable de n'avoir point lu le livre, non de n'en avoir pas entendu parler.

2. *Mémoires inédits de Mme la comtesse de Genlis, sur le* XVIII*e siècle et la Révolution française, depuis 1756 jusqu'à nos jours*, t. IV, p. 11-12.

3. Robert Kemp, « Autour de Mme de Merteuil (Choderlos de Laclos) », *La Vie des livres*, Albin Michel, 1955, p. 28-35.

pour le personnage à l'époque moderne procède d'une lecture renouvelée. On a voulu en effet, dans la foulée d'un article de Dominique Aury[1], mettre en évidence le féminisme de la marquise contestataire. Elle est sans aucun doute hors normes, pour son temps, comme pour le nôtre. Elle est cependant plus individualiste que féministe, menant son combat pour elle seule — Valmont ne la dépeint-il pas comme une sorte de monstre amphibie, évoquant « les mille et mille caprices qui gouvernent la tête d'une femme, et par qui seuls vous tenez encore à votre sexe » (LXXVI). Mme de Merteuil ne témoigne que mépris envers ses semblables. On a pu interpréter son discours comme l'aboutissement ironique d'un matérialisme cartésien ou comme un dévoiement du programme des Lumières[2]. À la fois unique et incarnation d'un type littéraire destiné à un bel avenir — elle inspire par exemple en 1790 *La Femme jalouse* de Ségur —, elle constitue, dès la parution du livre, l'une des figures qui jalonnent, au pays de la fiction, le parcours de révolte de la femme supérieure contre un milieu inégalitaire.

Si les manigances des deux libertins sont épouvantables, le lecteur ne peut manquer d'être admiratif face à leur intelligence. En poussant plus loin, il sera forcé de se demander si le comportement de Mme de Merteuil n'est pas un reflet direct d'une société dans laquelle le sort de la femme, même riche, noble et émancipée de la tutelle d'un parent mâle, père, époux ou frère, n'était guère enviable. La marquise se mesure implicitement à tout homme et méprise souverainement le sexe fort autant que le sien propre. Elle paraît trouver dans le vicomte un égal, mais aussi un rival. Leur complicité est au centre de l'histoire et leur mésentente en précipite le dénouement tragique. L'*Odi et amo* que formule Valmont, dans un écho dérisoire de Catulle[3], pour dire ses sentiments à l'égard d'une présidente dont il a entrepris la conquête par procédé, est également à lire comme la tension matricielle dans laquelle s'inscrivent les relations entre la marquise et le vicomte, voire plus généralement entre les sexes, dans un monde qui dénonce l'imposture sociale du mariage et laisse entendre l'impossible quête de légitimité des femmes. Ici, l'antagonisme est aussi

1. « La Révolte de Mme de Merteuil », *Cahiers de la Pléiade*, n° XII, printemps-été 1951, p. 91-101.

2. Voir Anne Deneys-Tunney, *Écritures du corps. De Descartes à Laclos*, PUF, 1992, p. 306. – Dider Masseau, « Le Dévoiement des Lumières », *Europe*, n° 885-886, p. 18-33.

3. Voir la lettre C : « Il n'est plus pour moi de bonheur, de repos, que par la possession de cette femme que je hais et que j'aime avec une égale fureur. »

reconnaissance de l'autre, identification d'un ennemi — ou d'une victime — à sa mesure, comme si, plutôt que nouvelle Dalila, Mme de Merteuil revêtait, face à Valmont, les oripeaux dérisoires d'un Achille vaincu par Penthésilée, consciente, trop tard, de la valeur de l'homme qu'elle a perdu, dans tous les sens du terme. Le vicomte meurt et semble faire amende honorable en déclarant son amour pour Mme de Tourvel et en révélant, par la remise de sa correspondance à Danceny, son inconduite et la perfidie de la marquise. Celle-ci survit. Elle est certes défigurée, mais par un mal que connaissent bien ses contemporains. Force est de constater, au siècle des Lumières, que la variole tue et déforme en effet dans l'Europe entière sans faire de quartier aux innocents. Dans une critique manuscrite, La Harpe le souligne dès mai 1782 : « la plus honnête femme peut être défigurée par la petite vérole et ruinée par un procès. Le vice ne trouve donc pas ici sa punition en lui-même, et ce dénouement sans moralité ne vaut pas mieux que le reste ». Rien n'empêche alors de mettre en scène les aventures ultérieures de Mme de Merteuil, partie en Hollande par exemple, selon les indications du texte de Laclos, suivies au XXe siècle, nous l'avons vu, par deux héritières de l'auteur, Hella Haasse et Christiane Baroche, ou même d'imaginer, à l'instar d'autres écrivains de notre temps, Laurent de Graeve dans *Le Mauvais Genre* ou encore Philippa Stockley dans *A Factory of Cunning*, que la marquise aurait faussement diffusé la nouvelle d'une maladie toute romanesque.

Autour de Mme de Merteuil et des relations entre le couple de libertins, une question semble demeurer irrésolue. Elle explique en partie le succès continu du livre : comment faut-il lire le texte de Laclos ? Le roman offre-t-il une analyse hors pair du Mal et d'esprits pervers, ou constitue-t-il une peinture complaisante des contemporains ? Montre-t-il la réalité ou déforme-t-il artificiellement les caractères en les outrant à l'excès ? L'immoralité élégante de la société représentée est-elle à admirer ou à déplorer ? Un témoignage froid n'est pas une dénonciation. L'approche des uns et des autres face au roman ne manque pas de tenir compte de cette question : faut-il se détourner du livre ou le condamner ? Si l'on ne condamne pas, est-on complice ? Tout lecteur n'est-il pas lui-même entraîné dans les manipulations libertines ? Le piège ne se referme-t-il pas sur nous, tout autant que sur les personnages ? Au cœur de la réception des *Liaisons dangereuses*, de telles interrogations témoignent de l'ambiguïté ressentie à la lecture du livre. D'aucuns l'ont pu juger grivois, d'autres en faire un manuel de morale, une histoire d'amour ou un règlement de comptes avec une société viciée. Les gravures portent témoignage de ces regards possibles, depuis une esthétique de bon aloi prise entre le style Louis XVI et le néoclassicisme pour ses premiers illustrateurs, Lavreince, Touzé ou Le Barbier, jusqu'à un livre qui n'esquive pas les scènes crues — comme la rédaction de la lettre XLVIII par le vicomte sur le corps même d'Émilie dès l'édition de 1796, promise à une large circulation, et à d'autres images qui rangent clairement l'ouvrage du côté des étagères confidentielles des libraires, des collections particulières d'amateurs de curiosa.

Certains ont voulu voir dans *Les Liaisons dangereuses* une célébration du vice. La Harpe, par exemple, est dérouté, comme Mme de Volanges, dépassée par les événements et qui prend en charge l'ultime lettre sans écho du roman et s'exprime ainsi dans l'antépénultième, elle aussi restée sans réponse : « Je vois bien dans tout cela les méchants punis ; mais je n'y trouve nulle consolation pour leurs malheureuses victimes. » L'un de ceux qui ont peut-être le mieux lu le roman est André Suarès. Il offre un parallèle avec *Madame Bovary* : les deux auteurs, Laclos et Flaubert, écrivent, selon lui, l'un en artilleur, l'autre en chirurgien et sans juger ; ils laissent la responsabilité au lecteur. L'ambiguïté semble être inscrite dans le projet même de Laclos. C'est ce qui se dégage de sa correspondance avec Mme Riccoboni dans laquelle il brandit d'un côté la justification de l'existence dans le monde de ce qu'il représente, et de l'autre le droit du créateur à inventer. Le romancier décentre ainsi habilement la question morale malgré ses protestations.

Se présentant comme moraliste, Laclos paraît en effet s'inscrire dans le sillage de Rousseau, auteur de *La Nouvelle Héloïse*, ce livre « délicieux » qui serait « le plus beau des Ouvrages produits sous le titre de Roman[1] ». L'excuse de peindre le vice pour en dégoûter était facile. Elle était également attendue. De telles affirmations sont topiques, en particulier dans les romans libertins. Comme en témoignent des écrits ultérieurs — ses comptes rendus de la *Cecilia* de Frances Burney et de la *Vie privée du maréchal de Richelieu*, ses commentaires en marge d'un roman de Lacretelle —, Laclos croit à la vertu édifiante de la fiction tout en chargeant ses personnages de susciter le doute sur une telle approche après avoir mis en garde le

1. *Cecilia ou les Mémoires d'une héritière*, Laclos, *Œuvres complètes*, Bibl. de la Pléiade, p. 469.

lecteur dans ses textes liminaires. Une note supprimée du manuscrit rappelle en effet que « Ce M. de Valmont paraît aimer à citer J.-J. Rousseau, et toujours en le profanant par l'abus qu'il en fait », et le rédacteur s'interroge en nous provoquant : « Mme de Tourvel avait-elle lu *Émile* ? » Que dire encore de *Clarisse*, texte dans lequel la présidente ne parvient pas à déceler son destin inévitable de femme bafouée ?

Les romans se révèlent incapables de donner des leçons aux personnages qui en sont eux-mêmes lecteurs. Les écrits offriraient des miroirs déformants dans lesquels se reflètent les tensions d'une société. Les lettres tissent des contrepoints inattendus, livrent des échos parfois obliques, taisent des événements essentiels. Chacun y devient responsable de ses propos, dans une élaboration de soi par voie de texte. Laclos raffine en créant une ronde de dictées, de manipulations, d'instrumentalisations, de citations, dans laquelle une démonétisation vertigineuse de la langue fait d'elle à la fois notre seule ressource et un effet qui circule sans que l'on sache quelle valeur lui accorder — « Il y a déjà quelques jours que nous sommes d'accord, Mme de Tourvel et moi, sur nos sentiments ; nous ne disputons plus que sur les mots », écrit cyniquement le vicomte dans la lettre XCIX.

Les italiques qui parcourent le texte matérialisent les reprises de termes entendus ou lus. Comme l'écrit Michel Delon : « Le langage traverse les personnages qui ont le sentiment de l'inventer. Les mots ricochent, rebondissent d'une lettre à l'autre et l'italique souligne ces échos qui les disséminent et les déforment. L'individu se défait à travers les mots qui s'imposent à lui[1]. » Les citations vraies ou fausses disent le vertige de celui qui parle ou est parlé par d'autres personnages. Valmont se moque de Saint-Preux en détournant son discours, mais il finira par écrire comme l'amant de la Julie de Rousseau. Les libertins persiflent leurs victimes en leur soufflant leurs répliques : Mme de Merteuil permet à Cécile de dire à Danceny qu'elle l'aime, mais elle livre aussi à Valmont les « réclames » de son rôle alors même qu'elle perçoit le parasitage du langage de son complice par un vocabulaire trahissant l'affection véritable qu'il éprouve envers Mme de Tourvel. Pour avoir plus de temps à consacrer à faire l'amour à Cécile, le vicomte dicte les paroles tendres que sa « pupille » adresse à Danceny, trahi, et s'en vante auprès de la marquise, elle qui

1. Laclos, *Les Liaisons dangereuses*, Michel Delon éd., Librairie générale française, coll. « Classiques de Poche », 2002, p. 21.

paraît toujours préférer, pour répondre à la célèbre question de Lattaignant — « Madame, quel est votre mot et sur le mot, et sur la chose ? » —, non l'acte, mais la parole, le discours. Mme de Merteuil, à son tour, adresse au vicomte, enchâssé dans la lettre CXLI, le « modèle épistolaire » qui signe la mort de la présidente.

Aucun roman peut-être ne parvient à tracer une union aussi intime entre les mots et les êtres. Le tournoiement des corps et des écrits est aussi un vertige des sens, de ce que l'on ressent, comme des significations des paroles et des actes. Qui croire ? et au-delà, que croire ? Le libertinage aurait-il noyauté la société au point que rien n'y peut remédier ? Le lecteur est en droit — ou en devoir — de s'interroger. Les exploits de la noblesse sont ceux de l'alcôve, non du champ d'honneur. Entendant du bruit alors qu'il lutine Cécile, Valmont « saute à [s]on épée ». Comme le montre une gravure de Le Barbier, dans une dérisoire parade de virilité Prévan, interrompu par les domestiques de la marquise après leur scène d'amour, brandit la sienne, « croyant voir un guet-apens dans ce qui n'était au fond qu'une plaisanterie » (lettre LXXXV). Ces inutiles combats, dont les métaphores guerrières des libertins sonnent comme un relais, témoignent de la crise d'une classe qui ne parvient plus à faire sens de sa vie et a pour seule réponse face aux dérèglements du monde le « Ce n'est pas ma faute » qui passe des lèvres d'une enfant désemparée, Cécile, à la plume de l'infidèle Valmont, trempée dans le fiel de la marquise.

Dès l'ouverture du roman il est question d'une clef : celle du nouveau secrétaire de Cécile. La jeune femme ne possédera jamais, malgré ce qu'elle croit alors, la clef métaphorique des événements ou de sa destinée. La clef de l'étui de sa harpe servira à Danceny, son professeur de musique, lors des débuts de leur échange épistolaire. Sa mère, informée par la marquise d'une possible « liaison dangereuse » entre l'adolescente et le jeune chevalier, confisque celle du secrétaire et donc le secret de sa fille. Valmont, en se faisant livrer, à la campagne, la clef de la chambre de Mlle de Volanges, se rend le maître de ses lettres — donc de ses textes, de son langage — et de son corps ; il contemple aussi, par le trou de la serrure, « la belle dévote » dans ses appartements après avoir fouillé en vain dans ses tiroirs. De nombreux exemples de références similaires courent tout au long du roman.

Dans le jargon libre du temps, clef et serrure désignent les sexes masculin et féminin. La marquise ne peut manquer de le savoir, elle qui remet à tel amant, tout en en gardant un double, la clef prétendument unique de la petite maison où elle reçoit aussi bien Belleroche que Danceny. Le *Dictionnaire comique, satyrique, critique, burlesque, libre et proverbial* de Philibert-Joseph Le Roux inclut deux entrées pour « serrure » en 1750 : « *Vous avez la clef et nous avons la serrure.* Signifie qu'on peut se rendre maître du bien d'autrui, nonobstant toutes les précautions qu'il peut prendre. *Serrure.* Dans le sens libre signifie la nature de la femme, qui sert de serrure à celle de l'homme qui en a la clef. » Mme de Merteuil aurait trouvé là une indication éclatante de l'inégalité des sexes qu'elle dénonce avec tant de vigueur. Les expressions mêmes font signe au lecteur. Souvent, un mot en apparence innocent est également détenteur d'une signification autre. Lorsque Cécile est violée, le mot propre est totalement absent de son discours comme de celui du vicomte. Remarquant à ce moment-là un changement dans sa fille et l'interprétant à contresens, Mme de Volanges imagine (lettre XCVIII) de rompre ses accords avec Gercourt : « dans l'état où sont les choses, remplir mon engagement, ce serait véritablement le violer ». Derrière le sens figuré, impossible de ne pas songer au littéral et à la véritable réification de Cécile.

Le roman regorge de jeux sur les niveaux de langue, d'expressions consacrées qui ont disparu — des *mots parasites* traqués par la marquise, aux *rats* qu'affecte d'avoir, lors d'une nuit bien agitée, la petite vicomtesse de M… Au-delà de ces locutions oubliées, le langage gazé permet de tout dire en gardant une apparence respectable. Valmont se plaît tant à enseigner à Cécile son catéchisme de débauche car le langage cru qu'elle s'approprie est aussi déplacé dans la bouche d'une jeune aristocrate que des pratiques sexuelles hors normes réservées en général aux relations tarifées. Le décalage est manifeste. *Les Liaisons dangereuses* n'est pas obscène. Il est pire. Le roman est des plus scabreux dans son intrigue, mais son propos est chaste.

Entre le mot et la chose, les liens n'ont pourtant jamais paru plus proches. La liaison entre Prévan et Mme de Merteuil n'a pas de réalité dans le monde jusqu'à la diffusion tardive, par les soins de Danceny, de la lettre triomphale que la marquise avait envoyée au vicomte au lendemain de l'arrestation de l'amant infortuné. Auparavant, la mise en scène de la victime supposée avait réussi à faire croire à un scénario tout autre. C'est ainsi qu'on (r)écrit les faits. La marquise qui, femme, ne peut se vanter de ses prouesses, se propose d'être l'historienne du vicomte, lequel assure avoir ses propres mémoires secrets. Le terme utilisé pour désigner le fait de donner une consistance, une existence mondaine à une histoire amoureuse, de préférence scandaleuse, est celui-là même qui est employé pour désigner l'impression d'un ouvrage : la publication. Les métaphores qui en découlent sont nombreuses. La marquise cynique se propose ainsi de réserver l'anecdote sur la fausse couche de Cécile, enceinte de Valmont, pour la « Gazette de médisance » au lendemain des noces prévues avec Gercourt. Les secrets confèrent un pouvoir, car ils peuvent toujours être racontés, l'essentiel étant de bien choisir le lieu, le moment et la manière de la révélation. La marquise tient ainsi sa femme de chambre, Victoire, mais aussi Valmont grâce à une épée de Damoclès figurée : la menace de tout dire.

Personne n'est à l'abri de la narration d'aventures supposées ou véridiques qui peuvent lancer les réputations — comme la « nouvelle à débiter » annoncée par la présidente : la scène de charité de Valmont —, mais aussi les défaire d'une parole, avec des conséquences terribles, l'envoi au couvent pour une femme, la mise à pied professionnelle pour un militaire comme Prévan : l'exclusion de la société. La diffusion d'une idée comme d'un livre est le reflet, dans les propos du couple de libertins de Laclos, de la mise en circulation des corps vus comme des effets de commerce pour lesquels le juste prix n'est pas toujours payé au propriétaire.

Avec une maîtrise éblouissante, souvent commentée par la critique, Laclos prête à chacun un — ou plusieurs — style(s) différent(s), lui qui affirmera, dans une lettre à son épouse du 18 brumaire an IX, être « prédestiné à faire souvent de la besogne sous le nom des autres[1] », lui dont les écrits ultérieurs seront parfois signés de Philippe Égalité ou fondus dans des articles de journaux et rapports anonymes. Entre les mains des libertins sortis de son imagination, la plume est un instrument redoutable. Elle permet de se mettre en scène comme lorsque Valmont, pour susciter l'admiration de la marquise, vante ses talents d'amoureux et d'épistolier cynique dans la lettre XLVII (qui restera sans réponse) ou quand Mme de Merteuil, rédigeant son autobiographie dans la lettre LXXXI, devient sa propre création, héroïne de son roman, roman qui s'emballe sans qu'elle parvienne à en contrôler le dénouement. Il est impossible de ne pas reconnaître le génie d'un auteur qui met à mort une tradition épistolaire fondée sur la transparence des âmes et l'immédiateté des propos en la faisant servir à se miner elle-même. De la convention d'une communication sans intermédiaire qui fondait l'authenticité voulue du recueil de

1. Laclos, *OC*, p. 987.

lettres, dans laquelle le lecteur joue le rôle de « tiers importun » penché sur l'épaule de l'épistolier, Laclos nous fait passer à ce que l'on peut appeler, avec Laurent Versini, une « poétique négative[1] » de la correspondance, la fiction déjouée lors de lendemains qui déchantent. Parole et apparence sont les seules vérités dans ce monde où tout se dérobe et pourtant un seul terme peut avoir des sens contradictoires, comme le démontrent les artifices oratoires du vicomte vidant ses déclarations à la présidente de tout fond, ou encore les explications de texte de la marquise dont les lectures perceptives mettent en évidence ce que chacun ignore avoir écrit ou même pensé. L'instrumentalisation par le langage est à l'image de la manipulation des courriers détournés par les libertins et redit, à sa façon, la maîtrise sur les corps et les esprits. La lettre est, chez Laclos, aussi nécessaire que dangereuse. Elle ne supporte pas la médiocrité. La marquise l'affirme, dès le 24 août, commentant les propos épistolaires peu convaincants, d'après elle, d'un Valmont qui pense simplement jouer à être amoureux : « Croyez-moi, Vicomte : on vous demande de ne plus écrire. » Le romancier a-t-il lui-même suivi ce précepte, conscient de la difficulté qu'il pouvait y avoir à satisfaire à nouveau les attentes d'un public exigeant ?

*

Dans ses lettres échangées avec Mme Riccoboni au moment de la parution des *Liaisons dangereuses*, Laclos évoque un diptyque artistique apprécié par ses contemporains, de Diderot à Bernardin de Saint-Pierre, celui des œuvres de Vernet représentant d'un côté la tempête, de l'autre le calme. Il laisse entendre qu'à son tour, après avoir dépeint la tourmente, il pourrait chercher à rendre le repos. Il ne s'agit pas forcément d'une simple pirouette oratoire destinée à calmer la romancière froissée par le personnage inédit de la marquise. En effet, lors d'une conversation bien plus tardive en Italie avec l'une des connaissances de jeunesse qui aurait pu servir de modèle au vicomte, le naturaliste Dolomieu, l'écrivain s'est engagé, de son propre aveu, à rédiger un deuxième livre dont le sujet, dit-il, germe depuis longtemps dans sa tête : « Le motif de l'ouvrage est de rendre populaire cette vérité qu'*il n'existe de bonheur que dans la famille*[2]. » Il affirme avoir amplement

1. *Ibid.*, p. XIII.
2. Milan, 18 germinal an IX (8 avril 1801), *ibid.*, p. 1064. Voir aussi les réflexions de Laurent Versini sur la critique littéraire de Laclos, *ibid.*, p. 1468-1470.

matière, dans son expérience, pour le prouver, mais « les événements seront difficiles à arranger, et la difficulté presque insurmontable sera d'intéresser sans rien de romanesque ». Une fois de plus, Rousseau est invoqué comme modèle littéraire, mais le Rousseau des premiers volumes des *Confessions*. Deux ans plus tard, le général Laclos mourait à Tarente sans avoir rempli son engagement littéraire. Le lecteur est privé à tout jamais de ce second roman, inécrit peut-être parce que impossible. Il lui reste l'un des plus grands livres du patrimoine mondial, un livre profondément enraciné dans son temps, marqué au coin de l'esprit des Lumières et pourtant si vrai dans son analyse des caractères qu'il en garde une profondeur et une fulgurance pour toutes les époques. Si nous ne pouvons avoir la même lecture que celle des contemporains de Laclos, l'éblouissement demeure.

CATRIONA SETH.

Rouen – Bloomington – Rome 2010.

CHRONOLOGIE

1741 — *18 octobre :* Naissance à Amiens de Pierre-Ambroise-François Choderlos de Laclos, fils de Jean-Ambroise Choderlos, subdélégué puis secrétaire de l'Intendance de Picardie et d'Artois, lui-même fils d'un « bourgeois » de Paris, et de Victoire-Marie-Catherine Gallois, troisième fille de Charles Gallois, directeur général des Domaines du roi à Amiens. L'autre fils des époux Choderlos, Jean-Charles-Marie, était né le 16 novembre 1738.
19 octobre : Baptême à l'église Saint-Michel d'Amiens de Laclos, qui a pour parrains Pierre-Nicolas Thibault, prêtre chapelain de l'église cathédrale d'Amiens et bachelier ès lois de la Faculté de Paris, et Françoise-Marguerite Simon.

1759 — *15 août :* Naissance à La Rochelle de Marie-Soulange Duperré, aînée des vingt-deux enfants de Jean-Augustin Duperré, receveur des tailles de l'Élection et trésorier principal de la Généralité de La Rochelle, et de son épouse Marie-Gabrielle Prat Desprez.

1760 — *23 janvier :* Laclos réussit le concours de l'École d'artillerie de La Fère dans le département actuel de l'Aisne.

1761 — *8 mars :* Laclos est nommé sous-lieutenant.

1762 — *15 janvier :* Désormais lieutenant en second, il est affecté, à sa requête, à la brigade des colonies en formation à La Rochelle.

1763 *10 février:* Traité de Paris qui met fin à la guerre de Sept Ans.
Avec son corps, devenu le régiment de Toul-Artillerie, Laclos est envoyé à Toul en Lorraine.

1765 *31 août:* Arrivée à Strasbourg du régiment de Toul-Artillerie.
15 octobre: Laclos est nommé lieutenant en premier.

1766 *Décembre:* Parution, dans l'*Almanach des Muses* pour 1767, du poème « À Mademoiselle de Saint-S*** », première publication connue de Laclos.

1767 *31 juillet:* Laclos est promu sous-aide-major.

1769 *Septembre:* Laclos arrive à Grenoble. Il y restera jusqu'en 1775.

1771 *23 janvier:* Laclos est nommé capitaine par commission sans appointements.

1772 *11 mars:* Il est nommé, à sa requête, au rang d'aide-major au régiment de Metz, sans appointements.
1er octobre: Il est promu aide-major.
Décembre: Parution dans l'*Almanach des Muses* pour 1773 des « Souvenirs, épître à Églé ».

1774 *Janvier-février:* L'« Épître à Margot » circule en manuscrit et fait grand bruit à Paris.

1775 Laclos est en garnison à Besançon.
Décembre: Parution dans l'*Almanach des Muses* pour 1776 de l'« Épître à Margot ».

1776 *25 décembre:* Laclos figure au titre de membre-né, rose-croix ex-maître, sur les tableaux de la Loge militaire de Saint-Jean, ou l'Union, placée sous le titre distinctif des Neuf Sœurs, du régiment de Toul-Artillerie.
Composition de la chanson « Lison revenait… », présentée par La Harpe dans sa *Correspondance littéraire* au début de 1777.
Publication, dans l'*Almanach des Muses* pour 1777, de l'« Épître à la mort ».

1777 *1er janvier:* Chargé d'installer à Valence l'École d'artillerie où servira le jeune Napoléon Bonaparte, Laclos est promu capitaine en second.

15 mai : Laclos est reçu à la Loge masculine de l'Union parfaite à Salins et est associé à la fondation d'une Loge féminine.
Juillet : Composition de « Sur cette question proposée dans un Mercure », poème envoyé à La Harpe.
18 juillet : Première privée, chez Mme de Montesson, d'*Ernestine*, opéra-comique de Laclos, avec une musique de Saint-George.
19 juillet : Création, à la Comédie-Italienne, d'*Ernestine*, en présence de Marie-Antoinette. Il n'y aura pas de seconde représentation publique de ce spectacle fondé sur un roman de Mme Riccoboni, et dont il ne reste que quelques pièces. Laclos pensait en 1800 en posséder encore le manuscrit, ainsi que celui d'une autre pièce disparue, *La Matrone*. Il écrivait alors à son épouse d'en disposer comme elle l'entendait.
Septembre : Suite à l'envoi d'un mémoire, Laclos est dédommagé de 600 livres pour des frais de logement de la troupe de l'École et du Régiment du corps royal d'artillerie formé à Valence.

1778 Laclos retourne à Besançon.
9 mai : Promotion de Laclos au rang de capitaine en second de sapeurs.
6 juin : Laclos est décrit comme ex-vénérable dans un certificat envoyé par la Grande Loge à la loge Henri IV du régiment de Toul à Besançon.
Fin de l'année : Rédaction par Laclos d'un « Quatrain impromptu à une dame » que La Harpe présente dans sa *Correspondance littéraire* du 1er janvier 1779.
Décembre : Publication dans l'*Almanach des Muses* pour 1779 du conte de Laclos, « Le Bon Choix ».

1779 *30 avril :* Laclos est mis à la disposition du marquis de Montalembert pour fortifier l'île d'Aix.
Il compose des vers en l'honneur de l'épouse de son protecteur, l'« Épître à Mme la marquise de Montalembert » et travaille selon toute probabilité à la rédaction des *Liaisons dangereuses*.
3 juin : Laclos est nommé capitaine de bombardiers.
13 novembre : Il expédie de Rochefort une demande de congé « pour aller vaquer à ses affaires personnelles, qui exigent indispensablement sa présence ». Elle lui sera accordée.

1780 *Janvier à juin :* En congé à Paris, Laclos travaille selon toute probabilité à son roman.
10 février : Rédaction par Laclos, pour Montalembert,

d'un rapport sur les observations de Fourcroy à propos des fortifications de l'île d'Aix.
5 avril : Laclos est nommé capitaine commandant de canonniers.

1781 *4 septembre :* Laclos formule une nouvelle demande de congé de six mois. Elle lui sera accordée avec appointements à compter du 1er octobre.
10 octobre : Laclos fait une demande de permission tacite pour *Les Liaisons dangereuses.*
12 décembre : La permission lui est accordée par le directeur de la Librairie, Le Cadet de Néville.

1782 *16 mars :* Laclos signe un contrat avec le libraire Durand pour une édition initiale de 2 000 exemplaires de son roman. Il doit toucher 1 600 livres.
23 mars : *Les Liaisons dangereuses* est annoncé dans la presse. Le roman, signé des seules initiales de l'auteur, connaît un véritable succès dès sa mise en vente.
21 avril : Laclos et Durand passent un contrat pour un nouveau tirage de 2 000 exemplaires du roman, aux mêmes conditions[1].
Avril : Correspondance entre Laclos et Mme Riccoboni au sujet du roman.
24 mai : Laclos reçoit de Ségur, ministre de la Guerre, l'ordre de rejoindre son corps à Brest. Il obtempère et tombe malade en arrivant en Bretagne.
8 juin : Après une intervention auprès de Ségur, le marquis de Montalembert obtient, le 29 mai, de disposer de Laclos.
28 juin : Ordre est donné à Laclos de regagner l'île d'Aix. Il souffre alors d'une « fièvre tierce ».
24 août : Laclos retourne à La Rochelle.
Fin 1782 ? Début de la liaison entre Laclos et Marie-Soulange Duperré.

1783 *1er mars :* Laclos commence à rédiger un discours en réponse à une question posée par l'Académie de Châlons-sur-Marne : « Quels seraient les meilleurs moyens de perfectionner l'éducation des femmes ? » Il rédigera plusieurs jets, tous inachevés, d'un essai *Des femmes et de leur éducation.*

1784 *Avril-mai :* Parution du compte rendu par Laclos de *Cecilia* de Frances (« Fanny ») Burney dans le *Mercure de France* des 17 avril, 24 avril et 15 mai.

1. Voir la Notice des *Liaisons dangereuses*, section « Documents », p. 809-810.

1er mai : Naissance à Mortagne-la-Vieille en Aunis (actuelle Charente-Maritime) d'Étienne-Fargeau, fils de Laclos et de Marie-Soulange Duperré, déclaré de père et mère inconnus lors de son baptême le surlendemain. Il est laissé à Mortagne-la-Vieille en nourrice et sera reconnu et légitimé après le mariage de ses parents.
17 août : Décès à Paris de Jean-Ambroise Choderlos, père de l'écrivain.

1785 *22 juin :* Laclos est élu académicien titulaire de l'académie de La Rochelle.
Été 1785 : Lors d'un dîner, Laclos improvise une « Épitaphe de Lemierre » (1723-1793), reprise dans la *Correspondance littéraire* en août 1785.
Expériences d'artillerie autour des boulets creux. Laclos y reviendra sous la Révolution.

1786 *21 mars :* Envoi de la *Lettre à Messieurs de l'Académie française sur l'Éloge de M. le maréchal de Vauban, proposé pour sujet du prix d'éloquence de l'année 1787* qui fait scandale.
1er avril : Laclos demande au ministre l'autorisation d'épouser Marie-Soulange Duperré. La permission lui est accordée le 14. Il a obtenu celle de sa mère en date du 7.
29 avril : Contrat de mariage passé entre Laclos et Marie-Soulange Duperré.
3 mai : Mariage à La Rochelle de Laclos et de Marie-Soulange Duperré. Le couple pose la première pierre du nouvel arsenal de la ville.
4 mai : Ségur ordonne au directeur de l'Artillerie, Gribeauval, de renvoyer Laclos à son poste à la suite de la parution de la *Lettre à Messieurs de l'Académie française sur l'Éloge de Vauban.*
11 mai : Reconnaissance, par les époux Laclos, de leur fils Étienne-Fargeau.
16 mai : Laclos, alors à l'hôtel des Mylords à Paris avec son épouse, reçoit de Gribeauval l'ordre, en date du 14, de rejoindre sa compagnie à Metz. Il y répond le 17, date à laquelle il envoie également une longue lettre de justification au maréchal de Ségur, ministre de la Guerre. Il demande un congé d'un mois pour raison familiale et entend séjourner à Paris et à Rouen.
22 mai : Laclos arrive à Metz. Il y fait des lectures de ses vers et de sa correspondance avec Mme Riccoboni. Il demande la croix de Saint-Louis.
Octobre : Laclos est muté à La Fère. Il y séjournera avec son épouse jusqu'en octobre 1788.

Décembre : Parution anonyme, dans l'*Almanach des Muses* pour 1787, du poème « À Mlle de Sivry, qui, à l'âge de douze ans, sait le grec et le latin, et fait de très jolis vers ».

1787 *Janvier ou février :* Publication de l'édition « de Nantes » qui comprend la correspondance avec Mme Riccoboni, des poèmes ainsi qu'un avertissement inédit (*Les Liaisons dangereuses, ou Lettres Recueillies dans une Société, et publiées pour l'instruction de quelques autres.* Par M. C..... de L... *Nouvelle Édition, augmentée d'une Correspondance de l'Auteur avec Mme Riccoboni, et de ses Pièces Fugitives*).
22 mai : Grâce à Laclos, la ville de La Rochelle se voit promettre le don d'une statue de Henri IV par Pressigny, un philanthrope contemporain.
17 juin : Laclos envoie un « Projet de numérotage des rues de Paris » au *Journal de Paris* qui le publie dans son numéro 203 du 22 juillet 1787.
Décembre : À l'ancienneté, Laclos est nommé chevalier de Saint-Louis à la suite d'une nouvelle requête datée du 26 août.
4 décembre : Naissance de Catherine-Soulange, fille du couple Laclos et future épouse de Jean-Baptiste Duret de Tavel.

1788 *Mai :* Laclos, qui a fréquenté Necker, lui écrit. Il espère rencontrer le poète Florian.
Laclos tente aussi d'obtenir la protection de Monsieur, frère du roi, et de Lafayette : il sollicite un emploi à la mission militaire auprès de l'Ambassade de France en Turquie.
1er octobre : Laclos obtient un congé de l'armée. Il devient secrétaire des commandements du duc d'Orléans. Il s'installe au Palais-Royal et touche des appointements de 6 000 francs.

1789 Laclos rédige, pour les apanages du duc d'Orléans, des *Instructions aux bailliages*, publiées dans l'année sans lieu ni date et plusieurs fois réimprimées.
Tilly rencontre Laclos au Palais-Royal.
27 avril 1789 : Émeute des ouvriers de la manufacture de papiers peints Réveillon et Henriot qui, selon certains commentateurs, aurait été inspirée par Laclos.
Très impliqué dans les activités politiques des orléanistes, Laclos fréquente le Club des Patriotes, le Club national, le Club de Valois et le Club de 89.
14 octobre : Laclos, accusé de complicité dans les journées

des 5 et 6 octobre à Versailles, part pour Londres avec le duc d'Orléans.
21 octobre : Il arrive à Londres et s'installe au numéro 3 de Chapel Street.
Octobre 1789-juin 1790 : Laclos prend en charge la *Correspondance de Louis-Philippe-Joseph d'Orléans* avec Montmorin, le ministre des Affaires étrangères, et d'autres, publiée en 1800.

1790 *Juin :* Laclos rédige l'*Exposé de la conduite de M. le duc d'Orléans dans la révolution de France.*
10 juillet : Laclos rentre à Paris en compagnie du duc d'Orléans.
Septembre : Publication de la *Lettre de P. Choderlos à M. Riquetti l'Aîné* (Mirabeau).
Octobre : Inscription de Laclos à la Société des amis de la Constitution (les Jacobins).
31 octobre : La publication de la correspondance de la Société des amis de la Constitution est confiée à Laclos.
30 novembre : Sortie du premier numéro du *Journal des amis de la Constitution.* Laclos y collabore régulièrement jusqu'au 19 juillet 1791.
Il participe peut-être à la rédaction de la *Galerie des dames françaises* avec Luchet, Mirabeau, Rivarol et Sénac de Meilhan.
7 décembre : Comme « sa santé le met hors d'état de continuer ses services », Laclos demande sa retraite ou à défaut un prolongement de congé de l'armée. Un congé sans appointements lui est accordé.

1791 *1er juin :* Laclos obtient sa retraite de capitaine avec une pension de 1 800 francs.
1er juillet : À la tribune des Jacobins, Laclos propose une régence du duc d'Orléans. Il rédige une adresse à la Société des Jacobins de Villeneuve-de-Berg en Vivarais.
17 juillet : Fusillade du Champ-de-Mars dont Laclos craint d'avoir à porter la responsabilité et qui le conduit à se retirer progressivement des Jacobins.
19 juillet : Parution du dernier numéro du *Journal des amis de la Constitution* dont Laclos a assumé la direction : il démissionne deux jours plus tard de la rédaction en chef du périodique.
21 juillet : Laclos adresse au *Journal de Paris* une déclaration dans laquelle il annonce son départ du *Journal des amis de la Constitution* en justifiant sa conduite.
10 août : Compte rendu de Laclos aux Jacobins de l'affaire des soldats de Bourgogne condamnés pour s'être plaints à leurs officiers.

15 août: Publication dans le *Patriote français* d'une mise au point de Laclos sur son retrait du *Journal des amis de la Constitution.*
20 septembre: Le *Journal des amis de la Constitution* fusionne avec le *Journal des débats.*
16 novembre: Le nom de Laclos est « croisé » sur les feuilles de présentation aux Jacobins.
18 novembre: Ajournement aux Jacobins d'une discussion sur l'exclusion de Laclos.

1792 *10 août:* La section de la Butte-des-Moulins (quartier du Palais-Royal) élit Laclos commissaire à la municipalité provisoire de Paris, élection rejetée par la Commune.
21 août: La section élit à nouveau Laclos commissaire à la municipalité.
29 août: Sur intervention de Danton, Laclos est nommé commissaire du pouvoir exécutif.
4 septembre: Servan, ministre de la Guerre, envoie Laclos au camp de Châlons-sur-Marne, pour organiser la défense contre les Prussiens et surveiller, avec pleins pouvoirs, le maréchal Luckner.
8 septembre: Arrivée à Châlons de Laclos qui envoie des rapports à Servan, le 10, et à Lacuée, les 12-13.
20 septembre: Laclos revient à Paris.
22 septembre: Il est réintégré dans l'armée avec le grade de maréchal de camp dans la ligne.
1er octobre: Nommé chef d'état-major de Servan, commandant en chef de l'armée des Pyrénées, il se rend à Toulouse.
25 novembre: Décès à Paris de Victoire-Marie-Catherine Choderlos, mère de l'écrivain.
28 novembre: Monge, ministre de la Marine, nomme Laclos gouverneur général des établissements français à l'est du cap de Bonne-Espérance.
14 décembre: Laclos quitte Toulouse pour Paris.

1793 *25-27 janvier:* Laclos présente au Comité de défense générale son projet d'attaque de l'Angleterre par l'Inde qui est rejeté par Monge.
15 mars, le ministre de la Marine demande le grade de lieutenant général pour le citoyen Laclos nommé gouverneur général des établissements de la République au-delà du cap de Bonne-Espérance.
31 mars: Le Comité de sûreté générale décrète l'arrestation d'orléanistes dont Laclos et Mme de Genlis.
2 avril: Laclos est arrêté. Il est conduit à la prison de l'Abbaye.

3 avril: Laclos est ramené chez lui pour assister à la levée des scellés puis conduit au Comité de sûreté générale avec ses papiers « pour y être statué ce qu'il appartiendra ». Aucun document suspect n'est trouvé. Il n'est néanmoins pas relâché.

10 mai: Il est renvoyé chez lui, cour des Fontaines, mais maintenu en résidence surveillée, en état d'arrestation.

1er juin: Il cesse d'être en activité de service dans l'armée.

Été: Laclos réussit à partir pour Versailles, puis pour Meudon. Il expérimente des innovations en artillerie à partir des boulets creux qu'il a inventés. Il refuse en septembre de partir à Rochefort pour y continuer ses expériences.

20 septembre: Démission de Laclos du rang de général de brigade pour raison de santé.

Automne: De retour à Paris, Laclos s'occupe d'essais sur le tir à boulets rouges.

5 novembre: Il est arrêté et conduit à la prison de La Force, puis transféré à la prison de Picpus.

6 novembre: « Choder », le frère de Laclos, est arrêté.

29 décembre: Laclos assiste à la levée des scellés à son domicile de la cour des Fontaines. Il y voit son épouse et son frère.

1794

8 avril: Laclos écrit à sa femme de la prison de Picpus. Il s'attend à être guillotiné. Une importante correspondance s'ensuit.

30 avril: Les lettres de Laclos à sa femme sont désormais adressées à « la citoyenne Choderlos », rue de la Chancellerie, n° 13 à Versailles.

Mai: Laclos, en prison, se targue du succès des leçons de mathématiques qu'il donne à d'autres détenus. Il leur inculque ensuite des notions de comptabilité.

Juin: Laclos, qui se dit lui-même grammairien dans une lettre à sa femme, met en chantier la rédaction d'une nouvelle grammaire française pour l'éducation publique et républicaine, projet vite abandonné. Il retourne à la comptabilité et apprend l'économie rurale en lisant l'abbé Rozier.

Juin-juillet: De nouvelles restrictions sur la communication avec l'extérieur empêchent les détenus de recevoir des journaux politiques et réduisent les correspondances autorisées aux simples nouvelles familiales ainsi que Laclos l'apprend à son épouse.

30 juillet: Les conditions des prisonniers s'améliorent à la suite de la chute et de l'exécution de Robespierre deux jours plus tôt.

6 août : Laclos, qui envisage depuis quelques jours d'écrire à d'anciens amis devenus hommes forts du régime, demande à son épouse d'obtenir du Comité de sûreté générale une copie des motifs de son arrestation.
2 septembre : Rédaction par Laclos de réponses aux observations de son Comité révolutionnaire.
27 septembre : « Choder », le frère de Laclos, sort de la prison du Luxembourg.
1er décembre : Libéré, Laclos réclame, en vain, sa réintégration dans l'armée.

1795 *Début de l'année :* Laclos compose son mémoire *De la guerre et de la paix.*
Les Laclos s'installent au 6, rue du Faubourg-Poissonnière.
4 juin : Naissance de Charles, second fils du ménage Laclos.
Fin de l'année : Laclos est nommé secrétaire général des hypothèques.

1796 Projet de banque avec Servan.

1797 Le directeur Barthélemy envisage de faire entrer Laclos dans la diplomatie.
Sur l'ordre de la Convention, le compte rendu de la relation du *Voyage de La Pérouse* par Laclos est imprimé.

1799 *Octobre :* Grâce à Alquier et à Lacombe Saint-Michel, Laclos est replacé général de brigade dans la ligne et admis au traitement de réforme de son grade.
5 décembre : Laclos demande à être réintégré dans l'armée. Réponse défavorable d'Andréossi, le directeur de l'Artillerie, et du ministre de la Guerre, Berthier.

1800 *16 janvier :* En récompense du rôle qu'il a joué lors du coup d'État du 18 brumaire, Laclos est rappelé comme général de brigade dans l'artillerie par arrêté du Premier consul, avec effet du 22 septembre 1792.
27 février : Laclos est nommé à l'Armée du Rhin.
12 avril : Laclos quitte Paris pour Strasbourg. Il y séjourne du 17 avril au 1er mai.
24 avril : Il est nommé commandant en second de l'artillerie du corps de réserve de Moreau sous Éblé.
9 mai : Laclos assiste à la bataille de Biberach.
29 mai : Laclos, qui se trouve alors à Babenhausen, est nommé commandant en second de l'équipage de siège de l'armée de réserve formée à Grenoble et à Lyon sous Lacombe Saint-Michel.

5 juin : Combat de Memmingen auquel assiste Laclos.
7 juin : Laclos quitte l'Armée du Rhin. Il traverse la Suisse et les Alpes.
24 juin-25 août : Il séjourne à Grenoble. Il refuse de « courir après [s]es anciennes connaissances qui sont toutes la fine fleur de l'aristocratie », mais en croise quelques-unes.
Début août : Ordre est donné à l'équipage de siège dont Laclos est commandant en second de passer en Italie.
25 août : Départ de Laclos pour l'Italie.
6 septembre : Arrivée à Turin de Laclos qui a fait un détour en chemin pour voir Fénestrel et Pignerol.
5 octobre : Marmont, le commandeur en chef, appelle Laclos à l'état-major de l'artillerie de l'armée d'Italie en tant que général de Brigade.
Octobre : Publication par Roussel, chez Lerouge, de la *Correspondance politique de Louis-Philippe-Joseph d'Orléans avec Louis XVI, la Reine, Montmorin, Biron, Lafayette, etc.* Laclos, qui a été chargé particulièrement des lettres à Montmorin, demande à sa femme, dans une lettre du 17 novembre, de se procurer le livre.
15 décembre : Laclos reçoit le commandement de l'artillerie en réserve de l'armée d'Italie et se met en route pour Brescia.
26 décembre : Laclos participe, sur le passage du Mincio, à la bataille de Monzambano.

1801 *1er janvier :* Avec l'armée d'Italie, Laclos passe l'Adige. Il se rend ensuite à Vérone.
16 janvier : Arrivée de Laclos à Trévise où il apprend que l'armistice est accordée aux Autrichiens par Brune. Il séjourne ensuite à Porto-Legnago avant de regagner Milan où il retrouve son frère.
Avril : Laclos rencontre son ancien ami Dolomieu, récemment libéré. Il le reverra à Paris.
Entre le 15 et le 24 avril : Possible échange entre Laclos et Henri Beyle (Stendhal) dans la loge de l'état-major à la Scala de Milan.
20 avril : Le lycée de Grenoble élit Laclos associé correspondant. Il a pour parrain le docteur Henri Gagnon, grand-père de Stendhal.
28 avril : Laclos quitte l'Italie pour Paris.
12 mai : Arrivée de Laclos à Paris.
31 mai 1801 : Dolomieu, qui a manqué les Laclos en passant chez eux quelques jours plus tôt, est invité à dîner rue du Faubourg-Poissonnière.

1802 *21 janvier :* Laclos est nommé membre du Comité d'artillerie.
28 avril : Mission de Laclos à La Rochelle où il inspecte le matériel des forts.
19 août : Rappel de Laclos à Paris.
21 septembre : Présentation par Laclos au Comité d'artillerie d'un nouveau modèle d'affût.
31 octobre : Laclos est nommé commandant de l'artillerie de Saint-Domingue ; il reçoit l'ordre, révoqué deux jours plus tard, de s'embarquer à Brest sur un bâtiment de l'escadre de Villaret-Joyeuse.

1803 *21 janvier :* Laclos est nommé commandant de l'artillerie de l'armée d'observation dans les États de Naples.
Début de l'année : Rédaction des *Observations du général Laclos sur « Le Fils naturel »* de Lacretelle aîné.
2 mai : Laclos quitte Paris pour l'Italie. Le 13, il est à Milan. Il souffre d'une éruption cutanée.
9 juillet : Arrivée à Tarente après des passages par Rimini, Pezzaro et Lanciano.
Fin juillet : Laclos souffre de dysenterie.
20 août : Il demande au général Marmont un soutien financier et le droit de rentrer en France : « il faut que je meure à Tarente si je n'y reçois pas un secours de 12 000 l. au moins ».
27 août : Laclos dicte ses dernières lettres à son épouse et à Alquier.
2 septembre : Se sachant à l'article de la mort, Laclos dicte une lettre à Bonaparte en implorant son secours pour les siens.
5 septembre : Décès de Laclos à Tarente. Il a entre les mains les *Fables* de La Fontaine[1]. Un monument lui est dressé dans l'île de Saint-Paul, proche de la côte, et l'on prévoit l'édification du Fort Laclos.

C. S.

1. Voir IV, n. 8.

NOTE SUR LA PRÉSENTE ÉDITION

La publication initiale des *Liaisons dangereuses* dans la Bibliothèque de la Pléiade remonte à 1932. Le roman de Laclos constitue ainsi l'un des premiers volumes de la série. L'édition en est confiée à Maurice Allem. En 1951, M. Allem reprend son travail et fournit au public, pour la première fois, des *Œuvres complètes* de Laclos, qui tiennent notamment compte des publications de ses poèmes et des ébauches d'essais sur l'éducation des femmes. En 1979, Laurent Versini offre à son tour une édition des œuvres complètes de Laclos en y adjoignant sa correspondance. Pour le roman, Laurent Versini suit le texte de la deuxième édition de 1782 (après correction des fautes signalées dans la feuille d'*errata* de l'édition originale). Nous avons opté pour un choix différent.

L'édition parue au début de 1787, sans lieu ni nom d'éditeur, dite couramment « édition de Nantes », et recommandée par Laclos lui-même à son fils[1] nous fournit le texte de base du roman et l'architecture du volume qui comprend, outre *Les Liaisons dangereuses*, les *Pièces fugitives* de l'auteur et sa correspondance avec Mme Riccoboni.

Il n'y a guère de différences dans le texte des *Liaisons dangereuses* d'une édition à l'autre. Les deux principales étapes sont la correction, dès la deuxième édition, des éléments signalés dans la feuille d'errata de l'originale de 1782 et, surtout, addition capitale, le nouveau texte liminaire que donne l'édition de 1787 : l'« Avertissement du libraire ». Le manuscrit ayant servi à l'impression de l'édition originale ayant disparu, nous donnons un choix de variantes à partir de l'autographe préparatoire de Laclos conservé à la Bibliothèque nationale de France.

1. Voir la lettre à Étienne de Laclos, le 30 messidor an X (19 juillet 1802), Laclos, *Œuvres complètes*, Bibl. de la Pléiade, p. 1077.

Nous avons modernisé l'orthographe dans les cas où l'usage a changé (finales de verbes à l'imparfait en *-ois*, abréviation de « Madame » sous la forme *Mde*, présence de traits d'unions après l'adverbe *très-* ou dans des noms composés comme *coup-d'œil*, absence de traits d'union dans des locutions comme *sur le champ* ou dans des formes verbales comme *laissez le*, etc.). Nous avons harmonisé, en retenant la leçon habituelle, la forme des mots pour lesquels deux orthographes se concurrençaient (comme *guères* et *guère*, *jusques* et *jusque*). Nous avons développé les esperluettes. Nous avons maintenu les capitales à l'initiale qui figuraient dans l'édition de référence (dans des titres comme Marquise ou Femme de chambre, dans les noms de mois en fin de lettre, etc.). Nous avons respecté la ponctuation sauf dans les très rares cas où elle rendait difficile la compréhension du texte. En deux endroits où l'édition était fautive (il manquait le numéro d'une lettre et un vers dans un poème), nous avons suppléé au manque en le précisant en note.

Le dossier final, intitulé « La fortune des *Liaisons dangereuses*. Lectures, relectures, images », tente de donner un aperçu de la richesse de l'accueil réservé au roman, des grands moments de la critique aux illustrations et réécritures. Il ne pouvait prétendre à l'exhaustivité. Il a fallu renoncer, parfois à contrecœur, à inclure tel texte ou telle image dont il était impossible d'obtenir une reproduction ou les droits y afférant. L'ensemble témoigne de la diversité des réactions de lecteurs à travers les siècles, de la variété des expressions graphiques et littéraires engendrées dans l'imaginaire des artistes et des gens de lettres par le texte de Laclos.

*

Éditer *Les Liaisons dangereuses*, c'est être à la fois l'héritière et la débitrice de nombre d'exégètes qui, depuis plus de deux siècles, décortiquent le livre, le récrivent, le relisent. Je n'oublie pas que deux des plus talentueux spécialistes de Laclos ont été, l'un, Laurent Versini, mon directeur de maîtrise, l'autre, Michel Delon, le patron de mon habilitation. Qu'ils reçoivent ici tous deux l'assurance de ma fidèle admiration et qu'ils partagent avec les collègues, amis et, surtout, les étudiants dont les suggestions, questions et commentaires, parfois ingénieux, m'ont invitée — et m'invitent encore — à découvrir dans le roman de 1782 un texte toujours nouveau, l'expression de ma profonde reconnaissance.

Tous mes remerciements s'adressent également à l'équipe de la Pléiade — à laquelle revient l'idée de ce volume — et, avant tout, à ceux qui ont donné sans compter de leur temps pour parcourir, annoter ou corriger mes pages et travailler avec moi à la conception d'ensemble du livre, en trouvant notamment des issues heureuses dans le labyrinthe des droits et autorisations du dossier iconographique et textuel. Les erreurs qui demeurent sont miennes : si l'on en relève, je ne pourrai pas dire, comme tels personnages du roman, « Ce n'est pas ma faute ! »

C. S.

Abréviations utilisées.

Acad.	*Dictionnaire de l'Académie*, an VII (1798).
Le Roux	*Dictionnaire comique, satyrique, critique, burlesque, libre et proverbial*, Lyon, Chez les héritiers de Beringos Fratres, 1735.
RHLF	*Revue d'histoire littéraire de la France.*
Laclos, *OC*	Laclos, *Œuvres complètes*, Laurent Versini éd., Bibl. de la Pléiade, 1979.
La Nouvelle Héloïse	*Julie, ou La Nouvelle Héloïse*, Rousseau, *Œuvres complètes*, Bibl. de la Pléiade, t. II.

LES LIAISONS DANGEREUSES[1],

OU

LETTRES

Recueillies dans une Société, et publiées pour l'instruction de quelques autres[2].

Par M. C..... de L...[a]

Nouvelle Édition, augmentée d'une Correspondance de l'Auteur avec Mme Riccoboni, et de ses Pièces Fugitives.

M. DCC. LXXXVII.

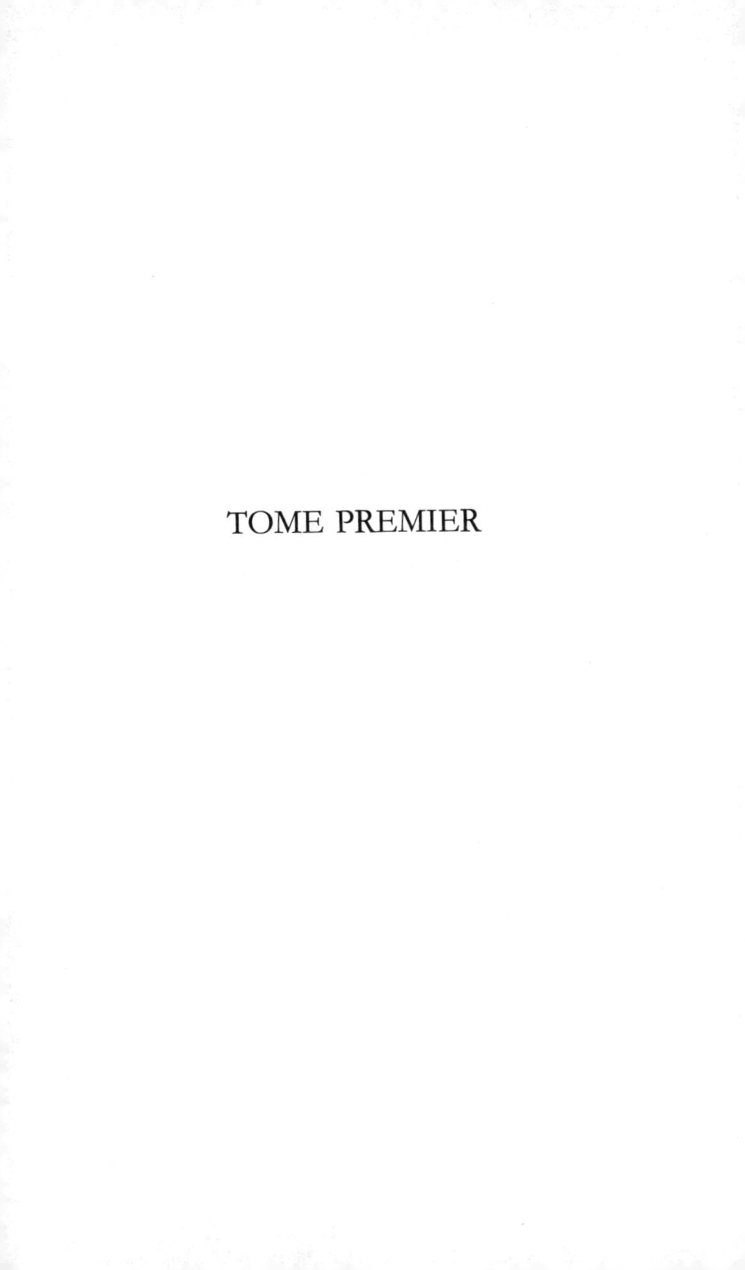

TOME PREMIER

AVERTISSEMENT DU LIBRAIRE[1]

Les Éditions de cet Ouvrage ont été tellement multipliées jusqu'à ce jour, que nous n'aurions pas entrepris celle-ci, si le hasard ne nous avait procuré des moyens d'en assurer le débit, de préférence à toute autre : et cela sans recourir ni au papier vélin[2], ni aux caractères de Baskerville[3], ni même au petit format[4] ; toutes choses qui, comme on sait, et comme il est prouvé par nos livres de vente, ajoutent infiniment au mérite des ouvrages.

Cette Édition est non seulement à l'usage des personnes qui lisent les livres qu'elles achètent ; mais elle convient, plus particulièrement encore, à toutes celles qui sont bien aises de juger un ouvrage sans se donner la peine de le lire, et ce sont celles-là que nous avons eues particulièrement en vue dans notre entreprise. C'est pour elles que nous publions une correspondance où on trouve rassemblé, dans un très petit espace, à peu près tout ce qui s'est dit et peut se dire, pour et contre le roman[5] que nous réimprimons : En sorte que chacun pourra choisir le jugement qu'il lui conviendra d'en porter, et qu'il trouvera sous sa main toutes les raisons à l'appui de ce jugement, sans être obligé de les chercher dans l'ouvrage ; ce qui est assurément plus commode et plus sûr.

On nous a assuré que cette correspondance avait

réellement existé entre Mme Riccoboni et M. C. de L., et nous le croyons ainsi. En effet, quelle autre que le charmant Auteur de *Catesby*[6], eût pu mettre autant de grâce dans sa critique, et quel autre que l'Auteur du roman, eût pu mettre autant de zèle dans sa défense ? Il nous a paru que, de part et d'autre, les raisonnements étaient vifs et pressés ; et il nous semble que cette correspondance aurait pu tenir un rang distingué parmi les ouvrages polémiques, si, malheureusement, les deux Adversaires n'avaient oublié de se dire des injures. Cette négligence nous fait croire que ces lettres n'avaient point été destinées à voir le jour.

Nous ne croyons devoir aucun compte au Public sur la manière dont ces lettres nous sont parvenues : nous lui dirons seulement qu'elles nous ont été remises avec quelques poésies fugitives de l'Auteur du roman. Comme quelques-unes de ces poésies n'ont point encore été imprimées, et que les autres ne le sont que d'une manière fautive, et éparses dans différents recueils[7], nous avons pensé que quelques personnes seraient bien aises de les trouver rassemblées ici : d'autant que le prix de l'ouvrage n'en sera point augmenté. Nous nous bornons à demander la préférence.

PRÉFACE
DU RÉDACTEUR[1]

Cet Ouvrage, ou plutôt ce Recueil, que le Public trouvera peut-être encore trop volumineux, ne contient pourtant que le plus petit nombre des lettres qui composaient la totalité de la correspondance dont il est extrait. Chargé de la mettre en ordre par les personnes à qui elle était parvenue, et que je savais dans l'intention de la publier[2], je n'ai demandé, pour prix de mes soins, que la permission d'élaguer tout ce qui me paraîtrait inutile ; et j'ai tâché de ne conserver en effet que les lettres qui m'ont paru nécessaires, soit à l'intelligence des événements, soit au développement des caractères. Si l'on ajoute à ce léger travail, celui de replacer par ordre les lettres que j'ai laissé subsister, ordre pour lequel j'ai même presque toujours suivi celui des dates, et enfin quelques notes courtes et rares, et qui, pour la plupart, n'ont d'autre objet que d'indiquer la source de quelques citations, ou de motiver quelques-uns des retranchements que je me suis permis, on saura toute la part que j'ai eue à cet Ouvrage. Ma mission ne s'étendait pas plus loin*.

* Je dois prévenir aussi que j'ai supprimé ou changé tous les noms des personnes dont il est question dans ces lettres ; et que si, dans le nombre de ceux que je leur ai substitués, il s'en trouvait qui appartinssent à quelqu'un, ce serait seulement une erreur de ma part, et dont il ne faudrait tirer aucune conséquence.

J'avais proposé des changements plus considérables, et presque tous relatifs à la pureté de diction[3] ou de style, contre laquelle on trouvera beaucoup de fautes. J'aurais désiré aussi être autorisé à couper quelques lettres trop longues, et dont plusieurs traitent séparément, et presque sans transition, d'objets tout à fait étrangers l'un à l'autre. Ce travail, qui n'a pas été accepté, n'aurait pas suffi sans doute pour donner du mérite à l'Ouvrage, mais en aurait au moins ôté une partie des défauts[4].

On m'a objecté que c'étaient les lettres mêmes qu'on voulait faire connaître, et non pas seulement un Ouvrage fait d'après ces lettres ; qu'il serait autant contre la vraisemblance que contre la vérité, que de huit à dix personnes qui ont concouru à cette correspondance, toutes eussent écrit avec une égale pureté[5]. Et sur ce que j'ai représenté que loin de là, il n'y en avait au contraire aucune qui n'eût fait des fautes graves, et qu'on ne manquerait pas de critiquer, on m'a répondu que tout Lecteur raisonnable s'attendrait sûrement à trouver des fautes dans un recueil de lettres de quelques Particuliers, puisque dans tous ceux publiés jusqu'ici de différents Auteurs estimés, et même de quelques Académiciens, on n'en trouvait aucun totalement à l'abri de ce reproche[6]. Ces raisons ne m'ont pas persuadé, et je les ai trouvées, comme je les trouve encore, plus faciles à donner qu'à recevoir ; mais je n'étais pas le maître, et je me suis soumis. Seulement je me suis réservé de protester contre, et de déclarer que ce n'était pas mon avis ; ce que je fais en ce moment.

Quant au mérite que cet Ouvrage peut avoir[a], peut-être ne m'appartient-il pas de m'en expliquer, mon opinion ne devant ni ne pouvant influer sur celle de personne. Cependant ceux qui, avant de commencer une lecture, sont bien aises de savoir à peu près sur quoi compter, ceux-là, dis-je, peuvent continuer : les autres feront mieux de passer tout de suite à l'Ouvrage même ; ils en savent assez.

Ce que je puis dire d'abord, c'est que si mon avis a été, comme j'en conviens, de faire paraître ces lettres, je suis pourtant bien loin d'en espérer le succès : et qu'on ne prenne pas cette sincérité de ma part pour la modestie jouée d'un Auteur ; car je déclare avec la même franchise, que si ce Recueil ne m'avait pas paru digne d'être offert au Public, je ne m'en serais pas occupé. Tâchons de concilier cette apparente contradiction.

Le mérite d'un Ouvrage se compose de son utilité ou de son agrément, et même de tous deux, quand il en est susceptible[7] : mais le succès, qui ne prouve pas toujours le mérite, tient souvent davantage au choix du sujet qu'à son exécution, à l'ensemble des objets qu'il présente, qu'à la manière dont ils sont traités. Or ce Recueil contenant, comme son titre l'annonce, les lettres de toute une société, il y règne une diversité d'intérêts qui affaiblit celui du Lecteur. De plus, presque tous les sentiments qu'on y exprime, étant feints ou dissimulés, ne peuvent même exciter qu'un intérêt de curiosité toujours bien au-dessous de celui de sentiment ; qui, surtout, porte moins à l'indulgence, et laisse d'autant plus apercevoir les fautes qui s'y trouvent dans les détails, que ceux-ci s'opposent sans cesse au seul désir qu'on veuille satisfaire.

Ces défauts sont peut-être rachetés, en partie, par une qualité qui tient de même à la nature de l'Ouvrage, c'est la variété des styles ; mérite qu'un Auteur atteint difficilement, mais qui se présentait ici de lui-même, et qui sauve au moins l'ennui de l'uniformité[8]. Plusieurs personnes pourront compter encore pour quelque chose un assez grand nombre d'observations, ou nouvelles, ou peu connues, et qui se trouvent éparses dans ces lettres. C'est aussi là, je crois, tout ce qu'on y peut espérer d'agréments, en les jugeant même avec la plus grande faveur.

L'utilité de l'Ouvrage, qui peut-être sera encore plus contestée, me paraît pourtant plus facile à établir[b]. Il me semble au moins que c'est rendre un service aux mœurs, que de dévoiler les moyens qu'emploient ceux qui en ont de mauvaises pour corrompre ceux qui en ont de bonnes, et je crois que ces lettres pourront concourir efficacement à ce but. On y trouvera aussi la preuve et l'exemple de deux vérités importantes qu'on pourrait croire méconnues, en voyant combien peu elles sont pratiquées : l'une, que toute femme qui consent à recevoir dans sa société un homme sans mœurs, finit par en devenir la victime ; l'autre, que toute mère est au moins imprudente, qui souffre qu'une autre qu'elle ait la confiance de sa fille. Les jeunes gens de l'un et de l'autre sexe, pourraient encore y apprendre que l'amitié que les personnes de mauvaises mœurs paraissent leur accorder si facilement, n'est jamais qu'un piège dangereux, et aussi fatal à leur bonheur qu'à leur vertu. Cependant l'abus, toujours si près du bien, me paraît ici trop à craindre ; et, loin de conseiller cette lecture à la jeunesse, il me paraît très important d'éloigner d'elle toutes celles de ce genre. L'époque où celle-ci peut cesser d'être dangereuse et devenir utile, me paraît avoir été très bien saisie, pour son sexe, par une bonne mère qui non seulement a de l'esprit, mais qui a du bon esprit. « Je croirais, me disait-elle, après avoir lu le manuscrit de cette Correspondance, rendre un vrai service à ma fille, en lui donnant ce livre le jour de son mariage. » Si toutes les mères de famille en pensent ainsi, je me féliciterai éternellement de l'avoir publié[9].

Mais, en partant encore de cette supposition favorable, il me semble toujours que ce Recueil doit plaire à peu de monde. Les hommes et les femmes dépravés auront intérêt à décrier un Ouvrage qui peut leur nuire ; et, comme ils ne manquent pas d'adresse, peut-être auront-ils celle de mettre dans leur parti les Rigoristes, alarmés par le tableau des mauvaises mœurs qu'on n'a pas craint de présenter.

Les prétendus esprits forts ne s'intéresseront point à une femme dévote, que par cela même ils regarderont comme une femmelette[10], tandis que les dévots se fâcheront de voir succomber la vertu, et se plaindront que la Religion se montre avec trop peu de puissance.

D'un autre côté, les personnes d'un goût délicat seront dégoûtées par le style trop simple et trop fautif de plusieurs de ces lettres, tandis que le commun des

Lecteurs, séduit par l'idée que tout ce qui est imprimé est le fruit d'un travail, croira voir dans quelques autres la manière peinée d'un Auteur qui se montre derrière le personnage qu'il fait parler.

Enfin, on dira peut-être assez généralement que chaque chose ne vaut qu'à sa place ; et que si d'ordinaire le style trop châtié des Auteurs ôte en effet de la grâce aux lettres de société, les négligences de celles-ci deviennent de véritables fautes, et les rendent insupportables, quand on les livre à l'impression.

J'avoue avec sincérité que tous ces reproches peuvent être fondés : je crois aussi qu'il me serait possible d'y répondre, et même sans excéder la longueur d'une Préface. Mais on doit sentir que pour qu'il fût nécessaire de répondre à tout, il faudrait que l'Ouvrage ne pût répondre à rien ; et que si j'en avais jugé ainsi, j'aurais supprimé à la fois la Préface et le Livre.

AVERTISSEMENT DE L'ÉDITEUR

Nous croyons devoir prévenir le Public, que, malgré le titre de cet Ouvrage, et ce qu'en dit le Rédacteur dans sa Préface, nous ne garantissons pas l'authenticité de ce Recueil, et que nous avons même de fortes raisons de penser que ce n'est qu'un Roman.

Il nous semble de plus que l'Auteur, qui paraît pourtant avoir cherché la vraisemblance, l'a détruite lui-même, et bien maladroitement, par l'époque où il a placé les événements qu'il publie. En effet, plusieurs des personnages qu'il met en scène, ont de si mauvaises mœurs, qu'il est impossible de supposer qu'ils aient vécu dans notre siècle ; dans ce siècle de philosophie, où les lumières, répandues de toutes parts, ont rendu, comme chacun sait, tous les hommes si honnêtes, et toutes les femmes si modestes et si réservées.

Notre avis est donc que si les aventures rapportées dans cet Ouvrage ont un fonds de vérité, elles n'ont pu arriver que dans d'autres lieux, ou dans d'autres temps ; et nous blâmons beaucoup l'Auteur, qui, séduit apparemment par l'espoir d'intéresser davantage en se rapprochant plus de son siècle et de son pays, a osé faire paraître sous notre costume et avec nos usages, des mœurs qui nous sont si étrangères.

Pour préserver au moins, autant qu'il est en nous,

le Lecteur trop crédule de toute surprise à ce sujet, nous appuierons notre opinion d'un raisonnement que nous lui proposons avec confiance, parce qu'il nous paraît victorieux et sans réplique ; c'est que sans doute les mêmes causes ne manqueraient pas de produire les mêmes effets, et que cependant nous ne voyons point aujourd'hui de Demoiselle avec soixante mille livres de rente[1], se faire Religieuse, ni de Présidente[2] jeune et jolie, mourir de chagrin[3].

LES LIAISONS DANGEREUSES

LETTRE Ire

CÉCILE VOLANGES
À SOPHIE CARNAY[1],
aux Ursulines de[2] ...

Tu vois, ma bonne amie, que je te tiens parole, et que les bonnets et les pompons[3] ne prennent pas tout mon temps ; il m'en restera toujours pour toi. J'ai pourtant vu plus de parures dans cette seule journée que dans les quatre ans que nous avons passés ensemble, et je crois que la superbe Tanville* aura plus de chagrin[4] à ma première visite, où je compte bien la demander, qu'elle n'a cru nous en faire toutes les fois qu'elle est venue nous voir *in fiocchi*[5]. Maman m'a consultée sur tout ; elle me traite beaucoup moins en pensionnaire que par le passé. J'ai une Femme de chambre à moi ; j'ai une chambre et un cabinet[6] dont je dispose, et je t'écris à un secrétaire très joli, dont on m'a remis la clef, et où je peux renfermer tout ce que je veux. Maman m'a dit que je la verrais tous les jours à son lever ; qu'il suffisait que je fusse coiffée pour dîner[7], parce que nous serions toujours seules, et qu'alors elle me dirait chaque jour l'heure où je devrais l'aller joindre l'après-midi. Le reste du temps est à ma disposition, et j'ai ma harpe[8], mon dessin, et des livres comme au Couvent ; si ce n'est que la Mère Perpétue n'est pas là pour me gronder, et qu'il ne

* Pensionnaire du même Couvent[a].

tiendrait qu'à moi d'être toujours à rien faire : mais comme je n'ai pas ma Sophie pour causer et pour rire, j'aime autant m'occuper.

Il n'est pas encore 5 heures ; je ne dois aller retrouver Maman qu'à 7 : voilà bien du temps, si j'avais quelque chose à te dire ! Mais on ne m'a encore parlé de rien ; et sans les apprêts[9] que je vois faire, et la quantité d'Ouvrières qui viennent toutes pour moi, je croirais qu'on ne songe pas à me marier, et que c'est un radotage de plus de la bonne Joséphine*. Cependant Maman m'a tant dit qu'une demoiselle devait rester au Couvent jusqu'à ce qu'elle se mariât, que puisqu'elle m'en fait sortir, il faut bien que Joséphine ait raison.

Il vient d'arrêter un carrosse à la porte[11], et Maman me fait dire de passer chez elle tout de suite. Si c'était le Monsieur ? Je ne suis pas habillée. La main me tremble et le cœur me bat. J'ai demandé à la Femme de chambre si elle savait qui était chez ma mère : « Vraiment, m'a-t-elle dit, c'est M. C***[12]. » Et elle riait ! Oh ! je crois que c'est lui. Je reviendrai sûrement te raconter ce qui se sera passé. Voilà toujours son nom. Il ne faut pas se faire attendre. Adieu, jusqu'à un petit moment.

Comme tu vas te moquer de la pauvre Cécile ! Oh ! j'ai été bien honteuse ! Mais tu y aurais été attrapée comme moi. En entrant chez Maman, j'ai vu un Monsieur en noir, debout auprès d'elle. Je l'ai salué du mieux que j'ai pu, et suis restée sans pouvoir bouger de ma place. Tu juges combien je l'examinais ! « Madame », a-t-il dit à ma mère, en me saluant, « voilà une charmante demoiselle, et je sens mieux que jamais le prix de vos bontés. » À ce propos si positif, il m'a pris un tremblement, tel que je ne pouvais me soutenir ; j'ai trouvé un fauteuil, et je m'y suis assise, bien rouge et bien déconcertée. J'y étais à peine, que voilà cet homme à mes genoux. Ta pauvre Cécile alors a perdu la tête ; j'étais, comme a dit Maman, tout effarouchée. Je me suis levée en jetant un cri per-

* Tourière du Couvent[10].

çant… tiens, comme ce jour du tonnerre. Maman est partie d'un éclat de rire, en me disant: « Eh bien! qu'avez-vous? Asseyez-vous, et donnez votre pied à Monsieur[13]. » En effet, ma chère amie, le Monsieur était un Cordonnier. Je ne peux te rendre combien j'ai été honteuse: par bonheur il n'y avait que Maman. Je crois que, quand je serai mariée, je ne me servirai plus de ce Cordonnier-là[14].

Conviens que nous voilà bien savantes! Adieu. Il est près de 6 heures, et ma Femme de chambre dit qu'il faut que je m'habille. Adieu, ma chère Sophie; je t'aime comme si j'étais encore au Couvent.

P. S. Je ne sais par qui envoyer ma Lettre: ainsi j'attendrai que Joséphine vienne[15].

*Paris, ce 3 Août 17***[16].

LETTRE II

LA MARQUISE DE MERTEUIL
AU VICOMTE DE VALMONT,
au Château de …

Revenez, mon cher Vicomte, revenez: que faites-vous, que pouvez-vous faire, chez une vieille Tante[1] dont tous les biens vous sont substitués[a2]? Partez sur-le-champ; j'ai besoin de vous. Il m'est venu une excellente idée, et je veux bien vous en confier l'exécution[3]. Ce peu de mots devrait suffire; et, trop honoré de mon choix, vous devriez venir, avec empressement, prendre mes ordres à genoux: mais vous abusez de mes bontés, même depuis que vous n'en usez plus[4]; et dans l'alternative d'une haine éternelle ou d'une excessive indulgence, votre bonheur veut que ma bonté l'emporte. Je veux donc bien vous instruire de mes projets : mais jurez-moi qu'en fidèle Chevalier, vous ne courrez aucune aventure que vous n'ayez mis celle-ci à fin[5]. Elle est digne d'un Héros ; vous servirez l'amour et la vengeance : ce sera enfin une *rouerie** [6] de plus à mettre dans vos Mémoires : oui, dans vos Mémoires ; car je veux qu'ils soient imprimés un jour, et je me charge de les écrire[7]. Mais laissons cela, et revenons à ce qui m'occupe.

Mme de Volanges marie sa fille : c'est encore un secret ; mais elle m'en a fait part hier. Et qui croyez-vous qu'elle ait choisi pour Gendre[b] ? le Comte de Gercourt. Qui m'aurait dit que je deviendrais la cousine de Gercourt[8] ? J'en suis dans une fureur... Eh bien ! vous ne devinez pas encore ? oh ! l'esprit lourd ! Lui avez-vous donc pardonné l'aventure de l'Intendante[9] ? Et moi, n'ai-je pas encore plus à me plaindre de lui, monstre que vous êtes** ? Mais je m'apaise, et l'espoir de me venger rassérène mon âme.

Vous avez été ennuyé cent fois, ainsi que moi, de l'importance que met Gercourt à la femme qu'il aura, et de la sotte présomption qui lui fait croire qu'il évitera le sort inévitable. Vous connaissez ses ridicules préventions pour les éducations cloîtrées[10], et son préjugé, plus ridicule encore, en faveur de la retenue des blondes[11]. En effet, je gagerais que, malgré les soixante mille livres de rente de la petite Volanges, il n'aurait jamais fait ce mariage, si elle eût été brune, ou si elle n'eût pas été élevée au Couvent. Prouvons-lui donc qu'il n'est qu'un sot[12] : il le sera sans doute un jour ; ce n'est pas là ce qui m'embarrasse : mais le plaisant serait qu'il débutât par là. Comme nous nous amuserions le lendemain en l'entendant se vanter ! car il se vantera[13] ; et puis, si une fois vous formez cette petite

* Ces mots *roué et rouerie*, dont heureusement la bonne compagnie commence à se défaire, étaient fort en usage à l'époque où ces Lettres ont été écrites.

** Pour entendre ce passage, il faut savoir que le Comte de Gercourt avait quitté la Marquise de Merteuil pour l'Intendante de ***, qui lui avait sacrifié le Vicomte de Valmont, et que c'est alors que la Marquise et le Vicomte s'attachèrent l'un à l'autre. Comme cette aventure est fort antérieure aux événements dont il est question dans ces Lettres, on a cru devoir en supprimer toute la Correspondance.

fille, il y aura bien du malheur si le Gercourt ne devient pas, comme un autre, la fable de Paris.

Au reste, l'Héroïne de ce nouveau Roman mérite tous vos soins : elle est vraiment jolie ; cela[14] n'a que quinze ans ; c'est le bouton de rose[15] : gauche à la vérité ; comme on ne l'est point, et nullement maniérée[16] ; mais, vous autres hommes, vous ne craignez pas cela : de plus, un certain regard langoureux qui promet beaucoup, en vérité : ajoutez-y que je vous la recommande ; vous n'avez plus qu'à me remercier et m'obéir.

Vous recevrez cette Lettre demain matin. J'exige que demain, à 7 heures du soir, vous soyez chez moi. Je ne recevrai personne qu'à huit, pas même le régnant Chevalier[17] : il n'a pas assez de tête pour une aussi grande affaire. Vous voyez que l'amour ne m'aveugle pas. À 8 heures je vous rendrai votre liberté, et vous reviendrez à dix, souper avec le bel objet ; car la mère et la fille souperont chez moi. Adieu. Il est midi passé ; bientôt je ne m'occuperai plus de vous[18].

*Paris, ce 4 Août 17**.*

LETTRE III

CÉCILE VOLANGES
À SOPHIE CARNAY

Je ne sais encore rien, ma bonne amie. Maman avait hier beaucoup de monde à souper. Malgré l'intérêt que j'avais à examiner, les hommes surtout, je me suis fort ennuyée. Hommes et femmes, tout le monde m'a beaucoup regardée ; et puis on se parlait à l'oreille, et je voyais bien qu'on parlait de moi ; cela me faisait rougir ; je ne pouvais m'en empêcher. Je l'aurais bien voulu ; car j'ai remarqué que quand on regardait les autres femmes, elles ne rougissaient pas ; ou bien c'est le rouge[1] qu'elles mettent, qui empêche de voir celui que l'embarras leur cause ; car il doit être bien difficile de ne pas rougir quand un homme vous regarde fixement.

Ce qui m'inquiétait le plus, était de ne pas savoir ce qu'on pensait sur mon compte. Je crois avoir entendu pourtant deux ou trois fois le mot de *jolie* : mais j'ai entendu bien distinctement celui de *gauche* ; et il faut que cela soit bien vrai, car la femme qui le disait est parente et amie de ma mère. Elle paraît même avoir pris tout de suite de l'amitié pour moi. C'est la seule personne qui m'ait un peu parlé dans la soirée. Nous souperons demain chez elle.

J'ai encore entendu, après souper, un homme que je suis sûre qui parlait de moi, et qui disait à un autre : « Il faut laisser mûrir cela, nous verrons cet hiver. » C'est peut-être celui-là qui doit m'épouser ; mais alors ce ne serait donc que dans quatre mois ! Je voudrais bien savoir ce qui en est.

Voilà Joséphine, et elle me dit qu'elle est pressée. Je veux pourtant te raconter encore une de mes *gaucheries*. Oh ! je crois que cette dame a raison !

Après le souper on s'est mis à jouer[2]. Je me suis placée auprès de Maman ; je ne sais pas comment cela s'est fait, mais je me suis endormie presque tout de suite. Un grand éclat de rire m'a réveillée. Je ne sais si l'on riait de moi, mais je le crois. Maman m'a permis de me retirer[a], et elle m'a fait grand plaisir. Figure-toi qu'il était 11 heures passées ! Adieu, ma chère Sophie ; aime toujours bien ta Cécile. Je t'assure que le monde n'est pas aussi amusant que nous l'imaginions.

*Paris, ce 4 Août 17**.*

LETTRE IV

LE VICOMTE DE VALMONT
À LA MARQUISE DE MERTEUIL,
à Paris.

Vos ordres sont charmants ; votre façon de les donner eſt plus aimable encore ; vous feriez chérir le despotisme[1]. Ce n'eſt pas la première fois, comme vous savez, que je regrette de ne plus être votre esclave ; et tout *monſtre*[2] que vous dites que je suis, je ne me rappelle jamais sans plaisir le temps où vous m'honoriez de noms plus doux. Souvent même je désire de les mériter de nouveau, et de finir par donner, avec vous, un exemple de conſtance au monde. Mais de plus grands intérêts nous appellent ; conquérir eſt notre deſtin ; il faut le suivre : peut-être au bout de la carrière nous rencontrerons-nous encore ; car, soit dit sans vous fâcher, ma très belle Marquise, vous me suivez au moins d'un pas égal ; et depuis que, nous séparant pour le bonheur du monde, nous prêchons la foi chacun de notre côté, il me semble que dans cette mission d'amour, vous avez fait plus de prosélytes que moi. Je connais votre zèle, votre ardente ferveur ; et si ce Dieu-là, comme l'autre, nous juge sur nos œuvres, vous serez un jour la Patronne de quelque grande ville, tandis que votre ami sera au plus un Saint de village. Ce langage vous étonne[a], n'eſt-il pas vrai ? Mais depuis huit jours, je n'en entends, je n'en parle pas d'autre ; et c'eſt pour m'y perfectionner, que je me vois forcé de vous désobéir.

Ne vous fâchez pas, et écoutez-moi. Dépositaire de tous les secrets de mon cœur, je vais vous confier le plus grand projet que j'aie jamais formé[b3]. Que me proposez-vous ? de séduire une jeune fille qui n'a rien vu, ne connaît rien ; qui, pour ainsi dire, me serait livrée sans défense ; qu'un premier hommage ne manquera pas d'enivrer, et que la curiosité mènera peut-être plus vite que l'amour. Vingt autres peuvent y réussir comme moi. Il n'en est pas ainsi de l'entreprise qui m'occupe ; son succès m'assure autant de gloire que de plaisir. L'amour, qui prépare ma couronne, hésite lui-même entre le myrte et le laurier ; ou plutôt il les réunira pour honorer mon triomphe[4]. Vous-même, ma belle amie, vous serez saisie d'un saint respect, et vous direz avec enthousiasme : « Voilà l'homme selon mon cœur[5]. »

Vous connaissez la Présidente Tourvel[6], sa dévotion, son amour conjugal, ses principes austères[7]. Voilà ce que j'attaque, voilà l'ennemi digne de moi ; voilà le but où je prétends atteindre ;

Et si de l'obtenir je n'emporte le prix,
J'aurai du moins l'honneur de l'avoir entrepris.

On peut citer de mauvais vers, quand ils sont d'un grand Poète*[8].

Vous saurez donc que le Président est en Bourgogne, à la suite[9] d'un grand procès (j'espère lui en faire perdre un plus important[10]). Son inconsolable moitié doit passer ici tout le temps de cet affligeant veuvage. Une Messe chaque jour, quelques visites aux Pauvres du canton, des prières du matin et du soir, des promenades solitaires, de pieux entretiens avec ma vieille tante, et quelquefois un triste wisk[11], devaient être ses seules distractions. Je lui en prépare de plus efficaces[12]. Mon bon Ange m'a conduit ici, pour son bonheur et pour le mien. Insensé ! je regrettais vingt-quatre heures que je sacrifiais à des égards d'usage ; combien on me punirait, en me forçant de retourner à Paris ! Heureusement il faut être quatre pour jouer au wisk ; et comme il n'y a ici que le Curé du lieu, mon éternelle tante m'a beaucoup pressé de lui sacrifier

* La Fontaine.

quelques jours. Vous devinez que j'ai consenti. Vous n'imaginez pas combien elle me cajole[13] depuis ce moment, combien surtout elle est édifiée de me voir régulièrement à ses prières et à sa Messe[14]. Elle ne se doute pas de la Divinité que j'y adore.

Me voilà donc, depuis quatre jours, livré à une passion forte. Vous savez si je désire vivement, si je dévore les obstacles : mais ce que vous ignorez, c'est combien la solitude ajoute à l'ardeur du désir. Je n'ai plus qu'une idée ; j'y pense le jour et j'y rêve la nuit. J'ai bien besoin d'avoir cette femme[15], pour me sauver du ridicule d'en être amoureux[16] : car où ne mène pas un désir contrarié ? Ô délicieuse jouissance ! Je t'implore pour mon bonheur, et surtout pour mon repos. Que nous sommes heureux que les femmes se défendent si mal ! nous ne serions auprès d'elles que de timides esclaves. J'ai dans ce moment un sentiment de reconnaissance pour les femmes faciles, qui m'amène naturellement à vos pieds. Je m'y prosterne pour obtenir mon pardon, et j'y finis cette trop longue Lettre. Adieu, ma très belle amie : sans rancune.

*Du Château de …, 5 Août 17**.*

LETTRE V

LA MARQUISE DE MERTEUIL AU VICOMTE DE VALMONT

Savez-vous, Vicomte, que votre Lettre est d'une insolence rare, et qu'il ne tiendrait qu'à moi de m'en fâcher ? mais elle m'a prouvé clairement que vous aviez perdu la tête, et cela seul vous a sauvé de mon indignation. Amie généreuse et sensible, j'oublie mon injure[1] pour ne m'occuper que de votre danger ; et quelque ennuyeux qu'il soit de raisonner, je cède au besoin que vous en avez dans ce moment.

Vous, avoir la Présidente Tourvel ! mais quel ridicule caprice ! Je reconnais bien là votre mauvaise tête, qui ne sait désirer que ce qu'elle croit ne pas pouvoir obtenir. Qu'eſt-ce donc que cette femme ? des traits réguliers, si vous voulez, mais nulle expression : passablement faite, mais sans grâces[2] : toujours mise à faire rire ! avec ses paquets de fichus sur la gorge, et son corps[3] qui remonte au menton ! Je vous le dis en amie, il ne vous faudrait pas deux femmes comme celle-là, pour vous faire perdre toute votre considération. Rappelez-vous donc ce jour où elle quêtait à Saint-Roch[4], et où vous me remerciâtes tant de vous avoir procuré ce spectacle. Je crois la voir encore, donnant la main à ce grand échalas en cheveux longs[5], prête à tomber à chaque pas, ayant toujours son panier de quatre aunes[6] sur la tête de quelqu'un, et rougissant à chaque révérence. Qui vous eût dit alors, vous désirerez cette femme ? Allons, Vicomte, rougissez vous-même, et revenez à vous. Je vous promets le secret.

Et puis, voyez donc les désagréments qui vous attendent ! quel rival avez-vous à combattre ? un mari ! Ne vous sentez-vous pas humilié à ce seul mot ! Quelle honte si vous échouez ! et même combien peu de gloire dans le succès ! Je dis plus ; n'en espérez aucun plaisir[7]. En eſt-il avec les prudes ? j'entends celles de bonne foi. Réservées au sein même du plaisir, elles ne vous offrent que des demi-jouissances[8]. Cet entier abandon de soi-même, ce délire de la volupté où le plaisir s'épure par son excès, ces biens de l'amour[9], ne sont pas connus d'elles. Je vous le prédis ; dans la plus heureuse supposition, votre Présidente croira avoir tout fait pour vous, en vous traitant comme son mari, et dans le tête-à-tête conjugal le plus tendre, on reſte toujours deux. Ici c'eſt bien pis encore ; votre prude eſt dévote, et de cette dévotion de bonne femme qui condamne à une éternelle enfance. Peut-être surmonterez-vous cet obſtacle, mais ne vous flattez pas de le détruire : vainqueur de l'amour de Dieu, vous ne le serez pas de la peur du Diable[10] ; et quand, tenant votre Maîtresse dans vos bras, vous sentirez palpiter son cœur, ce sera de crainte et non d'amour. Peut-être, si vous eussiez connu cette femme plus tôt, en eussiez-vous pu faire quelque chose ; mais cela a vingt-deux ans, et il y en a près de deux qu'elle eſt mariée. Croyez-moi, Vicomte, quand une femme s'eſt *encroûtée*[11] à ce point, il faut l'abandonner à son sort ; ce ne sera jamais qu'une *eſpèce*[12].

C'eſt pourtant pour ce bel objet que vous refusez de m'obéir, que vous vous enterrez dans le tombeau de votre tante, et que vous renoncez à l'aventure la plus délicieuse et la plus faite pour vous faire honneur. Par quelle fatalité faut-il donc que Gercourt garde toujours quelque avantage sur vous ? Tenez, je vous en parle sans humeur : mais, dans ce moment, je suis tentée de croire que vous ne méritez pas votre réputation ; je suis tentée surtout de vous retirer ma confiance. Je ne m'accoutumerai jamais à dire mes secrets à l'amant de Mme de Tourvel.

Sachez pourtant que la petite Volanges a déjà fait tourner une tête. Le jeune Danceny en raffole. Il a chanté avec elle ; et en effet elle chante mieux qu'à une Pensionnaire n'appartient. Ils doivent répéter beaucoup de Duos, et je crois qu'elle se mettrait volontiers à l'unisson : mais ce Danceny eſt un enfant qui perdra son temps à faire l'amour[13], et ne finira rien[14]. La petite personne de son côté eſt assez farouche ; et, à tout événement[15], cela sera toujours beaucoup moins plaisant que vous n'auriez pu le rendre : aussi j'ai de l'humeur, et sûrement je querellerai le Chevalier à son arrivée. Je lui conseille d'être doux ; car, dans ce moment, il ne m'en coûterait rien de rompre avec lui. Je suis sûre que si j'avais le bon esprit de le quitter à présent, il en serait au désespoir ; et rien ne m'amuse comme un désespoir amoureux. Il m'appellerait perfide, et ce mot de perfide m'a toujours fait plaisir ; c'eſt, après celui de cruelle[16], le plus doux à l'oreille d'une femme, et il eſt moins pénible à mériter. Sérieusement[17], je vais m'occuper de cette rupture. Voilà pourtant de quoi vous êtes cause ! aussi je le mets sur votre conscience. Adieu. Recommandez-moi aux prières de votre Présidente.

*Paris, ce 7 Août 17**.*

LETTRE VI

LE VICOMTE DE VALMONT
À LA MARQUISE DE MERTEUIL

Il n'eſt donc point de femme qui n'abuse de l'empire qu'elle a su prendre ! Et vous-même, vous que je nommai si souvent mon indulgente amie, vous cessez enfin de l'être, et vous ne craignez pas de m'attaquer dans l'objet de mes affeƈtions ! De quels traits vous osez peindre Mme de Tourvel !... quel homme n'eût point payé de sa vie cette insolente audace ? à quelle autre femme qu'à vous n'eût-elle pas valu au moins une noirceur[1] ? De grâce, ne me mettez plus à d'aussi rudes épreuves ; je ne répondrais pas de les soutenir. Au nom de l'amitié, attendez que j'aie eu cette femme, si vous voulez en médire. Ne savez-vous pas que les plaisirs, enfants de l'amour, ont seuls le droit de détacher son bandeau ?

Mais que dis-je ? Mme de Tourvel a-t-elle besoin d'illusion ? non ; pour être adorable il lui suffit d'être elle-même. Vous lui reprochez de se mettre mal ; je le crois bien : toute parure lui nuit ; tout ce qui la cache la dépare. C'eſt dans l'abandon du négligé qu'elle eſt vraiment ravissante. Grâce aux chaleurs accablantes que nous éprouvons, un déshabillé de simple toile me laisse voir sa taille ronde et souple. Une seule mousseline couvre sa gorge ; et mes regards furtifs, mais pénétrants, en ont déjà saisi les formes enchanteresses[2]. Sa figure, dites-vous, n'a nulle expression. Et qu'exprimerait-elle, dans les moments où rien ne parle à son cœur ? Non, sans doute, elle n'a point, comme nos femmes coquettes, ce regard menteur qui séduit quelquefois, et nous trompe toujours. Elle ne sait pas couvrir le vide d'une phrase par un sourire étudié ; et quoiqu'elle ait les plus belles dents du monde, elle ne rit que de ce qui l'amuse. Mais il faut voir comme, dans les folâtres jeux, elle offre l'image d'une gaieté naïve et franche ! comme, auprès d'un malheureux qu'elle s'empresse de secourir, son regard annonce la joie pure et la bonté compatissante ! Il faut voir surtout, au moindre mot d'éloge ou de cajolerie, se peindre, sur sa figure céleste, ce touchant embarras d'une modestie qui n'est point jouée !... Elle est prude et dévote, et de là vous la jugez froide et inanimée ? Je pense bien différemment. Quelle étonnante sensibilité ne faut-il pas avoir pour la répandre jusque sur son mari, ou pour aimer toujours un être toujours absent ? Quelle preuve plus forte pourriez-vous désirer ? J'ai su pourtant m'en procurer une autre.

J'ai dirigé sa promenade de manière qu'il s'est trouvé un fossé à franchir[3] ; et, quoique fort leste, elle est encore plus timide : vous jugez bien qu'une prude craint de sauter le fossé*[4] ! Il a fallu se confier à moi. J'ai tenu dans mes bras cette femme modeste. Nos préparatifs et le passage de ma vieille Tante avaient fait rire aux éclats la folâtre Dévote : mais, dès que je me suis emparé d'elle, par une adroite gaucherie, nos bras s'enlacèrent mutuellement ; je pressai son sein contre le mien ; et, dans ce court intervalle, je sentis son cœur battre plus vite. L'aimable rougeur vint colorer son visage, et son modeste embarras m'apprit assez *que son cœur avait palpité d'amour, et non de crainte.* Ma Tante cependant s'y trompa comme vous, et se mit à dire : « L'enfant[5] a eu peur » ; mais la charmante candeur de l'enfant ne lui permit pas le mensonge, et elle répondit naïvement : « Oh non, mais... » Ce seul mot m'a éclairé. Dès ce moment, le doux espoir a remplacé la cruelle inquiétude. J'aurai cette femme ; je l'enlèverai au mari qui la profane : j'oserai la ravir au Dieu même qu'elle adore. Quel délice d'être tour à tour l'objet et le vainqueur de ses remords ! Loin de

* On reconnaît ici le mauvais goût des Calembours, qui commençait à prendre, et qui depuis a tant fait de progrès.

moi l'idée de détruire les préjugés qui l'assiègent ! ils ajouteront à mon bonheur et à ma gloire. Qu'elle croie à la vertu, mais qu'elle me la sacrifie[6] ; que ses fautes l'épouvantent sans pouvoir l'arrêter ; et, qu'agitée de mille terreurs[a], elle ne puisse les oublier, les vaincre que dans mes bras. Qu'alors, j'y consens, elle me dise : « Je t'adore » ; elle seule, entre toutes les femmes, sera digne de prononcer ce mot. Je serai vraiment le Dieu qu'elle aura préféré.

Soyons de bonne foi ; dans nos arrangements, aussi froids que faciles, ce que nous appelons bonheur est à peine un plaisir. Vous le dirai-je ? Je croyais mon cœur flétri ; et ne me trouvant plus que des sens, je me plaignais d'une vieillesse prématurée. Mme de Tourvel m'a rendu les charmantes illusions de la jeunesse. Auprès d'elle, je n'ai pas besoin de jouir pour être heureux. La seule chose qui m'effraie, est le temps que va me prendre cette aventure : car je n'ose rien donner au hasard. J'ai beau me rappeler mes heureuses témérités, je ne puis me résoudre à les mettre en usage. Pour que je sois vraiment heureux, il faut qu'elle se donne ; et ce n'est pas une petite affaire.

Je suis sûr que vous admireriez ma prudence. Je n'ai pas encore prononcé le mot d'amour : mais déjà nous en sommes à ceux de confiance et d'intérêt. Pour la tromper le moins possible, et surtout pour prévenir l'effet des propos qui pourraient lui revenir, je lui ai raconté moi-même, et comme en m'accusant, quelques-uns de mes traits les plus connus. Vous ririez de voir avec quelle candeur elle me prêche[7]. Elle veut, dit-elle, me convertir. Elle ne se doute pas encore de ce qu'il lui en coûtera pour le tenter. Elle est loin de penser qu'*en plaidant*, pour parler comme elle, *pour les infortunées que j'ai perdues*, elle parle d'avance dans sa propre cause. Cette idée me vint hier au milieu d'un de ses sermons, et je ne pus me refuser au plaisir de l'interrompre, pour l'assurer qu'elle parlait comme un Prophète. Adieu, ma très belle amie. Vous voyez que je ne suis pas perdu sans ressource.

P. S. À propos, ce pauvre Chevalier s'eſt-il tué de désespoir ? En vérité, vous êtes cent fois plus mauvais sujet que moi, et vous m'humilieriez si j'avais de l'amour-propre.

*Du Château de …, ce 9 Août[8] 17**.*

LETTRE VII

CÉCILE VOLANGES À SOPHIE CARNAY*

Si je ne t'ai rien dit de mon mariage, c'eſt que je ne suis pas plus inſtruite que le premier jour. Je m'accoutume à n'y plus penser, et je me trouve assez bien de mon genre de vie. J'étudie beaucoup mon chant et ma harpe ; il me semble que je les aime mieux depuis que je n'ai plus de Maître, ou plutôt c'eſt que j'en ai un meilleur. M. le Chevalier Danceny, ce Monsieur dont je t'ai parlé, et avec qui j'ai chanté chez Mme de Merteuil, a la complaisance de venir ici tous les jours, et de chanter avec moi des heures entières. Il eſt extrêmement aimable. Il chante comme un Ange, et compose de très jolis airs, dont il fait aussi les paroles. C'eſt bien dommage qu'il soit Chevalier de Malte[2] ! Il me semble que s'il se mariait, sa femme serait bien heureuse… Il a une douceur charmante. Il n'a jamais l'air de faire un compliment, et pourtant tout ce qu'il dit flatte. Il me reprend sans cesse, tant sur la musique que sur autre chose : mais il mêle à ses critiques tant

* Pour ne pas abuser de la patience du Leɛteur, on supprime beaucoup de Lettres de cette correspondance journalière ; on[a] ne donne que celles qui ont paru nécessaires à l'intelligence des événements de cette Société. C'eſt par le même motif qu'on supprime aussi toutes les Lettres de Sophie Carnay, et plusieurs de celles des autres Aɛteurs de ces aventures[1].

d'intérêt et de gaieté, qu'il est impossible de ne pas lui en savoir gré. Seulement, quand il vous regarde, il a l'air de vous dire quelque chose d'obligeant. Il joint à tout cela d'être très complaisant. Par exemple, hier, il était prié[3] d'un grand concert ; il a préféré de rester toute la soirée chez Maman. Cela m'a bien fait plaisir ; car, quand il n'y est pas, personne ne me parle, et je m'ennuie : au lieu que quand il y est, nous chantons et nous causons ensemble. Il a toujours quelque chose à me dire. Lui et Mme de Merteuil sont les deux seules personnes que je trouve aimables. Mais, adieu, ma chère amie ; j'ai promis que je saurais pour aujourd'hui une ariette dont l'accompagnement est très difficile, et je ne veux pas manquer de parole. Je vais me remettre à l'étude jusqu'à ce qu'il vienne.

*De ... ce 7 Août 17**.*

LETTRE VIII

LA PRÉSIDENTE DE TOURVEL À MADAME DE VOLANGES

On ne peut être plus sensible que je le suis, Madame[1], à la confiance que vous me témoignez, ni prendre plus d'intérêt que moi à l'établissement de Mlle de Volanges. C'est bien de toute mon âme que je lui souhaite une félicité dont je ne doute pas qu'elle ne soit digne, et sur laquelle je m'en rapporte bien à votre prudence. Je ne connais point M. le Comte de Gercourt ; mais, honoré de votre choix, je ne puis prendre de lui qu'une idée très avantageuse. Je me borne, Madame, à souhaiter à ce mariage un succès aussi heureux qu'au mien, qui est pareillement votre ouvrage, et pour lequel chaque jour ajoute à ma reconnaissance. Que le bonheur de Mademoiselle votre fille soit la récompense de celui que vous m'avez procuré ; et puisse la meilleure des amies être aussi la plus heureuse des mères !

Je suis vraiment peinée de ne pouvoir vous offrir de vive voix l'hommage de ce vœu sincère, et faire, aussitôt que je le désirerais, connaissance avec Mlle de Volanges. Après avoir éprouvé vos bontés vraiment maternelles, j'ai droit d'espérer d'elle l'amitié tendre d'une sœur. Je vous prie, Madame, de vouloir bien la lui demander de ma part, en attendant que je me trouve à portée de la mériter.

Je compte rester à la campagne tout le temps de l'absence de M. de Tourvel. J'ai pris ce temps pour jouir et profiter de la société de la respectable Mme de Rosemonde. Cette femme est toujours charmante : son grand âge ne lui fait rien perdre ; elle conserve toute sa mémoire et sa gaieté. Son corps seul a quatre-vingt-quatre ans ; son esprit n'en a que vingt.

Notre retraite est égayée par son neveu le Vicomte de Valmont, qui a bien voulu nous sacrifier quelques jours. Je ne le connaissais que de réputation, et elle me faisait peu désirer de le connaître davantage : mais il me semble qu'il vaut mieux qu'elle. Ici, où le tourbillon du monde[2] ne le gâte pas, il parle raison avec une facilité étonnante, et il s'accuse de ses torts avec une candeur rare. Il me parle avec beaucoup de confiance, et je le prêche avec beaucoup de sévérité. Vous qui le connaissez, vous conviendrez que ce serait une belle conversion à faire[3] : mais je ne doute pas, malgré ses promesses, que huit jours de Paris ne lui fassent oublier tous mes sermons. Le séjour qu'il fera ici sera au moins autant de retranché sur sa conduite ordinaire ; et je crois que, d'après sa façon de vivre, ce qu'il peut faire de mieux est de ne rien faire du tout. Il sait que je suis occupée à vous écrire, et il m'a chargée de vous présenter ses respectueux hommages. Recevez aussi le mien avec la bonté que je vous connais, et ne doutez jamais des sentiments sincères avec lesquels j'ai l'honneur d'être, etc.

*Du Château de ..., ce 9 Août 17**.*

LETTRE IX

MADAME DE VOLANGES À LA PRÉSIDENTE DE TOURVEL

Je n'ai jamais douté, ma jeune et belle amie, ni de l'amitié que vous avez pour moi, ni de l'intérêt sincère que vous prenez à tout ce qui me regarde. Ce n'est pas pour éclaircir ce point, que j'espère convenu à jamais entre nous, que je réponds à votre *Réponse* : mais je ne crois pas pouvoir me dispenser de causer avec vous au sujet du Vicomte de Valmont.

Je ne m'attendais pas, je l'avoue, à trouver jamais ce nom-là dans vos Lettres. En effet, que peut-il y avoir de commun entre vous et lui ? Vous ne connaissez pas cet homme ; où auriez-vous pris l'idée de l'âme d'un libertin ? Vous me parlez de sa *rare candeur* : oh ! oui ; la candeur de Valmont doit être en effet très rare. Encore plus faux et dangereux qu'il n'est aimable et séduisant, jamais, depuis sa plus grande jeunesse, il n'a fait un pas ou dit une parole sans avoir un projet, et jamais il n'eut un projet qui ne fût malhonnête ou criminel. Mon amie, vous me connaissez ; vous savez si, des vertus que je tâche d'acquérir, l'indulgence n'est pas celle que je chéris le plus. Aussi, si Valmont était entraîné par des passions fougueuses ; si, comme mille autres, il était séduit par les erreurs de son âge, en blâmant sa conduite, je plaindrais sa personne, et j'attendrais, en silence, le temps où un retour heureux lui rendrait l'estime des gens honnêtes. Mais Valmont n'est pas cela : sa conduite est le résultat de ses principes. Il sait calculer tout ce qu'un homme peut se permettre d'horreurs sans se compromettre ; et pour être cruel et méchant sans danger, il a choisi les femmes pour victimes. Je ne m'arrête pas à compter celles qu'il a séduites : mais combien n'en a-t-il pas perdues ?

Dans la vie sage et retirée que vous menez, ces scandaleuses aventures ne parviennent pas jusqu'à vous. Je pourrais vous en raconter qui vous feraient frémir ; mais vos regards, purs comme votre âme, seraient souillés par de semblables tableaux : sûre que Valmont ne sera jamais dangereux pour vous, vous n'avez pas besoin de pareilles armes pour vous défendre. La seule chose que j'aie à vous dire, c'est que, de toutes les femmes auxquelles il a rendu des soins, succès ou non, il n'en est point qui n'aient eu à s'en plaindre. La seule Marquise de Merteuil fait exception à cette règle générale ; seule elle a su lui résister et enchaîner sa méchanceté. J'avoue que ce trait de sa vie est celui qui lui fait le plus d'honneur à mes yeux : aussi a-t-il suffi pour la justifier pleinement aux yeux de tous, de quelques inconséquences qu'on avait à lui reprocher dans le début de son veuvage*[1].

Quoi qu'il en soit, ma belle amie, ce que l'âge, l'expérience, et surtout l'amitié m'autorisent à vous représenter, c'est qu'on commence à s'apercevoir dans le monde de l'absence de Valmont ; et que si on sait qu'il soit resté quelque temps en tiers entre sa tante et vous, votre réputation sera entre ses mains ; malheur le plus grand qui puisse arriver à une femme. Je vous conseille donc d'engager sa tante à ne pas le retenir davantage ; et s'il s'obstine à rester, je crois que vous ne devez pas hésiter à lui céder la place. Mais pourquoi resterait-t-il ? que fait-il donc à cette campagne ? Si vous faisiez épier ses démarches, je suis sûre que vous découvririez qu'il n'a fait que prendre un asile plus commode, pour quelques noirceurs qu'il médite dans les environs. Mais, dans l'impossibilité de remédier au mal, contentons-nous de nous en garantir.

Adieu, ma belle amie ; voilà le mariage de ma fille un peu retardé. Le Comte de Gercourt, que nous attendions d'un jour à l'autre, me mande que son Régiment

* L'erreur où est Mme de Volanges nous fait voir qu'ainsi que les autres scélérats, Valmont ne décelait pas ses complices.

passe en Corse ; et comme il y a encore des mouvements de guerre[2], il lui sera impossible de s'absenter avant l'hiver. Cela me contrarie ; mais cela me fait espérer que nous aurons le plaisir de vous voir à la noce, et j'étais fâchée qu'elle se fît sans vous. Adieu ; je suis, sans compliment comme sans réserve, entièrement à vous.

P. S. Rappelez-moi au souvenir de Mme de Rosemonde, que j'aime toujours autant qu'elle le mérite.

*De … ce 11 Août 17**.*

LETTRE X

LA MARQUISE DE MERTEUIL
AU VICOMTE DE VALMONT

Me boudez-vous, Vicomte ? ou bien êtes-vous mort[1] ? ou, ce qui y ressemblerait beaucoup, ne vivez-vous plus que pour votre Présidente[2] ? Cette femme, qui vous a rendu *les illusions de la jeunesse*, vous en rendra bientôt aussi les ridicules préjugés. Déjà vous voilà timide et esclave ; autant vaudrait être amoureux. Vous renoncez *à vos heureuses témérités.* Vous voilà donc vous conduisant sans principes, et donnant tout au hasard, ou plutôt au caprice. Ne vous souvient-il plus que l'amour est, comme la médecine, *seulement l'art d'aider à la nature*[3] ? Vous voyez que je vous bats avec vos armes : mais je n'en prendrai pas d'orgueil ; car c'est bien battre un homme à terre. *Il faut qu'elle se donne*, me dites-vous : eh ! sans doute, il le faut ; aussi se donnera-t-elle comme les autres, avec cette différence que ce sera de mauvaise grâce. Mais, pour qu'elle finisse par se donner, le vrai moyen est de commencer par la prendre. Que cette ridicule distinction est bien un vrai déraisonnement[4] de l'amour ! Je dis l'amour ; car vous êtes amoureux. Vous parler autrement, ce serait vous trahir ; ce serait vous cacher votre mal. Dites-moi donc, amant langoureux, ces femmes que vous avez eues, croyez-vous les avoir violées ? Mais quelqu'envie qu'on ait de se donner, quelque pressée que l'on en soit, encore faut-il un prétexte ; et y en a-t-il de plus commode pour nous, que celui qui nous donne l'air de céder à la force ? Pour moi, je l'avoue, une des choses qui me flattent le plus, est une attaque[5] vive et bien faite, où tout se succède avec ordre, quoiqu'avec rapidité ; qui ne nous met jamais dans ce pénible embarras de réparer nous-mêmes une gaucherie dont, au contraire, nous aurions dû profiter ; qui sait garder l'air de la violence jusque dans les choses que nous accordons, et flatter avec adresse nos deux passions favorites, la gloire de la défense, et le plaisir de la défaite. Je conviens que ce talent, plus rare que l'on ne croit, m'a toujours fait plaisir même alors qu'il ne m'a pas séduite, et que quelquefois il m'est arrivé de me rendre, uniquement comme récompense. Telle dans nos anciens Tournois, la beauté donnait le prix de la valeur et de l'adresse.

Mais vous, vous qui n'êtes plus vous, vous vous conduisez comme si vous aviez peur de réussir. Eh ! depuis quand voyagez-vous à petites journées, et par des chemins de traverse[6] ? Mon ami, quand on veut arriver, des chevaux de poste et la grande route[7] ! Mais laissons ce sujet, qui me donne d'autant plus d'humeur, qu'il me prive du plaisir de vous voir. Au moins écrivez-moi plus souvent que vous ne faites, et mettez-moi au courant de vos progrès. Savez-vous que voilà près de quinze jours[a] que cette ridicule aventure vous occupe, et que vous négligez tout le monde ?

À propos de négligence, vous ressemblez aux gens qui envoient régulièrement savoir des nouvelles de leurs amis malades, mais qui ne se font jamais rendre la réponse. Vous finissez votre dernière lettre par me demander si le Chevalier est mort. Je ne réponds pas, et vous ne vous en inquiétez pas davantage. Ne savez-vous plus que mon amant est votre ami né ? Mais rassurez-vous, il n'est point mort; ou s'il l'était, ce serait de l'excès de sa joie. Ce pauvre Chevalier, comme il est tendre! comme il est fait pour l'amour! comme il sait sentir vivement! la tête m'en tourne. Sérieusement, le bonheur parfait qu'il trouve à être aimé de moi[b], m'attache véritablement à lui.

Ce même jour où je vous écrivais que j'allais travailler à notre rupture, combien je le rendis heureux! Je m'occupais pourtant tout de bon des moyens de le désespérer, quand on me l'annonça. Soit caprice ou raison, jamais il ne me parut si bien. Je le reçus cependant avec humeur. Il espérait passer deux heures avec moi, avant celle où ma porte serait ouverte à tout le monde: je lui dis que j'allais sortir. Il me demanda où j'allais; je refusai de le lui apprendre. Il insista; *où vous ne serez pas*, repris-je avec aigreur. Heureusement pour lui, il resta pétrifié de cette réponse; car, s'il eût dit un mot, il s'ensuivait immanquablement une scène qui eût amené la rupture que j'avais projetée. Étonnée de son silence, je jetai les yeux sur lui sans autre projet, je vous jure, que de voir la mine qu'il faisait. Je trouvai sur cette charmante figure, cette tristesse à la fois profonde et tendre, à laquelle vous-même êtes convenu qu'il était si difficile de résister. La même cause produisit le même effet; je fus vaincue une seconde fois. Dès ce moment, je ne m'occupai plus que des moyens d'éviter qu'il pût me trouver un tort. Je sors pour affaire, lui dis-je d'un ton un peu plus doux, et même cette affaire vous regarde: mais ne m'interrogez pas. Je souperai chez moi; revenez, et vous serez instruit. Alors il retrouva la parole; mais je ne lui permis pas d'en faire usage. Je suis très pressée, continuai-je. Laissez-moi; à ce soir. Il baisa ma main et sortit.

Aussitôt, pour le dédommager, peut-être pour me dédommager moi-même, je me décide à lui faire connaître ma petite maison[8] dont il ne se doutait pas. J'appelle ma fidèle *Victoire*[9]. J'ai ma migraine[10]; je me couche pour tous mes gens; et, restée enfin seule avec *la véritable*[11], tandis qu'elle se travestit en Laquais, je fais une toilette de Femme de chambre. Elle fait ensuite venir un fiacre à la porte de mon jardin[12], et nous voilà parties. Arrivée dans ce temple de l'amour, je choisis le déshabillé le plus galant. Celui-ci est délicieux ; il est de mon invention : il ne laisse rien voir, et pourtant fait tout deviner. Je vous en promets un modèle pour votre Présidente, quand vous l'aurez rendue digne de le porter.

Après ces préparatifs, pendant que Victoire s'occupe des autres détails, je lis un chapitre du *Sopha*, une Lettre d'Héloïse, et deux Contes de La Fontaine[13], pour recorder[14] les différents tons que je voulais prendre. Cependant mon Chevalier arrive à ma porte, avec l'empressement qu'il a toujours. Mon Suisse la lui refuse, et lui apprend que je suis malade : premier incident. Il lui remet en même temps un billet de moi, mais non de mon écriture, suivant ma prudente règle. Il l'ouvre, et y trouve, de la main de Victoire : À 9 heures précises, au Boulevard, devant les Cafés[15]. Il s'y rend ; et là, un petit Laquais qu'il ne connaît pas, qu'il croit au moins ne pas connaître, car c'était toujours Victoire, vient lui annoncer qu'il faut renvoyer sa voiture, et le suivre. Toute cette marche romanesque lui échauffait la tête d'autant, et la tête échauffée ne nuit à rien. Il arrive enfin, et la surprise et l'amour causaient en lui un véritable enchantement. Pour lui donner le temps de se remettre, nous nous promenons un moment dans le bosquet ; puis je le ramène vers la maison. Il voit d'abord deux couverts mis ; ensuite un lit fait. Nous passons jusqu'au boudoir[16], qui était dans toute sa parure. Là, moitié réflexion, moitié sentiment, je passai mes bras autour de lui, et me laissai tomber à ses genoux. « Ô mon ami ! lui dis-je, pour vouloir te ménager la surprise de ce moment, je me reproche de t'avoir affligé par l'apparence de l'humeur ; d'avoir pu un instant voiler mon cœur à tes regards. Pardonne-moi mes torts : je veux les expier à force d'amour. » Vous jugez de l'effet de ce discours *Sentimental*[17]. L'heureux Chevalier me releva, et mon pardon fut scellé[18] sur cette même Ottomane[19] où vous et moi scellâmes si gaiement, et de la même manière, notre éternelle rupture.

Comme nous avions six heures à passer ensemble, et que j'avais résolu que tout ce temps fût pour lui également délicieux, je modérai ses transports, et l'aimable coquetterie vint remplacer la tendresse. Je ne crois pas avoir jamais mis tant de soin à plaire, ni avoir été jamais aussi contente de moi. Après le souper, tour à tour enfant et raisonnable, folâtre et sensible, quelquefois même libertine, je me plaisais à le considérer comme un Sultan au milieu de son Sérail, dont j'étais tour à tour les Favorites différentes[20]. En effet, ses hommages réitérés, quoique toujours reçus par la même femme, le furent toujours par une Maîtresse nouvelle.

Enfin, au point du jour, il fallut se séparer ; et, quoi qu'il dît, quoi qu'il fît même pour me prouver le contraire, il en avait autant de besoin que peu d'envie. Au moment où nous sortîmes, et pour dernier adieu, je pris la clef de cet heureux séjour, et la lui remettant entre les mains : « Je ne l'ai eue que pour vous, lui dis-je ; il est juste que vous en soyez maître : c'est au Sacrificateur à disposer du Temple[21]. » C'est par cette adresse que j'ai prévenu les réflexions qu'aurait pu lui faire naître la propriété, toujours suspecte, d'une petite maison. Je le connais assez, pour être sûre qu'il ne s'en servira que pour moi ; et si la fantaisie me prenait d'y aller sans lui, il me reste bien une double clef. Il voulait à toute force prendre jour pour y revenir ; mais je l'aime trop encore, pour vouloir l'user si vite. Il ne faut se permettre d'excès qu'avec les gens qu'on veut quitter bientôt. Il ne sait pas cela, lui ; mais, pour son bonheur, je le sais pour deux.

Je m'aperçois qu'il est 3 heures du matin, et que j'ai écrit un volume, ayant le projet de n'écrire qu'un mot. Tel est le charme de la confiante amitié ; c'est elle qui fait que vous êtes toujours ce que j'aime le mieux : mais, en vérité, le Chevalier est ce qui me plaît davantage[22].

*De … ce 12 Août 17**.*

LETTRE XI

LA PRÉSIDENTE DE TOURVEL
À MADAME DE VOLANGES[1]

Votre Lettre sévère m'aurait effrayée, Madame, si, par bonheur, je n'avais trouvé ici plus de motifs de sécurité que vous ne m'en donnez de crainte. Ce redoutable M. de Valmont, qui doit être la terreur de toutes les femmes, paraît avoir déposé ses armes meurtrières, avant d'entrer dans ce Château. Loin d'y former des projets, il n'y a pas même porté de prétentions ; et la qualité d'homme aimable que ses ennemis même lui accordent, disparaît presqu'ici, pour ne lui laisser que celle de bon enfant. C'est apparemment l'air de la campagne qui a produit ce miracle[2]. Ce que je puis vous assurer, c'est qu'étant sans cesse avec moi, paraissant[a] même s'y plaire, il ne lui est pas échappé un mot qui ressemble à l'amour, pas une de ces phrases que tous les hommes se permettent, sans avoir, comme lui, ce qu'il faut pour les justifier. Jamais il n'oblige à cette réserve, dans laquelle toute femme qui se respecte est forcée de se tenir aujourd'hui, pour contenir les hommes qui l'entourent. Il sait ne point abuser de la gaieté qu'il inspire. Il est peut-être un peu louangeur ; mais c'est avec tant de délicatesse, qu'il accoutumerait la modestie même à l'éloge. Enfin, si j'avais un frère, je désirerais qu'il fût tel que M. de Valmont se montre ici. Peut-être beaucoup de femmes lui désireraient une galanterie plus marquée ; et j'avoue que je lui sais un gré infini d'avoir su me juger assez bien pour ne pas me confondre avec elles.

Ce portrait diffère beaucoup sans doute de celui que vous me faites ; et, malgré cela, tous deux peuvent être ressemblants en fixant les époques. Lui-même convient d'avoir eu beaucoup de torts, et on lui en aura bien aussi prêté quelques-uns. Mais j'ai rencontré peu d'hommes qui parlassent des femmes honnêtes avec plus de respect, je dirais presque d'enthousiasme[3]. Vous m'apprenez qu'au moins sur cet objet il ne trompe pas. Sa conduite avec Mme de Merteuil en est une preuve. Il nous en parle beaucoup ; et c'est toujours avec tant d'éloges et l'air d'un attachement si vrai, que j'ai cru, jusqu'à la réception de votre Lettre, que ce qu'il appelait amitié entre eux deux était bien réellement de l'amour. Je m'accuse de ce jugement téméraire, dans lequel j'ai eu d'autant plus de tort, que lui-même a pris souvent le soin de la justifier. J'avoue que je ne regardais que comme finesse[4], ce qui était de sa part une honnête sincérité. Je ne sais ; mais il me semble que celui qui est capable d'une amitié aussi suivie pour une femme aussi estimable, n'est pas un libertin sans retour. J'ignore au reste si nous devons la conduite sage qu'il tient ici, à quelques projets dans les environs, comme vous le supposez. Il y a bien quelques femmes aimables à la ronde ; mais il sort peu, excepté le matin, et alors il dit qu'il va à la chasse. Il est vrai qu'il rapporte rarement du gibier ; mais il assure qu'il est maladroit à cet exercice. D'ailleurs ce qu'il peut faire au-dehors m'inquiète peu ; et si je désirais le savoir, ce ne serait que pour avoir une raison de plus de me rapprocher de votre avis, ou de vous ramener au mien.

Sur ce que vous me proposez de travailler à abréger le séjour que M. de Valmont compte faire ici, il me paraît bien difficile d'oser demander à sa tante de ne pas avoir son neveu chez elle, d'autant qu'elle l'aime beaucoup. Je vous promets pourtant, mais seulement par déférence et non par besoin, de saisir l'occasion de faire cette demande, soit à elle, soit à lui-même. Quant à moi, M. de Tourvel est instruit de mon projet de rester ici jusqu'à son retour, et il s'étonnerait, avec raison, de la légèreté qui m'en ferait changer.

Voilà, Madame, de bien longs éclaircissements : mais j'ai cru devoir à la vérité un témoignage avantageux à M. de Valmont, et dont il me paraît avoir grand besoin auprès de vous. Je n'en suis pas moins sensible à l'amitié qui a dicté vos conseils. C'est à elle que je dois aussi ce que vous me dites d'obligeant à l'occasion du retard du mariage de Mademoiselle votre fille. Je vous en remercie bien sincèrement : mais, quelque plaisir que je me promette à passer ces moments avec vous, je les sacrifierais de bien bon cœur au désir de savoir Mlle de Volanges plus tôt heureuse, si pourtant elle peut jamais l'être plus qu'auprès d'une mère aussi digne de toute sa tendresse et de son respect. Je partage avec elle ces deux sentiments qui m'attachent à vous ; et je vous prie d'en recevoir l'assurance avec bonté.

J'ai l'honneur d'être, etc.

De … ce[b] *13 Août 17**.*

LETTRE XII

CÉCILE VOLANGES
À LA MARQUISE DE MERTEUIL[a]

Maman est incommodée, Madame ; elle ne sortira point, et il faut que je lui tienne compagnie : ainsi, je n'aurai pas l'honneur de vous accompagner à l'Opéra. Je vous assure que je regrette bien plus de ne pas être avec vous, que le Spectacle. Je vous prie d'en être persuadée. Je vous aime tant ! Voudriez-vous bien dire à M. le Chevalier Danceny que je n'ai point le Recueil dont il m'a parlé, et que s'il peut[b] me l'apporter demain, il me fera grand plaisir ? S'il vient aujourd'hui, on lui dira que nous n'y sommes pas ; mais c'est que Maman ne veut recevoir personne. J'espère qu'elle se portera mieux demain.

J'ai l'honneur d'être, etc.

*De … ce 13 Août 17**.*

LETTRE XIII

LA MARQUISE DE MERTEUIL À CÉCILE VOLANGES[a]

Je suis très fâchée, ma belle, et d'être privée du plaisir de vous voir, et de la cause de cette privation. J'espère que cette occasion se retrouvera. Je m'acquitterai de votre commission auprès du Chevalier Danceny, qui sera sûrement très fâché de savoir votre Maman malade. Si elle veut me recevoir demain, j'irai lui tenir compagnie. Nous attaquerons, elle et moi, le Chevalier de Belleroche* au piquet[1]; et, en lui gagnant son argent, nous aurons, pour surcroît de plaisir, celui de vous entendre chanter avec votre aimable Maître, à qui je le proposerai. Si cela convient à votre Maman et à vous, je réponds de moi et de mes deux Chevaliers. Adieu, ma belle; mes compliments à ma chère Mme de Volanges. Je vous embrasse bien tendrement.

*De ... ce 13 Août 17**.*

* C'est le même dont il est question dans les Lettres de Mme de Merteuil.

LETTRE XIV

CÉCILE VOLANGES
À SOPHIE CARNAY[a]

Je ne t'ai pas écrit hier, ma chère Sophie : mais ce n'eſt pas le plaisir qui en eſt cause ; je t'en assure bien. Maman était malade, et je ne l'ai pas quittée de la journée. Le soir, quand je me suis retirée, je n'avais de cœur à rien du tout ; et je me suis couchée bien vite, pour m'assurer que la journée était finie : jamais je n'en avais passé de si longue. Ce n'eſt pas que je n'aime bien Maman ; mais je ne sais pas ce que c'était. Je devais aller à l'Opéra avec Mme de Merteuil ; le Chevalier Danceny devait y être. Tu sais bien que ce sont les deux personnes que j'aime le mieux. Quand l'heure où j'aurais dû y être aussi eſt arrivée, mon cœur s'eſt serré malgré moi. Je me déplaisais[1] à tout, et j'ai pleuré, pleuré, sans pouvoir m'en empêcher. Heureusement Maman était couchée, et ne pouvait pas me voir. Je suis bien sûre que le Chevalier Danceny aura été fâché aussi ; mais il aura été diſtrait par le Speċtacle et par tout le monde : c'eſt bien différent.

Par bonheur, Maman va mieux aujourd'hui, et Mme de Merteuil viendra avec une autre personne et le Chevalier Danceny : mais elle arrive toujours bien tard, Mme de Merteuil ; et quand on eſt si longtemps toute seule, c'eſt bien ennuyeux. Il n'eſt encore que 11 heures. Il eſt vrai qu'il faut que je joue de la harpe ; et puis ma toilette me prendra un peu de temps, car je veux être bien coiffée aujourd'hui. Je crois que la Mère Perpétue a raison, et qu'on devient coquette dès qu'on eſt dans le monde. Je n'ai jamais eu tant d'envie d'être jolie que depuis quelques jours, et je trouve que je ne le suis pas autant que je le croyais ; et puis, auprès des femmes qui ont du rouge, on perd beaucoup. Mme de Merteuil, par exemple, je vois bien que tous les hommes la trouvent plus jolie que moi : cela ne me fâche pas beaucoup, parce qu'elle m'aime bien ; et puis elle assure que le Chevalier Danceny me trouve plus jolie qu'elle. C'est bien honnête à elle de me l'avoir dit ! elle avait même l'air d'en être bien aise. Par exemple, je ne conçois pas ça[2]. C'est qu'elle m'aime tant ! et lui !.... oh ! ça m'a fait bien plaisir ! aussi, c'est qu'il me semble que rien que le regarder suffit pour embellir. Je le regarderais toujours, si je ne craignais de rencontrer ses yeux : car, toutes les fois que cela m'arrive, cela me décontenance, et me fait comme de la peine ; mais ça ne fait rien.

Adieu, ma chère amie : je vas[3] me mettre à ma toilette. Je t'aime toujours comme de coutume.

*Paris, ce 14 Août 17**.*

LETTRE XV

LE VICOMTE DE VALMONT
À LA MARQUISE DE MERTEUIL

Il est bien honnête à vous de ne pas m'abandonner à mon triste sort. La vie que je mène ici est réellement fatigante, par l'excès de son repos et son insipide uniformité. En lisant votre Lettre et le détail de votre charmante journée, j'ai été tenté vingt fois de prétexter une affaire, de voler à vos pieds, et de vous y demander, en ma faveur, une infidélité à votre Chevalier, qui, après tout, ne mérite pas son bonheur. Savez-vous que vous m'avez rendu jaloux de lui ? Que me parlez-vous d'éternelle rupture ? J'abjure ce serment, prononcé dans le délire : nous n'aurions pas été dignes de le faire, si nous eussions dû le garder. Ah ! que je puisse[a] un jour me venger, dans vos bras, du dépit involontaire que m'a causé le bonheur du Chevalier ! Je suis indigné, je l'avoue, quand je songe que cet homme, sans raisonner, sans se donner la moindre peine, en suivant tout bêtement l'instinct de son cœur, trouve une félicité à laquelle je ne puis atteindre. Oh ! je la troublerai... Promettez-moi que je la troublerai. Vous-même n'êtes-vous pas humiliée ? Vous vous donnez la peine de le tromper, et il est plus heureux que vous. Vous le croyez dans vos chaînes ! C'est bien vous qui êtes dans les siennes. Il dort[b] tranquillement, tandis que vous veillez pour ses plaisirs. Que ferait de plus son esclave ?

Tenez, ma belle amie, tant que vous vous partagez entre plusieurs, je n'ai pas la moindre jalousie : je ne vois alors dans vos amants que les successeurs d'Alexandre, incapables de conserver entr'eux tous cet empire où je régnais seul[1]. Mais que vous vous donniez entièrement à un d'eux ! Qu'il existe un autre homme aussi heureux que moi ! Je ne le souffrirai pas ; n'espérez pas que je le souffre. Ou reprenez-moi, ou au moins prenez-en un autre ; et ne trahissez pas, par un caprice exclusif, l'amitié inviolable que nous nous sommes jurée.

C'est bien assez, sans doute, que j'aie à me plaindre de l'amour. Vous voyez que je me prête à vos idées, et que j'avoue mes torts. En effet[c], si l'amour est de ne pouvoir vivre sans posséder ce qu'on désire ; d'y sacrifier, son temps, ses plaisirs, sa vie ; je suis bien réellement amoureux. Je n'en suis guère plus avancé. Je n'aurais même rien du tout à vous apprendre à ce sujet, sans un événement qui me donne beaucoup à réfléchir, et dont je ne sais encore si je dois craindre ou espérer.

Vous connaissez mon Chasseur[2], trésor d'intrigue et vrai valet de Comédie : vous jugez bien que ses instructions portaient d'être amoureux de la Femme de chambre, et d'enivrer les gens. Le coquin est plus heureux que moi, il a déjà réussi. Il vient de découvrir que Mme de Tourvel a chargé un de ses gens de prendre des informations sur ma conduite, et même de me suivre dans mes courses du matin, autant qu'il le pourrait, sans être aperçu. Que prétend cette femme ? Ainsi donc la plus modeste de toutes, ose encore risquer des choses qu'à peine nous oserions nous permettre ! Je jure bien... Mais, avant de songer à me[d] venger de cette ruse féminine, occupons-nous des moyens de la tourner à notre avantage. Jusqu'ici ces courses qu'on suspecte n'avaient aucun objet ; il faut leur en donner un. Cela mérite toute mon attention, et je vous quitte pour y réfléchir. Adieu, ma belle amie.

*Toujours du Château de ..., ce 15 Août 17**.*

LETTRE XVI[1]

CÉCILE VOLANGES
À SOPHIE CARNAY

Ah ! ma Sophie, voici bien des nouvelles ! je ne devrais peut-être pas te les dire : mais il faut bien que j'en parle à quelqu'un ; c'est plus fort que moi. Ce Chevalier[a] Danceny... Je suis dans un trouble que je ne peux pas écrire : je ne sais par où commencer. Depuis que je t'avais raconté la jolie soirée* que j'avais passée chez Maman avec lui et Mme de Merteuil, je ne t'en parlais plus : c'est que je ne voulais plus en parler à personne ; mais j'y pensais pourtant toujours. Depuis il était devenu triste, mais si triste, si

* La Lettre où il est parlé de cette soirée ne s'est pas retrouvée. Il y a lieu de croire que c'est celle proposée dans le billet de Mme de Merteuil, et dont il est aussi question dans la précédente Lettre de Cécile Volanges.

triste, que ça me faisait de la peine ; et quand je lui demandais pourquoi, il me disait que non : mais je voyais bien que si. Enfin hier il l'était encore plus que de coutume. Ça n'a pas empêché qu'il n'ait eu la complaisance de chanter avec moi comme à l'ordinaire ; mais, toutes les fois qu'il me regardait, cela me serrait le cœur. Après que nous eûmes fini de chanter, il alla renfermer ma harpe dans son étui ; et, en m'en rapportant la clef, il me pria d'en jouer encore le soir, aussitôt que je serais seule. Je ne me défiais de rien du tout ; je ne voulais même pas : mais il m'en pria tant, que je lui dis qu'oui. Il avait bien ses raisons. Effectivement, quand je fus retirée chez moi, et que ma Femme de chambre fut sortie, j'allai pour prendre ma harpe. Je trouvai dans les cordes, une Lettre, pliée seulement, et point cachetée[2], et qui était de lui. Ah ! si tu savais tout ce qu'il me mande ! Depuis que j'ai lu sa Lettre, j'ai tant de plaisir, que je ne peux plus songer à autre chose. Je l'ai relue quatre fois tout de suite, et puis je l'ai serrée dans mon secrétaire. Je la savais par cœur ; et, quand j'ai été couchée, je l'ai tant répétée, que je ne songeais pas à dormir. Dès que je fermais les yeux, je le voyais là, qui me disait lui-même tout ce que je venais de lire. Je ne me suis endormie que bien tard ; et aussitôt que je me suis réveillée (il était encore de bien bonne heure), j'ai été reprendre sa Lettre pour la relire à mon aise. Je l'ai emportée dans mon lit, et puis je l'ai baisée comme si… C'est peut-être mal fait de baiser une Lettre comme ça, mais je n'ai pas pu m'en empêcher.

À présent, ma chère amie, si je suis bien aise, je suis aussi bien embarrassée ; car sûrement il ne faut pas que je réponde à cette Lettre-là. Je sais bien que ça ne se doit pas, et pourtant il me le demande ; et, si je ne réponds pas, je suis sûre qu'il va être encore triste. C'est pourtant bien malheureux pour lui ! Qu'est-ce que tu me conseilles ? mais tu n'en sais pas plus que moi. J'ai bien envie d'en parler à Mme de Merteuil qui m'aime bien. Je voudrais bien le consoler ; mais je ne voudrais rien faire qui fût mal. On nous recommande tant d'avoir bon cœur ! et puis on nous défend de suivre ce qu'il inspire, quand c'est pour un homme ! ça[b] n'est pas juste non plus. Est-ce qu'un homme n'est pas notre prochain comme une femme, et plus encore ? car enfin n'a-t-on pas son père comme sa mère, son frère comme sa sœur ? il reste toujours le mari de plus. Cependant si j'allais faire quelque chose qui ne fût pas bien, peut-être que M. Danceny lui-même n'aurait plus bonne idée de moi ! Oh ! ça, par exemple, j'aime encore mieux qu'il soit triste : et puis, enfin, je serai toujours à temps. Parce qu'il a écrit hier, je ne suis pas obligée d'écrire aujourd'hui : aussi bien je verrai Mme de Merteuil ce soir, et, si j'en ai le courage, je lui conterai tout. En ne faisant que ce qu'elle me dira, je n'aurai rien à me reprocher. Et puis peut-être me dira-t-elle que je peux lui répondre un peu, pour qu'il ne soit pas si triste ! Oh ! je suis bien en peine.

Adieu, ma bonne amie. Dis-moi toujours ce que tu penses.

*De … ce 19 Août 17**.*

LETTRE XVII

LE CHEVALIER DANCENY À CÉCILE VOLANGES

Avant de me livrer, Mademoiselle, dirai-je au plaisir ou au besoin de vous écrire, je commence par vous supplier de m'entendre. Je sens que pour oser vous déclarer mes sentiments, j'ai besoin d'indulgence ; si je ne voulais que les justifier, elle me serait inutile. Que vais-je faire après tout, que vous montrer votre ouvrage ? Et qu'ai-je à vous dire, que mes regards, mon embarras, ma conduite et même mon silence, ne vous aient dit avant moi ? Eh ! pourquoi vous fâcheriez-vous d'un sentiment que vous avez fait naître ? Émané de vous, sans doute il est digne de vous être offert ; s'il est brûlant comme mon âme, il est pur comme la vôtre. Serait-ce un crime d'avoir su apprécier votre charmante figure, vos talents séducteurs, vos grâces enchanteresses, et cette touchante candeur qui ajoute un prix inestimable[a] à des qualités déjà si précieuses ? non, sans doute : mais, sans être coupable, on peut être malheureux ; et c'est le sort qui m'attend, si vous refusez d'agréer mon hommage. C'est le premier que mon cœur ait offert. Sans vous je serais encore, non pas heureux, mais tranquille. Je vous ai vue ; le repos a fui loin de moi, et mon bonheur est incertain. Cependant vous vous étonnez de ma tristesse ; vous m'en demandez la cause : quelquefois même j'ai cru voir qu'elle vous affligeait. Ah ! dites un mot, et ma félicité sera votre ouvrage. Mais, avant de prononcer, songez qu'un mot peut aussi combler mon malheur. Soyez donc l'arbitre de ma destinée. Par vous je vais être éternellement heureux ou malheureux. En quelles mains plus chères puis-je remettre un intérêt plus grand[1] ?

Je finirai, comme j'ai commencé, par implorer votre indulgence. Je vous ai demandé de m'entendre ; j'oserai plus, je vous prierai de me répondre. Le refuser, serait me laisser croire que vous vous trouvez offensée, et mon cœur m'est garant que mon respect égale mon amour.

P. S. Vous pouvez vous servir, pour me répondre, du même moyen dont je me sers pour vous faire parvenir cette Lettre, il me paraît également sûr et commode.

*De … ce 18 Août 17**.*

LETTRE XVIII

CÉCILE VOLANGES À SOPHIE CARNAY

Quoi! Sophie, tu blâmes d'avance ce que je vas faire! j'avais déjà bien assez d'inquiétudes; voilà que tu les augmentes encore. Il eſt clair, dis-tu, que je ne dois pas répondre. Tu en parles bien à ton aise; et d'ailleurs, tu ne sais pas au juſte ce qui en eſt: tu n'es pas là pour voir. Je suis sûre que si tu étais à ma place, tu ferais comme moi. Sûrement en général on ne doit pas répondre; et tu as bien vu, par ma Lettre d'hier que je ne le voulais pas non plus: mais c'eſt que je ne crois pas que personne se soit jamais trouvée dans le cas où je suis.

Et encore être obligée de me décider toute seule! Mme de Merteuil, que je comptais voir hier au soir, n'eſt pas venue. Tout s'arrange contre moi: c'eſt elle qui eſt cause que je le connais. C'eſt presque toujours avec elle que je l'ai vu, que je lui ai parlé. Ce n'eſt pas que je lui en veuille du mal: mais elle me laisse là au moment de l'embarras. Oh! je suis bien à plaindre!

Figure-toi qu'il eſt venu hier comme à l'ordinaire. J'étais si troublée, que je n'osais le regarder. Il ne pouvait pas me parler, parce que Maman était là. Je me doutais bien qu'il serait fâché, quand il verrait que je ne lui avais pas écrit. Je ne savais quelle contenance faire. Un inſtant après il me demanda si je voulais qu'il allât chercher ma harpe. Le cœur me battait si fort, que ce fut tout ce que je pus faire que de répondre qu'oui. Quand il revint, c'était bien pis. Je ne le regardai qu'un petit moment. Il ne me regardait pas, lui: mais il avait un air, qu'on aurait dit qu'il était malade. Ça me faisait bien de la peine. Il se mit à accorder ma harpe, et après, en me l'apportant, il me dit : Ah ! Mademoiselle !... Il ne me dit que ces deux mots-là ; mais c'était d'un ton que j'en fus toute bouleversée. Je préludais[1] sur ma harpe, sans savoir ce que je faisais. Maman demanda si nous ne chanterions pas. Lui s'excusa, en disant qu'il était un peu malade ; et moi, qui n'avais pas d'excuse, il me fallut chanter. J'aurais voulu n'avoir jamais eu de voix. Je choisis exprès un air que je ne savais pas ; car j'étais bien sûre que je ne pourrais en chanter aucun, et on se serait aperçu de quelque chose. Heureusement il vint une visite, et, dès que j'entendis entrer un carrosse, je cessai, et le priai de reporter ma harpe. J'avais bien peur qu'il ne s'en allât en même temps, mais il revint.

Pendant que Maman et cette Dame qui était venue causaient ensemble, je voulus le regarder encore un petit moment. Je rencontrai ses yeux, et il me fut impossible de détourner les miens. Un moment après je vis ses larmes couler, et il fut obligé de se retourner pour n'être pas vu. Pour le coup je ne pus y tenir ; je sentis que j'allais pleurer aussi. Je sortis, et tout de suite j'écrivis avec un crayon, sur un chiffon de papier : « Ne soyez donc pas si triste, je vous en prie, je promets de vous répondre. » Sûrement tu ne peux pas dire qu'il y ait du mal à cela ; et puis c'était plus fort que moi. Je mis mon papier aux cordes de ma harpe, comme sa Lettre était, et je revins dans le salon. Je me sentais plus tranquille. Il me tardait bien que cette Dame s'en fût. Heureusement elle était en visite ; elle s'en alla bientôt après. Aussitôt qu'elle fut sortie, je dis que je voulais reprendre ma harpe ; et je le priai de l'aller chercher. Je vis bien, à son air, qu'il ne se doutait de rien. Mais au retour, ho ! comme il était content ! En posant ma harpe vis-à-vis de moi, il se plaça de façon que Maman ne pouvait voir, et il prit ma main qu'il serra... mais d'une façon !... ce ne fut qu'un moment : mais je ne saurais te dire le plaisir que ça m'a fait. Je la retirai pourtant ; ainsi je n'ai rien à me reprocher.

À présent, ma bonne amie, tu vois bien que je ne peux pas me dispenser de lui écrire, puisque je le lui ai promis ; et puis, je n'irai pas lui refaire encore du chagrin ; car j'en souffre plus que lui. Si c'était pour quelque chose de mal, sûrement je ne le ferais pas. Mais quel mal peut-il y avoir à écrire, surtout quand c'est pour empêcher quelqu'un d'être malheureux ? Ce qui m'embarrasse, c'est que je ne saurai pas bien faire ma Lettre : mais il sentira bien que ce n'est pas ma faute[2] ; et puis je suis sûre que rien que de ce qu'elle sera de moi, elle lui fera toujours plaisir.

Adieu, ma chère amie. Si tu trouves que j'ai tort, dis-le-moi ; mais je ne crois pas. À mesure que le moment de lui écrire approche, mon cœur bat que ça ne se conçoit pas. Il le faut pourtant bien, puisque je l'ai promis. Adieu.

*De … ce 20 Août 17**.*

LETTRE XIX

CÉCILE VOLANGES AU CHEVALIER DANCENY

Vous étiez si triste hier, Monsieur, et cela me faisait tant de peine, que je me suis laissée aller à vous promettre de répondre à la Lettre que vous m'avez écrite. Je n'en sens pas moins aujourd'hui que je ne le dois pas : pourtant[a], comme je l'ai promis, je ne veux pas manquer à ma parole, et cela doit bien vous prouver l'amitié que j'ai pour vous. À présent que vous le savez, j'espère que vous ne me demanderez pas de vous écrire davantage. J'espère[b] aussi que vous ne direz à personne que je vous ai écrit ; parce que sûrement on m'en blâmerait, et que cela pourrait me causer bien du chagrin. J'espère surtout que vous-même n'en prendrez pas mauvaise idée de moi ; ce qui me ferait plus de peine que tout. Je peux bien vous assurer que je n'aurais pas eu cette complaisance-là pour tout autre que vous. Je voudrais bien que vous eussiez celle de ne plus être triste comme vous étiez ; ce qui m'ôte tout le plaisir que j'ai à vous voir. Vous voyez, Monsieur, que je vous parle bien sincèrement. Je ne demande pas mieux que notre amitié dure toujours ; mais, je vous en prie, ne m'écrivez plus.

J'ai l'honneur d'être, etc.

CÉCILE VOLANGES.
De … ce 20[1] *Août 17***.

LETTRE XX

LA MARQUISE DE MERTEUIL
AU VICOMTE DE VALMONT[1]

Ah ! fripon, vous me cajolez, de peur que je ne me moque de vous ! Allons, je vous fais grâce : vous m'écrivez tant de folies, qu'il faut bien que je vous pardonne la sagesse où vous tient votre Présidente. Je ne crois pas que mon Chevalier eût autant d'indulgence que moi ; il serait homme à ne pas approuver notre renouvellement de bail, et à ne rien trouver de plaisant dans votre folle idée[2]. J'en ai pourtant bien ri, et j'étais vraiment fâchée d'être obligée d'en rire toute seule. Si vous eussiez été là, je ne sais où m'aurait menée cette gaieté : mais j'ai eu le temps de la réflexion, et je me suis armée de sévérité. Ce n'est pas que je refuse pour toujours ; mais je diffère, et j'ai raison. J'y mettrais[a] peut-être de la vanité, et, une fois piquée au jeu, on ne sait plus où l'on s'arrête. Je serais femme à vous enchaîner de nouveau, à vous faire oublier votre Présidente ; et si j'allais, moi indigne[3], vous dégoûter de la vertu, voyez quel scandale ! Pour éviter ce danger, voici mes conditions.

Aussitôt que vous aurez eu votre belle Dévote, que vous pourrez m'en fournir une preuve, venez, et je suis à vous. Mais vous n'ignorez pas que dans les affaires importantes, on ne reçoit de preuves que par écrit. Par cet arrangement, d'une part, je deviendrai une récompense au lieu d'être une consolation, et cette idée me plaît davantage : de l'autre, votre succès en sera plus piquant, en devenant lui-même un moyen d'infidélité. Venez donc, venez au plus tôt m'apporter le gage de votre triomphe : semblable à ces preux Chevaliers qui venaient déposer aux pieds de leurs Dames les fruits brillants de leur victoire. Sérieusement, je suis curieuse de savoir ce que peut écrire une Prude après un tel moment, et quel voile elle met sur ses discours[b], après n'en avoir plus laissé sur sa personne. C'est à vous de voir si je me mets à un prix trop haut ; mais je vous préviens qu'il n'y a rien à rabattre. Jusque-là, mon cher Vicomte, vous trouverez bon que je reste fidèle à mon Chevalier, et que je m'amuse à le rendre heureux, malgré le petit chagrin que cela vous cause.

Cependant si j'avais moins de mœurs, je crois qu'il aurait dans ce moment un rival dangereux ; c'est la petite Volanges. Je raffole de cet enfant : c'est une vraie passion[4]. Ou je me trompe, ou elle deviendra une de nos femmes les plus à la mode. Je vois son petit cœur se développer, et c'est un spectacle ravissant. Elle aime déjà son Danceny avec fureur ; mais elle n'en sait encore rien. Lui-même, quoique très amoureux, a encore la timidité de son âge, et[c] n'ose pas trop le lui apprendre. Tous deux sont en adoration vis-à-vis de moi. La petite surtout a grande envie de me dire son secret ; particulièrement depuis quelques jours je l'en vois[d] vraiment oppressée, et je lui aurais rendu un grand service de l'aider un peu : mais je n'oublie pas que c'est un enfant, et je ne veux pas me compromettre. Danceny m'a parlé un peu plus clairement ; mais pour lui, mon parti est pris, je ne veux pas l'entendre. Quant à la petite, je suis souvent tentée d'en faire mon élève ; c'est un service que j'ai envie de rendre à Gercourt. Il me laisse du temps, puisque le voilà en Corse jusqu'au mois d'Octobre. J'ai dans l'idée que j'emploierai ce temps-là, et que nous lui donnerons une femme toute formée, au lieu de son innocente Pensionnaire. Quelle est donc, en effet, l'insolente sécurité de cet homme, qui ose dormir tranquille, tandis qu'une femme, qui a à se plaindre de lui, ne s'est pas encore vengée ? Tenez, si la petite était ici dans ce moment, je ne sais ce que je ne lui dirais pas.

Adieu, Vicomte ; bon soir et bon succès : mais, pour Dieu, avancez donc. Songez que si vous n'avez pas cette femme, les autres rougiront de vous avoir eu.

*De ... ce 20 Août 17***.[5]

LETTRE XXI

LE VICOMTE DE VALMONT À LA MARQUISE DE MERTEUIL

Enfin, ma belle amie, j'ai fait un pas en avant, mais un grand pas, et qui, s'il ne m'a pas conduit jusqu'au but, m'a fait connaître au moins que je suis dans la route, et a dissipé la crainte où j'étais de m'être égaré. J'ai enfin déclaré mon amour ; et quoiqu'on ait gardé le silence le plus obstiné, j'ai obtenu la réponse peut-être la moins équivoque et la plus flatteuse : mais n'anticipons pas sur les événements, et reprenons de plus haut.

Vous vous souvenez qu'on faisait épier mes démarches. Eh bien ! j'ai voulu que ce moyen scandaleux tournât à l'édification publique, et voici ce que j'ai fait : j'ai chargé mon confident de me trouver, dans les environs, quelque malheureux qui eût besoin de secours. Cette commission n'était pas difficile à remplir. Hier après-midi, il me rendit compte qu'on devait saisir aujourd'hui, dans la matinée, les meubles[1] d'une famille entière qui ne pouvait payer la taille[2]. Je m'assurai qu'il n'y eût dans cette maison, aucune fille ou femme dont l'âge ou la figure pussent rendre mon action suspecte; et, quand je fus bien informé, je déclarai à souper mon projet d'aller à la chasse le lendemain. Ici je dois rendre justice à ma Présidente: sans doute elle eut quelques remords des ordres qu'elle avait donnés; et, n'ayant pas la force de vaincre sa curiosité, elle eut au moins celle de contrarier mon désir. Il devait faire une chaleur excessive; je risquais de me rendre malade; je ne tuerais rien, et me fatiguerais en vain; et pendant ce dialogue, ses yeux, qui parlaient peut-être mieux[a] qu'elle ne voulait, me faisaient assez connaître qu'elle désirait que je prisse pour bonnes ces mauvaises raisons. Je n'avais garde de m'y rendre, comme vous pouvez croire, et je résistai de même à une petite diatribe contre la chasse et les Chasseurs, et à un petit nuage d'humeur qui obscurcit, toute la soirée, cette figure céleste. Je craignis un moment que ses ordres ne fussent révoqués, et que sa délicatesse ne me nuisît. Je ne calculais pas la curiosité d'une femme; aussi me trompais-je. Mon Chasseur me rassura dès le soir même, et je me couchai satisfait.

Au point du jour je me lève et je pars. À peine à cinquante pas du Château, j'aperçois mon espion qui me suit. J'entre en chasse, et marche à travers champs vers le village où je voulais me rendre; sans autre plaisir, dans ma route, que de faire courir le drôle qui me suivait, et qui, n'osant pas quitter les chemins, parcourait souvent, à toute course[3], un espace triple du mien. À force de l'exercer, j'ai eu moi-même une extrême chaleur, et je me suis assis au pied d'un arbre. N'a-t-il pas eu l'insolence de se couler derrière un buisson qui n'était pas à vingt pas de moi, et de s'y asseoir aussi? J'ai été tenté un moment de lui envoyer mon coup de fusil, qui, quoique de petit plomb seulement, lui aurait donné une leçon suffisante sur les dangers de la curiosité: heureusement pour lui, je me suis ressouvenu qu'il était utile et même nécessaire à mes projets ; cette réflexion[b] l'a sauvé.

Cependant j'arrive au village ; je vois de la rumeur ; je m'avance : j'interroge ; on me raconte le fait. Je fais venir le Collecteur[4] ; et, cédant à ma généreuse compassion, je paie noblement cinquante-six livres, pour lesquelles on réduisait cinq personnes à la paille et au désespoir. Après cette action si simple, vous n'imaginez pas quel chœur de bénédictions retentit autour de moi de la part des assistants ! Quelles larmes de reconnaissance coulaient des yeux du vieux chef de cette famille, et embellissaient cette figure de Patriarche, qu'un moment auparavant l'empreinte farouche du désespoir rendait vraiment hideuse ! J'examinais ce spectacle, lorsqu'un autre paysan, plus jeune, conduisant par la main une femme et deux enfants, et s'avançant vers moi à pas précipités, leur dit : « Tombons tous aux pieds de cette image de Dieu » ; et dans le même instant j'ai été entouré de cette famille, prosternée à mes genoux. J'avouerai ma faiblesse ; mes yeux se sont mouillés de larmes, et j'ai senti en moi un mouvement involontaire, mais délicieux. J'ai été étonné du plaisir qu'on éprouve en faisant le bien ; et je serais tenté de croire que ce que nous appelons les gens vertueux, n'ont pas tant de mérite qu'on se plaît à nous le dire. Quoi qu'il en soit, j'ai trouvé juste de payer à ces pauvres gens le plaisir qu'ils venaient de me faire. J'avais pris dix louis sur moi[5] ; je les leur ai donnés. Ici ont recommencé les remerciements, mais ils n'avaient plus ce même degré de pathétique : le nécessaire avait produit le grand, le véritable effet ; le reste n'était qu'une simple expression de reconnaissance et d'étonnement pour des dons superflus.

Cependant, au milieu des bénédictions bavardes de cette famille, je ne ressemblais pas mal au Héros d'un Drame, dans la scène du dénouement[6]. Vous remarquerez que dans cette foule était surtout le fidèle espion. Mon but était rempli : je me dégageai d'eux tous, et regagnai le Château. Tout calculé, je me félicite de mon invention. Cette femme vaut bien sans doute que je me donne tant de soins ; ils seront un jour mes titres auprès d'elle ; et l'ayant, en quelque sorte, ainsi payée d'avance[6], j'aurai le droit d'en disposer à ma fantaisie, sans avoir de reproche à me faire[7].

J'oubliais de vous dire que pour mettre tout à profit, j'ai demandé à ces bonnes gens de prier Dieu pour le succès de mes projets. Vous allez voir si déjà leurs prières n'ont pas été en partie exaucées... Mais on m'avertit que le souper est servi, et il serait trop tard pour que cette Lettre partît, si je ne la fermais qu'en me retirant. Ainsi, *le reste à l'ordinaire prochain.* J'en suis fâché ; car le reste est le meilleur. Adieu, ma belle amie. Vous me volez un moment du plaisir de la voir.

*De ... ce 20 Août 17**.*

LETTRE XXII

LA PRÉSIDENTE DE TOURVEL À MADAME DE VOLANGES

Vous serez sans doute bien aise, Madame, de connaître un trait[1] de M. de Valmont, qui contraste beaucoup, ce me semble, avec tous ceux sous lesquels on vous l'a représenté. Il est si pénible de penser désavantageusement de qui que ce soit, si fâcheux de ne trouver que des vices chez ceux qui auraient toutes les qualités nécessaires pour faire aimer la vertu ! Enfin, vous aimez tant à user d'indulgence, que c'est vous obliger que de vous donner des motifs de revenir sur un jugement trop rigoureux. M. de Valmont me paraît fondé à espérer cette faveur, je dirais presque cette justice ; et voici sur quoi je le pense.

Il a fait ce matin une de ces courses qui pouvaient faire supposer quelque projet de sa part dans les environs, comme l'idée vous en était venue ; idée que je m'accuse d'avoir saisie peut-être avec trop de vivacité.

Heureusement pour lui, et surtout heureusement pour nous, puisque cela nous sauve d'être injustes, un de mes gens devait aller du même côté que lui* ; et c'est par là que ma curiosité répréhensible, mais heureuse, a été satisfaite. Il nous a rapporté que M. de Valmont, ayant trouvé au village de … une malheureuse famille dont on vendait les meubles, faute d'avoir pu payer les impositions, non seulement s'était empressé d'acquitter la dette de ces pauvres gens, mais même leur avait donné une somme d'argent assez considérable. Mon Domestique a été témoin de cette vertueuse action ; et il m'a rapporté de plus que les paysans, causant entre eux et avec lui, avaient dit qu'un Domestique, qu'ils ont désigné, et que le mien croit être celui de M. de Valmont, avait pris hier des informations sur ceux des habitants du village qui pouvaient avoir besoin de secours. Si cela est ainsi, ce n'est même plus seulement une compassion passagère et que l'occasion détermine : c'est le projet formé de faire du bien ; c'est la sollicitude de la bienfaisance ; c'est la plus belle vertu des plus belles âmes : mais, soit hasard ou projet, c'est toujours une action honnête et louable, et dont le seul récit m'a attendrie jusqu'aux larmes. J'ajouterai de plus, et toujours par justice, que quand je lui ai parlé de cette action, de laquelle il ne disait mot, il a commencé par s'en défendre, et a eu l'air d'y mettre si peu de valeur lorsqu'il en est convenu, que sa modestie en doublait le mérite.

À présent, dites-moi, ma respectable amie, si M. de Valmont est en effet un libertin sans retour, s'il n'est que cela et se conduit ainsi, que restera-t-il aux gens honnêtes ? Quoi ! les méchants partageraient-ils avec les bons le plaisir sacré de la bienfaisance ? Dieu permettrait-il qu'une famille vertueuse reçût, de la main d'un scélérat, des secours dont elle rendrait grâce à sa divine Providence ? et pourrait-il se plaire à entendre des bouches pures répandre leurs bénédictions sur un réprouvé ? non : j'aime mieux croire que des erreurs,

* Mme de Tourvel n'ose donc pas dire que c'était par son ordre ?

pour être longues, ne sont pas éternelles ; et je ne puis penser que celui qui fait du bien soit l'ennemi de la vertu. M. de Valmont n'est peut-être qu'un exemple de plus du danger des liaisons[2]. Je m'arrête à cette idée qui me plaît. Si, d'une part, elle peut servir à le justifier dans votre esprit, de l'autre, elle me rend de plus en plus précieuse l'amitié tendre qui m'unit à vous pour la vie.

J'ai l'honneur d'être, etc.

P. S. Mme de Rosemonde et moi nous allons, dans l'instant, voir aussi l'honnête et malheureuse famille, et joindre nos secours tardifs à ceux de M. de Valmont. Nous le mènerons avec nous. Nous donnerons au moins à ces bonnes gens le plaisir de revoir leur bienfaiteur ; c'est, je crois, tout ce qu'il nous a laissé à faire.

*De … ce 20 Août 17***[3].

LETTRE XXIII

LE VICOMTE DE VALMONT
À LA MARQUISE DE MERTEUIL

Nous en sommes restés à mon retour au Château : je reprends mon récit.

Je n'eus que le temps de faire une courte toilette, et je me rendis au salon, où ma Belle faisait de la tapisserie[1], tandis que le Curé du lieu lisait la Gazette à ma vieille Tante. J'allai m'asseoir auprès du métier. Des regards, plus doux encore que de coutume, et presque caressants, me firent bientôt deviner que le Domestique avait déjà rendu compte de sa mission. En effet, mon aimable Curieuse ne put garder plus longtemps le secret qu'elle m'avait dérobé ; et, sans crainte d'interrompre un vénérable Pasteur, dont le débit ressemblait pourtant à celui d'un prône : « J'ai bien aussi ma nouvelle à débiter », dit-elle ; et tout de suite[a] elle raconta mon aventure, avec une exactitude qui faisait honneur à l'intelligence de son Historien[2]. Vous jugez comme je déployai toute ma modestie : mais qui pourrait arrêter une femme qui fait, sans s'en douter, l'éloge de ce qu'elle aime ? Je pris donc le parti de la laisser aller. On eût dit qu'elle prêchait le panégyrique d'un Saint. Pendant ce temps, j'observais, non sans espoir, tout ce que promettaient à l'amour son regard animé, son geste[3] devenu plus libre, et surtout ce son de voix qui, par son altération déjà sensible, trahissait l'émotion de son âme. À peine elle finissait de parler : « Venez, mon neveu, me dit Mme de Rosemonde ; venez, que je vous embrasse. » Je sentis aussitôt que la jolie Prêcheuse[4] ne pourrait se défendre d'être embrassée à son tour. Cependant elle voulut fuir ; mais elle fut bientôt dans mes bras ; et, loin d'avoir la force de résister, à peine lui restait-il celle de se soutenir. Plus j'observe cette femme, et plus elle me paraît désirable. Elle s'empressa de retourner à son métier, et eut l'air, pour tout le monde, de recommencer sa tapisserie : mais moi, je m'aperçus bien que sa main tremblante ne lui permettait pas de continuer son ouvrage.

Après le dîner, les Dames voulurent aller voir les infortunés que j'avais si *pieusement* secourus ; je les accompagnai. Je vous sauve l'ennui de cette seconde scène de reconnaissance et d'éloges. Mon cœur, pressé d'un souvenir délicieux, hâte le moment du retour au Château.

Pendant la route[b], ma belle Présidente, plus rêveuse qu'à l'ordinaire, ne disait pas un mot. Tout occupé de trouver les moyens de profiter de l'effet qu'avait produit l'événement du jour, je gardais le même silence. Mme de Rosemonde seule parlait, et n'obtenait de nous que des réponses courtes et rares. Nous dûmes l'ennuyer : j'en avais le projet, et il réussit. Aussi, en descendant de voiture, elle passa dans son appartement, et nous laissa tête à tête, ma Belle et moi, dans un salon mal éclairé ; obscurité douce, qui enhardit l'amour timide[5].

Je n'eus pas la peine de diriger la conversation où je voulais la conduire. La ferveur de l'aimable Prêcheuse me servit mieux que n'aurait pu faire mon adresse. « Quand on est si digne de faire le bien », me dit-elle, en arrêtant sur moi son doux regard, « comment passe-t-on sa vie à mal faire ? — Je ne mérite, lui répondis-je, ni cet éloge, ni cette censure ; et je ne conçois pas qu'avec autant d'esprit que vous en avez, vous ne m'ayez pas encore deviné. Dût ma confiance me nuire auprès de vous, vous en êtes trop digne, pour qu'il me soit possible de vous la refuser. Vous trouverez la clef de ma conduite dans un caractère malheureusement trop facile. Entouré de gens sans mœurs, j'ai imité leurs vices ; j'ai peut-être mis de l'amour-propre à les surpasser. Séduit de même ici par l'exemple des vertus, sans espérer de vous atteindre, j'ai au moins essayé de vous suivre. Eh ! peut-être l'action dont vous me louez aujourd'hui perdrait-elle tout son prix à vos yeux, si vous en connaissiez le véritable motif (vous voyez, ma belle amie, combien j'étais près de la vérité[6]) ! Ce n'est pas à moi, continuai-je, que ces malheureux ont dû mes secours. Où vous croyez voir une action louable, je ne cherchais qu'un moyen de plaire. Je n'étais, puisqu'il faut le dire, que le faible agent de la Divinité que j'adore (ici elle voulut m'interrompre ; mais je ne lui en donnai pas le temps). Dans ce moment même, ajoutai-je, mon secret ne m'échappe que par faiblesse. Je m'étais promis de vous le taire ; je me faisais un bonheur de rendre à vos vertus comme à vos appas un hommage pur que vous ignoreriez toujours : mais incapable de tromper, quand j'ai sous les yeux l'exemple de la candeur, je n'aurai point à me reprocher avec vous une dissimulation coupable. Ne croyez pas que je vous outrage par une criminelle espérance. Je serai malheureux, je le sais ; mais mes souffrances me seront chères : elles me prouveront l'excès de mon amour. C'est à vos pieds, c'est dans votre sein que je déposerai mes peines. J'y puiserai des forces pour souffrir de nouveau ; j'y trouverai la bonté compatissante, et je me croirai consolé, parce que vous m'aurez plaint. Ô vous que j'adore ! écoutez-moi, plaignez-moi, secourez-moi. » Cependant j'étais à ses genoux, et je serrais ses mains dans les miennes : mais elle, les dégageant tout à coup, et les croisant sur ses yeux avec l'expression du désespoir : « Ah ! malheureuse ! » s'écria-t-elle, puis elle fondit en larmes. Par bonheur je m'étais livré à tel point, que je pleurais aussi ; et, reprenant ses mains, je les baignai de pleurs. Cette précaution était bien nécessaire ; car elle était si occupée de sa douleur, qu'elle ne se serait pas aperçue de la mienne, si je n'avais trouvé ce moyen de l'en avertir. J'y gagnai de plus de considérer à loisir cette charmante figure, embellie encore par l'attrait puissant des larmes[7]. Ma tête s'échauffait, et j'étais si peu maître de moi, que je fus tenté de profiter de ce moment[8].

Quelle est donc notre faiblesse ! Quel est l'empire des circonstances, si moi-même, oubliant mes projets, j'ai risqué de perdre, par un triomphe prématuré, le charme des longs combats, et les détails d'une pénible défaite ! si, séduit par un désir de jeune homme, j'ai pensé exposer le vainqueur de Mme de Tourvel à ne recueillir, pour fruit de ses travaux, que l'insipide avantage d'avoir eu une femme de plus ! Ah ! qu'elle se rende, mais qu'elle combatte[9] ; que, sans avoir la force de vaincre, elle ait celle de résister ; qu'elle savoure à loisir le sentiment de sa faiblesse, et soit contrainte d'avouer sa défaite. Laissons le Braconnier obscur tuer à l'affût le cerf qu'il a surpris ; le vrai Chasseur doit le forcer[10]. Ce projet est sublime, n'est-ce pas ? mais peut-être serais-je à présent au regret de ne l'avoir pas suivi, si le hasard ne fût venu au secours de ma prudence.

Nous entendîmes du bruit. On venait au salon. Mme de Tourvel, effrayée, se leva précipitamment, se saisit d'un des flambeaux, et sortit. Il fallut bien la laisser faire. Ce n'était qu'un Domestique. Aussitôt que j'en fus assuré, je la suivis. À peine eus-je fait quelques pas, que, soit qu'elle me reconnût, soit un sentiment vague d'effroi, je l'entendis précipiter sa marche, et se jeter plutôt qu'entrer dans son appartement, dont elle ferma la porte sur elle. J'y allai ; mais la clef était en dedans. Je me gardai bien de frapper ; c'eût été lui fournir l'occasion d'une résistance trop facile. J'eus l'heureuse et simple idée de tenter de voir à travers la serrure, et je vis en effet cette femme adorable à genoux, baignée de larmes, et priant avec ferveur[11]. Quel Dieu osait-elle invoquer ? en est-il d'assez puissant contre l'amour ? En vain cherche-t-elle à présent des secours étrangers ; c'est moi qui réglerai son sort.

Croyant en avoir assez fait pour un premier jour, je me retirai aussi dans mon appartement, et me mis à vous écrire. J'espérais la revoir au souper ; mais elle fit dire qu'elle s'était trouvée indisposée, et s'était mise au lit. Mme de Rosemonde voulut monter chez elle ; mais la malicieuse malade prétexta un mal de tête qui ne lui permettait de voir personne. Vous jugez qu'après le souper la veillée fut courte, et que j'eus aussi mon mal de tête. Retiré chez moi, j'écrivis une longue Lettre pour me plaindre de cette rigueur, et je me couchai, avec le projet de la remettre ce matin. J'ai mal dormi, comme vous pouvez voir par la date de cette Lettre. Je me suis levé, et j'ai relu mon Épître. Je me suis aperçu que je ne m'y étais pas assez observé[12] ; que j'y montrais plus d'ardeur que d'amour, et plus d'humeur que de tristesse. Il faudra la refaire ; mais il faudrait être plus calme.

J'aperçois le point du jour, et j'espère que la fraîcheur qui l'accompagne m'amènera le sommeil. Je vais me remettre au lit ; et, quel que soit l'empire de cette femme, je vous promets de ne pas m'occuper tellement d'elle, qu'il ne me reste le temps de songer beaucoup à vous. Adieu, ma belle amie.

*De ... ce 21 Août 17**, 4 heures du matin*[13].

LETTRE XXIV

LE VICOMTE DE VALMONT
À LA PRÉSIDENTE DE TOURVEL

Ah ! par pitié, Madame, daignez calmer le trouble de mon âme ; daignez m'apprendre ce que je dois espérer ou craindre. Placé entre l'excès du bonheur et celui de l'infortune, l'incertitude est un tourment cruel. Pourquoi vous ai-je parlé ? que n'ai-je su résister au charme impérieux qui vous livrait mes pensées ? Content de vous adorer en silence, je jouissais au moins de mon amour ; et ce sentiment pur, que ne troublait point alors l'image de votre douleur, suffisait à ma félicité : mais cette source de bonheur en est devenue une de désespoir, depuis que j'ai vu couler vos larmes ; depuis que j'ai entendu ce cruel *Ah malheureuse !* Madame, ces deux mots retentiront longtemps dans mon cœur. Par quelle fatalité le plus doux des sentiments ne peut-il vous inspirer que l'effroi ? Quelle est donc cette crainte ? Ah ! ce n'est pas celle de le partager : votre cœur, que j'ai mal connu, n'est pas fait pour l'amour ; le mien, que vous calomniez sans cesse, est le seul qui soit sensible ; le vôtre est même sans pitié. S'il n'en était pas ainsi, vous n'auriez pas refusé un mot de consolation au malheureux qui vous racontait ses souffrances ; vous ne vous seriez pas soustraite à ses regards, quand il n'a d'autre plaisir que celui de vous voir ; vous ne vous seriez pas fait un jeu cruel de son inquiétude, en lui faisant annoncer que vous étiez malade, sans lui permettre d'aller s'informer de votre état ; vous auriez senti que cette même nuit, qui n'était pour vous que douze heures de repos, allait être pour lui un siècle de douleur.

Par où, dites-moi, ai-je mérité cette rigueur désolante ? Je ne crains pas de vous prendre pour Juge : qu'ai-je donc fait ? Que céder à un sentiment involontaire[1], inspiré par la beauté, et justifié par la vertu ; toujours contenu par le respect, et dont l'innocent aveu fut l'effet de la confiance et non de l'espoir : la trahirez-vous, cette confiance que vous-même avez semblé me permettre, et à laquelle je me suis livré sans réserve ? Non, je ne puis le croire ; ce serait vous supposer un tort, et mon cœur se révolte à la seule idée de vous en trouver un : je désavoue mes reproches ; j'ai pu les écrire, mais non pas les penser. Ah ! laissez-moi vous croire parfaite ! c'est le seul plaisir qui me reste. Prouvez-moi que vous l'êtes, en m'accordant vos soins généreux. Quel malheureux avez-vous secouru, qui en eût autant de besoin que moi ? ne m'abandonnez pas dans le délire où vous m'avez plongé : prêtez-moi votre raison, puisque vous avez ravi la mienne ; après m'avoir corrigé, éclairez-moi pour finir votre ouvrage.

Je ne veux pas vous tromper, vous ne parviendrez point à vaincre mon amour ; mais vous m'apprendrez à le régler : en guidant mes démarches, en dictant mes discours, vous me sauverez au moins du malheur affreux de vous déplaire. Dissipez surtout cette crainte désespérante. Dites-moi que vous me pardonnez, que vous me plaignez ; assurez-moi de votre indulgence. Vous n'aurez jamais toute celle que je vous désirerais ; mais je réclame celle dont j'ai besoin, me la refuserez-vous ?

Adieu, Madame ; recevez avec bonté l'hommage de mes sentiments, il ne nuit point à celui de mon respect.

*De … ce 20 Août 17***[2].

LETTRE XXV

LE VICOMTE DE VALMONT
À LA MARQUISE DE MERTEUIL

Voici le bulletin d'hier[a1].

À onze heures j'entrai chez Mme de Rosemonde ; et, sous ses auspices, je fus introduit chez la feinte malade, qui était encore couchée. Elle avait les yeux très battus ; j'espère qu'elle avait aussi mal dormi que moi. Je saisis un moment où Mme de Rosemonde s'était éloignée, pour remettre ma Lettre : on refusa de la prendre ; mais je la laissai sur le lit, et allai bien honnêtement[2] approcher le fauteuil de ma vieille Tante, qui voulait être auprès de *son cher enfant* : il fallut bien serrer la Lettre pour éviter le scandale. La malade dit maladroitement qu'elle croyait avoir un peu de fièvre. Mme de Rosemonde m'engagea à lui tâter le pouls, en vantant beaucoup mes connaissances en Médecine. Ma Belle eut donc le double chagrin d'être obligée de me livrer son bras, et de sentir que son petit mensonge allait être découvert. En effet, je pris sa main que je serrai dans une des miennes, pendant que de l'autre je parcourais son bras frais et potelé ; la malicieuse personne ne répondit à rien, ce qui me fit dire, en me retirant : « il n'y a pas même la plus légère émotion ». Je me doutai que ses regards devaient être sévères, et, pour la punir, je ne les cherchai pas : un moment après elle dit qu'elle voulait se lever, et nous la laissâmes seule. Elle parut au dîner, qui fut triste ; elle annonça qu'elle n'irait pas se promener, ce qui était me dire que je n'aurais pas occasion de lui parler. Je sentis bien qu'il fallait placer là un soupir, et un regard douloureux ; sans doute elle s'y attendait, car ce fut le seul moment de la journée où je parvins à rencontrer ses yeux. Toute sage qu'elle est, elle a ses petites ruses comme une autre. Je trouvai le moment de lui demander *si elle avait eu la bonté de m'instruire de mon sort*, et je fus un peu étonné de l'entendre me répondre : *oui, Monsieur, je vous ai écrit.* J'étais fort empressé d'avoir cette Lettre ; mais soit ruse encore, ou maladresse ou timidité, elle ne me la remit que le soir, au moment de se retirer chez elle. Je vous l'envoie ainsi que le brouillon de la mienne ; lisez et jugez : voyez avec quelle insigne fausseté elle affirme qu'elle n'a point d'amour, quand je suis sûr du contraire ; et puis elle se plaindra si je la trompe après, quand elle ne craint pas de me tromper avant ! Ma belle amie, l'homme le plus adroit ne peut encore que se tenir au niveau de la femme la plus vraie. Il faudra pourtant feindre de croire à tout ce radotage, et se fatiguer de désespoir, parce qu'il plaît à Madame de jouer la rigueur ! Le moyen de ne se pas venger de ces noirceurs-là !... ah ! patience... mais adieu. J'ai encore beaucoup à écrire.

À propos, vous me renverrez la Lettre de l'inhumaine[3] ; il se pourrait faire que par la suite elle voulût qu'on mît du prix à ces misères-là, et il faut être en règle.

Je ne vous parle pas de la petite Volanges ; nous en causerons au premier jour.

*Du Château, ce 22 Août[4] 17**.*

LETTRE XXVI

LA PRÉSIDENTE DE TOURVEL AU VICOMTE DE VALMONT

Sûrement, Monsieur, vous n'auriez eu aucune Lettre de moi, si ma sotte conduite d'hier au soir ne me forçait d'entrer aujourd'hui en explication avec vous. Oui, j'ai pleuré, je l'avoue : peut-être aussi les deux mots[1], que vous me citez avec tant de soin, me sont-ils échappés ; larmes et paroles, vous avez tout remarqué ; il faut donc vous expliquer tout.

Accoutumée à n'inspirer que des sentiments honnêtes, à n'entendre que des discours que je puis écouter sans rougir, à jouir par conséquent d'une sécurité que j'ose dire que je mérite, je ne sais ni dissimuler ni combattre les impressions que j'éprouve. L'étonnement et l'embarras où m'a jetée votre procédé ; je ne sais quelle crainte, inspirée par une situation qui n'eût jamais dû être faite pour moi ; peut-être l'idée révoltante de me voir confondue avec des femmes que vous méprisez, et traitée aussi légèrement qu'elles ; toutes ces causes réunies ont provoqué mes larmes, et ont pu me faire dire, avec raison je crois, que j'étais malheureuse. Cette expression, que vous trouvez si forte, serait sûrement beaucoup trop faible encore, si mes pleurs et mes discours avaient eu un autre motif ; si au lieu de désapprouver des sentiments qui doivent m'offenser, j'avais pu craindre de les partager.

Non, Monsieur, je n'ai pas cette crainte ; si je l'avais, je fuirais à cent lieues de vous ; j'irais pleurer dans un désert[2] le malheur de vous avoir connu. Peut-être même, malgré la certitude où je suis de ne point vous aimer, de ne vous aimer jamais, peut-être aurais-je mieux fait de suivre les conseils de mes amis ; de ne pas vous laisser approcher de moi.

J'ai cru, et c'est là mon seul tort, j'ai cru que vous respecteriez une femme honnête, qui ne demandait pas mieux que de vous trouver tel, et de vous rendre justice ; qui déjà vous défendait, tandis que vous l'outragiez par vos vœux criminels[a]. Vous ne me connaissez pas ; non, Monsieur, vous ne me connaissez pas. Sans cela vous n'auriez pas cru vous faire un droit de vos torts : parce que vous m'avez tenu des discours que je ne devais pas entendre, vous ne vous seriez pas cru autorisé à m'écrire une Lettre que je ne devais pas lire : et vous me demandez de *guider vos démarches, de dicter vos discours* ! Hé bien, Monsieur, le silence et l'oubli, voilà les conseils qu'il me convient de vous donner, comme à vous de les suivre ; alors vous aurez, en effet, des droits à mon indulgence : il ne tiendrait qu'à vous d'en obtenir même à ma reconnaissance… Mais non, je ne ferai point une demande à celui qui ne m'a point respectée ; je ne donnerai point une marque de confiance à celui qui a abusé de ma sécurité. Vous me forcez à vous craindre, peut-être à vous haïr : je ne le voulais pas ; je ne voulais voir en vous que le neveu de ma plus respectable amie ; j'opposais la voix de l'amitié à la voix publique qui vous accusait. Vous avez tout détruit ; et, je le prévois, vous ne voudrez rien réparer.

Je m'en tiens, Monsieur, à vous déclarer que vos sentiments m'offensent, que leur aveu m'outrage, et surtout que, loin d'en venir un jour à les partager, vous me forceriez à ne vous revoir jamais, si vous ne vous imposiez sur cet objet un silence qu'il me semble avoir droit d'attendre, et même d'exiger de vous. Je joins à cette Lettre celle que vous m'avez écrite[3], et j'espère que vous voudrez bien de même me remettre celle-ci ; je serais vraiment peinée qu'il restât aucune trace d'un événement qui n'eût jamais dû exister. J'ai l'honneur d'être, etc.

*De … ce 21 Août[4] 17**.*

LETTRE XXVII

CÉCILE VOLANGES
À LA MARQUISE DE MERTEUIL

Mon Dieu, que vous êtes bonne, Madame ! comme vous avez bien senti qu'il me serait plus facile de vous écrire que de vous parler ! Aussi, c'est que ce que j'ai à vous dire, est bien difficile ; mais vous êtes mon amie, n'est-il pas vrai ? Oh ! oui, ma bien bonne amie ! Je vais tâcher de n'avoir pas peur. Et puis, j'ai tant besoin de vous, de vos conseils ! J'ai bien du chagrin : il me semble que tout le monde devine ce que je pense ; et surtout quand il est là, je rougis dès qu'on me regarde. Hier, quand vous m'avez vue pleurer, c'est que je voulais vous parler, et puis, je ne sais quoi m'en empêchait ; et quand vous m'avez demandé ce que j'avais, mes larmes sont venues malgré moi. Je n'aurais pas pu dire une parole. Sans vous, Maman allait s'en apercevoir, et qu'est-ce que je serais devenue ? Voilà pourtant comme je passe ma vie, surtout depuis quatre jours !

C'est ce jour-là, Madame, oui je vais vous le dire, c'est ce jour-là que M. le Chevalier Danceny m'a écrit : oh ! je vous assure que quand j'ai trouvé sa Lettre, je ne savais pas du tout ce que c'était : mais, pour ne pas mentir, je ne peux pas dire que je n'aie eu bien du plaisir en la lisant ; voyez-vous, j'aimerais mieux avoir du chagrin toute ma vie, que s'il ne me l'eût pas écrite. Mais je savais bien que je ne devais pas le lui dire, et je peux bien vous assurer même que je lui ai dit que j'en étais fâchée : mais il dit que c'était plus fort que lui, et je le crois bien ; car j'avais résolu de ne lui pas répondre, et pourtant je n'ai pas pu m'en empêcher. Oh ! je ne lui ai écrit qu'une fois, et même c'était, en partie, pour lui dire de ne plus m'écrire : mais malgré cela il m'écrit toujours ; et comme je ne lui réponds pas, je vois bien qu'il est triste, et ça m'afflige encore davantage : si bien que je ne sais plus que faire ni que devenir, et que je suis bien à plaindre.

Dites-moi, je vous en prie, Madame, est-ce que ce serait bien mal de lui répondre de temps en temps ? seulement jusqu'à ce qu'il ait pu prendre sur lui de ne plus m'écrire lui-même, et de rester comme nous étions avant : car, pour moi, si cela continue, je ne sais pas ce que je deviendrai. Tenez, en lisant sa dernière Lettre, j'ai pleuré que ça ne finissait pas ; et je suis bien sûre que si je ne lui réponds pas encore, ça nous fera bien de la peine.

Je vas vous envoyer sa Lettre aussi, ou bien une copie, et vous jugerez ; vous verrez bien que ce n'est rien de mal qu'il demande. Cependant si vous trouvez que ça ne se doit pas, je vous promets de m'en empêcher ; mais je crois que vous penserez comme moi, que ce n'est pas là du mal.

Pendant que j'y suis, Madame, permettez-moi de vous faire encore une question : on m'a bien dit que c'était mal d'aimer quelqu'un ; mais pourquoi cela ? Ce qui me fait vous le demander, c'est que M. le Chevalier Danceny prétend que ce n'est pas mal du tout, et que presque tout le monde aime ; si cela était, je ne vois pas pourquoi je serais la seule à m'en empêcher ; ou bien est-ce que ce n'est un mal que pour les demoiselles ? car j'ai entendu Maman elle-même dire que Mme D... aimait M. M... et elle n'en parlait pas comme d'une chose qui serait si mal ; et pourtant je suis sûre qu'elle se fâcherait contre moi, si elle se doutait seulement de mon amitié pour M. Danceny. Elle me traite toujours comme un enfant, Maman ; et elle ne me dit rien du tout. Je croyais, quand elle m'a fait sortir du Couvent, que c'était pour me marier ; mais à présent, il me semble que non : ce n'est pas que je m'en soucie, je vous assure ; mais vous, qui êtes si amie avec elle, vous savez peut-être ce qui en est, et si vous le savez, j'espère que vous me le direz.

Voilà une bien longue Lettre, Madame ; mais puisque vous m'avez permis de vous écrire, j'en ai profité pour vous dire tout, et je compte sur votre amitié.

J'ai l'honneur d'être, etc.

*Paris, ce 23 Août 17**.*

LETTRE XXVIII

LE CHEVALIER DANCENY À CÉCILE VOLANGES[1]

Eh ! quoi, Mademoiselle, vous refusez toujours de me répondre ! rien ne peut vous fléchir ; et chaque jour emporte avec lui l'espoir qu'il avait amené ! Quelle est donc cette amitié[a] que vous consentez qui subsiste entre nous, si elle n'est pas même assez puissante pour vous rendre sensible à ma peine ; si elle vous laisse froide et tranquille, tandis que j'éprouve les tourments d'un feu que je ne puis éteindre ; si, loin de vous inspirer de la confiance, elle ne suffit pas même à faire naître votre pitié ? Quoi ! votre ami souffre, et vous ne faites rien pour le secourir ! Il ne vous demande qu'un mot, et vous le lui refusez ! et vous voulez qu'il se contente d'un sentiment si faible, dont vous craignez encore de lui réitérer les assurances !

Vous ne voudriez pas être ingrate, disiez-vous hier : ah ! croyez-moi, Mademoiselle, vouloir payer de l'amour avec de l'amitié, ce n'est pas craindre l'ingratitude, c'est redouter seulement d'en avoir l'air. Cependant je n'ose plus vous entretenir d'un sentiment qui ne peut que vous être à charge, s'il ne vous intéresse pas[2] ; il faut au moins le renfermer en moi-même, en attendant que j'apprenne à le vaincre. Je sens combien ce travail sera pénible ; je ne me dissimule pas que j'aurai besoin de toutes mes forces ; je tenterai tous les moyens : il en est un qui coûtera le plus à mon cœur, ce sera celui de me répéter souvent que le vôtre est insensible. J'essaierai même de vous voir moins, et déjà je m'occupe d'en trouver un prétexte plausible.

Quoi ! je perdrais la douce habitude de vous voir

chaque jour ! Ah ! du moins je ne cesserai jamais de la regretter. Un malheur éternel sera le prix de l'amour le plus tendre ; et vous l'aurez voulu ! et ce sera votre ouvrage ! Jamais, je le sens, je ne retrouverai le bonheur que je perds aujourd'hui ; vous seule étiez faite pour mon cœur ; avec quel plaisir je ferais le serment de ne vivre que pour vous ! Mais vous ne voulez pas le recevoir. Votre silence m'apprend assez que votre cœur ne vous dit rien pour moi ; il est à la fois la preuve la plus sûre de votre indifférence, et la manière la plus cruelle de me l'annoncer. Adieu, Mademoiselle.

Je n'ose plus me flatter d'une réponse ; l'amour l'eût écrite avec empressement, l'amitié avec plaisir, la pitié même avec complaisance : mais la pitié, l'amitié et l'amour, sont également étrangers à votre cœur.

*Paris, ce 23 Août 17**.*

LETTRE XXIX

CÉCILE VOLANGES
À SOPHIE CARNAY

Je te le disais bien, Sophie, qu'il y avait des cas où on pouvait écrire ; et je t'assure que je me reproche bien d'avoir suivi ton avis, qui nous a tant fait de peine, au Chevalier Danceny et à moi. La preuve que j'avais raison, c'est que Mme de Merteuil, qui est une femme qui sûrement le sait bien, a fini par penser comme moi. Je lui ai tout avoué. Elle m'a bien dit d'abord comme toi : mais quand je lui ai eu tout expliqué, elle est convenue que c'était bien différent ; elle exige seulement que je lui fasse voir toutes mes Lettres et toutes celles du Chevalier Danceny, afin d'être sûre que je ne dirai que ce qu'il faudra ; ainsi, à présent, me voilà tranquille. Mon Dieu, que je l'aime

Mme de Merteuil! elle eſt si bonne! et c'eſt une femme bien respectable. Ainsi il n'y a rien à dire.

Comme je m'en vais écrire à M. Danceny, et comme il va être content! il le sera encore plus qu'il ne croit: car jusqu'ici je ne lui parlais que de mon amitié, et lui voulait toujours que je dise mon amour. Je crois que c'était bien la même chose; mais enfin je n'osais pas, et il tenait à cela. Je l'ai dit à Mme de Merteuil; elle m'a dit que j'avais eu raison, et qu'il ne fallait convenir d'avoir de l'amour, que quand on ne pouvait plus s'en empêcher: or je suis bien sûre que je ne pourrai pas m'en empêcher plus longtemps; après tout c'eſt la même chose, et cela lui plaira davantage.

Mme de Merteuil m'a dit aussi qu'elle me prêterait des Livres qui parlaient de tout cela, et qui m'apprendraient bien à me conduire, et aussi à mieux écrire que je ne fais: car, vois-tu, elle me dit tous mes défauts, ce qui eſt une preuve qu'elle m'aime bien; elle m'a recommandé seulement de ne rien dire à Maman de ces Livres-là, parce que ça aurait l'air de trouver qu'elle a trop négligé mon éducation, et ça pourrait la fâcher. Oh! je ne lui en dirai rien.

C'eſt pourtant bien extraordinaire qu'une femme qui ne m'eſt presque pas parente, prenne plus de soin de moi que ma mère! c'eſt bien heureux pour moi de l'avoir connue!

Elle a demandé aussi à Maman de me mener après-demain à l'Opéra, dans sa loge; elle m'a dit que nous y serions toutes seules, et nous causerons tout le temps, sans craindre qu'on nous entende: j'aime bien mieux cela que l'Opéra. Nous causerons aussi de mon mariage: car elle m'a dit que c'était bien vrai que j'allais me marier; mais nous n'avons pas pu en dire davantage. Par exemple, n'eſt-ce pas encore bien étonnant que Maman ne m'en dise rien du tout?

Adieu, ma Sophie, je m'en vas écrire au Chevalier Danceny. Oh! je suis bien contente.

*De ... ce 24 Août 17**.*

LETTRE XXX

CÉCILE VOLANGES AU CHEVALIER DANCENY

Enfin, Monsieur, je consens à vous écrire, à vous assurer de mon amitié, de mon *amour*[1], puisque, sans cela, vous seriez malheureux. Vous dites que je n'ai pas bon cœur ; je vous assure bien que vous vous trompez, et j'espère qu'à présent vous n'en doutez plus. Si vous avez eu du chagrin de ce que je ne vous écrivais pas, croyez-vous que ça ne me faisait pas de la peine aussi ? Mais c'est que, pour toute chose au monde, je ne voudrais pas faire quelque chose qui fût mal ; et même je ne serais sûrement pas convenue de mon amour, si j'avais pu m'en empêcher : mais votre tristesse me faisait trop de peine. J'espère qu'à présent vous n'en aurez plus, et que nous allons être bien heureux.

Je compte avoir le plaisir de vous voir ce soir, et que vous viendrez de bonne heure, ce ne sera jamais aussi tôt que je le désire. Maman soupe chez elle, et je crois qu'elle vous proposera d'y rester : j'espère que vous ne serez pas engagé, comme avant-hier. C'était donc bien agréable, le souper où vous alliez ? car vous y avez été de bien bonne heure ? Mais enfin ne parlons pas de ça : à présent que vous savez que je vous aime, j'espère que vous resterez avec moi le plus que vous pourrez ; car je ne suis contente que lorsque je suis avec vous, et je voudrais bien que vous fussiez tout de même.

Je suis bien fâchée que vous êtes encore triste à présent, mais ce n'est pas ma faute[2]. Je demanderai à jouer de la harpe aussitôt que vous serez arrivé, afin que vous ayez ma lettre tout de suite. Je ne peux pas mieux faire.

Adieu, Monsieur. Je vous aime bien ; de tout mon cœur : plus je vous le dis, plus je suis contente ; j'espère que vous le serez aussi.

*De ... ce 24 Août 17**.*

LETTRE XXXI

LE CHEVALIER DANCENY À CÉCILE VOLANGES

Oui, sans doute, nous serons heureux. Mon bonheur est bien sûr, puisque je suis aimé de vous ; le vôtre ne finira jamais, s'il doit durer autant que l'amour que vous m'avez inspiré. Quoi ! vous m'aimez, vous ne craignez plus de m'assurer de votre *amour ! Plus vous me le dites, et plus vous êtes contente !* Après avoir lu ce charmant *je vous aime*, écrit de votre main, j'ai entendu votre belle bouche m'en répéter l'aveu. J'ai vu se fixer sur moi ces yeux charmants, qu'embellissait encore l'expression de la tendresse. J'ai reçu vos serments de vivre toujours pour moi. Ah ! recevez le mien de consacrer ma vie entière à votre bonheur ; recevez-le, et soyez sûre que je ne le trahirai pas.

Quelle heureuse journée nous avons passée hier ! Ah ! pourquoi Mme de Merteuil n'a-t-elle pas tous les jours des secrets à dire à votre Maman ? pourquoi faut-il que l'idée de la contrainte qui nous attend, vienne se mêler au souvenir délicieux qui m'occupe ? pourquoi ne puis-je sans cesse tenir cette jolie main qui m'a écrit *je vous aime* ! la couvrir de baisers, et me venger ainsi du refus que vous m'avez fait d'une faveur plus grande !

Dites-moi, ma Cécile, quand votre Maman a été

rentrée ; quand nous avons été forcés, par sa présence, de n'avoir plus l'un pour l'autre que des regards indifférents ; quand vous ne pouviez plus me consoler par l'assurance de votre amour, du refus que vous faisiez de m'en donner des preuves, n'avez-vous donc senti aucun regret ? ne vous êtes-vous pas dit : Un baiser l'eût rendu plus heureux, et c'est moi qui lui ai ravi ce bonheur ? Promettez-moi, mon aimable amie, qu'à la première occasion vous serez moins sévère. À l'aide de cette promesse, je trouverai du courage pour supporter les contrariétés que les circonstances nous préparent ; et les privations cruelles seront au moins adoucies, par la certitude que vous en partagez le regret.

Adieu ma charmante Cécile : voici l'heure où je dois me rendre chez vous. Il me serait impossible de vous quitter, si ce n'était pour aller vous revoir. Adieu, vous que j'aime tant ! vous, que j'aimerai toujours davantage !

*De … ce 25 Août 17**.*

LETTRE XXXII

MADAME DE VOLANGES À LA PRÉSIDENTE DE TOURVEL

Vous voulez donc, Madame, que je croie à la vertu de M. de Valmont ? J'avoue que je ne puis m'y résoudre, et que j'aurais autant de peine à le juger honnête, d'après le seul fait que vous me racontez, qu'à croire vicieux un homme de bien reconnu, dont j'apprendrais une faute. L'humanité n'est parfaite dans aucun genre, pas plus dans le mal que dans le bien. Le scélérat a ses vertus, comme l'honnête homme a ses faiblesses. Cette vérité me paraît d'autant plus nécessaire à croire, que c'est d'elle que dérive la nécessité de l'indulgence pour les méchants comme pour les bons ; et qu'elle préserve ceux-ci de l'orgueil, et sauve les autres du découragement. Vous trouverez sans doute que je pratique bien mal dans ce moment, cette indulgence que je prêche ; mais je ne vois plus en elle qu'une faiblesse dangereuse, quand elle nous mène à traiter de même le vicieux et l'homme de bien.

Je ne me permettrai point de scruter les motifs de l'action de M. de Valmont ; je veux croire qu'ils sont louables comme elle : mais en a-t-il moins passé sa vie à porter dans les familles le trouble, le déshonneur et le scandale ? Écoutez, si vous voulez, la voix du malheureux qu'il a secouru ; mais qu'elle ne vous empêche pas d'entendre les cris de cent victimes qu'il a immolées. Quand il ne serait, comme vous le dites, qu'un exemple du danger des liaisons, en serait-il moins lui-même une liaison dangereuse[1] ? Vous le supposez susceptible d'un retour heureux[2] ? allons plus loin ; supposons ce miracle arrivé. Ne resterait-il pas contre lui l'opinion publique, et ne suffit-elle pas pour régler votre conduite ? Dieu seul peut absoudre au moment du repentir ; il lit dans les cœurs[3] : mais les hommes ne peuvent juger les pensées que par les actions ; et nul d'entr'eux, après avoir perdu l'estime des autres, n'a droit de se plaindre de la méfiance nécessaire, qui rend cette perte si difficile à réparer. Songez surtout, ma jeune amie, que quelquefois il suffit, pour perdre cette estime, d'avoir l'air d'y attacher trop peu de prix ; et ne taxez pas cette sévérité d'injustice : car, outre qu'on est fondé à croire qu'on ne renonce pas à ce bien précieux quand on a droit d'y prétendre, celui-là est en effet plus près de mal faire, qui n'est plus contenu par ce frein puissant. Tel serait cependant l'aspect sous lequel vous montrerait une liaison intime avec M. de Valmont, quelqu'innocente qu'elle pût être.

Effrayée de la chaleur avec laquelle vous le défendez, je me hâte de prévenir les objections que je prévois. Vous me citerez Mme de Merteuil, à qui on a pardonné cette liaison ; vous me demanderez pourquoi je le reçois chez moi ; vous me direz que loin d'être rejeté par les gens honnêtes, il est admis, recherché même dans ce qu'on appelle la bonne compagnie[4]. Je peux, je crois, répondre à tout.

D'abord Mme de Merteuil, en effet très estimable, n'a peut-être d'autre défaut que trop de confiance en ses forces ; c'est un guide adroit qui se plaît à conduire un char entre les rochers et les précipices, et que le succès seul justifie : il est juste de la louer, il serait imprudent de la suivre ; elle-même en convient et s'en accuse. À mesure qu'elle a vu davantage, ses principes sont devenus plus sévères ; et je ne crains pas de vous assurer qu'elle penserait comme moi.

Quant à ce qui me regarde, je ne me justifierai pas plus que les autres. Sans doute je reçois M. de Valmont, et il est reçu partout ; c'est une inconséquence de plus à ajouter à mille autres qui gouvernent la société. Vous savez comme moi qu'on passe sa vie à les remarquer, à s'en plaindre et à s'y livrer. M. de Valmont, avec un beau nom, une grande fortune, beaucoup de qualités aimables, a reconnu de bonne heure que pour avoir l'empire dans la société, il suffisait de manier, avec une égale adresse, la louange et le ridicule. Nul ne possède comme lui ce double talent : il séduit avec l'un, et se fait craindre avec l'autre. On ne l'estime pas ; mais on le flatte. Telle est son existence au milieu d'un monde qui, plus prudent que courageux, aime mieux le ménager que le combattre.

Mais ni Mme de Merteuil elle-même, ni aucune autre femme, n'oserait sans doute aller s'enfermer à la campagne, presqu'en tête à tête, avec un tel homme. Il était réservé à la plus sage, à la plus modeste d'entr'elles, de donner l'exemple de cette inconséquence ; pardonnez-moi ce mot, il échappe à l'amitié. Ma belle amie, votre honnêteté même vous trahit, par la sécurité qu'elle vous inspire. Songez donc que vous aurez pour juges, d'une part, des gens frivoles, qui ne croiront pas à une vertu dont ils ne trouvent pas le modèle chez eux ; et de l'autre, des méchants qui feindront de n'y pas croire, pour vous punir de l'avoir eue. Considérez que vous faites, dans ce moment, ce que quelques hommes n'oseraient pas risquer. En effet, parmi les jeunes gens, dont M. de Valmont ne s'est que trop rendu l'oracle, je vois les plus sages craindre de paraître liés trop intimement avec lui ; et vous, vous ne le craignez pas ! Ah ! revenez, revenez, je vous en conjure... Si mes raisons ne suffisent pas pour vous persuader, cédez à mon amitié ; c'est elle qui me fait renouveler mes instances, c'est à elle à les justifier. Vous la trouvez sévère, et je désire qu'elle soit inutile ; mais j'aime mieux que vous ayez à vous plaindre de sa sollicitude que de sa négligence.

*De ... ce 24 Août 17**.*

LETTRE XXXIII

LA MARQUISE DE MERTEUIL
AU VICOMTE DE VALMONT

Dès que vous craignez de réussir, mon cher Vicomte, dès que votre projet est de fournir des armes contre vous, et que vous désirez moins de vaincre que de combattre, je n'ai plus rien à dire. Votre conduite est un chef-d'œuvre de prudence. Elle en serait un de sottise dans la supposition contraire ; et, pour vous parler vrai, je crains que vous ne vous fassiez illusion.

Ce que je vous reproche n'est pas de n'avoir point profité du moment[1]. D'une part, je ne vois pas clairement qu'il fût venu : de l'autre, je sais assez, quoi qu'on en dise, qu'une occasion manquée se retrouve[2], tandis qu'on ne revient jamais d'une démarche précipitée.

Mais la véritable école[3] est de vous être laissé aller à écrire. Je vous défie à présent de prévoir où ceci peut vous mener. Par hasard, espérez-vous prouver à cette femme qu'elle doit se rendre[a] ? Il me semble que ce ne peut être là qu'une vérité de sentiment ; et non de démonstration ; et que pour la faire recevoir, il s'agit d'attendrir et non de raisonner : mais à quoi vous servirait d'attendrir par Lettres, puisque vous ne seriez pas là pour en profiter ? Quand vos belles phrases produiraient l'ivresse de l'amour, vous flattez-vous qu'elle soit assez longue pour que la réflexion n'ait pas le temps d'en empêcher l'aveu ? Songez donc à celui qu'il faut pour écrire une Lettre, à celui qui se passe avant qu'on la remette ; et voyez si, surtout une femme à principes comme votre Dévote, peut vouloir si longtemps ce qu'elle tâche de ne vouloir jamais. Cette marche peut réussir avec des enfants, qui, quand ils écrivent, je vous aime, ne savent pas qu'ils disent je me rends. Mais la vertu raisonneuse de Mme de Tourvel me paraît fort bien connaître la valeur des termes. Aussi, malgré l'avantage que vous aviez pris sur elle dans votre conversation, elle vous bat dans sa Lettre. Et puis, savez-vous ce qui arrive ? par cela seul qu'on dispute, on ne veut pas céder. À force de chercher de bonnes raisons, on en trouve, on les dit ; et après on y tient, non pas tant parce qu'elles sont bonnes que pour ne pas se démentir.

De plus, une remarque que je m'étonne que vous n'ayez pas faite, c'est qu'il n'y a rien de si difficile en amour, que d'écrire ce qu'on ne sent pas. Je dis écrire d'une façon vraisemblable : ce n'est pas qu'on ne se serve des mêmes mots ; mais on ne les arrange pas de même, ou plutôt on les arrange, et cela suffit. Relisez votre Lettre : il y règne un ordre qui vous décèle à chaque phrase. Je veux croire que votre Présidente est assez peu formée pour ne s'en pas apercevoir ; mais qu'importe ? l'effet n'en est pas moins manqué. C'est le défaut des Romans : l'Auteur se bat les flancs pour s'échauffer, et le Lecteur reste froid. *Héloïse* est le seul qu'on en puisse excepter[4] ; et malgré le talent de l'Auteur, cette observation m'a toujours fait croire que le fonds en était vrai. Il n'en est pas de même en parlant. L'habitude de travailler son organe, y donne de la sensibilité ; la facilité des larmes y ajoute encore : l'expression du désir se confond dans les yeux avec celle de la tendresse ; enfin le discours moins suivi amène plus aisément cet air de trouble et de désordre, qui eſt la véritable éloquence de l'amour ; et surtout la présence de l'objet aimé empêche la réflexion, et nous fait désirer d'être vaincues.

Croyez-moi[b], Vicomte ; on vous demande de ne plus écrire ; profitez-en pour réparer votre faute, et attendez l'occasion de parler. Savez-vous que cette femme a plus de force que je ne croyais ? sa défense eſt bonne, et sans la longueur de sa Lettre, et le prétexte qu'elle vous donne pour rentrer en matière dans sa phrase de reconnaissance[5], elle ne se serait pas du tout trahie.

Ce qui me paraît encore devoir vous rassurer sur le succès, c'eſt qu'elle use trop de forces à la fois ; je prévois qu'elle les épuisera pour la défense du mot, et qu'il ne lui en reſtera plus pour celle de la chose[6].

Je vous renvoie vos deux Lettres, et si vous êtes prudent, ce seront les dernières jusqu'après l'heureux moment. S'il était moins tard, je vous parlerais de la petite Volanges qui avance assez vite, et dont je suis fort contente. Je crois que j'aurai fini avant vous, et vous devez en être bien honteux. Adieu pour aujourd'hui.

*De ... ce 24 Août 17***[7].

LETTRE XXXIV

LE VICOMTE DE VALMONT
À LA MARQUISE DE MERTEUIL

Vous parlez à merveille, ma belle amie : mais pourquoi vous tant fatiguer à prouver ce que personne n'ignore ? Pour aller vite en amour, il vaut mieux parler qu'écrire ; voilà, je crois, toute votre Lettre. Eh mais ! ce sont les plus simples éléments de l'art de séduire. Je remarquerai seulement que vous ne faites qu'une exception à ce principe, et qu'il y en a deux. Aux enfants qui suivent cette marche par timidité, et se livrent par ignorance, il faut joindre les femmes Beaux-Esprits, qui s'y laissent engager par amour-propre, et que la vanité conduit dans le piège. Par exemple, je suis bien sûr que la Comtesse de B..., qui répondit sans difficulté à ma première Lettre, n'avait pas alors plus d'amour pour moi que moi pour elle, et qu'elle ne vit que l'occasion de traiter un sujet qui devait lui faire honneur.

Quoi qu'il en soit, un Avocat vous dirait que le principe ne s'applique pas à la question. En effet, vous supposez que j'ai le choix entre écrire et parler, ce qui n'est pas. Depuis l'affaire du 19[1], mon inhumaine, qui se tient sur la défensive, a mis à éviter les rencontres, une adresse qui a déconcerté la mienne. C'est au point que si cela continue, elle me forcera à m'occuper sérieusement des moyens de reprendre cet avantage ; car assurément je ne veux être vaincu par elle en aucun genre. Mes Lettres mêmes sont le sujet d'une petite guerre : non contente de n'y pas répondre, elle refuse de les recevoir. Il faut pour chacune une ruse nouvelle, et qui ne réussit pas toujours.

Vous vous rappelez par quel moyen simple j'avais remis la première ; la seconde[2] n'offrit pas plus de difficulté. Elle m'avait demandé de lui rendre sa Lettre : je lui donnai la mienne en place, sans qu'elle eût le moindre soupçon. Mais soit dépit d'avoir été attrapée, soit caprice, ou enfin soit vertu, car elle me forcera d'y croire, elle refusa obstinément la troisième. J'espère pourtant que l'embarras où a pensé la mettre la suite de ce refus, la corrigera pour l'avenir.

Je ne fus pas très étonné qu'elle ne voulût pas recevoir cette Lettre, que je lui offrais tout simplement ; c'eût été déjà accorder quelque chose, et je m'attends à une plus longue défense. Après cette tentative, qui n'était qu'un essai fait en passant, je mis une enveloppe[3] à ma Lettre ; et prenant le moment de la toilette, où Mme de Rosemonde et la Femme de chambre étaient présentes, je la lui envoyai par mon Chasseur, avec ordre de lui dire que c'était le papier qu'elle m'avait demandé. J'avais bien deviné qu'elle craindrait l'explication scandaleuse que nécessiterait un refus : en effet, elle prit la Lettre ; et mon Ambassadeur, qui avait ordre d'observer sa figure, et qui ne voit pas mal, n'aperçut qu'une légère rougeur et plus d'embarras que de colère.

Je me félicitais donc, bien sûr, ou qu'elle garderait cette Lettre, ou que si elle voulait me la rendre, il faudrait qu'elle se trouvât seule avec moi ; ce qui me donnerait une occasion de lui parler. Environ une heure après, un de ses gens entre dans ma chambre, et me remet, de la part de sa Maîtresse, un paquet d'une autre forme que le mien, et sur l'enveloppe duquel je reconnais l'écriture tant désirée. J'ouvre avec précipitation... C'était ma Lettre elle-même, non décachetée, et pliée seulement en deux. Je soupçonne que la crainte que je ne fusse moins scrupuleux qu'elle sur le scandale, lui a fait employer cette ruse diabolique.

Vous me connaissez ; je n'ai pas besoin de vous peindre ma fureur. Il fallut pourtant reprendre son sang-froid, et chercher de nouveaux moyens. Voici le seul que je trouvai.

On va d'ici, tous les matins, chercher les Lettres à la Poste, qui est à environ trois quarts de lieue[4] : on se sert, pour cet objet, d'une boîte couverte à peu près comme un tronc, dont le Maître de la Poste a une clef et Mme de Rosemonde l'autre[5]. Chacun y met ses Lettres dans la journée, quand bon lui semble : on les porte le soir à la Poste, et le matin on va chercher celles qui sont arrivées. Tous les gens[6], étrangers ou autres, font ce service également. Ce n'était pas le tour de mon domestique ; mais il se chargea d'y aller, sous le prétexte qu'il avait affaire de ce côté.

Cependant j'écrivis ma Lettre. Je déguisai mon écriture pour l'adresse, et je contrefis assez bien, sur l'enveloppe, le timbre de *Dijon*[7]. Je choisis cette Ville, parce que je trouvais plus gai, puisque je demandais les mêmes droits que le mari, d'écrire aussi du même lieu ; et aussi parce que ma Belle avait parlé toute la journée du désir qu'elle avait de recevoir des Lettres de Dijon. Il me parut juste de lui procurer ce plaisir[8].

Ces précautions une fois prises, il était facile de faire joindre cette Lettre aux autres. Je gagnais encore à cet expédient, d'être témoin de la réception : car l'usage est ici de se rassembler pour déjeuner, et d'attendre l'arrivée des Lettres avant de se séparer. Enfin elles arrivèrent.

Mme de Rosemonde ouvrit la boîte. « De Dijon », dit-elle, en donnant la Lettre à Mme de Tourvel. « Ce n'est pas l'écriture de mon mari », reprit celle-ci d'une voix inquiète, en rompant le cachet avec vivacité ; le premier coup d'œil l'instruisit ; et il se fit une telle révolution sur sa figure, que Mme de Rosemonde s'en aperçut, et lui dit : « Qu'avez-vous ? » Je m'approchai aussi, en disant : « Cette Lettre est donc bien terrible ? » La timide Dévote n'osait lever les yeux, ne disait mot, et, pour sauver son embarras, feignait de parcourir l'Épître, qu'elle n'était guère en état de lire. Je jouissais de son trouble ; et n'étant pas fâché de la pousser un peu : « Votre air plus tranquille, ajoutai-je, fait espérer que cette Lettre vous a causé plus d'étonnement que de douleur. » La colère alors l'inspira mieux que n'eût pu faire la prudence. « Elle contient, répondit-elle, des choses qui m'offensent, et que je suis étonnée qu'on ait osé m'écrire. — Et qui donc ? » interrompit Mme de Rosemonde. « Elle n'est pas signée », répondit la belle courroucée : « mais la Lettre et son Auteur m'inspirent un égal mépris. On m'obligera de ne m'en plus parler ». En disant ces mots, elle déchira l'audacieuse missive, en mit les morceaux dans sa poche, se leva et sortit.

Malgré cette colère, elle n'en a pas moins eu ma Lettre ; et je m'en remets bien à sa curiosité, du soin de l'avoir lue en entier.

Le détail de la journée me mènerait trop loin. Je joins à ce récit le brouillon de mes deux Lettres[9] ; vous serez aussi instruite que moi. Si vous voulez être au courant de cette correspondance, il faut vous accoutumer à déchiffrer mes minutes[10] : car pour rien au monde, je ne dévorerais l'ennui de les recopier. Adieu, ma belle amie.

*De … ce 25 Août 17**.*

LETTRE XXXV[1]

LE VICOMTE DE VALMONT
À LA PRÉSIDENTE DE TOURVEL

Il faut vous obéir, Madame ; il faut vous prouver qu'au milieu des torts que vous vous plaisez à me croire, il me reste au moins assez de délicatesse pour ne pas me permettre un reproche, et assez de courage pour m'imposer les plus douloureux sacrifices. Vous m'ordonnez le silence et l'oubli ! eh bien ! je forcerai mon amour à se taire ; et j'oublierai, s'il est possible, la façon cruelle dont vous l'avez accueilli. Sans doute le désir de vous plaire n'en donnait pas le droit ; et j'avoue encore que le besoin que j'avais de votre indulgence, n'était pas un titre pour l'obtenir : mais vous regardez mon amour comme un outrage ; vous oubliez que si ce pouvait être un tort, vous en seriez à la fois, et la cause et l'excuse. Vous oubliez aussi, qu'accoutumé à vous ouvrir mon âme, lors même que cette confiance pouvait me nuire, il ne m'était plus possible de vous cacher les sentiments dont je suis pénétré ; et ce qui fut l'ouvrage de ma bonne foi, vous le regardez comme le fruit de l'audace. Pour prix de l'amour le plus tendre, le plus respectueux, le plus vrai, vous me rejetez loin de vous. Vous me parlez enfin de votre haine… Quel autre ne se plaindrait pas d'être traité ainsi ? Moi seul, je me soumets ; je souffre tout et ne murmure point[2] ; vous frappez et j'adore. L'inconcevable empire que vous avez sur moi, vous rend maîtresse absolue de mes sentiments ; et si mon amour seul vous résiste, si vous ne pouvez le détruire, c'est qu'il est votre ouvrage et non pas le mien.

Je ne demande point un retour dont jamais je ne

me suis flatté. Je n'attends pas même cette pitié, que l'intérêt que vous m'aviez témoigné quelquefois pouvait me faire espérer. Mais je crois, je l'avoue, pouvoir réclamer votre justice.

Vous m'apprenez, Madame, qu'on a cherché à me nuire dans votre esprit. Si vous en eussiez cru les conseils de vos amis, vous ne m'eussiez pas même laissé approcher de vous : ce sont vos termes. Quels sont donc ces amis officieux ? Sans doute ces gens si sévères, et d'une vertu si rigide, consentent à être nommés ; sans doute ils ne voudraient pas se couvrir d'une obscurité qui les confondrait avec de vils calomniateurs ; et je n'ignorerai ni leurs noms, ni leurs reproches. Songez, Madame, que j'ai le droit de savoir l'un et l'autre, puisque vous me jugez d'après eux. On ne condamne point un coupable sans lui dire son crime, sans lui nommer ses accusateurs. Je ne demande point d'autre grâce, et je m'engage d'avance à me justifier, à les forcer de se dédire.

Si j'ai trop méprisé, peut-être, les vaines clameurs d'un public dont je fais peu de cas, il n'en est pas ainsi de votre estime ; et quand je consacre ma vie à la mériter, je ne me la laisserai pas ravir impunément. Elle me devient d'autant plus précieuse, que je lui devrai sans doute cette demande que vous craignez de me faire, et qui me donnerait, dites-vous, *des droits à votre reconnaissance.* Ah ! loin d'en exiger, je croirai vous en devoir, si vous me procurez l'occasion de vous être agréable. Commencez donc à me rendre plus de justice, en ne me laissant plus ignorer ce que vous désirez de moi. Si je pouvais le deviner, je vous éviterais la peine de le dire. Au plaisir de vous voir, ajoutez le bonheur de vous servir, et je me louerai de votre indulgence. Qui[3] peut donc vous arrêter ? ce n'est pas, je l'espère, la crainte d'un refus ? je sens que je ne pourrais vous la pardonner. Ce n'en est pas un que de ne pas vous rendre votre Lettre. Je désire, plus que vous, qu'elle ne me soit plus nécessaire : mais accoutumé à vous croire une âme si douce, ce n'est que dans cette Lettre que je puis vous trouver telle que vous voulez paraître. Quand je forme le vœu de vous rendre sensible, j'y vois que plutôt que d'y consentir, vous fuiriez à cent lieues de moi ; quand tout en vous augmente et justifie mon amour, c'est encore elle qui me répète que mon amour vous outrage ; et lorsqu'en vous voyant, cet amour me semble le bien suprême, j'ai besoin de vous lire, pour sentir que ce n'est qu'un affreux tourment. Vous concevez à présent que mon plus grand bonheur serait de pouvoir vous rendre cette Lettre fatale : me la demander encore, serait m'autoriser à ne plus croire ce qu'elle contient ; vous ne doutez pas, j'espère, de mon empressement à vous la remettre.

*De ... ce 21 Août 17**.*

LETTRE XXXVI

LE VICOMTE DE VALMONT
À LA PRÉSIDENTE DE TOURVEL
(Timbrée de Dijon[1]*.)*

Votre sévérité augmente chaque jour, Madame, et si je l'ose dire, vous semblez craindre moins d'être injuste que d'être indulgente. Après m'avoir condamné sans m'entendre, vous avez dû sentir en effet, qu'il vous serait plus facile de ne pas lire mes raisons que d'y répondre. Vous refusez mes Lettres avec obstination ; vous me les renvoyez avec mépris. Vous me forcez enfin de recourir à la ruse, dans le moment même où mon unique but est de vous convaincre de ma bonne foi. La nécessité où vous m'avez mis de me défendre, suffira sans doute[a] pour en excuser les moyens. Convaincu d'ailleurs par la sincérité de mes sentiments, que pour les justifier à vos yeux il me suffit de vous les faire bien connaître, j'ai cru pouvoir me permettre ce léger détour. J'ose croire aussi que vous me le pardonnerez ; et que vous serez peu surprise que l'amour soit plus ingénieux à se produire[2], que l'indifférence à l'écarter.

Permettez donc, Madame, que mon cœur se dévoile entièrement à vous. Il vous appartient, il est juste que vous le connaissiez.

J'étais bien éloigné, en arrivant chez Mme de Rosemonde, de prévoir le sort qui m'y attendait. J'ignorais que vous y fussiez ; et j'ajouterai, avec la sincérité qui me caractérise, que quand je l'aurais su, ma sécurité n'en eût point été troublée : non que je ne rendisse à votre beauté la justice qu'on ne peut lui refuser ; mais accoutumé à n'éprouver que des désirs, à ne me livrer qu'à ceux que l'espoir encourageait, je ne connaissais pas les tourments de l'amour.

Vous fûtes témoin des instances que me fit Mme de Rosemonde pour m'arrêter[3] quelque temps. J'avais déjà passé une journée avec vous : cependant je ne me rendis, ou au moins je ne crus me rendre qu'au plaisir, si naturel et si légitime, de témoigner des égards à une parente respectable. Le genre de vie qu'on menait ici, différait beaucoup sans doute de celui auquel j'étais accoutumé ; il ne m'en coûta rien de m'y conformer ; et sans chercher à pénétrer la cause du changement qui s'opérait en moi, je l'attribuais uniquement encore à cette facilité de caractère, dont je crois vous avoir déjà parlé[4].

Malheureusement (et pourquoi faut-il que ce soit un malheur ?) en vous connaissant mieux je reconnus bientôt que cette figure enchanteresse, qui seule m'avait frappé, était le moindre de vos avantages ; votre âme céleste étonna[5], séduisit la mienne. J'admirais la beauté, j'adorai la vertu. Sans prétendre à vous obtenir, je m'occupai de vous mériter. En réclamant votre indulgence pour le passé, j'ambitionnai votre suffrage pour l'avenir. Je le cherchais dans vos discours, je l'épiais dans vos regards ; dans ces regards d'où partait un poison[6] d'autant plus dangereux, qu'il était répandu sans dessein, et reçu sans méfiance.

Alors je connus[7] l'amour. Mais que j'étais loin de m'en plaindre ! résolu de l'ensevelir dans un éternel silence, je me livrais sans crainte comme sans réserve, à ce sentiment délicieux. Chaque jour augmentait son empire. Bientôt le plaisir de vous voir se changea en besoin. Vous absentiez-vous un moment ? mon cœur se serrait de tristesse ; au bruit qui m'annonçait votre retour, il palpitait de joie. Je n'existais plus que par vous, et pour vous. Cependant c'est vous-même que j'adjure : jamais dans la gaieté des folâtres jeux, ou dans l'intérêt d'une conversation sérieuse, m'échappa-t-il un mot qui pût trahir le secret de mon cœur[8].

Enfin[b] un jour arriva où devait commencer mon infortune ; et par une inconcevable fatalité, une action honnête en devint le signal. Oui, Madame, c'est au milieu des malheureux que j'avais secourus, que, vous livrant à cette sensibilité précieuse qui embellit la beauté même et ajoute du prix à la vertu, vous achevâtes d'égarer un cœur que déjà trop d'amour enivrait. Vous vous rappelez, peut-être, quelle préoccupation s'empara de moi au retour ! Hélas ! je cherchais à combattre un penchant que je sentais devenir plus fort que moi.

C'est après avoir épuisé mes forces dans ce combat inégal, qu'un hasard, que je n'avais pu prévoir, me fit trouver seul avec vous. Là, je succombai, je l'avoue. Mon cœur trop plein ne put retenir ses discours ni ses larmes. Mais est-ce donc un crime ? et si c'en est un, n'est-il pas assez puni par les tourments affreux auxquels je suis livré ?

Dévoré par un amour sans espoir, j'implore votre pitié et ne trouve que votre haine : sans autre bonheur que celui de vous voir, mes yeux vous cherchent malgré moi, et je tremble de rencontrer vos regards. Dans l'état cruel où vous m'avez réduit, je passe les jours à déguiser mes peines, et les nuits à m'y livrer ; tandis que vous, tranquille et paisible, vous ne connaissez ces tourments que pour les causer et vous en applaudir. Cependant c'est vous qui vous plaignez, et c'est moi qui m'excuse.

Voilà pourtant, Madame, voilà le récit fidèle de ce que vous nommez mes torts, et que peut-être il serait plus juste d'appeler mes malheurs. Un amour pur et sincère, un respect qui ne s'est jamais démenti, une soumission parfaite ; tels sont les sentiments que vous m'avez inspirés. Je n'eusse pas craint d'en présenter l'hommage à la Divinité même. Ô vous, qui êtes son plus bel ouvrage, imitez-la dans son indulgence ! Songez à mes peines cruelles ; songez surtout que, placé par vous entre le désespoir et la félicité suprême, le premier mot que vous prononcerez décidera pour jamais de mon sort[9].

*De ... ce 23 Août 17**.*

LETTRE XXXVII

LA PRÉSIDENTE DE TOURVEL À MADAME DE VOLANGES

Je me soumets, Madame, aux conseils que votre amitié me donne. Accoutumée à déférer en tout à vos avis, je le suis à croire qu'ils sont toujours fondés en raison. J'avouerai même que M. de Valmont doit être en effet infiniment dangereux, s'il peut à la fois feindre d'être ce qu'il paraît ici, et rester tel que vous le dépeignez. Quoi qu'il en soit, puisque vous l'exigez, je l'éloignerai de moi ; au moins j'y ferai mon possible : car souvent les choses qui dans le fond devraient être les plus simples, deviennent embarrassantes par la forme.

Il me paraît toujours impraticable de faire cette demande à sa tante ; elle deviendrait également désobligeante, et pour elle, et pour lui. Je ne prendrais pas non plus, sans quelque répugnance, le parti de m'éloigner moi-même : car outre les raisons que je vous ai déjà mandées relatives à M. de Tourvel, si mon départ contrariait M. de Valmont, comme il est possible, n'aurait-il pas la facilité de me suivre à Paris ? et son retour, dont je serais, dont au moins je paraîtrais être l'objet, ne semblerait-il pas plus étrange qu'une rencontre à la campagne, chez une personne qu'on sait être sa parente et mon amie ?

Il ne me reste donc d'autre ressource que d'obtenir de lui-même qu'il veuille bien s'éloigner. Je sens que cette proposition est difficile à faire ; cependant, comme il me paraît avoir à cœur de me prouver qu'il a en effet plus d'honnêteté qu'on ne lui en suppose, je ne désespère pas de réussir. Je ne serai pas même fâchée de le tenter, et d'avoir une occasion de juger si, comme il le dit souvent, les femmes vraiment honnêtes n'ont jamais eu, n'auront jamais à se plaindre de ses procédés. S'il part, comme je le désire, ce sera en effet par égard pour moi ; car je ne peux pas douter qu'il n'ait le projet de passer ici une grande partie de l'automne. S'il refuse ma demande et s'obstine à rester, je serai toujours à temps de partir moi-même, et je vous le promets.

Voilà, je crois, Madame, tout ce que votre amitié exigeait de moi : je m'empresse d'y satisfaire, et de vous prouver que malgré *la chaleur* que j'ai pu mettre à défendre M. de Valmont, je n'en suis pas moins disposée, non seulement à écouter, mais même à suivre les conseils de mes amis.

J'ai l'honneur d'être, etc.

*De ... ce 25 Août 17*** [1].

LETTRE XXXVIII

LA MARQUISE DE MERTEUIL AU VICOMTE DE VALMONT

Votre énorme paquet m'arrive à l'instant, mon cher Vicomte. Si la date en est exacte, j'aurais dû le recevoir vingt-quatre heures plus tôt ; quoi qu'il en soit, si je prenais le temps de le lire, je n'aurais plus celui d'y répondre. Je préfère donc de vous en accuser seulement la réception, et nous causerons d'autre chose. Ce n'est pas que j'aie rien à vous dire pour mon compte ; l'automne ne laisse à Paris presque point d'hommes qui aient figure humaine : aussi je suis, depuis un mois, d'une sagesse à périr ; et tout autre que mon Chevalier serait fatigué des preuves de ma constance. Ne pouvant m'occuper, je me distrais avec la petite Volanges ; et c'est d'elle que je veux vous parler.

Savez-vous que vous avez perdu plus que vous ne croyez, à ne pas vous charger de cette enfant ? elle est vraiment délicieuse ! cela n'a ni caractère ni principes ; jugez combien sa société sera douce et facile. Je ne crois pas qu'elle brille jamais par le sentiment ; mais tout annonce en elle les sensations les plus vives. Sans esprit et sans finesse, elle a pourtant une certaine fausseté naturelle, si l'on peut parler ainsi, qui quelquefois m'étonne moi-même, et qui réussira d'autant mieux, que sa figure offre l'image de la candeur et de l'ingénuité. Elle est naturellement très caressante, et je m'en amuse quelquefois : sa petite tête se monte[1] avec une facilité incroyable ; et elle est alors d'autant plus plaisante qu'elle ne sait rien, absolument rien, de ce qu'elle désire tant de savoir. Il lui en prend des impatiences tout à fait drôles ; elle rit, elle se dépite, elle pleure, et puis elle me prie de l'instruire, avec une bonne foi réellement séduisante. En vérité, je suis presque jalouse de celui à qui ce plaisir est réservé[2].

Je ne sais si je vous ai mandé que, depuis quatre ou cinq jours, j'ai l'honneur d'être sa confidente. Vous devinez bien que d'abord j'ai fait la sévère : mais aussitôt que je me suis aperçue qu'elle croyait m'avoir convaincue par ses mauvaises raisons, j'ai eu l'air de les prendre pour bonnes ; et elle est intimement persuadée qu'elle doit ce succès à son éloquence : il fallait cette précaution pour ne me pas compromettre. Je lui ai permis d'écrire et de dire *j'aime*[3] ; et le même jour, sans qu'elle s'en doutât, je lui ai ménagé un tête-à-tête avec son Danceny. Mais figurez-vous qu'il est si sot encore, qu'il n'en a seulement pas obtenu un baiser.

Ce garçon-là fait pourtant de fort jolis vers ! Mon Dieu ! que ces gens d'esprit sont bêtes[4] ! celui-ci l'est au point qu'il m'en embarrasse ; car enfin, pour lui, je ne peux pas le conduire !

C'est à présent que vous me seriez bien utile. Vous êtes assez lié avec Danceny pour avoir sa confidence, et s'il vous la donnait une fois, nous irions grand train[5]. Dépêchez donc votre Présidente, car enfin je ne veux pas que Gercourt s'en sauve[6] : au reste, j'ai parlé de lui hier à la petite personne, et le lui ai si bien peint, que quand elle serait sa femme depuis dix ans, elle ne le haïrait pas davantage. Je l'ai pourtant beaucoup prêchée sur la fidélité conjugale ; rien n'égale ma sévérité sur ce point. Par là, d'une part, je rétablis auprès d'elle ma réputation de vertu, que trop de condescendance pourrait détruire ; de l'autre, j'augmente en elle la haine dont je veux gratifier son mari : et enfin, j'espère qu'en lui faisant accroire qu'il ne lui est permis de se livrer à l'amour que pendant le peu de temps qu'elle a à rester fille, elle se décidera plus vite à n'en rien perdre.

Adieu, Vicomte ; je vais me mettre à ma toilette[7] où je lirai votre volume.

*De ... ce 27 Août 17**.*

LETTRE XXXIX

CÉCILE VOLANGES
À SOPHIE CARNAY

Je suis triste et inquiète, ma chère Sophie. J'ai pleuré presque toute la nuit. Ce n'est pas que, pour le moment, je ne sois bien heureuse, mais je prévois que cela ne durera pas.

J'ai été hier à l'Opéra avec Mme de Merteuil ; nous

y avons beaucoup parlé de mon mariage, et je n'en ai rien appris de bon. C'est M. le Comte de Gercourt que je dois épouser, et ce doit être au mois d'Octobre. Il est riche, il est homme de qualité[1], il est Colonel du Régiment de … Jusque-là tout va fort bien. Mais d'abord il est vieux : figure-toi qu'il a au moins trente-six ans[2] ! et puis, Mme de Merteuil dit qu'il est triste et sévère, et qu'elle craint que je ne sois pas heureuse avec lui. J'ai même bien vu qu'elle en était sûre, et qu'elle ne voulait pas me le dire, pour ne pas m'affliger. Elle ne m'a presque entretenue, toute la soirée, que des devoirs des femmes envers leurs maris : elle convient que M. de Gercourt n'est pas aimable du tout, et elle dit pourtant qu'il faudra que je l'aime. Ne m'a-t-elle pas dit aussi qu'une fois mariée, je ne devais plus aimer le Chevalier Danceny ? comme si c'était possible ! Oh ! je t'assure bien que je l'aimerai toujours. Vois-tu, j'aimerais mieux plutôt ne pas me marier. Que ce M. de Gercourt s'arrange, je ne l'ai pas été chercher. Il est en Corse à présent, bien loin d'ici ; je voudrais qu'il y restât dix ans. Si je n'avais pas peur de rentrer au Couvent, je dirais bien à Maman que je ne veux pas de ce mari-là ; mais ce serait encore pis. Je suis bien embarrassée. Je sens que je n'ai jamais tant aimé M. Danceny qu'à présent ; et quand je songe qu'il ne me reste plus qu'un mois à être comme je suis, les larmes me viennent aux yeux tout de suite. Je n'ai de consolation que dans l'amitié de Mme de Merteuil ; elle a si bon cœur ! elle partage tous mes chagrins comme moi-même ; et puis elle est si aimable, que quand je suis avec elle, je n'y songe presque plus. D'ailleurs elle m'est bien utile ; car le peu que je sais, c'est elle qui me l'a appris : et elle est si bonne, que je lui dis tout ce que je pense, sans être honteuse du tout. Quand elle trouve que ce n'est pas bien, elle me gronde quelquefois ; mais c'est tout doucement, et puis je l'embrasse de tout mon cœur, jusqu'à ce qu'elle ne soit plus fâchée. Au moins celle-là, je peux bien l'aimer tant que je voudrai, sans qu'il y ait du mal, et ça me fait bien du plaisir. Nous sommes pourtant convenues que je n'aurais pas l'air de l'aimer tant devant le monde, et surtout devant Maman, afin qu'elle ne se méfie de rien au sujet du Chevalier Danceny. Je t'assure que si je pouvais toujours vivre comme je fais à présent, je crois que je serais bien heureuse. Il n'y a que ce vilain M. de Gercourt!... Mais je ne veux pas t'en parler davantage: car je redeviendrais triste. Au lieu de cela, je vais écrire au Chevalier Danceny; je ne lui parlerai que de mon amour et non de mes chagrins, car je ne veux pas l'affliger.

Adieu, ma bonne amie. Tu vois bien que tu aurais tort de te plaindre, et que j'ai beau être *occupée*[3], comme tu dis, qu'il ne m'en reste pas moins le temps de t'aimer et de t'écrire*.

*De ... ce 27 Août 17**.*

LETTRE XL

LE VICOMTE DE VALMONT À LA MARQUISE DE MERTEUIL

C'est peu pour mon inhumaine de ne pas répondre à mes Lettres, de refuser de les recevoir; elle veut me priver de sa vue, elle exige que je m'éloigne. Ce qui vous surprendra davantage, c'est que je me soumette à tant de rigueurs. Vous allez me blâmer. Cependant je n'ai pas cru devoir perdre l'occasion de me laisser donner un ordre: persuadé d'une part, que qui commande s'engage, et de l'autre, que l'autorité illusoire que nous avons l'air de laisser prendre aux femmes, est un des pièges qu'elles évitent le plus difficilement. De plus, l'adresse que celle-ci a su mettre à éviter de

* On continue de supprimer les Lettres de Cécile Volanges et du Chevalier Danceny, qui sont peu intéressantes, et n'annoncent aucun événement.

se trouver seule avec moi, me plaçait dans une situation dangereuse, dont j'ai cru devoir sortir à quelque prix que ce fût : car étant sans cesse avec elle, sans pouvoir l'occuper de mon amour, il y avait lieu de craindre qu'elle ne s'accoutumât enfin à me voir sans trouble ; disposition dont vous savez assez combien il est difficile de revenir.

Au reste, vous devinez que je ne me suis pas soumis sans condition. J'ai même eu le soin d'en mettre une impossible à accorder ; tant pour rester toujours maître de tenir ma parole ou d'y manquer, que pour engager une discussion, soit de bouche ou par écrit, dans un moment où ma belle est plus contente de moi, où elle a besoin que je le sois d'elle : sans compter que je serais bien maladroit, si je ne trouvais moyen d'obtenir quelque dédommagement de mon désistement à cette prétention, tout insoutenable qu'elle est.

Après vous avoir exposé mes raisons dans ce long préambule, je commence l'historique de ces deux derniers jours. J'y joindrai comme pièces justificatives, la Lettre de ma Belle et ma réponse. Vous conviendrez qu'il y a peu d'Historiens aussi exacts que moi.

Vous vous rappelez l'effet que fit avant-hier matin ma Lettre de *Dijon* ; le reste de la journée fut très orageux. La jolie Prude arriva seulement au moment du dîner, et annonça une forte migraine[1] ; prétexte dont elle voulut couvrir un des violents accès d'humeur que femme puisse avoir. Sa figure en était vraiment altérée ; l'expression de douceur que vous lui connaissez, s'était changée en un air mutin[2] qui en faisait une beauté nouvelle. Je me promets bien de faire usage de cette découverte par la suite ; et de remplacer quelquefois la Maîtresse tendre par la Maîtresse mutine.

Je prévis que l'après-dîner serait triste ; et pour m'en sauver l'ennui, je prétextai des Lettres à écrire, et me retirai chez moi. Je revins au salon sur les 6 heures ; Mme de Rosemonde proposa la promenade, qui fut acceptée. Mais au moment de monter en voiture, la prétendue malade, par une malice infernale, prétexta à son tour, et peut-être pour se venger de mon absence, un redoublement de douleurs, et me fit subir sans pitié le tête-à-tête de ma vieille Tante. Je ne sais si les imprécations que je fis contre ce démon femelle furent exaucées, mais nous la trouvâmes couchée au retour.

Le lendemain, au déjeuner, ce n'était plus la même femme. La douceur naturelle était revenue, et j'eus lieu de me croire pardonné. Le déjeuner était à peine fini, que la douce personne se leva d'un air indolent, et entra dans le parc ; je la suivis comme vous pouvez croire. « D'où peut naître ce désir de promenade ? » lui dis-je en l'abordant. « J'ai beaucoup écrit ce matin, me répondit-elle, et ma tête est un peu fatiguée. — Je ne suis pas assez heureux, repris-je, pour avoir à me reprocher cette fatigue-là. — Je vous ai bien écrit, répondit-elle encore, mais j'hésite à vous donner ma Lettre. Elle contient une demande, et vous ne m'avez pas accoutumée à en espérer le succès. — Ah ! je jure que s'il m'est possible. — Rien n'est plus facile, interrompit-elle ; et quoique vous dussiez peut-être l'accorder comme justice, je consens à l'obtenir comme grâce. » En disant ces mots, elle me présenta sa Lettre ; en la prenant, je pris aussi sa main, qu'elle retira, mais sans colère et avec plus d'embarras que de vivacité. « La chaleur est plus vive que je ne croyais, dit-elle ; il faut rentrer. » Et elle reprit la route du Château. Je fis de vains efforts pour lui persuader de continuer sa promenade, et j'eus besoin de me rappeler que nous pouvions être vus[a], pour n'y employer que de l'éloquence. Elle rentra sans proférer une parole, et je vis clairement que cette feinte promenade n'avait eu d'autre but que de me remettre sa Lettre. Elle monta chez elle en rentrant, et je me retirai chez moi pour lire l'Épître, que vous ferez bien de lire aussi, ainsi que ma réponse, avant d'aller plus loin…

LETTRE XLI

LA PRÉSIDENTE DE TOURVEL AU VICOMTE DE VALMONT

Il semble, Monsieur, par votre conduite avec moi, que vous ne cherchiez qu'à augmenter, chaque jour, les sujets de plainte que j'avais contre vous. Votre obstination à vouloir m'entretenir sans cesse, d'un sentiment que je ne veux ni ne dois écouter[a] ; l'abus que vous n'avez pas craint de faire de ma bonne foi, ou de ma timidité, pour me remettre vos Lettres ; le moyen surtout, j'ose dire peu délicat, dont vous vous êtes servi pour me faire parvenir la dernière, sans craindre au moins l'effet d'une surprise qui pouvait me compromettre ; tout devrait donner lieu de ma part à des reproches aussi vifs que justement mérités. Cependant, au lieu de revenir sur ces griefs, je m'en tiens à vous faire une demande aussi simple que juste ; et si je l'obtiens de vous, je consens que tout soit oublié.

Vous-même m'avez dit, Monsieur, que je ne devais pas craindre un refus ; et quoique, par une inconséquence qui vous est particulière, cette phrase même soit suivie du seul refus que vous pouviez me faire*, je veux croire que vous n'en tiendrez pas moins aujourd'hui cette parole formellement donnée il y a si peu de jours.

Je désire donc que vous ayez la complaisance de vous éloigner de moi ; de quitter ce Château, où un plus long séjour de votre part, ne pourrait que m'exposer davantage au jugement d'un public toujours prompt à mal penser d'autrui, et que vous n'avez que

* Voyez Lettre XXXV[1].

trop accoutumé à fixer les yeux sur les femmes qui vous admettent dans leur société.

Avertie déjà, depuis longtemps, de ce danger par mes amis, j'ai négligé, j'ai même combattu leur avis tant que votre conduite, à mon égard, avait pu me faire croire que vous aviez bien voulu ne pas me confondre avec cette foule de femmes qui toutes ont eu à se plaindre de vous. Aujourd'hui que vous me traitez comme elles, que je ne peux plus l'ignorer, je dois au public, à mes amis, à moi-même, de suivre ce parti nécessaire. Je pourrais ajouter ici que vous ne gagneriez rien à refuser ma demande, décidée que je suis à partir moi-même, si vous vous obstinez à rester : mais je ne cherche point à diminuer l'obligation que je vous aurai de cette complaisance, et je veux bien que vous sachiez qu'en nécessitant mon départ d'ici, vous contrarieriez mes arrangements. Prouvez-moi donc, Monsieur, que, comme vous me l'avez dit tant de fois, les femmes honnêtes n'auront jamais à se plaindre de vous ; prouvez-moi au moins, que quand vous avez des torts avec elles, vous savez les réparer.

Si je croyais avoir besoin de justifier ma demande vis-à-vis de vous, il me suffirait de vous dire que vous avez passé votre vie à la rendre nécessaire, et que pourtant il n'a pas tenu à moi de ne la jamais former. Mais ne rappelons pas des événements que je veux oublier, et qui m'obligeraient à vous juger avec rigueur, dans un moment où je vous offre l'occasion de mériter toute ma reconnaissance. Adieu, Monsieur ; votre conduite va m'apprendre avec quels sentiments je dois être, pour la vie, votre très humble, etc.

*De … ce 25 Août 17**.*

LETTRE XLII

LE VICOMTE DE VALMONT
À LA PRÉSIDENTE DE TOURVEL

Quelque dures que soient, Madame, les conditions que vous m'imposez, je ne refuse pas de les remplir. Je sens qu'il me serait impossible de contrarier aucun de vos désirs. Une fois d'accord sur ce point, j'ose me flatter qu'à mon tour, vous me permettrez de vous faire quelques demandes, bien plus faciles à accorder que les vôtres, et que pourtant je ne veux obtenir que de ma soumission parfaite à votre volonté.

L'une, que j'espère qui sera sollicitée par votre justice, est de me nommer enfin mes accusateurs auprès de vous ; ils me font, ce me semble, assez de mal pour que j'aie le droit de les connaître : l'autre, que j'attends de votre indulgence, est de vouloir bien me permettre de vous renouveler quelquefois l'hommage d'un amour qui va plus que jamais mériter votre pitié[1].

Songez, Madame, que je m'empresse de vous obéir, lors même que je ne peux le faire qu'aux dépens de mon bonheur ; je dirai plus, malgré la persuasion où je suis, que vous ne désirez mon départ que pour vous sauver le spectacle, toujours pénible, de l'objet de votre injustice.

Convenez-en, Madame, vous craignez moins un public trop accoutumé à vous respecter pour oser porter de vous un jugement désavantageux, que vous n'êtes gênée par la présence d'un homme qu'il vous est plus facile de punir que de blâmer. Vous m'éloignez de vous comme on détourne ses regards d'un malheureux qu'on ne veut pas secourir.

Mais tandis que l'absence va redoubler mes tourments, à quelle autre qu'à vous puis-je adresser mes plaintes ? de quelle autre puis-je attendre des consolations qui vont me devenir si nécessaires ? Me les refuserez-vous, quand vous seule causez mes peines ?

Sans doute vous ne serez pas étonnée non plus, qu'avant de partir j'aie à cœur de justifier auprès de vous, les sentiments que vous m'avez inspirés ; comme aussi que je ne trouve le courage de m'éloigner, qu'en en recevant l'ordre de votre bouche.

Cette double raison me fait vous demander un moment d'entretien. Inutilement voudrions-nous y suppléer par Lettres : on écrit des volumes, et l'on explique mal ce qu'un quart d'heure de conversation suffit pour faire bien entendre. Vous trouverez facilement le temps de me l'accorder : car quelqu'empressé que je sois de vous obéir, vous savez que Mme de Rosemonde est instruite de mon projet, de passer chez elle une partie de l'automne, et il faudra au moins que j'attende une Lettre pour pouvoir prétexter une affaire qui me force à partir.

Adieu, Madame ; jamais ce mot ne m'a tant coûté à écrire que dans ce moment où il me ramène à l'idée de notre séparation. Si vous pouviez imaginer ce qu'elle me fait souffrir, j'ose croire que vous me sauriez quelque gré de ma docilité. Recevez au moins, avec plus d'indulgence, l'assurance et l'hommage de l'amour le plus tendre et le plus respectueux.

*De ... ce 26 Août 17*** [2].

SUITE DE LA LETTRE XL

DU VICOMTE DE VALMONT
À LA MARQUISE DE MERTEUIL

À présent, raisonnons, ma belle amie. Vous sentez comme moi que la scrupuleuse, l'honnête Mme de Tourvel, ne peut pas m'accorder la première de mes demandes, et trahir la confiance de ses amis, en me nommant mes accusateurs ; ainsi en promettant tout à cette condition, je ne m'engage à rien. Mais vous sentez aussi que ce refus qu'elle me fera, deviendra un titre pour obtenir tout le reste ; et qu'alors je gagne, en m'éloignant, d'entrer avec elle, et de son aveu, en correspondance réglée : car je compte pour peu le rendez-vous que je lui demande, et qui n'a presque d'autre objet que de l'accoutumer d'avance à n'en pas refuser d'autres quand ils me seront vraiment nécessaires.

La seule chose qui me reste à faire avant mon départ, est de savoir quels sont les gens qui s'occupent à me nuire auprès d'elle. Je présume que c'est son pédant[1] de mari ; je le voudrais : outre qu'une défense conjugale est un aiguillon au désir, je serais sûr que du moment que ma Belle aura consenti à m'écrire, je n'aurais plus rien à craindre de son mari, puisqu'elle se trouverait déjà dans la nécessité de le tromper.

Mais si elle a une amie assez intime pour avoir sa confidence, et que cette amie-là soit contre moi, il me paraît nécessaire de les brouiller, et je compte y réussir ; mais avant tout il faut être instruit[a].

J'ai bien cru que j'allais l'être hier ; mais cette femme ne fait rien comme une autre. Nous étions chez elle, au moment où l'on vint avertir que le dîner était servi. Sa toilette se finissait seulement, et tout en se pressant et en faisant des excuses, je m'aperçus qu'elle laissait la clef à son secrétaire ; et je connais son usage de ne pas ôter celle de son appartement. J'y rêvais pendant le dîner, lorsque j'entendis descendre sa Femme de chambre : je pris mon parti aussitôt ; je feignis un saignement de nez[2], et sortis. Je volai au secrétaire ; mais je trouvai tous les tiroirs ouverts, et pas un papier écrit. Cependant on n'a pas occasion de les brûler dans cette saison. Que fait-elle des Lettres qu'elle reçoit ? et elle en reçoit souvent ! Je n'ai rien négligé ; tout était ouvert, et j'ai cherché partout : mais je n'y ai rien gagné, que de me convaincre que ce dépôt précieux reste dans ses poches[3].

Comment l'en tirer ? depuis hier je m'occupe inutilement d'en trouver les moyens : cependant je ne peux en vaincre le désir. Je regrette de n'avoir pas le talent des filous[4]. Ne devrait-il pas, en effet, entrer dans l'éducation d'un homme qui se mêle d'intrigues ? ne serait-il pas plaisant de dérober la Lettre ou le portrait d'un rival, ou de tirer des poches d'une Prude de quoi la démasquer ? Mais nos parents ne songent à rien ; et moi j'ai beau songer à tout, je ne fais que m'apercevoir que je suis gauche, sans pouvoir y remédier.

Quoi qu'il en soit, je revins me mettre à table, fort mécontent. Ma Belle calma pourtant un peu mon humeur, par l'air d'intérêt que lui donna ma feinte indisposition ; et je ne manquai pas de l'assurer que j'avais, depuis quelque temps, de violentes agitations qui altéraient ma santé. Persuadée comme elle est, que c'est elle qui les cause, ne devrait-elle pas en conscience travailler à les calmer ? Mais, quoique dévote, elle est peu charitable ; elle refuse toute aumône amoureuse, et ce refus suffit bien, ce me semble, pour en autoriser le vol. Mais adieu ; car tout en causant avec vous, je ne songe qu'à ces maudites Lettres.

*De … ce 27 Août 17***[5].

LETTRE XLIII

LA PRÉSIDENTE DE TOURVEL AU VICOMTE DE VALMONT

Pourquoi chercher, Monsieur, à diminuer ma reconnaissance ? pourquoi ne vouloir m'obéir qu'à demi, et marchander en quelque sorte un procédé honnête ? Il ne vous suffit donc pas que j'en sente le prix ? Non seulement vous demandez beaucoup ; mais vous demandez des choses impossibles. Si en effet mes amis m'ont parlé de vous, ils ne l'ont pu faire que par intérêt pour moi : quand même ils se seraient trompés, leur intention n'en était pas moins bonne ; et vous me proposez de reconnaître cette marque d'attachement de leur part, en vous livrant leur secret ! J'ai déjà eu tort de vous en parler, et vous me le faites assez sentir en ce moment. Ce qui n'eût été que de la candeur avec tout autre, devient une étourderie avec vous, et me mènerait à une noirceur, si je cédais à votre demande. J'en appelle à vous-même, à votre honnêteté ; m'avez-vous crue capable de ce procédé ? avez-vous dû me le proposer ? non sans doute ; et je suis sûre qu'en y réfléchissant mieux, vous ne reviendrez plus sur cette demande.

Celle que vous me faites de m'écrire n'est guère plus facile à accorder ; et si vous voulez être juste, ce n'est pas à moi que vous vous en prendrez. Je ne veux point vous offenser ; mais avec la réputation que vous vous êtes acquise, et que, de votre aveu même, vous méritez du moins en partie, quelle femme pourrait avouer être en correspondance avec vous ? et quelle femme honnête peut se déterminer à faire ce qu'elle sent qu'elle serait obligée de cacher ?

Encore, si j'étais assurée que vos Lettres fussent telles que je n'eusse jamais à m'en plaindre, que je pusse toujours me justifier à mes yeux de les avoir reçues ! peut-être alors le désir de vous prouver que c'est la raison et non la haine qui me guide, me ferait passer par-dessus ces considérations puissantes, et faire beaucoup plus que je ne devrais, en vous permettant de m'écrire quelquefois. Si en effet vous le désirez autant que vous me le dites, vous vous soumettrez volontiers à la seule condition qui puisse m'y faire consentir ; et si vous avez quelque reconnaissance de ce que je fais pour vous en ce moment, vous ne différerez plus de partir.

Permettez-moi de vous observer à ce sujet, que vous avez reçu une Lettre ce matin, et que vous n'en avez pas profité pour annoncer votre départ à Mme de Rosemonde, comme vous me l'aviez promis. J'espère qu'à présent rien ne pourra vous empêcher de tenir votre parole. Je compte surtout que vous n'attendrez pas, pour cela, l'entretien que vous me demandez, et auquel je ne veux absolument pas me prêter ; et qu'au lieu de l'ordre que vous prétendez vous être nécessaire, vous vous contenterez de la prière que je vous renouvelle. Adieu, Monsieur[1].

*De … ce 27 Août 17**.*

LETTRE XLIV

LE VICOMTE DE VALMONT
À LA MARQUISE DE MERTEUIL

Partagez ma joie, ma belle amie ; je suis aimé ; j'ai triomphé de ce cœur rebelle. C'est en vain qu'il dissimule encore ; mon heureuse adresse a surpris son secret. Grâce à mes soins actifs, je sais tout ce qui m'intéresse : depuis la nuit, l'heureuse nuit d'hier, je me retrouve dans mon élément ; j'ai repris toute mon existence[a] ; j'ai dévoilé un double mystère d'amour et d'iniquité : je jouirai de l'un, je me vengerai de l'autre ; je volerai de plaisirs en plaisirs[b]. La seule idée que je m'en fais, me transporte au point que j'ai quelque peine à rappeler ma prudence ; que j'en aurai peut-être à mettre de l'ordre dans le récit que j'ai à vous faire. Essayons cependant.

Hier même, après vous avoir écrit ma Lettre, j'en reçus une de la céleste dévote. Je vous l'envoie ; vous y verrez qu'elle me donne, le moins maladroitement qu'elle peut, la permission de lui écrire : mais elle y presse mon départ, et je sentais bien que je ne pouvais le différer trop longtemps sans me nuire.

Tourmenté cependant du désir de savoir qui pouvait avoir écrit contre moi, j'étais encore incertain du parti que je prendrais. Je tentai de gagner la Femme de chambre, et je voulus obtenir d'elle de me livrer les poches de sa Maîtresse, dont elle pouvait s'emparer aisément le soir, et qu'il lui était facile de replacer le matin, sans donner le moindre soupçon. J'offris dix louis[1] pour ce léger service : mais je ne trouvai qu'une bégueule, scrupuleuse ou timide, que mon éloquence ni mon argent ne purent vaincre. Je la prêchais[2] encore, quand le souper sonna. Il fallut la laisser ; trop heureux qu'elle voulût bien me promettre le secret, sur lequel même vous jugez que je ne comptais guère.

Jamais je n'eus plus d'humeur[3]. Je me sentais compromis ; et je me reprochais, toute la soirée, ma démarche imprudente.

Retiré chez moi, non sans inquiétude, je parlai à mon Chasseur, qui en sa qualité d'Amant heureux, devait avoir quelque crédit. Je voulais, ou qu'il obtînt de cette fille de faire ce que je lui avais demandé, ou au moins qu'il s'assurât de sa discrétion : mais lui, qui d'ordinaire ne doute de rien, parut douter du succès de cette négociation, et me fit, à ce sujet, une réflexion qui m'étonna par sa profondeur.

« Monsieur sait sûrement mieux que moi, me dit-il, que coucher avec une fille, ce n'est que lui faire faire ce qui lui plaît : de là à lui faire faire ce que nous voulons, il y a souvent bien loin. »

Le bon sens du Maraud quelquefois m'épouvante.*

« Je réponds d'autant moins de celle-ci, ajouta-t-il, que j'ai lieu de croire qu'elle a un Amant, et que je ne la dois qu'au désœuvrement de la campagne. Aussi, sans mon zèle pour le service de Monsieur, je n'aurais eu cela qu'une fois. » (C'est un vrai trésor que ce garçon !) « Quant au secret », ajouta-t-il encore, « à quoi servira-t-il de le lui faire promettre, puisqu'elle ne risquera rien à nous tromper ? lui en reparler, ne ferait que lui mieux apprendre qu'il est important, et par là lui donner plus d'envie d'en faire sa cour[5] à sa Maîtresse. »

Plus ces réflexions étaient justes, plus mon embarras augmentait. Heureusement le drôle était en train de jaser ; et comme j'avais besoin de lui, je le laissais faire. Tout en me racontant son histoire avec cette fille, il m'apprit que comme la chambre qu'elle occupe n'est séparée de celle de sa Maîtresse que par une simple cloison, qui pouvait laisser entendre un bruit suspect, c'était dans la sienne qu'ils se rassemblaient chaque nuit. Aussitôt je formai mon plan ; je le lui communiquai, et nous l'exécutâmes avec succès.

J'attendis 2 heures du matin ; et alors je me rendis, comme nous en étions convenus, à la chambre du rendez-vous, portant de la lumière avec moi, et sous prétexte d'avoir sonné plusieurs fois inutilement. Mon confident, qui joue ses rôles à merveille, donna une petite scène de surprise, de désespoir et d'excuse, que je terminai en l'envoyant me faire chauffer de l'eau, dont je feignis avoir besoin ; tandis que la scrupuleuse Chambrière[6] était d'autant plus honteuse, que le drôle qui avait voulu renchérir sur mes projets, l'avait déterminée à une toilette que la saison comportait[7], mais qu'elle n'excusait pas.

Comme je sentais que plus cette fille serait humiliée,

* Piron, *Métromanie*[4].

plus j'en disposerais facilement, je ne lui permis de changer ni de situation ni de parure ; et après avoir ordonné à mon Valet de m'attendre chez moi, je m'assis à côté d'elle sur le lit qui était fort en désordre, et je commençai ma conversation. J'avais besoin de garder l'empire que la circonstance me donnait sur elle : aussi conservai-je un sang-froid qui eût fait honneur à la continence de Scipion[8] ; et sans prendre la plus petite liberté avec elle, ce que pourtant sa fraîcheur et l'occasion semblaient lui donner le droit d'espérer, je lui parlai d'affaires aussi tranquillement que j'aurais pu faire avec un Procureur[9].

Mes conditions furent que je garderais fidèlement le secret, pourvu que le lendemain, à pareille heure à peu près, elle me livrât les poches de sa Maîtresse. « Au reste, ajoutai-je, je vous avais offert dix louis hier ; je vous les promets encore aujourd'hui. Je ne veux pas abuser de votre situation. » Tout fut accordé, comme vous pouvez croire ; alors je me retirai, et permis à l'heureux couple de réparer le temps perdu[10].

J'employai le mien à dormir ; et à mon réveil, voulant avoir un prétexte pour ne pas répondre à la Lettre de ma Belle avant d'avoir visité[11] ses papiers, ce que je ne pouvais faire que la nuit suivante, je me décidai à aller à la chasse, où je restai presque tout le jour.

À mon retour, je fus reçu assez froidement. J'ai lieu de croire qu'on fut un peu piqué du peu d'empressement que je mettais à profiter du temps qui me restait ; surtout après la Lettre plus douce que l'on m'avait écrite. J'en juge ainsi, sur ce que Mme de Rosemonde m'ayant fait quelques reproches sur cette longue absence, ma Belle reprit avec un peu d'aigreur : « Ah ! ne reprochons pas à M. de Valmont de se livrer au seul plaisir qu'il peut trouver ici. » Je me plaignis de cette injustice, et j'en profitai pour assurer que je me plaisais tant avec ces Dames, que j'y sacrifiais une lettre très intéressante que j'avais à écrire. J'ajoutai que, ne pouvant trouver le sommeil depuis plusieurs nuits, j'avais voulu essayer si la fatigue[12] me le rendrait ; et mes regards expliquaient assez et le sujet de ma Lettre, et la cause de mon insomnie. J'eus soin d'avoir toute la soirée une douceur mélancolique, qui me parut réussir assez bien, et sous laquelle je masquai l'impatience où j'étais de voir arriver l'heure qui devait me livrer le secret qu'on s'obstinait à me cacher. Enfin nous nous séparâmes, et quelque temps après, la fidèle Femme de chambre vint m'apporter le prix convenu de ma discrétion.

Une fois maître de ce trésor, je procédai à l'inventaire avec la prudence que vous me connaissez : car il était important de remettre tout en place. Je tombai d'abord sur deux Lettres du mari, mélange indigeste de détails de procès et de tirades d'amour conjugal, que j'eus la patience de lire en entier, et où je ne trouvai pas un mot qui eût rapport à moi. Je les replaçai avec humeur : mais elle s'adoucit, en trouvant sous ma main les morceaux de ma fameuse Lettre de Dijon, soigneusement rassemblés[13]. Heureusement il me prit fantaisie de la parcourir. Jugez de ma joie, en y apercevant les traces, bien distinctes, des larmes de mon adorable Dévote. Je l'avoue, je cédai à un mouvement de jeune homme, et baisai cette Lettre avec un transport dont je ne me croyais plus susceptible. Je continuai l'heureux examen ; je retrouvai toutes mes Lettres de suite, et par ordre de dates ; et ce qui me surprit plus agréablement encore fut de retrouver la première de toutes, celle que je croyais m'avoir été rendue par une ingrate, fidèlement copiée de sa main ; et d'une écriture altérée et tremblante, qui témoignait assez la douce agitation de son cœur pendant cette occupation.

Jusque-là j'étais tout entier à l'amour ; bientôt il fit place à la fureur. Qui croyez-vous qui veuille me perdre auprès de cette femme que j'adore ? quelle Furie supposez-vous assez méchante pour tramer une pareille noirceur ? Vous la connaissez : c'est votre amie, votre parente ; c'est Mme de Volanges. Vous n'imaginez pas quel tissu d'horreurs l'infernale Mégère[14] lui a écrit sur mon compte. C'est elle, elle seule, qui a troublé la sécurité de cette femme angélique ; c'est par ses conseils, par ses avis pernicieux, que je me vois forcé de m'éloigner ; c'est à elle enfin que l'on me sacrifie. Ah ! sans doute il faut séduire sa fille : mais ce n'est pas assez, il faut la perdre ; et puisque l'âge de cette maudite femme la met à l'abri de mes coups, il faut la frapper dans l'objet de ses affections.

Elle veut donc que je revienne à Paris ! elle m'y force ! soit, j'y retournerai ; mais elle gémira de mon retour. Je suis fâché que Danceny soit le héros de cette aventure ; il a un fonds d'honnêteté qui nous gênera : cependant il est amoureux, et je le vois souvent ; on pourra peut-être en tirer parti. Je m'oublie dans ma colère, et je ne songe pas que je vous dois le récit de ce qui s'est passé aujourd'hui. Revenons.

Ce matin j'ai revu ma sensible Prude. Jamais je ne l'avais trouvée si belle. Cela devait être ainsi : le plus beau moment d'une femme, le seul où elle puisse produire cette ivresse de l'âme, dont on parle toujours et qu'on éprouve si rarement, est celui où, assurés de son amour, nous ne le sommes pas de ses faveurs ; et c'est précisément le cas où je me trouvais. Peut-être aussi l'idée que j'allais être privé du plaisir de la voir, servait-il à l'embellir. Enfin, à l'arrivée du Courrier, on m'a remis votre Lettre du 27 ; et pendant que je la lisais, j'hésitais encore pour savoir si je tiendrais ma parole : mais j'ai rencontré les yeux de ma Belle, et il m'aurait été impossible de lui rien refuser.

J'ai donc annoncé mon départ. Un moment après, Mme de Rosemonde nous a laissés seuls : mais j'étais encore à quatre pas de la farouche personne, que se levant avec l'air de l'effroi : « Laissez-moi, laissez-moi, Monsieur, m'a-t-elle dit ; au nom de Dieu, laissez-moi. » Cette prière fervente, qui décelait son émotion, ne pouvait que m'animer davantage. Déjà j'étais auprès d'elle, et je tenais ses mains qu'elle avait jointes[d] avec une expression tout à fait touchante ; là je commençais de tendres plaintes, quand un démon ennemi ramena Mme de Rosemonde. La timide Dévote, qui a en effet quelques raisons de craindre, en a profité pour se retirer.

Je lui ai pourtant offert la main qu'elle a acceptée ; et augurant bien de cette douceur, qu'elle n'avait pas eue depuis longtemps, tout en recommençant mes plaintes j'ai essayé de serrer la sienne. Elle a d'abord voulu la retirer ; mais sur une instance plus vive, elle s'est livrée d'assez bonne grâce, quoique sans répondre ni à ce geste, ni à mes discours. Arrivé à la porte de son appartement, j'ai voulu baiser cette main, avant de la quitter. La défense a commencé par être franche : mais un *songez donc que je pars*, prononcé bien tendrement, l'a rendue gauche et insuffisante. À peine le baiser a-t-il été donné, que la main a retrouvé sa force pour échapper, et que la Belle est entrée dans son appartement où était sa Femme de chambre. Ici finit mon histoire.

Comme je présume que vous serez demain chez la Maréchale de ..., où sûrement je n'irai pas vous trouver ; comme je me doute bien aussi qu'à notre première entrevue nous aurons plus d'une affaire à traiter, et notamment celle de la petite Volanges, que je ne perds pas de vue, j'ai pris le parti de me faire précéder par cette Lettre ; et toute longue qu'elle est, je ne la fermerai qu'au moment de l'envoyer à la Poste : car au terme où j'en suis[15], tout peut dépendre d'une occasion ; et je vous quitte pour aller l'épier.

P.-S. à 8 heures du soir.

Rien de nouveau ; pas le plus petit moment de liberté : du soin même pour l'éviter.

Cependant, autant de tristesse que la décence en permettait, pour le moins. Un autre événement qui peut ne pas être indifférent, c'est que je suis chargé d'une invitation de Mme de Rosemonde à Mme de Volanges, pour venir passer quelque temps chez elle à la campagne.

Adieu, ma belle amie ; à demain ou après-demain au plus tard.

*De ... ce 28 Août 17***[16].

LETTRE XLV

LA PRÉSIDENTE DE TOURVEL
À MADAME DE VOLANGES

M. de Valmont est parti ce matin, Madame ; vous m'avez paru tant désirer ce départ, que j'ai cru devoir vous en instruire. Mme de Rosemonde regrette beaucoup son neveu, dont il faut convenir qu'en effet la société est agréable : elle a passé toute la matinée à m'en parler avec la sensibilité que vous lui connaissez ; elle ne tarissait pas sur son éloge. J'ai cru lui devoir la complaisance de l'écouter sans la contredire, d'autant qu'il faut avouer qu'elle avait raison sur beaucoup de points. Je sentais de plus que j'avais à me reprocher d'être la cause de cette séparation, et je n'espère pas pouvoir la dédommager du plaisir dont je l'ai privée. Vous savez que j'ai naturellement peu de gaieté, et le genre de vie que nous allons mener ici n'est pas fait pour l'augmenter.

Si je ne m'étais pas conduite d'après vos avis, je craindrais d'avoir agi un peu légèrement : car j'ai été vraiment peinée de la douleur de ma respectable amie ; elle m'a touchée au point que j'aurais volontiers mêlé mes larmes aux siennes.

Nous vivons à présent dans l'espoir que vous accepterez l'invitation que M. de Valmont doit vous faire, de la part de Mme de Rosemonde, de venir passer quelque temps chez elle. J'espère que vous ne doutez pas du plaisir que j'aurai à vous y voir ; et en vérité vous nous devez ce dédommagement. Je serai fort aise de trouver cette occasion de faire une connaissance plus prompte avec Mlle de Volanges, et d'être à portée de vous convaincre de plus en plus des sentiments respectueux, etc.

*De ... ce 29 Août 17***[1].

LETTRE XLVI

LE CHEVALIER DANCENY
À CÉCILE VOLANGES

Que vous eſt-il donc arrivé, mon adorable Cécile ? qui[1] a pu causer en vous un changement si prompt et si cruel ? que sont devenus vos serments de ne jamais changer ? Hier encore, vous les réitériez avec tant de plaisir ! qui peut aujourd'hui vous les faire oublier ? J'ai beau m'examiner, je ne puis en trouver la cause en moi, et il m'eſt affreux d'avoir à la chercher en vous. Ah ! sans doute vous n'êtes ni légère ni trompeuse ; et même dans ce moment de désespoir, un soupçon outrageant ne flétrira point mon âme. Cependant, par quelle fatalité n'êtes-vous plus la même ? Non, cruelle, vous ne l'êtes plus ! La tendre Cécile, la Cécile que j'adore, et dont j'ai reçu les serments, n'aurait point évité mes regards, n'aurait point contrarié le hasard heureux qui me plaçait auprès d'elle ; ou si quelque raison que je ne puis concevoir, l'avait forcée à me traiter avec tant de rigueur, elle n'eût pas au moins dédaigné de m'en inſtruire.

Ah ! vous ne savez pas, vous ne saurez jamais, ma Cécile, ce que vous m'avez fait souffrir aujourd'hui, ce que je souffre encore en ce moment. Croyez-vous donc que je puisse vivre et ne plus être aimé de vous ? Cependant, quand je vous ai demandé un mot, un seul mot, pour dissiper mes craintes, au lieu de me répondre, vous avez feint de craindre d'être entendue ; et cet obſtacle qui n'exiſtait pas alors, vous l'avez fait naître aussitôt, par la place que vous avez choisie dans le cercle[2]. Quand forcé de vous quitter, je vous ai demandé l'heure à laquelle je pourrais vous revoir demain, vous avez feint de l'ignorer, et il a fallu que ce fût Mme de Volanges qui m'en instruisît. Ainsi ce moment toujours si désiré qui doit me rapprocher de vous, demain ne fera naître en moi que de l'inquiétude ; et le plaisir de vous voir, jusqu'alors si cher à mon cœur, sera remplacé par la crainte de vous être importun.

Déjà, je le sens, cette crainte m'arrête, et je n'ose vous parler de mon amour. Ce *je vous aime*, que j'aimais tant à répéter quand je pouvais l'entendre à mon tour, ce mot si doux qui suffisait à ma félicité, ne m'offre plus, si vous êtes changée, que l'image d'un désespoir éternel. Je ne puis croire pourtant que ce talisman*[4] de l'amour ait perdu toute sa puissance, et j'essaie de m'en servir encore. Oui, ma Cécile, *je vous aime.* Répétez donc avec moi cette expression de mon bonheur. Songez que vous m'avez accoutumé à l'entendre, et que m'en priver, c'est me condamner à un tourment qui, de même que mon amour, ne finira qu'avec ma vie.

*De ... ce 29 Août 17***[5].

LETTRE XLVII

LE VICOMTE DE VALMONT
À LA MARQUISE DE MERTEUIL

Je ne vous verrai pas encore aujourd'hui, ma belle amie, et voici mes raisons, que je vous prie de recevoir avec indulgence.

Au lieu de revenir hier directement, je me suis arrêté chez la Comtesse de ***, dont le château se trou-

* Ceux qui n'ont pas eu occasion de sentir quelquefois le prix d'un mot, d'une expression, consacrés par l'amour, ne trouveront aucun sens dans cette phrase[3].

vait presque sur ma route, et à qui j'ai demandé à dîner. Je ne suis arrivé à Paris que vers les 7 heures, et je suis descendu à l'Opéra, où j'espérais que vous pouviez être.

L'Opéra fini, j'ai été revoir mes amies du foyer[1] ; j'y ai retrouvé mon ancienne Émilie, entourée d'une cour nombreuse, tant en femmes qu'en hommes, à qui elle donnait le soir même à souper à P...[2]. Je ne fus pas plutôt entré dans ce cercle, que je fus prié du souper, par acclamation. Je le fus aussi par une petite figure grosse et courte, qui me baragouina une invitation en français de Hollande[3], et que je reconnus pour le véritable héros de la fête. J'acceptai.

J'appris, dans ma route, que la maison où nous allions était le prix convenu des bontés d'Émilie pour cette figure grotesque, et que ce souper était un véritable repas de noce. Le petit homme ne se possédait pas de joie, dans l'attente du bonheur dont il allait jouir ; il m'en parut si satisfait, qu'il me donna envie de le troubler ; ce que je fis en effet.

La seule difficulté que j'éprouvai fut de décider Émilie, que la richesse du Bourguemestre[4] rendait un peu scrupuleuse. Elle se prêta pourtant, après quelques façons, au projet que je donnai, de remplir de vin ce petit tonneau à bière, et de le mettre ainsi hors de combat pour toute la nuit.

L'idée sublime[5] que nous nous étions formée d'un buveur Hollandais, nous fit employer tous les moyens connus. Nous réussîmes si bien, qu'au dessert il n'avait déjà plus la force de tenir son verre : mais la secourable Émilie et moi l'entonnions[6] à qui mieux mieux. Enfin, il tomba sous la table, dans une ivresse telle, qu'elle doit au moins durer huit jours. Nous nous décidâmes alors à le renvoyer à Paris ; et comme il n'avait pas gardé sa voiture, je le fis charger dans la mienne, et je restai à sa place. Je reçus ensuite les compliments de l'assemblée, qui se retira bientôt après, et me laissa maître du champ de bataille. Cette gaieté[7], et peut-être ma longue retraite, m'ont fait trouver Émilie si désirable, que je lui ai promis de rester avec elle jusqu'à la résurrection[8] du Hollandais.

Cette complaisance de ma part, est le prix de celle qu'elle vient d'avoir, de me servir de pupitre pour écrire à ma belle Dévote[9], à qui j'ai trouvé plaisant d'envoyer une Lettre écrite[a] du lit et presque d'entre les bras d'une fille, interrompue même pour une infidélité complète, et dans laquelle je lui rends un compte exact de ma situation et de ma conduite. Émilie, qui a lu l'Épître, en a ri comme une folle, et j'espère que vous en rirez aussi.

Comme il faut que ma Lettre soit timbrée de Paris, je vous l'envoie ; je la laisse ouverte. Vous voudrez bien la lire, la cacheter, et la faire mettre à la Poste. Surtout n'allez pas vous servir de votre cachet, ni même d'aucun emblème amoureux ; une tête seulement[10]. Adieu, ma belle amie.

P. S. Je rouvre ma Lettre ; j'ai décidé Émilie à aller aux Italiens[11]... Je profiterai de ce temps pour aller vous voir. Je serai chez vous à 6 heures au plus tard ; et si cela vous convient, nous irons ensemble sur les 7 heures chez Mme de Volanges. Il sera décent que je ne diffère pas l'invitation que j'ai à lui faire de la part de Mme de Rosemonde ; de plus, je serai bien aise de voir la petite Volanges.

Adieu, la très belle dame. Je veux avoir tant de plaisir à vous embrasser, que le Chevalier puisse en être jaloux.

*De P..., ce 30 Août 17**.*

LETTRE XLVIII

LE VICOMTE DE VALMONT
À LA MARQUISE DE TOURVEL
(Timbrée de Paris.)

C'est après une nuit orageuse, et pendant laquelle je n'ai pas fermé l'œil ; c'est après avoir été sans cesse ou dans l'agitation d'une ardeur dévorante, ou dans l'entier anéantissement de toutes les facultés de mon âme, que je viens chercher auprès de vous, Madame, un calme dont j'ai besoin, et dont pourtant je n'espère pas jouir encore. En effet, la situation où je suis en vous écrivant, me fait connaître, plus que jamais, la puissance irrésistible de l'amour ; j'ai peine à conserver assez d'empire sur moi, pour mettre quelque ordre dans mes idées ; et déjà je prévois que je ne finirai pas cette Lettre, sans être obligé de l'interrompre. Quoi ! ne puis-je donc espérer que vous partagerez quelque jour le trouble que j'éprouve en ce moment ? J'ose croire cependant que, si vous le connaissiez bien, vous n'y seriez pas entièrement insensible. Croyez-moi, Madame, la froide tranquillité, le sommeil de l'âme, image de la mort, ne mènent point au bonheur ; les passions actives peuvent seules y conduire ; et malgré les tourments que vous me faites éprouver, je crois pouvoir assurer sans crainte, que, dans ce moment, je suis plus heureux que vous. En vain m'accablez-vous de vos rigueurs désolantes ; elles ne m'empêchent point de m'abandonner entièrement à l'amour, et d'oublier dans le délire qu'il me cause, le désespoir auquel vous me livrez. C'est ainsi que je veux me venger de l'exil auquel vous me condamnez. Jamais je n'eus tant de plaisir en vous écrivant ; jamais je ne ressentis, dans cette occupation, une émotion si douce, et cependant si vive. Tout semble augmenter mes transports : l'air que je respire est brûlant de volupté[1] ; la table même sur laquelle je vous écris, consacrée pour la première fois à cet usage, devient pour moi l'autel sacré de l'amour ; combien elle va s'embellir à mes yeux ! j'aurai tracé sur elle le serment de vous aimer toujours ! Pardonnez, je vous en supplie, au désordre de mes sens. Je devrais peut-être m'abandonner moins à des transports que vous ne partagez pas : il faut vous quitter un moment pour dissiper une ivresse qui s'augmente sans cesse, et devient plus forte que moi[2].

Je reviens à vous, Madame, et sans doute j'y reviens toujours avec le même empressement. Cependant le sentiment du bonheur a fui loin de moi[3] ; il a fait place à celui des privations cruelles. À quoi me sert-il de vous parler de mes sentiments, si je cherche en vain les moyens de vous en convaincre ? Après tant d'efforts réitérés, la confiance et la force m'abandonnent à la fois. Si je me retrace encore les plaisirs de l'amour, c'est pour sentir plus vivement le regret d'en être privé. Je ne me vois de ressource que dans votre indulgence, et je sens trop, dans ce moment, combien j'en ai besoin pour espérer de l'obtenir. Cependant jamais mon amour ne fut plus respectueux, jamais il ne dut moins vous offenser ; il est tel, j'ose le dire, que la vertu la plus sévère ne devrait pas le craindre : mais je crains moi-même de vous entretenir plus longtemps de la peine que j'éprouve. Assuré que l'objet qui la cause ne la partage pas, il ne faut pas au moins abuser de ses bontés ; et ce serait le faire, que d'employer plus de temps à vous retracer cette douloureuse image. Je ne prends plus que celui de vous supplier de me répondre, et de ne jamais douter de la vérité de mes sentiments.

Écrite de P..., datée de Paris,
*ce 30 Août 17**.*

LETTRE XLIX

CÉCILE VOLANGES
AU CHEVALIER DANCENY

Sans être ni légère, ni trompeuse, il me suffit, Monsieur, d'être éclairée sur ma conduite, pour sentir la nécessité d'en changer ; j'en ai promis le sacrifice à Dieu, jusqu'à ce que je puisse lui offrir aussi celui de mes sentiments pour vous, que l'état Religieux dans lequel vous êtes rend plus criminels encore[1]. Je sens bien que cela me fera de la peine, et je ne vous cacherai même pas que depuis avant-hier j'ai pleuré toutes les fois que j'ai songé à vous. Mais j'espère que Dieu me fera la grâce de me donner la force nécessaire pour vous oublier, comme je la lui demande soir et matin. J'attends même de votre amitié, et de votre honnêteté, que vous ne chercherez pas à me troubler dans la bonne résolution qu'on m'a inspirée, et dans laquelle je tâche de me maintenir. En conséquence, je vous demande d'avoir la complaisance de ne me plus écrire, d'autant que je vous préviens que je ne vous répondrais plus, et que vous me forceriez d'avertir Maman de tout ce qui se passe : ce qui me priverait tout à fait du plaisir de vous voir.

Je n'en conserverai pas moins pour vous, tout l'attachement qu'on puisse avoir, sans qu'il y ait du mal ; et c'est bien de toute mon âme que je vous souhaite toute sorte de bonheur. Je sens bien que vous allez ne plus m'aimer autant, et que peut-être vous en aimerez bientôt une autre mieux que moi. Mais ce sera une pénitence de plus, de la faute que j'ai commise en vous donnant mon cœur, que je ne devais donner qu'à Dieu, et à mon mari quand j'en aurai un.

J'espère que la miséricorde divine aura pitié de ma faiblesse, et qu'elle ne me donnera de peine que ce que j'en pourrai supporter.

Adieu, Monsieur ; je peux bien vous assurer que s'il m'était permis d'aimer quelqu'un, ce ne serait jamais que vous que j'aimerais. Mais voilà tout ce que je peux vous dire, et c'est peut-être même plus que je ne devrais.

*Paris... ce 31 Août 17**.*

LETTRE L

LA PRÉSIDENTE DE TOURVEL
AU VICOMTE DE VALMONT

Est-ce donc ainsi, Monsieur, que vous remplissez les conditions auxquelles j'ai consenti à recevoir quelquefois de vos Lettres ? Et puis-je *ne pas avoir à m'en plaindre*, quand vous ne m'y parlez que d'un sentiment auquel je craindrais encore de me livrer, quand même je le pourrais sans blesser tous mes devoirs ?

Au reste, si j'avais besoin de nouvelles raisons pour conserver cette crainte salutaire, il me semble que je pourrais les trouver dans votre dernière Lettre. En effet, dans le moment même où vous croyez faire l'apologie de l'amour, que faites-vous au contraire, que m'en montrer les orages redoutables ? qui peut vouloir d'un bonheur acheté au prix de la raison, et dont les plaisirs peu durables sont au moins suivis des regrets, quand ils ne le sont pas des remords ?

Vous-même, chez qui l'habitude de ce délire dangereux doit en diminuer l'effet, n'êtes-vous pas cependant obligé de convenir qu'il devient souvent plus fort que vous, et n'êtes-vous pas le premier à vous plaindre du trouble involontaire qu'il vous cause ? Quel ravage effrayant ne ferait-il donc pas sur un cœur neuf et sensible, qui ajouterait encore à son empire par la grandeur des sacrifices qu'il serait obligé de lui faire ?

Vous croyez, Monsieur, ou vous feignez de croire que l'amour mène au bonheur ; et moi, je suis si persuadée qu'il me rendrait malheureuse, que je voudrais n'entendre jamais prononcer son nom. Il me semble que d'en parler seulement, altère la tranquillité ; et c'est autant par goût que par devoir, que je vous prie de vouloir bien garder le silence sur ce point.

Après tout, cette demande doit vous être bien facile à m'accorder à présent. De retour à Paris, vous y trouverez assez d'occasions d'oublier un sentiment, qui peut-être n'a dû sa naissance qu'à l'habitude où vous êtes de vous occuper de semblables objets, et sa force qu'au désœuvrement de la campagne. N'êtes-vous donc pas dans ce même lieu, où vous m'aviez vue avec tant d'indifférence ? y pouvez-vous faire un pas sans y rencontrer un exemple de votre facilité à changer ? et n'y êtes-vous pas entouré de femmes, qui toutes, plus aimables que moi, ont plus de droits à vos hommages ? Je n'ai pas la vanité qu'on reproche à mon sexe ; j'ai encore moins cette fausse modestie qui n'est qu'un raffinement de l'orgueil[1] ; et c'est de bien bonne foi que je vous dis ici, que je me connais bien peu de moyens de plaire : je les aurais tous, que je ne les croirais pas suffisants pour vous fixer. Vous demander de ne plus vous occuper de moi, ce n'est donc que vous prier de faire aujourd'hui ce que déjà vous aviez fait, et ce qu'à coup sûr vous feriez encore dans peu de temps, quand même je vous demanderais le contraire.

Cette vérité, que je ne perds pas de vue, serait, à elle seule, une raison assez forte pour ne pas vouloir vous entendre. J'en ai mille autres encore : mais sans entrer dans cette longue discussion, je m'en tiens à vous prier, comme je l'ai déjà fait, de ne plus m'entretenir d'un sentiment que je ne dois pas écouter et auquel je dois encore moins répondre.

*De … ce 1er Septembre 17**.*

FIN DE LA PREMIÈRE PARTIE.

TOME SECOND

LETTRE LI

LA MARQUISE DE MERTEUIL
AU VICOMTE DE VALMONT

En vérité, Vicomte, vous êtes insupportable. Vous me traitez avec autant de légèreté que si j'étais votre Maîtresse. Savez-vous que je me fâcherai, et que j'ai dans ce moment une humeur effroyable ? Comment ! vous devez voir Danceny demain matin ; vous savez combien il est important que je vous parle avant cette entrevue ; et sans vous inquiéter davantage, vous me laissez vous attendre toute la journée, pour aller courir je ne sais où ? Vous êtes cause que je suis arrivée *indécemment* tard chez Mme de Volanges, et que toutes les vieilles femmes m'ont trouvée *merveilleuse*[1]. Il m'a fallu leur faire des cajoleries toute la soirée pour les apaiser : car il ne faut pas fâcher les vieilles femmes ; ce sont elles qui font la réputation des jeunes[2].

À présent il est une heure du matin, et au lieu de me coucher, comme j'en meurs d'envie, il faut que je vous écrive une longue Lettre, qui va redoubler mon sommeil par l'ennui qu'elle me causera. Vous êtes bien heureux que je n'aie pas le temps de vous gronder davantage. N'allez pas croire pour cela que je vous pardonne ; c'est seulement que je suis pressée. Écoutez-moi donc, je me dépêche.

Pour peu que vous soyez adroit, vous devez avoir demain la confidence de Danceny. Le moment est favorable pour la confiance : c'est celui du malheur.

La petite fille a été à confesse ; elle a tout dit, comme un enfant ; et depuis, elle est tourmentée à tel point de la peur du diable qu'elle veut rompre absolument. Elle m'a raconté tous ses petits scrupules, avec une vivacité qui m'apprenait assez combien sa tête était montée. Elle m'a montré sa Lettre de rupture, qui est une vraie capucinade[3]. Elle a babillé une heure avec moi, sans me dire un mot qui ait le sens commun. Mais elle ne m'en a pas moins embarrassée ; car vous jugez que je ne pouvais risquer de m'ouvrir vis-à-vis d'une aussi mauvaise tête.

J'ai vu pourtant au milieu de tout ce bavardage, qu'elle n'en aime pas moins son Danceny ; j'ai remarqué même une de ces ressources qui ne manquent jamais à l'amour, et dont la petite fille est assez plaisamment la dupe. Tourmentée par le désir de s'occuper de son amant, et par la crainte de se damner en s'en occupant, elle a imaginé de prier Dieu de le lui faire oublier ; et comme elle renouvelle cette prière à chaque instant du jour, elle trouve le moyen d'y penser sans cesse.

Avec quelqu'un de plus *usagé*[4] que Danceny, ce petit événement serait peut-être plus favorable que contraire : mais le jeune homme est si Céladon[5], que, si nous ne l'aidons pas, il lui faudra tant de temps pour vaincre les plus légers obstacles, qu'il ne nous laissera pas celui d'effectuer notre projet.

Vous avez bien raison ; c'est dommage, et je suis aussi fâchée que vous, qu'il soit le héros de cette aventure : mais que voulez-vous ? ce qui est fait est fait ; et c'est votre faute[6]. J'ai demandé à voir sa réponse* ; elle m'a fait pitié. Il lui fait des raisonnements à perte d'haleine, pour lui prouver qu'un sentiment involontaire ne peut pas être un crime : comme s'il ne cessait pas d'être involontaire, du moment qu'on cesse de le combattre ! Cette idée est si simple qu'elle est venue même à la petite fille. Il se plaint de son malheur d'une manière assez touchante : mais sa douleur est si douce et paraît si forte et si sincère, qu'il me semble

* Cette Lettre ne s'est pas retrouvée.

impossible qu'une femme qui trouve l'occasion de désespérer un homme à ce point, et avec aussi peu de danger, ne soit pas tentée de s'en passer la fantaisie. Il lui explique enfin qu'il n'est pas Moine, comme la petite le croyait; et c'est sans contredit ce qu'il fait de mieux: car pour faire tant que de se livrer à l'amour Monastique, assurément MM. les Chevaliers de Malte ne mériteraient pas la préférence[7].

Quoi qu'il en soit, au lieu de perdre mon temps en raisonnements qui m'auraient compromise, et peut-être sans persuader, j'ai approuvé le projet de rupture: mais j'ai dit qu'il était plus honnête, en pareil cas, de dire ses raisons que de les écrire; qu'il était d'usage aussi de rendre les Lettres et les autres bagatelles qu'on pouvait avoir reçues; et paraissant entrer ainsi dans les vues de la petite personne, je l'ai décidée à donner un rendez-vous à Danceny. Nous en avons sur-le-champ concerté les moyens, et je me suis chargée de décider la mère à sortir sans sa fille; c'est demain après-midi que sera cet instant décisif. Danceny en est déjà instruit; mais, pour Dieu, si vous en trouvez l'occasion, décidez donc ce beau Berger[8] à être moins langoureux; et apprenez-lui, puisqu'il faut lui tout dire, que la vraie façon de vaincre les scrupules, est de ne laisser rien à perdre à ceux qui en ont.

Au reste, pour que cette ridicule scène ne se renouvelât pas, je n'ai pas manqué d'élever quelques doutes dans l'esprit de la petite fille, sur la discrétion des Confesseurs; et je vous assure qu'elle paie à présent la peur qu'elle m'a faite, par celle qu'elle a que le sien n'aille tout dire à sa mère. J'espère qu'après que j'en aurai causé encore une fois ou deux avec elle, elle n'ira plus raconter ainsi ses sottises au premier venu*.

Adieu, Vicomte; emparez-vous de Danceny, et conduisez-le. Il serait honteux que nous ne fissions

* Le Lecteur a dû deviner depuis longtemps, par les mœurs de Mme de Merteuil, combien peu elle respectait la Religion. On aurait supprimé tout cet alinéa; mais on a cru qu'en montrant les effets, on ne devait pas négliger d'en faire connaître les causes[9].

pas ce que nous voulons, de deux enfants. Si nous y trouvons plus de peine que nous ne l'avions cru d'abord, songeons pour animer notre zèle, vous, qu'il s'agit de la fille de Mme de Volanges, et moi, qu'elle doit devenir la femme de Gercourt. Adieu.

*De ... ce 2 Septembre 17**.*

LETTRE LII

LE VICOMTE DE VALMONT
À LA PRÉSIDENTE DE TOURVEL

Vous me défendez, Madame, de vous parler de mon amour ; mais où trouver le courage nécessaire pour vous obéir ? Uniquement occupé d'un sentiment qui devrait être si doux, et que vous rendez si cruel ; languissant dans l'exil où vous m'avez condamné ; ne vivant que de privations et de regrets ; en proie à des tourments d'autant plus douloureux, qu'ils me rappellent sans cesse votre indifférence ; me faudra-t-il encore perdre la seule consolation qui me reste ? et puis-je en avoir d'autre, que de vous ouvrir quelquefois une âme, que vous remplissez de trouble et d'amertume ? Détournerez-vous vos regards, pour ne pas voir les pleurs que vous faites répandre ? Refuserez-vous jusqu'à l'hommage des sacrifices que vous exigez ? Ne serait-il donc pas plus digne de vous, de votre âme honnête et douce, de plaindre un malheureux, qui ne l'est que par vous, que de vouloir encore aggraver ses peines, par une défense à la fois injuste et rigoureuse.

Vous feignez de craindre l'amour, et vous ne voulez pas voir que vous seule causez les maux que vous lui reprochez. Ah ! sans doute, ce sentiment est pénible, quand l'objet qui l'inspire ne le partage point ; mais où trouver le bonheur, si un amour réciproque ne le procure pas ? L'amitié tendre, la douce confiance et la seule qui soit sans réserve, les peines adoucies, les plaisirs augmentés, l'espoir enchanteur, les souvenirs délicieux, où les trouver ailleurs que dans l'amour ? Vous le calomniez, vous qui, pour jouir de tous les biens qu'il vous offre, n'avez qu'à ne plus vous y refuser ; et moi j'oublie les peines que j'éprouve, pour m'occuper à le défendre.

Vous me forcez aussi à me défendre moi-même ; car tandis que je consacre ma vie à vous adorer, vous passez la vôtre à me chercher des torts : déjà vous me supposez léger et trompeur ; et abusant, contre moi, de quelques erreurs, dont moi-même je vous ai fait l'aveu, vous vous plaisez à confondre ce que j'étais alors, avec ce que je suis à présent. Non contente de m'avoir livré au tourment de vivre loin de vous, vous y joignez un persiflage[1] cruel, sur des plaisirs auxquels vous savez assez combien vous m'avez rendu insensible. Vous ne croyez ni à mes promesses, ni à mes serments : eh bien ! il me reste un garant à vous offrir, qu'au moins vous ne suspecterez pas ; c'est vous-même. Je ne vous demande que de vous interroger de bonne foi ; si vous ne croyez pas à mon amour, si vous doutez un moment de régner seule sur mon âme, si vous n'êtes pas assurée d'avoir fixé ce cœur en effet jusqu'ici trop volage, je consens à porter la peine de cette erreur ; j'en gémirai, mais n'en appellerai[2] point : mais si au contraire, nous rendant justice à tous deux, vous êtes forcée de convenir avec vous-même que vous n'avez, que vous n'aurez jamais de rivale, ne m'obligez plus, je vous supplie, à combattre des chimères, et laissez-moi au moins cette consolation, de vous voir ne plus douter d'un sentiment qui en effet ne finira, ne peut finir qu'avec ma vie. Permettez-moi, Madame, de vous prier de répondre positivement[3] à cet article de ma Lettre.

Si j'abandonne cependant cette époque de ma vie, qui paraît me nuire si cruellement auprès de vous, ce n'est pas qu'au besoin les raisons me manquassent pour la défendre.

Qu'ai-je fait, après tout, que ne pas résister au tourbillon[4] dans lequel j'avais été jeté ? Entré dans le monde, jeune et sans expérience ; passé pour ainsi dire, de mains en mains, par une foule de femmes, qui toutes se hâtent de prévenir par leur facilité une réflexion qu'elles sentent devoir leur être défavorable ; était-ce donc à moi de donner l'exemple d'une résistance qu'on ne m'opposait point ? ou devais-je me punir d'un moment d'erreur, et que souvent on avait provoqué, par une constance à coup sûr inutile, et dans laquelle on n'aurait vu qu'un ridicule ? Eh ! quel autre moyen qu'une prompte rupture, peut justifier d'un choix honteux ?

Mais, je puis le dire, cette ivresse des sens, peut-être même ce délire de la vanité, n'a point passé jusqu'à mon cœur. Né pour l'amour, l'intrigue pouvait le distraire, et ne suffisait pas pour l'occuper ; entouré d'objets séduisants, mais méprisables, aucun n'allait jusqu'à mon âme : on m'offrait des plaisirs, je cherchais des vertus ; et moi-même enfin je me crus inconstant, parce que j'étais délicat et sensible.

C'est en vous voyant que je me suis éclairé : bientôt j'ai reconnu que le charme de l'amour tenait aux qualités de l'âme ; qu'elles seules pouvaient en causer l'excès, et le justifier[a]. Je sentis enfin qu'il m'était également impossible et de ne pas vous aimer, et d'en aimer une autre que vous.

Voilà, Madame, quel est ce cœur auquel vous craignez de vous livrer, et sur le sort de qui vous avez à prononcer : mais quel que soit le destin que vous lui réservez, vous ne changerez rien aux sentiments qui l'attachent à vous ; ils sont inaltérables comme les vertus qui les ont fait naître.

*De … ce 3 Septembre 17**.*

LETTRE LIII

LE VICOMTE DE VALMONT
À LA MARQUISE DE MERTEUIL

J'ai vu Danceny, mais je n'en ai obtenu qu'une demi-confidence ; il s'est obstiné, surtout, à me taire le nom de la petite Volanges, dont il ne m'a parlé que comme d'une femme très sage, et même un peu dévote : à cela près, il m'a raconté avec assez de vérité son aventure, et surtout le dernier événement. Je l'ai échauffé autant que j'ai pu, et l'ai beaucoup plaisanté sur sa délicatesse et ses scrupules ; mais il paraît qu'il y tient, et je ne puis pas répondre de lui : au reste, je pourrai vous en dire davantage après demain. Je le mène demain à Versailles, et je m'occuperai à le *scruter*[1] pendant la route.

Le rendez-vous qui doit avoir eu lieu aujourd'hui, me donne aussi quelque espérance : il se pourrait que tout s'y fût passé à notre satisfaction ; et peut-être ne nous reste-t-il à présent qu'à en arracher l'aveu, et à en recueillir les preuves. Cette besogne vous sera plus facile qu'à moi : car la petite personne est plus confiante, ou, ce qui revient au même, plus bavarde, que son discret Amoureux. Cependant j'y ferai mon possible.

Adieu, ma belle amie ; je suis fort pressé ; je ne vous verrai ni ce soir, ni demain : si de votre côté vous avez su quelque chose, écrivez-moi un mot pour mon retour. Je reviendrai sûrement coucher à Paris.

*De … ce 3 Septembre 17**, au soir.*

LETTRE LIV

LA MARQUISE DE MERTEUIL AU VICOMTE DE VALMONT

Oh ! oui ! c'est bien avec Danceny qu'il y a quelque chose à savoir ! S'il vous l'a dit, il s'est vanté. Je ne connais personne de si bête en amour, et je me reproche de plus en plus les bontés que nous avons pour lui. Savez-vous que j'ai pensé être compromise par rapport à lui ? et que ce soit en pure perte ! Oh ! je m'en vengerai, je le promets.

Quand j'arrivai hier pour prendre Mme de Volanges, elle ne voulait plus sortir ; elle se sentait incommodée ; il me fallut toute mon éloquence pour la décider, et je vis le moment que Danceny serait arrivé avant notre départ ; ce qui eût été d'autant plus gauche, que Mme de Volanges lui avait dit la veille qu'elle ne serait pas chez elle. Sa fille et moi, nous étions sur les épines[1]. Nous sortîmes enfin ; et la petite me serra la main si affectueusement, en me disant adieu, que malgré son projet de rupture, dont elle croyait de bonne foi s'occuper encore, j'augurai des merveilles de la soirée.

Je n'étais pas au bout de mes inquiétudes. Il y avait à peine une demi-heure que nous étions chez Mme de ..., que Mme de Volanges se trouva mal en effet, mais sérieusement mal ; et comme de raison, elle voulait rentrer chez elle : moi, je le voulais d'autant moins, que j'avais peur, si nous surprenions les jeunes gens, comme il y avait tout à parier, que mes instances auprès de la mère, pour la faire sortir, ne lui devinssent suspectes. Je pris le parti de l'effrayer sur sa santé, ce qui heureusement n'est pas difficile ; et je la tins une heure et demie, sans consentir à la ramener chez elle, dans la crainte que je feignis d'avoir, du mouvement dangereux de la voiture. Nous ne rentrâmes enfin qu'à l'heure convenue. À l'air honteux que je remarquai en arrivant, j'avoue que j'espérai qu'au moins mes peines n'auraient pas été perdues.

Le désir que j'avais d'être instruite, me fit rester auprès de Mme de Volanges, qui se coucha aussitôt ; et après avoir soupé auprès de son lit, nous la laissâmes de très bonne heure, sous le prétexte qu'elle avait besoin de repos, et nous passâmes dans l'appartement de sa fille. Celle-ci a fait, de son côté, tout ce que j'attendais d'elle ; scrupules évanouis, nouveaux serments d'aimer toujours, etc., etc. ; elle s'est enfin exécutée de bonne grâce : mais le sot Danceny n'a pas passé d'une ligne[2] le point où il était auparavant. Oh ! l'on peut se brouiller avec celui-là ; les raccommodements ne sont pas dangereux.

La petite assure pourtant qu'il voulait davantage, mais qu'elle a su se défendre. Je parierais bien qu'elle se vante, ou qu'elle l'excuse ; je m'en suis même presque assurée. En effet, il m'a pris fantaisie de savoir à quoi m'en tenir sur la défense dont elle était capable ; et moi, simple femme, de propos en propos, j'ai monté sa tête[3] au point... Enfin, vous pouvez m'en croire, jamais personne ne fut plus susceptible d'une surprise des sens[4]. Elle est vraiment aimable, cette chère petite ! Elle méritait un autre Amant ; elle aura au moins une bonne amie, car je m'attache sincèrement à elle. Je lui ai promis de la former, et je crois que je lui tiendrai parole. Je me suis souvent aperçue du besoin d'avoir une femme dans ma confidence, et j'aimerais mieux celle-là qu'une autre ; mais je ne puis en rien faire[5], tant qu'elle ne sera pas... ce qu'il faut qu'elle soit ; et c'est une raison de plus d'en vouloir à Danceny.

Adieu, Vicomte ; ne venez pas chez moi demain, à moins que ce ne soit le matin. J'ai cédé aux instances du Chevalier, pour une soirée de petite Maison[6].

*De ... ce 4 Septembre 17**.*

LETTRE LV

CÉCILE VOLANGES
À SOPHIE CARNAY

Tu avais raison, ma chère Sophie ; tes prophéties réussissent mieux que tes conseils. Danceny, comme tu l'avais prédit, a été plus fort que le Confesseur, que toi, que moi-même ; et nous voilà revenus exactement où nous en étions. Ah ! je ne m'en repens pas ; et toi, si tu m'en grondes, ce sera faute de savoir le plaisir qu'il y a à aimer Danceny. Il t'est bien aisé de dire comme il faut faire, rien ne t'en empêche ; mais si tu avais éprouvé combien le chagrin de quelqu'un qu'on aime nous fait mal, comment sa joie devient la nôtre, et comme il est difficile de dire non, quand c'est oui que l'on veut dire, tu ne t'étonnerais plus de rien : moi-même qui l'ai senti, bien vivement senti, je ne le comprends pas encore. Crois-tu, par exemple, que je puisse voir pleurer Danceny sans pleurer moi-même ? Je t'assure bien que cela m'est impossible ; et quand il est content, je suis heureuse comme lui. Tu auras beau dire ; ce qu'on dit ne change pas ce qui est, et je suis bien sûre que c'est comme ça.

Je voudrais te voir à ma place… Non, ce n'est pas là ce que je veux dire, car sûrement je ne voudrais céder ma place à personne : mais je voudrais que tu aimasses aussi quelqu'un ; ce ne serait pas seulement pour que tu m'entendisses mieux, et que tu me grondasses moins ; mais c'est qu'aussi tu serais plus heureuse, ou, pour mieux dire, tu commencerais seulement alors à le devenir.

Nos amusements, nos rires, tout cela, vois-tu, ce ne sont que des jeux d'enfants ; il n'en reste rien après qu'ils sont passés. Mais l'amour, ah ! l'amour !... un mot, un regard, seulement de le savoir là, eh bien ! c'est le bonheur. Quand je vois Danceny, je ne désire plus rien ; quand je ne le vois pas, je ne désire que lui. Je ne sais comment cela se fait : mais on dirait que tout ce qui me plaît lui ressemble. Quand il n'est pas avec moi, j'y songe ; et quand je peux y songer tout à fait, sans distraction, quand je suis toute seule, par exemple, je suis encore heureuse ; je ferme les yeux, et tout de suite je crois le voir ; je me rappelle ses discours, et je crois l'entendre ; cela me fait soupirer ; et puis je sens un feu, une agitation... Je ne saurais tenir en place. C'est comme un tourment, et ce tourment-là fait un plaisir inexprimable.

Je crois même que quand une fois on a de l'amour, cela se répand jusque sur l'amitié. Celle que j'ai pour toi n'a pourtant pas changé ; c'est toujours comme au Couvent : mais ce que je te dis, je l'éprouve avec Mme de Merteuil. Il me semble que je l'aime plus comme Danceny que comme toi, et quelquefois je voudrais qu'elle fût lui. Cela vient peut-être de ce que ce n'est pas une amitié d'enfant comme la nôtre ; ou bien de ce que je les vois si souvent ensemble, ce qui fait que je me trompe. Enfin, ce qu'il y a de vrai, c'est qu'à eux deux ils me rendent bien heureuse ; et après tout, je ne crois pas qu'il y ait grand mal à ce que je fais. Aussi je ne demanderais qu'à rester comme je suis ; et il n'y a que l'idée de mon mariage qui me fasse de la peine : car si M. de Gercourt est comme on me l'a dit, et je n'en doute pas, je ne sais pas ce que je deviendrai. Adieu, ma Sophie ; je t'aime toujours bien tendrement.

*De ... ce 4 Septembre 17**.*

LETTRE LVI

LA PRÉSIDENTE DE TOURVEL AU VICOMTE DE VALMONT

À quoi vous servirait, Monsieur, la réponse que vous me demandez ? Croire à vos sentiments, ne serait-ce pas une raison de plus pour les craindre ? et sans attaquer ni défendre leur sincérité, ne me suffit-il pas, ne doit-il pas vous suffire à vous-même, de savoir que je ne veux ni ne dois y répondre ?

Supposé que vous m'aimiez véritablement (et c'est seulement pour ne plus revenir sur cet objet, que je consens à cette supposition) ; les obstacles qui nous séparent en seraient-ils moins insurmontables ? et aurais-je autre chose à faire, qu'à souhaiter que vous pussiez bientôt vaincre cet amour, et surtout à vous y aider de tout mon pouvoir, en me hâtant de vous ôter toute espérance ? Vous convenez vous-même que *ce sentiment est pénible, quand l'objet qui l'inspire ne le partage point.* Or, vous savez assez qu'il m'est impossible de le partager ; et quand même ce malheur m'arriverait, j'en serais plus à plaindre, sans que vous en fussiez plus heureux. J'espère que vous m'estimez assez pour n'en pas douter un instant. Cessez donc, je vous en conjure, cessez de vouloir troubler un cœur à qui la tranquillité est si nécessaire ; ne me forcez pas à regretter de vous avoir connu.

Chérie et estimée d'un mari que j'aime et respecte, mes devoirs et mes plaisirs se rassemblent dans le même objet. Je suis heureuse, je dois l'être. S'il existe des plaisirs plus vifs, je ne les désire pas ; je ne veux point les connaître. En est-il de plus doux que d'être en paix avec soi-même, de n'avoir que des jours sereins, de s'endormir sans trouble, et de s'éveiller sans remords ? Ce que vous appelez le bonheur n'est qu'un tumulte des sens, un orage des passions dont le spectacle est effrayant, même à le regarder du rivage. Eh ! comment affronter ces tempêtes ? Comment oser s'embarquer sur une mer couverte des débris de mille et mille naufrages[1] ? Et avec qui ? Non, Monsieur, je reste à terre ; je chéris les liens qui m'y attachent. Je pourrais les rompre, que je ne le voudrais pas ; si je ne les avais, je me hâterais de les prendre.

Pourquoi vous attacher à mes pas ? pourquoi vous obstiner à me suivre ? Vos Lettres, qui devaient être rares, se succèdent avec rapidité. Elles devaient être sages, et vous ne m'y parlez que de votre fol amour. Vous m'entourez de votre idée, plus que vous ne le faisiez de votre personne. Écarté sous une forme, vous vous reproduisez sous une autre[2]. Les choses qu'on vous demande de ne plus dire, vous les redites seulement d'une autre manière. Vous vous plaisez à m'embarrasser par des raisonnements captieux[3] ; vous échappez aux miens. Je ne veux plus vous répondre, je ne vous répondrai plus... Comme vous traitez les femmes que vous avez séduites ! avec quel mépris vous en parlez ! Je veux croire que quelques-unes le méritent : mais toutes sont-elles donc si méprisables ? Ah ! sans doute, puisqu'elles ont trahi leurs devoirs pour se livrer à un amour criminel. De ce moment, elles ont tout perdu, jusqu'à l'estime de celui à qui elles ont tout sacrifié. Ce supplice est juste, mais l'idée seule en fait frémir. Que m'importe, après tout ? pourquoi m'occuperais-je d'elles ou de vous ? de quel droit venez-vous troubler ma tranquillité ? Laissez-moi, ne me voyez plus, ne m'écrivez plus, je vous en prie ; je l'exige. Cette Lettre est la dernière que vous recevrez de moi[4].

*De ... ce 5 Septembre 17**.*

LETTRE LVII

LE VICOMTE DE VALMONT
À LA MARQUISE DE MERTEUIL

J'ai trouvé votre Lettre hier à mon arrivée. Votre colère m'a tout à fait réjoui. Vous ne sentiriez pas plus vivement les torts de Danceny, quand il les aurait eus avec vous. C'est sans doute par vengeance, que vous accoutumez sa Maîtresse à lui faire de petites infidélités ; vous êtes un bien mauvais sujet ! Oui, vous êtes charmante, et je ne m'étonne pas qu'on vous résiste moins qu'à Danceny.

Enfin je le sais par cœur, ce beau héros de Roman ! il n'a plus de secrets pour moi. Je lui ai tant dit que l'amour honnête était le bien suprême, qu'un sentiment valait mieux que dix intrigues ; que j'étais moi-même, dans ce moment, amoureux et timide ; il m'a trouvé enfin une façon de penser si conforme à la sienne, que dans l'enchantement où il était de ma candeur, il m'a tout dit, et m'a juré une amitié sans réserve. Nous n'en sommes guère plus avancés pour notre projet.

D'abord, il m'a paru que son système était qu'une demoiselle mérite beaucoup plus de ménagements qu'une femme, comme ayant plus à perdre. Il trouve, surtout, que rien ne peut justifier un homme de mettre une fille dans la nécessité de l'épouser, ou de vivre déshonorée, quand la fille est infiniment plus riche que l'homme, comme dans le cas où il se trouve. La sécurité[1] de la mère, la candeur de la fille, tout l'intimide et l'arrête. L'embarras ne serait point de combattre ses raisonnements, quelque vrais qu'ils soient. Avec un peu d'adresse, et aidé par la passion, on les aurait bientôt détruits ; d'autant qu'ils prêtent au ridicule, et qu'on aurait pour soi l'autorité de l'usage. Mais ce qui empêche qu'il n'y ait de prise sur lui, c'est qu'il se trouve heureux comme il est. En effet, si les premiers amours[2] paraissent, en général, plus honnêtes, et comme on dit plus purs ; s'ils sont au moins plus lents dans leur marche, ce n'est pas, comme on le pense, délicatesse ou timidité ; c'est que le cœur, étonné par un sentiment inconnu, s'arrête, pour ainsi dire, à chaque pas, pour jouir du charme qu'il éprouve ; et que ce charme est si puissant sur un cœur neuf, qu'il l'occupe au point de lui faire oublier tout autre plaisir. Cela est si vrai, qu'un libertin amoureux, si un libertin peut l'être, devient de ce moment même moins pressé de jouir ; et qu'enfin, entre la conduite de Danceny avec la petite Volanges, et la mienne avec la prude Mme de Tourvel, il n'y a que la différence du plus au moins.

Il aurait fallu, pour échauffer notre jeune homme, plus d'obstacles qu'il n'en a rencontrés ; surtout, qu'il eût eu besoin de plus de mystère, car le mystère mène à l'audace. Je ne suis pas éloigné de croire que vous nous avez nui en le servant si bien ; votre conduite eût été excellente avec un homme *usagé*[3], qui n'eût eu que des désirs : mais vous auriez pu prévoir que pour un homme jeune, honnête et amoureux, le plus grand prix des faveurs est d'être la preuve de l'amour ; et que par conséquent, plus il serait sûr d'être aimé, moins il serait entreprenant. Que faire à présent ? Je n'en sais rien ; mais je n'espère pas que la petite soit prise[4] avant le mariage, et nous en serons pour nos frais : j'en suis fâché, mais je n'y vois pas de remède.

Pendant que je disserte ici, vous faites mieux avec votre Chevalier. Cela me fait songer que vous m'avez promis une infidélité en ma faveur ; j'en ai votre promesse par écrit[5], et je ne veux pas en faire *un billet de la Châtre*[6]. Je conviens que l'échéance n'est pas encore arrivée : mais il serait généreux à vous de ne pas l'attendre ; et de mon côté, je vous tiendrais compte des intérêts. Qu'en dites-vous, ma belle amie ? est-ce que vous n'êtes pas fatiguée de votre constance ? Ce

Chevalier est donc bien merveilleux[7] ? Oh ! laissez-moi faire ; je veux vous forcer de convenir que si vous lui avez trouvé quelque mérite, c'est que vous m'aviez oublié.

Adieu, ma belle amie ; je vous embrasse comme je vous désire ; je défie tous les baisers du Chevalier d'avoir autant d'ardeur.

*De … ce 5 Septembre 17**.*

LETTRE LVIII

LE VICOMTE DE VALMONT
À LA PRÉSIDENTE DE TOURVEL

Par où ai-je donc mérité, Madame, et les reproches que vous me faites, et la colère que vous me témoignez ? L'attachement le plus vif et pourtant le plus respectueux, la soumission la plus entière à vos moindres volontés ; voilà en deux mots l'histoire de mes sentiments et de ma conduite. Accablé par les peines d'un amour malheureux, je n'avais d'autre consolation que celle de vous voir ; vous m'avez ordonné de m'en priver ; j'ai obéi sans me permettre un murmure[1]. Pour prix de ce sacrifice, vous m'avez permis de vous écrire, et aujourd'hui vous voulez m'ôter cet unique plaisir. Me le laisserai-je ravir, sans essayer de le défendre ? Non, sans doute : eh ! comment ne serait-il pas cher à mon cœur ? c'est le seul qui me reste, et je le tiens de vous.

Mes Lettres, dites-vous, sont trop fréquentes ! Songez donc, je vous prie, que depuis dix jours que dure mon exil, je n'ai passé aucun moment sans m'occuper de vous, et que cependant vous n'avez reçu que deux Lettres de moi. *Je ne vous y parle que de mon amour !* Eh ! que puis-je dire, que ce que je pense ? Tout ce que j'ai pu faire a été d'en affaiblir l'expression ; et vous pouvez m'en croire, je ne vous en ai laissé voir que ce qu'il m'a été impossible d'en cacher. Vous me menacez enfin de ne plus me répondre. Ainsi, l'homme qui vous préfère à tout, et qui vous respecte encore plus qu'il ne vous aime, non contente de le traiter avec rigueur, vous voulez y joindre le mépris ! Et pourquoi ces menaces et ce courroux ? qu'en avez-vous besoin ? n'êtes-vous pas sûre d'être obéie, même dans vos ordres injustes ? m'est-il donc possible de contrarier aucun de vos désirs, et ne l'ai-je pas déjà prouvé ? Mais abuserez-vous de cet empire que vous avez sur moi ? Après m'avoir rendu malheureux, après être devenue injuste, vous sera-t-il donc bien facile de jouir de cette tranquillité que vous assurez vous être si nécessaire[a] ? ne vous direz-vous jamais : il m'a laissée maîtresse de son sort, et j'ai fait son malheur ? il implorait mes secours, et je l'ai regardé sans pitié ? Savez-vous jusqu'où peut aller mon désespoir ? non. Pour calculer mes maux, il faudrait savoir à quel point je vous aime, et vous ne connaissez pas mon cœur.

À quoi me sacrifiez-vous ? à des craintes chimériques. Et qui vous les inspire ? un homme[b] qui vous adore ; un homme sur qui vous ne cesserez jamais d'avoir un empire absolu. Que craignez-vous, que pouvez-vous craindre d'un sentiment que vous serez toujours maîtresse de diriger à votre gré ? Mais votre imagination se crée des monstres, et l'effroi qu'ils vous causent, vous l'attribuez à l'amour. Un peu de confiance, et ces fantômes disparaîtront.

Un Sage a dit que pour dissiper ses craintes, il suffisait presque toujours d'en approfondir la cause*. C'est surtout en amour que cette vérité trouve son application. Aimez, et vos craintes s'évanouiront. À la place des objets qui vous effrayent, vous trouverez un sentiment délicieux, un Amant tendre et soumis ; et tous vos jours, marqués par le bonheur, ne vous

* On croit que c'est Rousseau dans *Émile* : mais la citation n'est pas exacte, et l'application qu'en fait Valmont est bien fausse ; et puis, Mme de Tourvel avait-elle lu *Émile*[2] ?

laisseront d'autre regret que d'en avoir perdu quelques-uns dans l'indifférence. Moi-même, depuis que, revenu de mes erreurs, je n'existe plus que pour l'amour, je regrette un temps que je croyais avoir passé dans les plaisirs ; et je sens que c'est à vous seule qu'il appartient de me rendre heureux. Mais, je vous en supplie, que le plaisir que je trouve à vous écrire, ne soit plus troublé par la crainte de vous déplaire. Je ne veux pas vous désobéir : mais je suis à vos genoux, j'y réclame le bonheur que vous voulez me ravir, le seul que vous m'avez laissé ; je vous crie, écoutez mes prières, et voyez mes larmes ; ah ! Madame, me refuserez-vous ?

*De … ce 7 Septembre 17**.*

LETTRE LIX

LE VICOMTE DE VALMONT
À LA MARQUISE DE MERTEUIL

Apprenez-moi, si vous le savez, ce que signifie ce radotage de Danceny. Que lui est-il arrivé, et qu'a-t-il donc perdu ? Sa Belle s'est peut-être fâchée de son respect éternel ? il faut être juste, on se fâcherait à moins. Que lui dirai-je ce soir, au rendez-vous qu'il me demande, et que je lui ai donné à tout hasard ? Assurément je ne perdrai pas mon temps à écouter ses doléances, si cela ne doit nous mener à rien. Les complaintes amoureuses ne sont bonnes à entendre qu'en récitatif obligé ou en grandes ariettes[1]. Instruisez-moi donc de ce qui est, et de ce que je dois faire ; ou bien je déserte, pour éviter l'ennui que je prévois. Pourrai-je causer avec vous ce matin ? Si vous êtes *occupée*, au moins écrivez-moi un mot, et donnez-moi les réclames[2] de mon rôle.

Où étiez-vous donc hier ? Je ne parviens plus à

vous voir. En vérité, ce n'était pas la peine de me retenir à Paris au mois de Septembre. Décidez-vous pourtant, car je viens de recevoir une invitation fort pressante de la Comtesse de B**, pour aller la voir à la campagne ; et, comme elle me le mande assez plaisamment, « son mari a le plus beau bois du monde, qu'il conserve soigneusement pour les plaisirs de ses amis ». Or, vous savez que j'ai bien quelques droits sur ce bois-là ; et j'irai le revoir si je ne vous suis pas utile. Adieu, songez que Danceny sera chez moi sur les quatre heures.

*De ... ce 8 Septembre 17**.*

LETTRE LX

LE CHEVALIER DANCENY
AU VICOMTE DE VALMONT
(Incluse dans la précédente.)

Ah ! Monsieur, je suis désespéré, j'ai tout perdu. Je n'ose confier au papier le secret de mes peines : mais j'ai besoin de les répandre dans le sein d'un ami fidèle et sûr. À quelle heure pourrai-je vous voir, et aller chercher auprès de vous des consolations et des conseils ? J'étais si heureux le jour où je vous ouvris mon âme ! À présent, quelle différence ! tout est changé pour moi. Ce que je souffre pour mon compte n'est encore que la moindre partie de mes tourments ; mon inquiétude sur un objet bien plus cher, voilà ce que je ne puis supporter. Plus heureux que moi, vous pourrez la voir, et j'attends de votre amitié que vous ne me refuserez pas cette démarche : mais il faut que je vous parle, que je vous instruise. Vous me plaindrez, vous me secourrez ; je n'ai d'espoir qu'en vous. Vous êtes sensible, vous connaissez l'amour, et vous êtes le seul à qui je puisse me confier ; ne me refusez pas vos secours.

Adieu, Monsieur ; le seul soulagement que j'éprouve dans ma douleur, est de songer qu'il me reste un ami tel que vous. Faites-moi savoir, je vous prie, à quelle heure je pourrai vous trouver. Si ce n'est pas ce matin, je désirerais que ce fût de bonne heure dans l'après-midi.

*De ... ce 8 Septembre 17***.

LETTRE LXI

CÉCILE VOLANGES
À SOPHIE CARNAY

Ma chère Sophie, plains ta Cécile, ta pauvre Cécile ; elle est bien malheureuse ! Maman sait tout. Je ne conçois pas comment elle a pu se douter de quelque chose, et pourtant elle a tout découvert. Hier au soir Maman me parut bien avoir un peu d'humeur : mais je n'y fis pas grande attention ; et même en attendant que sa partie fût finie, je causai très gaiement avec Mme de Merteuil, qui avait soupé ici, et nous parlâmes beaucoup de Danceny. Je ne crois pourtant pas qu'on ait pu nous entendre. Elle s'en alla, et je me retirai dans mon appartement.

Je me déshabillais, quand Maman entra et fit sortir ma Femme de chambre ; elle me demanda la clef de mon secrétaire. Le ton dont elle me fit cette demande me causa un tremblement si fort, que je pouvais à peine me soutenir. Je faisais semblant de ne la pas trouver : mais enfin il fallut obéir. Le premier tiroir qu'elle ouvrit, fut justement celui où étaient les Lettres du Chevalier Danceny. J'étais si troublée, que quand elle me demanda ce que c'était, je ne sus lui répondre autre chose, sinon que ce n'était rien : mais quand je la vis commencer à lire celle qui se présentait la première, je n'eus que le temps de gagner un fauteuil, et je me trouvai mal au point que je perdis connaissance. Aussitôt que je revins à moi, ma mère, qui avait appelé ma Femme de chambre, se retira, en me disant de me coucher. Elle a emporté toutes les Lettres de Danceny. Je frémis toutes les fois que je songe qu'il me faudra reparaître devant elle. Je n'ai fait que pleurer toute la nuit[1].

Je t'écris au point du jour, dans l'espoir que Joséphine viendra. Si je peux lui parler seule, je la prierai de remettre chez Mme de Merteuil un petit billet que je vas lui écrire ; sinon, je le mettrai dans ta Lettre, et tu voudras bien l'envoyer comme de toi. Ce n'est que d'elle que je puis recevoir quelque consolation. Au moins, nous parlerons de lui, car je n'espère plus le voir. Je suis bien malheureuse ! Elle aura peut-être la bonté de se charger d'une Lettre pour Danceny. Je n'ose pas me confier à Joséphine pour cet objet, et encore moins à ma Femme de chambre ; car c'est peut-être elle qui aura dit à ma mère que j'avais des Lettres dans mon secrétaire.

Je ne t'écrirai pas plus longuement, parce que je veux avoir le temps d'écrire à Mme de Merteuil, et aussi à Danceny, pour avoir ma Lettre toute prête, si elle veut bien s'en charger. Après cela, je me recoucherai, pour qu'on me trouve au lit quand on entrera dans ma chambre. Je dirai que je suis malade, pour me dispenser de passer chez Maman. Je ne mentirai pas beaucoup ; sûrement je souffre plus que si j'avais la fièvre. Les yeux me brûlent à force d'avoir pleuré ; et j'ai un poids sur l'estomac, qui m'empêche de respirer. Quand je songe que je ne verrai plus Danceny, je voudrais être morte. Adieu, ma chère Sophie. Je ne peux pas t'en dire davantage ; les larmes me suffoquent.

*De ... ce 7 Septembre 17**.*

Nota. On a supprimé la Lettre de Cécile Volanges à la Marquise, parce qu'elle ne contenait que les mêmes faits de la Lettre précédente, et avec moins de détails[2]. Celle au

Chevalier Danceny ne s'est point retrouvée : on en verra la raison dans la Lettre LXIII, de Mme de Merteuil au Vicomte.

LETTRE LXII

MADAME DE VOLANGES
AU CHEVALIER DANCENY

Après avoir abusé, Monsieur, de la confiance d'une mère et de l'innocence d'un enfant, vous ne serez pas surpris, sans doute, de ne plus être reçu dans une maison où vous n'avez répondu aux preuves de l'amitié la plus sincère, que par l'oubli de tous les procédés[1]. Je préfère de vous prier de ne plus venir chez moi, à donner des ordres à ma porte, qui nous compromettraient tous également, par les remarques que les Valets ne manqueraient pas de faire. J'ai droit d'espérer que vous ne me forcerez pas de recourir à ce moyen. Je vous préviens aussi que si vous faites, à l'avenir, la moindre tentative pour entretenir ma fille dans l'égarement où vous l'avez plongée, une retraite austère et éternelle la soustraira à vos poursuites. C'est à vous de voir, Monsieur, si vous craindrez aussi peu de causer son infortune, que vous avez peu craint de tenter son déshonneur. Quant à moi, mon choix est fait, et je l'en ai instruite.

Vous trouverez ci-joint le paquet de vos Lettres. Je compte que vous me renverrez en échange toutes celles de ma fille ; et que vous vous prêterez à ne laisser aucune trace d'un événement dont nous ne pourrions garder le souvenir, moi sans indignation, elle sans honte, et vous sans remords. J'ai l'honneur d'être, etc.

*De ... ce 7 Septembre 17**.*

LETTRE LXIII

LA MARQUISE DE MERTEUIL
AU VICOMTE DE VALMONT

Vraiment oui, je vous expliquerai le billet de Danceny. L'événement qui le lui a fait écrire est mon ouvrage, et c'est, je crois, mon chef-d'œuvre. Je n'ai pas perdu mon temps depuis votre dernière Lettre, et j'ai dit comme l'Architecte Athénien : « Ce qu'il a dit, je le ferai[1]. »

Il lui faut donc des obstacles, à ce beau Héros de Roman, et il s'endort dans la félicité ! oh ! qu'il s'en rapporte à moi, je lui donnerai de la besogne[2] ; et je me trompe, ou son sommeil ne sera plus tranquille. Il fallait bien lui apprendre le prix du temps, et je me flatte qu'à présent il regrette celui qu'il a perdu. Il fallait, dites-vous aussi, qu'il eût besoin de plus de mystère ; eh bien ! ce besoin-là ne lui manquera plus. J'ai cela de bon, moi, c'est qu'il ne faut que me faire apercevoir de mes fautes ; je ne prends point de repos que je n'aie tout réparé. Apprenez donc ce que j'ai fait.

En rentrant chez moi avant-hier matin, je lus votre Lettre ; je la trouvai lumineuse. Persuadée que vous aviez très bien indiqué la cause du mal, je ne m'occupai plus qu'à trouver le moyen de le guérir[3]. Je commençai pourtant par me coucher ; car l'infatigable[4] Chevalier ne m'avait pas laissé dormir un moment, et je croyais avoir sommeil : mais point du tout ; tout entière à Danceny, le désir de le tirer de son indolence, ou de l'en punir, ne me permit pas de fermer l'œil, et ce ne fut qu'après avoir bien concerté mon plan, que je pus trouver deux heures de repos[a].

J'allai le soir même chez Mme de Volanges, et, suivant mon projet, je lui fis confidence que je me croyais sûre qu'il existait entre sa fille et Danceny une liaison dangereuse. Cette femme, si clairvoyante contre vous, était aveuglée au point, qu'elle me répondit d'abord qu'à coup sûr je me trompais ; que sa fille était un enfant, etc., etc. Je ne pouvais pas lui dire tout ce que j'en savais ; mais je citai des regards, des propos, *dont ma vertu et mon amitié s'alarmaient.* Je parlai enfin presque aussi bien qu'aurait pu faire une Dévote ; et, pour frapper le coup décisif, j'allai jusqu'à dire que je croyais avoir vu donner et recevoir une Lettre. Cela me rappelle, ajoutai-je, qu'un jour elle ouvrit devant moi un tiroir de son secrétaire, dans lequel je vis beaucoup de papiers, que sans doute elle conserve. Lui connaissez-vous quelque correspondance fréquente ? Ici la figure de Mme de Volanges changea, et je vis quelques larmes rouler dans ses yeux. Je vous remercie, ma digne amie, me dit-elle, en me serrant la main ; je m'en éclaircirai.

Après cette conversation, trop courte pour être suspecte, je me rapprochai de la jeune personne. Je la quittai bientôt après, pour demander à la mère de ne pas me compromettre vis-à-vis de sa fille ; ce qu'elle me promit d'autant plus volontiers, que je lui fis observer combien il serait heureux que cet enfant prît assez de confiance en moi pour m'ouvrir son cœur, et me mettre à portée de lui donner *mes sages conseils.* Ce qui m'assure[b] qu'elle me tiendra sa promesse, c'est que je ne doute pas qu'elle ne veuille se faire honneur de sa pénétration auprès de sa fille[5]. Je me trouvais, par là, autorisée à garder mon ton d'amitié avec la petite, sans paraître fausse aux yeux de Mme de Volanges ; ce que je voulais éviter. J'y gagnais encore d'être, par la suite, aussi longtemps et aussi secrètement que je voudrais, avec la jeune personne, sans que la mère en prît jamais d'ombrage.

J'en profitai dès le soir même ; et après ma partie finie, je chambrai[6] la petite dans un coin, et la mis sur le chapitre de Danceny, sur lequel elle ne tarit jamais. Je m'amusais à lui monter la tête sur le plaisir qu'elle aurait à le voir le lendemain ; il n'est sorte de folies que je ne lui aie fait dire. Il fallait bien lui rendre en espérance ce que je lui ôtais en réalité ; et puis, tout cela devait lui rendre le coup plus sensible, et je suis persuadée que plus elle aura souffert, plus elle sera pressée de s'en dédommager à la première occasion. Il est bon, d'ailleurs, d'accoutumer aux grands événements, quelqu'un qu'on destine aux grandes aventures.

Après tout, ne peut-elle pas payer de quelques larmes, le plaisir d'avoir son Danceny ? elle en raffole ! eh bien, je lui promets qu'elle l'aura, et plus tôt même qu'elle ne l'aurait eu sans cet orage. C'est un mauvais rêve dont le réveil sera délicieux ; et, à tout prendre, il me semble qu'elle me doit de la reconnaissance : au fait, quand j'y aurais mis un peu de malice, il faut bien s'amuser :

*Les sots sont ici-bas pour nos menus plaisirs**.

Je me retirai enfin, fort contente de moi. Ou Danceny, me disais-je, animé par les obstacles, va redoubler d'amour, et alors je le servirai de tout mon pouvoir ; ou si ce n'est qu'un sot, comme je suis tentée quelquefois de le croire, il sera désespéré, et se tiendra pour battu : or, dans ce cas, au moins me serai-je vengée de lui, autant qu'il était en moi : chemin faisant, j'aurai augmenté pour moi l'estime de la mère, l'amitié de la fille, et la confiance de toutes deux. Quant à Gercourt, premier objet de mes soins, je serais bien malheureuse ou bien maladroite, si, maîtresse de l'esprit de sa femme, comme je le suis et vas l'être plus encore, je ne trouvais pas mille moyens d'en faire ce que je veux qu'il soit. Je me couchai dans ces douces idées : aussi je dormis bien, et me réveillai fort tard.

À mon réveil, je trouvai deux billets, un de la mère, et un de la fille ; et je ne pus m'empêcher de rire, en trouvant dans tous deux littéralement cette même phrase : *C'est de vous seule que j'attends quelque consolation.* N'est-il pas plaisant, en effet, de consoler pour et

* Gresset, *le Méchant*[7], Comédie.

contre, et d'être le seul agent de deux intérêts directement contraires ? Me voilà comme la Divinité ; recevant les vœux opposés des aveugles mortels, et ne changeant rien à mes décrets immuables. J'ai quitté pourtant ce rôle auguste, pour prendre celui d'Ange consolateur ; et j'ai été, suivant le précepte, visiter mes amis dans leur affliction[8].

J'ai commencé par la mère ; je l'ai trouvée d'une tristesse, qui déjà vous venge, en partie, des contrariétés qu'elle vous a fait éprouver de la part de votre belle Prude. Tout a réussi à merveille : ma seule inquiétude était que Mme de Volanges ne profitât de ce moment pour gagner la confiance de sa fille ; ce qui eût été bien facile, en n'employant, avec elle, que le langage de la douceur et de l'amitié, et en donnant aux conseils de la raison, l'air et le ton de la tendresse indulgente. Par bonheur, elle s'est armée de sévérité ; elle s'est enfin si mal conduite, que je n'ai eu qu'à applaudir. Il est vrai qu'elle a pensé rompre tous nos projets, par le parti qu'elle avait pris de faire rentrer sa fille au Couvent : mais j'ai paré ce coup ; et je l'ai engagée à en faire seulement la menace, dans le cas où Danceny continuerait ses poursuites : afin de les forcer tous deux à une circonspection que je crois nécessaire pour le succès.

Ensuite j'ai été chez la fille. Vous ne sauriez croire combien la douleur l'embellit ! Pour peu qu'elle prenne de coquetterie, je vous garantis qu'elle pleurera souvent : pour cette fois, elle pleurait sans malice… Frappée de ce nouvel agrément que je ne lui connaissais pas, et que j'étais bien aise d'observer, je ne lui donnai d'abord que de ces consolations gauches, qui augmentent plus les peines qu'elles ne les soulagent ; et, par ce moyen, je l'amenai au point d'être véritablement suffoquée. Elle ne pleurait plus, et je craignis un moment les convulsions. Je lui conseillai de se coucher, ce qu'elle accepta ; je lui servis de Femme de chambre : elle n'avait point fait de toilette, et bientôt ses cheveux épars tombèrent sur ses épaules et sur sa gorge entièrement découverte ; je l'embrassai ; elle se laissa aller dans mes bras, et ses larmes recommencèrent à couler sans effort. Dieu ! qu'elle était belle[9] ! ah ! si Magdeleine était ainsi, elle dut être bien plus dangereuse, pénitente que pécheresse.

Quand la belle désolée fut au lit, je me mis à la consoler de bonne foi[10]. Je la rassurai d'abord sur la crainte du Couvent. Je fis naître en elle l'espoir de voir Danceny en secret ; et m'asseyant sur le lit : « S'il était là », lui dis-je ; puis brodant sur ce thème, je la conduisis, de distraction en distraction, à ne plus se souvenir du tout qu'elle était affligée. Nous nous serions séparées parfaitement contentes l'une de l'autre, si elle n'avait voulu me charger d'une Lettre pour Danceny ; ce que j'ai constamment refusé. En voici les raisons, que vous approuverez sans doute.

D'abord, celle que c'était me compromettre vis-à-vis de Danceny ; et si c'était la seule dont je pus me servir avec la petite, il y en avait beaucoup d'autres de vous à moi. Ne serait-ce pas risquer le fruit de mes travaux, que de donner sitôt à nos jeunes gens un moyen si facile d'adoucir leurs peines ? Et puis, je ne serais pas fâchée de les obliger à mêler quelques domestiques dans cette aventure : car enfin, si elle se conduit à bien, comme je l'espère, il faudra qu'elle se sache immédiatement après le mariage, et il y a peu de moyens plus sûrs pour la répandre ; ou, si par miracle ils ne parlaient pas, nous parlerions, nous, et il sera plus commode de mettre l'indiscrétion sur leur compte.

Il faudra donc que vous donniez aujourd'hui cette idée à Danceny ; et comme je ne suis pas sûre de la Femme de chambre de la petite Volanges, dont elle-même paraît se défier, indiquez-lui la mienne, ma fidèle Victoire. J'aurai soin que la démarche réussisse. Cette idée me plaît d'autant plus, que la confidence ne sera utile qu'à nous, et point à eux : car je ne suis pas à la fin de mon récit.

Pendant que je me défendais de me charger de la lettre de la petite, je craignais à tout moment qu'elle ne me proposât de la mettre à la Petite-Poste[11] ; ce que je n'aurais guère pu refuser. Heureusement, soit trouble, soit ignorance de sa part, ou encore qu'elle tînt moins à la Lettre qu'à la Réponse, qu'elle n'aurait pas pu avoir par ce moyen, elle ne m'en a point parlé : mais, pour éviter que cette idée ne lui vînt, ou au moins qu'elle ne pût s'en servir, j'ai pris mon parti sur-le-champ ; et en rentrant chez la mère, je l'ai décidée à éloigner sa fille pour quelque temps, à la mener à la Campagne… Et où ? Le cœur ne vous bat pas de joie ?…. Chez votre tante, chez la vieille Rosemonde. Elle doit l'en prévenir aujourd'hui : ainsi vous voilà autorisé à aller retrouver votre Dévote, qui n'aura plus à vous objecter le scandale du tête-à-tête ; et grâce à mes soins, Mme de Volanges réparera elle-même le tort qu'elle vous a fait.

Mais écoutez-moi, ne vous occupez pas si vivement de vos affaires, que vous perdiez celle-ci de vue ; songez qu'elle m'intéresse. Je veux que vous vous rendiez le correspondant et le conseil des deux jeunes gens. Apprenez donc ce voyage à Danceny, et offrez-lui vos services. Ne trouvez de difficulté qu'à faire parvenir entre les mains de la Belle, votre Lettre de créance ; et levez cet obstacle sur-le-champ, en lui indiquant la voie de ma Femme de chambre. Il n'y a point de doute qu'il n'accepte ; et vous aurez pour prix de vos peines, la confidence d'un cœur neuf, qui est toujours intéressante. La pauvre petite ! comme elle rougira en vous remettant sa première Lettre ! Au vrai, ce rôle de confident, contre lequel il s'est établi des préjugés[12], me paraît un très joli délassement, quand on est occupé d'ailleurs ; et c'est le cas où vous serez.

C'est de vos soins que va dépendre le dénouement de cette intrigue. Jugez du moment où il faudra réunir les Acteurs. La Campagne offre mille moyens ; et Danceny, à coup sûr, sera prêt à s'y rendre à votre premier signal. Une nuit, un déguisement, une fenêtre… que sais-je moi ? Mais enfin, si la petite fille en revient telle qu'elle y aura été, je m'en prendrai à vous. Si vous jugez qu'elle ait besoin de quelqu'encouragement de ma part, mandez-le-moi. Je crois lui avoir donné une assez bonne leçon sur le danger de garder des Lettres, pour oser lui écrire à présent ; et je suis toujours dans le dessein d'en faire mon élève.

Je crois avoir oublié de vous dire que ses soupçons, au sujet de sa correspondance trahie, s'étaient portés d'abord sur sa Femme de chambre, et que je les ai détournés sur le Confesseur. C'est faire d'une pierre deux coups.

Adieu, Vicomte ; voilà bien longtemps que je suis à vous écrire, et mon dîner en a été retardé : mais l'amour-propre et l'amitié dictaient ma Lettre, et tous deux sont bavards. Au reste, elle sera chez vous à trois heures, et c'est tout ce qu'il vous faut.

Plaignez-vous de moi à présent, si vous l'osez : et allez revoir, si vous en êtes tenté, le bois du Comte de B**. Vous dites qu'il le garde pour le plaisir de ses amis ! Cet homme est donc l'ami de tout le monde[13] ? Mais adieu ; j'ai faim.

*De … ce 9 Septembre 17**.*

LETTRE LXIV

LE CHEVALIER DANCENY
À MADAME DE VOLANGES
Minute jointe à la Lettre LXVI du Vicomte à la Marquise.

Sans chercher, Madame, à justifier ma conduite, et sans me plaindre de la vôtre, je ne puis que m'affliger d'un événement qui fait le malheur de trois personnes, toutes trois dignes d'un sort plus heureux. Plus sensible encore au chagrin d'en être la cause, qu'à celui d'en être la victime, j'ai souvent essayé, depuis hier, d'avoir l'honneur de vous répondre, sans pouvoir en trouver la force. J'ai cependant tant de choses à vous dire, qu'il faut bien faire un effort sur moi-même ; et si cette Lettre a peu d'ordre et de suite, vous devez sentir assez combien ma situation est douloureuse, pour m'accorder quelqu'indulgence.

Permettez-moi d'abord de réclamer contre la première phrase de votre Lettre. Je n'ai abusé, j'ose le dire, ni de votre confiance, ni de l'innocence de Mlle de Volanges ; j'ai respecté l'une et l'autre dans mes actions. Elles seules dépendaient de moi ; et quand vous me rendriez responsable d'un sentiment involontaire, je ne crains pas d'ajouter, que celui que m'a inspiré Mademoiselle votre fille, est tel qu'il peut vous déplaire, mais non vous offenser. Sur cet objet qui me touche, plus que je ne puis vous dire, je ne veux que vous pour juge, et mes Lettres pour témoins.

Vous me défendez de me présenter chez vous à l'avenir, et sans doute je me soumettrai à tout ce qu'il vous plaira d'ordonner à ce sujet : mais cette absence subite et totale ne donnera-t-elle donc pas autant de prise aux remarques, que vous voulez éviter, que l'ordre que, par cette raison même, vous n'avez point voulu donner à votre porte[1] ? J'insisterai d'autant plus sur ce point, qu'il est bien plus important pour Mlle de Volanges que pour moi. Je vous supplie donc de peser attentivement toutes choses, et de ne pas permettre que votre sévérité altère votre prudence. Persuadé que l'intérêt seul de Mademoiselle votre fille dictera vos résolutions, j'attendrai de nouveaux ordres de votre part.

Cependant, dans le cas où vous me permettriez de vous faire ma cour quelquefois, je m'engage, Madame (et vous pouvez compter sur ma promesse), à ne point abuser de ces occasions pour tenter de parler en particulier à Mlle de Volanges, ou de lui faire tenir aucune Lettre. La crainte de ce qui pourrait compromettre sa réputation, m'engage à ce sacrifice ; et le bonheur de la voir quelquefois m'en dédommagera.

Cet article de ma Lettre est aussi la seule réponse que je puisse faire à ce que vous me dites, sur le sort que vous destinez à Mlle de Volanges, et que vous voulez rendre dépendant de ma conduite. Ce serait vous tromper, que de vous promettre davantage. Un vil séducteur peut plier ses projets aux circonstances, et calculer avec les événements : mais l'amour qui m'anime ne me permet que deux sentiments ; le courage et la constance.

Qui, moi ! consentir à être oublié de Mlle de Volanges, à l'oublier moi-même ? non, non, jamais. Je lui serai fidèle ; elle en a reçu le serment, et je le renouvelle en ce jour. Pardon, Madame, je m'égare, il faut revenir.

Il me reste un autre objet à traiter avec vous ; celui des Lettres que vous me demandez. Je suis vraiment peiné, d'ajouter un refus aux torts que vous me trouvez déjà : mais, je vous en supplie, écoutez mes raisons, et daignez vous souvenir, pour les apprécier, que la seule consolation au malheur d'avoir perdu votre amitié, est l'espoir de conserver votre estime.

Les Lettres de Mlle de Volanges, toujours si précieuses pour moi, me le deviennent bien plus dans ce moment. Elles sont l'unique bien qui me reste ; elles seules me retracent encore un sentiment qui fait tout le charme de ma vie. Cependant, vous pouvez m'en croire, je ne balancerais pas un instant à vous en faire le sacrifice, et le regret d'en être privé céderait au désir de vous prouver ma déférence respectueuse : mais des considérations puissantes me retiennent, et je m'assure que vous-même ne pourrez les blâmer.

Vous avez, il est vrai, le secret de Mlle de Volanges ; mais permettez-moi de le dire, je suis autorisé à croire que c'est l'effet de la surprise, et non de la confiance. Je ne prétends pas blâmer une démarche, qu'autorise peut-être la sollicitude maternelle. Je respecte vos droits, mais ils ne vont pas jusqu'à me dispenser de mes devoirs. Le plus sacré de tous, est de ne jamais trahir la confiance qu'on nous accorde. Ce serait y manquer, que d'exposer aux yeux d'un autre les secrets d'un cœur qui n'a voulu les dévoiler qu'aux miens. Si Mademoiselle votre fille consent à vous les confier, qu'elle parle ; ses Lettres vous sont inutiles. Si elle veut, au contraire, renfermer son secret en elle-même, vous n'attendez pas, sans doute, que ce soit moi qui vous en instruise.

Quant au mystère dans lequel vous désirez que cet événement reste enseveli, soyez tranquille, Madame ;

sur tout ce qui intéresse Mlle de Volanges, je peux défier le cœur même d'une mère. Pour achever de vous ôter toute inquiétude, j'ai tout prévu. Ce dépôt précieux, qui portait jusqu'ici pour souscription : *papiers à brûler*; porte à présent : *papiers appartenant à Mme de Volanges.* Ce parti que je prends, doit vous prouver aussi que mes refus ne portent pas sur la crainte que vous trouviez dans ces Lettres, un seul sentiment dont vous ayez personnellement à vous plaindre.

Voilà, Madame, une bien longue Lettre. Elle ne le serait pas encore assez, si elle vous laissait le moindre doute de l'honnêteté de mes sentiments, du regret bien sincère de vous avoir déplu, et du profond respect avec lequel j'ai l'honneur d'être, etc.

*De ... ce 9 Septembre 17**.*

LETTRE LXV

LE CHEVALIER DANCENY
À CÉCILE VOLANGES

(Envoyée ouverte à la Marquise de Merteuil, dans la Lettre LXVI du Vicomte.)

Ô ma Cécile ! qu'allons-nous devenir ? quel Dieu nous sauvera des malheurs qui nous menacent ? Que l'amour nous donne au moins le courage de les supporter ! Comment vous peindre mon étonnement, mon désespoir à la vue de mes Lettres, à la lecture du billet de Mme de Volanges ? Qui a pu nous trahir ? Sur qui tombent vos soupçons ? Auriez-vous commis quelqu'imprudence ? Que faites-vous à présent ? Que vous a-t-on dit ? Je voudrais tout savoir, et j'ignore tout. Peut-être vous-même, n'êtes-vous pas plus instruite que moi.

Je vous envoie le billet de votre Maman, et la copie

de ma Réponse. J'espère que vous approuverez ce que je lui dis. J'ai bien besoin que vous approuviez aussi les démarches que j'ai faites depuis ce fatal événement ; elles ont toutes pour but d'avoir de vos nouvelles, de vous donner des miennes ; et, que sait-on ? peut-être de vous revoir encore, et plus librement que jamais.

Concevez-vous, ma Cécile, quel plaisir de nous retrouver ensemble, de pouvoir nous jurer de nouveau un amour éternel, et de voir dans nos yeux, de sentir dans nos âmes que ce serment ne sera pas trompeur ? Quelles peines un moment si doux ne ferait-il pas oublier ? Hé bien, j'ai l'espoir de le voir naître, et je le dois à ces mêmes démarches que je vous supplie d'approuver. Que dis-je ? je le dois aux soins consolateurs de l'ami le plus tendre ; et mon unique demande, eſt que vous permettiez que cet ami soit aussi le vôtre.

Peut-être ne devais-je pas donner votre confiance sans votre aveu ? mais j'ai pour excuse le malheur et la nécessité. C'eſt l'amour qui m'a conduit ; c'eſt lui qui réclame votre indulgence, qui vous demande de pardonner une confidence nécessaire, et sans laquelle nous reſtions peut-être à jamais séparés*. Vous connaissez l'ami dont je vous parle ; il eſt celui de la femme que vous aimez le mieux. C'eſt le Vicomte de Valmont.

Mon projet, en m'adressant à lui, était d'abord de le prier d'engager Mme de Merteuil à se charger d'une Lettre pour vous. Il n'a pas cru que ce moyen pût réussir ; mais au défaut de la Maîtresse, il répond de la Femme de chambre, qui lui a des obligations. Ce sera elle qui vous remettra cette Lettre, et vous pourrez lui donner votre Réponse.

Ce secours ne nous sera guère utile, si, comme le croit M. de Valmont, vous partez incessamment pour la campagne. Mais alors c'eſt lui-même qui veut nous servir. La femme chez qui vous allez eſt sa parente. Il profitera de ce prétexte pour s'y rendre dans le même

* M. Danceny n'accuse pas vrai. Il avait déjà fait sa confidence à M. de Valmont avant cet événement. Voyez la Lettre LVII[1].

temps que vous ; et ce sera par lui que passera notre correspondance mutuelle. Il assure même que, si vous voulez vous laisser conduire, il nous procurera les moyens de nous y voir, sans risquer de vous compromettre en rien.

À présent, ma Cécile, si vous m'aimez, si vous plaignez mon malheur, si comme je l'espère, vous partagez mes regrets, refuserez-vous votre confiance à un homme qui sera notre ange tutélaire ? Sans lui, je serais réduit au désespoir de ne pouvoir même adoucir les chagrins que je vous cause. Ils finiront, je l'espère : mais, ma tendre amie, promettez-moi de ne pas trop vous y livrer, de ne point vous en laisser abattre. L'idée de votre douleur m'est un tourment insupportable. Je donnerais ma vie pour vous rendre heureuse ! Vous le savez bien. Puisse la certitude d'être adorée, porter quelque consolation dans votre âme ! La mienne a besoin que vous m'assuriez que vous pardonnez à l'amour, les maux qu'il vous fait souffrir.

Adieu, ma Cécile ; adieu, ma tendre amie.

*De … ce 9 Septembre 17**.*

LETTRE LXVI

LE VICOMTE DE VALMONT
À LA MARQUISE DE MERTEUIL

Vous verrez, ma belle amie, en lisant les deux Lettres ci-jointes, si j'ai bien rempli votre projet. Quoique toutes deux soient datées d'aujourd'hui, elles ont été écrites hier chez moi, et sous mes yeux : celle à la petite fille, dit tout ce que nous voulions. On ne peut que s'humilier devant la profondeur de vos vues, si on en juge par le succès de vos démarches. Danceny est tout de feu, et sûrement à la première occasion, vous n'aurez plus de reproches à lui faire. Si sa belle ingénue veut être docile, tout sera terminé[1] peu de temps après son arrivée à la campagne; j'ai cent moyens tout prêts. Grâce à vos soins, me voilà bien décidément *l'ami de Danceny*; il ne lui manque plus que d'être *Prince**.

Il est encore bien jeune, ce Danceny! croiriez-vous que je n'ai jamais pu obtenir de lui qu'il promît à la mère de renoncer à son amour; comme s'il était bien gênant de promettre, quand on est décidé à ne pas tenir! ce serait tromper, me répétait-il sans cesse: ce scrupule n'est-il pas édifiant, surtout en voulant séduire la fille[a]? Voilà bien les hommes! tous également scélérats dans leurs projets, ce qu'ils mettent de faiblesse dans l'exécution, ils l'appellent probité.

C'est votre affaire d'empêcher que Mme de Volanges ne s'effarouche des petites échappées[3] que notre jeune homme s'est permises dans sa Lettre[b]; préservez-nous du Couvent; tâchez aussi de faire abandonner la demande des Lettres de la petite. D'abord il ne les rendra point, il ne le veut pas, et je suis de son avis; ici l'amour et la raison sont d'accord. Je les ai lues ces Lettres, j'en ai dévoré l'ennui. Elles peuvent devenir utiles. Je m'explique.

Malgré la prudence que nous y mettrons, il peut arriver un éclat; il ferait manquer le mariage, n'est-il pas vrai, et échouer tous nos projets Gercourt? Mais comme, pour mon compte, j'ai aussi à me venger de la mère, je me réserve en ce cas de déshonorer la fille. En choisissant bien[c] dans cette correspondance, et n'en produisant qu'une partie, la petite Volanges paraîtrait avoir fait toutes les premières démarches, et s'être absolument jetée à la tête. Quelques-unes des Lettres pourraient même compromettre la mère, et *l'entacheraient*[4] au moins d'une négligence impardonnable[5]. Je sens bien que le scrupuleux Danceny se révolterait d'abord; mais comme il serait personnellement attaqué, je crois qu'on en viendrait à bout. Il y a mille à

* Expression relative à un passage d'un Poème de M. de Voltaire[2].

parier contre un, que la chance ne tournera pas ainsi ; mais il faut tout prévoir.

Adieu, ma belle amie : vous seriez bien aimable de venir souper demain chez la Maréchale de *** ; je n'ai pas pu refuser.

J'imagine que je n'ai pas besoin de vous recommander le secret, vis-à-vis de Mme de Volanges, sur mon projet de campagne ; elle aurait bientôt celui de rester à la Ville[6] : au lieu qu'une fois arrivée, elle ne repartira pas le lendemain ; et si elle nous donne seulement huit jours, je réponds de tout.

*De … ce 9 Septembre 17**.*

LETTRE LXVII[1]

LA PRÉSIDENTE DE TOURVEL AU VICOMTE DE VALMONT

Je ne voulais plus vous répondre, Monsieur, et peut-être l'embarras que j'éprouve en ce moment, est-il lui-même une preuve qu'en effet je ne le devrais pas. Cependant je ne veux vous laisser aucun sujet de plainte contre moi ; je veux vous convaincre que j'ai fait pour vous tout ce que je pouvais faire.

Je vous ai permis de m'écrire, dites-vous ? J'en conviens : mais quand vous me rappelez cette permission, croyez-vous que j'oublie à quelles conditions elle vous fut donnée ? Si j'y eusse été aussi fidèle que vous l'avez été peu, auriez-vous reçu une seule réponse de moi ? Voilà pourtant la troisième ; et quand vous faites tout ce qu'il faut pour m'obliger à rompre cette correspondance, c'est moi qui m'occupe des moyens de l'entretenir. Il en est un, mais c'est le seul ; et si vous refusez de le prendre, ce sera, quoique vous puissiez dire, me prouver assez combien peu vous y mettez de prix.

Quittez donc un langage que je ne puis ni ne veux entendre ; renoncez à un sentiment qui m'offense et m'effraie, et auquel, peut-être, vous devriez être moins attaché en songeant qu'il est l'obstacle qui nous sépare. Ce sentiment est-il donc le seul que vous puissiez connaître, et l'amour aura-t-il ce tort de plus à mes yeux, d'exclure l'amitié ? Vous-même, auriez-vous celui de ne pas vouloir pour votre amie, celle en qui vous avez désiré des sentiments plus tendres ? Je ne veux pas le croire : cette idée humiliante me révolterait, m'éloignerait de vous sans retour.

En vous offrant mon amitié, Monsieur, je vous donne tout ce qui est à moi, tout ce dont je puis disposer. Que pouvez-vous désirer davantage ? Pour me livrer à ce sentiment si doux, si bien fait pour mon cœur, je n'attends que votre aveu ; et la parole que j'exige de vous, que cette amitié suffira à votre bonheur. J'oublierai tout ce qu'on a pu me dire ; je me reposerai sur vous du soin de justifier mon choix.

Vous voyez ma franchise, elle doit vous prouver ma confiance ; il ne tiendra qu'à vous de l'augmenter encore : mais je vous préviens que le premier mot d'amour la détruit à jamais, et me rend toutes mes craintes ; que surtout il deviendra pour moi le signal d'un silence éternel vis-à-vis de vous.

Si, comme vous le dites, vous êtes *revenu de vos erreurs*, n'aimerez-vous pas mieux être l'objet de l'amitié d'une femme honnête, que celui des remords d'une femme coupable ? Adieu, Monsieur ; vous sentez qu'après avoir parlé ainsi, je ne puis plus rien dire que vous ne m'ayez répondu.

*De ... ce 9 Septembre 17**.*

LETTRE LXVIII

LE VICOMTE DE VALMONT À LA PRÉSIDENTE DE TOURVEL

Comment répondre, Madame, à votre dernière Lettre ? Comment oser être vrai, quand ma sincérité peut me perdre auprès de vous ? N'importe, il le faut ; j'en aurai le courage. Je me dis, je me répète, qu'il vaut mieux vous mériter que vous obtenir[1] ; et dussiez-vous me refuser toujours un bonheur que je désirerai sans cesse, il faut vous prouver au moins que mon cœur en est digne.

Quel dommage que, comme vous le dites, je sois *revenu de mes erreurs* ! avec quels transports de joie j'aurais lu cette même Lettre à laquelle je tremble de répondre aujourd'hui ! Vous m'y parlez avec *franchise*, vous me témoignez de la *confiance*, vous m'offrez enfin votre *amitié* : que de biens, Madame, et quels regrets de ne pouvoir en profiter ! Pourquoi ne suis-je plus le même ?

Si je l'étais en effet ; si je n'avais pour vous qu'un goût ordinaire, que ce goût léger, enfant de la séduction et du plaisir, qu'aujourd'hui pourtant on nomme amour, je me hâterais de tirer avantage de tout ce que je pourrais obtenir. Peu délicat sur les moyens, pourvu qu'ils me procurassent le succès, j'encouragerais votre franchise par le besoin de vous deviner ; je désirerais votre confiance, dans le dessein de la trahir ; j'accepterais votre amitié, dans l'espoir de l'égarer… Quoi ! Madame, ce tableau vous effraie ?… hé bien ! il serait pourtant tracé d'après moi, si je vous disais que je consens à n'être que votre ami…

Qui, moi ! je consentirais à partager avec quelqu'un un sentiment émané de votre âme ? Si jamais je vous le dis, ne me croyez plus. De ce moment je chercherai à vous tromper ; je pourrai vous désirer encore, mais à coup sûr je ne vous aimerai plus.

Ce n'eſt pas que l'aimable franchise, la douce confiance, la sensible amitié, soient sans prix à mes yeux... Mais l'amour ! l'amour véritable, et tel que vous l'inspirez, en réunissant tous ces sentiments, en leur donnant plus d'énergie[2], ne saurait se prêter, comme eux, à cette tranquillité, à cette froideur de l'âme, qui permet des comparaisons, qui souffre même des préférences. Non, Madame, je ne serai point votre ami ; je vous aimerai de l'amour le plus tendre, et même le plus ardent, quoique le plus respeƈtueux. Vous pourrez le désespérer[3], mais non l'anéantir[a].

De quel droit prétendez-vous disposer d'un cœur dont vous refusez l'hommage ? Par quel raffinement de cruauté, m'enviez-vous jusqu'au bonheur de vous aimer ? Celui-là eſt à moi, il eſt indépendant de vous ; je saurai le défendre. S'il eſt la source de mes maux, il en eſt aussi le remède[4].

Non, encore une fois, non. Persiſtez dans vos refus cruels ; mais laissez-moi mon amour. Vous vous plaisez à me rendre malheureux ! eh bien ! soit ; essayez de lasser mon courage, je saurai vous forcer au moins à décider de mon sort ; et, peut-être, quelque jour vous me rendrez plus de juſtice. Ce n'eſt pas que j'espère vous rendre jamais sensible : mais sans être persuadée, vous serez convaincue ; vous vous direz : je l'avais mal jugé.

Disons mieux, c'eſt à vous que vous faites injuſtice. Vous connaître sans vous aimer, vous aimer sans être conſtant, sont tous deux également impossibles ; et malgré la modeſtie qui vous pare, il doit vous être plus facile de vous plaindre, que de vous étonner, des sentiments que vous faites naître. Pour moi, dont le seul mérite eſt d'avoir su vous apprécier, je ne veux pas le perdre ; et loin de consentir à vos offres insidieuses, je renouvelle, à vos pieds, le serment de vous aimer toujours.

*De ... ce 10 Septembre 17**.*

LETTRE LXIX

CÉCILE VOLANGES
AU CHEVALIER DANCENY

Billet[1] *écrit au crayon,*
et recopié par Danceny.

Vous me demandez ce que je fais ; je vous aime, et je pleure. Ma mère ne me parle plus ; elle m'a ôté papier, plumes et encre ; je me sers d'un crayon, qui par bonheur m'est resté, et je vous écris sur un morceau de votre Lettre. Il faut bien que j'approuve tout ce que vous avez fait ; je vous aime trop pour ne pas prendre tous les moyens d'avoir de vos nouvelles et de vous donner des miennes. Je n'aimais pas M. de Valmont, et je ne le croyais pas tant votre ami ; je tâcherai de m'accoutumer à lui, et je l'aimerai à cause de vous. Je ne sais pas qui est-ce qui nous a trahis ; ce ne peut être que ma Femme de chambre ou mon Confesseur. Je suis bien malheureuse : nous partons demain pour la campagne ; j'ignore pour combien de temps. Mon Dieu ! ne plus vous voir ! Je n'ai plus de place. Adieu ; tâchez de me lire. Ces mots tracés au crayon s'effaceront peut-être, mais jamais les sentiments gravés dans mon cœur.

*De … ce 10 Septembre 17**.*

LETTRE LXX

LE VICOMTE DE VALMONT
À LA MARQUISE DE MERTEUIL

J'ai un avis important à vous donner, ma chère amie. Je soupai hier, comme vous savez, chez la Maréchale de *** : on y parla de vous, et j'en dis, non pas tout le bien que j'en pense, mais tout celui que je n'en pense pas. Tout le monde paraissait être de mon avis, et la conversation languissait, comme il arrive toujours quand on ne dit que du bien de son prochain, lorsqu'il s'éleva un contradicteur ; c'était Prévan[1].

« À Dieu ne plaise, dit-il en se levant, que je doute de la sagesse de Mme de Merteuil ! mais j'oserais croire qu'elle la doit plus à sa légèreté qu'à ses principes. Il est peut-être plus difficile de la suivre[2] que de lui plaire ; et comme on ne manque guère en courant après une femme, d'en rencontrer d'autres sur son chemin ; comme, à tout prendre, ces autres-là peuvent valoir autant et plus qu'elle ; les uns sont distraits par un goût nouveau, les autres s'arrêtent de lassitude ; et, c'est peut-être la femme de Paris qui a eu le moins à se défendre. Pour moi », ajouta-t-il (encouragé par le sourire de quelques femmes), « je ne croirai à la vertu de Mme de Merteuil, qu'après avoir crevé six chevaux[3] à lui faire ma cour ».

Cette mauvaise plaisanterie réussit, comme toutes celles qui tiennent à la médisance ; et pendant le rire qu'elle excitait, Prévan reprit sa place, et la conversation générale changea. Mais les deux Comtesses de B***, auprès de qui était notre incrédule, en firent avec lui leur conversation particulière, qu'heureusement je me trouvais à portée d'entendre.

Le défi de vous rendre sensible a été accepté ; la parole de tout dire a été donnée ; et de toutes celles qui se donneraient dans cette aventure, ce serait sûrement la plus religieusement gardée. Mais vous voilà bien avertie, et vous savez le proverbe[4].

Il me reste à vous dire que ce Prévan, que vous ne connaissez pas, est infiniment aimable, et encore plus adroit. Que si quelquefois vous m'avez entendu dire le contraire, c'est seulement que je ne l'aime pas, que je me plais à contrarier ses succès, et que je n'ignore pas de quel poids est mon suffrage auprès d'une trentaine de nos femmes les plus à la mode.

En effet, je l'ai empêché longtemps, par ce moyen, de paraître sur ce que nous appelons le grand théâtre[5] ; et il faisait des prodiges, sans en avoir plus de réputation. Mais l'éclat de sa triple aventure, en fixant les yeux sur lui, lui a donné cette confiance qui lui manquait jusque-là, et l'a rendu vraiment redoutable. C'est enfin aujourd'hui le seul homme, peut-être, que je craindrais de rencontrer sur mon chemin ; et votre intérêt à part, vous me rendrez un vrai service de lui donner quelque ridicule, chemin faisant. Je le laisse en bonnes mains ; et j'ai l'espoir qu'à mon retour, ce sera un homme noyé[6].

Je vous promets en revanche, de mener à bien l'aventure de votre pupille, et de m'occuper d'elle autant que de ma belle Prude.

Celle-ci vient de m'envoyer un projet de capitulation. Toute sa Lettre annonce le désir d'être trompée. Il est impossible d'en offrir un moyen plus commode et aussi plus usé. Elle veut que je sois *son ami.* Mais moi, qui aime les méthodes nouvelles et difficiles, je ne prétends pas l'en tenir quitte à si bon marché ; et assurément je n'aurai pas pris tant de peine auprès d'elle, pour terminer par une séduction ordinaire.

Mon projet au contraire, est qu'elle sente, qu'elle sente bien la valeur et l'étendue de chacun des sacrifices qu'elle me fera ; de ne pas la conduire si vite, que le remords ne puisse la suivre ; de faire expirer sa vertu dans une lente agonie ; de la fixer sans cesse sur ce désolant spectacle ; et de ne lui accorder le bonheur de m'avoir dans ses bras, qu'après l'avoir forcée à n'en plus dissimuler le désir. Au fait je vaux bien peu, si je ne vaux pas la peine d'être demandé. Et puis-je me venger moins d'une femme hautaine, qui semble rougir d'avouer qu'elle m'adore ?

J'ai donc refusé la précieuse amitié et m'en suis tenu à mon titre d'Amant. Comme je ne dissimule point que ce titre, qui ne paraît d'abord qu'une dispute de mots, est pourtant d'une importance réelle à obtenir, j'ai mis beaucoup de soin à ma Lettre, et j'ai tâché d'y répandre ce désordre, qui peut seul peindre le sentiment. J'ai enfin déraisonné le plus qu'il m'a été possible : car sans déraisonnement[7], point de tendresse ; et c'est je crois, par cette raison, que les femmes nous sont si supérieures dans les Lettres d'amour[8].

J'ai fini la mienne par une cajolerie, et c'est encore une suite de mes profondes observations. Après que le cœur d'une femme a été exercé quelque temps, il a besoin de repos ; et j'ai remarqué qu'une cajolerie était, pour toutes, l'oreiller le plus doux à leur offrir.

Adieu, ma belle amie. Je pars demain. Si vous avez des ordres à me donner pour la Comtesse de ***, je m'arrêterai chez elle, au moins pour dîner. Je suis fâché de partir sans vous voir. Faites-moi passer vos sublimes instructions, et aidez-moi de vos sages conseils, dans ce moment décisif.

Surtout, défendez-vous de Prévan ; et puissé-je un jour, vous dédommager de ce sacrifice ! Adieu.

*De … ce 11 Septembre 17*** [9].

LETTRE LXXI

LE VICOMTE DE VALMONT
À LA MARQUISE DE MERTEUIL

Mon étourdi de Chasseur n'a-t-il pas laissé mon portefeuille[1] à Paris ! Les Lettres de ma Belle, celles de Danceny pour la petite Volanges, tout est resté, et j'ai besoin de tout. Il va partir pour réparer sa sottise ; et tandis qu'il selle son cheval, je vous raconterai mon histoire de cette nuit : car je vous prie de croire que je ne perds pas mon temps.

L'aventure, par elle-même, est bien peu de chose ; ce n'est qu'un réchauffé[2] avec la Vicomtesse de M... Mais elle m'a intéressé par les détails[3]. Je suis bien aise d'ailleurs de vous faire voir que si j'ai le talent de perdre les femmes, je n'ai pas moins, quand je veux, celui de les sauver. Le parti le plus difficile ou le plus gai, est toujours celui que je prends ; et je ne me reproche pas une bonne action, pourvu qu'elle m'exerce ou m'amuse.

J'ai donc trouvé la Vicomtesse ici, et comme elle joignait ses instances aux persécutions qu'on me faisait pour passer la nuit au Château : « Eh bien ! j'y consens, lui dis-je, à condition que je la passerai avec vous. — Cela m'est impossible, me répondit-elle, Vressac[4] est ici. » Jusque-là je n'avais cru que lui dire une honnêteté[5] : mais ce mot d'impossible me révolta comme de coutume. Je me sentis humilié d'être sacrifié à Vressac, et je résolus de ne le pas souffrir : j'insistai donc.

Les circonstances ne m'étaient pas favorables. Ce Vressac a eu la gaucherie de donner de l'ombrage au Vicomte ; en sorte que la Vicomtesse ne peut plus le recevoir chez elle : et ce voyage chez la bonne Comtesse avait été concerté entre eux, pour tâcher d'y dérober quelques nuits. Le Vicomte avait même d'abord montré de l'humeur d'y rencontrer Vressac ; mais comme il est encore plus Chasseur que jaloux, il n'en est pas moins resté : et la Comtesse, toujours telle que vous la connaissez, après avoir logé la femme dans le grand corridor, a mis le mari d'un côté et l'Amant de l'autre, et les a laissés s'arranger entre eux. Le mauvais destin de tous deux a voulu que je fusse logé vis-à-vis.

Ce jour-là même, c'est-à-dire hier, Vressac, qui, comme vous pouvez croire, cajole[6] le Vicomte, chassait avec lui, malgré son peu de goût pour la chasse, et comptait bien se consoler la nuit, entre les bras de la femme, de l'ennui que le mari lui causait tout le jour : mais moi, je jugeai qu'il aurait besoin de repos, et je m'occupai des moyens de décider sa Maîtresse à lui laisser le temps d'en prendre.

Je réussis, et j'obtins qu'elle lui ferait une querelle de cette même partie de chasse, à laquelle, bien évidemment, il n'avait consenti que pour elle. On ne pouvait prendre un plus mauvais prétexte : mais nulle femme n'a mieux que la Vicomtesse, ce talent commun à toutes, de mettre l'humeur à la place de la raison, et de n'être jamais si difficile à apaiser que quand elle a tort. Le moment d'ailleurs n'était pas commode pour les explications ; et ne voulant qu'une nuit, je consentais qu'ils se raccommodassent le lendemain.

Vressac fut donc boudé à son retour. Il voulut en demander la cause, on le querella. Il essaya de se justifier ; le mari qui était présent servit de prétexte pour rompre la conversation ; il tenta enfin de profiter d'un moment où le mari était absent, pour demander qu'on voulût bien l'entendre le soir : ce fut alors que la Vicomtesse devint sublime. Elle s'indigna contre l'audace des hommes qui, parce qu'ils ont éprouvé les bontés d'une femme, croient avoir le droit d'en abuser encore, même alors qu'elle a à se plaindre d'eux ; et ayant changé de thèse par cette adresse, elle parla si bien délicatesse et sentiment, que Vressac resta muet et confus ; et que moi-même je fus tenté de croire qu'elle avait raison : car vous saurez que comme ami de tous deux, j'étais en tiers dans cette conversation.

Enfin, elle déclara positivement qu'elle n'ajouterait pas les fatigues de l'amour à celles de la chasse, et qu'elle se reprocherait de troubler d'aussi doux plaisirs. Le mari rentra. Le désolé Vressac, qui n'avait plus la liberté de répondre, s'adressa à moi ; et après m'avoir fort longuement conté ses raisons, que je savais aussi bien que lui, il me pria de parler à la Vicomtesse, et je le lui promis. Je lui parlai en effet ; mais ce fut pour la remercier, et convenir avec elle de l'heure et des moyens de notre rendez-vous.

Elle me dit que logée entre son mari et son Amant, elle avait trouvé plus prudent d'aller chez Vressac, que de le recevoir dans son appartement ; et que puisque je logeais vis-à-vis d'elle, elle croyait plus sûr aussi de venir chez moi ; qu'elle s'y rendrait aussitôt que sa Femme de chambre l'aurait laissée seule ; que je n'avais qu'à tenir ma porte entr'ouverte, et l'attendre.

Tout s'exécuta comme nous en étions convenus ; et elle arriva chez moi vers une heure du matin.

. . . . *dans le simple appareil*
*D'une beauté qu'on vient d'arracher au sommeil**.

Comme je n'ai point de vanité, je ne m'arrête pas aux détails de la nuit : mais vous me connaissez, et j'ai été content de moi.

Au point du jour, il a fallu se séparer. C'est ici que l'intérêt commence. L'étourdie avait cru laisser sa porte entr'ouverte, nous la trouvâmes fermée, et la clef était restée en dedans : vous n'avez pas d'idée de l'expression de désespoir avec laquelle la Vicomtesse me dit aussitôt : « Ah ! je suis perdue. » Il faut convenir qu'il eût été plaisant de la laisser dans cette situation : mais pouvais-je souffrir qu'une femme fût perdue

* Racine, Tragédie de *Britannicus*[7].

pour moi, sans l'être par moi ? Et devais-je, comme le commun des hommes, me laisser maîtriser par les circonstances ? Il fallait donc trouver un moyen. Qu'eussiez-vous fait, ma belle amie ? Voici ma conduite, et elle a réussi.

J'eus bientôt reconnu que la porte en question pouvait s'enfoncer, en se permettant de faire beaucoup de bruit. J'obtins donc de la Vicomtesse, non sans peine, qu'elle jetterait des cris perçants et d'effroi, comme *au voleur, à l'assassin*[8], etc., etc. Et nous convînmes qu'au premier cri j'enfoncerais la porte, et qu'elle courrait à son lit. Vous ne sauriez croire combien il fallut de temps pour la décider, même après qu'elle eut consenti. Il fallut pourtant finir par là, et au premier coup de pied la porte céda.

La Vicomtesse fit bien de ne pas perdre de temps, car au même instant le Vicomte et Vressac furent dans le corridor ; et la Femme de chambre accourut aussi à la chambre de sa Maîtresse.

J'étais seul de sang-froid, et j'en profitai pour aller éteindre une veilleuse qui brûlait encore et la renverser par terre ; car vous jugez combien il eût été ridicule de feindre cette terreur panique, en ayant de la lumière dans sa chambre. Je querellai ensuite le mari et l'Amant sur leur sommeil léthargique, en les assurant que les cris auxquels j'étais accouru, et mes efforts pour enfoncer la porte, avaient duré au moins cinq minutes.

La Vicomtesse qui avait retrouvé son courage dans son lit, me seconda assez bien, et jura ses grands Dieux qu'il y avait un voleur dans son appartement ; elle protesta avec plus de sincérité, que de la vie elle n'avait eu tant de peur. Nous cherchions partout et nous ne trouvions rien, lorsque je fis apercevoir la veilleuse renversée, et conclus que, sans doute, un rat avait causé le dommage et la frayeur ; mon avis passa tout d'une voix[9], et après quelques plaisanteries rebattues sur les rats, le Vicomte s'en alla le premier regagner sa chambre et son lit, en priant sa femme d'avoir à l'avenir des rats plus tranquilles[10].

Vressac resté seul avec nous, s'approcha de la

Vicomtesse pour lui dire tendrement que c'était une vengeance de l'Amour ; à quoi elle répondit en me regardant : « Il était donc bien en colère, car il s'est beaucoup vengé ; mais, ajouta-t-elle, je suis rendue de fatigue, et je veux dormir. »

J'étais dans un moment de bonté ; en conséquence, avant de nous séparer, je plaidai la cause de Vressac, et j'amenai le raccommodement. Les deux Amants s'embrassèrent, et je fus à mon tour embrassé par tous deux. Je ne me souciais plus des baisers de la Vicomtesse ; mais j'avoue que celui de Vressac me fit plaisir. Nous sortîmes ensemble ; et après avoir reçu ses longs remerciements, nous allâmes chacun nous remettre au lit.

Si vous trouvez cette histoire plaisante, je ne vous en demande pas le secret. À présent que je m'en suis amusé, il est juste que le public ait son tour[11]. Pour le moment je ne parle que de l'histoire ; peut-être bientôt en dirons-nous autant de l'héroïne ?

Adieu, il y a une heure que mon Chasseur attend ; je ne prends plus que le moment de vous embrasser, et de vous recommander surtout de vous garder de Prévan.

*Du Château de ..., ce 13 Septembre 17**.*

LETTRE LXXII

LE CHEVALIER DANCENY
À CÉCILE VOLANGES
(Remise seulement le 14.)

Ô ma Cécile ! que j'envie le sort de Valmont ! demain il vous verra. C'est lui qui vous remettra cette Lettre ; et moi, languissant loin de vous, je traînerai ma pénible existence entre les regrets et le malheur.

Mon amie, ma tendre amie, plaignez-moi de mes maux ; surtout plaignez-moi des vôtres : c'est contre eux que le courage m'abandonne.

Qu'il m'est affreux de causer votre malheur ! sans moi vous seriez heureuse et tranquille. Me pardonnez-vous ? dites ! ah ! dites que vous me pardonnez ; dites-moi aussi que vous m'aimez, que vous m'aimerez toujours. J'ai besoin que vous me le répétiez. Ce n'est pas que j'en doute : mais il me semble que plus on en est sûr, et plus il est doux de se l'entendre dire. Vous m'aimez, n'est-ce pas ? oui, vous m'aimez de toute votre âme. Je n'oublie pas que c'est la dernière parole que je vous ai entendu prononcer. Comme je l'ai recueillie dans mon cœur ! comme elle s'y est profondément gravée ! et avec quels transports le mien y a répondu !

Hélas ! dans ce moment de bonheur, j'étais loin de prévoir le sort affreux qui nous attendait. Occupons-nous, ma Cécile, des moyens de l'adoucir. Si j'en crois mon ami, il suffira pour y parvenir, que vous preniez en lui une confiance qu'il mérite.

J'ai été peiné, je l'avoue, de l'idée désavantageuse que vous paraissez avoir de lui. J'y ai reconnu les préventions de votre Maman : c'était pour m'y soumettre que j'avais négligé, depuis quelque temps, cet homme vraiment aimable, qui aujourd'hui fait tout pour moi ; qui, enfin, travaille à nous réunir, lorsque votre Maman nous a séparés. Je vous en conjure, ma chère amie, voyez-le d'un œil plus favorable. Songez qu'il est mon ami, qu'il veut être le vôtre ; qu'il peut me rendre le bonheur de vous voir. Si ces raisons ne vous ramènent pas, ma Cécile, vous ne m'aimez pas autant que je vous aime, vous ne m'aimez plus autant que vous m'aimiez. Ah ! si jamais vous deviez m'aimer moins[a]... Mais non, le cœur de ma Cécile est à moi, il y est pour la vie ; et si j'ai à craindre les peines d'un amour malheureux, sa constance au moins me sauvera[1] les tourments d'un amour trahi.

Adieu, ma charmante amie ; n'oubliez pas que je souffre, et qu'il ne tient qu'à vous de me rendre heureux, parfaitement heureux. Écoutez le vœu de mon cœur, et recevez les plus tendres baisers de l'amour[2].

*Paris, ce 11 Septembre 17**.*

LETTRE LXXIII

LE VICOMTE DE VALMONT
À CÉCILE VOLANGES
(Jointe à la précédente.)

L'ami qui vous sert a su que vous n'aviez rien de ce qu'il vous fallait pour écrire, et il y a déjà pourvu. Vous trouverez dans l'antichambre de l'appartement que vous occupez, sous la grande armoire à main gauche, une provision de papier, de plumes et d'encre[1], qu'il renouvellera quand vous voudrez, et qu'il lui semble que vous pouvez laisser à cette même place, si vous n'en trouvez pas de plus sûre.

Il vous demande de ne pas vous offenser, s'il a l'air de ne faire aucune attention à vous dans le cercle, et de ne vous y regarder que comme un enfant. Cette conduite lui paraît nécessaire pour inspirer la sécurité dont il a besoin, et pouvoir travailler plus efficacement au bonheur de son ami et au vôtre. Il tâchera de faire naître les occasions de vous parler, quand il aura quelque chose à vous apprendre ou à vous remettre ; et il espère y parvenir, si vous mettez du zèle à le seconder.

Il vous conseille aussi de lui rendre, à mesure, les lettres que vous aurez reçues, afin de risquer moins de vous compromettre.

Il finit par vous assurer que si vous voulez lui donner votre confiance, il mettra tous ses soins à adoucir[a] la persécution qu'une mère trop cruelle fait éprouver à deux personnes, dont l'une eſt déjà son meilleur ami, et l'autre lui paraît mériter l'intérêt le plus tendre.

*Au Château de ..., ce 14 Septembre 17**.*

LETTRE LXXIV

LA MARQUISE DE MERTEUIL AU VICOMTE DE VALMONT

Eh ! depuis quand, mon ami, vous effrayez-vous si facilement ? Ce Prévan eſt donc bien redoutable ? Mais voyez combien je suis simple et modeſte ! Je l'ai rencontré souvent, ce superbe vainqueur ; à peine l'avais-je regardé ! Il ne fallait pas moins que votre Lettre pour m'y faire faire attention. J'ai réparé mon injuſtice hier. Il était à l'Opéra, presque vis-à-vis de moi, et je m'en suis occupée. Il eſt joli au moins, mais très joli ; des traits fins et délicats ! il doit gagner à être vu de près. Et vous dites qu'il veut m'avoir ! assurément il me fera honneur et plaisir. Sérieusement, j'en ai fantaisie, et je vous confie ici que j'ai fait les premières démarches. Je ne sais pas si elles réussiront. Voilà le fait.

Il était à deux pas de moi, à la sortie de l'Opéra, et j'ai donné, très haut, rendez-vous à la Marquise de *** pour souper le Vendredi chez la Maréchale. C'eſt je crois la seule maison où je peux le rencontrer. Je ne doute pas qu'il ne m'ait entendue... Si l'ingrat allait n'y pas venir ? Mais dites-moi donc, croyez-vous qu'il y vienne ? Savez-vous que s'il n'y vient pas, j'aurai de l'humeur toute la soirée ? Vous voyez qu'il ne trouvera pas tant de difficulté *à me suivre* ; et ce qui vous étonnera davantage, c'eſt qu'il en trouvera moins encore *à me plaire*. Il veut, dit-il, crever six chevaux à me faire sa cour ! Oh ! je sauverai la vie à ces chevaux-là. Je n'aurai jamais la patience d'attendre si longtemps. Vous savez qu'il n'est pas dans mes principes de faire languir, quand une fois je suis décidée, et je le suis pour lui.

Oh ! çà, convenez qu'il y a plaisir à me parler raison ! Votre *avis important*[1] n'a-t-il pas un grand succès ? Mais que voulez-vous ? je végète depuis si longtemps ! Il y a plus de six semaines que je ne me suis pas permis une gaieté[2]. Celle-là se présente ; puis-je me la refuser ? le sujet n'en vaut-il pas la peine ? en est-il de plus agréable, dans quelque sens que vous preniez ce mot[3] ?

Vous-même, vous êtes forcé de lui rendre justice ; vous faites plus que le louer, vous en êtes jaloux. Eh bien ! je m'établis juge entre vous deux : mais d'abord, il faut s'instruire, et c'est ce que je veux faire. Je serai juge intègre, et vous serez pesés tous deux dans la même balance. Pour vous, j'ai déjà vos mémoires[4], et votre affaire est parfaitement instruite. N'est-il pas juste que je m'occupe à présent de votre adversaire ? Allons, exécutez-vous de bonne grâce ; et, pour commencer, apprenez-moi, je vous prie, quelle est cette triple aventure dont il est le héros. Vous m'en parlez, comme si je ne connaissais autre chose, et je n'en sais pas le premier mot. Apparemment elle se sera passée pendant mon voyage à Genève[5], et votre jalousie vous aura empêché de me l'écrire. Réparez cette faute au plus tôt ; songez que *rien de ce qui l'intéresse ne m'est étranger*[6]. Il me semble bien qu'on en parlait encore à mon retour : mais j'étais occupée d'autre chose, et j'écoute rarement en ce genre tout ce qui n'est pas du jour[7] ou de la veille.

Quand ce que je vous demande vous contrarierait un peu, n'est-ce pas le moindre prix que vous deviez aux soins que je me suis donnés pour vous ? ne sont-ce pas eux qui vous ont rapproché de votre Présidente, quand vos sottises vous en avaient éloigné ? n'est-ce pas encore moi qui ai remis entre vos mains, de quoi vous venger du zèle amer de Mme de Volanges ? Vous vous êtes plaint si souvent du temps que vous perdiez à aller chercher vos aventures ! À présent vous les avez sous la main. L'amour, la haine, vous n'avez qu'à choisir, tout couche sous le même toit ; et vous pouvez, doublant votre existence, caresser d'une main et frapper de l'autre.

C'est même encore à moi, que vous devez l'aventure de la Vicomtesse. J'en suis assez contente : mais, comme vous dites, il faut qu'on en parle ; car si l'occasion[8] a pu vous engager, comme je le conçois, à préférer pour le moment le mystère à l'éclat, il faut convenir pourtant que cette femme ne méritait pas un procédé si honnête.

J'ai d'ailleurs à m'en plaindre. Le Chevalier de Belleroche la trouve plus jolie que je ne voudrais ; et par beaucoup de raisons, je serai bien aise d'avoir un prétexte pour rompre avec elle : or, il n'en est pas de plus commode, que d'avoir à dire : On ne peut plus voir cette femme-là.

Adieu, Vicomte ; songez que placé où vous êtes, le temps est précieux : je vais employer le mien à m'occuper du bonheur de Prévan.

*Paris, ce 15 Septembre 17**.*

LETTRE LXXV

CÉCILE VOLANGES
À SOPHIE CARNAY

(*Nota*... Dans cette Lettre, Cécile Volanges rend compte avec le plus grand détail de tout ce qui est relatif à elle dans les événements que le Lecteur a vus à la fin de la première Partie[1]. On a cru devoir supprimer cette répétition. Elle parle enfin du Vicomte de Valmont, et elle s'exprime ainsi :)

… Je t'assure que c'est un homme bien extraordinaire. Maman en dit beaucoup de mal ; mais le Chevalier Danceny en dit beaucoup de bien, et je crois que c'est lui qui a raison. Je n'ai jamais vu d'homme aussi adroit. Quand il m'a rendu la Lettre de Danceny, c'était au milieu de tout le monde, et personne n'en a rien vu ; il est vrai que j'ai eu bien peur, parce que je n'étais prévenue de rien : mais à présent je m'y attendrai. J'ai déjà fort bien compris comment il voulait que je fisse pour lui remettre ma Réponse. Il est bien facile de s'entendre avec lui, car il a un regard qui dit tout ce qu'il veut. Je ne sais pas comment il fait : il me disait dans le billet, dont je t'ai parlé, qu'il n'aurait pas l'air de s'occuper de moi devant Maman : en effet, on dirait toujours qu'il n'y songe pas ; et pourtant toutes les fois que je cherche ses yeux, je suis sûre de les rencontrer tout de suite.

Il y a ici une bonne amie de Maman, que je ne connaissais pas, qui a aussi l'air de ne guère aimer M. de Valmont, quoiqu'il ait bien des attentions pour elle. J'ai peur qu'il ne s'ennuie bientôt de la vie qu'on mène ici, et qu'il ne s'en retourne à Paris ; cela serait bien fâcheux. Il faut qu'il ait bien bon cœur d'être venu exprès pour rendre service à son ami et à moi ! Je voudrais bien lui en témoigner ma reconnaissance, mais je ne sais comment faire pour lui parler ; et quand j'en trouverais l'occasion, je serais si honteuse, que je ne saurais peut-être que lui dire.

Il n'y a que Mme de Merteuil avec qui je parle librement, quand je parle de mon amour. Peut-être même qu'avec toi, à qui je dis tout, si c'était en causant, je serais embarrassée. Avec Danceny lui-même, j'ai souvent senti, comme malgré moi, une certaine crainte qui m'empêchait de lui dire tout ce que je pensais. Je me le reproche bien à présent, et je donnerais tout au monde pour trouver le moment de lui dire une fois, une seule fois, combien je l'aime. M. de Valmont lui a promis que si je me laissais conduire, il nous procurerait l'occasion de nous revoir. Je ferai bien assez ce qu'il voudra ; mais je ne peux pas concevoir que cela soit possible.

Adieu, ma bonne amie, je n'ai plus de place*.

*Du Château de ..., ce 14 Septembre 17***.

LETTRE LXXVI

LE VICOMTE DE VALMONT
À LA MARQUISE DE MERTEUIL

Ou votre lettre eſt un persiflage[1], que je n'ai pas compris ; ou vous étiez, en me l'écrivant, dans un délire très dangereux. Si je vous connaissais moins, ma belle amie, je serais vraiment très effrayé ; et quoique vous en puissiez dire, je ne m'effraierais pas trop facilement.

J'ai beau vous lire et vous relire, je n'en suis pas plus avancé ; car, de prendre votre Lettre dans le sens naturel qu'elle présente, il n'y a pas moyen. Qu'avez-vous donc voulu dire ?

Eſt-ce seulement qu'il était inutile de se donner tant de soins contre un ennemi si peu redoutable ? mais, dans ce cas, vous pourriez avoir tort. Prévan eſt réellement aimable ; il l'eſt plus que vous ne le croyez ; il a surtout le talent très utile d'occuper beaucoup de son amour, par l'adresse qu'il a d'en parler dans le cercle, et devant tout le monde, en se servant de la première conversation qu'il trouve. Il eſt peu de femmes qui se sauvent alors du piège d'y répondre, parce que toutes ayant des prétentions à la finesse, aucune ne veut perdre l'occasion d'en montrer. Or,

* Mlle de Volanges ayant peu de temps après changé de confidente, comme on le verra par la suite de ces Lettres ; on ne trouvera plus dans ce Recueil aucune de celles qu'elle a continué d'écrire à son amie du Couvent : elles n'apprendraient rien au Leſteur.

vous savez assez que femme qui consent à parler d'amour, finit bientôt par en prendre, ou au moins par se conduire comme si elle en avait. Il gagne encore à cette méthode qu'il a réellement perfectionnée, d'appeler souvent les femmes elles-mêmes en témoignage de leur défaite; et cela, je vous en parle pour l'avoir vu.

Je n'étais dans le secret que de la seconde main[2]; car jamais je n'ai été lié avec Prévan: mais enfin nous y étions six: et la Comtesse de P..., tout en se croyant bien fine, et ayant l'air en effet, pour tout ce qui n'était pas instruit, de tenir une conversation générale, nous raconta dans le plus grand détail, et comme quoi elle s'était rendue à Prévan[a], et tout ce qui s'était passé entre eux. Elle faisait ce récit avec une telle sécurité[3], qu'elle ne fut pas même troublée par un fou rire qui nous prit à tous six en même temps; et je me souviendrai toujours qu'un de nous ayant voulu, pour s'excuser, feindre de douter de ce qu'elle disait, ou plutôt de ce qu'elle avait l'air de dire, elle répondit gravement qu'à coup sûr nous n'étions aucun aussi bien instruits qu'elle; et elle ne craignit pas même de s'adresser à Prévan, pour lui demander si elle s'était trompée d'un mot.

J'ai donc pu croire cet homme dangereux pour tout le monde: mais pour vous, Marquise, ne suffisait-il pas qu'il fût *joli, très joli*, comme vous le dites vous-même? ou qu'il vous fît *une de ces attaques, que vous vous plaisez quelquefois à récompenser, sans autre motif que de les trouver bien faites?* ou que vous eussiez trouvé plaisant de vous rendre par une raison quelconque? ou... que sais-je? puis-je deviner les mille et mille caprices qui gouvernent la tête d'une femme, et par qui seuls vous tenez encore à votre sexe? À présent que vous êtes avertie du danger, je ne doute pas que vous ne vous en sauviez facilement: mais pourtant fallait-il vous avertir. Je reviens donc à mon texte, qu'avez-vous voulu dire?

Si ce n'est qu'un persiflage sur Prévan, outre qu'il est bien long, ce n'était pas vis-à-vis de moi qu'il était utile; c'est dans le monde qu'il faut lui donner quelque bon ridicule, et je vous renouvelle ma prière à ce sujet.

Ah ! je crois tenir le mot de l'énigme, votre Lettre est une prophétie, non de ce que vous ferez, mais de ce qu'il vous croira prête à faire au moment de la chute que vous lui préparez. J'approuve assez ce projet ; il exige pourtant de grands ménagements. Vous savez comme moi que, pour l'effet public, avoir un homme ou recevoir ses soins, est absolument la même chose, à moins que cet homme ne soit un sot ; et Prévan ne l'est pas, à beaucoup près. S'il peut gagner seulement une apparence, il se vantera, et tout sera dit. Les sots y croiront, les méchants auront l'air d'y croire : quelles seront vos ressources ? Tenez, j'ai peur. Ce n'est pas que je doute de votre adresse : mais ce sont les bons nageurs qui se noient[4].

Je ne me crois pas plus bête qu'un autre ; des moyens de déshonorer une femme, j'en ai trouvé cent, j'en ai trouvé mille : mais quand je me suis occupé de chercher comment elle pourrait s'en sauver, je n'en ai jamais vu la possibilité. Vous-même, ma belle amie, dont la conduite est un chef-d'œuvre, cent fois j'ai cru vous voir plus de bonheur que de bien joué.

Mais après tout, je cherche peut-être une raison à ce qui n'en a point. J'admire comment, depuis une heure, je traite sérieusement ce qui n'est, à coup sûr, qu'une plaisanterie de votre part. Vous allez vous moquer de moi ! Hé bien ! soit ; mais dépêchez-vous, et parlons d'autre chose. D'autre chose ! je me trompe, c'est toujours de la même ; toujours des femmes à avoir ou à perdre, et souvent tous les deux.

J'ai ici, comme vous l'avez fort bien remarqué, de quoi m'exercer dans les deux genres, mais non pas avec la même facilité. Je prévois que la vengeance ira plus vite que l'amour. La petite Volanges est rendue, j'en réponds ; elle ne dépend plus que de l'occasion[5], et je me charge de la faire naître. Mais il n'en est pas de même de Mme de Tourvel : cette femme est désolante, je ne la conçois pas[6] ; j'ai cent preuves de son amour, mais j'en ai mille de sa résistance ; et en vérité, je crains qu'elle ne m'échappe.

Le premier effet qu'avait produit mon retour, me faisait espérer davantage. Vous devinez que je voulais en juger par moi-même ; et pour m'assurer de voir les premiers mouvements, je ne m'étais fait précéder par personne, et j'avais calculé ma route pour arriver pendant qu'on serait à table. En effet, je tombai des nues, comme une Divinité d'Opéra qui vient faire un dénouement.

Ayant fait assez de bruit en entrant pour fixer les regards sur moi, je pus voir du même coup d'œil, la joie de ma vieille tante, le dépit de Mme de Volanges, et le plaisir décontenancé de sa fille. Ma Belle, par la place qu'elle occupait, tournait le dos à la porte. Occupée dans ce moment à couper quelque chose, elle ne tourna seulement pas la tête : mais j'adressai la parole à Mme de Rosemonde ; et au premier mot, la sensible dévote ayant reconnu ma voix, il lui échappa un cri, dans lequel je crus reconnaître plus d'amour que de surprise ou d'effroi. Je m'étais alors assez avancé pour voir sa figure : le tumulte de son âme, le combat de ses idées et de ses sentiments, s'y peignirent de vingt façons différentes. Je me mis à table à côté d'elle ; elle ne savait exactement rien de ce qu'elle faisait ni de ce qu'elle disait. Elle essaya de continuer de manger ; il n'y eut pas moyen ; enfin, moins d'un quart d'heure après, son embarras et son plaisir devenant plus forts qu'elle, elle n'imagina rien de mieux, que de demander permission de sortir de table, et elle se sauva dans le parc, sous le prétexte d'avoir besoin de prendre l'air. Mme de Volanges voulut l'accompagner ; la tendre Prude ne le permit pas : trop heureuse, sans doute, de trouver un prétexte pour être seule, et se livrer sans contrainte à la douce émotion de son cœur !

J'abrégeai le dîner le plus qu'il me fut possible. À peine avait-on servi le dessert, que l'infernale Volanges, pressée apparemment du besoin de me nuire, se leva de sa place pour aller trouver la charmante malade : mais j'avais prévu ce projet, et je le traversai[7]. Je feignis donc de prendre ce mouvement particulier pour le mouvement général ; et m'étant levé en même temps, la petite Volanges et le Curé du lieu se laissèrent entraîner par ce double exemple ; en sorte que Mme de Rosemonde se trouva seule à table avec le vieux Commandeur de T… et tous deux prirent aussi le parti d'en sortir. Nous allâmes donc tous rejoindre ma belle, que nous trouvâmes dans le bosquet près du Château ; et comme elle avait besoin de solitude et non de promenade, elle aima autant revenir avec nous, que nous faire rester avec elle.

Dès que je fus assuré que Mme de Volanges n'aurait pas l'occasion de lui parler seule, je songeai à exécuter vos ordres, et je m'occupai des intérêts de votre pupille. Aussitôt après le café, je montai chez moi, et j'entrai aussi chez les autres, pour reconnaître le terrain ; je fis mes dispositions pour assurer la correspondance de la petite ; et après ce premier bienfait, j'écrivis un mot pour l'en instruire et lui demander sa confiance ; je joignis mon billet à la Lettre de Danceny. Je revins au salon. J'y trouvai ma Belle établie sur une chaise longue et dans un abandon délicieux.

Ce spectacle, en éveillant mes désirs, anima mes regards ; je sentis qu'ils devaient être tendres et pressants, et je me plaçai de manière à pouvoir en faire usage. Leur premier effet fut de faire baisser les grands yeux modestes de la céleste Prude[8]. Je considérai quelque temps cette figure angélique ; puis, parcourant toute sa personne, je m'amusais à deviner les contours et les formes à travers un vêtement léger, mais toujours importun. Après être descendu de la tête aux pieds, je remontais des pieds à la tête… Ma belle amie, le doux regard était fixé sur moi ; sur-le-champ il se baissa de nouveau ; mais voulant en favoriser le retour, je détournai mes yeux. Alors s'établit entre nous cette convention tacite, premier traité de l'amour timide, qui, pour satisfaire le besoin mutuel de se voir, permet aux regards de se succéder en attendant qu'ils se confondent[9].

Persuadé que ce nouveau plaisir occupait ma Belle tout entière, je me chargeai de veiller à notre commune sûreté ; mais après m'être assuré qu'une conversation assez vive nous sauvait des remarques du cercle, je tâchai d'obtenir de ses yeux qu'ils parlassent franchement leur langage. Pour cela je surpris d'abord quelques regards ; mais avec tant de réserve, que la modestie n'en pouvait être alarmée ; et pour mettre la timide personne plus à son aise, je paraissais moi-même aussi embarrassé qu'elle. Peu à peu nos yeux, accoutumés à se rencontrer, se fixèrent plus longtemps ; enfin ils ne se quittèrent plus, et j'aperçus dans les siens cette douce langueur, signal heureux de l'amour et du désir ; mais ce ne fut qu'un moment ; et bientôt revenue à elle-même, elle changea, non sans quelque honte, son maintien et son regard.

Ne voulant pas qu'elle pût douter que j'eusse remarqué ses divers mouvements, je me levai avec vivacité, en lui demandant, avec l'air de l'effroi, si elle se trouvait mal. Aussitôt tout le monde vint l'entourer. Je les laissai tous passer devant moi ; et comme la petite Volanges, qui travaillait à la tapisserie auprès d'une fenêtre, eut besoin de quelque temps pour quitter son métier, je saisis ce moment pour lui remettre la Lettre de Danceny.

J'étais un peu loin d'elle ; je jetai l'Épître sur ses genoux. Elle ne savait en vérité qu'en faire. Vous auriez trop ri de son air de surprise et d'embarras ; pourtant je ne riais point, car je craignais que tant de gaucherie ne nous trahît. Mais un coup d'œil et un geste fortement prononcés, lui firent enfin comprendre qu'il fallait mettre le paquet dans sa poche.

Le reste de la journée n'eut rien d'intéressant. Ce qui s'est passé depuis amènera peut-être des événements dont vous serez contente, au moins pour ce qui regarde votre pupille : mais il vaut mieux employer son temps à exécuter ses projets qu'à les raconter. Voilà d'ailleurs la huitième page que j'écris, et j'en suis fatigué ; ainsi, adieu.

Vous vous doutez bien, sans que je vous le dise, que la petite a répondu à Danceny*. J'ai eu aussi une Réponse de ma Belle, à qui j'avais écrit le lendemain de mon arrivée. Je vous envoie les deux Lettres. Vous

* Cette Lettre ne s'est pas retrouvée[b].

les lirez ou vous ne les lirez pas ; car ce perpétuel rabâchage, qui déjà ne m'amuse pas trop, doit être bien insipide pour toute personne désintéressée[10].

Encore une fois ; adieu. Je vous aime toujours beaucoup : mais je vous en prie, si vous me reparlez de Prévan, faites en sorte que je vous entende.

*Du Château de ..., ce 17 Septembre 17**.*

LETTRE LXXVII

LE VICOMTE DE VALMONT À LA PRÉSIDENTE DE TOURVEL

D'où peut venir, Madame, le soin cruel que vous mettez à me fuir ? Comment se peut-il que l'empressement le plus tendre de ma part, n'obtienne de la vôtre que des procédés qu'on se permettrait à peine envers l'homme dont on aurait le plus à se plaindre ? Quoi ! l'amour me ramène à vos pieds ; et quand un heureux hasard me place à côté de vous, vous aimez mieux feindre une indisposition, alarmer vos amis, que de consentir à rester près de moi ! Combien de fois hier n'avez-vous pas détourné vos yeux pour me priver de la faveur d'un regard ? Et si un seul instant j'ai pu y voir moins de sévérité, ce moment a été si court, qu'il semble que vous ayez voulu moins m'en faire jouir, que me faire sentir ce que je perdais à en être privé.

Ce n'est là, j'ose le dire, ni le traitement que mérite l'amour, ni celui que peut se permettre l'amitié ; et toutefois, de ces deux sentiments, vous savez si l'un m'anime, et j'étais, ce me semble, autorisé à croire que vous ne vous refusiez pas à l'autre. Cette amitié précieuse, dont sans doute vous m'avez cru digne, puisque vous avez bien voulu me l'offrir, qu'ai-je donc fait pour l'avoir perdue depuis ? me serais-je nui par ma confiance, et me puniriez-vous de ma franchise ? ne craignez-vous pas au moins d'abuser de l'une et de l'autre ? En effet, n'eſt-ce pas dans le sein de mon amie, que j'ai déposé le secret de mon cœur ? n'eſt-ce pas vis-à-vis d'elle seule, que j'ai pu me croire obligé de refuser des conditions qu'il me suffisait d'accepter, pour me donner la facilité de ne les pas tenir, et peut-être celle d'en abuser utilement ? Voudriez-vous enfin, par une rigueur si peu méritée, me forcer à croire qu'il n'eût fallu que vous tromper pour obtenir plus d'indulgence ?

Je ne me repens point d'une conduite que je vous devais, que je me devais à moi-même ; mais par quelle fatalité, chaque aƈtion louable devient-elle pour moi le signal d'un malheur nouveau ?

C'eſt après avoir donné lieu au seul éloge que vous ayez encore daigné faire de ma conduite, que j'ai eu, pour la première fois, à gémir du malheur de vous avoir déplu. C'eſt après vous avoir prouvé ma soumission parfaite, en me privant du bonheur de vous voir, uniquement pour rassurer votre délicatesse, que vous avez voulu rompre toute correspondance avec moi, m'ôter ce faible dédommagement d'un sacrifice que vous aviez exigé, et me ravir jusqu'à l'amour qui seul avait pu vous en donner le droit. C'eſt enfin après vous avoir parlé avec une sincérité, que l'intérêt même de cet amour n'a pu affaiblir, que vous me fuyez aujourd'hui comme un séduƈteur dangereux, dont vous auriez reconnu la perfidie.

Ne vous lasserez-vous donc jamais d'être injuſte ? Apprenez-moi du moins quels nouveaux torts ont pu vous porter à tant de sévérité, et ne refusez pas de me diƈter les ordres que vous voulez que je suive ; quand je m'engage à les exécuter, eſt-ce trop prétendre que de demander à les connaître ?

*De … ce 15 Septembre 17**.*

LETTRE LXXVIII

LA PRÉSIDENTE DE TOURVEL AU VICOMTE DE VALMONT

Vous paraissez, Monsieur, surpris de ma conduite, et peu s'en faut même que vous ne m'en demandiez compte, comme ayant le droit de la blâmer. J'avoue que je me serais crue plus autorisée que vous à m'étonner et à me plaindre ; mais depuis le refus contenu dans votre dernière réponse, j'ai pris le parti de me renfermer dans une indifférence qui ne laisse plus lieu ni aux remarques ni aux reproches. Cependant, comme vous me demandez des éclaircissements, et que, grâces au Ciel, je ne sens rien en moi qui puisse m'empêcher de vous les donner ; je veux bien entrer encore une fois en explication avec vous.

Qui lirait vos Lettres, me croirait injuste ou bizarre[a]. Je crois mériter que personne n'ait cette idée de moi ; il me semble surtout que vous étiez moins qu'un autre dans le cas de la prendre. Sans doute, vous avez senti qu'en nécessitant ma justification, vous me forciez à rappeler tout ce qui s'est passé entre nous. Apparemment vous avez cru n'avoir qu'à gagner à cet examen : comme de mon côté, je ne crois pas avoir à y perdre, au moins à vos yeux, je ne crains pas de m'y livrer. Peut-être est-ce, en effet, le seul moyen de connaître qui de nous deux a le droit de se plaindre de l'autre.

À compter, Monsieur, du jour de votre arrivée dans ce château, vous avouerez, je crois, qu'au moins votre réputation m'autorisait à user de quelque réserve avec vous ; et que j'aurais pu, sans craindre d'être taxée d'un excès de pruderie, m'en tenir aux seules expressions de la politesse la plus froide. Vous-même m'eussiez traitée avec indulgence, et vous eussiez trouvé simple qu'une femme aussi peu formée, n'eût pas même le mérite nécessaire pour apprécier le vôtre. C'était sûrement là le parti de la prudence ; et il m'eût d'autant moins coûté à suivre que je ne vous cacherai pas que, quand Mme de Rosemonde vint me faire part de votre arrivée, j'eus besoin de me rappeler mon amitié pour elle, et celle qu'elle a pour vous, pour ne pas lui laisser voir combien cette nouvelle me contrariait.

Je conviens volontiers que vous vous êtes montré d'abord sous un aspect plus favorable que je ne l'avais imaginé ; mais vous conviendrez à votre tour qu'il a bien peu duré, et que vous vous êtes bientôt lassé d'une contrainte, dont apparemment vous ne vous êtes pas cru suffisamment dédommagé par l'idée avantageuse qu'elle m'avait fait prendre de vous.

C'est alors qu'abusant de ma bonne foi, de ma sécurité, vous n'avez pas craint de m'entretenir d'un sentiment dont vous ne pouviez pas douter que je ne me trouvasse offensée ; et moi, tandis que vous ne vous occupiez qu'à aggraver vos torts en les multipliant, je cherchais un motif pour les oublier, en vous offrant l'occasion de les réparer, au moins en partie. Ma demande était si juste, que vous-même ne crûtes pas devoir vous y refuser : mais vous faisant un droit de mon indulgence, vous en profitâtes pour me demander une permission que, sans doute, je n'aurais pas dû accorder, et que pourtant vous avez obtenue. Des conditions qui y furent mises, vous n'en avez tenu aucune ; et votre correspondance a été telle, que chacune de vos Lettres me faisait un devoir de ne plus vous répondre. C'est dans le moment même où votre obstination me forçait à vous éloigner de moi, que, par une condescendance peut-être blâmable, j'ai tenté le seul moyen qui pouvait me permettre de vous en rapprocher : mais de quel prix est à vos yeux un sentiment honnête ? Vous méprisez l'amitié ; et dans votre folle ivresse, comptant pour rien les malheurs et la honte, vous ne cherchez que des plaisirs et des victimes.

Aussi léger dans vos démarches qu'inconséquent dans vos reproches, vous oubliez vos promesses, ou plutôt vous vous faites un jeu de les violer, et après avoir consenti à vous éloigner de moi, vous revenez ici sans y être rappelé ; sans égard pour mes prières, pour mes raisons : sans avoir même l'attention de m'en prévenir. Vous n'avez pas craint de m'exposer à une surprise dont l'effet, quoique bien simple assurément, aurait pu être interprété défavorablement pour moi, par les personnes qui nous entouraient. Ce moment d'embarras que vous aviez fait naître, loin de chercher à en distraire, ou à le dissiper, vous avez paru mettre tous vos soins à l'augmenter encore. À table, vous choisissez précisément votre place à côté de la mienne : une légère indisposition me force d'en sortir avant les autres ; et au lieu de respecter ma solitude, vous engagez tout le monde à venir la troubler. Rentrée au salon, si je fais un pas, je vous trouve à côté de moi ; si je dis une parole, c'est toujours vous qui me répondez. Le mot le plus indifférent vous sert de prétexte pour ramener une conversation que je ne voulais pas entendre, qui pouvait même me compromettre ; car enfin, Monsieur, quelque adresse que vous y mettiez, ce que je comprends, je crois que les autres peuvent aussi le comprendre.

Forcée ainsi par vous à l'immobilité et au silence, vous n'en continuez pas moins de me poursuivre[1] ; je ne puis lever les yeux sans rencontrer les vôtres. Je suis sans cesse obligée de détourner mes regards ; et par une inconséquence bien incompréhensible, vous fixez sur moi ceux du cercle, dans un moment où j'aurais voulu pouvoir même me dérober aux miens.

Et vous vous plaignez de mes procédés ! Et vous vous étonnez de mon empressement à vous fuir ! Ah ! blâmez-moi plutôt de mon indulgence, étonnez-vous que je ne sois pas partie au moment de votre arrivée. Je l'aurais dû peut-être, et vous me forcerez à ce parti violent mais nécessaire, si vous ne cessez enfin des poursuites offensantes[b]. Non, je n'oublie point, je n'oublierai jamais ce que je me dois, ce que je dois à des nœuds que j'ai formés[2], que je respecte et que je chéris ; et je vous prie de croire que, si jamais je me trouvais réduite à ce choix malheureux, de les sacrifier ou de me sacrifier moi-même, je ne balancerais pas un instant. Adieu, Monsieur.

*De … ce 16 Septembre 17***[3].

LETTRE LXXIX

LE VICOMTE DE VALMONT
À LA MARQUISE DE MERTEUIL

Je comptais aller à la chasse ce matin ; mais il fait un temps détestable. Je n'ai pour toute lecture qu'un Roman nouveau, qui ennuierait même une Pensionnaire. On déjeunera au plus tôt dans deux heures : ainsi, malgré ma longue Lettre d'hier, je vais encore causer avec vous. Je suis bien sûr de ne pas vous ennuyer, car je vous parlerai *du très joli Prévan.* Comment n'avez-vous pas su sa fameuse aventure, celle qui a séparé les *inséparables*[1] ? Je parie que vous vous la rappellerez au premier mot. La voici pourtant, puisque vous la désirez.

Vous vous souvenez que tout Paris s'étonnait que trois femmes, toutes trois jolies, ayant toutes trois les mêmes talents, et pouvant avoir les mêmes prétentions, restassent intimement liées entre elles depuis le moment de leur entrée dans le monde. On crut d'abord en trouver la raison dans leur extrême timidité : mais bientôt, entourées d'une cour nombreuse dont elles partageaient les hommages, et éclairées sur leur valeur par l'empressement et les soins dont elles étaient l'objet, leur union n'en devint pourtant que plus forte ; et l'on eût dit que le triomphe de l'une était toujours celui des deux autres. On espérait au moins que le moment de l'amour amènerait quelque rivalité. Nos agréables[2] se disputaient l'honneur d'être la pomme de discorde ; et moi-même, je me serais mis alors sur les rangs, si la grande faveur où la Comtesse de … s'éleva dans ce même temps, m'eût permis de lui être infidèle avant d'avoir obtenu l'agrément que je demandais.

Cependant nos trois Beautés, dans le même carnaval, firent leur choix comme de concert ; et loin qu'il excitât les orages qu'on s'en était promis, il ne fit que rendre leur amitié plus intéressante, par le charme des confidences.

La foule des prétendants malheureux se joignit alors à celle des femmes jalouses, et la scandaleuse constance fut soumise à la censure publique. Les uns prétendaient que dans cette société *des inséparables* (ainsi la nomma-t-on alors), la Loi fondamentale était la communauté de biens, et que l'amour même y était soumis ; d'autres assuraient que les trois Amants, exempts de rivaux, ne l'étaient pas de rivales[3] : on alla même jusqu'à dire qu'ils n'avaient été admis que par décence, et n'avaient obtenu qu'un titre sans fonction.

Ces bruits, vrais ou faux, n'eurent pas l'effet qu'on s'en était promis. Les trois couples, au contraire, sentirent qu'ils étaient perdus, s'ils se séparaient dans ce moment ; ils prirent le parti de faire tête[4] à l'orage. Le public, qui se lasse de tout, se lassa bientôt d'une satire infructueuse. Emporté par sa légèreté naturelle, il s'occupa d'autres objets : puis, revenant à celui-ci avec son inconséquence ordinaire, il changea la critique en éloge. Comme ici tout est de mode, l'enthousiasme gagna ; il devenait un vrai délire, lorsque Prévan entreprit de vérifier ces prodiges, et de fixer sur eux l'opinion publique et la sienne.

Il rechercha donc ces modèles de perfection. Admis facilement dans leur société, il en tira un favorable augure. Il savait assez que les gens heureux, ne sont pas d'un accès si facile. Il vit bientôt, en effet, que ce bonheur si vanté était, comme celui des Rois, plus envié que désirable. Il remarqua que, parmi ces prétendus inséparables, on commençait à rechercher les plaisirs du dehors, qu'on s'y occupait même de distraction ; et il en conclut que les liens d'amour ou d'amitié étaient déjà relâchés ou rompus, et que ceux de l'amour-propre et de l'habitude conservaient seuls quelque force.

Cependant les femmes, que le besoin rassemblait, conservaient entre elles l'apparence de la même intimité : mais les hommes, plus libres dans leurs démarches, retrouvaient des devoirs à remplir, ou des affaires à suivre ; ils s'en plaignaient encore, mais ne s'en dispensaient plus, et rarement les soirées étaient complètes.

Cette conduite de leur part fut profitable à l'assidu Prévan, qui, placé naturellement auprès de la délaissée du jour, trouvait à offrir alternativement, et selon les circonstances, le même hommage aux trois amies. Il sentit facilement que faire un choix entre elles, c'était se perdre : que la fausse honte de se trouver la première infidèle, effaroucherait la préférée ; que la vanité blessée des deux autres, les rendrait ennemies du nouvel Amant, et qu'elles ne manqueraient pas de déployer contre lui la sévérité des grands principes ; enfin, que la jalousie ramènerait à coup sûr les soins d'un rival qui pouvait être encore à craindre. Tout fût devenu obstacle ; tout devenait facile dans son triple projet ; chaque femme était indulgente, parce qu'elle y était intéressée ; chaque homme, parce qu'il croyait ne pas l'être.

Prévan, qui n'avait alors qu'une seule femme à sacrifier, fut assez heureux pour qu'elle prît de la célébrité. Sa qualité d'étrangère, et l'hommage d'un grand Prince assez adroitement refusé, avaient fixé sur elle l'attention de la Cour et de la Ville[5] : son Amant en partageait l'honneur, et en profita auprès de ses nouvelles Maîtresses. La seule difficulté était de mener de front ces trois intrigues, dont la marche devait forcément se régler sur la plus tardive ; en effet, je tiens d'un de ses confidents, que sa plus grande peine fut d'en arrêter une, qui se trouva prête à éclore près de quinze jours avant les autres.

Enfin, le grand jour arriva. Prévan, qui avait obtenu les trois aveux, se trouvait déjà maître des démarches, et les régla comme vous allez voir. Des trois maris, l'un était absent, l'autre partait le lendemain au point du jour, le troisième était à la Ville. Les inséparables amies devaient souper chez la veuve future; mais le nouveau Maître n'avait pas permis que les anciens Serviteurs y fussent invités. Le matin même de ce jour, il fait trois lots des Lettres de sa Belle; il accompagne l'un du portrait qu'il avait reçu d'elle, le second d'un chiffre amoureux qu'elle-même avait peint, le troisième d'une boucle de ses cheveux; chacune reçut pour complet ce tiers de sacrifice, et consentit, en échange, à envoyer à l'Amant disgracié, une Lettre éclatante de rupture.

C'était beaucoup; ce n'était pas assez[6]. Celle dont le mari était à la Ville ne pouvait disposer que de la journée; il fut convenu qu'une feinte indisposition la dispenserait d'aller souper chez son amie, et que la soirée serait toute à Prévan: la nuit fut accordée par celle dont le mari était absent: et le point du jour, moment du départ du troisième époux, fut marqué par la dernière, pour l'heure du Berger[7].

Prévan qui ne néglige rien, court ensuite chez la belle étrangère, y porte et y fait naître l'humeur dont il avait besoin, et n'en sort qu'après avoir établi une querelle qui lui assure vingt-quatre heures de liberté. Ses dispositions ainsi faites, il rentra chez lui, comptant prendre quelque repos; d'autres affaires l'y attendaient.

Les Lettres de rupture avaient été un coup de lumière[8] pour les Amants disgraciés: chacun d'eux ne pouvait douter qu'il n'eût été sacrifié à Prévan; et le dépit d'avoir été joué, se joignant à l'humeur que donne presque toujours la petite humiliation d'être quitté, tous trois, sans se communiquer, mais comme de concert, avaient résolu d'en avoir raison, et pris le parti de la demander à leur fortuné rival.

Celui-ci trouva donc chez lui les trois cartels[9]; ils les accepta loyalement: mais ne voulant perdre ni les plaisirs, ni l'éclat de cette aventure, il fixa les rendez-vous au lendemain matin, et les assigna tous les trois au même lieu et à la même heure. Ce fut à une des portes du bois de Boulogne.

Le soir venu, il courut sa triple carrière avec un succès égal ; au moins s'est-il vanté depuis, que chacune de ses nouvelles Maîtresses avait reçu trois fois le gage et le serment de son amour[10]. Ici, comme vous le jugez bien, les preuves manquent à l'histoire ; tout ce que peut faire l'Historien impartial, c'est de faire remarquer au Lecteur incrédule, que la vanité et l'imagination exaltées peuvent enfanter des prodiges ; et de plus, que la matinée qui devait suivre une si brillante nuit, paraissait devoir en dispenser le Héros de tout ménagement pour l'avenir. Quoi qu'il en soit, les faits suivants ont plus de certitude.

Prévan se rendit exactement au rendez-vous qu'il avait indiqué ; il y trouva ses trois rivaux, un peu surpris de leur rencontre, et peut-être chacun d'eux déjà consolé en partie, en se voyant des compagnons d'infortune. Il les aborda d'un air affable et cavalier[11], et leur tint ce discours, qu'on m'a rendu fidèlement :

« Messieurs, leur dit-il, en vous trouvant rassemblés ici, vous avez deviné, sans doute, que vous aviez tous trois le même sujet de plainte contre moi. Je suis prêt à vous rendre raison. Que le sort décide, entre vous, qui des trois tentera le premier une vengeance à laquelle vous avez tous un droit égal. Je n'ai amené ici ni second ni témoins. Je n'en ai point pris pour l'offense ; je n'en demande point pour la réparation. » Puis cédant à son caractère joueur : « Je sais, ajouta-t-il, qu'on gagne rarement *le sept et le va*[12] ; mais quel que soit le sort qui m'attend, on a toujours assez vécu, quand on a eu le temps d'acquérir l'amour des femmes et l'estime des hommes. »

Pendant que ses adversaires étonnés se regardaient en silence, et que leur délicatesse calculait peut-être que ce triple combat ne laissait pas la partie égale, Prévan reprit la parole : « Je ne vous cache pas, continua-t-il donc, que la nuit que je viens de passer m'a cruellement fatigué. Il serait généreux à vous de me permettre de réparer mes forces. J'ai donné mes ordres pour qu'on tînt ici un déjeuner prêt ; faites-moi l'honneur de l'accepter. Déjeunons ensemble, et surtout déjeunons gaiement. On peut se battre pour de semblables bagatelles ; mais elles ne doivent pas, je crois, altérer notre humeur. »

Le déjeuner fut accepté. Jamais, dit-on, Prévan ne fut plus aimable. Il eut l'adresse de n'humilier aucun de ses rivaux ; de leur persuader que tous eussent eu facilement les mêmes succès, et surtout de les faire convenir qu'ils n'en eussent pas plus que lui laissé échapper l'occasion. Ces faits une fois avoués, tout s'arrangeait de soi-même. Aussi le déjeuner n'était-il pas fini, qu'on y avait déjà répété dix fois que de pareilles femmes ne méritaient pas que d'honnêtes gens se battissent pour elles. Cette idée amena la cordialité ; le vin la fortifia si bien que, peu de moments après, ce ne fut pas assez de n'avoir plus de rancune, on se jura amitié sans réserve.

Prévan, qui sans doute aimait bien autant ce dénouement que l'autre, ne voulait pourtant y rien perdre de sa célébrité. En conséquence, pliant adroitement ses projets aux circonstances : « En effet, dit-il aux trois offensés, ce n'est pas de moi, mais de vos infidèles Maîtresses que vous avez à vous venger. Je vous en offre l'occasion. Déjà je ressens, comme vous-mêmes, une injure que bientôt je partagerais : car si chacun de vous n'a pu parvenir à en fixer une seule, puis-je espérer de les fixer toutes trois ? Votre querelle devient la mienne. Acceptez pour ce soir, un souper dans ma petite maison, et j'espère ne pas différer plus longtemps votre vengeance. » On voulut le faire expliquer : mais lui, avec ce ton de supériorité que la circonstance l'autorisait à prendre : « Messieurs, répondit-il, je crois vous avoir prouvé que j'avais quelqu'esprit de conduite ; reposez-vous sur moi. » Tous consentirent ; et après avoir embrassé leur nouvel ami, ils se séparèrent jusqu'au soir, en attendant l'effet de ses promesses.

Celui-ci, sans perdre de temps, retourne à Paris, et va, suivant l'usage, visiter ses nouvelles conquêtes. Il obtint de toutes trois, qu'elles viendraient le soir même souper *en tête à tête* à sa petite maison. Deux d'entre elles firent bien quelques difficultés ; mais que reste-t-il à refuser le lendemain[13] ? Il donna le rendez-vous à une heure de distance, temps nécessaire à ses projets. Après ces préparatifs, il se retira, fit avertir les trois autres conjurés, et tous quatre allèrent gaiement attendre leurs victimes.

On entend arriver la première. Prévan se présente seul, la reçoit avec l'air de l'empressement, la conduit jusque dans le sanctuaire dont elle se croyait la Divinité ; puis disparaissant sur un léger prétexte, il se fait remplacer aussitôt par l'Amant outragé.

Vous jugez que la confusion d'une femme qui n'a point encore l'usage des aventures, rendait, en ce moment, le triomphe bien facile : tout reproche qui ne fut pas fait, fut compté pour une grâce ; et l'esclave fugitive, livrée de nouveau à son ancien maître, fut trop heureuse de pouvoir espérer son pardon, en reprenant sa première chaîne. Le traité de paix se ratifia dans un lieu plus solitaire ; et la scène, restée vide, fut alternativement remplie par les autres Acteurs, à peu près de la même manière, et surtout avec le même dénouement.

Chacune des femmes pourtant se croyait encore seule en jeu. Leur étonnement et leur embarras augmentèrent, quand au moment du souper, les trois couples se réunirent ; mais la confusion fut au comble, quand Prévan, qui reparut au milieu de tous, eut la cruauté de faire aux trois infidèles des excuses, qui, en livrant leur secret, leur apprenaient entièrement jusqu'à quel point elles avaient été jouées.

Cependant on se mit à table, et peu après la contenance[14] revint ; les hommes se livrèrent, les femmes se soumirent. Tous avaient la haine dans le cœur ; mais les propos n'en étaient pas moins tendres : la gaieté éveilla le désir, qui à son tour lui prêta de nouveaux charmes. Cette étonnante orgie dura jusqu'au matin ; et quand on se sépara, les femmes durent se croire pardonnées : mais les hommes, qui avaient conservé leur ressentiment, firent dès le lendemain une rupture qui n'eut point de retour ; et non contents de quitter leurs légères Maîtresses, ils achevèrent leur vengeance[15], en publiant leur aventure. Depuis ce temps, une d'elles est au Couvent, et les deux autres languissent exilées dans leurs Terres.

Voilà l'hiſtoire de Prévan ; c'eſt à vous de voir si vous voulez ajouter à sa gloire, et vous atteler à son char de triomphe. Votre Lettre m'a vraiment donné de l'inquiétude, et j'attends avec impatience une réponse plus sage et plus claire à la dernière que je vous ai écrite.

Adieu, ma belle amie ; méfiez-vous des idées plaisantes ou bizarres qui vous séduisent toujours trop facilement. Songez que dans la carrière que vous courez, l'esprit ne suffit pas, qu'une seule imprudence y devient un mal sans remède. Souffrez enfin, que la prudente amitié soit quelquefois le guide de vos plaisirs.

Adieu. Je vous aime pourtant comme si vous étiez raisonnable.

*De ... ce 18 Septembre 17**.*

LETTRE LXXX

LE CHEVALIER DANCENY À CÉCILE VOLANGES[1]

Cécile, ma chère Cécile, quand viendra le temps de nous revoir ? qui m'apprendra à vivre loin de vous ? qui m'en donnera la force et le courage ? Jamais, non jamais, je ne pourrai supporter cette fatale absence. Chaque jour ajoute à mon malheur : et n'y point voir de terme ! Valmont qui m'avait promis des secours, des consolations, Valmont me néglige, et peut-être m'oublie. Il eſt auprès de ce qu'il aime ; il ne sait plus ce qu'on souffre quand on en eſt éloigné. En me faisant passer votre dernière Lettre[2], il ne m'a point écrit. C'eſt lui pourtant qui doit m'apprendre quand je pourrai vous voir, et par quel moyen. N'a-t-il donc rien à me dire ? Vous-même, vous ne m'en parlez pas ; serait-ce que vous n'en partagez plus le désir ? Ah ! Cécile, Cécile, je suis bien malheureux. Je vous aime plus que jamais : mais cet amour, qui fait le charme de ma vie, en devient le tourment.

Non, je ne peux plus vivre ainsi, il faut que je vous voie, il le faut, ne fût-ce qu'un moment. Quand je me lève, je me dis : je ne la verrai pas. Je me couche en disant : je ne l'ai point vue. Les journées, si longues, n'ont pas un moment pour le bonheur. Tout est privation, tout est regret, tout est désespoir ; et tous ces maux me viennent d'où j'attendais tous mes plaisirs ! Ajoutez à ces peines mortelles, mon inquiétude sur les vôtres, et vous aurez une idée de ma situation. Je pense à vous sans cesse, et n'y pense jamais sans trouble. Si je vous vois affligée, malheureuse, je souffre de tous vos chagrins ; si je vous vois tranquille et consolée, ce sont les miens qui redoublent. Partout je trouve le malheur.

Ah ! qu'il n'en était pas ainsi, quand vous habitiez les mêmes lieux que moi ! Tout alors était plaisir. La certitude de vous voir embellissait même les moments de l'absence ; le temps qu'il fallait passer loin de vous, m'approchait de vous en s'écoulant. L'emploi que j'en faisais, ne vous était jamais étranger. Si je remplissais des devoirs, ils me rendaient plus digne de vous ; si je cultivais quelque talent, j'espérais vous plaire davantage. Lors même que les distractions du monde m'emportaient loin de vous, je n'en étais point séparé. Au Spectacle, je cherchais à deviner ce qui vous aurait plu ; un concert me rappelait vos talents et nos si douces occupations. Dans le cercle, comme aux promenades, je saisissais la plus légère ressemblance. Je vous comparais à tout ; partout vous aviez l'avantage. Chaque moment du jour était marqué par un hommage nouveau, et chaque soir j'en apportais le tribut à vos pieds.

À présent, que me reste-t-il ? des regrets douloureux, des privations éternelles, et un léger espoir que le silence de Valmont diminue, que le vôtre change en inquiétude. Dix lieues seulement nous séparent[3], et cet espace si facile à franchir, devient pour moi seul un obstacle insurmontable ! et quand, pour m'aider à le vaincre, j'implore mon ami, ma Maîtresse, tous deux restent froids et tranquilles ! Loin de me secourir ils ne me répondent même pas.

Qu'est donc devenue l'amitié active de Valmont ? que sont devenus, surtout, vos sentiments si tendres, et qui vous rendaient si ingénieuse pour trouver les moyens de nous voir tous les jours ? Quelquefois, je m'en souviens, sans cesser d'en avoir le désir, je me trouvais forcé de le sacrifier à des considérations, à des devoirs ; que ne me disiez-vous pas alors ? Par combien de prétextes ne combattiez-vous pas mes raisons ? Et qu'il vous en souvienne, ma Cécile, toujours mes raisons cédaient à vos désirs. Je ne m'en fais point un mérite ; je n'avais pas même celui du sacrifice. Ce que vous désiriez d'obtenir, je brûlais de l'accorder. Mais enfin je demande à mon tour ; et quelle est cette demande ? de vous voir un moment, de vous renouveler, et de recevoir le serment d'un amour éternel. N'est-ce donc plus votre bonheur comme le mien ? Je repousse cette idée désespérante, qui mettrait le comble à mes maux. Vous m'aimez, vous m'aimerez toujours ; je le crois, j'en suis sûr, je ne veux jamais en douter : mais ma situation est affreuse, et je ne puis la soutenir plus longtemps. Adieu, Cécile.

*Paris..., ce 18 Septembre 17**.*

LETTRE LXXXI

LA MARQUISE DE MERTEUIL
AU VICOMTE DE VALMONT[1]

Que vos craintes me causent de pitié ! Combien elles me prouvent ma supériorité sur vous ! et vous voulez m'enseigner, me conduire ? Ah ! mon pauvre Valmont, quelle distance il y a encore de vous à moi ! Non, tout l'orgueil de votre sexe ne suffirait pas pour remplir l'intervalle qui nous sépare. Parce que vous ne pourriez exécuter mes projets, vous les jugez impossibles ! Être orgueilleux et faible, il te sied bien de vouloir calculer mes moyens et juger de mes ressources ! Au vrai, Vicomte, vos conseils m'ont donné de l'humeur, et je ne puis vous le cacher.

Que pour masquer votre incroyable gaucherie auprès de votre Présidente, vous m'étaliez comme un triomphe d'avoir déconcerté un moment cette femme timide et qui vous aime, j'y consens ; d'en avoir obtenu un regard, un seul regard, je souris et vous le passe. Que sentant, malgré vous, le peu de valeur de votre conduite, vous espériez la dérober à mon attention, en me flattant de l'effort sublime de rapprocher deux enfants qui, tous deux, brûlent de se voir, et qui, soit dit en passant, doivent à moi seule l'ardeur de ce désir ; je le veux bien encore. Qu'enfin vous vous autorisiez de ces actions d'éclat, pour me dire d'un ton doctoral[2], qu'*il vaut mieux employer son temps à exécuter ses projets qu'à les raconter* ; cette vanité ne me nuit pas, et je la pardonne. Mais que vous puissiez croire que j'ai besoin de votre prudence, que je m'égarerais en ne déférant pas à vos avis, que je dois leur sacrifier un plaisir, une fantaisie : en vérité, Vicomte, c'est aussi vous trop enorgueillir de la confiance que je veux bien avoir en vous !

Et qu'avez-vous donc fait, que je n'aie surpassé mille fois[3] ? Vous avez séduit, perdu même beaucoup de femmes : mais quelles difficultés avez-vous eues à vaincre ? quels obstacles à surmonter ? où est là le mérite qui soit véritablement à vous ? Une belle figure, pur effet du hasard ; des grâces, que l'usage donne presque toujours ; de l'esprit à la vérité, mais auquel du jargon[4] suppléerait au besoin ; une impudence assez louable, mais peut-être uniquement due à la facilité de vos premiers succès ; si je ne me trompe, voilà tous vos moyens : car pour la célébrité que vous avez pu acquérir, vous n'exigerez pas, je crois, que je compte pour beaucoup l'art de faire naître ou de saisir l'occasion d'un scandale.

Quant à la prudence, à la finesse, je ne parle pas de moi : mais quelle femme n'en aurait pas plus que vous ? Eh ! votre Présidente vous mène comme un enfant.

Croyez-moi, Vicomte, on acquiert rarement les qualités dont on peut se passer. Combattant sans risque, vous devez agir sans précaution. Pour vous autres hommes, les défaites ne sont que des succès de moins. Dans cette partie si inégale, notre fortune est de ne pas perdre, et votre malheur de ne pas gagner[5]. Quand je vous accorderais autant de talents qu'à nous, de combien encore ne devrions-nous pas vous surpasser, par la nécessité où nous sommes d'en faire un continuel usage !

Supposons, j'y consens, que vous mettiez autant d'adresse à nous vaincre, que nous à nous défendre ou à céder, vous conviendrez au moins, qu'elle vous devient inutile après le succès. Uniquement occupé de votre nouveau goût, vous vous y livrez sans crainte, sans réserve : ce n'est pas à vous que sa durée importe !

En effet, ces liens réciproquement donnés et reçus, pour parler le jargon de l'amour, vous seul pouvez, à votre choix, les resserrer ou les rompre : heureuses encore, si dans votre légèreté, préférant le mystère à l'éclat, vous vous contentez d'un abandon humiliant, et ne faites pas de l'idole de la veille la victime du lendemain !

Mais qu'une femme infortunée sente la première le poids de sa chaîne, quels risques n'a-t-elle pas à courir, si elle tente de s'y soustraire, si elle ose seulement la soulever[6] ? Ce n'est qu'en tremblant qu'elle essaie d'éloigner d'elle l'homme que son cœur repousse avec effort. S'obstine-t-il à rester, ce qu'elle accordait à l'amour, il faut le livrer à la crainte.

Ses bras s'ouvrent encor quand son cœur est fermé.

Sa prudence doit dénouer avec adresse, ces mêmes liens que vous auriez rompus. À la merci de son ennemi, elle est sans ressource, s'il est sans générosité : et comment en espérer de lui, lorsque si quelquefois on le loue d'en avoir, jamais pourtant on ne le blâme d'en manquer ?

Sans doute vous ne nierez pas ces vérités que leur évidence a rendu triviales. Si cependant vous m'avez vue, disposant des événements et des opinions, faire de ces hommes si redoutables le jouet de mes caprices ou de mes fantaisies ; ôter aux uns la volonté, aux autres la puissance de me nuire ; si j'ai su tour à tour, et suivant mes goûts mobiles, attacher à ma suite ou rejeter loin de moi,

Ces Tyrans détrônés devenus mes esclaves * ;

si, au milieu de ces révolutions fréquentes, ma réputation s'est pourtant conservée pure ; n'avez-vous pas dû en conclure que, née pour venger mon sexe et maîtriser le vôtre, j'avais su me créer des moyens inconnus jusqu'à moi ?

Ah ! gardez vos conseils et vos craintes pour ces femmes à délire, et qui se disent *à sentiment*[a] ; dont l'imagination exaltée ferait croire que la nature a placé leurs sens dans leur tête ; qui n'ayant jamais réfléchi, confondent sans cesse l'amour et l'Amant ; qui, dans leur folle illusion, croient que celui-là seul avec qui elles ont cherché le plaisir, en est l'unique dépositaire ; et vraies superstitieuses, ont pour le Prêtre, le respect et la foi qui n'est dû qu'à la Divinité[8].

Craignez encore pour celles qui, plus vaines que prudentes, ne savent pas au besoin consentir à se faire quitter.

Tremblez surtout pour ces femmes actives dans leur oisiveté, que vous nommez *sensibles*, et dont l'amour

* On ne sait si ce vers, ainsi que celui qui se trouve plus haut, *Ses bras s'ouvrent encor quand son cœur est fermé*, sont des citations d'Ouvrages peu connus ; ou s'ils font partie de la prose de Mme de Merteuil[7]. Ce qui le ferait croire, c'est la multitude de fautes de ce genre qui se trouvent dans toutes les Lettres de cette correspondance. Celles du Chevalier Danceny sont les seules qui en soient exemptes : peut-être que comme il s'occupait quelquefois de Poésie, son oreille plus exercée lui faisait éviter plus facilement ce défaut.

s'empare si facilement et avec tant de puissance; qui sentent le besoin de s'en occuper encore, même lorsqu'elles n'en jouissent pas; et s'abandonnant sans réserve à la fermentation[9] de leurs idées, enfantent par elles ces Lettres si douces, mais si dangereuses à écrire; et ne craignent pas de confier ces preuves de leur faiblesse à l'objet qui les cause: imprudentes, qui dans leur Amant actuel ne savent pas voir leur ennemi futur.

Mais moi, qu'ai-je de commun avec ces femmes inconsidérées? quand m'avez-vous vue m'écarter des règles que je me suis prescrites, et manquer à mes principes? je dis mes principes, et je le dis à dessein: car ils ne sont pas, comme ceux des autres femmes, donnés au hasard, reçus sans examen et suivis par habitude; ils sont le fruit de mes profondes réflexions; je les ai créés, et je puis dire que je suis mon ouvrage[10].

Entrée dans le monde dans le temps où fille encore, j'étais vouée par état au silence et à l'inaction, j'ai su en profiter pour observer et réfléchir[11]. Tandis qu'on me croyait étourdie ou distraite, écoutant peu à la vérité les discours qu'on s'empressait à me tenir, je recueillais avec soin ceux qu'on cherchait à me cacher.

Cette utile curiosité, en servant à m'instruire, m'apprit encore à dissimuler, forcée souvent de cacher les objets de mon attention aux yeux de ceux qui m'entouraient, j'essayai de guider les miens à mon gré; j'obtins dès lors de prendre à volonté ce regard distrait que vous avez loué si souvent. Encouragée par ce premier succès, je tâchai de régler de même les divers mouvements de ma figure. Ressentais-je quelque chagrin, je m'étudiais à prendre l'air de la sérénité, même celui de la joie; j'ai porté le zèle jusqu'à me causer des douleurs volontaires, pour chercher pendant ce temps l'expression du plaisir. Je me suis travaillée avec le même soin et plus de peine, pour réprimer les symptômes d'une joie inattendue. C'est ainsi que j'ai su prendre sur ma physionomie, cette puissance dont je vous ai vu quelquefois si étonné[12].

J'étais bien jeune encore, et presque sans intérêt[13]: mais je n'avais à moi que ma pensée, et je m'indignais qu'on pût me la ravir ou me la surprendre contre ma volonté. Munie de ces premières armes, j'en essayai l'usage[b] : non contente de ne plus me laisser pénétrer, je m'amusais à me montrer sous des formes différentes ; sûre de mes gestes, j'observais mes discours ; je réglais les uns et les autres, suivant les circonstances, ou même suivant mes fantaisies : dès ce moment, ma façon de penser fut pour moi seule, et je ne montrai plus que celle qu'il m'était utile de laisser voir.

Ce travail sur moi-même avait fixé mon attention sur l'expression des figures et le caractère des physionomies ; et j'y gagnai ce coup d'œil pénétrant, auquel l'expérience m'a pourtant appris à ne pas me fier entièrement ; mais qui, en tout, m'a rarement trompée.

Je n'avais pas quinze ans, je possédais déjà les talents auxquels la plus grande partie de nos Politiques doivent leur réputation, et je ne me trouvais encore qu'aux premiers éléments de la science que je voulais acquérir.

Vous jugez bien que, comme toutes les jeunes filles, je cherchais à deviner l'amour et ses plaisirs : mais n'ayant jamais été au Couvent, n'ayant point de bonne amie, et surveillée par une mère vigilante, je n'avais que des idées vagues, et que je ne pouvais fixer ; la nature même, dont assurément je n'ai eu qu'à me louer depuis, ne me donnait encore aucun indice. On eût dit qu'elle travaillait en silence à perfectionner son ouvrage. Ma tête seule fermentait ; je ne désirais pas de jouir, je voulais savoir[14] ; le désir de m'instruire m'en suggéra les moyens.

Je sentis que le seul homme avec qui je pouvais parler sur cet objet sans me compromettre, était mon Confesseur. Aussitôt je pris mon parti ; je surmontai ma petite honte ; et me vantant d'une faute que je n'avais pas commise, je m'accusai d'avoir fait *tout ce que font les femmes.* Ce fut mon expression ; mais en parlant ainsi, je ne savais, en vérité, quelle idée j'exprimais. Mon espoir ne fut ni tout à fait trompé, ni entièrement rempli ; la crainte de me trahir m'empêchait de m'éclairer : mais le bon Père me fit le mal si grand, que j'en conclus que le plaisir devait être extrême ; et au désir de le connaître, succéda celui de le goûter.

Je ne sais où ce désir m'aurait conduite ; et alors dénuée d'expérience, peut-être une seule occasion m'eût perdue : heureusement pour moi, ma mère m'annonça peu de jours après que j'allais me marier ; sur-le-champ la certitude de savoir éteignit ma curiosité, et j'arrivai vierge entre les bras de M. de Merteuil.

J'attendais avec sécurité le moment qui devait m'instruire, et j'eus besoin de réflexion pour montrer de l'embarras et de la crainte. Cette première nuit, dont on se fait pour l'ordinaire une idée si cruelle ou si douce, ne me présentait qu'une occasion d'expérience : douleur et plaisir, j'observai tout exactement, et ne voyais, dans ces diverses sensations, que des faits à recueillir et à méditer[15].

Ce genre d'étude parvint bientôt à me plaire : mais fidèle à mes principes, et sentant, peut-être par instinct, que nul ne devait être plus loin de ma confiance que mon mari, je résolus, par cela seul que j'étais sensible, de me montrer impassible à ses yeux. Cette froideur apparente fut par la suite le fondement inébranlable de son aveugle confiance : j'y joignis, par une seconde réflexion, l'air d'étourderie qu'autorisait mon âge, et jamais il ne me jugea plus enfant, que dans les moments où je le jouais[16] avec plus d'audace.

Cependant, je l'avouerai, je me laissai d'abord entraîner par le tourbillon du monde[17], et me livrai tout entière à ses distractions futiles. Mais au bout de quelques mois, M. de Merteuil m'ayant menée à sa triste campagne, la crainte de l'ennui fit revenir le goût de l'étude ; et ne m'y trouvant entourée que de gens dont la distance avec moi me mettait à l'abri de tout soupçon, j'en profitai pour donner un champ plus vaste à mes expériences[18]. Ce fut là, surtout, que je m'assurai que l'amour, que l'on nous vante comme la cause de nos plaisirs, n'en est au plus que le prétexte.

La maladie de M. de Merteuil vint interrompre de si douces occupations ; il fallut le suivre à la Ville où il venait chercher des secours. Il mourut, comme vous savez, peu de temps après ; et quoiqu'à[d] tout prendre, je n'eusse pas à me plaindre de lui, je n'en sentis pas moins vivement le prix de la liberté qu'allait me donner mon veuvage, et je me promis bien d'en profiter.

Ma mère comptait que j'entrerais au Couvent, ou reviendrais vivre avec elle. Je refusai l'un et l'autre parti ; et tout ce que j'accordai à la décence, fut de retourner dans cette même campagne, où il me restait bien encore quelques observations à faire.

Je les fortifiai par le secours de la lecture[19] : mais ne croyez pas qu'elle fût toute du genre que vous la supposez. J'étudiai nos mœurs dans les Romans ; nos opinions dans les Philosophes ; je cherchai même dans les Moralistes les plus sévères ce qu'ils exigeaient de nous, et je m'assurai ainsi de ce qu'on pouvait faire, de ce qu'on devait penser, et de ce qu'il fallait paraître. Une fois fixée sur ces trois objets, le dernier seul présentait quelques difficultés dans son exécution ; j'espérai les vaincre, et j'en méditai les moyens.

Je commençais à m'ennuyer de mes plaisirs rustiques, trop peu variés pour ma tête active ; je sentais un besoin de coquetterie qui me raccommoda avec l'amour ; non pour le ressentir, à la vérité, mais pour l'inspirer et le feindre. En vain m'avait-on dit, et avais-je lu qu'on ne pouvait feindre ce sentiment ; je voyais pourtant que, pour y parvenir, il suffisait de joindre à l'esprit d'un Auteur, le talent d'un Comédien. Je m'exerçai dans les deux genres, et peut-être avec quelque succès : mais au lieu de rechercher les vains applaudissements du Théâtre, je résolus d'employer à mon bonheur, ce que tant d'autres sacrifiaient à la vanité.

Un an se passa dans ces occupations différentes. Mon deuil me permettant alors de reparaître, je revins à la Ville avec mes grands projets ; je ne m'attendais pas au premier obstacle que j'y rencontrai.

Cette longue solitude, cette austère retraite, avaient jeté sur moi un vernis de pruderie qui effrayait nos plus agréables[20] : ils se tenaient à l'écart, et me laissaient livrée à une foule d'ennuyeux, qui tous prétendaient à ma main. L'embarras n'était pas de les refuser ; mais plusieurs de ces refus déplaisaient à ma famille ; et je perdais dans ces tracasseries intérieures[21], le temps dont je m'étais promis un si charmant usage. Je fus donc obligée, pour rappeler les uns et éloigner les autres, d'afficher quelques inconséquences, et d'employer à nuire à ma réputation, le soin que je comptais mettre à la conserver. Je réussis facilement, comme vous pouvez croire. Mais n'étant emportée par aucune passion, je ne fis que ce que je jugeai nécessaire, et mesurai avec prudence les doses de mon étourderie.

Dès que j'eus touché le but que je voulais atteindre, je revins sur mes pas, et fis honneur de mon amendement à quelques-unes de ces femmes, qui dans l'impuissance d'avoir des prétentions à l'agrément, se rejettent sur celles du mérite et de la vertu. Ce fut un coup de partie[22] qui me valut plus que je n'avais espéré. Ces reconnaissantes Duègnes s'établirent mes apologistes ; et leur zèle aveugle pour ce qu'elles appelaient leur ouvrage, fut porté au point qu'au moindre propos qu'on se permettait sur moi, tout le parti Prude criait au scandale et à l'injure[23]. Le même moyen me valut encore le suffrage de nos femmes à prétentions, qui, persuadées que je renonçais à courir la même carrière qu'elles, me choisirent pour l'objet de leurs éloges, toutes les fois qu'elles voulaient prouver qu'elles ne médisaient pas de tout le monde.

Cependant ma conduite précédente avait ramené les Amants ; et pour me ménager entre eux et mes fidèles protectrices, je me montrai comme une femme sensible, mais difficile, à qui l'excès de sa délicatesse fournissait des armes contre l'amour.

Alors je commençai à déployer sur le grand Théâtre, les talents que je m'étais donnés. Mon premier soin fut d'acquérir le renom d'invincible. Pour y parvenir, les hommes qui ne me plaisaient point furent toujours les seuls dont j'eus l'air d'accepter les hommages. Je les employais utilement à me procurer les honneurs de la résistance, tandis que je me livrais sans crainte à l'Amant préféré. Mais, celui-là, ma feinte timidité ne lui a jamais permis de me suivre dans le monde ; et les regards du cercle ont été, ainsi, toujours fixés sur l'Amant malheureux.

Vous savez combien je me décide vite : c'est pour avoir observé que ce sont presque toujours les soins antérieurs qui livrent le secret des femmes. Quoi qu'on puisse faire, le ton n'est jamais le même, avant ou après le succès. Cette différence n'échappe point à l'observateur attentif ; et j'ai trouvé moins dangereux de me tromper dans le choix, que de le laisser pénétrer. Je gagne encore par là d'ôter les vraisemblances, sur lesquelles seules on peut nous juger.

Ces précautions et celle de ne jamais écrire, de ne livrer jamais aucune preuve de ma défaite, pouvaient paraître excessives, et ne m'ont jamais paru suffisantes. Descendue dans mon cœur, j'y ai étudié celui des autres. J'y ai vu qu'il n'est personne qui n'y conserve un secret[24] qu'il lui importe qui ne soit point dévoilé : vérité que l'Antiquité paraît avoir mieux connue que nous, et dont l'histoire de Samson pourrait n'être qu'un ingénieux emblème. Nouvelle Dalila, j'ai toujours, comme elle, employé ma puissance à surprendre ce secret important. Hé ! de combien de nos Samson modernes, ne tiens-je pas la chevelure sous le ciseau[25] ! Et ceux-là, j'ai cessé de les craindre : ce sont les seuls que je me sois permis d'humilier quelquefois. Plus souple avec les autres, l'art de les rendre infidèles pour éviter de leur paraître volage, une feinte amitié, une apparente confiance, quelques procédés généreux, l'idée flatteuse et que chacun conserve d'avoir été mon seul Amant, m'ont obtenu leur discrétion. Enfin, quand ces moyens m'ont manqué, j'ai su, prévoyant mes ruptures, étouffer d'avance, sous le ridicule ou la calomnie, la confiance que ces hommes dangereux auraient pu obtenir.

Ce que je vous dis là, vous me le voyez pratiquer sans cesse ; et vous doutez de ma prudence ! Hé bien ! rappelez-vous le temps où vous me rendîtes vos premiers soins : jamais hommage ne me flatta autant ; je vous désirais avant de vous avoir vu. Séduite par votre réputation, il me semblait que vous manquiez à ma gloire ; je brûlais de vous combattre corps à corps.

C'eſt le seul de mes goûts qui ait jamais pris un moment d'empire sur moi. Cependant, si vous eussiez voulu me perdre, quels moyens eussiez-vous trouvés ? de vains discours qui ne laissent aucune trace après eux, que votre réputation même eût aidé à rendre suspects, et une suite de faits sans vraisemblance, dont le récit sincère aurait eu l'air d'un Roman mal tissu[26]. À la vérité, je vous ai depuis livré tous mes secrets : mais vous savez quels intérêts nous unissent, et si de nous deux, c'eſt moi qu'on doit taxer d'imprudence*.

Puisque je suis en train de vous rendre compte, je veux le faire exactement. Je vous entends d'ici me dire que je suis au moins à la merci de ma Femme de chambre ; en effet, si elle n'a pas le secret de mes sentiments, elle a celui de mes actions. Quand vous m'en parlâtes jadis, je vous répondis seulement que j'étais sûre d'elle ; et la preuve que cette réponse suffit alors à votre tranquillité, c'eſt que vous lui avez confié depuis, et pour votre compte, des secrets assez dangereux. Mais à présent que Prévan vous donne de l'ombrage, et que la tête vous en tourne, je me doute bien que vous ne me croyez plus sur ma parole. Il faut donc vous édifier.

Premièrement, cette fille eſt ma sœur de lait, et ce lien qui ne nous en paraît pas un, n'eſt pas sans force pour les gens de cet état[27] : de plus, j'ai son secret, et mieux encore ; victime d'une folie de l'amour, elle était perdue si je ne l'eusse sauvée. Ses parents, tout hérissés d'honneur[28], ne voulaient pas moins que la faire enfermer. Ils s'adressèrent à moi. Je vis d'un coup d'œil, combien leur courroux pouvait m'être utile. Je le secondai, et sollicitai l'ordre[29], que j'obtins. Puis, passant tout à coup au parti de la clémence auquel j'amenai ses parents, et profitant de mon crédit auprès du vieux Miniſtre[30], je les fis tous consentir à me laisser dépositaire de cet ordre, et maîtresse d'en arrêter ou demander l'exécution, suivant que je jugerais du

* On saura dans la suite, Lettre CLII, non pas le secret de M. de Valmont, mais à peu près de quel genre il était ; et le Lecteur sentira qu'on n'a pas pu l'éclaircir davantage sur cet objet.

mérite de la conduite future de cette fille. Elle sait donc que j'ai son sort entre les mains ; et quand, par impossible, ces moyens puissants ne l'arrêteraient point, n'est-il pas évident que sa conduite dévoilée et sa punition authentique[31] ôteraient bientôt toute créance à ses discours[e] !

À ces précautions que j'appelle fondamentales, s'en joignent mille autres, ou locales, ou d'occasion, que la réflexion et l'habitude font trouver au besoin ; dont le détail serait minutieux[32], mais dont la pratique est importante, et qu'il faut vous donner la peine de recueillir dans l'ensemble de ma conduite, si vous voulez parvenir à les connaître.

Mais de prétendre que je me sois donné tant de soins pour n'en pas retirer de fruits ; qu'après m'être autant élevée au-dessus des autres femmes par mes travaux pénibles, je consente à ramper comme elles dans ma marche, entre l'imprudence et la timidité ; que surtout je puisse redouter un homme au point de ne plus voir mon salut que dans la fuite ? Non, Vicomte, jamais. Il faut vaincre ou périr[33]. Quant à Prévan, je veux l'avoir, et je l'aurai ; il veut le dire, et il ne le dira pas : en deux mots, voilà notre Roman. Adieu.

*De ... ce 20 Septembre 17**.*

LETTRE LXXXII

CÉCILE VOLANGES
AU CHEVALIER DANCENY

Mon Dieu, que votre Lettre m'a fait de peine ! J'avais bien besoin d'avoir tant d'impatience de la recevoir ! J'espérais y trouver de la consolation, et voilà que je suis plus affligée qu'avant de l'avoir reçue.

J'ai bien pleuré en la lisant : ce n'eſt pas cela que je vous reproche ; j'ai déjà bien pleuré des fois à cause de vous, sans que ça me fasse de la peine. Mais cette fois-ci, ce n'eſt pas la même chose.

Qu'eſt-ce donc que vous voulez dire, que votre amour devient un tourment pour vous, que vous ne pouvez plus vivre ainsi, ni soutenir plus longtemps votre situation ? Eſt-ce que vous allez cesser de m'aimer, parce que cela n'eſt pas si agréable qu'autrefois ? Il me semble que je ne suis pas plus heureuse que vous, bien au contraire ; et pourtant je ne vous en aime que davantage. Si M. de Valmont ne vous a pas écrit, ce n'eſt pas ma faute, je n'ai pas pu l'en prier, parce que je n'ai pas été seule avec lui, et que nous sommes convenus que nous ne nous parlerions jamais devant le monde : et ça, c'eſt encore pour vous ; afin qu'il puisse faire plus tôt ce que vous désirez. Je ne dis pas que je ne le désire pas aussi, et vous devez en être bien sûr : mais comment voulez-vous que je fasse ? Si vous croyez que c'eſt si facile, trouvez donc le moyen, je ne demande pas mieux.

Croyez-vous qu'il me soit bien agréable d'être grondée tous les jours par Maman, elle qui auparavant ne me disait jamais rien ; bien au contraire ? À présent, c'eſt pis que si j'étais au Couvent. Je m'en consolais pourtant, en songeant que c'était pour vous ; il y avait même des moments où je trouvais que j'en étais bien aise ; mais quand je vois que vous êtes fâché aussi, et ça sans qu'il y ait du tout de ma faute, je deviens plus chagrine que pour tout ce qui vient de m'arriver jusqu'ici.

Rien que pour recevoir vos Lettres, c'eſt un embarras, que si M. de Valmont n'était pas aussi complaisant et aussi adroit qu'il l'eſt, je ne saurais comment faire ; et pour vous écrire, c'eſt plus difficile encore. De toute la matinée, je n'ose pas, parce que Maman eſt tout près de moi, et qu'elle vient à tout moment dans ma chambre. Quelquefois je le peux l'après-midi, sous prétexte de chanter ou de jouer de la harpe ; encore faut-il que j'interrompe à chaque ligne pour qu'on entende que j'étudie. Heureusement ma Femme de chambre s'endort quelquefois le soir, et je lui dis que je me coucherai bien toute seule, afin qu'elle s'en aille et me laisse de la lumière. Et puis, il faut que je me mette sous mon rideau, pour qu'on ne puisse pas voir de clarté, et puis que j'écoute au moindre bruit, pour pouvoir tout cacher dans mon lit, si on venait. Je voudrais que vous y fussiez pour voir ! Vous verriez bien qu'il faut bien aimer pour faire ça. Enfin, il est bien vrai que je fais tout ce que je peux, et que je voudrais en pouvoir faire davantage.

Assurément, je ne refuse pas de vous dire que je vous aime, et que je vous aimerai toujours ; jamais je ne l'ai dit de meilleur cœur ; et vous êtes fâché ! Vous m'aviez pourtant bien assuré, avant que je vous l'eusse dit, que cela suffisait pour vous rendre heureux. Vous ne pouvez pas le nier : c'est dans vos Lettres. Quoique je ne les aie plus, je m'en souviens comme quand je les lisais tous les jours. Et parce que nous voilà absents, vous ne pensez plus de même ! Mais cette absence ne durera pas toujours, peut-être ? Mon Dieu, que je suis malheureuse ! et c'est bien vous qui en êtes cause !...

À propos de vos Lettres, j'espère que vous avez gardé celles que Maman m'a prises ; et qu'elle vous a renvoyées ; il faudra bien qu'il vienne un temps où je ne serai plus si gênée qu'à présent, et vous me les rendrez toutes. Comme je serai heureuse, quand je pourrai les garder toujours, sans que personne ait rien à y voir ! À présent, je les remets à M. de Valmont, parce qu'il y aurait trop à risquer autrement : malgré cela je ne lui en rends jamais, que cela ne me fasse bien de la peine.

Adieu, mon cher ami. Je vous aime de tout mon cœur. Je vous aimerai toute ma vie. J'espère qu'à présent vous n'êtes plus fâché ; et si j'en étais sûre, je ne le serais plus moi-même. Écrivez-moi le plus tôt que vous pourrez, car je sens que jusque-là je serai toujours triste.

*Du Château de ..., ce 21 Septembre 17**.*

LETTRE LXXXIII

LE VICOMTE DE VALMONT
À LA PRÉSIDENTE DE TOURVEL

De grâce, Madame, renouons cet entretien si malheureusement rompu ! Que je puisse achever de vous prouver combien je diffère de l'odieux portrait qu'on vous avait fait de moi ; que je puisse, surtout, jouir encore de cette aimable confiance que vous commenciez à me témoigner ! Que de charmes vous savez prêter à la vertu ! Comme vous embellissez et faites chérir tous les sentiments honnêtes ! Ah ! c'est là votre séduction ; c'est la plus forte ; c'est la seule qui soit, à la fois, puissante et respectable.

Sans doute il suffit de vous voir, pour désirer de vous plaire ; de vous entendre dans le cercle, pour que ce désir augmente. Mais celui qui a le bonheur de vous connaître davantage, qui peut quelquefois lire dans votre âme, cède bientôt à un plus noble enthousiasme, et pénétré de vénération comme d'amour, adore en vous l'image de toutes les vertus. Plus fait[a] qu'un autre, peut-être, pour les aimer et les suivre, entraîné par quelques erreurs qui m'avaient éloigné d'elles, c'est vous qui m'en avez rapproché, qui m'en avez de nouveau fait sentir tout le charme : me ferez-vous un crime de ce nouvel amour ? Blâmerez-vous votre ouvrage ? Vous reprocheriez-vous même l'intérêt que vous pourriez y prendre ? Quel mal peut-on craindre d'un sentiment si pur, et quelles douceurs n'y aurait-il pas à le goûter ?

Mon amour vous effraie, vous le trouvez violent, effréné ! Tempérez-le par un amour plus doux ; ne refusez pas l'empire que je vous offre, auquel je jure de ne jamais me soustraire, et qui, j'ose le croire, ne serait pas entièrement perdu pour la vertu. Quel sacrifice pourrait me paraître pénible, sûr que votre cœur m'en garderait le prix ? Quel est donc l'homme assez malheureux pour ne pas savoir jouir des privations qu'il s'impose ; pour ne pas préférer un mot, un regard accordés, à toutes les jouissances qu'il pourrait ravir ou surprendre ! et vous avez cru que j'étais cet homme-là ! et vous m'avez craint ! Ah ! pourquoi votre bonheur ne dépend-il pas de moi ! comme je me vengerais de vous, en vous rendant heureuse ! Mais ce doux empire, la stérile amitié ne le produit pas ; il n'est dû qu'à l'amour.

Ce mot vous intimide ! Et pourquoi ? Un attachement plus tendre, une union plus forte, une seule pensée, le même bonheur comme les mêmes peines, qu'y a-t-il donc là d'étranger à votre âme ? Tel est pourtant l'amour ! Tel est au moins celui que vous inspirez et que je ressens ! C'est lui surtout qui, calculant sans intérêt, sait apprécier les actions sur leur mérite, et non sur leur valeur ; trésor inépuisable des âmes sensibles, tout devient précieux, fait par lui ou pour lui.

Ces vérités si faciles à saisir, si douces à pratiquer, qu'ont-elles donc d'effrayant ? Quelles craintes peut aussi vous causer un homme sensible, à qui l'amour ne permet plus un autre bonheur que le vôtre ? C'est aujourd'hui l'unique vœu que je forme : je sacrifierai tout pour le remplir, excepté le sentiment qui l'inspire ; et ce sentiment lui-même, consentez à le partager, et vous le réglerez à votre choix. Mais ne souffrons plus qu'il nous divise, lorsqu'il devrait nous réunir. Si l'amitié que vous m'avez offerte n'est pas un vain mot ; si, comme vous me le disiez hier, c'est le sentiment le plus doux que votre âme connaisse ; que ce soit elle qui stipule entre nous, je ne la récuserai point : mais juge de l'amour, qu'elle consente à l'écouter ; le refus de l'entendre deviendrait une injustice, et l'amitié n'est point injuste.

Un second entretien n'aura pas plus d'inconvénients que le premier : le hasard peut encore en fournir l'occasion ; vous pourriez vous-même en indiquer le moment. Je veux croire que j'ai tort ; n'aimerez-vous pas mieux me ramener que me combattre, et doutez-vous de ma docilité ? Si ce tiers importun[1] ne fût pas venu nous interrompre, peut-être serais-je déjà entièrement revenu à votre avis ; qui sait jusqu'où peut aller votre pouvoir ?

Vous le dirai-je ? Cette puissance invincible, à laquelle je me livre sans oser la calculer, ce charme irrésistible, qui vous rend souveraine de mes pensées comme de mes actions, il m'arrive quelquefois de les craindre. Hélas ! cet entretien que je vous demande, peut-être est-ce à moi à le redouter ! peut-être après, enchaîné par mes promesses, me verrai-je réduit à brûler d'un amour que je sens bien qui ne pourra s'éteindre, sans oser même implorer votre secours ! Ah ! Madame, de grâce, n'abusez pas de votre empire ! Mais quoi ! Si vous devez en être plus heureuse, si je dois vous en paraître plus digne de vous, quelles peines ne sont pas adoucies par ces idées consolantes ! Oui, je le sens ; vous parler encore, c'est vous donner contre moi de plus fortes armes ; c'est me soumettre plus entièrement à votre volonté. Il est plus aisé de se défendre contre vos Lettres ; ce sont bien vos mêmes discours, mais vous n'êtes pas là pour leur prêter des forces. Cependant le plaisir de vous entendre, m'en fait braver le danger : au moins aurai-je ce bonheur d'avoir tout fait pour vous, même contre moi ; et mes sacrifices deviendront un hommage. Trop heureux de vous prouver de mille manières, comme je le sens de mille façons, que, sans m'en excepter, vous êtes, vous serez toujours l'objet le plus cher à mon cœur.

*Du Château de ..., ce 23 Septembre 17***[2].

LETTRE LXXXIV

LE VICOMTE DE VALMONT
À CÉCILE VOLANGES

Vous avez vu combien nous avons été contrariés hier. De toute la journée je n'ai pas pu vous remettre la Lettre que j'avais pour vous ; j'ignore si j'y trouverai plus de facilité aujourd'hui. Je crains de vous compromettre, en y mettant plus de zèle que d'adresse ; et je ne me pardonnerais pas une imprudence qui vous deviendrait si fatale, et causerait le désespoir de mon ami, en vous rendant éternellement malheureuse. Cependant je connais les impatiences de l'amour ; je sens combien il doit être pénible, dans votre[a] situation, d'éprouver quelque retard à la seule consolation que vous puissiez goûter dans ce moment. À force de m'occuper des moyens d'écarter les obstacles, j'en ai trouvé un dont l'exécution sera aisée, si vous y mettez quelque soin.

Je crois avoir remarqué que la clef de la porte de votre Chambre, qui donne sur le corridor, est toujours sur la cheminée de votre Maman. Tout deviendrait facile avec cette clef, vous devez bien le sentir ; mais à son défaut[1], je vous en procurerai une semblable, et qui la suppléera. Il me suffira, pour y parvenir, d'avoir l'autre une heure ou deux à ma disposition. Vous devez trouver aisément l'occasion de la prendre ; et pour qu'on ne s'aperçoive pas qu'elle manque, j'en joins ici une à moi, qui est assez semblable, pour qu'on n'en voie pas la différence, à moins qu'on ne l'essaie ; ce qu'on ne tentera pas. Il faudra seulement que vous ayez soin d'y mettre un ruban, bleu et passé, comme celui qui est à la vôtre.

Il faudrait tâcher d'avoir cette clef pour demain ou après-demain, à l'heure du déjeuner[2], parce qu'il vous sera plus facile de me la donner alors, et qu'elle pourra[b] être remise à sa place pour le soir, temps où votre Maman pourrait y faire plus d'attention. Je pourrai vous la rendre au moment du dîner, si nous nous entendons bien.

Vous savez que quand on passe du salon à la salle à manger, c'est toujours Mme de Rosemonde qui marche la dernière. Je lui donnerai la main. Vous n'aurez qu'à quitter votre métier de tapisserie lentement, ou bien laisser tomber quelque chose, de façon à rester en arrière : vous saurez bien alors prendre la clef, que j'aurai soin de tenir derrière moi. Il ne faudra pas négliger, aussitôt après l'avoir prise, de rejoindre ma vieille tante, et de lui faire quelques caresses. Si par hasard vous laissiez tomber cette clef, n'allez pas vous déconcerter ; je feindrai que c'est moi, et je vous réponds de tout.

Le peu de confiance que vous témoigne votre Maman, et ses procédés si durs envers vous, autorisent de reste cette petite supercherie. C'est au surplus le seul moyen de continuer à recevoir les Lettres de Danceny, et à lui faire passer les vôtres ; tout autre est réellement trop dangereux, et pourrait vous perdre tous deux sans ressource : aussi ma prudente amitié se reprocherait-elle de les employer davantage.

Une fois maîtres de la clef, il nous restera quelques précautions à prendre contre le bruit de la porte et de la serrure[3] : mais elles sont bien faciles. Vous trouverez, sous la même armoire où j'avais mis votre papier, de l'huile et une plume. Vous allez quelquefois chez vous à des heures où vous y êtes seule : il faut en profiter pour huiler la serrure et les gonds. La seule attention à avoir, est de prendre garde aux taches qui déposeraient contre vous. Il faudra aussi attendre que la nuit soit venue, parce que, si cela se fait avec l'intelligence dont vous êtes capable, il n'y paraîtra plus le lendemain matin.

Si pourtant on s'en aperçoit, n'hésitez pas de dire que c'est le Frotteur[4] du Château. Il faudrait, dans ce cas, spécifier le temps, même les discours qu'il vous aura tenus : comme par exemple, qu'il prend ce soin contre la rouille, pour toutes les serrures dont on ne fait pas usage. Car vous sentez qu'il ne serait pas vraisemblable que vous eussiez été témoin de ce tracas[5], sans en demander la cause. Ce sont ces petits détails qui donnent la vraisemblance, et la vraisemblance rend les mensonges sans conséquence en ôtant le désir de les vérifier.

Après que vous aurez lu cette Lettre, je vous prie de la relire, et même de vous en occuper : d'abord, c'est qu'il faut bien savoir ce qu'on veut bien faire ; ensuite, pour vous assurer que je n'ai rien omis. Peu accoutumé à employer la finesse pour mon compte, je n'en ai pas grand usage ; il n'a pas même fallu moins que ma vive amitié pour Danceny, et l'intérêt que vous inspirez, pour me déterminer à me servir de ces moyens, quelque innocents qu'ils soient. Je hais tout ce qui a l'air de la tromperie ; c'est là mon caractère. Mais vos malheurs m'ont touché au point, que je tenterai tout pour les adoucir.

Vous pensez bien que cette communication une fois établie entre nous, il me sera bien plus facile de vous procurer, avec Danceny, l'entretien qu'il désire. Cependant ne lui parlez pas encore de tout ceci ; vous ne feriez qu'augmenter son impatience, et le moment de la satisfaire, n'est pas encore tout à fait venu. Vous lui devez, je crois, de la calmer plutôt que de l'aigrir. Je m'en rapporte là-dessus à votre délicatesse. Adieu, ma belle pupille : car vous êtes ma pupille. Aimez un peu votre tuteur, et surtout ayez avec lui de la docilité, vous vous en trouverez bien. Je m'occupe de votre bonheur, et soyez sûre que j'y trouverai le mien.

*De … ce 24 Septembre 17***[6].

LETTRE LXXXV

LA MARQUISE DE MERTEUIL AU VICOMTE DE VALMONT

Enfin vous serez tranquille, et surtout vous me rendrez justice. Écoutez et ne me confondez plus avec les autres femmes. J'ai mis à fin mon aventure avec Prévan ; *à fin !* entendez-vous bien ce que cela veut dire ? À présent vous allez juger qui de lui ou de moi pourra se vanter. Le récit ne sera pas si plaisant que l'action : aussi ne serait-il pas juste que, tandis que vous n'avez fait que raisonner bien ou mal sur cette affaire, il vous en revînt autant de plaisir qu'à moi, qui y donnais mon temps et ma peine.

Cependant, si vous avez quelque grand coup à faire, si vous devez tenter quelque entreprise où ce rival dangereux vous paraisse à craindre, arrivez. Il vous laisse le champ libre, au moins pour quelque temps ; peut-être même ne se relèvera-t-il jamais du coup que je lui ai porté.

Que vous êtes heureux de m'avoir pour amie ! Je suis pour vous une Fée bienfaisante. Vous languissez loin de la beauté qui vous engage ; je dis un mot, et vous vous retrouvez auprès d'elle. Vous voulez vous venger d'une femme qui vous nuit ; je vous marque l'endroit où vous devez frapper, et la livre à votre discrétion. Enfin, pour écarter de la lice[1] un concurrent redoutable, c'est encore moi que vous invoquez, et je vous exauce. En vérité, si vous ne passez pas votre vie à me remercier, c'est que vous êtes un ingrat. Je reviens à mon aventure, et la reprends d'origine.

Le rendez-vous, donné si haut, à la sortie de

l'Opéra*, fut entendu comme je l'avais espéré. Prévan s'y rendit ; et quand la Maréchale lui dit obligeamment qu'elle se félicitait de le voir deux fois de suite à ses jours[2], il eut soin de répondre que depuis Mardi soir il avait défait mille arrangements, pour pouvoir disposer ainsi de cette soirée. *À bon entendeur, salut*[3] ! Comme je voulais pourtant savoir, avec plus de certitude, si j'étais ou non le véritable objet de cet empressement flatteur, je voulus forcer le soupirant nouveau de choisir entre moi et son goût dominant. Je déclarai que je ne jouerais point : en effet, il trouva, de son côté, mille prétextes pour ne pas jouer ; et mon premier triomphe fut sur le lansquenet[4].

Je m'emparai de l'Évêque de … pour ma conversation ; je le choisis à cause de sa liaison avec le héros du jour, à qui je voulais donner toute facilité de m'aborder. J'étais bien aise aussi d'avoir un témoin respectable qui pût au besoin déposer de ma conduite et de mes discours. Cet arrangement réussit.

Après les propos vagues et d'usage, Prévan s'étant bientôt rendu maître de la conversation, prit tour à tour différents tons, pour essayer celui qui pourrait me plaire. Je refusai celui du sentiment, comme n'y croyant pas ; j'arrêtai par mon sérieux, sa gaieté qui me parut trop légère pour un début ; il se rabattit sur la délicate amitié ; et ce fut sous ce drapeau banal, que nous commençâmes notre attaque réciproque.

Au moment du souper, l'Évêque ne descendait pas[5] ; Prévan me donna donc la main, et se trouva naturellement placé à table à côté de moi. Il faut être juste ; il soutint avec beaucoup d'adresse notre conversation particulière, en ne paraissant s'occuper que de la conversation générale, dont il eut l'air de faire tous les frais. Au dessert, on parla d'une Pièce nouvelle qu'on devait donner le Lundi suivant au Français. Je témoignai quelques regrets de n'avoir pas ma loge ; il m'offrit la sienne que je refusai d'abord, comme cela se pratique : à quoi il répondit assez plaisamment que je ne l'entendais pas ; qu'à coup sûr il

* Voyez la Lettre LXXIV.

ne ferait pas le sacrifice de sa loge à quelqu'un qu'il ne connaissait pas, mais qu'il m'avertissait seulement que Mme la Maréchale en disposerait. Elle se prêta à cette plaisanterie, et j'acceptai.

Remonté au salon, il demanda, comme vous pouvez croire, une place dans cette loge ; et comme la Maréchale, qui le traite avec beaucoup de bonté, la lui promit *s'il était sage*, il en prit l'occasion d'une de ces conversations à double entente, pour lesquelles vous m'avez vanté son talent. En effet, s'étant mis à ses genoux, comme un enfant soumis, disait-il, sous prétexte de lui demander ses avis, et d'implorer sa raison, il dit beaucoup de choses flatteuses et assez tendres, dont il m'était facile de me faire l'application. Plusieurs personnes ne s'étant pas remises au jeu l'après-souper, la conversation fut plus générale et moins intéressante : mais nos yeux parlèrent beaucoup. Je dis nos yeux ; je devrais dire les siens, car les miens n'eurent qu'un langage, celui de la surprise. Il dut penser que je m'étonnais et m'occupais excessivement de l'effet prodigieux qu'il faisait sur moi. Je crois que je le laissai fort satisfait ; je n'étais pas moins contente.

Le lundi suivant, je fus au Français comme nous en étions convenus. Malgré votre curiosité littéraire, je ne puis vous rien dire du Spectacle[6], sinon que Prévan a un talent merveilleux pour la cajolerie, et que la Pièce est tombée[7] : voilà tout ce que j'y ai appris. Je voyais avec peine finir cette soirée, qui réellement me plaisait beaucoup ; et pour la prolonger, j'offris à la Maréchale de venir souper chez moi, ce qui me fournit le prétexte de le proposer à l'aimable cajoleur, qui ne demanda que le temps de courir, pour se dégager, jusque chez les Comtesses de P****. Ce nom me rendit toute ma colère ; je vis clairement qu'il allait commencer les confidences : je me rappelai vos sages conseils, et me promis bien… de poursuivre l'aventure ; sûre que je le guérirais de cette dangereuse indiscrétion.

Étranger dans ma société, qui ce soir-là était peu nombreuse, il me devait les soins d'usage ; aussi, quand

* Voyez la Lettre LXX.

on alla souper, m'offrit-il la main. J'eus la malice, en l'acceptant, de mettre dans la mienne un léger frémissement, et d'avoir, pendant ma marche, les yeux baissés et la respiration haute. J'avais l'air de pressentir ma défaite, et de redouter mon vainqueur. Il le remarqua à merveille ; aussi le traître changea-t-il sur-le-champ de ton et de maintien. Il était galant, il devint tendre. Ce n'est pas que les propos ne fussent à peu près les mêmes, la circonstance y forçait : mais son regard, devenu moins vif, était plus caressant, l'inflexion de sa voix plus douce ; son sourire n'était plus celui de la finesse, mais du contentement. Enfin, dans ses discours, éteignant peu à peu le feu de la saillie, l'esprit fit place à la délicatesse. Je vous le demande, qu'eussiez-vous fait de mieux ?

De mon côté, je devins rêveuse, à tel point qu'on fut forcé de s'en apercevoir ; et quand on m'en fit le reproche, j'eus l'adresse de m'en défendre maladroitement, et de jeter sur Prévan un coup d'œil prompt, mais timide et déconcerté, et propre à lui faire croire que toute ma crainte était qu'il ne devinât la cause de mon trouble.

Après souper, je profitai du temps où la bonne Maréchale contait une de ces histoires qu'elle conte toujours, pour me placer sur mon Ottomane[8], dans cet abandon que donne une tendre rêverie. Je n'étais pas fâchée que Prévan me vît ainsi : il m'honora, en effet, d'une attention toute particulière. Vous jugez bien que mes timides regards n'osaient chercher les yeux de mon vainqueur : mais dirigés vers lui d'une manière plus humble, ils m'apprirent bientôt que j'obtenais l'effet que je voulais produire. Il fallait encore lui persuader que je le partageais : aussi, quand la Maréchale annonça qu'elle allait se retirer, je m'écriai d'une voix molle et tendre : Ah Dieu ! j'étais si bien là ! Je me levai pourtant : mais avant de me séparer d'elle, je lui demandai ses projets, pour avoir un prétexte de dire les miens, et de faire savoir que je resterais chez moi le surlendemain. Là-dessus tout le monde se sépara.

Alors je me mis à réfléchir. Je ne doutais pas que

Prévan ne profitât de l'espèce de rendez-vous que je venais de lui donner ; qu'il n'y vînt d'assez bonne heure pour me trouver seule, et que l'attaque ne fût vive : mais j'étais bien sûre aussi, d'après ma réputation, qu'il ne me traiterait pas avec cette légèreté que, pour peu qu'on ait d'usage, on n'emploie qu'avec les femmes à aventures, ou celles qui n'ont aucune expérience ; et je voyais mon succès certain s'il prononçait le mot d'amour, s'il avait la prétention surtout de l'obtenir de moi.

Qu'il est commode d'avoir affaire à vous autres *gens à principes* ! quelquefois un brouillon d'amoureux vous déconcerte par sa timidité, ou vous embarrasse par ses fougueux transports ; c'est une fièvre qui, comme l'autre, a ses frissons et son ardeur, et quelquefois varie dans ses symptômes. Mais votre marche réglée se devine si facilement ! L'arrivée, le maintien, le ton, les discours, je savais tout dès la veille. Je ne vous rendrai donc pas notre conversation que vous suppléerez aisément. Observez seulement que, dans ma feinte défense, je l'aidais de tout mon pouvoir : embarras, pour lui donner le temps de parler ; mauvaises raisons, pour être combattues ; crainte et méfiance, pour ramener les protestations ; et ce refrain perpétuel de sa part, *je ne vous demande qu'un mot* ; et ce silence de la mienne, qui semble ne le laisser attendre que pour le faire désirer davantage ; au travers de tout cela, une main cent fois prise, qui se retire toujours et ne se refuse jamais. On passerait ainsi tout un jour, nous y passâmes une mortelle heure : nous y serions peut-être encore, si nous n'avions entendu entrer un carrosse dans ma cour. Cet heureux contretemps rendit, comme de raison, ses instances plus vives, et moi, voyant le moment arrivé, où j'étais à l'abri de toute surprise, après m'être préparée par un long soupir, j'accordai le mot précieux. On annonça[9], et peu de temps après j'eus un cercle assez nombreux.

Prévan me demanda de venir le lendemain matin, et j'y consentis : mais, soigneuse de me défendre, j'ordonnai à ma Femme de chambre de rester tout le temps de cette visite dans ma chambre à coucher, d'où vous savez qu'on voit tout ce qui se passe dans mon cabinet de toilette, et ce fut là que je le reçus[a]. Libres dans notre conversation, et ayant tous deux le même désir, nous fûmes bientôt d'accord, mais il fallait se défaire de ce spectateur importun, c'était où je l'attendais.

Alors, lui faisant à mon gré le tableau de ma vie intérieure[10], je lui persuadai aisément que nous ne trouverions jamais un moment de liberté, et qu'il fallait regarder comme une espèce de miracle, celle dont nous avions joui hier, qui même laisserait encore des dangers trop grands pour m'y exposer, puisqu'à tout moment on pouvait entrer dans mon salon. Je ne manquai pas d'ajouter que tous ces usages s'étaient établis, parce que jusqu'à ce jour ils ne m'avaient jamais contrariée ; et j'insistai en même temps sur l'impossibilité de les changer, sans me compromettre aux yeux de mes gens. Il essaya de s'attrister, de prendre de l'humeur, de me dire que j'avais peu d'amour ; et vous devinez combien tout cela me touchait ! Mais voulant frapper le coup décisif, j'appelai les larmes à mon secours. Ce fut exactement le *Zaïre, vous pleurez*[11]. Cet empire qu'il se crut sur moi, et l'espoir qu'il en conçut de me perdre à son gré, lui tinrent lieu de tout l'amour d'Orosmane.

Ce coup de théâtre passé, nous revînmes aux arrangements. Au défaut du jour, nous nous occupâmes de la nuit, mais mon suisse[12] devenait un obstacle insurmontable, et je ne permettais pas qu'on essayât de le gagner[13]. Il me proposa la petite porte de mon jardin ; mais je l'avais prévu, et j'y créai un chien qui, tranquille et silencieux le jour, était un vrai démon la nuit. La facilité avec laquelle j'entrais dans tous ces détails, était bien propre à l'enhardir ; aussi vint-il à me proposer l'expédient le plus ridicule, et ce fut celui que j'acceptai.

D'abord, son domestique était sûr comme lui-même : en cela il ne trompait guère, l'un l'était bien autant que l'autre. J'aurais un grand souper chez moi ; il y serait, il prendrait son temps pour sortir seul. L'adroit confident appellerait la voiture, ouvrirait la portière, et lui Prévan, au lieu de monter, s'esquiverait adroitement. Son Cocher ne pouvait s'en apercevoir en aucune façon ; ainsi sorti pour tout le monde, et cependant resté chez moi, il s'agissait de savoir s'il pourrait parvenir à mon appartement. J'avoue que d'abord mon embarras fut de trouver, contre ce projet, d'assez mauvaises raisons pour qu'il pût avoir l'air de les détruire ; il y répondit par des exemples. À l'entendre, rien n'était plus ordinaire que ce moyen, lui-même s'en était beaucoup servi ; c'était même celui dont il faisait le plus d'usage, comme le moins dangereux.

Subjuguée par ces autorités irrécusables, je convins avec candeur, que j'avais bien un escalier dérobé qui conduisait très près de mon boudoir, que je pouvais y laisser la clef, et qu'il lui serait possible de s'y enfermer et d'attendre, sans beaucoup de risques, que mes femmes fussent retirées ; et puis, pour donner plus de vraisemblance à mon consentement, le moment d'après je ne voulais plus, je ne revenais à consentir qu'à condition d'une soumission parfaite, d'une sagesse... Ah ! quelle sagesse ! Enfin, je voulais bien lui prouver mon amour, mais non pas satisfaire le sien.

La sortie dont j'oubliais de vous parler, devait se faire par la petite porte du jardin : il ne s'agissait que d'attendre le point du jour ; le Cerbère ne dirait plus mot. Pas une âme ne passe à cette heure-là, et les gens sont dans le plus fort du sommeil. Si vous vous étonnez de ce tas de mauvais raisonnements, c'est que vous oubliez notre situation réciproque. Qu'avions-nous besoin d'en faire de meilleurs ? Il ne demandait pas mieux que tout cela se sût, et moi, j'étais bien sûre qu'on ne le saurait pas. Le jour fut fixé au surlendemain.

Remarquez que voilà une affaire arrangée, et que personne n'a encore vu Prévan dans ma société. Je le rencontre à souper chez une de mes amies ; il lui offre sa loge pour une pièce nouvelle, et j'y accepte une place. J'invite cette femme à souper, pendant le Spectacle et devant Prévan ; je ne puis presque pas me dispenser de lui proposer d'en être. Il accepte et me fait, deux jours après, une visite que l'usage exige. Il vient, à la vérité, me voir le lendemain matin : mais outre que les visites du matin ne marquent plus, il ne tient qu'à moi de trouver celle-ci trop leste, et je le remets en effet dans la classe des gens moins liés avec moi, par une invitation écrite[14], pour un souper de cérémonie. Je puis bien dire comme Annette : *Mais voilà tout, pourtant*[15] !

Le jour fatal arrivé[16], ce jour où je devais perdre ma vertu et ma réputation, je donnai mes instructions à ma fidèle Victoire[b], et elle les exécuta comme vous le verrez bientôt.

Cependant le soir vint. J'avais déjà beaucoup de monde chez moi, quand on y annonça Prévan. Je le reçus avec une politesse marquée, qui constatait mon peu de liaison avec lui, et je le mis à la partie de la Maréchale, comme étant celle par qui j'avais fait cette connaissance. La soirée ne produisit rien qu'un très petit billet que le discret amoureux trouva moyen de me remettre, et que j'ai brûlé suivant ma coutume. Il m'y annonçait que je pouvais compter sur lui, et ce mot essentiel était entouré de tous les mots parasites[17] d'amour, de bonheur, etc. qui ne manquent jamais de se trouver à pareille fête.

À minuit, les parties étant finies, je proposai une courte macédoine*. J'avais le double projet de favoriser l'évasion de Prévan, et en même temps de la faire remarquer, ce qui ne pouvait pas manquer d'arriver, vu sa réputation de Joueur. J'étais bien aise aussi qu'on pût se rappeler au besoin que je n'avais pas été pressée de rester seule.

Le jeu dura plus que je n'avais pensé. Le diable me tentait, et je succombai au désir d'aller consoler l'impatient prisonnier. Je m'acheminais ainsi à ma perte, quand je réfléchis qu'une fois rendue tout à fait, je n'aurais plus sur lui l'empire de le tenir dans le costume de décence nécessaire à mes projets. J'eus la

* Quelques personnes ignorent peut-être qu'une macédoine est un assemblage de plusieurs jeux de hasard, parmi lesquels chaque Coupeur a droit de choisir lorsque c'est à lui de tenir la main. C'est une des inventions du siècle.

force de résister. Je rebroussai chemin, et revins, non sans humeur, reprendre place à ce jeu éternel. Il finit pourtant, et chacun s'en alla. Pour moi, je sonnai mes femmes, je me déshabillai fort vite, et les renvoyai de même.

Me voyez-vous, Vicomte, dans ma toilette légère, marchant d'un pas timide et circonspect, et d'une main mal assurée ouvrir la porte à mon vainqueur ? Il m'aperçut, l'éclair n'est pas plus prompt. Que vous dirai-je ? je fus vaincue, tout à fait vaincue, avant d'avoir pu dire un mot pour l'arrêter ou me défendre. Il voulut ensuite prendre une situation plus commode et plus convenable aux circonstances. Il maudissait sa parure, qui, disait-il, l'éloignait de moi ; il voulait me combattre à armes égales : mais mon extrême timidité s'opposa à ce projet, et mes tendres caresses ne lui en laissèrent pas le temps. Il s'occupa d'autre chose.

Ses droits étaient doublés, et les prétentions revinrent : mais alors : « Écoutez-moi, lui dis-je ; vous aurez jusqu'ici un assez agréable récit à faire aux deux Comtesses de P***, et à mille autres ; mais je suis curieuse de savoir comment vous raconterez la fin de l'aventure. » En parlant ainsi, je sonnais de toutes mes forces. Pour le coup, j'eus mon tour, et mon action fut plus vive que sa parole. Il n'avait encore que balbutié, quand j'entendis Victoire accourir, et appeller *les Gens* qu'elle avait gardés chez elle, comme je le lui avais ordonné. Là, prenant mon ton de Reine, et élevant la voix : « Sortez, Monsieur, continuai-je, et ne reparaissez jamais devant moi. » Là-dessus, la foule de mes gens entra.

Le pauvre Prévan perdit la tête, et croyant voir un guet-apens dans ce qui n'était au fond qu'une plaisanterie, il se jeta sur son épée. Mal lui en prit : car mon Valet de chambre, brave et vigoureux, le saisit au corps et le terrassa. J'eus, je l'avoue, une frayeur mortelle. Je criai qu'on arrêtât, et ordonnai qu'on laissât la retraite libre, en s'assurant seulement qu'il sortît de chez moi. Mes gens m'obéirent : mais la rumeur était grande parmi eux ; ils s'indignaient qu'on eût osé manquer à *leur vertueuse Maîtresse.* Tous accompagnèrent le malencontreux Chevalier, avec bruit et scandale, comme je le souhaitais. La seule Victoire resta, et nous nous occupâmes pendant ce temps à réparer le désordre de mon lit.

Mes gens remontèrent toujours en tumulte ; et moi, *encore tout émue*, je leur demandai par quel bonheur ils s'étaient encore trouvés levés ; et Victoire me raconta qu'elle avait donné à souper à deux de ses amies, qu'on avait veillé chez elle, et enfin tout ce dont nous étions convenues ensemble. Je les remerciai tous, et les fis retirer, en ordonnant pourtant à l'un d'eux d'aller sur-le-champ chercher mon Médecin. Il me parut que j'étais autorisée à craindre l'effet de *mon saisissement mortel* ; et c'était un moyen sûr de donner du cours et de la célébrité à cette nouvelle.

Il vint en effet, me plaignit beaucoup, et ne m'ordonna que du repos. Moi, j'ordonnai de plus à Victoire, d'aller le matin de bonne heure bavarder dans le voisinage.

Tout a si bien réussi, qu'avant midi, et aussitôt qu'il a été jour chez moi, ma dévote voisine était déjà au chevet de mon lit, pour savoir la vérité et les détails de cette horrible aventure. J'ai été obligée de me désoler avec elle, pendant une heure, sur la corruption du siècle. Un moment après, j'ai reçu de la Maréchale le billet que je joins ici. Enfin, avant 5 heures, j'ai vu arriver, à mon grand étonnement, M...*. Il venait, m'a-t-il dit, me faire ses excuses, de ce qu'un Officier de son Corps avait pu me manquer à ce point. Il ne l'avait appris qu'à dîner chez la Maréchale, et avait sur-le-champ envoyé ordre à Prévan de se rendre en prison. J'ai demandé grâce, et il me l'a refusée. Alors j'ai pensé que, comme complice, il fallait m'exécuter de mon côté, et garder au moins de rigides arrêts[18]. J'ai fait fermer ma porte, et dire que j'étais incommodée.

C'est à ma solitude que vous devez cette longue Lettre. J'en écrirai une à Mme de Volanges, dont sûrement elle fera lecture publique, et où vous verrez cette histoire telle qu'il faut la raconter.

* Le Commandant du Corps dans lequel M. de Prévan servait.

J'oubliais de vous dire que Belleroche est outré, et veut absolument se battre avec Prévan. Le pauvre garçon ! Heureusement j'aurai le temps de calmer sa tête. En attendant, je vais reposer la mienne, qui est fatiguée d'écrire. Adieu, Vicomte.

*Paris, ce 25 Septembre 17**, au soir*[19].

LETTRE LXXXVI

LA MARÉCHALE DE ***
À LA MARQUISE DE MERTEUIL
(Billet inclus dans la précédente.)

Mon Dieu ! qu'est-ce donc que j'apprends, ma chère Madame ? Est-il possible que ce petit Prévan fasse de pareilles abominations ? Et encore vis-à-vis de vous ! À quoi on est exposé ! on ne sera donc plus en sûreté chez soi ! En vérité, ces événements-là consolent d'être vieille. Mais de quoi je ne me consolerai jamais, c'est d'avoir été en partie cause de ce que vous avez reçu un pareil monstre chez vous. Je vous promets bien que si ce qu'on m'en a dit est vrai, il ne remettra plus les pieds chez moi ; c'est le parti que tous les honnêtes gens prendront avec lui, s'ils font ce qu'ils doivent.

On m'a dit que vous vous étiez trouvée bien mal, et je suis inquiète de votre santé. Donnez-moi, je vous prie, de vos chères nouvelles ; ou faites-m'en donner par une de vos femmes, si vous ne le pouvez pas vous-même. Je ne vous demande qu'un mot pour me tranquilliser. Je serais accourue chez vous ce matin, sans mes bains que mon Docteur ne me permet pas d'interrompre[1] ; et il faut que j'aille cet après-midi à Versailles, toujours pour l'affaire de mon neveu[2].

Adieu, ma chère Madame ; comptez pour la vie sur ma sincère amitié.

*Paris, ce 25 Septembre 17***[3].

LETTRE LXXXVII

LA MARQUISE DE MERTEUIL À MADAME DE VOLANGES

Je vous écris de mon lit, ma chère bonne amie. L'événement le plus désagréable, et le plus impossible à prévoir, m'a rendue malade de saisissement et de chagrin[1]. Ce n'est pas qu'assurément j'aie rien à me reprocher : mais il est toujours si pénible pour une femme honnête, et qui conserve la modestie convenable à son sexe, de fixer sur elle l'attention publique, que je donnerais tout au monde pour avoir pu éviter cette malheureuse aventure ; et que je ne sais encore, si je ne prendrai pas le parti d'aller à la campagne attendre qu'elle soit oubliée. Voici ce dont il s'agit.

J'ai rencontré chez la Maréchale de … un M. de Prévan que vous connaissez sûrement de nom, et que je ne connaissais pas autrement. Mais en le trouvant dans cette maison, j'étais bien autorisée, ce me semble, à le croire bonne compagnie[2]. Il est assez bien fait de sa personne, et m'a paru ne pas manquer d'esprit. Le hasard et l'ennui du jeu me laissèrent seule de femme entre lui et l'Évêque de …, tandis que tout le monde était occupé au lansquenet. Nous causâmes tous trois jusqu'au moment du souper. À table, une nouveauté dont on parla, lui donna occasion d'offrir sa loge à la Maréchale, qui l'accepta ; et il fut convenu que j'y aurais une place. C'était pour Lundi dernier, au Français. Comme la Maréchale venait souper chez moi au sortir du Spectacle, je proposai à ce Monsieur de l'y accompagner, et il y vint. Le surlendemain il me fit une visite qui se passa en propos d'usage, et sans qu'il y eût du tout rien de marqué. Le lendemain il vint me voir le matin, ce qui me parut bien un peu leste : mais je crus qu'au lieu de le lui faire sentir par ma façon de le recevoir, il valait mieux l'avertir par une politesse, que nous n'étions pas encore aussi intimement liés qu'il paraissait le croire. Pour cela je lui envoyai, le jour même, une invitation bien sèche et bien cérémonieuse, pour un souper que je donnais avant-hier. Je ne lui adressai pas la parole quatre fois dans toute la soirée ; et lui, de son côté, se retira aussitôt sa partie finie. Vous conviendrez que jusque-là, rien n'a moins l'air de conduire à une aventure : on fit, après les parties, une macédoine qui nous mena jusqu'à près de 2 heures ; et enfin je me mis au lit.

Il y avait au moins une mortelle demi-heure que mes femmes étaient retirées, quand j'entendis du bruit dans mon appartement. J'ouvris mon rideau avec beaucoup de frayeur, et vis un homme entrer par la porte qui conduit à mon boudoir. Je jetai un cri perçant, et je reconnus, à la clarté de ma veilleuse, ce M. de Prévan qui, avec une effronterie inconcevable, me dit de ne pas m'alarmer ; qu'il allait m'éclaircir le mystère de sa conduite, et qu'il me suppliait de ne faire aucun bruit. En parlant ainsi, il allumait une bougie ; j'étais saisie au point que je ne pouvais parler. Son air aisé et tranquille me pétrifiait, je crois, encore davantage. Mais il n'eut pas dit deux mots, que je vis quel était ce prétendu mystère, et ma seule réponse fut, comme vous pouvez croire, de me pendre à ma sonnette.

Par un bonheur incroyable, tous les gens de l'office avaient veillé chez une de mes femmes, et n'étaient pas encore couchés. Ma Femme de chambre qui, en venant chez moi, m'entendit parler avec beaucoup de chaleur, fut effrayée, et appela tout ce monde-là. Vous jugez quel scandale ! Mes Gens étaient furieux ; je vis le moment où mon Valet de chambre tuait Prévan. J'avoue que, pour l'instant, je fus fort aise de me voir en force : en y réfléchissant aujourd'hui, j'aimerais mieux qu'il ne fût venu que ma Femme de chambre ; elle aurait suffi, et j'aurais peut-être évité cet éclat qui m'afflige.

Au lieu de cela, le tumulte a réveillé les voisins, les Gens ont parlé, et c'est depuis hier la nouvelle de tout Paris. M. de Prévan est en prison par ordre du Commandant de son Corps, qui a eu l'honnêteté de passer chez moi, pour me faire des excuses, m'a-t-il dit. Cette prison va encore augmenter le bruit, mais je n'ai jamais pu obtenir que cela fût autrement. La Ville et la Cour se sont fait écrire à ma porte[3], que j'ai fermée à tout le monde. Le peu de personnes que j'ai vues, m'ont dit qu'on me rendait justice, et que l'indignation publique était au comble contre M. de Prévan : assurément il le mérite bien, mais cela n'ôte pas le désagrément de cette aventure.

De plus, cet homme a sûrement quelques amis, et ses amis doivent être méchants : qui sait, qui peut savoir ce qu'ils inventeront pour me nuire ? Mon Dieu, qu'une jeune femme est malheureuse ! elle n'a rien fait encore, quand elle s'est mise à l'abri de la médisance ; il faut qu'elle en impose même à la calomnie.

Mandez-moi, je vous prie, ce que vous auriez fait, ce que vous feriez à ma place ; enfin, tout ce que vous pensez. C'est toujours de vous que j'ai reçu les consolations les plus douces et les avis les plus sages ; c'est de vous aussi que j'aime le mieux à en recevoir.

Adieu, ma chère et bonne amie ; vous connaissez les sentiments qui m'attachent à vous pour jamais. J'embrasse votre aimable fille.

*Paris, ce 26 Septembre 17**.*

FIN DE LA SECONDE PARTIE[4].

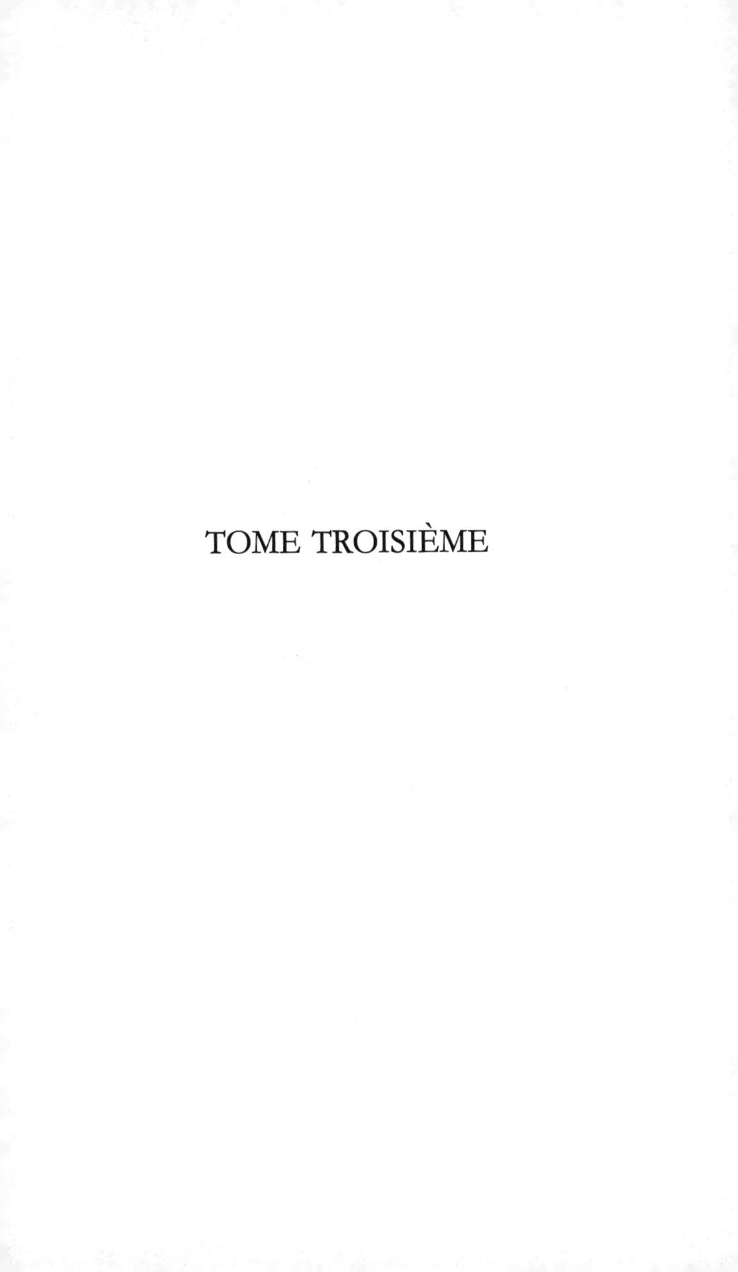

TOME TROISIÈME

LETTRE LXXXVIII

CÉCILE VOLANGES
AU VICOMTE DE VALMONT[1]

Malgré tout le plaisir que j'ai, Monsieur, à recevoir les Lettres de M. le Chevalier Danceny, et quoique je ne désire pas moins que lui, que nous puissions nous voir encore, sans qu'on puisse nous en empêcher ; je n'ai pas osé cependant faire ce que vous me proposez. Premièrement, c'est trop dangereux ; cette clef que vous voulez que je mette à la place de l'autre, lui ressemble bien assez à la vérité, mais pourtant il ne laisse pas d'y avoir encore de la différence, et Maman regarde à tout, et s'aperçoit de tout. De plus, quoiqu'on ne s'en soit pas encore servi depuis que nous sommes ici, il ne faut qu'un malheur, et si on s'en apercevait, je serais perdue pour toujours. Et puis, il me semble aussi que ce serait bien mal ; faire comme cela une double clef, c'est bien fort ! Il est vrai que c'est vous qui auriez la bonté de vous en charger ; mais malgré cela, si on le savait, je n'en porterais pas moins le blâme et la faute, puisque ce serait pour moi que vous l'auriez faite. Enfin, j'ai voulu essayer deux fois de la prendre, et certainement cela serait bien facile, si c'était tout autre chose : mais je ne sais pas pourquoi je me suis toujours mise à trembler, et n'en ai jamais eu le courage. Je crois donc qu'il vaut mieux rester comme nous sommes.

Si vous avez toujours la bonté d'être aussi complaisant

que jusqu'ici, vous trouverez toujours bien le moyen de me remettre une Lettre. Même pour la dernière, sans le malheur qui a voulu que vous vous retourniez tout de suite dans un certain moment, nous aurions eu bien aisé[2]. Je sens bien que vous ne pouvez pas, comme moi, ne songer qu'à ça ; mais j'aime mieux avoir plus de patience, et ne pas tant risquer. Je suis sûre que M. Danceny dirait comme moi : car toutes les fois qu'il voulait quelque chose qui me faisait trop de peine, il consentait toujours que cela ne fût pas.

Je vous remettrai, Monsieur, en même temps que cette Lettre, la vôtre, celle de M. Danceny, et votre clef. Je n'en suis pas moins reconnaissante de toutes vos bontés, et je vous prie bien de me les continuer. Il eſt bien vrai que je suis bien malheureuse, et que sans vous je le serais encore bien davantage : mais, après tout, c'eſt ma mère ; il faut bien prendre patience. Et pourvu que M. Danceny m'aime toujours, et que vous ne m'abandonniez pas, il viendra peut-être un temps plus heureux.

J'ai l'honneur d'être, Monsieur, avec bien de la reconnaissance, votre très humble et très obéissante servante.

*De … ce 26 Septembre 17**.*

[LETTRE LXXXIX[1]]

LE VICOMTE DE VALMONT
AU CHEVALIER DANCENY

Si vos affaires ne vont pas toujours aussi vite que vous le voudriez, mon ami, ce n'eſt pas tout à fait à moi qu'il faut vous en prendre. J'ai ici plus d'un obſtacle à vaincre. La vigilance et la sévérité de Mme de Volanges ne sont pas les seuls ; votre jeune amie m'en oppose aussi quelques-uns. Soit froideur, ou timidité[a], elle ne fait pas toujours ce que je lui conseille ; et je crois cependant savoir mieux qu'elle ce qu'il faut faire.

J'avais trouvé un moyen simple, commode et sûr, de lui remettre vos Lettres, et même de faciliter, par la suite, les entrevues que vous désirez : mais je n'ai pu la décider à s'en servir. J'en suis d'autant plus affligé, que je n'en vois pas d'autre pour vous rapprocher d'elle ; et que même pour votre correspondance, je crains sans cesse de nous compromettre tous trois. Or, vous jugez que je ne veux ni courir ce risque-là, ni vous y exposer l'un et l'autre.

Je serais pourtant vraiment peiné que le peu de confiance de votre petite amie, m'empêchât de vous être utile ; peut-être feriez-vous bien de lui en écrire. Voyez ce que vous voulez faire, c'est à vous seul à décider ; car ce n'est pas assez de servir ses amis, il faut encore les servir à leur manière. Ce pourrait être aussi une façon de plus, de vous assurer de ses sentiments pour vous ; car la femme qui garde une volonté à elle, n'aime pas autant qu'elle le dit.

Ce n'est pas que je soupçonne votre Maîtresse d'inconstance : mais elle est bien jeune ; elle a grand'peur de sa Maman, qui, comme vous le savez, ne cherche qu'à vous nuire ; et peut-être serait-il dangereux de rester trop longtemps sans l'occuper de vous. N'allez pas cependant vous inquiéter à un certain point, de ce que je vous dis là. Je n'ai dans le fond nulle raison de méfiance ; c'est uniquement la sollicitude de l'amitié.

Je ne vous écris pas plus longuement, parce que j'ai bien aussi quelques affaires pour mon compte. Je ne suis pas aussi avancé que vous : mais j'aime autant, et cela console ; et quand je ne réussirais pas pour moi, si je parviens à vous être utile, je trouverai que j'ai bien employé mon temps. Adieu, mon ami.

*Au Château de …, ce 26 Septembre 17**.*

LETTRE XC

LA PRÉSIDENTE DE TOURVEL
AU VICOMTE DE VALMONT

Je désire beaucoup, Monsieur, que cette Lettre ne vous fasse aucune peine ; ou, si elle doit vous en causer, qu'au moins elle puisse être adoucie par celle que j'éprouve en vous l'écrivant. Vous devez me connaître assez à présent, pour être bien sûr que ma volonté n'est pas de vous affliger ; mais vous, sans doute, vous ne voudriez pas non plus me plonger dans un désespoir éternel. Je vous conjure donc, au nom de l'amitié tendre que je vous ai promise, au nom même des sentiments peut-être plus vifs, mais à coup sûr pas plus sincères, que vous avez pour moi, ne nous voyons plus ; partez ; et, jusque-là, fuyons surtout ces entretiens particuliers et trop dangereux, où, par une inconcevable puissance, sans jamais parvenir à vous dire ce que je veux, je passe mon temps à écouter ce que je ne devrais pas entendre.

Hier encore, quand vous vîntes me joindre dans le parc, j'avais bien pour unique objet de vous dire ce que je vous écris aujourd'hui ; et cependant qu'ai-je fait ? que m'occuper de votre amour... ; de votre amour, auquel jamais je ne dois répondre ! Ah ! de grâce, éloignez-vous de moi.

Ne craignez pas que mon absence altère jamais mes sentiments pour vous : comment parviendrais-je à les vaincre, quand je n'ai plus le courage de les combattre ? Vous le voyez, je vous dis tout ; je crains moins d'avouer ma faiblesse que d'y succomber : mais cet empire que j'ai perdu sur mes sentiments, je le conserverai sur mes actions ; oui, je le conserverai, j'y suis résolue ; fût-ce aux dépens de ma vie.

Hélas ! le temps n'est pas loin, où je me croyais bien sûre de n'avoir jamais de pareils combats à soutenir. Je m'en félicitais ; je m'en glorifiais peut-être trop. Le Ciel a puni, cruellement puni cet orgueil : mais plein de miséricorde au moment même qu'il nous frappe, il m'avertit encore avant la chute[1], et je serais doublement coupable, si je continuais à manquer de prudence, déjà prévenue que je n'ai plus de force.

Vous m'avez dit cent fois que vous ne voudriez pas d'un bonheur acheté par mes larmes. Ah ! ne parlons plus de bonheur, mais laissez-moi reprendre quelque tranquillité.

En accordant ma demande, quels nouveaux droits n'acquerrez-vous pas sur mon cœur ? et ceux-là, fondés sur la vertu, je n'aurai point à m'en défendre. Combien je me plairai dans ma reconnaissance ! Je vous devrai la douceur de goûter sans remords un sentiment délicieux. À présent, au contraire, effrayée de mes sentiments, de mes pensées, je crains également de m'occuper de vous et de moi ; votre idée même m'épouvante : quand je ne peux la fuir, je la combats ; je ne l'éloigne pas, mais je la repousse.

Ne vaut-il pas mieux pour tous deux faire cesser cet état de trouble et d'anxiété ? Ô vous, dont l'âme toujours sensible, même au milieu de ses erreurs, est restée amie de la vertu, vous aurez égard à ma situation douloureuse, vous ne rejetterez pas ma prière ! Un intérêt plus doux, mais non moins tendre, succédera à ces agitations violentes ; alors, respirant par vos bienfaits, je chérirai mon existence, et je dirai, dans la joie de mon cœur : ce calme que je ressens, je le dois à mon ami.

En vous soumettant à quelques privations légères, que je ne vous impose point, mais que je vous demande, croirez-vous donc acheter trop cher la fin de mes tourments ? Ah ! si, pour vous rendre heureux, il ne fallait que consentir à être malheureuse, vous pouvez m'en croire, je n'hésiterais pas un moment... Mais devenir coupable !... non, mon ami, non[a], plutôt mourir mille fois.

Déjà assaillie par la honte, à la veille des remords,

je redoute, et les autres et moi-même ; je rougis dans le cercle, et frémis dans la solitude ; je n'ai plus qu'une vie de douleurs ; je n'aurai de tranquillité que par votre consentement. Mes résolutions les plus louables ne suffisent pas pour me rassurer ; j'ai formé celle-ci dès hier, et cependant j'ai passé cette nuit dans les larmes.

Voyez votre amie, celle que vous aimez, confuse et suppliante, vous demander le repos et l'innocence. Ah Dieu ! sans vous eût-elle jamais été réduite à cette humiliante demande ? Je ne vous reproche rien ; je sens trop par moi-même combien il est difficile de résister à un sentiment impérieux. Une plainte n'est pas un murmure[2]. Faites par générosité ce que je fais par devoir ; et à tous les sentiments que vous m'avez inspirés, je joindrai celui d'une éternelle reconnaissance. Adieu, adieu, Monsieur.

*De … ce 27 Septembre 17***[3].

LETTRE XCI

LE VICOMTE DE VALMONT À LA PRÉSIDENTE DE TOURVEL

Consterné par votre Lettre, j'ignore encore, Madame, comment je pourrai y répondre. Sans doute, s'il faut choisir entre votre malheur et le mien, c'est à moi à me sacrifier, et je ne balance pas : mais de si grands intérêts méritent bien, ce me semble, d'être avant tout discutés et éclaircis ; et comment y parvenir, si nous ne devons plus nous parler ni nous voir ?

Quoi ! tandis que les sentiments les plus doux nous unissent, une vaine terreur suffira pour nous séparer, peut-être sans retour ! En vain l'amitié tendre, l'ardent amour réclameront leurs droits ; leurs voix ne seront point entendues : et pourquoi ? quel est donc ce danger pressant qui vous menace ? Ah ! croyez-moi, de pareilles craintes, et si légèrement conçues, sont déjà, ce me semble, d'assez puissants motifs de sécurité.

Permettez-moi de vous le dire, je retrouve ici la trace des impressions défavorables qu'on vous a données sur moi. On ne tremble point auprès de l'homme qu'on estime ; on n'éloigne pas, surtout, celui qu'on a jugé digne de quelqu'amitié : c'est l'homme dangereux qu'on redoute et qu'on fuit.

Cependant, qui fut jamais plus respectueux et plus soumis que moi ? Déjà, vous le voyez, je m'observe dans mon langage ; je ne me permets plus ces noms si doux, si chers à mon cœur, et qu'il ne cesse de vous donner en secret. Ce n'est plus l'amant fidèle et malheureux, recevant les conseils et les consolations d'une amie tendre et sensible ; c'est l'accusé devant son juge, l'esclave devant son maître. Ces nouveaux titres imposent sans doute de nouveaux devoirs ; je m'engage à les remplir tous. Écoutez-moi, et si vous me condamnez, j'y souscris et je pars. Je promets davantage ; préférez-vous ce despotisme qui juge sans entendre ? vous sentez-vous le courage d'être injuste ? ordonnez et j'obéis encore.

Mais ce jugement, ou cet ordre, que je l'entende de votre bouche. Et pourquoi, m'allez-vous dire à votre tour ? Ah ! que si vous faites cette question, vous connaissez peu l'amour et mon cœur ! N'est-ce donc rien de vous voir encore une fois ? Eh ! quand vous porterez le désespoir dans mon âme, peut-être un regard consolateur l'empêchera d'y succomber. Enfin, s'il me faut renoncer à l'amour, à l'amitié, pour qui seuls j'existe, au moins vous verrez votre ouvrage, et votre pitié me restera : cette faveur légère, quand même je ne la mériterais pas, je me soumets, ce me semble, à la payer assez cher, pour espérer de l'obtenir.

Quoi ! vous allez m'éloigner de vous ! Vous consentez donc à ce que nous devenions étrangers l'un à l'autre ! que dis-je ? Vous le désirez ; et tandis que vous m'assurez que mon absence n'altérera point vos sentiments, vous ne pressez mon départ que pour travailler plus facilement à les détruire.

Déjà, vous me parlez de les remplacer par de la reconnaissance. Ainsi, le sentiment qu'obtiendrait de vous un inconnu pour le plus léger service, votre ennemi même, en cessant de vous nuire, voilà ce que vous m'offrez ! et vous voulez que mon cœur s'en contente ! Interrogez le vôtre : si votre amant, si votre ami, venaient un jour vous parler de leur reconnaissance, ne leur diriez-vous pas, avec indignation : retirez-vous, vous êtes des ingrats ?

Je m'arrête et réclame votre indulgence. Pardonnez l'expression d'une douleur que vous faites naître : elle ne nuira point à ma soumission parfaite. Mais je vous en conjure à mon tour, au nom de ces sentiments si doux, que vous-même vous réclamez, ne refusez pas de m'entendre ; et par pitié du moins pour le trouble mortel où vous m'avez plongé, n'en éloignez pas le moment. Adieu, Madame.

*De … ce 27 septembre 17**, au soir.*

LETTRE XCII

LE CHEVALIER DANCENY AU VICOMTE DE VALMONT

Ô mon ami ! votre Lettre m'a glacé d'effroi. Cécile… Ô Dieu ! est-il possible ? Cécile ne m'aime plus. Oui, je vois cette affreuse vérité à travers le voile dont votre amitié l'entoure. Vous avez voulu me préparer à recevoir ce coup mortel ; je vous remercie de vos soins, mais peut-on en imposer à l'amour ? Il court au-devant de ce qui l'intéresse ; il n'apprend pas son sort, il le devine. Je ne doute plus du mien : parlez-moi sans détour, vous le pouvez, et je vous en prie.

Mandez-moi tout ; ce qui a fait naître vos soupçons, ce qui les a confirmés. Les moindres détails[1] sont précieux. Tâchez, surtout, de vous rappeler ses paroles. Un mot pour l'autre peut changer toute une phrase ; le même a quelquefois deux sens... Vous pouvez vous être trompé : hélas, je cherche à me flatter encore. Que vous a-t-elle dit ? Me fait-elle quelque reproche ? Au moins ne se défend-elle pas de ses torts ? J'aurais dû prévoir ce changement, par les difficultés que, depuis un temps, elle trouve à tout. L'amour ne connaît pas tant d'obstacles.

Quel parti dois-je prendre ? Que me conseillez-vous ? si je tentais de la voir ; cela est-il donc impossible ? L'absence est si cruelle, si funeste... et elle a refusé un moyen de me voir ! Vous ne me dites pas quel il était ; s'il y avait en effet trop de danger, elle sait bien que je ne veux pas qu'elle se risque trop. Mais aussi je connais votre prudence, et, pour mon malheur, je ne peux pas ne pas y croire.

Que vais-je faire à présent ? comment lui écrire ? Si je lui laisse voir mes soupçons, ils la chagrineront peut-être ; et s'ils sont injustes, me pardonnerais-je de l'avoir affligée ? Si je les lui cache, c'est la tromper, et je ne sais point dissimuler avec elle.

Oh ! si elle pouvait savoir ce que je souffre, ma peine la toucherait. Je la connais sensible ; elle a le cœur excellent, et j'ai mille preuves de son amour. Trop de timidité, quelqu'embarras ; elle est si jeune ! Et sa mère la traite avec tant de sévérité ! Je vais lui écrire ; je me contiendrai ; je lui demanderai seulement de s'en remettre entièrement à vous. Quand même elle refuserait encore, elle ne pourra pas au moins se fâcher de ma prière ; et peut-être elle consentira.

Vous, mon ami, je vous fais mille excuses, et pour elle et pour moi. Je vous assure qu'elle sent le prix de vos soins, qu'elle en est reconnaissante. Ce n'est pas méfiance, c'est timidité. Ayez de l'indulgence, c'est le plus beau caractère de l'amitié. La vôtre m'est bien précieuse, et je ne sais comment reconnaître tout ce que vous faites pour moi. Adieu, je vais écrire tout de suite.

Je sens toutes mes craintes revenir ; qui m'eût dit que jamais il m'en coûterait de lui écrire ! Hélas ! hier encore, c'était mon plaisir le plus doux.

Adieu, mon ami ; continuez-moi vos soins, et plaignez-moi beaucoup.

*Paris, ce 27 septembre 17**.*

LETTRE XCIII

LE CHEVALIER DANCENY
À CÉCILE VOLANGES
(Jointe à la précédente.)

Je ne puis vous dissimuler combien j'ai été affligé en apprenant de Valmont le peu de confiance que vous continuez à avoir en lui. Vous n'ignorez pas qu'il est mon ami, qu'il est la seule personne qui puisse nous rapprocher l'un de l'autre : j'avais cru que ces titres seraient suffisants auprès de vous ; je vois avec peine que je me suis trompé. Puis-je espérer qu'au moins vous m'instruirez de vos raisons ? Ne trouverez-vous pas encore quelques difficultés qui vous en empêcheront ? Je ne puis cependant deviner sans vous le mystère de cette conduite. Je n'ose soupçonner votre amour, sans doute aussi vous n'oseriez trahir le mien. Ah ! Cécile !...

Il est donc vrai que vous avez refusé un moyen de me voir ? Un moyen *simple, commode et sûr** ? Et c'est ainsi que vous m'aimez ! Une si courte absence a bien changé vos sentiments. Mais pourquoi me tromper ? Pourquoi me dire que vous m'aimez toujours, que vous m'aimez davantage ? Votre maman, en détrui-

* Danceny ne sait pas quel était ce moyen ; il répète seulement l'expression de Valmont.

sant votre amour, a-t-elle aussi détruit votre candeur[1] ? Si au moins elle vous a laissé quelque pitié, vous n'apprendrez pas sans peine les tourments affreux que vous me causez. Ah ! je souffrirais moins pour mourir.

Dites-moi donc, votre cœur m'est-il fermé sans retour ? m'avez-vous entièrement oublié ? Grâce à vos refus, je ne sais, ni quand vous entendrez mes plaintes, ni quand vous y répondrez. L'amitié de Valmont avait assuré notre correspondance : mais vous, vous n'avez pas voulu ; vous la trouviez pénible, vous avez préféré qu'elle fût rare. Non, je ne croirai plus à l'amour, à la bonne foi. Eh ! qui peut-on croire, si Cécile m'a trompé ?

Répondez-moi donc, est-il vrai que vous ne m'aimez plus ? Non, cela n'est pas possible ; vous vous faites illusion ; vous calomniez votre cœur. Une crainte passagère, un moment de découragement, mais que l'amour a bientôt fait disparaître ; n'est-il pas vrai, ma Cécile ? ah ! sans doute, et j'ai tort de vous accuser. Que je serais heureux d'avoir tort ! que j'aimerais à vous faire de tendres excuses, à réparer ce moment d'injustice par une éternité d'amour !

Cécile, Cécile, ayez pitié de moi ! Consentez à me voir, prenez-en tous les moyens ! Voyez ce que produit l'absence ! des craintes, des soupçons, peut-être de la froideur ! Un seul regard, un seul mot, et nous serons heureux. Mais quoi ! puis-je encore parler de bonheur ? peut-être est-il perdu pour moi, perdu pour jamais. Tourmenté par la crainte, cruellement pressé entre les soupçons injustes et la vérité plus cruelle, je ne puis m'arrêter à aucune pensée ; je ne conserve d'existence que pour souffrir et vous aimer. Ah Cécile ! vous seule avez le droit de me la rendre chère, et j'attends du premier mot que vous prononcerez, le retour du bonheur ou la certitude d'un désespoir éternel.

*Paris..., ce 27 Septembre 17**.*

LETTRE XCIV

CÉCILE VOLANGES
AU CHEVALIER DANCENY

Je ne conçois rien à votre Lettre, sinon la peine qu'elle me cause. Qu'est-ce que M. de Valmont vous a donc mandé, et qu'est-ce qui a pu vous faire croire que je ne vous aimais plus ? Cela serait peut-être bien heureux pour moi, car sûrement j'en serais moins tourmentée ; et il est bien dur, quand je vous aime, comme je fais, de voir que vous croyez toujours que j'ai tort, et qu'au lieu de me consoler, ce soit de vous que me viennent toujours les peines qui me font le plus de chagrin. Vous croyez que je vous trompe, et que je vous dis ce qui n'est pas ! vous avez là une jolie idée de moi ! Mais quand je serais menteuse comme vous me le reprochez, quel intérêt y aurais-je ? Assurément, si je ne vous aimais plus, je n'aurais qu'à le dire, et tout le monde m'en louerait, mais, par malheur, c'est plus fort que moi, et il faut que ce soit pour quelqu'un qui ne m'en a pas d'obligation du tout !

Qu'est-ce que j'ai donc fait, pour vous tant fâcher ? Je n'ai pas osé prendre une clef, parce que je craignais que Maman ne s'en aperçût, et que cela ne me causât encore du chagrin, et à vous aussi à cause de moi ; et puis encore parce qu'il me semble que c'est mal fait. Mais ce n'était que M. de Valmont qui m'en avait parlé ; je ne pouvais pas savoir si vous le vouliez ou non, puisque vous n'en saviez rien. À présent que je sais que vous le désirez, est-ce que je refuse de la prendre, cette clef ? Je la prendrai dès demain, et puis nous verrons ce que vous aurez encore à dire.

M. de Valmont a beau être votre ami ; je crois que je vous aime bien autant qu'il peut vous aimer, pour le moins ; et cependant c'est toujours lui qui a raison, et moi j'ai toujours tort. Je vous assure que je suis bien fâchée. Ça vous est bien égal, parce que vous savez que je m'apaise tout de suite : mais à présent que j'aurai la clef, je pourrai vous voir quand je voudrai, et je vous assure que je ne voudrai pas, quand vous agirez comme ça. J'aime mieux avoir du chagrin qui me vienne de moi, que s'il me venait de vous : voyez ce que vous voulez faire.

Si vous vouliez, nous nous aimerions tant ! et au moins n'aurions-nous de peines que celles qu'on nous fait ! Je vous assure bien que si j'étais maîtresse, vous n'auriez jamais à vous plaindre de moi : mais si vous ne me croyez pas, nous serons toujours bien malheureux, et ce ne sera pas ma faute. J'espère que bientôt nous pourrons nous voir, et qu'alors nous n'aurons plus d'occasions de nous chagriner comme à présent.

Si j'avais pu prévoir ça, j'aurais pris cette clef tout de suite : mais en vérité, je croyais bien faire. Ne m'en voulez donc pas, je vous en prie. Ne soyez plus triste, et aimez-moi toujours autant que je vous aime, alors je serai bien contente. Adieu, mon cher ami.

*Du Château de ..., ce 28 Septembre 17**.*

LETTRE XCV

CÉCILE VOLANGES AU VICOMTE DE VALMONT

Je vous prie, Monsieur, de vouloir bien avoir la bonté de me remettre cette clef que vous m'aviez donnée pour mettre à la place de l'autre ; puisque tout le monde le veut, il faut bien que j'y consente aussi.

Je ne sais pas pourquoi vous avez mandé à M. Danceny que je ne l'aimais plus ; je ne crois pas vous avoir jamais donné lieu de le penser ; et cela lui a fait bien de la peine, et à moi aussi. Je sais bien que vous êtes son ami, mais ce n'est pas une raison pour le chagriner, ni moi non plus. Vous me feriez bien plaisir de lui mander le contraire, la première fois que vous lui écrirez, et que vous en êtes sûr : car c'est en vous qu'il a le plus de confiance ; et moi, quand j'ai dit une chose, et qu'on ne la croit pas, je ne sais plus comment faire.

Pour ce qui est de la clef, vous pouvez être tranquille : j'ai bien retenu tout ce que vous me recommandiez dans votre Lettre. Cependant, si vous l'avez encore, et que vous vouliez me la donner en même temps, je vous promets que j'y ferai bien attention. Si ce pouvait être demain en allant dîner, je vous donnerais l'autre clef après-demain à déjeuner, et vous me la remettriez de la même façon que la première. Je voudrais bien que cela ne fût pas plus long, parce qu'il y aurait moins de temps à risquer que Maman ne s'en aperçût.

Et puis, quand une fois vous aurez cette clef-là, vous aurez bien la bonté de vous en servir aussi pour prendre mes Lettres ; et comme cela M. Danceny aura plus souvent de mes nouvelles. Il est vrai que ce sera bien plus commode qu'à présent ; mais c'est que d'abord, cela m'a fait trop peur : je vous prie de m'excuser, et j'espère que vous n'en continuerez pas moins d'être aussi complaisant que par le passé. J'en serai aussi toujours bien reconnaissante.

J'ai l'honneur d'être, Monsieur, votre très humble et très obéissante servante[1].

*De … ce 28 Septembre 17**.*

LETTRE XCVI

LE VICOMTE DE VALMONT
À LA MARQUISE DE MERTEUIL

Je parie bien que, depuis votre aventure, vous attendez chaque jour mes compliments et mes éloges ; je ne doute même pas que vous n'ayez pris un peu d'humeur de mon long silence : mais que voulez-vous ? j'ai toujours pensé que quand il n'y avait plus que des louanges à donner à une femme, on pouvait s'en reposer sur elle, et s'occuper d'autre chose. Cependant je vous remercie pour mon compte, et vous félicite pour le vôtre. Je veux bien même, pour vous rendre parfaitement heureuse, convenir que, pour cette fois, vous avez surpassé mon attente. Après cela, voyons si de mon côté j'aurai du moins rempli la vôtre en partie.

Ce n'est pas de Mme de Tourvel dont je veux vous parler ; sa marche trop lente vous déplaît, vous n'aimez que les affaires faites. Les scènes filées[1] vous ennuient, et moi, jamais je n'avais goûté le plaisir que j'éprouve dans ces lenteurs prétendues.

Oui, j'aime à voir, à considérer cette femme prudente, engagée, sans s'en être aperçue, dans un sentier qui ne permet plus de retour, et dont la pente rapide et dangereuse l'entraîne malgré elle, et la force à me suivre. Là, effrayée du péril qu'elle court, elle voudrait s'arrêter, et ne peut se retenir. Ses soins et son adresse peuvent bien rendre ses pas moins grands, mais il faut qu'ils se succèdent. Quelquefois, n'osant fixer le danger, elle ferme les yeux, et se laissant aller, s'abandonne à mes soins. Plus souvent, une nouvelle crainte ranime ses efforts : dans son effroi mortel, elle veut tenter encore de retourner en arrière ; elle épuise ses forces pour gravir péniblement un court espace, et bientôt un magique pouvoir la replace plus près de ce danger que vainement elle avait voulu fuir. Alors n'ayant plus que moi pour guide et pour appui, sans songer à me reprocher davantage une chute inévitable, elle m'implore pour la retarder. Les ferventes prières, les humbles supplications, tout ce que les mortels, dans leur crainte, offrent à la Divinité, c'est moi qui le reçois d'elle, et vous voulez que sourd à ses vœux, et détruisant moi-même le culte qu'elle me rend, j'emploie à la précipiter, la puissance qu'elle invoque pour la soutenir ; ah ! laissez-moi du moins le temps d'observer ces touchants combats entre l'amour et la vertu.

Eh quoi ! ce même spectacle qui vous fait courir au Théâtre avec empressement, que vous y applaudissez avec fureur, le croyez-vous moins attachant dans la réalité ? Ces sentiments d'une âme pure et tendre, qui redoute le bonheur qu'elle désire, et ne cesse pas de se défendre, même alors qu'elle cesse de résister, vous les écoutez avec enthousiasme : ne seraient-ils sans prix que pour celui qui les fait naître ? Voilà pourtant, voilà les délicieuses jouissances[2] que cette femme céleste m'offre chaque jour, et vous me reprochez d'en savourer les douceurs ! Ah ! le temps ne viendra que trop tôt, où, dégradée par sa chute, elle ne sera plus pour moi qu'une femme ordinaire.

Mais j'oublie, en vous parlant d'elle, que je ne voulais pas vous en parler. Je ne sais quelle puissance m'y attache, m'y ramène sans cesse, même alors que je l'outrage[3]. Écartons sa dangereuse idée ; que je redevienne moi-même pour traiter un sujet plus gai. Il s'agit de votre pupille, à présent devenue la mienne, et j'espère qu'ici vous allez me reconnaître.

Depuis quelques jours, mieux traité par ma tendre dévote, et par conséquent moins occupé d'elle, j'avais remarqué que la petite Volanges était en effet fort jolie, et que, s'il y avait de la sottise à en être amoureux comme Danceny, peut-être n'y en avait-il pas moins de ma part, à ne pas chercher auprès d'elle une distraction que ma solitude me rendait nécessaire. Il me parut juste aussi de me payer des soins que je me donnais pour elle : je me rappelais en outre que vous me l'aviez offerte, avant que Danceny eût rien à y prétendre ; et je me trouvais fondé à réclamer quelques droits, sur un bien qu'il ne possédait qu'à mon refus et par mon abandon. La jolie mine de la petite personne, sa bouche si fraîche, son air enfantin, sa gaucherie même, fortifiaient ces sages réflexions ; je résolus d'agir en conséquence, et le succès a couronné l'entreprise.

Déjà vous cherchez par quel moyen j'ai supplanté si tôt l'amant chéri ; quelle séduction convient à cet âge, à cette inexpérience. Épargnez-vous tant de peine, je n'en ai employé aucune. Tandis que maniant avec adresse les armes de votre sexe, vous triomphiez par la finesse[4] ; moi, rendant à l'homme ses droits imprescriptibles, je subjuguais par l'autorité. Sûr de saisir ma proie, si je pouvais la joindre[5], je n'avais besoin de ruse que pour m'en approcher, et même celle dont je me suis servi ne mérite presque pas ce nom.

Je profitai de la première Lettre que je reçus de Danceny pour sa Belle, et après l'en avoir avertie par le signal convenu entre nous, au lieu de mettre mon adresse à la lui rendre, je la mis à n'en pas trouver le moyen : cette impatience que je faisais naître, je feignais de la partager, et après avoir causé le mal, j'indiquai le remède.

La jeune personne habite une chambre dont une porte donne sur le corridor ; mais, comme de raison, la mère en avait pris la clef. Il ne s'agissait que de s'en rendre maître. Rien de plus facile dans l'exécution ; je ne demandais que d'en disposer deux heures, et je répondais d'en avoir une semblable. Alors, correspondances, entrevues, rendez-vous nocturnes, tout devenait commode et sûr : cependant, le croiriez-vous ? l'Enfant timide prit peur et refusa. Un autre s'en serait désolé ; moi je n'y vis que l'occasion d'un plaisir plus piquant. J'écrivis à Danceny pour me plaindre de ce refus, et je fis si bien que notre étourdi n'eut de cesse qu'il n'eût obtenu, exigé même de sa craintive Maîtresse, qu'elle accordât ma demande et se livrât toute à ma discrétion[6].

J'étais bien aise, je l'avoue, d'avoir ainsi changé de rôle, et que le jeune homme fît pour moi ce qu'il comptait que je ferais pour lui. Cette idée doublait, à mes yeux, le prix de l'aventure : aussi dès que j'ai eu la précieuse clef, me suis-je hâté d'en faire usage ; c'était la nuit dernière.

Après m'être assuré que tout était tranquille dans le Château ; armé de ma lanterne sourde[7], et dans la toilette que comportait[8] l'heure et qu'exigeait la circonstance, j'ai rendu ma première visite à votre pupille. J'avais tout fait préparer (et cela par elle-même), pour pouvoir entrer sans bruit. Elle était dans son premier sommeil, et dans celui de son âge ; de façon que je suis arrivé jusqu'à son lit, sans qu'elle se soit réveillée. J'ai d'abord été tenté d'aller plus avant, et d'essayer de passer pour un songe[9] ; mais craignant l'effet de la surprise et le bruit qu'elle entraîne, j'ai préféré d'éveiller avec précaution la jolie dormeuse, et suis en effet parvenu à prévenir le cri que je redoutais.

Après avoir calmé ses premières craintes, comme je n'étais pas venu là pour causer, j'ai risqué quelques libertés[10]. Sans doute on ne lui a pas bien appris dans son couvent, à combien de périls divers eſt exposée la timide innocence, et tout ce qu'elle a à garder[11] pour n'être pas surprise ; car, portant toute son attention, toutes ses forces, à se défendre d'un baiser, qui n'était qu'une fausse attaque, tout le reſte était laissé sans défense : le moyen de n'en pas profiter ! J'ai donc changé ma marche, et sur-le-champ[12] j'ai pris poſte[13]. Ici nous avons pensé être perdus tous deux : la petite fille, tout effarouchée, a voulu crier de bonne foi ; heureusement sa voix s'eſt éteinte dans les pleurs. Elle s'était jetée aussi au cordon de sa sonnette, mais mon adresse a retenu son bras à temps.

« Que voulez-vous faire, lui ai-je dit alors, vous perdre pour toujours ? Qu'on vienne, et que m'importe ? à qui persuaderez-vous que je ne sois pas ici de votre aveu ? Quel autre que vous m'aura fourni le moyen de m'y introduire ? et cette clef que je tiens de vous, que je n'ai pu avoir que par vous, vous chargerez-vous d'en indiquer l'usage ? » Cette courte harangue n'a calmé ni la douleur ni la colère, mais elle a amené la soumission. Je ne sais si j'avais le ton de l'éloquence, au moins est-il vrai que je n'en avais pas le geste. Une main occupée pour la force, l'autre pour l'amour, quel Orateur pourrait prétendre à la grâce en pareille situation ? Si vous vous la peignez bien, vous conviendrez qu'au moins elle était favorable à l'attaque ; mais moi, je n'entends rien à rien, et, comme vous dites, la femme la plus simple, une pensionnaire, me mène comme un enfant[14].

Celle-ci, tout en se désolant, sentait qu'il fallait prendre un parti, et entrer en composition[15]. Les prières me trouvant inexorable, il a fallu passer aux offres. Vous croyez que j'ai vendu bien cher ce poste important : non, j'ai tout promis pour un baiser. Il est vrai que, le baiser pris, je n'ai pas tenu ma promesse : mais j'avais de bonnes raisons. Étions-nous convenus qu'il serait pris ou donné ? À force de marchander, nous sommes tombés d'accord pour un second ; et celui-là, il était dit qu'il serait reçu. Alors ayant guidé ses bras timides autour de mon corps, et la pressant de l'un des miens plus amoureusement, le doux baiser a été reçu en effet ; mais bien, mais parfaitement reçu : tellement enfin que l'Amour n'aurait pas pu mieux faire.

Tant de bonne foi méritait récompense, aussi ai-je aussitôt accordé la demande. La main s'est retirée ; mais je ne sais par quel hasard je me suis trouvé moi-même à sa place[16]. Vous me supposez là bien empressé, bien actif, n'est-il pas vrai ? point du tout. J'ai pris goût aux lenteurs, vous dis-je. Une fois sûr d'arriver, pourquoi tant presser le voyage ?

Sérieusement, j'étais bien aise d'observer une fois la puissance de l'occasion[17], et je la trouvais ici dénuée de tout secours étranger. Elle avait pourtant à combattre l'amour, et l'amour soutenu par la pudeur ou la honte, et fortifié surtout par l'humeur que j'avais donnée, et dont on avait beaucoup pris. L'occasion était seule ; mais elle était là, toujours offerte, toujours présente, et l'Amour était absent.

Pour assurer mes observations, j'avais la malice de n'employer de force que ce qu'on en pouvait combattre. Seulement si ma charmante ennemie, abusant de ma facilité, se trouvait prête à m'échapper, je la contenais par cette même crainte, dont j'avais déjà éprouvé les heureux effets. Hé bien, sans autre soin, la tendre amoureuse, oubliant ses serments, a cédé d'abord et fini par consentir ; non pas qu'après ce premier moment les reproches et les larmes ne soient revenus de concert ; j'ignore s'ils étaient vrais ou feints : mais, comme il arrive toujours, ils ont cessé, dès que je me suis occupé à y donner lieu de nouveau. Enfin, de faiblesse en reproche, et de reproche en faiblesse, nous ne nous sommes séparés que satisfaits l'un de l'autre, et également d'accord pour le rendez-vous de ce soir[a].

Je ne me suis retiré chez moi qu'au point du jour, et j'étais rendu de fatigue et de sommeil : cependant j'ai sacrifié l'un et l'autre au désir de me trouver ce matin au déjeuner ; j'aime, de passion, les mines de lendemain[18]. Vous n'avez pas d'idée de celle-ci. C'était un embarras dans le maintien ! une difficulté dans la marche ! des yeux toujours baissés, et si gros, et si battus ! Cette figure si ronde s'était tant allongée ! rien n'était si plaisant. Et pour la première fois, sa mère, alarmée de ce changement extrême, lui témoignait un intérêt assez tendre ! et la Présidente aussi, qui s'empressait autour d'elle ! Oh ! pour ces soins-là, ils ne sont que prêtés ; un jour viendra où on pourra les lui rendre[19], et ce jour n'est pas loin. Adieu, ma belle amie.

*Du Château de …, ce 1er Octobre 17**.*

LETTRE XCVII

CÉCILE VOLANGES
À LA MARQUISE DE MERTEUIL

Ah ! mon Dieu, Madame, que je suis affligée ! que je suis malheureuse ! Qui me consolera dans mes peines ? qui me conseillera dans l'embarras où je me trouve. Ce M. de Valmont… et Danceny ! non, l'idée de Danceny me met au désespoir… Comment vous raconter ? comment vous dire ?… Je ne sais comment faire. Cependant mon cœur eſt plein… Il faut que je parle à quelqu'un, et vous êtes la seule à qui je puisse, à qui j'ose me confier. Vous avez tant de bonté pour moi ! Mais n'en ayez pas dans ce moment-ci ; je n'en suis pas digne : que vous dirai-je ? je ne le désire point. Tout le monde ici m'a témoigné de l'intérêt[1] aujourd'hui… ; ils ont tous augmenté ma peine. Je sentais tant que je ne le méritais pas ! Grondez-moi, au contraire, grondez-moi bien, car je suis bien coupable ; mais après, sauvez-moi : si vous n'avez pas la bonté de me conseiller, je mourrai de chagrin.

Apprenez donc… ma main tremble, comme vous voyez, je ne peux presque pas écrire, je me sens le visage tout en feu… Ah ! c'eſt bien le rouge de la honte. Hé bien, je la souffrirai ; ce sera la première punition de ma faute. Oui, je vous dirai tout.

Vous saurez donc que M. de Valmont, qui m'a remis jusqu'ici les lettres de M. Danceny, a trouvé tout d'un coup que c'était trop difficile ; il a voulu avoir une clef de ma chambre. Je puis bien vous assurer que je ne voulais pas ; mais il a été en écrire à Danceny, et Danceny l'a voulu aussi ; et moi, ça me fait tant de peine quand je lui refuse quelque chose, surtout depuis mon absence, qui le rend si malheureux, que j'ai fini par y consentir. Je ne prévoyais pas le malheur qui en arriverait.

Hier, M. de Valmont s'est servi de cette clef pour venir dans ma chambre, comme j'étais endormie ; je m'y attendais si peu, qu'il m'a fait bien peur en me réveillant ; mais comme il m'a parlé tout de suite, je l'ai reconnu, et je n'ai pas crié ; et puis l'idée m'est venue d'abord qu'il venait peut-être m'apporter une lettre de Danceny. C'en était bien loin. Un petit moment après il a voulu m'embrasser ; et pendant que je me défendais, comme c'est naturel, il a si bien fait, que je n'aurais pas voulu pour toute chose au monde[a]... Mais lui voulait un baiser auparavant. Il a bien fallu, car comment faire ? d'autant que j'avais essayé d'appeler ; mais outre que je n'ai pas pu, il a bien su me dire que s'il venait quelqu'un, il saurait bien rejeter toute la faute sur moi ; et en effet c'était bien facile, à cause de cette clef. Ensuite il ne s'est pas retiré davantage : il en a voulu un second ; et celui-là, je ne savais pas ce qui en était, mais il m'a toute troublée ; et après, c'était encore pis qu'auparavant. Oh ! par exemple, c'est bien mal ça. Enfin après..., vous m'exempterez bien de dire le reste ; mais je suis malheureuse autant qu'on peut l'être.

Ce que je me reproche le plus, et dont pourtant il faut que je vous parle, c'est que j'ai peur de ne pas m'être défendue autant que je le pouvais. Je ne sais pas comment cela se faisait, sûrement je n'aime pas M. de Valmont, bien au contraire, et il y avait des moments où j'étais comme si je l'aimais... Vous jugez bien que ça ne m'empêchait pas de lui dire toujours que non ; mais je sentais bien que je ne faisais pas comme je disais, et ça, c'était comme malgré moi ; et puis aussi, j'étais bien troublée ! S'il est toujours aussi difficile que ça de se défendre, il faut y être bien accoutumée ! Il est vrai que M. de Valmont a des façons de dire, qu'on ne sait pas comment faire pour lui répondre : enfin, croiriez-vous que quand il s'en est allé, j'en étais comme fâchée, et que j'ai eu la faiblesse de consentir qu'il revînt ce soir : ça me désole encore plus que tout le reste.

Oh! malgré ça, je vous promets bien que je l'empêcherai d'y venir. Il n'a pas été sorti, que j'ai bien senti que j'avais eu bien tort de lui promettre : aussi j'ai pleuré tout le reste du temps[b]. C'est surtout Danceny qui me faisait de la peine! toutes les fois que je songeais à lui, mes pleurs redoublaient que j'en étais suffoquée, et j'y songeais toujours..., et à présent encore, vous en voyez l'effet, voilà mon papier tout trempé. Non, je ne me consolerai jamais, ne fût-ce qu'à cause de lui... Enfin, je n'en pouvais plus, et pourtant je n'ai pas pu dormir une minute. Et ce matin en me levant, quand je me suis regardée au miroir, je faisais peur, tant j'étais changée.

Maman s'en est aperçue dès qu'elle m'a vue, et elle m'a demandé ce que j'avais. Moi, je me suis mise à pleurer tout de suite. Je croyais qu'elle m'allait gronder, et peut-être ça m'aurait fait moins de peine ; mais au contraire, elle m'a parlé avec douceur : je ne le méritais guère ! Elle m'a dit de ne pas m'affliger comme ça : elle ne savait pas le sujet de mon affliction ! que je me rendrais malade ! Il y a des moments où je voudrais être morte. Je n'ai pas pu y tenir. Je me suis jetée dans ses bras en sanglotant, et en lui disant : « Ah, Maman ! votre fille est bien malheureuse ! » Maman n'a pas pu s'empêcher de pleurer un peu, et tout cela n'a fait qu'augmenter mon chagrin : heureusement elle ne m'a pas demandé pourquoi j'étais si malheureuse, car je n'aurais su que lui dire.

Je vous en supplie, Madame, écrivez-moi le plus tôt que vous pourrez, et dites-moi ce que je dois faire, car je n'ai le courage de songer à rien, et je ne fais que m'affliger. Vous voudrez bien m'adresser votre lettre par M. de Valmont ; mais, je vous en prie, si vous lui écrivez en même temps, ne lui parlez pas que je vous aie rien dit.

J'ai l'honneur d'être, Madame, avec toujours bien de l'amitié, votre très humble et très obéissante servante...

Je n'ose pas signer cette lettre.

*Du Château de ..., ce 1er Octobre 17**.*

LETTRE XCVIII

MADAME DE VOLANGES
À LA MARQUISE DE MERTEUIL

Il y a bien peu de jours, ma charmante amie, que c'était vous qui me demandiez des consolations et des conseils : aujourd'hui c'est mon tour, et je vous fais pour moi la même demande que vous me faisiez pour vous. Je suis bien réellement affligée, et je crains de n'avoir pas pris les meilleurs moyens pour éviter les chagrins que j'éprouve.

C'est ma fille qui cause mon inquiétude. Depuis mon départ, je l'avais bien vue toujours triste et chagrine ; mais je m'y attendais, et j'avais armé mon cœur d'une sévérité que je jugeais nécessaire. J'espérais que l'absence, les distractions détruiraient bientôt un amour que je regardais plutôt comme une erreur de l'enfance, que comme une véritable passion. Cependant, loin d'avoir rien gagné depuis mon séjour ici, je m'aperçois que cet enfant se livre de plus en plus à une mélancolie dangereuse ; et je crains tout de bon que sa santé ne s'altère. Particulièrement depuis quelques jours, elle change à vue d'œil. Hier, surtout, elle me frappa, et tout le monde ici en fut vraiment alarmé.

Ce qui me prouve encore combien elle est affectée vivement, c'est que je la vois prête à surmonter la timidité qu'elle a toujours eue avec moi. Hier matin, sur la simple demande que je lui fis si elle était malade, elle se précipita dans mes bras, en me disant qu'elle était bien malheureuse ; et elle pleura aux sanglots[a]. Je ne puis vous rendre la peine qu'elle m'a faite ; les larmes me sont venues aux yeux tout de suite, et je n'ai eu que le temps de me détourner, pour empêcher qu'elle ne me vît. Heureusement j'ai eu la prudence de ne lui faire aucune question, et elle n'a pas osé m'en dire davantage ; mais il n'en est pas moins clair que c'est cette malheureuse passion qui la tourmente.

Quel parti prendre pourtant, si cela dure ? ferai-je le malheur de ma fille ? tournerai-je contre elle les qualités les plus précieuses de l'âme, la sensibilité et la constance ? est-ce pour cela que je suis sa mère ? et quand j'étoufferais ce sentiment si naturel qui nous fait vouloir le bonheur de nos enfants ; quand je regarderais comme une faiblesse, ce que je crois, au contraire, le premier, le plus sacré de nos devoirs ; si je force son choix, n'aurai-je pas à répondre des suites funestes qu'il peut avoir ? Quel usage à faire de l'autorité maternelle, que de placer sa fille entre le crime et le malheur !

Mon amie, je n'imiterai pas ce que j'ai blâmé si souvent. J'ai pu, sans doute, tenter de faire un choix pour ma fille ; je ne faisais en cela que l'aider de mon expérience : ce n'était pas un droit que j'exerçais, je remplissais un devoir. J'en trahirais un, au contraire, en disposant d'elle au mépris d'un penchant que je n'ai pas su empêcher de naître, et dont ni elle ni moi ne pouvons connaître ni l'étendue ni la durée. Non, je ne souffrirai point qu'elle épouse celui-ci pour aimer celui-là, et j'aime mieux compromettre mon autorité que sa vertu.

Je crois donc que je vais prendre le parti le plus sage, de retirer la parole que j'ai donnée à M. de Gercourt. Vous venez d'en voir les raisons ; elles me paraissent devoir l'emporter sur mes promesses. Je dis plus : dans l'état où sont les choses, remplir mon engagement, ce serait véritablement le violer. Car enfin, si je dois à ma fille de ne pas livrer son secret à M. de Gercourt, je dois au moins à celui-ci de ne pas abuser de l'ignorance où je le laisse, et de faire pour lui tout ce que je crois qu'il ferait lui-même, s'il était instruit. Irai-je, au contraire, le trahir indignement quand il se livre à ma foi, et, tandis qu'il m'honore en me choisissant pour sa seconde mère, le tromper dans le choix qu'il veut faire de la mère de ses enfants? Ces réflexions si vraies et auxquelles je ne peux me refuser, m'alarment plus que je ne puis vous dire.

Aux malheurs qu'elles me font redouter, je compare ma fille heureuse avec l'époux que son cœur a choisi, ne connaissant ses devoirs que par la douceur qu'elle trouve à les remplir; mon gendre également satisfait, et se félicitant chaque jour de son choix; chacun d'eux ne trouvant de bonheur que dans le bonheur de l'autre, et celui de tous deux se réunissant pour augmenter le mien. L'espoir d'un avenir si doux doit-il être sacrifié à de vaines considérations? Et quelles sont celles qui me retiennent? uniquement des vues d'intérêt. De quel avantage sera-t-il donc pour ma fille d'être née riche, si elle n'en doit pas moins être esclave de la fortune.

Je conviens que M. de Gercourt est un parti meilleur, peut-être, que je ne devais l'espérer pour ma fille; j'avoue même que j'ai été extrêmement flattée du choix qu'il a fait d'elle. Mais enfin, Danceny est d'une aussi bonne maison que lui; il ne lui cède en rien pour les qualités personnelles; il a sur M. de Gercourt l'avantage d'aimer et d'être aimé: il n'est pas riche à la vérité; mais ma fille ne l'est-elle pas assez pour eux deux? Ah! pourquoi lui ravir la satisfaction si douce d'enrichir ce qu'elle aime!

Ces mariages qu'on calcule au lieu de les assortir, qu'on appelle de convenance, et où tout se convient en effet, hors les goûts et les caractères, ne sont-ils pas la source la plus féconde de ces éclats scandaleux qui deviennent tous les jours plus fréquents? J'aime mieux différer; au moins j'aurai le temps d'étudier ma fille que je ne connais pas. Je me sens bien le courage de lui causer un chagrin passager, si elle en doit recueillir un bonheur plus solide; mais de risquer de la livrer à un désespoir éternel, cela n'est pas dans mon cœur.

Voilà, ma chère amie, les idées qui me tourmentent, et sur quoi je réclame vos conseils. Ces objets sévères contrastent beaucoup avec votre aimable gaieté, et ne paraissent guère de votre âge; mais votre raison l'a tant devancé[b] ! Votre amitié d'ailleurs aidera votre prudence ; et je ne crains point que l'une ou l'autre se refusent à la sollicitude maternelle qui les implore.

Adieu, ma charmante amie ; ne doutez jamais de la sincérité de mes sentiments.

*Du Château de …, ce 2 Octobre 17**.*

LETTRE XCIX

LE VICOMTE DE VALMONT
À LA MARQUISE DE MERTEUIL

Encore de petits événements, ma belle amie ; mais des scènes seulement, point d'actions. Ainsi, armez-vous de patience, prenez-en même beaucoup ; car tandis que ma Présidente marche à si petits pas, votre pupille recule, et c'est bien pis encore. Hé bien, j'ai le bon esprit de m'amuser de ces misères-là. Véritablement je m'accoutume fort bien à mon séjour ici ; et je puis dire que dans le triste Château de ma vieille tante, je n'ai pas éprouvé un moment d'ennui. Au fait ; n'y ai-je pas jouissances, privations, espoir, incertitude ! Qu'a-t-on de plus sur un plus grand théâtre ? Des spectateurs ? Hé ! Laissez faire, ils ne manqueront pas. S'ils ne me voient à l'ouvrage, je leur montrerai ma besogne faite ; ils n'auront plus qu'à admirer et applaudir. Oui, ils applaudiront ; car je puis enfin prédire, avec certitude, le moment de la chute de mon austère dévote. J'ai assisté ce soir à l'agonie de la vertu. La douce faiblesse va régner à sa place. Je n'en fixe pas l'époque plus tard qu'à notre première entrevue ; mais déjà je vous entends crier à l'orgueil. Annoncer sa victoire, se vanter à l'avance ! Hé, là, là, calmez-vous ! Pour vous prouver ma modestie, je vais commencer par l'histoire de ma défaite.

En vérité, votre pupille est une petite personne bien ridicule ! C'est bien un enfant qu'il faudrait traiter comme tel, et à qui on ferait grâce en ne le mettant qu'en pénitence ! Croiriez-vous, d'après ce qui s'est passé avant-hier entr'elle et moi, après la façon amicale dont nous nous sommes quittés hier matin, lorsque j'ai voulu y retourner le soir, comme elle en était convenue, j'ai trouvé sa porte fermée en dedans. Qu'en dites-vous ? on éprouve quelquefois de ces enfantillages-là la veille : mais le lendemain ! cela n'est-il pas plaisant[a] ?

Je n'en ai pourtant pas ri d'abord ; jamais je n'avais autant senti l'empire de mon caractère. Assurément j'allais à ce rendez-vous sans plaisir, et uniquement par procédé. Mon lit, dont j'avais grand besoin, me semblait, pour le moment, préférable à celui de tout autre, et je ne m'en étais éloigné qu'à regret. Cependant je n'ai pas eu plutôt trouvé un obstacle, que je brûlais de le franchir ; j'étais humilié, surtout, qu'un enfant m'eût joué. Je me retirai donc avec beaucoup d'humeur : et dans le projet de ne plus me mêler de ce sot enfant, ni de ses affaires, je lui avais écrit, sur-le-champ, un billet que je comptais lui remettre aujourd'hui, et où je l'évaluais à son juste prix. Mais, comme on dit, la nuit porte conseil ; j'ai trouvé ce matin que, n'ayant pas ici le choix des distractions, il fallait garder celle-là : j'ai donc supprimé le sévère billet. Depuis que j'y ai réfléchi, je ne reviens pas d'avoir eu l'idée de finir une aventure, avant d'avoir en main de quoi en perdre l'Héroïne. Où nous mène pourtant un premier mouvement ! Heureux, ma belle amie, qui a su, comme vous, s'accoutumer à n'y jamais céder[b] ! Enfin j'ai différé ma vengeance ; j'ai fait ce sacrifice à vos vues sur Gercourt.

À présent que je ne suis plus en colère, je ne vois plus que du ridicule dans la conduite de votre pupille. En effet, je voudrais bien savoir ce qu'elle espère gagner par là ! pour moi je m'y perds : si ce n'est que pour se défendre, il faut convenir qu'elle s'y prend un peu tard. Il faudra bien qu'un jour elle me dise le mot de cette énigme ! j'ai grande envie de le savoir. C'est peut-être seulement qu'elle se trouvait fatiguée ? franchement cela se pourrait ; car sans doute elle ignore encore que les flèches de l'Amour, comme la lance d'Achille, portent avec elles le remède aux blessures qu'elles font[1]. Mais non, à sa petite grimace de toute la journée, je parierais qu'il entre là-dedans du repentir… là… quelque chose… comme de la vertu… De la vertu !… c'est bien à elle qu'il convient d'en avoir. Ah ! qu'elle la laisse à la femme véritablement née pour elle, la seule qui sache l'embellir, qui la ferait aimer !… Pardon, ma belle amie ; mais c'est ce soir même que s'est passée, entre Mme de Tourvel et moi, la scène dont j'ai à vous rendre compte, et j'en conserve encore quelque émotion. J'ai besoin de me faire violence pour me distraire de l'impression qu'elle m'a faite ; c'est même pour m'y aider, que je me suis mis à vous écrire. Il faut pardonner quelque chose à ce premier moment.

Il y a déjà quelques jours que nous sommes d'accord, Mme de Tourvel et moi, sur nos sentiments ; nous ne disputons plus que sur les mots. C'était toujours, à la vérité, *son amitié* qui répondait *à mon amour* ; mais ce langage de convention ne changeait pas le fond des choses ; et quand nous serions restés ainsi, j'en aurais peut-être été moins vite, mais non pas moins sûrement. Déjà même il n'était plus question de m'éloigner, comme elle le voulait d'abord ; et pour les entretiens que nous avons journellement, si je mets mes soins à lui en offrir l'occasion, elle met les siens à la saisir.

Comme c'est ordinairement à la promenade que se passent nos petits rendez-vous, le temps affreux qu'il a fait tout aujourd'hui, ne me laissait rien espérer ; j'en étais même vraiment contrarié ; je ne prévoyais pas combien je devais gagner à ce contretemps.

Ne pouvant se promener, on s'est mis à jouer en sortant de table ; et comme je joue peu, et que je ne suis plus nécessaire[2], j'ai pris ce temps pour monter chez moi, sans autre projet que d'y attendre, à peu près, la fin de la partie.

Je retournais joindre le cercle, quand j'ai trouvé la

charmante femme qui entrait dans son appartement, et qui, soit imprudence ou faiblesse, m'a dit de sa douce voix : « Où allez-vous donc ? il n'y a personne au salon. » Il ne m'en a pas fallu davantage, comme vous pouvez croire, pour essayer d'entrer chez elle ; j'y ai trouvé moins de résistance que je ne m'y attendais. Il est vrai que j'avais eu la précaution de commencer la conversation à la porte, et de la commencer indifférente ; mais à peine avons-nous été établis, que j'ai ramené la véritable, et que j'ai parlé *de mon amour à mon amie.* Sa première réponse, quoique simple, m'a paru assez expressive : « Oh ! tenez, m'a-t-elle dit, ne parlons pas de cela ici » ; et elle tremblait. La pauvre femme ! elle se voit mourir.

Pourtant elle avait tort de craindre. Depuis quelque temps, assuré du succès un jour ou l'autre, et la voyant user tant de force dans d'inutiles combats, j'avais résolu de ménager les miennes, et d'attendre sans effort qu'elle se rendît de lassitude. Vous sentez bien qu'ici il faut un triomphe complet, et que je ne veux rien devoir à l'occasion. C'était même d'après ce plan formé, et pour pouvoir être pressant, sans m'engager trop, que je suis revenu à ce mot d'amour, si obstinément refusé : sûr qu'on me croyait assez d'ardeur, j'ai essayé un ton plus tendre. Ce refus ne me fâchait plus, il m'affligeait ; ma sensible amie ne me devait-elle pas quelques consolations ?

Tout en me consolant, une main était restée dans la mienne ; le joli corps était appuyé sur mon bras, et nous étions extrêmement rapprochés. Vous avez sûrement remarqué combien, dans cette situation, à mesure que la défense mollit, les demandes et les refus se passent de plus près ; comment la tête se détourne et les regards se baissent, tandis que les discours, toujours prononcés d'une voix faible, deviennent rares et entrecoupés. Ces symptômes précieux annoncent, d'une manière non équivoque, le consentement de l'âme ; mais rarement a-t-il encore passé jusqu'aux sens : je crois même qu'il est toujours dangereux de tenter alors quelque entreprise trop marquée, parce que cet état d'abandon n'étant jamais sans un plaisir très doux, on ne saurait forcer d'en sortir, sans causer une humeur qui tourne infailliblement au profit de la défense.

Mais, dans le cas présent, la prudence m'était d'autant plus nécessaire, que j'avais surtout à redouter l'effroi que cet oubli d'elle-même ne manquerait pas de causer à ma tendre rêveuse. Aussi cet aveu que je demandais, je n'exigeais pas même qu'il fût prononcé ; un regard pouvait suffire : un seul regard, et j'étais heureux.

Ma belle amie, les beaux yeux se sont enfin levés sur moi ; la bouche céleste a même prononcé : « Eh bien ! oui, je... » Mais tout à coup le regard s'est éteint, la voix a manqué, et cette femme adorable est tombée dans mes bras. À peine avais-je eu le temps de l'y recevoir, que se dégageant avec une force convulsive, la vue égarée, et les mains élevées vers le Ciel... « Dieu... ô mon Dieu, sauvez-moi », s'est-elle écriée ; et sur-le-champ, plus prompte que l'éclair, elle était à genoux à dix pas de moi. Je l'entendais prête à suffoquer. Je me suis avancé pour la secourir : mais elle, prenant mes mains qu'elle baignait de pleurs, quelquefois même embrassant mes genoux : « Oui, ce sera vous, disait-elle, ce sera vous qui me sauverez ! Vous ne voulez pas ma mort ; laissez-moi ; sauvez-moi ; laissez-moi ; au nom de Dieu, laissez-moi ! » Et ces discours peu suivis, s'échappaient à peine à travers des sanglots redoublés. Cependant elle me tenait avec une force qui ne m'aurait pas permis de m'éloigner : alors rassemblant les miennes, je l'ai soulevée dans mes bras. Au même instant les pleurs ont cessé ; elle ne parlait plus ; tous ses membres se sont raidis, et de violentes convulsions ont succédé à cet orage[3].

J'étais, je l'avoue, vivement ému, et je crois que j'aurais consenti à sa demande, quand les circonstances ne m'y auraient pas forcé. Ce qu'il y a de vrai, c'est qu'après lui avoir donné quelques secours, je l'ai laissée comme elle m'en priait, et je m'en félicite. Déjà j'en ai presque reçu le prix.

Je m'attendais qu'ainsi que le jour de ma première déclaration, elle ne se montrerait pas de la soirée. Mais vers les huit heures, elle est descendue au salon, et a seulement annoncé au cercle qu'elle s'était trouvée fort incommodée. Sa figure était abattue, sa voix faible, et son maintien composé ; mais son regard était doux, et souvent il s'est fixé sur moi. Son refus de jouer m'ayant même obligé de prendre sa place, elle a pris la sienne à mes côtés. Pendant le souper, elle est restée seule dans le salon. Quand on y est revenu, j'ai cru m'apercevoir qu'elle avait pleuré : pour m'en éclaircir, je lui ai dit qu'il me semblait qu'elle s'était encore ressentie de son incommodité ; à quoi elle m'a obligeamment répondu : « Ce mal-là ne s'en va pas si vite qu'il vient ! » Enfin quand on s'est retiré, je lui ai donné la main ; et à la porte de son appartement elle a serré la mienne avec force. Il est vrai que ce mouvement m'a paru avoir quelque chose d'involontaire : mais tant mieux ; c'est une preuve de plus de mon empire.

Je parierais qu'à présent elle est enchantée d'en être là : tous les frais sont faits ; il ne reste plus qu'à jouir. Peut-être, pendant que je vous écris, s'occupe-t-elle déjà de cette douce idée ! Et quand même elle s'occuperait au contraire d'un nouveau projet de défense, ne savons-nous pas bien ce que deviennent tous ces projets-là ? Je vous le demande, cela peut-il aller plus loin que notre prochaine entrevue ? Je m'attends bien, par exemple, qu'il y aura quelques façons pour l'accorder ; mais bon ! le premier pas franchi, ces Prudes austères savent-elles s'arrêter ? leur amour est une véritable explosion ; la résistance y donne plus de force. Ma farouche Dévote courrait après moi, si je cessais de courir après elle.

Enfin, ma belle amie, incessamment j'arriverai chez vous, pour vous sommer de votre parole. Vous n'avez pas oublié, sans doute, ce que vous m'avez promis après le succès ; cette infidélité à votre Chevalier ? êtes-vous prête ? pour moi je le désire comme si nous ne nous étions jamais connus. Au reste, vous connaître, est peut-être une raison pour le désirer davantage :

*Je suis juste et ne suis point galant**.

* Voltaire, *Comédie de Nanine*[4].

Aussi ce sera la première infidélité que je ferai à ma grave conquête ; et je vous promets de profiter du premier prétexte, pour m'absenter vingt-quatre heures d'auprès d'elle. Ce sera sa punition, de m'avoir tenu si longtemps éloigné de vous. Savez-vous que voilà plus de deux mois que cette aventure m'occupe ? oui, deux mois et trois jours ; il eſt vrai que je compte demain, puisqu'elle ne sera véritablement consommée qu'alors. Cela me rappelle que Mlle de B*** a résiſté les trois mois complets. Je suis bien aise de voir que la franche coquetterie a plus de défense que l'auſtère vertu.

Adieu, ma belle amie ; il faut vous quitter, car il eſt fort tard. Cette Lettre m'a mené plus loin que je ne comptais : mais comme j'envoie demain matin à Paris, j'ai voulu en profiter, pour vous faire partager un jour plus tôt la joie de votre ami.

*Du Château de ..., ce 2 Octobre 17**, au soir.*

LETTRE C

LE VICOMTE DE VALMONT À LA MARQUISE DE MERTEUIL

Mon amie, je suis joué, trahi, perdu ; je suis au désespoir : Mme de Tourvel eſt partie[1]. Elle eſt partie, et je ne l'ai pas su ! et je n'étais pas là pour m'opposer à son départ, pour lui reprocher son indigne trahison ! Ah ! ne croyez pas que je l'eusse laissée partir ; elle serait reſtée ; oui, elle serait reſtée, eussé-je dû employer la violence. Mais quoi ! dans ma crédule sécurité, je dormais, tranquillement ; je dormais, et la foudre eſt tombée sur moi. Non, je ne conçois rien à ce départ ; il faut renoncer à connaître les femmes.

Quand je me rappelle la journée d'hier ! que dis-je,

la soirée même ! Ce regard si doux, cette voix si tendre ! et cette main serrée ! et pendant ce temps, elle projetait de me fuir ! Ô femmes, femmes ! plaignez-vous donc, si l'on vous trompe ! Mais, oui, toute perfidie qu'on emploie eſt un vol qu'on vous fait.

Quel plaisir j'aurai à me venger ! je la retrouverai, cette femme perfide ; je reprendrai mon empire sur elle. Si l'amour m'a suffi pour en trouver les moyens, que ne fera-t-il pas, aidé de la vengeance ? Je la verrai encore à mes genoux, tremblante et baignée de pleurs, me criant merci de sa trompeuse voix, et moi, je serai sans pitié.

Que fait-elle à présent ? que pense-t-elle ? Peut-être elle s'applaudit de m'avoir trompé ; et fidèle aux goûts de son sexe, ce plaisir lui paraît le plus doux. Ce que n'a pu la vertu tant vantée, l'esprit de ruse l'a produit sans effort. Insensé ! je redoutais sa sagesse ; c'était sa mauvaise foi que je devais craindre.

Et être obligé de dévorer mon ressentiment ! n'oser montrer qu'une tendre douleur, quand j'ai le cœur rempli de rage ! me voir réduit à supplier encore une femme rebelle, qui s'eſt souſtraite à mon empire ! devais-je donc être humilié à ce point ? et par qui ? par une femme timide, et qui jamais ne s'eſt exercée à combattre. À quoi me sert de m'être établi dans son cœur, de l'avoir embrasé de tous les feux de l'amour, d'avoir porté jusqu'au délire le trouble de ses sens ; si tranquille dans sa retraite, elle peut aujourd'hui s'enorgueillir de sa fuite plus que moi de mes victoires ? Et je le souffrirais ! mon amie, vous ne le croyez pas ; vous n'avez pas de moi cette humiliante idée !

Mais quelle fatalité m'attache à cette femme ? cent autres ne désirent-elles pas mes soins ? ne s'empresseront-elles pas d'y répondre ? Quand même aucune ne vaudrait celle-ci, l'attrait de la variété, le charme des nouvelles conquêtes, l'éclat de leur nombre, n'offrent-ils pas des plaisirs assez doux ? Pourquoi courir après celui qui nous fuit, et négliger ceux qui se présentent ? Ah ! pourquoi ?... Je l'ignore, mais je l'éprouve fortement.

Il n'eſt plus pour moi de bonheur, de repos, que

par la possession de cette femme que je hais et que j'aime avec une égale fureur[2]. Je ne supporterai mon sort que du moment où je disposerai du sien. Alors tranquille et satisfait, je la verrai, à son tour, livrée aux orages que j'éprouve en ce moment; j'en exciterai mille autres encore. L'espoir et la crainte, la méfiance et la sécurité, tous les maux inventés par la haine, tous les biens accordés par l'amour, je veux qu'ils remplissent son cœur, qu'ils s'y succèdent à ma volonté. Ce temps viendra... Mais que de travaux encore! que j'en étais près hier, et qu'aujourd'hui je m'en vois éloigné! Comment m'en rapprocher? je n'ose tenter aucune démarche; je sens que pour prendre un parti il faudrait être plus calme, et mon sang bout dans mes veines.

Ce qui redouble mon tourment, c'est le sang-froid avec lequel chacun répond ici à mes questions sur cet événement, sur sa cause, sur tout ce qu'il offre d'extraordinaire... Personne ne sait rien, personne ne désire de rien savoir: à peine en aurait-on parlé, si j'avais consenti qu'on parlât d'autre chose. Mme de Rosemonde, chez qui j'ai couru ce matin quand j'ai appris cette nouvelle, m'a répondu avec le froid[3] de son âge, que c'était la suite naturelle de l'indisposition que Mme de Tourvel avait eue hier; qu'elle avait craint une maladie, et qu'elle avait préféré d'être chez elle: elle trouve cela tout simple; elle en aurait fait autant, m'a-t-elle dit: comme s'il pouvait y avoir quelque chose de commun entr'elles deux! entre l'une, qui n'a plus qu'à mourir; et l'autre, qui fait le charme et le tourment de ma vie!

Mme de Volanges, que d'abord j'avais soupçonnée d'être complice, ne paraît affectée que de n'avoir pas été consultée sur cette démarche. Je suis bien aise, je l'avoue, qu'elle n'ait pas eu le plaisir de me nuire. Cela me prouve encore qu'elle n'a pas, autant que je le craignais, la confiance de cette femme; c'est toujours une ennemie de moins. Comme elle se féliciterait, si elle savait que c'est moi qu'on a fui! comme elle se serait gonflée d'orgueil, si c'eût été par ses conseils! comme son importance en aurait redoublé! Mon

Dieu ! que je la hais ! Oh ! je renouerai avec sa fille ; je veux la travailler[4] à ma fantaisie : aussi bien, je crois que je resterai ici quelque temps ; au moins, le peu de réflexions que j'ai pu faire, me porte à ce parti.

Ne croyez-vous pas, en effet, qu'après une démarche aussi marquée, mon ingrate doit redouter ma présence ? Si donc l'idée lui est venue que je pourrais la suivre, elle n'aura pas manqué de me fermer sa porte ; et je ne veux pas plus l'accoutumer à ce moyen, qu'en souffrir l'humiliation. J'aime mieux lui annoncer au contraire que je reste ici ; je lui ferai même des instances pour qu'elle y revienne ; et quand elle sera bien persuadée de mon absence, j'arriverai chez elle : nous verrons comment elle supportera notre entrevue. Mais il faut la différer pour en augmenter l'effet, et je ne sais encore si j'en aurai la patience : j'ai eu, vingt fois dans la journée, la bouche ouverte pour demander mes chevaux. Cependant je prendrai sur moi, je m'engage à recevoir votre réponse ici ; je vous demande seulement, ma belle amie, de ne pas me la faire attendre.

Ce qui me contrarierait le plus, serait de ne pas savoir ce qui se passe : mais mon Chasseur, qui est à Paris, a des droits à quelque accès auprès de la Femme de chambre : il pourra me servir. Je lui envoie une instruction et de l'argent. Je vous prie de trouver bon que je joigne l'un et l'autre à cette Lettre, et aussi d'avoir soin de les lui envoyer par un de vos gens, avec ordre de les lui remettre à lui-même. Je prends cette précaution, parce que le drôle a l'habitude de n'avoir jamais reçu les Lettres que je lui écris, quand elles lui prescrivent quelque chose qui le gêne ; et que pour le moment, il ne me paraît pas aussi épris de sa conquête, que je voudrais qu'il le fût.

Adieu, ma belle amie ; s'il vous vient quelque idée heureuse, quelque moyen de hâter ma marche, faites-m'en part. J'ai éprouvé plus d'une fois combien votre amitié pouvait être utile ; je l'éprouve encore en ce moment : car je me sens plus calme depuis que je vous écris ; au moins, je parle à quelqu'un qui m'entend, et non aux Automates[5] près de qui je végète depuis ce matin. En vérité, plus je vais, et plus je suis tenté de croire qu'il n'y a que vous et moi dans le monde, qui valions quelque chose.

*Du Château de ..., ce 3 Octobre 17**.*

LETTRE CI

LE VICOMTE DE VALMONT À AZOLAN[1],
son Chasseur
(Jointe à la précédente.)

Il faut que vous soyez bien imbécile, vous qui êtes parti d'ici ce matin, de n'avoir pas su que Mme de Tourvel en partait aussi; ou, si vous l'avez su, de n'être pas venu m'en avertir. À quoi sert-il donc que vous dépensiez mon argent à vous enivrer avec les valets; que le temps que vous devriez employer à me servir, vous le passiez à faire l'agréable auprès des Femmes de chambre, si je n'en suis pas mieux informé de ce qui se passe? Voilà pourtant de vos négligences! Mais je vous préviens que s'il vous en arrive une seule dans cette affaire-ci, ce sera la dernière que vous aurez à mon service.

Il faut que vous m'instruisiez de tout ce qui se passe chez Mme de Tourvel: de sa santé; si elle dort; si elle est triste ou gaie; si elle sort souvent, et chez qui elle va; si elle reçoit du monde chez elle, et qui y vient; à quoi elle passe son temps; si elle a de l'humeur avec ses femmes, particulièrement avec celle qu'elle avait amenée ici; ce qu'elle fait, quand elle est seule; si quand elle lit, elle lit de suite, ou si elle interrompt sa lecture pour rêver; de même quand elle écrit. Songez aussi à vous rendre l'ami de celui qui porte ses Lettres à la Poste. Offrez-vous souvent à lui pour faire cette commission à sa place; et quand il acceptera, ne faites partir que celles qui vous paraîtront indifférentes, et envoyez-moi les autres surtout celles à Mme de Volanges, si vous en rencontrez.

Arrangez-vous, pour être encore quelque temps l'Amant heureux de votre Julie[2]. Si elle en a un autre, comme vous l'avez cru, faites-la consentir à se partager ; et n'allez pas vous piquer d'une ridicule délicatesse : vous serez dans le cas de bien d'autres, qui valent mieux que vous. Si pourtant votre second[3] se rendait trop importun, si vous vous aperceviez, par exemple, qu'il occupât trop Julie pendant la journée, et qu'elle en fût moins souvent auprès de sa Maîtresse, écartez-le par quelques moyens ; ou cherchez-lui querelle : n'en craignez pas les suites, je vous soutiendrai. Surtout ne quittez pas cette maison. C'est par l'assiduité qu'on voit tout, et qu'on voit bien. Si même le hasard faisait renvoyer quelqu'un des gens, présentez-vous pour le remplacer, comme n'étant plus à moi. Dites dans ce cas que vous m'avez quitté pour chercher une maison plus tranquille et plus réglée. Tâchez enfin de vous faire accepter. Je ne vous en garderai pas moins à mon service pendant ce temps : ce sera comme chez la Duchesse de ***, et par la suite, Mme de Tourvel vous en récompensera de même.

Si vous aviez assez d'adresse et de zèle, cette instruction devrait suffire ; mais pour suppléer à l'un et à l'autre, je vous envoie de l'argent. Le billet ci-joint vous autorise, comme vous verrez, à toucher vingt-cinq louis[4] chez mon homme d'affaires ; car je ne doute pas que vous ne soyez sans le sou. Vous emploierez de cette somme, ce qui sera nécessaire pour décider Julie à établir une correspondance avec moi. Le reste servira à faire boire les gens. Ayez soin, autant que cela se pourra, que ce soit chez le Suisse de la maison, afin qu'il aime à vous y voir venir. Mais n'oubliez pas que ce ne sont pas vos plaisirs que je veux payer, mais vos services.

Accoutumez Julie à observer tout, et à tout rapporter, même ce qui lui paraîtrait minutieux[5]. Il vaut mieux qu'elle écrive dix phrases inutiles, que d'en omettre une intéressante ; et souvent ce qui paraît indifférent ne l'eſt pas. Comme il faut que je puisse être inſtruit sur-le-champ, s'il arrivait quelque chose qui vous parût mériter attention, aussitôt cette Lettre reçue, vous enverrez Philippe, sur le cheval de commission, s'établir à ...*; il y reſtera jusqu'à nouvel ordre ; ce sera un relais en cas de besoin. Pour la correspondance courante, la Poſte suffira.

Prenez garde de perdre[7] cette Lettre. Relisez-la tous les jours, tant pour vous assurer de ne rien oublier, que pour être sûr de l'avoir encore. Faites enfin tout ce qu'il faut faire, quand on eſt honoré de ma confiance. Vous savez que si je suis content de vous, vous le serez de moi.

*Du Château de ..., ce 3 Octobre 17**.*

LETTRE CII

LA PRÉSIDENTE DE TOURVEL
À MADAME DE ROSEMONDE

Vous serez bien étonnée, Madame, en apprenant que je pars de chez vous aussi précipitamment. Cette démarche va vous paraître bien extraordinaire : mais que votre surprise va redoubler encore, quand vous en saurez les raisons[a] ! Peut-être trouverez-vous qu'en vous les confiant, je ne respeƈte pas assez la tranquillité nécessaire à votre âge ; que je m'écarte même des sentiments de vénération qui vous sont dus à tant de titres ? Ah ! Madame, pardon : mais mon cœur eſt oppressé ; il a besoin d'épancher sa douleur dans le sein d'une amie également douce et prudente : quelle autre que vous pouvait-il choisir ? Regardez-moi comme

* Village à moitié chemin de Paris au Château de Mme de Rosemonde[6].

votre enfant. Ayez pour moi les bontés maternelles ; je les implore. J'y ai peut-être quelques droits par mes sentiments pour vous.

Où est le temps où, tout entière à ces sentiments louables, je ne connaissais point ceux qui, portant dans l'âme le trouble mortel que j'éprouve, ôtent la force de les combattre en même temps qu'ils en imposent le devoir ? Ah ! ce fatal voyage m'a perdue...

Que vous dirai-je enfin ? j'aime, oui, j'aime éperdument[1]. Hélas ! ce mot que j'écris pour la première fois, ce mot si souvent demandé sans être obtenu, je paierais de ma vie la douceur de pouvoir une fois seulement le faire entendre à celui qui l'inspire ; et pourtant il faut le refuser sans cesse ! il va douter encore de mes sentiments ; il croira avoir à s'en plaindre. Je suis bien malheureuse ! que ne lui est-il aussi facile de lire dans mon cœur[2], que d'y régner ? Oui, je souffrirais moins, s'il savait tout ce que je souffre ; mais vous-même, à qui je le dis, vous n'en aurez encore qu'une faible idée.

Dans peu de moments, je vais le fuir et l'affliger. Tandis qu'il se croira encore près de moi, je serai déjà loin de lui : à l'heure où j'avais coutume de le voir chaque jour, je serai dans des lieux où il n'est jamais venu, où je ne dois pas permettre qu'il vienne. Déjà tous mes préparatifs sont faits ; tout est là, sous mes yeux ; je ne puis les reposer sur rien qui ne m'annonce ce cruel départ. Tout est prêt excepté moi... ! et plus mon cœur s'y refuse, plus il me prouve la nécessité de m'y soumettre.

Je m'y soumettrai, sans doute, il vaut mieux mourir que de vivre coupable. Déjà, je le sens, je ne le suis que trop ; je n'ai sauvé que ma sagesse, la vertu s'est évanouie. Faut-il vous l'avouer, ce qui me reste encore, je le dois à sa générosité. Enivrée du plaisir de le voir, de l'entendre, de la douceur de le sentir auprès de moi, du bonheur plus grand de pouvoir faire le sien, j'étais sans puissance et sans force ; à peine m'en restait-il pour combattre, je n'en avais plus pour résister ; je frémissais de mon danger sans pouvoir le fuir. Hé bien ! il a vu ma peine, et il a eu pitié de moi.

Comment ne le chérirais-je pas ? je lui dois bien plus que la vie.

Ah ! si en restant auprès de lui je n'avais à trembler que pour elle, ne croyez pas que jamais je consentisse à m'éloigner. Que m'est-elle sans lui, ne serais-je pas trop heureuse de la perdre ? Condamnée à faire éternellement son malheur et le mien ; à n'oser ni me plaindre, ni le consoler ; à me défendre chaque jour contre lui, contre moi-même ; à mettre mes soins à causer sa peine, quand je voudrais les consacrer tous à son bonheur : vivre ainsi, n'est-ce pas mourir mille fois ? voilà pourtant quel va être mon sort. Je le supporterai cependant, j'en aurai le courage. Ô vous, que je choisis pour ma mère, recevez-en le serment.

Recevez aussi celui que je fais de ne vous dérober aucune de mes actions ; recevez-le, je vous en conjure ; je vous le demande comme un secours dont j'ai besoin : ainsi engagée à vous dire tout, je m'accoutumerai à me croire toujours en votre présence. Votre vertu remplacera la mienne. Jamais sans doute je ne consentirai à rougir à vos yeux[b] ; et retenue par ce frein puissant, tandis que je chérirai en vous l'indulgente amie confidente de ma faiblesse, j'y honorerai encore l'Ange tutélaire qui me sauvera de la honte.

C'est bien en éprouver assez que d'avoir à faire cette demande. Fatal effet d'une présomptueuse confiance ! Pourquoi n'ai-je pas redouté plutôt ce penchant que j'ai senti naître ? Pourquoi me suis-je flattée de pouvoir à mon gré le maîtriser ou le vaincre ? Insensée ! je connaissais bien peu l'amour ! Ah ! si je l'avais combattu avec plus de soin, peut-être eût-il pris moins d'empire ! peut-être alors ce départ n'eût pas été nécessaire ; ou même, en me soumettant à ce parti douloureux, j'aurais pu ne pas rompre entièrement une liaison qu'il eût suffi de rendre moins fréquente ! Mais tout perdre à la fois ! et pour jamais ! Ô mon amie... ! Mais quoi ! même en vous écrivant, je m'égare encore dans des vœux criminels ? Ah ! partons, partons, et que du moins[c] ces torts involontaires soient expiés par mes sacrifices.

Adieu, ma respectable amie ; aimez-moi comme

votre fille, adoptez-moi pour telle ; et soyez sûre que, malgré ma faiblesse, j'aimerais mieux mourir que de me rendre indigne de votre choix.

*De ... ce 3 Octobre 17**, à 1 heure du matin.*

LETTRE CIII

MADAME DE ROSEMONDE
À LA PRÉSIDENTE DE TOURVEL[1]

J'ai été, ma chère Belle, plus affligée de votre départ que surprise de sa cause ; une longue expérience, et l'intérêt que vous inspirez, avaient suffi pour m'éclairer sur l'état de votre cœur ; et s'il faut tout dire, vous ne m'avez rien ou presque rien appris par votre Lettre. Si je n'avais été instruite que par elle, j'ignorerais encore quel est celui que vous aimez ; car en me parlant de *lui* tout le temps, vous n'avez pas écrit son nom une seule fois. Je n'en avais pas besoin ; je sais bien qui c'est. Mais je le remarque, parce que je me suis rappelé que c'est toujours là le style de l'amour. Je vois qu'il en est encore comme au temps passé.

Je ne croyais guère être jamais dans le cas de revenir sur des souvenirs si éloignés de moi, et si étrangers à mon âge. Pourtant, depuis hier, je m'en suis vraiment beaucoup occupée, par le désir que j'avais d'y trouver quelque chose qui pût vous être utile. Mais que puis-je faire, que vous admirer et vous plaindre ? Je loue le parti sage que vous avez pris : mais il m'effraie, parce que j'en conclus que vous l'avez jugé nécessaire ; et quand on en est là, il est bien difficile de se tenir toujours éloignée de celui dont notre cœur nous rapproche sans cesse.

Cependant ne vous découragez pas. Rien ne doit être impossible à votre belle âme ; et quand vous devriez un jour avoir le malheur de succomber[2] (ce qu'à Dieu ne plaise !), croyez-moi, ma chère Belle, réservez-vous au moins la consolation d'avoir combattu de toute votre puissance. Et puis, ce que ne peut la sagesse humaine, la grâce divine l'opère quand il lui plaît. Peut-être êtes-vous à la veille de ses secours ; et votre vertu éprouvée dans ces combats pénibles, en sortira plus pure, et plus brillante. La force que vous n'avez pas aujourd'hui, espérez que vous la recevrez demain. N'y comptez pas pour vous en reposer sur elle, mais pour vous encourager à user de toutes les vôtres.

En laissant à la Providence le soin de vous secourir dans un danger contre lequel je ne peux rien, je me réserve de vous soutenir et vous consoler autant qu'il sera en moi. Je ne soulagerai pas vos peines, mais je les partagerai. C'est à ce titre que je recevrai volontiers vos confidences. Je sens que votre cœur doit avoir besoin de s'épancher. Je vous ouvre le mien ; l'âge ne l'a pas encore refroidi au point d'être insensible à l'amitié. Vous le trouverez toujours prêt à vous recevoir. Ce sera[a] un faible soulagement à vos douleurs, mais au moins vous ne pleurerez pas seule ; et quand ce malheureux amour, prenant trop d'empire sur vous, vous forcera d'en parler, il vaut mieux que ce soit avec moi qu'avec *lui*. Voilà que je parle comme vous ; et je crois qu'à nous deux nous ne parviendrons pas à le nommer ; au reste, nous nous entendons.

Je ne sais si je fais bien de vous dire qu'il m'a paru vivement affecté de votre départ ; il serait peut-être plus sage de ne vous en pas parler : mais je n'aime pas cette sagesse qui afflige ses amis. Je suis pourtant forcée de n'en pas parler plus longtemps. Ma vue débile[3], et ma main tremblante, ne me permettent pas de longues Lettres, quand il faut les écrire moi-même.

Adieu donc, ma chère Belle ; adieu, mon aimable enfant ; oui, je vous adopte volontiers pour ma fille, et vous avez bien tout ce qu'il faut pour faire l'orgueil et le plaisir d'une mère.

*Du Château de …, ce 3 Octobre 17**.*

LETTRE CIV

LA MARQUISE DE MERTEUIL
À MADAME DE VOLANGES

En vérité, ma chère et bonne amie, j'ai eu peine à me défendre d'un mouvement d'orgueil, en lisant votre Lettre. Quoi ! vous m'honorez de votre entière confiance ! vous allez même jusqu'à me demander des conseils ! Ah ! je suis bien heureuse, si je mérite cette opinion favorable de votre part : si je ne la dois pas seulement à la prévention de l'amitié. Au reste, quel qu'en soit le motif, elle n'en est pas moins précieuse à mon cœur ; et l'avoir obtenue, n'est à mes yeux qu'une raison de plus, pour travailler davantage à la mériter. Je vais donc (mais sans prétendre vous donner un avis) vous dire librement ma façon de penser. Je m'en méfie, parce qu'elle diffère de la vôtre : mais quand je vous aurai exposé mes raisons, vous les jugerez ; et si vous les condamnez, je souscris d'avance à votre jugement. J'aurai au moins cette sagesse, de ne pas me croire plus sage que vous.

Si pourtant, et pour cette seule fois, mon avis se trouvait préférable, il faudrait en chercher la cause dans les illusions de l'amour maternel. Puisque ce sentiment est louable, il doit se trouver en vous. Qu'il se reconnaît bien en effet dans le parti que vous êtes tentée de prendre ! C'est ainsi que, s'il vous arrive d'errer[1] quelquefois, ce n'est jamais que dans le choix des vertus.

La prudence est, à ce qu'il me semble, celle qu'il faut préférer, quand on dispose du sort des autres ; et surtout quand il s'agit de le fixer par un lien indissoluble et sacré, tel que celui du mariage. C'est alors qu'une mère, également sage et tendre, doit, comme vous le dites si bien, *aider sa fille de son expérience.* Or, je vous le demande, qu'a-t-elle à faire pour y parvenir ? Sinon de distinguer, pour elle, entre ce qui plaît et ce qui convient.

Ne serait-ce donc pas avilir l'autorité maternelle, ne serait-ce pas l'anéantir, que de la subordonner à un goût frivole, dont[a] la puissance illusoire ne se fait sentir qu'à ceux qui la redoutent, et disparaît sitôt qu'on la méprise ? Pour moi, je l'avoue, je n'ai jamais cru à ces passions entraînantes et irrésistibles, dont il semble qu'on soit convenu de faire l'excuse générale de nos dérèglements. Je ne conçois point comment un goût, qu'un moment voit naître et qu'un autre voit mourir, peut avoir plus de force que les principes inaltérables de pudeur, d'honnêteté et de modestie ; et je n'entends pas[b] plus qu'une femme qui les trahit puisse être justifiée par sa passion prétendue, qu'un voleur ne le serait par la passion de l'argent, ou un assassin par celle de la vengeance.

Eh ! qui peut dire n'avoir jamais eu à combattre ? Mais j'ai toujours cherché à me persuader que, pour résister, il suffisait de le vouloir ; et jusqu'alors, au moins, mon expérience a confirmé mon opinion. Que serait la vertu, sans les devoirs qu'elle impose ? son culte est dans nos sacrifices, sa récompense dans nos cœurs[c]. Ces vérités ne peuvent être niées que par ceux qui ont intérêt de les méconnaître ; et qui, déjà dépravés, espèrent faire un moment d'illusion, en essayant de justifier leur mauvaise conduite par de mauvaises raisons.

Mais pourrait-on le craindre d'un enfant simple et timide, d'un enfant né de vous, et dont l'éducation modeste et pure n'a pu que fortifier l'heureux naturel[2] ? C'est pourtant à cette crainte, que j'ose dire humiliante pour votre fille, que vous voulez sacrifier le mariage avantageux que votre prudence avait ménagé pour elle ! j'aime beaucoup Danceny ; et depuis longtemps, comme vous savez, je vois peu M. de Gercourt : mais mon amitié pour l'un, mon indifférence pour l'autre, ne m'empêchent point de sentir l'énorme différence qui se trouve entre ces deux partis.

Leur naissance est égale, j'en conviens ; mais l'un est sans fortune, et celle de l'autre est telle que, même sans naissance, elle aurait suffi pour le mener à tout. J'avoue bien que l'argent ne fait pas le bonheur, mais il faut avouer aussi qu'il le facilite beaucoup. Mlle de Volanges est, comme vous dites, assez riche pour deux : cependant, soixante mille livres de rente dont elle va jouir, ne sont pas déjà tant quand on porte le nom de Danceny, quand il faut monter et soutenir une maison[3] qui y réponde. Nous ne sommes plus au temps de Mme de Sévigné[4]. Le luxe absorbe tout : on le blâme, mais il faut l'imiter ; et le superflu finit par priver du nécessaire[5].

Quant aux qualités personnelles que vous comptez pour beaucoup, et avec beaucoup de raisons, assurément M. de Gercourt est sans reproche de ce côté ; et à lui, ses preuves sont faites[6]. J'aime à croire, et je crois qu'en effet Danceny ne lui cède en rien ; mais en sommes-nous aussi sûres ? Il est vrai qu'il a paru jusqu'ici exempt des défauts de son âge, et que malgré le ton du jour, il montre un goût pour la bonne compagnie[7] qui fait augurer favorablement de lui : mais qui sait si cette sagesse apparente, il ne la doit pas à la médiocrité de sa fortune ? Pour peu qu'on craigne d'être fripon ou crapuleux[8], il faut de l'argent pour être joueur ou libertin, et l'on peut encore aimer les défauts dont on redoute les excès. Enfin il ne serait pas le millième, qui aurait vu la bonne compagnie, uniquement faute de pouvoir mieux faire.

Je ne dis pas (à Dieu ne plaise !) que je croie tout cela de lui : mais ce serait toujours un risque à courir ; et quels reproches n'auriez-vous pas à vous faire, si l'événement n'était pas heureux ! Que répondriez-vous à votre fille, qui vous dirait : « Ma mère, j'étais jeune et sans expérience ; j'étais même séduite par une erreur pardonnable à mon âge : mais le ciel, qui avait prévu ma faiblesse, m'avait accordé une mère sage, pour y remédier et m'en garantir. Pourquoi donc, oubliant votre prudence, avez-vous consenti à mon malheur ? était-ce à moi à me choisir un époux, quand je ne connaissais rien de l'état du mariage ? Quand je l'aurais voulu, n'était-ce pas à vous à vous y opposer ? Mais je n'ai jamais eu cette folle volonté. Décidée à vous obéir, j'ai attendu votre choix avec une respectueuse résignation ; jamais je ne me suis écartée de la soumission que je vous devais, et cependant je porte aujourd'hui la peine qui n'est due qu'aux enfants rebelles. Ah ! votre faiblesse m'a perdue... » Peut-être son respect étoufferait-il ces plaintes ; mais l'amour maternel les devinerait : et les larmes de votre fille, pour être dérobées, n'en couleraient pas moins sur votre cœur. Où chercherez-vous alors vos consolations ? sera-ce dans ce fol amour, contre lequel vous auriez dû l'armer, et par qui au contraire vous vous serez laissé séduire ?

J'ignore, ma chère amie, si j'ai contre cette passion une prévention[d] trop forte : mais je la crois redoutable, même dans le mariage. Ce n'est pas que je désapprouve qu'un sentiment honnête et doux vienne embellir le lien conjugal, et adoucir en quelque sorte les devoirs qu'il impose ; mais ce n'est pas à lui qu'il appartient de le former ; ce n'est pas à l'illusion d'un moment, à régler le choix de notre vie. En effet, pour choisir, il faut comparer ; et comment le pouvoir, quand un seul objet nous occupe ; quand, celui-là même, on ne peut le connaître, plongé que l'on est dans l'ivresse et l'aveuglement ?

J'ai rencontré, comme vous pouvez croire, plusieurs femmes atteintes de ce mal dangereux ; j'ai reçu les confidences de quelques-unes. À les entendre, il n'en est point dont l'amant ne soit un être parfait : mais ces perfections chimériques n'existent que dans leur imagination. Leur tête exaltée ne rêve qu'agréments et vertus ; elles en parent à plaisir celui qu'elles préfèrent : c'est la draperie d'un Dieu, portée souvent par un modèle abject[9] : mais quel qu'il soit, à peine l'en ont-elles revêtu, que, dupes de leur propre ouvrage, elles se prosternent pour l'adorer.

Ou votre fille n'aime pas Danceny, ou elle éprouve cette même illusion ; elle est commune à tous deux, si leur amour est réciproque. Ainsi votre raison pour les unir à jamais, se réduit à la certitude qu'ils ne se connaissent pas, qu'ils ne peuvent se connaître. Mais, me direz-vous, M. de Gercourt et ma fille se connaissent-ils davantage ? non, sans doute ; mais au moins ne s'abusent-ils pas, ils s'ignorent seulement. Qu'arrive-t-il dans ce cas entre deux époux, que je suppose honnêtes ? c'est que chacun d'eux étudie l'autre, s'observe vis-à-vis de lui, cherche et reconnaît bientôt ce qu'il faut qu'il cède de ses goûts et de ses volontés, pour la tranquillité commune. Ces légers sacrifices se font sans peine, parce qu'ils sont réciproques, et qu'on les a prévus : bientôt ils font naître une bienveillance mutuelle ; et l'habitude, qui fortifie tous les penchants qu'elle ne détruit pas, amène peu à peu cette douce amitié, cette tendre confiance, qui, jointes à l'estime, forment, ce me semble, le véritable, le solide bonheur des mariages.

Les illusions de l'amour peuvent être plus douces ; mais qui ne sait aussi qu'elles sont moins durables ? et quels dangers n'amène pas le moment qui les détruit ! c'est alors que les moindres défauts paraissent choquants et insupportables, par le contraste qu'ils forment avec l'idée de perfection qui nous avait séduits. Chacun des deux époux croit cependant que l'autre seul a changé, et que lui vaut toujours ce qu'un moment d'erreur l'avait fait apprécier. Le charme qu'il n'éprouve plus, il s'étonne de ne le plus faire naître ; il en est humilié : la vanité blessée aigrit les esprits, augmente les torts, produit l'humeur, enfante la haine ; et de frivoles plaisirs sont payés enfin par de longues infortunes.

Voilà, ma chère amie, ma façon de penser sur l'objet qui nous occupe ; je ne la défends pas, je l'expose seulement ; c'est à vous à décider. Mais si vous persistez dans votre avis, je vous demande de me faire connaître les raisons qui auront combattu les miennes : je serai bien aise de m'éclairer auprès de vous, et surtout d'être rassurée sur le sort de votre aimable enfant, dont je désire bien ardemment le bonheur, et par mon amitié pour elle, et par celle qui m'unit à vous pour la vie.

*Paris, ce 4 Octobre 17**.*

LETTRE CV

LA MARQUISE DE MERTEUIL
À CÉCILE VOLANGES

Hé bien ! Petite, vous voilà donc bien fâchée, bien honteuse ! et ce M. de Valmont est un méchant homme, n'est-ce pas ? comment ! il ose vous traiter comme la femme qu'il aimerait le mieux ! Il vous apprend ce que vous mouriez d'envie de savoir ! En vérité, ces procédés-là sont impardonnables. Et vous, de votre côté, vous voulez garder votre sagesse[1] pour votre amant (qui n'en abuse pas) ; vous ne chérissez de l'amour que les peines, et non les plaisirs ! Rien de mieux, et vous figurerez à merveille dans un Roman. De la passion, de l'infortune, de la vertu par-dessus tout, que de belles choses ! Au milieu de ce brillant cortège, on s'ennuie quelquefois à la vérité, mais on le rend bien.

Voyez donc, la pauvre enfant, comme elle est à plaindre ! Elle avait les yeux battus le lendemain ! Et que direz-vous donc, quand ce seront ceux de votre amant ? Allez, mon bel Ange, vous ne les aurez pas toujours ainsi ; tous les hommes ne sont pas des Valmont. Et puis, ne plus oser lever ces yeux-là ! oh ! par exemple, vous avez eu bien raison ; tout le monde y aurait lu votre aventure. Croyez-moi cependant, s'il en était ainsi, nos femmes et même nos demoiselles auraient le regard plus modeste.

Malgré les louanges que je suis forcée de vous donner, comme vous voyez, il faut convenir pourtant que vous avez manqué votre chef-d'œuvre ; c'était de tout dire à votre Maman. Vous aviez si bien commencé ! déjà vous vous étiez jetée dans ses bras, vous sanglotiez, elle pleurait aussi : quelle scène pathétique ! et quel dommage de ne l'avoir pas achevée ! Votre tendre mère, toute ravie d'aise, et pour aider à votre vertu, vous aurait cloîtrée[2] pour toute votre vie ; et là vous auriez aimé Danceny tant que vous auriez voulu, sans rivaux et sans péché : vous vous seriez désolée tout à votre aise ; et Valmont, à coup sûr, n'aurait pas été troubler votre douleur par de contrariants plaisirs.

Sérieusement peut-on, à quinze ans passés, être enfant comme vous l'êtes ? Vous avez bien raison de dire que vous ne méritez pas mes bontés. Je voulais pourtant être votre amie : vous en avez besoin peut-être avec la mère que vous avez, et le mari qu'elle veut vous donner ! Mais si vous ne vous formez pas davantage, que voulez-vous qu'on fasse de vous ? Que peut-on espérer, si ce qui fait venir l'esprit aux filles, semble au contraire vous l'ôter[3].

Si vous pouviez prendre sur vous de raisonner un moment, vous trouveriez bientôt que vous devez vous féliciter au lieu de vous plaindre. Mais vous êtes honteuse, et cela vous gêne ! Hé ! tranquillisez-vous ; la honte que cause l'amour, est comme la douleur : on ne l'éprouve qu'une fois. On peut encore la feindre après, mais on ne la sent plus. Cependant le plaisir reste, et c'est bien quelque chose. Je crois même avoir démêlé, à travers votre petit bavardage, que vous pourriez le compter pour beaucoup. Allons, un peu de bonne foi. Là, ce trouble qui vous empêchait *de faire comme vous disiez*, qui vous faisait trouver *si difficile de se défendre*, qui vous rendait *comme fâchée* quand Valmont s'en est allé, était-ce bien la honte qui le causait, ou si c'était le plaisir ? Et *ses façons de dire auxquelles on ne sait comment répondre*, cela ne viendrait-il pas de *ses façons de faire* ? Ah ! petite fille, vous mentez, et vous mentez à votre amie ! Cela n'est pas bien. Mais brisons là.

Ce qui pour tout le monde serait un plaisir, et pourrait n'être que cela, devient dans votre situation un véritable bonheur. En effet, placée entre une mère dont il vous importe d'être aimée, et un amant dont vous désirez de l'être toujours, comment ne voyez-vous pas que le seul moyen d'obtenir ces succès opposés, est de vous occuper d'un tiers ? Distraite par cette nouvelle aventure, tandis que, vis-à-vis de votre maman, vous aurez l'air de sacrifier à votre soumission pour elle un goût qui lui déplaît, vous acquerrez vis-à-vis de votre amant l'honneur d'une belle défense. En l'assurant sans cesse de votre amour, vous ne lui en accorderez pas les dernières preuves. Ces refus, si peu pénibles dans le cas où vous serez, il ne manquera pas de les mettre sur le compte de votre vertu ; il s'en plaindra peut-être, mais il vous en aimera davantage ; et pour avoir le double mérite, aux yeux de l'un de sacrifier l'amour, à ceux de l'autre d'y résister, il ne vous en coûtera que d'en goûter les plaisirs. Ô ! combien de femmes ont perdu leur réputation, qui l'eussent conservée avec soin, si elles avaient pu la soutenir par de pareils moyens !

Ce parti que je vous propose, ne vous paraît-il pas le plus raisonnable, comme le plus doux ? Savez-vous ce que vous avez gagné à celui que vous avez pris ? c'est que votre Maman a attribué votre redoublement de tristesse à un redoublement d'amour, qu'elle en est outrée, et que pour vous en punir elle n'attend que d'en être plus sûre. Elle vient de m'en écrire ; elle tentera tout pour obtenir cet aveu de vous-même. Elle ira peut-être, me dit-elle, jusqu'à vous proposer Danceny pour époux ; et cela, pour vous engager à parler. Et si, vous laissant séduire par cette trompeuse tendresse, vous répondiez selon votre cœur, bientôt renfermée pour longtemps, peut-être pour toujours, vous pleureriez à loisir votre aveugle crédulité.

Cette ruse qu'elle veut employer contre vous, il faut la combattre par une autre. Commencez donc, en lui montrant moins de tristesse, à lui faire croire que vous songez moins à Danceny. Elle se le persuadera d'autant plus facilement, que c'est l'effet ordinaire de l'absence ; et elle vous en saura d'autant plus de gré, qu'elle y trouvera une occasion de s'applaudir de sa prudence, qui lui a suggéré ce moyen. Mais, si conservant quelque doute, elle persistait pourtant à vous éprouver, et qu'elle vînt à vous parler de mariage, renfermez-vous, en fille bien née, dans une parfaite soumission. Au fait, qu'y risquez-vous ? Pour ce qu'on fait d'un mari, l'un vaut toujours bien l'autre ; et le plus incommode eſt encore moins gênant qu'une mère.

Une fois plus contente de vous, votre Maman vous mariera enfin ; et alors, plus libre dans vos démarches, vous pourrez, à votre choix quitter Valmont pour prendre Danceny, ou même les garder tous deux. Car, prenez-y garde, votre Danceny eſt gentil : mais c'eſt un de ces hommes qu'on a quand on veut et tant qu'on veut ; on peut donc se mettre à l'aise avec lui. Il n'en eſt pas de même de Valmont : on le garde difficilement ; et il eſt dangereux de le quitter. Il faut avec lui beaucoup d'adresse, ou, quand on n'en a pas, beaucoup de docilité. Mais, aussi, si vous pouviez parvenir à vous l'attacher comme ami, ce serait là un bonheur ! Il vous mettrait tout de suite au premier rang de nos femmes à la mode. C'eſt comme cela qu'on acquiert une consiſtance[4] dans le monde, et non pas à rougir et à pleurer, comme quand vos Religieuses vous faisaient dîner à genoux.

Vous tâcherez donc, si vous êtes sage, de vous raccommoder avec Valmont, qui doit être très en colère contre vous ; et comme il faut savoir réparer ses sottises, ne craignez pas de lui faire quelques avances ; aussi bien apprendrez-vous bientôt, que si les hommes nous font les premières, nous sommes presque toujours obligées de faire les secondes. Vous avez un prétexte pour celles-ci : car il ne faut pas que vous gardiez cette Lettre ; et j'exige de vous de la remettre à Valmont aussitôt que vous l'aurez lue. N'oubliez pas pourtant de la recacheter auparavant. D'abord, c'eſt qu'il faut vous laisser le mérite de la démarche que vous ferez vis-à-vis de lui, et qu'elle n'ait pas l'air de vous avoir été conseillée ; et puis, c'eſt qu'il n'y a que vous au monde, dont je sois assez l'amie pour vous parler comme je fais.

Adieu, bel Ange ; suivez mes conseils, et vous me manderez si vous vous en trouvez bien.

P. S. À propos, j'oubliais… un mot encore. Voyez donc à soigner davantage votre style. Vous écrivez toujours comme un enfant[5]. Je vois bien d'où cela vient ; c'est que vous dites tout ce que vous pensez, et rien de ce que vous ne pensez pas. Cela peut passer ainsi de vous à moi, qui devons n'avoir rien de caché l'une pour l'autre : mais avec tout le monde ! avec votre Amant surtout ! Vous auriez toujours l'air d'une petite sotte. Vous voyez bien que quand vous écrivez à quelqu'un, c'est pour lui et non pas pour vous : vous devez donc moins chercher à lui dire ce que vous pensez, que ce qui lui plaît davantage.

Adieu, mon cœur : je vous embrasse au lieu de vous gronder ; dans l'espérance que vous serez plus raisonnable.

*Paris, ce 4 Octobre 17**.*

LETTRE CVI

LA MARQUISE DE MERTEUIL AU VICOMTE DE VALMONT

À merveille, Vicomte, et pour le coup, je vous aime à la fureur ! Au reste, après la première de vos deux Lettres, on pouvait s'attendre à la seconde : aussi ne m'a-t-elle point étonnée ; et tandis que déjà fier de vos succès à venir, vous en sollicitiez la récompense, et que vous me demandiez si j'étais prête, je voyais bien que je n'avais pas tant besoin de me presser. Oui, d'honneur ; en lisant le beau récit de cette[a] scène tendre, et qui vous avait si *vivement ému* ; en voyant votre retenue, digne des plus beaux temps de notre Chevalerie, j'ai dit vingt fois : Voilà[b] une affaire manquée !

Mais c'est que cela ne pouvait pas être autrement. Que voulez-vous que fasse une pauvre femme qui se rend, et qu'on ne prend pas ? Ma foi, dans ce cas-là, il faut au moins sauver l'honneur ; et c'est ce qu'a fait votre Présidente. Je sais bien que pour moi, qui ai senti que la marche qu'elle a prise n'est vraiment pas sans quelqu'effet, je me propose d'en faire usage, pour mon compte, à la première occasion un peu sérieuse qui se présentera : mais je promets bien que si celui pour qui j'en ferai les frais n'en profite pas mieux que vous, il peut assurément renoncer à moi pour toujours.

Vous voilà donc absolument réduit à rien ! et cela entre deux femmes, dont l'une était déjà au lendemain, et l'autre ne demandait pas mieux que d'y être[1] ! Hé bien ! vous allez croire que je me vante, et dire qu'il est facile de prophétiser après l'événement ; mais je peux vous jurer que je m'y attendais. C'est que réellement vous n'avez pas le génie de votre état ; vous n'en savez que ce que vous en avez appris, et vous n'inventez rien. Aussi, dès que les circonstances ne se prêtent plus à vos formules d'usage, et qu'il vous faut sortir de la route ordinaire, vous restez court comme un Écolier. Enfin un enfantillage d'une part, de l'autre un retour de pruderie, parce qu'on ne les éprouve pas tous les jours, suffisent pour vous déconcerter ; et vous ne savez ni les prévenir, ni y remédier. Ah ! Vicomte ! Vicomte ! vous m'apprenez à ne pas juger les hommes par leurs succès ; et bientôt, il faudra dire de vous : il fut brave[2] un tel jour. Et quand vous avez fait sottises sur sottises, vous recourez à moi ! il semble que je n'aie rien autre chose à faire que de les réparer. Il est vrai que ce serait bien assez d'ouvrage.

Quoi qu'il en soit, de ces deux aventures, l'une est entreprise contre mon gré, et je ne m'en mêle point ; pour l'autre, comme vous y avez mis quelque complaisance pour moi, j'en fais mon affaire. La Lettre que je joins ici, que vous lirez d'abord, et que vous remettrez ensuite à la petite Volanges, est plus que suffisante pour vous la ramener : mais, je vous en prie, donnez quelques soins à cet enfant, et faisons-en, de concert, le désespoir de sa mère et de Gercourt. Il n'y a pas à craindre de forcer les doses[3]. Je vois clairement que la petite personne n'en sera point effrayée ; et nos vues sur elle une fois remplies, elle deviendra ce qu'elle pourra.

Je me désintéresse entièrement sur son compte. J'avais eu quelqu'envie d'en faire au moins une intrigante subalterne[3], et de la prendre pour jouer *les seconds* sous moi : mais je vois qu'il n'y a pas d'étoffe ; elle a une sotte ingénuité qui n'a pas cédé même au spécifique[4] que vous avez employé, lequel pourtant n'en manque guère ; et c'est, selon moi, la maladie la plus dangereuse que femme puisse avoir[d]. Elle dénote, surtout, une faiblesse de caractère presque toujours incurable, et qui s'oppose à tout ; de sorte que, tandis que nous nous occuperions à former cette petite fille pour l'intrigue, nous n'en ferions qu'une femme facile. Or, je ne connais rien de si plat que cette facilité de bêtise, qui se rend sans savoir ni comment ni pourquoi, uniquement parce qu'on l'attaque et qu'elle ne sait pas résister. Ces sortes de femmes ne sont absolument que des machines à plaisir[5].

Vous me direz qu'il n'y a qu'à n'en faire que cela, et que c'est assez pour nos projets. À la bonne heure ! mais n'oublions pas que de ces machines-là, tout le monde parvient bientôt à en connaître les ressorts et les moteurs[6] ; ainsi, que pour se servir de celle-ci sans danger, il faut se dépêcher, s'arrêter de bonne heure, et la briser ensuite. À la vérité les moyens ne nous manqueront pas pour nous en défaire, et Gercourt la fera toujours bien enfermer quand nous voudrons. Au fait, quand il ne pourra plus douter de sa déconvenue, quand elle sera bien publique et bien notoire, que nous importe qu'il se venge, pourvu qu'il ne se console pas ? Ce que je dis du mari, vous le pensez sans doute de la mère ; ainsi cela vaut fait.

Ce parti que je crois le meilleur, et auquel je me suis arrêtée, m'a décidée à mener la jeune personne un peu vite, comme vous verrez par ma Lettre ; cela rend aussi très important de ne rien laisser entre ses mains qui puisse nous compromettre, et je vous prie d'y avoir attention. Cette précaution une fois prise, je me charge du moral ; le reste vous regarde. Si pourtant nous voyons par la suite que l'ingénuité se corrige, nous serons toujours à temps de changer de projet. Il n'en aurait pas moins fallu, un jour ou l'autre, nous occuper de ce que nous allons faire : dans aucun cas, nos soins ne seront perdus.

Savez-vous que les miens ont risqué de l'être, et que l'étoile de Gercourt a pensé l'emporter sur ma prudence ? Mme de Volanges n'a-t-elle pas eu un moment de faiblesse maternelle ? ne voulait-elle pas donner sa fille à Danceny ? C'était là ce qu'annonçait cet intérêt plus tendre, que vous aviez remarqué *le lendemain.* C'est encore vous qui auriez été cause de ce beau chef-d'œuvre ! Heureusement la tendre mère m'en a écrit, et j'espère que ma réponse l'en dégoûtera. J'y parle tant vertu, et surtout je la cajole tant, qu'elle doit trouver que j'ai raison.

Je suis fâchée de n'avoir pas eu le temps de prendre copie de ma Lettre, pour vous édifier sur l'austérité de ma morale. Vous verriez comme je méprise les femmes assez dépravées pour avoir un Amant ! Il est si commode d'être rigoriste dans ses discours ! cela ne nuit jamais qu'aux autres ; et ne nous gêne aucunement... Et puis je n'ignore pas que la bonne Dame a eu ses petites faiblesses comme une autre, dans son jeune temps, et je n'étais pas fâchée de l'humilier au moins dans sa conscience ; cela me consolait un peu des louanges que je lui donnais contre la mienne. C'est ainsi que dans la même Lettre, l'idée de nuire à Gercourt m'a donné le courage d'en dire du bien.

Adieu, Vicomte ; j'approuve beaucoup le parti que vous prenez de rester quelque temps où vous êtes. Je n'ai point de moyen pour hâter votre marche[7] : mais je vous invite à vous désennuyer avec notre commune Pupille. Pour ce qui est de moi, malgré votre citation polie[8], vous voyez bien qu'il faut encore attendre ; et vous conviendrez, sans doute, que ce n'est pas ma faute.

*Paris, ce 4 Octobre 17**.*

LETTRE CVII

AZOLAN AU VICOMTE DE VALMONT[1]

Monsieur,

Conformément à vos ordres, j'ai été, aussitôt la réception de votre Lettre, chez M. Bertrand, qui m'a remis les vingt-cinq louis, comme vous lui aviez ordonné. Je lui en avais demandé deux de plus pour Philippe, à qui j'avais dit de partir sur-le-champ, comme Monsieur me l'avait mandé, et qui n'avait pas d'argent ; mais Monsieur votre homme d'affaires n'a pas voulu, en disant qu'il n'avait pas d'ordre de ça de vous. J'ai donc été obligé de les donner de moi, et Monsieur m'en tiendra compte[2], si c'est sa bonté.

Philippe est parti hier au soir. Je lui ai bien recommandé de ne pas quitter le cabaret[3], afin qu'on puisse être sûr de le trouver si on en a besoin.

J'ai été tout de suite après chez Mme la Présidente pour voir Mlle Julie : mais elle était sortie, et je n'ai parlé qu'à La Fleur[4], de qui je n'ai pu rien savoir, parce que depuis son arrivée il n'avait été à l'hôtel qu'à l'heure des repas. C'est le second[5] qui a fait tout le service, et Monsieur sait bien que je ne connaissais pas celui-là. Mais j'ai commencé aujourd'hui.

Je suis retourné ce matin chez Mlle Julie, et elle a paru bien aise de me voir. Je l'ai interrogée sur la cause du retour[a] de sa maîtresse ; mais elle m'a dit n'en rien savoir, et je crois qu'elle a dit vrai. Je lui ai reproché de ne pas m'avoir averti de son départ, et elle m'a assuré qu'elle ne l'avait su que le soir même en allant coucher Madame ; si bien qu'elle a passé toute la nuit à ranger, et que la pauvre fille n'a pas dormi deux heures. Elle n'est sortie ce soir-là de la chambre de sa maîtresse qu'à une heure passée, et elle l'a laissée qui se mettait seulement à écrire.

Le matin, Mme de Tourvel, en partant, a remis une lettre au Concierge du Château[6]. Mlle Julie ne sait pas pour qui : elle dit que c'était peut-être pour Monsieur ; mais Monsieur ne m'en parle pas.

Pendant tout le voyage, Madame a eu un grand capuchon sur sa figure, ce qui faisait qu'on ne pouvait la voir : mais Mlle Julie croit être sûre qu'elle a pleuré souvent. Elle n'a pas dit une parole pendant la route, et elle n'a pas voulu s'arrêter à ...*, comme elle avait fait en allant ; ce qui n'a pas fait trop de plaisir à Mlle Julie, qui n'avait pas déjeuné. Mais, comme je lui ai dit, les maîtres sont les maîtres.

En arrivant, Madame s'eſt couchée : mais elle n'eſt reſtée au lit que deux heures. En se levant, elle a fait venir son Suisse, et lui a donné ordre de ne laisser entrer personne. Elle n'a point fait de toilette du tout. Elle s'eſt mise à table pour dîner ; mais elle n'a mangé qu'un peu de potage[7], et elle en eſt sortie tout de suite. On lui a porté son café chez elle, et Mlle Julie eſt entrée en même temps. Elle a trouvé sa maîtresse qui rangeait des papiers dans son secrétaire, et elle a vu que c'était des Lettres. Je parierais bien que ce sont celles de Monsieur ; et des trois qui lui sont arrivées dans l'après-midi, il y en a une qu'elle avait encore devant elle tout au soir ! Je suis bien sûr que c'eſt encore une de Monsieur[8]. Mais pourquoi donc eſt-ce qu'elle s'en eſt allée comme ça ? ça m'étonne moi ! au reſte, sûrement que Monsieur le sait bien ? et ce ne sont pas mes affaires[9].

Mme la Présidente eſt allée l'après-midi dans la bibliothèque, et elle y a pris deux livres qu'elle a emportés dans son boudoir : mais Mlle Julie assure qu'elle n'a pas lu dedans un quart d'heure dans toute la journée, et qu'elle n'a fait que lire cette lettre, rêver et être appuyée sur sa main. Comme j'ai imaginé que Monsieur serait bien aise de savoir quels sont ces livres-là, et que Mlle Julie ne le savait pas, je me suis

* Toujours le même Village à moitié chemin de la route.

fait mener aujourd'hui dans la Bibliothèque, sous prétexte de la voir. Il n'y a de vide que pour deux livres : l'un est le second volume des *Pensées Chrétiennes*[10] ; et l'autre, le premier d'un livre qui a pour titre *Clarisse*[11]. J'écris bien comme il y a : Monsieur saura peut-être ce que c'est.

Hier au soir Madame n'a pas soupé ; elle n'a pris que du thé[12].

Elle a sonné de bonne heure ce matin ; elle a demandé ses chevaux tout de suite, et elle a été, avant neuf heures, aux Feuillants[13], où elle a entendu la Messe. Elle a voulu se confesser ; mais son confesseur était absent, et il ne reviendra pas de huit à dix jours. J'ai cru qu'il était bon de mander cela à Monsieur.

Elle est rentrée ensuite, elle a déjeuné, et puis s'est mise à écrire, et elle y est restée jusqu'à près d'une heure. J'ai trouvé occasion de faire bientôt ce que Monsieur désirait le plus : car c'est moi qui ai porté les lettres à la poste. Il n'y en avait pas pour Mme de Volanges : mais j'en envoie une à Monsieur, qui était pour M. le Président : il m'a paru que ça devait être la plus intéressante. Il y en avait une aussi pour Mme de Rosemonde ; mais j'ai imaginé que Monsieur la verrait toujours bien quand il voudrait, et je l'ai laissée partir[14]. Au reste, Monsieur saura bien tout, puisque Mme la Présidente lui écrit aussi. J'aurai par la suite toutes celles qu'il voudra ; car c'est presque toujours Mlle Julie qui les remet aux gens, et elle m'a assuré que, par amitié pour moi, et puis aussi pour Monsieur, elle ferait volontiers ce que je voudrais.

Elle n'a pas même voulu de l'argent que je lui ai offert : mais je pense bien que Monsieur voudra lui faire quelque petit présent ; et si c'est sa volonté, et qu'il veuille m'en charger ; je saurai aisément ce qui lui fera plaisir.

J'espère que Monsieur ne trouvera pas que j'aie mis de la négligence à le servir, et j'ai bien à cœur de me justifier des reproches qu'il me fait. Si je n'ai pas su le départ de Mme la Présidente, c'est au contraire mon zèle pour le service de Monsieur qui en est cause, puisque c'est lui qui m'a fait partir à 3 heures du matin ;

ce qui fait que je n'ai pas vu Mlle Julie la veille, au soir, comme de coutume, ayant été coucher au Tournebride[15], pour ne pas réveiller dans le Château.

Quant à ce que Monsieur me reproche d'être souvent sans argent, d'abord c'est que j'aime à me tenir proprement, comme Monsieur peut voir ; et puis, il faut bien soutenir l'honneur de l'habit qu'on porte : je sais bien que je devrais peut-être un peu épargner pour la suite ; mais je me confie entièrement dans la générosité de Monsieur, qui est si bon Maître.

Pour ce qui est d'entrer au service de Mme de Tourvel, en restant à celui de Monsieur, j'espère que Monsieur ne l'exigera pas de moi. C'était bien différent chez Mme la Duchesse ; mais assurément je n'irai pas porter la livrée, et encore une livrée de Robe[16], après avoir eu l'honneur d'être Chasseur de Monsieur. Pour tout ce qui est du reste, Monsieur peut disposer de celui qui a l'honneur d'être, avec autant de respect que d'affection, son[b] très humble serviteur.

ROUX AZOLAN, *Chasseur*[17].

*Paris, ce 5 Octobre 17**, à 11 heures du soir.*

LETTRE CVIII

LA PRÉSIDENTE DE TOURVEL À MADAME DE ROSEMONDE

Ô mon indulgente mère ! que j'ai de grâces à vous rendre, et que j'avais besoin de votre Lettre ! Je l'ai lue et relue sans cesse ; je ne pouvais pas m'en détacher. Je lui dois les seuls moments moins pénibles que j'ai passés depuis mon départ. Comme vous êtes bonne ! la sagesse, la vertu, savent donc compatir à la faiblesse ! vous avez pitié de mes maux ! Ah ! si vous les connaissiez !... ils sont affreux. Je croyais avoir éprouvé les peines de l'amour ; mais le tourment[a] inexprimable, celui qu'il faut avoir senti pour en avoir l'idée, c'eſt de se séparer de ce qu'on aime, de s'en séparer pour toujours !… Oui, la peine qui m'accable aujourd'hui reviendra demain, après-demain, toute ma vie ! Mon Dieu, que je suis jeune encore, et qu'il me reſte de temps à souffrir !

Être soi-même l'artisan de son malheur ; se déchirer le cœur de ses propres mains ; et tandis qu'on souffre ces douleurs insupportables, sentir à chaque inſtant qu'on peut les faire cesser d'un mot, et que ce mot soit un crime ! ah ! mon amie !…

Quand j'ai pris ce parti si pénible de m'éloigner de lui, j'espérais que l'absence augmenterait mon courage et mes forces : combien je me suis trompée ! il semble au contraire qu'elle ait achevé de les détruire. J'avais plus à combattre, il eſt vrai : mais même en résiſtant, tout n'était pas privation ; au moins je le voyais quelquefois ; souvent même, sans oser porter mes regards sur lui, je sentais les siens fixés sur moi : oui, mon amie, je les sentais, il semblait qu'ils réchauffassent mon âme ; et sans passer par mes yeux, ils n'en arrivaient pas moins à mon cœur. À présent, dans ma pénible solitude, isolée de tout ce qui m'eſt cher, tête à tête avec mon infortune, tous les moments de ma triſte exiſtence sont marqués par mes larmes, et rien n'en adoucit l'amertume, nulle consolation ne se mêle à mes sacrifices ; et ceux que j'ai faits jusqu'à présent, n'ont servi qu'à me rendre plus douloureux ceux qui me reſtent à faire.

Hier encore, je l'ai bien vivement senti. Dans les Lettres qu'on m'a remises, il y en avait une de lui ; on était encore à deux pas de moi, que je l'avais reconnue entre les autres. Je me suis levée involontairement ; je tremblais, j'avais peine à cacher mon émotion ; et cet état n'était pas sans plaisir. Reſtée seule le moment d'après, cette trompeuse douceur s'eſt bientôt évanouie, et ne m'a laissé qu'un sacrifice de plus à faire. En effet, pouvais-je ouvrir cette Lettre, que pourtant je brûlais de lire ? Par la fatalité qui me poursuit, les consolations qui paraissent se présenter à moi, ne font au contraire que m'imposer de nouvelles privations ; et celles-ci[b] deviennent plus cruelles encore, par l'idée que M. de Valmont les partage.

Le voilà enfin, ce nom[1] qui m'occupe sans cesse, et que j'ai eu tant de peine à écrire ; l'espèce de reproche que vous m'en faites, m'a véritablement alarmée. Je vous supplie de croire qu'une fausse honte n'a point altéré ma confiance en vous ; et pourquoi craindrais-je de le nommer ? ah ! je rougis de mes sentiments, et non de l'objet qui les cause. Quel autre que lui est plus digne de les inspirer ! Cependant, je ne sais pourquoi ce nom ne se présente point naturellement sous ma plume ; et cette fois encore, j'ai eu besoin de réflexion pour le placer. Je reviens à lui.

Vous me mandez qu'il vous a paru *vivement affecté de mon départ*. Qu'a-t-il donc fait ? qu'a-t-il dit ? a-t-il parlé de revenir à Paris ? Je vous prie de l'en détourner autant que vous pourrez. S'il m'a bien jugée, il ne doit pas m'en vouloir de cette démarche : mais il doit sentir aussi que c'est un parti pris sans retour. Un de mes plus grands tourments, est de ne pas savoir ce qu'il pense. J'ai bien encore là sa Lettre... ; mais vous êtes sûrement de mon avis, je ne dois pas l'ouvrir[2].

Ce n'est que par vous, mon indulgente amie, que je puis ne pas être entièrement séparée de lui. Je ne veux pas abuser de vos bontés ; je sens à merveille que vos Lettres ne peuvent pas être longues : mais vous ne refuserez pas deux mots à votre enfant ; un pour soutenir son courage, et l'autre pour l'en consoler. Adieu, ma respectable amie.

*Paris, ce 5 Octobre 17**.*

LETTRE CIX

CÉCILE VOLANGES
À LA MARQUISE DE MERTEUIL

Ce n'eſt que d'aujourd'hui, Madame, que j'ai remis à M. de Valmont la Lettre que vous m'avez fait l'honneur de m'écrire. Je l'ai gardée quatre jours, malgré les frayeurs que j'avais souvent qu'on ne la trouvât, mais je la cachais avec bien du soin ; et quand le chagrin me reprenait, je m'enfermais pour la relire.

Je vois bien que ce que je croyais un si grand malheur, n'en eſt presque pas un ; et il faut avouer qu'il y a bien du plaisir : de façon que je ne m'afflige presque plus. Il n'y a que l'idée de Danceny qui me tourmente toujours quelquefois. Mais il y a déjà tout plein de moments où je n'y songe pas du tout ! aussi c'eſt que M. de Valmont eſt bien aimable !

Je me suis raccommodée avec lui depuis deux jours : ça m'a été bien facile ; car je ne lui avais encore dit que deux paroles, qu'il m'a dit que si j'avais quelque chose à lui dire, il viendrait le soir dans ma chambre, et je n'ai eu qu'à répondre que je le voulais bien. Et puis, dès qu'il y a été, il n'a pas paru plus fâché que si je ne lui avais jamais rien fait. Il ne m'a grondée qu'après, et encore bien doucement, et c'était d'une manière... Tout comme vous ; ce qui m'a prouvé qu'il avait aussi bien de l'amitié pour moi.

Je ne saurais vous dire combien il m'a raconté de drôles de choses, et que je n'aurais jamais crues ; particulièrement sur Maman. Vous me feriez bien plaisir de me mander si tout ça eſt vrai. Ce qui eſt bien sûr, c'eſt que je ne pouvais pas me retenir de rire ; si bien qu'une fois j'ai ri aux éclats, ce qui nous a fait bien peur : car Maman aurait pu entendre ; et si elle était venue voir, qu'est-ce que je serais devenue ? C'est bien pour le coup qu'elle m'aurait remise au Couvent !

Comme il faut être prudent, et que, comme M. de Valmont m'a dit lui-même, pour rien au monde il ne voudrait risquer de me compromettre, nous sommes convenus que dorénavant il viendrait seulement ouvrir la porte, et que nous irions dans sa chambre. Pour là, il n'y a rien à craindre ; j'y ai déjà été hier, et actuellement que je vous écris, j'attends encore qu'il vienne. À présent, Madame, j'espère que vous ne me gronderez plus.

Il y a pourtant une chose qui m'a bien surprise dans votre Lettre ; c'est ce que vous me mandez pour quand je serai mariée, au sujet de Danceny et de M. de Valmont. Il me semble qu'un jour à l'Opéra, vous me disiez au contraire qu'une fois mariée, je ne pourrais plus aimer que mon mari, et qu'il me faudrait même oublier Danceny[1] : au reste, peut-être que j'avais mal entendu, et j'aime bien mieux que cela soit autrement, parce qu'à présent, je ne craindrai plus tant le moment de mon mariage. Je le désire même, puisque j'aurai plus de liberté ; et j'espère qu'alors je pourrai m'arranger de façon à ne plus songer qu'à Danceny. Je sens bien que je ne serai véritablement heureuse qu'avec lui : car à présent son idée me tourmente toujours, et je n'ai de bonheur que quand je peux ne pas penser à lui, ce qui est bien difficile ; et dès que j'y pense, je redeviens chagrine tout de suite.

Ce qui me console un peu, c'est que vous m'assurez que Danceny m'en aimera davantage : mais en êtes-vous bien sûre ?... Oh ! oui, vous ne voudriez pas me tromper. C'est pourtant plaisant que ce soit Danceny que j'aime, et que M. de Valmont... Mais, comme vous dites, c'est peut-être un bonheur. Enfin, nous verrons.

Je n'ai pas trop entendu ce que vous me marquez au sujet de ma façon d'écrire. Il me semble que Danceny trouve mes Lettres bien comme elles sont. Je sens pourtant bien que je ne dois rien lui dire de tout ce qui se passe avec M. de Valmont ; ainsi vous n'avez que faire de craindre.

Maman ne m'a point encore parlé de mon mariage : mais laissez faire ; quand elle m'en parlera, puisque c'est pour m'attraper, je vous promets que je saurai mentir.

Adieu, ma bien bonne amie ; je vous remercie bien, et je vous promets que je n'oublierai jamais toutes vos bontés pour moi. Il faut que je finisse, car il est près d'une heure ; ainsi M. de Valmont ne doit pas tarder.

*Du Château de ..., ce 10 Octobre 17**.*

LETTRE CX

LE VICOMTE DE VALMONT
À LA MARQUISE DE MERTEUIL

Puissances du Ciel, j'avais une âme pour la douleur ; donnez-m'en une pour la félicité !* C'est, je crois, le tendre Saint-Preux qui s'exprime ainsi. Mieux partagé[2] que lui, je possède à la fois les deux existences. Oui, mon amie, je suis, en même temps, très heureux et très malheureux ; et puisque vous avez mon entière confiance, je vous dois le double récit de mes peines et de mes plaisirs.

Sachez donc que mon ingrate Dévote me tient toujours rigueur. J'en suis à ma quatrième Lettre renvoyée. J'ai peut-être tort de dire la quatrième ; car ayant bien deviné dès le premier renvoi, qu'il serait suivi de beaucoup d'autres, et ne voulant pas perdre ainsi mon temps, j'ai pris le parti de mettre mes doléances en lieux communs, et de ne point dater : et depuis le

* *Nouvelle Héloïse*[1].

second Courrier, c'est toujours la même Lettre qui va et vient ; je ne fais que changer d'enveloppe. Si ma belle finit comme finissent ordinairement les belles, et s'attendrit un jour au moins de lassitude ; elle gardera[a] enfin la missive, et il sera temps alors de me remettre au courant. Vous voyez qu'avec ce nouveau genre de correspondance, je ne peux pas être parfaitement instruit.

J'ai découvert pourtant que la légère personne a changé de confidente : au moins me suis-je assuré que, depuis son départ du Château, il n'est venu aucune Lettre d'elle pour Mme de Volanges, tandis qu'il en est venu deux pour la vieille Rosemonde[3] ; et comme celle-ci ne nous en a rien dit, comme elle n'ouvre plus la bouche de *sa chère belle*, dont auparavant elle parlait sans cesse, j'en ai conclu que c'était elle qui avait la confidence. Je présume que d'une part, le besoin de parler de moi, et de l'autre la petite honte de revenir vis-à-vis de Mme de Volanges sur un sentiment si longtemps désavoué, ont produit cette grande révolution. Je crains encore d'avoir perdu au change : car plus les femmes vieillissent, et plus elles deviennent rêches[4] et sévères. La première lui aurait bien dit plus de mal de moi ; mais celle-ci lui en dira plus de l'amour ; et la sensible Prude a bien plus de frayeur du sentiment que de la personne.

Le seul moyen de me mettre au fait, est, comme vous voyez, d'intercepter le commerce clandestin. J'en ai déjà envoyé l'ordre à mon chasseur ; et j'en attends l'exécution de jour en jour. Jusque-là, je ne puis rien faire qu'au hasard : aussi, depuis huit jours, je repasse inutilement tous les moyens connus, tous ceux des romans et de mes mémoires secrets ; je n'en trouve aucun qui convienne, ni aux circonstances de l'aventure, ni au caractère de l'Héroïne. La difficulté ne serait pas de m'introduire chez elle, même la nuit, même encore de l'endormir, et d'en faire une nouvelle Clarisse[5] : mais après plus de deux mois de soins et de peines, recourir à des moyens qui me soient étrangers ! me traîner servilement sur la trace des autres, et triompher sans gloire !... Non, elle n'aura pas *les* *plaisirs du vice et les honneurs de la vertu**. Ce n'est pas assez pour moi de la posséder, je veux qu'elle se livre. Or, il faut pour cela non seulement pénétrer jusqu'à elle, mais y arriver de son aveu ; la trouver seule et dans l'intention de m'écouter ; surtout, lui fermer les yeux sur le danger, car si elle le voit, elle saura le surmonter ou mourir. Mais mieux je sais ce qu'il faut faire, plus j'en trouve l'exécution difficile ; et dussiez-vous encore vous moquer de moi, je vous avouerai que mon embarras redouble à mesure que je m'en occupe davantage.

La tête m'en tournerait, je crois, sans les heureuses distractions que me donne notre commune Pupille ; c'est à elle que je dois d'avoir encore à faire autre chose que des Élégies[7].

Croiriez-vous que cette petite fille était tellement effarouchée, qu'il s'est passé trois grands jours avant que votre lettre ait produit tout son effet ? voilà comme une seule idée fausse peut gâter le plus heureux naturel !

Enfin, ce n'est que Samedi qu'on est venu tourner autour de moi, et me balbutier quelques mots ; encore prononcés si bas et tellement étouffés par la honte, qu'il était impossible de les entendre. Mais la rougeur qu'ils causèrent, m'en fit deviner le sens. Jusque-là, je m'étais tenu fier : mais fléchi par un si plaisant repentir, je voulus bien promettre d'aller trouver le soir même la jolie Pénitente ; et cette grâce de ma part, fut reçue avec toute la reconnaissance due à un si grand bienfait.

Comme je ne perds jamais de vue ni vos projets ni les miens, j'ai résolu de profiter de cette occasion pour connaître au juste la valeur de cet enfant, et aussi[b] pour accélérer son éducation. Mais pour suivre ce travail avec plus de liberté, j'avais besoin de changer le lieu de nos rendez-vous ; car un simple cabinet, qui sépare la chambre de votre Pupille de celle de sa mère, ne pouvait lui inspirer assez de sécurité, pour la laisser se déployer à l'aise. Je m'étais donc promis de faire *innocemment* quelque bruit, qui pût lui causer assez

* *Nouvelle Héloïse*[6].

de crainte pour la décider à prendre, à l'avenir, un asile plus sûr ; elle m'a encore épargné ce soin.

La petite personne eſt rieuse ; et, pour favoriser sa gaieté, je m'avisai, dans nos entr'actes, de lui raconter toutes les aventures scandaleuses qui me passaient par la tête ; et pour les rendre plus piquantes et fixer davantage son attention, je les mettais toutes sur le compte de sa Maman, que je me plaisais à chamarrer ainsi de vices et de ridicules[8].

Ce n'était pas sans motif que j'avais fait ce choix ; il encourageait mieux que tout autre ma timide écolière[c], et je lui inspirais en même temps le plus profond mépris pour sa mère. J'ai remarqué depuis longtemps, que si ce moyen n'eſt pas toujours nécessaire à employer pour séduire une jeune fille, il eſt indispensable, et souvent même le plus efficace, quand on veut la dépraver[d] ; car celle qui ne respecte pas sa mère, ne se respectera pas elle-même[9] : vérité morale, que je crois si utile, que j'ai été bien aise de fournir un exemple à l'appui du précepte.

Cependant[e] votre Pupille, qui ne songeait pas à la morale, étouffait de rire à chaque inſtant ; et enfin, une fois, elle pensa éclater. Je n'eus pas de peine à lui faire croire qu'elle avait fait *un bruit affreux*. Je feignis une grande frayeur, qu'elle partagea facilement. Pour qu'elle s'en ressouvînt mieux, je ne permis plus au plaisir de reparaître, et la laissai[f] seule trois heures plus tôt que de coutume : aussi convînmes-nous, en nous séparant, que dès le lendemain ce serait dans ma chambre que nous nous rassemblerions.

Je l'y ai déjà reçue deux fois[10] ; et dans ce court intervalle l'écolière eſt devenue presqu'aussi savante que le maître. Oui, en vérité, je lui ai tout appris, jusqu'aux complaisances ! je n'ai excepté que les précautions[11].

Ainsi occupé toute la nuit, j'y gagne de dormir une grande partie du jour ; et comme la société actuelle du Château n'a rien qui m'attire, à peine parais-je une heure au salon dans la journée. J'ai même, d'aujourd'hui, pris le parti de manger dans ma chambre, et je ne compte plus la quitter que pour de courtes promenades. Ces bizarreries passent sur le compte de ma santé. J'ai déclaré que j'étais *perdu de vapeurs*[12] ; j'ai annoncé aussi un peu de fièvre. Il ne m'en coûte que de parler d'une voix lente et éteinte. Quant au changement de ma figure, fiez-vous-en à votre Pupille. *L'amour y pourvoira**.

J'occupe mon loisir, en rêvant aux moyens de reprendre sur mon ingrate, les avantages que j'ai perdus, et aussi à composer une espèce de catéchisme de débauche[14], à l'usage de mon écolière. Je m'amuse à n'y rien nommer que par le mot technique[15] ; et je ris d'avance de l'intéressante conversation que cela doit fournir entr'elle et Gercourt, la première nuit de leur mariage. Rien n'est plus plaisant que l'ingénuité avec laquelle elle se sert déjà du peu qu'elle sait de cette langue ! elle n'imagine pas qu'on puisse parler autrement. Cette enfant est réellement séduisante ! Ce contraste[g] de la candeur naïve avec le langage de l'effronterie, ne laisse pas de faire de l'effet ; et, je ne sais pourquoi, il n'y a plus que les choses bizarres qui me plaisent[16].

Peut-être je me livre trop à celle-ci, puisque j'y compromets mon temps et ma santé : mais j'espère que ma feinte maladie, outre qu'elle me sauvera[17] l'ennui du salon, pourra m'être encore de quelqu'utilité auprès de l'austère Dévote, dont la vertu tigresse[18] s'allie pourtant avec la douce sensibilité ! Je ne doute pas qu'elle ne soit déjà instruite de ce grand événement, et j'ai beaucoup d'envie de savoir ce qu'elle en pense ; d'autant plus que je parierais bien qu'elle ne manquera pas de s'en attribuer l'honneur. Je réglerai l'état de ma santé, sur l'impression qu'il fera sur elle.

Vous voilà, ma belle amie, au courant de mes affaires comme moi-même. Je désire avoir bientôt des nouvelles plus intéressantes à vous apprendre ; et je vous prie de croire que, dans le plaisir que je m'en promets, je compte pour beaucoup la récompense que j'attends de vous[h].

*Du Château de ..., ce 11 Octobre 17**.*

* Regnard, *Folies amoureuses*[13].

LETTRE CXI

LE COMTE DE GERCOURT À MADAME DE VOLANGES

Tout paraît, Madame, devoir être tranquille dans ce pays[1] ; et nous attendons, de jour en jour, la permission de rentrer en France. J'espère que vous ne doutez pas que je n'aie toujours le même empressement à m'y rendre, et à y former les nœuds qui doivent m'unir à vous et à Mlle de Volanges. Cependant M. le Duc de ... mon cousin, et à qui vous savez que j'ai tant d'obligations, vient de me faire part de son rappel de Naples[2]. Il me mande qu'il compte passer par Rome, et voir, dans sa route, la partie d'Italie qui lui reste à connaître. Il m'engage à l'accompagner dans ce voyage, qui sera environ de six semaines ou deux mois. Je ne vous cache pas qu'il me serait agréable de profiter de cette occasion ; sentant bien qu'une fois marié, je prendrai difficilement le temps de faire d'autres absences que celles que mon service exigera. Peut-être aussi serait-il plus convenable d'attendre l'hiver pour ce mariage ; puisque ce ne peut être qu'alors, que tous mes parents seront rassemblés à Paris ; et nommément M. le Marquis de ... à qui je dois l'espoir de vous appartenir. Malgré ces considérations, mes projets à cet égard seront absolument subordonnés aux vôtres ; et pour peu que vous préfériez vos premiers arrangements, je suis prêt à renoncer aux miens. Je vous prie seulement de me faire savoir le plus tôt possible vos intentions à ce sujet. J'attendrai votre réponse ici, et elle seule réglera ma conduite.

Je suis avec respect, Madame, et avec tous les

sentiments qui conviennent à un fils, votre très humble, etc.

LE COMTE DE GERCOURT.
Bastia, ce 10 Octobre 17.*

LETTRE CXII

MADAME DE ROSEMONDE
À LA PRÉSIDENTE DE TOURVEL
(Dictée seulement.)

Je ne reçois qu'à l'instant même, ma chère belle, votre Lettre du 11*, et les doux reproches qu'elle contient. Convenez que vous aviez bien envie de m'en faire davantage; et que si vous ne vous étiez pas ressouvenue que vous étiez *ma fille*, vous m'auriez réellement grondée. Vous auriez été pourtant bien injuste! C'était le désir et l'espoir de pouvoir vous répondre moi-même, qui me faisait différer chaque jour; et vous voyez qu'encore aujourd'hui, je suis obligée d'emprunter la main de ma Femme de chambre. Mon malheureux rhumatisme m'a repris, il s'est niché cette fois sur le bras droit, et je suis absolument manchote. Voilà ce que c'est, jeune et fraîche comme vous êtes, d'avoir une si vieille amie! on souffre de ses incommodités[a].

Aussitôt que mes douleurs me donneront un peu de relâche, je me promets bien de causer longuement avec vous. En attendant, sachez seulement que j'ai reçu vos deux Lettres; qu'elles auraient redoublé, s'il était possible, ma tendre amitié pour vous; et que je ne cesserai jamais de prendre part, bien vivement, à tout ce qui vous intéresse.

* Cette Lettre ne s'est pas retrouvée.

Mon neveu est aussi un peu indisposé, mais sans aucun danger, et sans qu'il faille en prendre aucune inquiétude ; c'est une incommodité légère, qui, à ce qu'il me semble, affecte plus son humeur que sa santé. Nous ne le voyons presque plus.

Sa retraite et votre départ ne rendent pas notre petit cercle plus gai. La petite Volanges, surtout, vous trouve furieusement à dire[1], et bâille, tant que la journée dure, à avaler ses poings. Particulièrement depuis quelques jours, elle nous fait l'honneur de s'endormir profondément toutes les après-dînées[2].

Adieu, ma chère belle ; je suis pour toujours votre bien bonne amie, votre maman, votre sœur même, si mon grand âge me permettait ce titre. Enfin je vous suis attachée par tous les plus tendres sentiments.

Signé ADÉLAÏDE[3], *pour* MADAME DE ROSEMONDE.
*Du Château de …, ce 14 Octobre 17**.*

LETTRE CXIII

LA MARQUISE DE MERTEUIL AU VICOMTE DE VALMONT

Je crois devoir vous prévenir, Vicomte, qu'on commence à s'occuper de vous à Paris ; qu'on y remarque votre absence, et que déjà on en devine la cause. J'étais hier à un souper fort nombreux ; il y fut dit positivement que vous étiez retenu au Village par un amour romanesque et malheureux : aussitôt la joie se peignit sur le visage de tous les envieux de vos succès, et de toutes les femmes que vous avez négligées. Si vous m'en croyez, vous ne laisserez pas prendre consistance à ces bruits dangereux, et vous[a] viendrez sur-le-champ les détruire par votre présence.

Songez que si une fois vous laissez perdre l'idée

qu'on ne vous résiste pas, vous éprouverez bientôt qu'on vous résistera en effet plus facilement ; que vos rivaux vont aussi perdre leur respect pour vous, et oser vous combattre : car lequel d'entr'eux ne se croit pas plus fort que la vertu ? Songez surtout que dans la multitude des femmes que vous avez affichées[1], toutes celles que vous n'avez pas eues vont tenter de détromper le Public, tandis que les autres s'efforceront de l'abuser. Enfin, il faut vous attendre à être apprécié peut-être autant au-dessous de votre valeur, que vous l'avez été au-dessus jusqu'à présent.

Revenez donc, Vicomte, et ne sacrifiez pas votre réputation à un caprice puéril. Vous avez fait tout ce que nous voulions de la petite Volanges ; et pour votre Présidente, ce ne sera pas apparemment en restant à dix lieues d'elle, que vous vous en passerez la fantaisie. Croyez-vous qu'elle ira vous chercher ? Peut-être ne songe-t-elle déjà plus à vous, ou ne s'en occupe-t-elle encore que pour se féliciter de vous avoir humilié. Au moins ici, pourrez-vous trouver quelque occasion de reparaître avec éclat, et vous en avez besoin ; et quand vous vous obstineriez à votre ridicule aventure, je ne vois pas que votre retour y puisse nuire en rien ; au contraire.

En effet, si votre Présidente *vous adore* ; comme vous me l'avez tant dit et si peu prouvé, son unique consolation, son seul plaisir, doivent être à présent de parler de vous, et de savoir ce que vous faites, ce que vous dites, ce que vous pensez, et jusqu'à la moindre des choses qui vous intéressent. Ces misères-là prennent du prix, en raison des privations qu'on éprouve. Ce sont les miettes de pain tombantes de la table du riche : celui-ci les dédaigne ; mais le pauvre les recueille avidement et s'en nourrit[2]. Or, la pauvre Présidente reçoit à présent toutes ces miettes-là ; et plus elle en aura, moins elle sera pressée de se livrer à l'appétit du reste.

De plus, depuis que vous connaissez sa Confidente, vous ne doutez pas que chaque lettre d'elle ne contienne au moins un petit sermon, et tout ce qu'elle croit propre *à corroborer sa sagesse et fortifier sa vertu**. Pourquoi donc laisser à l'une des ressources pour se défendre, et à l'autre pour vous nuire ?

Ce n'est pas que je sois du tout de votre avis sur la perte que vous croyez avoir faite au changement de Confidente. D'abord, Mme de Volanges vous hait, et la haine est toujours plus clairvoyante et plus ingénieuse que l'amitié. Toute la vertu de votre vieille tante ne l'engagera pas à médire un seul instant de son cher neveu ; car la vertu a aussi ses faiblesses. Ensuite vos craintes portent sur une remarque absolument fausse.

Il n'est pas vrai que *plus les femmes vieillissent, et plus elles deviennent rêches et sévères.* C'est de quarante à cinquante ans que le désespoir de voir leur figure se flétrir, la rage de se sentir obligées d'abandonner des prétentions et des plaisirs auxquels elles tiennent encore, rendent presque toutes les femmes bégueules et acariâtres. Il leur faut ce long intervalle pour faire en entier ce grand sacrifice : mais dès qu'il est consommé, toutes se partagent en deux classes.

La plus nombreuse, celle des femmes qui n'ont eu pour elles que leur figure et leur jeunesse, tombe dans une imbécile apathie, et n'en sort plus que pour le jeu et pour quelques pratiques de dévotion ; celle-là est toujours ennuyeuse, souvent grondeuse, quelquefois un peu tracassière, mais rarement méchante. On ne peut pas dire non plus que ces femmes soient ou ne soient pas sévères : sans idées et sans existence, elles répètent, sans le comprendre et indifféremment, tout ce qu'elles entendent dire, et restent par elles-mêmes absolument nulles.

L'autre classe beaucoup plus rare, mais véritablement précieuse, est celle des femmes qui, ayant eu un caractère et n'ayant pas négligé de nourrir leur raison, savent se créer une existence, quand celle de la nature leur manque ; et prennent le parti de mettre à leur esprit, les parures qu'elles employaient avant pour leur figure. Celles-ci ont pour l'ordinaire le jugement très sain, et l'esprit à la fois solide, gai et gracieux. Elles

* *On ne s'avise jamais de tout !* Comédie[3].

remplacent les charmes séduisants par l'attachante bonté, et encore par l'enjouement, dont le charme augmente en proportion de l'âge : c'est ainsi qu'elles parviennent en quelque sorte à se rapprocher de la jeunesse en s'en faisant aimer. Mais alors, loin d'être, comme vous le dites, *rêches et sévères* ; l'habitude de l'indulgence, leurs longues réflexions sur la faiblesse humaine, et surtout les souvenirs de leur jeunesse, par lesquels seuls elles tiennent encore à la vie, les placeraient plutôt, peut-être, trop près de la facilité.

Ce que je peux vous dire enfin, c'est qu'ayant toujours recherché les vieilles femmes, dont j'ai reconnu de bonne heure l'utilité des suffrages[4], j'ai rencontré plusieurs d'entr'elles auprès de qui l'inclination me ramenait autant que l'intérêt. Je m'arrête là ; car à présent que vous vous enflammez si vite et si moralement, j'aurais peur que vous ne devinssiez subitement amoureux de votre vieille tante, et que vous ne vous enterrassiez avec elle dans le tombeau[5] où vous vivez déjà depuis si longtemps. Je reviens donc.

Malgré l'enchantement où vous me paraissez être de votre petite écolière, je ne peux pas croire qu'elle entre pour quelque chose dans vos projets. Vous l'avez trouvée sous la main, vous l'avez prise : à la bonne heure ! mais ce ne peut pas être là un goût. Ce n'est même pas, à vrai dire, une entière jouissance : vous ne possédez absolument que sa personne ! je ne parle pas de son cœur, dont je me doute bien que vous ne vous souciez guère : mais vous n'occupez seulement pas sa tête. Je ne sais pas si vous vous en êtes aperçu, mais moi j'en ai la preuve dans la dernière lettre qu'elle m'a écrite* ; je vous l'envoie pour que vous en jugiez. Voyez donc que quand elle y parle de vous, c'est toujours *M. de Valmont* ; que toutes ses idées, même celles que vous lui faites naître, n'aboutissent jamais qu'à Danceny ; et lui, elle ne l'appelle pas Monsieur, c'est bien toujours *Danceny* seulement[6]. Par là, elle le distingue de tous les autres ; et même en se livrant à vous, elle ne se familiarise qu'avec lui. Si une telle conquête

* Voyez la Lettre CIX.

vous paraît *séduisante*[b], si les plaisirs qu'elle donne *vous attachent*, assurément vous êtes modeste et peu difficile ! Que vous la gardiez, j'y consens ; cela entre même dans mes projets. Mais il me semble que cela ne vaut pas de se déranger un quart d'heure ; qu'il faudrait aussi avoir quelqu'empire, et ne lui permettre, par exemple, de se rapprocher de Danceny, qu'après le lui avoir fait un peu plus oublier.

Avant de cesser de m'occuper de vous, pour venir à moi, je veux encore vous dire que ce moyen de maladie que vous m'annoncez vouloir prendre, est bien connu et bien usé. En vérité, Vicomte, vous n'êtes pas inventif ! Moi, je me répète aussi quelquefois, comme vous allez voir ; mais je tâche de me sauver par les détails[7], et surtout le succès me justifie. Je vais encore en tenter un, et courir une nouvelle aventure. Je conviens qu'elle n'aura pas le mérite de la difficulté ; mais au moins sera-ce une distraction, et je m'ennuie à périr.

Je ne sais pourquoi, depuis l'aventure de Prévan, Belleroche m'est devenu insupportable. Il a tellement redoublé d'attention, de tendresse, de *vénération*, que je n'y peux plus tenir. Sa colère, dans le premier moment, m'avait paru plaisante ; il a pourtant bien fallu la calmer, car c'eût été me compromettre que de le laisser faire : et il n'y avait pas moyen de lui faire entendre raison. J'ai donc pris le parti de lui montrer plus d'amour, pour en venir à bout plus facilement : mais lui, a pris cela au sérieux ; et depuis ce temps il m'excède par son enchantement éternel. Je remarque surtout l'insultante confiance qu'il prend en moi, et la sécurité avec laquelle il me regarde comme à lui pour toujours. J'en suis vraiment humiliée. Il me prise donc bien peu, s'il croit valoir assez pour me fixer ! Ne me disait-il pas dernièrement que je n'aurais jamais aimé un autre que lui ? Oh ! pour le coup, j'ai eu besoin de toute ma prudence, pour ne pas le détromper sur-le-champ, en lui disant ce qui en était. Voilà, certes, un plaisant Monsieur, pour avoir un droit exclusif ! Je conviens qu'il est bien fait et d'une assez belle figure : mais, à tout prendre, ce n'est, au fait, qu'un manœuvre d'amour[8]. Enfin le moment est venu, il faut nous séparer.

J'essaie déjà depuis quinze jours, et j'ai employé, tour à tour, la froideur, le caprice, l'humeur, les querelles ; mais le tenace personnage ne quitte pas prise[9] ainsi : il faut donc prendre un parti plus violent ; en conséquence je l'emmène à ma campagne. Nous partons après-demain. Il n'y aura avec nous que quelques personnes désintéressées et peu clairvoyantes, et nous y aurons presque autant de liberté que si nous y étions seuls. Là, je le surchargerai à tel point, d'amour et de caresses, nous y vivrons si bien l'un pour l'autre uniquement, que je parie bien qu'il désirera plus que moi la fin de ce voyage, dont il se fait un si grand bonheur ; et s'il n'en revient pas plus ennuyé de moi que je ne le suis de lui, dites, j'y consens, que je n'en sais pas plus que vous.

Le prétexte de cette espèce de retraite, est de m'occuper sérieusement de mon grand procès, qui en effet se jugera enfin au commencement de l'hiver. J'en suis bien aise ; car il est vraiment désagréable d'avoir ainsi toute sa fortune en l'air. Ce n'est pas que je sois inquiète de l'événement ; d'abord j'ai raison, tous mes Avocats me l'assurent : et quand je ne l'aurais pas, je serais donc bien maladroite, si je ne savais pas gagner un procès, où je n'ai pour adversaires que des mineurs encore en bas âge, et leur vieux tuteur ! Comme il ne faut pourtant rien négliger dans une affaire si importante, j'aurai effectivement avec moi deux Avocats. Ce voyage ne vous paraît-il pas gai ? cependant s'il me fait gagner mon procès et perdre Belleroche, je ne regretterai pas mon temps.

À présent, Vicomte, devinez le successeur ; je vous le donne en cent. Mais bon ! ne sais-je pas que vous ne devinez jamais rien ? hé bien, c'est Danceny. Vous êtes étonné, n'est-ce pas ? car enfin je ne suis pas encore réduite à l'éducation des enfants ! Mais celui-ci mérite d'être excepté ; il n'a que les grâces de la jeunesse, et non la frivolité. Sa grande réserve dans le cercle est très propre à éloigner tous les soupçons, et on ne l'en trouve que plus aimable, quand il se livre, dans le tête-à-tête. Ce n'est pas que j'en aie déjà eu avec lui pour mon compte, je ne suis encore que sa confidente ; mais sous ce voile de l'amitié, je crois lui voir un goût très vif pour moi, et je sens que j'en prends beaucoup pour lui. Ce serait bien dommage que tant d'esprit et de délicatesse allassent se sacrifier et s'abrutir auprès de cette petite imbécile de Volanges ! J'espère qu'il se trompe en croyant l'aimer : elle est si loin de le mériter ! Ce n'est pas que je sois jalouse d'elle ; mais c'est que ce serait un meurtre[10], et je veux en sauver Danceny. Je vous prie donc, Vicomte, de mettre vos soins à ce qu'il ne puisse se rapprocher de *sa Cécile* (comme il a encore la mauvaise habitude de la nommer). Un premier goût a toujours plus d'empire qu'on ne croit, et je ne serais sûre de rien, s'il la revoyait à présent, surtout pendant mon absence. À mon retour, je me charge de tout et j'en réponds.

J'ai bien songé à emmener le jeune homme avec moi : mais j'en ai fait le sacrifice à ma prudence ordinaire ; et puis, j'aurais craint qu'il ne s'aperçût de quelque chose entre Belleroche et moi, et je serais au désespoir qu'il eût la moindre idée de ce qui se passe. Je veux au moins m'offrir à son imagination, pure et sans tache ; telle enfin qu'il faudrait être, pour être vraiment digne de lui.

*Paris, ce 15 Octobre 17**[11].*

LETTRE CXIV

LA PRÉSIDENTE DE TOURVEL À MADAME DE ROSEMONDE

Ma chère amie, je cède à ma vive inquiétude ; et sans savoir si vous serez en état de me répondre, je ne puis m'empêcher de vous interroger. L'état de M. de Valmont, que vous me dites *sans danger*, ne me laisse pas autant de sécurité que vous paraissez en avoir. Il n'eſt pas rare que la mélancolie et le dégoût du monde soient des symptômes avant-coureurs de quelque maladie grave ; les souffrances du corps, comme celles de l'esprit, font désirer la solitude ; et souvent on reproche de l'humeur, à celui dont on devrait seulement plaindre les maux.

Il me semble qu'il devrait au moins consulter quelqu'un. Comment, étant malade vous-même, n'avez-vous pas un Médecin auprès de vous[1] ? Le mien que j'ai vu ce matin, et que je ne vous cache pas que j'ai consulté indireɛtement[2], eſt d'avis que, dans les personnes naturellement aɛtives, cette espèce d'apathie subite n'eſt jamais à négliger ; et, comme il me disait encore, les maladies ne cèdent plus au traitement, quand elles n'ont pas été prises à temps. Pourquoi faire courir ce risque à quelqu'un qui vous eſt si cher ?

Ce qui redouble mon inquiétude, c'eſt que, depuis quatre jours, je ne reçois plus de nouvelles de lui. Mon Dieu ! ne me trompez-vous point sur son état ? Pourquoi aurait-il cessé de m'écrire tout à coup ? Si c'était seulement l'effet de mon obſtination à lui renvoyer ses lettres, je crois qu'il aurait pris ce parti plus tôt. Enfin, sans croire aux pressentiments, je suis depuis quelques jours d'une triſtesse qui m'effraie. Ah ! peut-être suis-je à la veille du plus grand des malheurs !

Vous ne sauriez croire, et j'ai honte de vous dire, combien je suis peinée de ne plus recevoir ces mêmes lettres, que pourtant je refuserais encore de lire. J'étais sûre au moins qu'il s'était occupé de moi ! Et je voyais quelque chose qui venait de lui. Je ne les ouvrais pas, ces lettres, mais je pleurais en les regardant : mes larmes étaient plus douces et plus faciles ; et celles-là seules dissipaient en partie l'oppression habituelle que j'éprouve depuis mon retour. Je vous en conjure, mon indulgente amie, écrivez-moi, vous-même, aussitôt que vous le pourrez ; et en attendant, faites-moi donner chaque jour de vos nouvelles et des siennes.

Je m'aperçois qu'à peine je vous ai dit un mot pour

vous : mais vous connaissez mes sentiments, mon attachement sans réserve, ma tendre reconnaissance pour votre sensible amitié ; vous pardonnerez au trouble où je suis, à mes peines mortelles, au tourment affreux d'avoir à redouter des maux, dont peut-être je suis la cause. Grand Dieu ! cette idée désespérante me poursuit et déchire mon cœur ; ce malheur me manquait, et je sens que je suis née pour les éprouver tous.

Adieu, ma chère amie ; aimez-moi, plaignez-moi[3]. Aurai-je une lettre de vous aujourd'hui ?

*Paris, ce 16 Octobre 17**.*

LETTRE CXV

LE VICOMTE DE VALMONT
À LA MARQUISE DE MERTEUIL

C'est une chose inconcevable, ma belle amie, comme aussitôt qu'on s'éloigne, on cesse facilement de s'entendre. Tant que j'étais auprès de vous, nous n'avions jamais qu'un même sentiment, une même façon de voir ; et parce que, depuis près de trois mois, je ne vous vois plus[a], nous ne sommes plus de même avis sur rien. Qui de nous deux a tort ? sûrement vous n'hésiteriez pas sur la réponse : mais moi, plus sage, ou plus poli, je ne décide pas. Je vais seulement répondre à votre lettre, et continuer de vous exposer ma conduite.

D'abord, je vous remercie de l'avis que vous me donnez des bruits qui courent sur mon compte ; mais je ne m'en inquiète pas encore : je me crois sûr d'avoir bientôt de quoi les faire cesser. Soyez tranquille : je ne reparaîtrai dans le monde que plus célèbre que jamais, et toujours plus digne de vous.

J'espère qu'on me comptera même pour quelque chose, l'aventure de la petite Volanges, dont vous paraissez faire si peu de cas ; comme si ce n'était rien, que d'enlever, en une soirée, une jeune fille à son amant[b] aimé[1] ; d'en user ensuite tant qu'on le veut, et absolument comme de son bien, et sans plus d'embarras ; d'en obtenir ce qu'on n'ose pas même exiger de toutes les filles dont c'est le métier ; et cela, sans la déranger en rien de son tendre amour, sans la rendre inconstante, pas même infidèle[2] : car, en effet, je n'occupe seulement pas sa tête ! en sorte qu'après ma fantaisie passée, je la remettrai entre les bras de son amant, pour ainsi dire, sans qu'elle se soit aperçue de rien. Est-ce donc là une marche[3] si ordinaire ? et puis, croyez-moi, une fois sortie de mes mains, les principes que je lui donne, ne s'en développeront pas moins ; et je prédis que la timide écolière prendra bientôt un essor propre à faire honneur à son maître.

Si pourtant on aime mieux le genre héroïque, je montrerai la Présidente, ce modèle cité de toutes les vertus ! respectée même de nos plus libertins ! telle enfin qu'on avait perdu jusqu'à l'idée de l'attaquer ! je la montrerai, dis-je, oubliant ses devoirs et sa vertu, sacrifiant sa réputation et deux ans de sagesse[4], pour courir après le bonheur de me plaire, pour s'enivrer de celui de m'aimer ; se trouvant suffisamment dédommagée de tant de sacrifices, par un mot, par un regard, qu'encore elle n'obtiendra pas toujours. Je ferai plus, je la quitterai ; et je ne connais pas cette femme, ou je n'aurai point de successeur. Elle résistera au besoin de consolation, à l'habitude du plaisir, au désir même de la vengeance. Enfin, elle n'aura existé que pour moi ; et que sa carrière soit plus ou moins longue, j'en aurai seul ouvert et fermé la barrière. Une fois parvenu à ce triomphe, je dirai à mes rivaux : « Voyez mon ouvrage, et cherchez-en dans le siècle un second exemple ! »

Vous allez me demander d'où vient aujourd'hui cet excès de confiance ? c'est que depuis huit jours[c] je suis dans la confidence de ma belle ; elle ne me dit pas ses secrets, mais je les surprends. Deux lettres d'elle à Mme de Rosemonde, m'ont suffisamment instruit[5], et je ne lirai plus les autres que par curiosité. Je n'ai absolument besoin, pour réussir, que de me rapprocher d'elle, et mes moyens sont trouvés. Je vais incessamment les mettre en usage.

Vous êtes curieuse, je crois... ? Mais non, pour vous punir de ne pas croire à mes inventions, vous ne les saurez pas. Tout de bon, vous mériteriez que je vous retirasse ma confiance, au moins pour cette aventure ; en effet, sans le doux prix attaché par vous à ce succès[6], je ne vous en parlerais plus. Vous voyez que je suis fâché. Cependant, dans l'espoir que vous vous corrigerez, je veux bien m'en tenir à cette punition légère ; et revenant à l'indulgence, j'oublie un moment mes grands projets, pour raisonner des vôtres avec vous.

Vous voilà donc à la campagne, ennuyeuse comme le sentiment, et triste comme la fidélité[d] ! Et ce pauvre Belleroche ! vous ne vous contentez pas de lui faire boire l'eau d'oubli, vous lui en donnez la question[7] ! Comment s'en trouve-t-il ? supporte-t-il bien les nausées de l'amour ? Je voudrais pour beaucoup qu'il ne vous en devînt que plus attaché ; je suis curieux de voir quel remède plus efficace vous parviendriez à employer. Je vous plains, en vérité, d'avoir été obligée de recourir à celui-là. Je n'ai fait qu'une fois, dans ma vie, l'amour par procédé. J'avais certainement un grand motif, puisque c'était à la Comtesse de ... ; et vingt fois, entre ses bras, j'ai été tenté de lui dire : « Madame, je renonce à la place que je sollicite, et permettez-moi de quitter celle que j'occupe. » Aussi, de toutes les femmes que j'ai eues, c'est la seule dont j'aie vraiment plaisir à dire du mal.

Pour votre motif à vous, je le trouve, à vrai dire, d'un ridicule rare ; et vous aviez raison de croire que je ne devinerais pas le successeur. Quoi ! c'est pour Danceny que vous vous donnez toute cette peine-là ! Eh ! ma chère amie, laissez-le adorer *sa vertueuse Cécile*, et ne vous compromettez pas dans ces jeux d'enfants. Laissez les écoliers se former auprès des *Bonnes*, ou jouer avec les pensionnaires *à de petits jeux innocents*. Comment allez-vous vous charger d'un novice qui ne saura ni vous prendre ni vous quitter, et avec qui il vous faudra tout faire ? Je vous le dis sérieusement, je désapprouve ce choix, et quelque secret qu'il restât, il vous humilierait au moins à mes yeux et dans votre conscience.

Vous prenez, dites-vous, beaucoup de goût pour lui : allons donc, vous vous trompez sûrement, et je crois même avoir trouvé la cause de votre erreur. Ce beau dégoût de Belleroche vous est venu dans un temps de disette, et Paris ne vous offrant pas de choix, vos idées, toujours trop vives, se sont portées sur le premier objet que vous avez rencontré. Mais songez qu'à votre retour, vous pourrez choisir entre mille ; et si enfin vous redoutez l'inaction dans laquelle vous risquez de tomber en différant, je m'offre à vous pour amuser vos loisirs.

D'ici à votre arrivée, mes grandes affaires seront terminées de manière ou d'autre ; et sûrement, ni la petite Volanges, ni la Présidente elle-même, ne m'occuperont pas assez alors, pour que je ne sois pas à vous autant que vous le désirerez[e]. Peut-être même, d'ici là, aurai-je déjà remis la petite fille aux mains de son discret amant. Sans convenir, quoique vous en disiez, que ce ne soit pas une jouissance *attachante*, comme j'ai le projet qu'elle garde de moi toute sa vie une idée supérieure à celle de tous les autres hommes, je me suis mis, avec elle, sur un ton[8] que je ne pourrais soutenir longtemps sans altérer ma santé ; et dès ce moment, je ne tiens plus à elle, que par le soin qu'on doit aux affaires de famille…

Vous ne m'entendez pas ?… C'est que j'attends une seconde époque[9] pour confirmer mon espoir, et m'assurer que j'ai pleinement réussi dans mes projets. Oui, ma belle amie, j'ai déjà un premier indice[10] que le mari de mon écolière ne courra pas le risque de mourir sans postérité ; et que le Chef de la maison de Gercourt[11] ne sera à l'avenir qu'un cadet de celle de Valmont. Mais laissez-moi finir à ma fantaisie cette aventure que je n'ai entreprise qu'à votre prière. Songez que si vous rendez Danceny inconstant, vous ôtez tout le piquant de cette histoire. Considérez enfin, que m'offrant pour le représenter auprès de vous, j'ai, ce me semble, quelques droits à la préférence.

J'y compte si bien, que je n'ai pas craint de contrarier vos vues, en concourant moi-même à augmenter la tendre passion du discret amoureux, pour le premier et digne objet de son choix. Ayant donc trouvé hier votre Pupille occupée à lui écrire, et l'ayant dérangée d'abord de cette douce occupation pour une autre plus douce encore, je lui ai demandé, après, de voir sa lettre ; et comme je l'ai trouvée froide et contrainte, je lui ai fait sentir que ce n'était pas ainsi qu'elle consolerait son amant, et je l'ai décidée à en écrire une autre sous ma dictée[12] ; où, en imitant du mieux que j'ai pu son petit radotage, j'ai tâché de nourrir l'amour du jeune homme, par un espoir plus certain. La petite personne était toute ravie, me disait-elle, de se trouver parler si bien ; et dorénavant, je serai chargé de la correspondance. Que n'aurai-je pas fait pour ce Danceny ? J'aurai été à la fois son ami, son confident, son rival et sa maîtresse ! Encore, en ce moment, je lui rends le service de le sauver de vos liens dangereux. Oui, sans doute, dangereux ; car vous posséder et vous perdre, c'est acheter un moment de bonheur par une éternité de regrets.

Adieu, ma belle amie ; ayez le courage de dépêcher Belleroche le plus que vous pourrez. Laissez là Danceny, et préparez-vous à retrouver, et à me rendre les délicieux plaisirs de notre première liaison.

P. S. Je vous fais compliment sur le jugement prochain du grand procès. Je serai fort aise que cet heureux événement arrive sous mon règne.

*Du Château de …, ce 19 Octobre 17**.*

LETTRE CXVI

LE CHEVALIER DANCENY
À CÉCILE VOLANGES

Mme de Merteuil est partie ce matin pour la campagne ; ainsi, ma charmante Cécile, me voilà privé du seul plaisir qui me restait en votre absence, celui de parler de vous à votre amie et à la mienne. Depuis quelque temps, elle m'a permis de lui donner ce titre ; et j'en ai profité avec d'autant plus d'empressement, qu'il me semblait par là me rapprocher de vous davantage. Mon Dieu ! que cette femme est aimable ! et quel charme flatteur elle sait donner à l'amitié ! Il semble que ce doux sentiment s'embellisse et se fortifie chez elle, de tout ce qu'elle refuse à l'amour. Si vous saviez comme elle vous aime, comme elle se plaît[a] à m'entendre lui parler de vous !... C'est là sans doute ce qui m'attache autant à elle. Quel bonheur de pouvoir vivre uniquement pour vous deux, de passer sans cesse des délices de l'amour aux douceurs de l'amitié[1], d'y consacrer toute mon existence, d'être en quelque sorte le point de réunion de votre attachement réciproque ; et de sentir toujours que m'occupant du bonheur de l'une, je travaillerais également à celui de l'autre ! Aimez, aimez beaucoup, ma charmante amie, cette femme adorable. L'attachement que j'ai pour elle, donnez-y plus de prix encore, en le partageant. Depuis que j'ai goûté le charme de l'amitié, je désire que vous l'éprouviez à votre tour. Les plaisirs que je ne partage pas avec vous, il me semble n'en jouir qu'à moitié. Oui, ma Cécile, je voudrais entourer votre cœur de tous les sentiments les plus doux ; que chacun de ses mouvements vous fît éprouver une sensation de bonheur ; et je croirais encore ne pouvoir jamais vous rendre qu'une partie de la félicité que je tiendrais de vous.

Pourquoi faut-il que ces projets charmants ne soient qu'une chimère de mon imagination, et que la réalité ne m'offre au contraire que des privations douloureuses et indéfinies ? L'espoir que vous m'aviez donné de vous voir à cette campagne, je m'aperçois bien qu'il faut y renoncer. Je n'ai plus de consolation que celle de me persuader qu'en effet cela ne vous est pas possible. Et vous négligez de me le dire, de vous en affliger avec moi ! Déjà, deux fois, mes plaintes à ce sujet sont restées sans réponse. Ah Cécile ! Cécile, je crois bien que vous m'aimez de toutes les facultés de votre âme, mais votre âme n'est pas brûlante comme la mienne ! Que n'est-ce à moi à lever les obstacles ? pourquoi ne sont-ce pas mes intérêts qu'il me faille ménager, au lieu des vôtres ? je saurais bientôt vous prouver que rien n'est impossible à l'amour[2].

Vous ne me mandez pas non plus quand doit finir cette absence cruelle : au moins, ici, peut-être vous verrais-je. Vos charmants regards ranimeraient mon âme abattue ; leur touchante expression rassurerait mon cœur, qui quelquefois en a besoin. Pardon, ma Cécile ; cette crainte n'est pas un soupçon. Je crois à votre amour, à votre constance. Ah ! Je serais trop malheureux, si j'en doutais. Mais tant d'obstacles ! et toujours renouvelés ! Mon amie, je suis triste, bien triste. Il semble que ce départ de Mme de Merteuil ait renouvelé en moi le sentiment de tous mes malheurs.

Adieu, ma Cécile ; adieu, ma bien-aimée. Songez que votre amant s'afflige, et que vous pouvez seule lui rendre le bonheur.

*Paris, ce 17 Octobre 17**.*

LETTRE CXVII

CÉCILE VOLANGES
AU CHEVALIER DANCENY
(Dictée par Valmont.)

Croyez-vous donc, mon bon ami, que j'aie besoin d'être grondée pour être triste, quand je sais que vous vous affligez ? et doutez-vous que je ne souffre autant que vous de toutes vos peines ? Je partage même celles que je vous cause volontairement ; et j'ai de plus que vous, de voir que vous ne me rendez pas justice. Oh ! cela n'est pas bien. Je vois bien ce qui vous fâche ; c'est que les deux dernières fois que vous m'avez demandé de venir ici, je ne vous ai pas répondu à cela : mais cette réponse est-elle donc si aisée à faire ? Croyez-vous que je ne sache pas que ce que vous voulez est bien mal ? Et pourtant, si j'ai déjà tant de peine à vous refuser de loin, que serait-ce donc si vous étiez là ? Et puis, pour avoir voulu vous consoler un moment, je resterais affligée toute ma vie.

Tenez, je n'ai rien de caché pour vous, moi ; voilà mes raisons, jugez vous-même. J'aurais peut-être fait ce que vous voulez, sans ce que je vous ai mandé, que ce M. de Gercourt, qui cause tout notre chagrin, n'arrivera pas encore de sitôt ; et comme, depuis quelque temps, Maman me témoigne beaucoup plus d'amitié ; comme, de mon côté, je la caresse le plus que je peux ; qui sait ce que je pourrai obtenir d'elle ? Et si nous pouvions être heureux sans que j'aie rien à me reprocher, est-ce que cela ne vaudrait pas bien mieux. Si j'en crois ce qu'on m'a dit souvent, les hommes même n'aiment plus tant leurs femmes, quand elles les ont trop aimés avant de l'être. Cette crainte-là me retient encore plus que tout le reste. Mon ami, n'êtes-vous pas sûr de mon cœur, et ne sera-t-il pas toujours temps ?

Écoutez, je vous promets que, si je ne peux pas éviter le malheur d'épouser M. de Gercourt, que je hais déjà tant avant de le connaître, rien ne me retiendra plus pour être à vous autant que je pourrai, et même avant tout. Comme je ne me soucie d'être aimée que de vous, et que vous verrez bien que si je fais mal, il n'y aura pas de ma faute[1], le reste me sera bien égal ; pourvu que vous me promettiez de m'aimer toujours autant que vous faites. Mais, mon ami, jusque-là, laissez-moi continuer comme je fais ; et ne me demandez plus une chose que j'ai de bonnes raisons pour ne pas faire, et que pourtant il me fâche de vous refuser.

Je voudrais bien aussi que M. de Valmont ne fût pas si pressant pour vous ; cela ne sert qu'à me rendre plus chagrine encore. Oh ! vous avez là un bien bon ami, je vous assure ! Il fait tout comme vous feriez vous-même. Mais adieu, mon cher ami ; j'ai commencé bien tard à vous écrire, et j'y ai passé une partie de la nuit. Je vas me coucher et réparer le temps perdu. Je vous embrasse, mais ne me grondez plus.

*Du Château de ..., ce 18 Octobre 17**.*

LETTRE CXVIII

LE CHEVALIER DANCENY
À LA MARQUISE DE MERTEUIL

Si j'en crois mon Almanach[1], il n'y a, mon adorable amie, que deux jours que vous êtes absente ; mais, si j'en crois mon cœur, il y a deux siècles. Or, je le tiens de vous-même, c'est toujours son cœur qu'il faut croire ; il eſt donc bien temps que vous reveniez, et toutes vos affaires doivent être plus que finies. Comment voulez-vous que je m'intéresse à votre procès, si, perte ou gain, j'en dois également payer les frais par l'ennui de votre absence ? Oh ! que j'aurais envie de quereller ! Et qu'il eſt triſte, avec un si beau sujet d'avoir de l'humeur, de n'avoir pas le droit d'en montrer !

N'eſt-ce pas cependant une véritable infidélité, une noire trahison, que de laisser votre ami loin de vous, après l'avoir[a] accoutumé à ne pouvoir plus se passer de votre présence ? Vous aurez beau consulter vos Avocats, ils ne vous trouveront pas de juſtification pour ce mauvais procédé ; et puis, ces gens-là ne disent que des raisons, et des raisons ne suffisent pas pour répondre à des sentiments.

Pour moi, vous m'avez tant dit que c'était par raison que vous faisiez ce voyage, que vous m'avez tout à fait brouillé avec elle. Je ne veux plus du tout l'entendre ; pas même quand elle me dit de vous oublier. Cette raison-là eſt pourtant bien raisonnable ; et au fait, cela ne serait pas si difficile que vous pourriez le croire. Il suffirait seulement de perdre l'habitude de penser toujours à vous : et rien ici, je vous assure, ne vous rappellerait à moi.

Nos plus jolies femmes, celles qu'on dit les plus aimables, sont encore si loin de vous, qu'elles ne pourraient en donner qu'une bien faible idée. Je crois même qu'avec des yeux exercés, plus on a cru d'abord qu'elles vous ressemblaient, plus on y trouve après de différence, elles ont beau faire, beau y mettre tout ce qu'elles savent, il leur manque toujours d'être vous, et c'eſt positivement là qu'eſt le charme. Malheureusement, quand les journées sont si longues, et qu'on eſt désoccupé[2], on rêve, on fait des châteaux en Espagne, on se crée sa chimère ; peu à peu l'imagination s'exalte : on veut embellir son ouvrage, on rassemble tout ce qui peut plaire, on arrive enfin à la perfection ; et dès qu'on en eſt là, le portrait ramène au modèle, et on eſt tout étonné de voir qu'on n'a fait que songer à vous.

Dans ce moment même, je suis encore la dupe d'une erreur à peu près semblable.

Vous croyez peut-être que c'était pour m'occuper de vous, que je me suis mis à vous écrire ? Point du tout : c'était pour m'en distraire. J'avais cent choses à vous dire, dont vous n'étiez pas l'objet, qui, comme vous savez, m'intéressent bien vivement ; et ce sont celles-là pourtant dont j'ai été distrait. Et depuis quand le charme de l'amitié distrait-il donc de celui de l'amour ? Ah ! si j'y regardais de bien près, peut-être aurais-je un petit reproche à me faire ! Mais chut ! Oublions cette légère faute de peur d'y retomber ; et que mon amie elle-même l'ignore.

Aussi pourquoi n'êtes-vous pas là pour me répondre, pour me ramener si je m'égare, pour me parler de ma Cécile, pour augmenter, s'il est possible, le bonheur que je goûte à l'aimer, par l'idée si douce que c'est votre amie que j'aime ? Oui, je l'avoue, l'amour qu'elle m'inspire m'est devenu plus précieux encore, depuis que vous avez bien voulu en recevoir la confidence. J'aime tant à vous ouvrir mon cœur, à occuper le vôtre de mes sentiments, à les y déposer sans réserve ! il me semble que je les chéris davantage, à mesure que vous daignez les recueillir ; et puis, je vous regarde et je me dis : c'est en elle qu'est renfermé tout mon bonheur.

Je n'ai rien de nouveau à vous apprendre sur ma situation. La dernière lettre que j'ai reçue *d'elle* augmente et assure mon espoir, mais le retarde encore. Cependant ses motifs sont si tendres et si honnêtes, que je ne puis l'en blâmer ni m'en plaindre. Peut-être n'entendez-vous pas trop bien ce que je vous dis là ; mais pourquoi n'êtes-vous pas ici ? Quoiqu'on dise tout à son amie, on n'ose pas tout écrire. Les secrets de l'amour, surtout, sont si délicats, qu'on ne peut les laisser aller ainsi sur leur bonne foi. Si quelquefois on leur permet de sortir, il ne faut pas au moins les perdre de vue ; il faut en quelque sorte les voir entrer dans leur nouvel asile. Ah ! revenez donc, mon adorable amie ; vous voyez bien, que votre retour est nécessaire. Oubliez enfin les *mille raisons* qui vous retiennent où vous êtes, ou apprenez-moi à vivre où vous n'êtes pas[3].

J'ai l'honneur d'être, etc.

*Paris, ce 16 Octobre[4] 17**.*

LETTRE CXIX

MADAME DE ROSEMONDE
À LA PRÉSIDENTE DE TOURVEL

Quoique je souffre encore beaucoup, ma chère belle, j'essaie de vous écrire moi-même, afin de pouvoir vous parler de ce qui vous intéresse. Mon neveu garde toujours sa misanthropie. Il envoie fort régulièrement savoir de mes nouvelles tous les jours ; mais il n'est pas venu une fois s'en informer lui-même, quoique je l'en aie fait prier : en sorte que je ne le vois pas plus que s'il était à Paris. Je l'ai pourtant rencontré ce matin, où je ne l'attendais guère. C'est dans ma Chapelle, où je suis descendue pour la première fois depuis ma douloureuse incommodité. J'ai appris aujourd'hui, que depuis quatre jours il y va régulièrement entendre la messe. Dieu veuille que cela dure !

Quand je suis entrée, il est venu à moi, et m'a félicitée fort affectueusement sur le meilleur état de ma santé. Comme la messe commençait, j'ai abrégé la conversation, que je comptais bien reprendre après ; mais il a disparu avant que j'aie pu le joindre[1]. Je ne vous cacherai pas que je l'ai trouvé un peu changé. Mais, ma chère belle, ne me faites pas repentir de ma confiance en votre raison, par des inquiétudes trop vives ; et surtout soyez sûre que j'aimerais encore mieux vous affliger que vous tromper.

Si mon neveu continue à me tenir rigueur, je prendrai le parti, aussitôt que je serai mieux, de l'aller voir dans sa chambre ; et je tâcherai de pénétrer la cause de cette singulière manie[2], dans laquelle je crois bien que vous êtes pour quelque chose. Je vous manderai ce que j'aurai appris. Je vous quitte, ne pouvant plus remuer les doigts : et puis, si Adélaïde savait que j'ai écrit, elle me gronderait toute la soirée. Adieu, ma chère belle.

*Du Château de …, ce 20 Octobre 17**.*

LETTRE CXX

LE VICOMTE DE VALMONT
AU PÈRE ANSELME
(Feuillant
du Couvent de la rue Saint-Honoré[1].)

Je n'ai pas l'honneur d'être connu de vous, Monsieur : mais je sais la confiance entière qu'a en vous Mme la Présidente de Tourvel, et je sais de plus combien cette confiance est dignement placée. Je crois donc pouvoir sans indiscrétion m'adresser à vous, pour en obtenir un service bien essentiel, vraiment digne de votre saint ministère, et où l'intérêt de Mme de Tourvel se trouve joint au mien.

J'ai entre les mains des papiers importants qui la concernent, qui ne peuvent être confiés à personne, et que je ne dois ni ne veux remettre qu'entre ses mains. Je n'ai aucun moyen de l'en instruire, parce que des raisons, que peut-être vous aurez sues d'elle, mais dont je ne crois pas qu'il me soit permis de vous instruire, lui ont fait prendre le parti de refuser toute correspondance avec moi : parti que j'avoue volontiers aujourd'hui ne pouvoir blâmer, puisqu'elle ne pouvait prévoir des événements auxquels j'étais moi-même bien loin de m'attendre, et qui n'étaient possibles qu'à la force plus qu'humaine qu'on eſt forcé d'y reconnaître.

Je vous prie donc, Monsieur, de vouloir bien l'informer de mes nouvelles résolutions, et de lui demander pour moi, une entrevue particulière, où je puisse au moins réparer, en partie, mes torts par mes excuses ; et, pour dernier sacrifice, anéantir à ses yeux les seules traces exiſtantes d'une erreur ou d'une faute qui m'avait rendu coupable envers elle.

Ce ne sera qu'après cette expiation préliminaire, que j'oserai déposer à vos pieds l'humiliant aveu de mes longs égarements ; et implorer votre médiation pour une réconciliation bien plus importante encore, et malheureusement plus difficile. Puis-je espérer, Monsieur, que vous ne me refuserez pas des soins si nécessaires et si précieux ? et que vous daignerez soutenir ma faiblesse, et guider mes pas dans un sentier nouveau, que je désire bien ardemment de suivre, mais que j'avoue, en rougissant, ne pas connaître encore.

J'attends votre réponse avec l'impatience du repentir qui désire de réparer[2], et je vous prie de me croire avec autant de reconnaissance que de vénération,

Votre très humble, etc.

P. S. Je vous autorise, Monsieur, au cas que vous le jugiez convenable, à communiquer cette lettre en entier à Mme de Tourvel, que je me ferai toute ma vie un devoir de respeƈter, et en qui je ne cesserai jamais d'honorer celle dont le Ciel s'eſt servi pour ramener mon âme à la vertu, par le touchant speƈtacle de la sienne.

*Du Château de …, ce 22 Oƈtobre 17**.*

LETTRE CXXI

LA MARQUISE DE MERTEUIL
AU CHEVALIER DANCENY

J'ai reçu votre lettre, mon trop jeune ami ; mais avant de vous remercier, il faut que je vous gronde, et je vous préviens que si vous ne vous corrigez pas, vous n'aurez plus de réponse de moi. Quittez donc, si vous m'en croyez, ce ton de cajolerie, qui n'eſt plus que du jargon, dès qu'il n'eſt pas l'expression de l'amour. Eſt-ce donc là le ſtyle de l'amitié ? non, mon ami : chaque sentiment a son langage qui lui convient, et se servir d'un autre, c'eſt déguiser la pensée qu'on exprime. Je sais bien que nos petites femmes n'entendent rien de ce qu'on peut leur dire, s'il n'eſt traduit, en quelque sorte, dans ce jargon d'usage ; mais je croyais mériter, je l'avoue, que vous me diſtinguassiez d'elles. Je suis vraiment fâchée, et peut-être plus que je ne devrais l'être, que vous m'ayez si mal jugée.

Vous ne trouverez donc dans ma lettre que ce qui manque à la vôtre, franchise et simplesse[1]. Je vous dirai bien, par exemple, que j'aurais grand plaisir à vous voir, et que je suis contrariée de n'avoir auprès de moi que des gens qui m'ennuient, au lieu de gens qui me plaisent ; mais vous, cette même phrase, vous la traduisez ainsi : *Apprenez-moi à vivre où vous n'êtes pas* ; en sorte que quand vous serez, je suppose, auprès de votre Maîtresse, vous ne sauriez pas y vivre que je n'y sois en tiers. Quelle pitié ! et ces femmes, *à qui il manque toujours d'être moi*, vous trouvez peut-être aussi que cela manque à votre Cécile ? voilà pourtant où conduit un langage qui, par l'abus qu'on en fait aujourd'hui, eſt encore au-dessous du jargon des compliments, et ne devient plus qu'un simple protocole[2], auquel on ne croit pas davantage qu'au *très humble serviteur* !

Mon ami, quand vous m'écrivez, que ce soit pour me dire votre façon de penser et de sentir, et non pour m'envoyer des phrases que je trouverai, sans vous, plus ou moins bien dites dans le premier roman du jour[3]. J'espère que vous ne vous fâcherez pas de ce que je vous dis là, quand même vous y verriez un peu d'humeur ; car je ne nie pas d'en avoir : mais pour éviter jusqu'à l'air du défaut que je vous reproche, je ne vous dirai pas que cette humeur eśt peut-être un peu augmentée par l'éloignement où je suis de vous. Il me semble qu'à tout prendre, vous valez mieux qu'un procès et deux Avocats, et peut-être même encore que l'*attentif* Belleroche.

Vous voyez qu'au lieu de vous désoler de mon absence, vous devriez vous en féliciter ; car jamais je ne vous avais fait un si beau compliment. Je crois que l'exemple me gagne, et que je veux vous dire aussi des cajoleries : mais non, j'aime mieux m'en tenir à ma franchise ; c'eśt donc elle seule qui vous assure de ma tendre amitié, et de l'intérêt qu'elle m'inspire. Il eśt fort doux d'avoir un jeune ami, dont le cœur eśt occupé ailleurs. Ce n'eśt pas là le syśtème de toutes les femmes ; mais c'eśt le mien. Il me semble qu'on se livre, avec plus de plaisir, à un sentiment dont on ne peut rien avoir à craindre : aussi j'ai passé pour vous, d'assez bonne heure peut-être, au rôle de confidente. Mais vous choisissez vos maîtresses si jeunes, que vous m'avez fait apercevoir pour la première fois, que je commence à être vieille ! C'eśt bien fait à vous de vous préparer ainsi une longue carrière de conśtance, et je vous souhaite de tout mon cœur qu'elle soit réciproque.

Vous avez raison de vous rendre *aux motifs tendres et honnêtes* qui, à ce que vous me mandez, *retardent votre bonheur*. La longue défense eśt le seul mérite qui reśte[a] à celles qui ne résiśtent pas toujours ; et ce que je trouverais impardonnable à toute autre qu'à un enfant comme la petite Volanges, serait de ne pas savoir fuir un danger, dont elle a été suffisamment avertie par l'aveu qu'elle a fait de son amour. Vous autres hommes, vous n'avez pas d'idée de ce qu'est la vertu, et de[b] ce qu'il en coûte pour la sacrifier ! Mais pour peu qu'une femme raisonne, elle doit savoir qu'indépendamment de la faute qu'elle commet, une faiblesse est pour elle le plus grand des malheurs ; et je ne conçois pas qu'aucune s'y laisse jamais prendre, quand elle peut avoir un moment pour y réfléchir.

N'allez pas combattre cette idée, car c'est elle qui m'attache principalement à vous. Vous me sauverez des dangers de l'amour ; et quoique j'aie bien su sans vous m'en défendre jusqu'à présent, je consens à en avoir de la reconnaissance, et je vous en aimerai mieux et davantage.

Sur ce, mon cher Chevalier, je prie Dieu qu'il vous ait en sa sainte et digne garde[4].

*Du Château de ..., ce 22 Octobre 17***.

LETTRE CXXII

MADAME DE ROSEMONDE À LA PRÉSIDENTE DE TOURVEL

J'espérais, mon aimable fille, pouvoir enfin calmer vos inquiétudes ; et je vois au contraire avec chagrin, que je vais les augmenter encore. Calmez-vous cependant ; mon neveu n'est pas en danger : on ne peut pas même dire qu'il soit réellement malade. Mais il se passe sûrement en lui quelque chose d'extraordinaire. Je n'y comprends rien ; mais je suis sortie de sa chambre avec un sentiment de tristesse, peut-être même d'effroi, que je me reproche de vous faire partager, et dont cependant je ne puis m'empêcher de causer avec vous. Voici le récit de ce qui s'est passé : vous pouvez être sûre qu'il est fidèle ; car je vivrais quatre-vingts autres années, que je n'oublierais pas l'impression que m'a faite cette triste scène.

J'ai donc été ce matin chez mon neveu ; je l'ai trouvé écrivant, et entouré de différents tas de papiers, qui avaient l'air d'être l'objet de son travail. Il s'en occupait au point, que j'étais déjà au milieu de sa chambre, qu'il n'avait pas encore tourné la tête pour savoir qui entrait. Aussitôt qu'il m'a aperçue, j'ai très bien remarqué qu'en se levant, il s'efforçait de composer sa figure, et peut-être même est-ce là ce qui m'y a fait faire plus d'attention. Il était, à la vérité, sans toilette et sans poudre[1] ; mais je l'ai trouvé pâle et défait, et ayant surtout la physionomie altérée. Son regard que nous avons vu si vif et si gai, était triste et abattu ; enfin, soit dit entre nous, je n'aurais pas voulu que vous le vissiez ainsi : car il avait l'air très touchant, et très propre, à ce que je crois, à inspirer cette tendre pitié, qui est un des plus dangereux pièges de l'amour.

Quoique frappée de mes remarques, j'ai pourtant commencé la conversation comme si je ne m'étais aperçue de rien. Je lui ai d'abord parlé de sa santé, et sans me dire qu'elle soit bonne, il ne m'a point articulé[2] pourtant qu'elle fût mauvaise. Alors je me suis plainte de sa retraite, qui avait un peu l'air d'une manie[3], et je tâchais de mêler un peu de gaieté à ma petite réprimande ; mais lui m'a répondu seulement, et d'un ton pénétré : « C'est un tort de plus, je l'avoue ; mais il sera réparé avec les autres[4]. » Son air, plus encore que ses discours, a un peu dérangé mon enjouement, et je me suis hâtée de lui dire qu'il mettait trop d'importance à un simple reproche de l'amitié.

Nous nous sommes donc remis à causer tranquillement. Il m'a dit, peu de temps après, que peut-être une affaire, *la plus grande affaire de sa vie*[5], le rappellerait bientôt à Paris : mais comme j'avais peur de la deviner, ma chère belle, et que ce début ne me menât à une confidence dont je ne voulais pas, je ne lui ai fait aucune question, et je me suis contentée de lui répondre que plus de dissipation serait utile à sa santé. J'ai ajouté que pour cette fois je ne lui ferais aucune instance, aimant mes amis pour eux-mêmes ; c'est à cette phrase si simple, que serrant mes mains, et parlant avec une véhémence que je ne puis vous rendre : « Oui, ma tante, m'a-t-il dit, aimez, aimez beaucoup un neveu qui vous respecte et vous chérit ; et, comme vous dites, aimez-le pour lui-même. Ne vous affligez pas de son bonheur, et ne troublez, par aucun regret, l'éternelle tranquillité dont il espère jouir bientôt. Répétez-moi que vous m'aimez, que vous me pardonnez ; oui, vous me pardonnerez, je connais votre bonté : mais comment espérer la même indulgence de ceux que j'ai tant offensés ? » Alors il s'est baissé sur moi, pour me cacher, je crois, des marques de douleur, que le son de sa voix me décelait malgré lui.

Émue plus que je ne puis vous dire, je me suis levée précipitamment ; et sans doute il a remarqué mon effroi, car sur-le-champ, se composant davantage : « Pardon, a-t-il repris, pardon, Madame[6] ; je sens que je m'égare malgré moi. Je vous prie d'oublier mes discours, et de vous souvenir seulement de mon profond respect. Je ne manquerai pas, a-t-il ajouté, d'aller vous en renouveler l'hommage avant mon départ. » Il m'a semblé que cette dernière phrase m'engageait à terminer ma visite ; et je me suis en allée en effet.

Mais plus j'y réfléchis, et moins je devine ce qu'il a voulu dire. Quelle est cette affaire, *la plus grande de sa vie* ? à quel sujet me demande-t-il pardon ? d'où lui est venu cet attendrissement involontaire en me parlant ? Je me suis déjà fait ces questions mille fois, sans pouvoir y répondre. Je ne vois même rien là qui ait rapport à vous : cependant, comme les yeux de l'amour sont plus clairvoyants que ceux de l'amitié, je n'ai voulu vous laisser rien ignorer de ce qui s'est passé entre mon neveu et moi.

Je me suis reprise à quatre fois pour écrire cette longue lettre, que je ferais plus longue encore, sans la fatigue que je ressens. Adieu, ma chère belle.

*Du Château de ..., ce 25 Octobre 17**.*

LETTRE CXXIII

LE PÈRE ANSELME AU VICOMTE DE VALMONT[1]

J'ai reçu, Monsieur le Vicomte, la lettre dont vous m'avez honoré ; et dès hier, je me suis transporté, suivant vos désirs, chez la personne en question. Je lui ai exposé l'objet et les motifs de la démarche que vous demandiez de faire auprès d'elle. Quelque attachée que je l'aie trouvée au parti sage qu'elle avait pris d'abord ; sur ce que je lui ai remontré qu'elle risquait peut-être, par son refus, de mettre obstacle à votre heureux retour[2], et de s'opposer ainsi, en quelque sorte, aux vues miséricordieuses de la Providence[a], elle a consenti à recevoir votre visite, à condition toutefois, que ce sera la dernière, et m'a chargé de vous annoncer qu'elle serait chez elle Jeudi prochain, 28[3]. Si ce jour ne pouvait pas vous convenir, vous voudrez bien l'en informer et lui en indiquer un autre. Votre lettre sera reçue.

Cependant, Monsieur le Vicomte, permettez-moi de vous inviter à ne pas différer, sans de fortes raisons, afin de pouvoir vous livrer plus tôt et plus entièrement aux dispositions louables que vous me témoignez. Songez que celui qui tarde à profiter du moment de la grâce, s'expose à ce qu'elle lui soit retirée ; que si la bonté divine est infinie, l'usage en est pourtant réglé par la justice ; et qu'il peut venir un moment où le Dieu de miséricorde se change en un Dieu de vengeance.

Si vous continuez à m'honorer de votre confiance, je vous prie de croire que tous mes soins vous seront acquis, aussitôt que vous le désirerez : quelque grandes que soient mes occupations, mon affaire la plus importante sera toujours de remplir les devoirs du saint ministère, auquel je me suis particulièrement dévoué ; et le moment le plus beau de ma vie, celui où je verrai mes efforts prospérer par la bénédiction du Tout-Puissant. Faibles pécheurs que nous sommes, nous ne pouvons rien par nous-mêmes ! Mais le Dieu qui vous rappelle peut tout ; et nous devrons également à sa bonté, vous, le désir constant de vous rejoindre à lui, et moi, les moyens de vous y conduire. C'est avec son secours, que j'espère vous convaincre bientôt, que la Religion sainte peut donner seule, même en ce monde, le bonheur solide et durable qu'on cherche vainement dans l'aveuglement des passions humaines.

J'ai l'honneur d'être, avec une respectueuse considération,

*Paris, ce 25 Octobre 17**.*

LETTRE CXXIV

LA PRÉSIDENTE DE TOURVEL À MADAME DE ROSEMONDE

Au milieu de l'étonnement où m'a jetée, Madame, la nouvelle que j'ai apprise hier, je n'oublie pas la satisfaction qu'elle doit vous causer, et je me hâte de vous en faire part. M. de Valmont ne s'occupe plus ni de moi ni de son amour ; et ne veut plus que réparer, par une vie plus édifiante, les fautes, ou plutôt les erreurs de sa jeunesse. J'ai été informée de ce grand événement par le Père Anselme, auquel il s'est adressé pour le diriger[1] à l'avenir ; et aussi pour lui ménager une entrevue avec moi, dont je juge que l'objet principal est de me rendre mes lettres qu'il avait gardées jusqu'ici, malgré la demande contraire que je lui avais faite.

Je ne puis, sans doute, qu'applaudir à cet heureux changement, et m'en féliciter, si, comme il le dit, j'ai pu y concourir en quelque chose. Mais pourquoi fallait-il que j'en fusse l'instrument, et qu'il m'en coûtât le repos de ma vie ? Le bonheur de M. de Valmont ne pouvait-il arriver jamais que par mon infortune ? Oh ! mon indulgente amie, pardonnez-moi cette plainte. Je sais qu'il ne m'appartient pas de sonder les décrets de Dieu : mais tandis que je lui demande sans cesse, et toujours vainement, la force de vaincre mon malheureux amour, il la prodigue à celui qui ne la lui demandait pas, et me laisse, sans secours, entièrement livrée à ma faiblesse.

Mais étouffons ce coupable murmure. Ne sais-je pas que l'Enfant prodigue, à son retour, obtint plus de grâces de son père, que le fils qui ne s'était jamais absenté[2] ? Quel compte[a] avons-nous à demander à celui qui ne nous doit rien ? Et quand il serait possible que nous eussions quelques droits auprès de lui, quels pourraient être les miens ? Me vanterais-je d'une sagesse, que déjà je ne dois qu'à Valmont. Il m'a sauvée, et j'oserais me plaindre en souffrant pour lui ! Non : mes souffrances me seront chères, si son bonheur en est le prix. Sans doute il fallait qu'il revînt à son tour au Père commun. Le Dieu qui l'a formé devait chérir son ouvrage. Il n'avait point créé cet Être charmant, pour n'en faire qu'un réprouvé[3]. C'est à moi de porter la peine de mon audacieuse imprudence ; ne devais-je pas sentir que, puisqu'il m'était défendu de l'aimer, je ne devais pas me permettre de le voir ?

Ma faute ou mon malheur est de m'être refusée trop longtemps à cette vérité. Vous m'êtes témoin, ma chère et digne amie, que je me suis soumise à ce sacrifice, aussitôt que j'en ai reconnu la nécessité : mais, pour qu'il fût entier, il y manquait que M. de Valmont ne le partageât point. Vous avouerai-je que cette idée est à présent ce qui me tourmente le plus ? Insupportable orgueil, qui adoucit les maux que nous éprouvons, par ceux que nous faisons souffrir ! Ah ! je vaincrai ce cœur rebelle, je l'accoutumerai aux humiliations.

C'est surtout pour y parvenir que j'ai enfin consenti à recevoir Jeudi prochain, la pénible visite de M. de Valmont. Là, je l'entendrai me dire lui-même que je ne lui suis plus rien, que l'impression faible et passagère que j'avais faite sur lui est entièrement effacée ! Je verrai ses regards se porter sur moi, sans émotion, tandis que la crainte de déceler la mienne me fera baisser les yeux. Ces mêmes lettres qu'il refusa si lontemps à mes demandes réitérées, je les recevrai de son indifférence ; il me les remettra comme des objets inutiles, et qui ne l'intéressent plus ; et mes mains tremblantes, en recevant ce dépôt honteux, sentiront qu'il leur est remis d'une main ferme et tranquille ! Enfin, je le verrai s'éloigner… s'éloigner pour jamais, et mes regards qui le suivront, ne verront pas les siens se retourner sur moi !

Et j'étais réservée à tant d'humiliation ! Ah ! que du moins je me la rende utile, en me pénétrant par elle du sentiment de ma faiblesse… Oui, ces lettres qu'il ne se soucie plus de garder, je les conserverai précieusement. Je m'imposerai la honte de les relire chaque jour, jusqu'à ce que mes larmes en aient effacé les dernières traces ; et les siennes, je les brûlerai comme infectées du poison dangereux qui a corrompu mon âme[4]. Oh ! qu'est-ce donc que l'amour, s'il nous fait regretter jusqu'aux dangers auxquels il nous expose ; si, surtout, on peut craindre de le ressentir encore, même alors qu'on ne l'inspire plus ! Fuyons cette passion funeste, qui ne laisse de choix qu'entre la honte et le malheur, et souvent même les réunit tous deux ; et qu'au moins la prudence remplace la vertu.

Que ce Jeudi est encore loin ! que ne puis-je consommer à l'instant ce douloureux sacrifice, et en oublier à la fois et la cause et l'objet ! Cette visite m'importune ; je me repens d'avoir promis. Hé ! qu'a-t-il besoin de me revoir encore ? que sommes-nous à présent l'un à l'autre ? S'il m'a offensée ; je le lui pardonne. Je le félicite même de vouloir réparer ses torts ; je l'en loue. Je ferai plus, je l'imiterai ; et séduite par les mêmes erreurs, son exemple me ramènera[5]. Mais quand son projet est de me fuir, pourquoi commencer par me chercher ? Le plus pressé pour chacun de nous, n'est-il pas d'oublier l'autre ? Ah ! sans doute et ce sera dorénavant mon unique soin.

Si vous le permettez, mon aimable amie, ce sera auprès de vous que j'irai m'occuper de ce travail difficile. Si j'ai besoin de secours, peut-être même de consolation, je n'en veux recevoir que de vous. Vous seule savez m'entendre et parler à mon cœur. Votre précieuse amitié remplira toute mon existence. Rien ne me paraîtra difficile pour seconder les soins que vous voudrez bien vous donner. Je vous devrai ma tranquillité, mon bonheur, ma vertu ; et le fruit de vos bontés pour moi, sera de m'en avoir enfin rendue digne.

Je me suis, je crois, beaucoup égarée dans cette lettre ; je le présume au moins par le trouble où je n'ai pas cessé d'être en vous écrivant. S'il s'y trouvait quelques sentiments dont j'aie à rougir, couvrez-les de votre indulgente amitié ; je m'en remets entièrement à elle. Ce n'est pas à vous que je veux dérober aucun des mouvements de mon cœur.

Adieu, ma respectable amie. J'espère, sous peu de jours, vous annoncer celui de mon arrivée.

*Paris, ce 25 Octobre 17**.*

FIN DE LA TROISIÈME PARTIE.

TOME QUATRIÈME

LETTRE CXXV

LE VICOMTE DE VALMONT
À LA MARQUISE DE MERTEUIL

La voilà donc vaincue cette femme superbe, qui avait osé croire qu'elle pourrait me résister ! Oui, mon amie, elle est à moi[1], entièrement à moi ; et depuis hier, elle n'a plus rien à m'accorder.

Je suis encore trop plein de mon bonheur, pour pouvoir l'apprécier : mais je m'étonne du charme inconnu que j'ai ressenti[2]. Serait-il donc vrai que la vertu augmentât le prix d'une femme, jusque dans le moment même de sa faiblesse ? Mais[a] reléguons cette idée puérile avec les contes de bonnes femmes. Ne rencontre-t-on pas, presque partout, une résistance plus ou moins bien feinte au premier triomphe ? et ai-je trouvé nulle part le charme dont je parle ? Ce n'est pourtant pas non plus celui de l'amour ; car enfin, si j'ai eu quelquefois, auprès de cette femme étonnante, des moments de faiblesse, qui ressemblaient à cette passion pusillanime, j'ai toujours su les vaincre, et revenir à mes principes. Quand même la scène d'hier m'aurait, comme je le crois, emporté un peu plus loin que je ne comptais ; quand j'aurais un moment partagé le trouble et l'ivresse que je faisais naître, cette illusion passagère serait dissipée à présent ; et cependant le même charme subsiste[3]. J'aurais même, je l'avoue, un plaisir assez doux à m'y livrer, s'il ne me causait quelqu'inquiétude. Serai-je donc, à mon âge, maîtrisé comme un écolier, par un sentiment involontaire et inconnu ? Non ; il faut avant tout le combattre et l'approfondir.

Peut-être, au reste, en ai-je déjà entrevu la cause ! Je me plais au moins dans cette idée, et je voudrais qu'elle fût vraie.

Dans la foule des femmes auprès desquelles j'ai rempli, jusqu'à ce jour, le rôle et les fonctions d'Amant, je n'en avais encore rencontré aucune qui n'eût au moins autant d'envie de se rendre, que j'en avais de l'y déterminer ; je m'étais même accoutumé à appeler prudes celles qui ne faisaient que la moitié du chemin, par opposition à tant d'autres, dont la défense provocante ne couvre jamais qu'imparfaitement les premières avances qu'elles ont faites.

Ici, au contraire, j'ai trouvé une première prévention défavorable, et fondée depuis sur les conseils et les rapports d'une femme haineuse, mais clairvoyante ; une timidité naturelle et extrême, que fortifiait une pudeur éclairée ; un attachement à la vertu, que la Religion dirigeait, et qui comptait déjà deux années de triomphe[4] ; enfin, des démarches éclatantes, inspirées par ces différents motifs, et qui toutes n'avaient pour but que de se soustraire à mes poursuites.

Ce n'est donc pas, comme dans mes autres aventures, une simple capitulation plus ou moins avantageuse, et dont il est plus facile de profiter que de s'enorgueillir ; c'est une victoire complète, achetée par une campagne pénible, et décidée par de savantes manœuvres. Il n'est donc pas surprenant que ce succès, dû à moi seul, m'en devienne plus précieux ; et le surcroît de plaisir que j'ai éprouvé dans mon triomphe, et que je ressens encore, n'est que la douce impression du sentiment de la gloire. Je chéris cette façon de voir, qui me sauve l'humiliation de penser que je puisse dépendre, en quelque manière, de l'esclave même que je me serais asservie ; que je n'aie pas en moi seul la plénitude de mon bonheur ; et que la faculté de m'en faire jouir, dans toute son énergie, soit réservée à telle ou telle femme, exclusivement à toute autre.

Ces réflexions sensées régleront ma conduite dans cette importante occasion, et vous pouvez être sûre que je ne me laisserai pas tellement enchaîner, que je ne puisse toujours briser ces nouveaux liens, en me jouant et à ma volonté. Mais déjà je vous parle de ma rupture, et vous ignorez encore par quels moyens j'en ai acquis le droit ; lisez donc, et voyez à quoi s'expose la sagesse, en essayant de secourir la folie. J'étudiais si attentivement mes discours et les réponses que j'obtenais, que j'espère vous rendre les uns et les autres avec une exactitude dont vous serez contente.

Vous verrez, par les deux copies des Lettres ci-jointes*, quel médiateur j'avais choisi pour me rapprocher de ma Belle, et avec quel zèle le saint personnage s'est employé pour nous réunir. Ce qu'il faut vous dire encore, et que j'avais appris par une Lettre, interceptée suivant l'usage, c'est que la crainte et la petite humiliation d'être quittée, avaient un peu dérangé la prudence[b] de l'austère dévote, et avaient rempli son cœur et sa tête de sentiments et d'idées qui, pour n'avoir pas le sens commun, n'en étaient pas moins intéressants. C'est après ces préliminaires, nécessaires à savoir, qu'hier Jeudi 28, jour préfix[5] et donné par l'ingrate, je me suis présenté chez elle en esclave timide[6] et repentant, pour en sortir en vainqueur couronné.

Il était six heures du soir quand j'arrivai chez la belle recluse ; car, depuis son retour, sa porte était restée fermée à tout le monde. Elle essaya de se lever quand on m'annonça ; mais ses genoux tremblants ne lui permirent pas de rester dans cette situation : elle se rassit sur-le-champ. Comme le Domestique qui m'avait introduit eut quelque service à faire dans l'appartement, elle en parut impatientée. Nous remplîmes cet intervalle par les compliments d'usage. Mais pour ne rien perdre d'un temps dont tous les moments étaient précieux, j'examinais soigneusement le local[7] ; et dès lors, je marquai de l'œil le théâtre de ma victoire. J'aurais pu en choisir un plus commode ; car, dans cette même chambre[8], il se trouvait une ottomane[9]. Mais je remarquai qu'en face d'elle était un portrait du

* Lettres CXX et CXXII.

mari[10], et j'eus peur, je l'avoue, qu'avec une femme si singulière, un seul regard, que le hasard dirigerait de ce côté, ne détruisît en un moment l'ouvrage de tant de soins[11]. Enfin nous restâmes seuls, et j'entrai en matière[c].

Après avoir exposé, en peu de mots, que le Père Anselme avait dû informer des motifs de ma visite, je me suis plaint du traitement rigoureux que j'avais éprouvé ; et j'ai particulièrement appuyé sur *le mépris* qu'on m'avait témoigné. On s'en est défendue, comme je m'y attendais, et, comme vous vous y attendez bien aussi, j'en ai fondé la preuve sur la méfiance et l'effroi que j'avais inspirés ; sur la suite scandaleuse qui s'en était suivie, le refus de répondre à mes Lettres, celui même de les recevoir, etc., etc. Comme on commençait une justification qui aurait été bien facile, j'ai cru devoir l'interrompre ; et pour me faire pardonner cette manière brusque, je l'ai couverte aussitôt par une cajolerie. « Si tant de charmes, ai-je donc repris, ont fait sur mon cœur une impression si profonde, tant de vertus n'en ont pas moins fait sur mon âme. Séduit sans doute par le désir de m'en rapprocher, j'avais osé m'en croire digne. Je ne vous reproche point d'en avoir jugé autrement ; mais je me punis de mon erreur. » Comme on gardait le silence de l'embarras, j'ai continué : « J'ai désiré, Madame, ou de me justifier à vos yeux, ou d'obtenir de vous le pardon des torts que vous me supposez, afin de pouvoir au moins terminer, avec quelque tranquillité, des jours auxquels je n'attache plus de prix, depuis que vous avez refusé de les embellir. »

Ici on a pourtant essayé de répondre : « Mon devoir ne me permettait pas... » Et la difficulté d'achever le mensonge que le devoir exigeait, n'a pas permis de finir la phrase. J'ai donc repris, du ton le plus tendre : « Il est donc vrai que c'est moi que vous avez fui ? — Ce départ était nécessaire. — Et que vous m'éloignez de vous ? — Il le faut. — Et pour toujours ? — Je le dois. » Je n'ai pas besoin de vous dire que pendant ce court dialogue, la voix de la tendre prude était[d] oppressée, et que ses yeux ne s'élevaient pas jusqu'à moi.

Je jugeai devoir animer un peu cette scène languissante ; ainsi, me levant avec l'air du dépit : « Votre fermeté, dis-je alors, me rend toute la mienne. Hé bien ! oui, Madame, nous serons séparés ; séparés même plus que vous ne pensez ; et vous vous féliciterez à loisir de votre ouvrage. » Un peu surprise de ce ton de reproche, elle voulut répliquer. « La résolution que vous avez prise, dit-elle… — n'est que l'effet de mon désespoir, repris-je avec emportement. Vous avez voulu que je sois malheureux ; je vous prouverai que vous avez réussi au-delà même de vos souhaits[e]. — Je désire votre bonheur », répondit-elle. Et le son de sa voix commençait à annoncer une émotion assez forte. Aussi me précipitant à ses genoux, et du ton dramatique que vous me connaissez : « Ah ! cruelle, me suis-je écrié, peut-il exister pour moi un bonheur que vous ne partagiez pas ? Où donc le trouver loin de vous ? Ah ! jamais ! jamais ! » J'avoue qu'en me livrant à ce point[f], j'avais beaucoup compté sur le secours des larmes : mais soit mauvaise disposition, soit peut-être seulement l'effet de l'attention pénible et continuelle que je mettais à tout, il me fut impossible de pleurer.

Par bonheur je me ressouvins que pour subjuguer une femme, tout moyen était également bon ; et qu'il suffisait de l'étonner[12], par un grand mouvement, pour que l'impression en restât profonde et favorable. Je suppléai donc, par la terreur, à la sensibilité qui se trouvait en défaut ; et pour cela, changeant seulement l'inflexion de ma voix, et gardant la même posture : « Oui, continuai-je, j'en fais le serment à vos pieds, vous posséder ou mourir[g13]. » En prononçant ces dernières paroles, nos regards se rencontrèrent. Je ne sais ce que la timide personne vit ou crut voir dans les miens ; mais elle se leva d'un air effrayé, et s'échappa de mes bras dont je l'avais entourée. Il est vrai que je ne fis rien pour la retenir : car j'avais remarqué plusieurs fois que les scènes de désespoir, menées trop vivement, tombaient dans le ridicule dès qu'elles devenaient longues, ou ne laissaient que des ressources vraiment tragiques, et que j'étais fort éloigné de vouloir prendre. Cependant, tandis qu'elle se dérobait à moi ; j'ajoutai, d'un ton bas et sinistre, mais de façon qu'elle pût m'entendre : « Hé bien ! la mort[14] ! »

Je me relevai alors ; et gardant un moment le silence, je jetais sur elle, comme au hasard, des regards farouches, qui, pour avoir l'air d'être égarés, n'en étaient pas moins clairvoyants et observateurs. Le maintien mal assuré, la respiration haute, la contraction de tous les muscles, les bras tremblants et à demi élevés, tout me prouvait assez que l'effet était tel que j'avais voulu le produire : mais, comme en amour, rien ne se finit que de très près, et que nous étions alors assez loin l'un de l'autre, il fallait avant tout se rapprocher. Ce fut pour y parvenir, que je passai le plus tôt possible à une apparente tranquillité, propre à calmer les effets de cet état violent[b], sans en affaiblir l'impression.

Ma transition fut : « Je suis bien malheureux. J'ai voulu vivre pour votre bonheur, et je l'ai troublé. Je me dévoue pour votre tranquillité, et je la trouble encore. » Ensuite, d'un air composé mais contraint : « Pardon, Madame ; peu accoutumé aux orages des passions[15], je sais mal en réprimer les mouvements. Si j'ai eu tort de m'y livrer, songez au moins que c'est pour la dernière fois. Ah ! calmez-vous, calmez-vous, je vous en conjure. » Et pendant ce long discours, je me rapprochais insensiblement. « Si vous voulez que je me calme, répondit la belle effarouchée, vous-même soyez donc plus tranquille. — Hé bien ! oui, je vous le promets », lui dis-je. J'ajoutai, d'une voix plus faible : « Si l'effort est grand, au moins ne doit-il pas être long. Mais », repris-je aussitôt, d'un air égaré, « je suis venu, n'est-il pas vrai, pour vous rendre vos Lettres ? De grâce, daignez les reprendre. Ce douloureux sacrifice me reste à faire ; ne me laissez rien qui puisse affaiblir mon courage. » Et tirant de ma poche le précieux recueil : « Le voilà, dis-je, ce dépôt trompeur des assurances de votre amitié ! Il m'attachait à la vie ; reprenez-le. Donnez ainsi vous-même le signal qui doit me séparer de vous pour jamais. »

Ici l'Amante craintive céda entièrement à sa tendre inquiétude. « Mais, Monsieur de Valmont, qu'avez-vous, et que voulez-vous dire ? La démarche que vous faites aujourd'hui n'est-elle pas volontaire ? n'est-ce pas le fruit de vos propres réflexions ? et ne sont-ce pas elles qui vous ont fait approuver, vous-même, le parti nécessaire que j'ai suivi par devoir ? — Hé bien ! ai-je repris, ce parti a décidé le mien. — Et quel est-il ? — Le seul qui puisse, en me séparant de vous, mettre un terme à mes peines[i]. — Mais répondez-moi, quel est-il ? » Là je la pressai de mes bras, sans qu'elle se défendît aucunement ; et jugeant, par cet oubli des bienséances, combien l'émotion était forte et puissante : « Femme adorable, lui dis-je en risquant l'enthousiasme[16], vous n'avez pas d'idée de l'amour que vous inspirez ; vous ne saurez jamais jusqu'à quel point vous fûtes adorée, et de combien ce sentiment m'était plus cher que mon existence ! Puissent tous vos jours être fortunés et tranquilles ; puissent-ils s'embellir de tout le bonheur dont vous m'avez privé ! Payez au moins ce vœu sincère par un regret, par une larme ; et croyez que le dernier de mes sacrifices, ne sera pas le plus pénible à mon cœur. Adieu. »

Tandis que je parlais ainsi, je sentais son cœur palpiter avec violence ; j'observais l'altération de sa figure ; je voyais, surtout, les larmes la suffoquer, et ne couler cependant que rares et pénibles. Ce ne fut qu'alors que je pris le parti de feindre de m'éloigner : aussi, me retenant avec force : « Non, écoutez-moi, dit-elle vivement. — Laissez-moi, répondis-je. — Vous m'écouterez, je le veux. — Il faut vous fuir, il le faut ! — Non », s'écria-t-elle… À ce dernier mot, elle se précipita, ou plutôt tomba évanouie entre mes bras. Comme je doutais encore d'un si heureux succès, je feignis un grand effroi ; mais tout en m'effrayant, je la conduisais, ou la portais, vers le lieu précédemment désigné pour le champ de ma gloire ; et en effet elle ne revint à elle que soumise et déjà livrée à son heureux vainqueur[17].

Jusque-là, ma belle amie, vous me trouverez, je crois, une pureté de méthode qui vous fera plaisir ; et vous verrez que je ne me suis écarté en rien des vrais principes de cette guerre, que nous avons remarqué souvent être si semblable à l'autre. Jugez-moi donc comme Turenne ou Frédéric[18]. J'ai forcé à combattre, l'ennemi qui ne voulait que temporiser ; je me suis donné, par de savantes manœuvres, le choix du terrain et celui des dispositions ; j'ai su inspirer la sécurité à l'ennemi, pour le joindre plus facilement dans sa retraite ; j'ai su y faire succéder la terreur, avant d'en venir au combat ; je n'ai rien mis au hasard, que par la considération d'un grand avantage en cas de succès, et la certitude des ressources en cas de défaite ; enfin, je n'ai engagé l'action qu'avec une retraite assurée, par où je pusse couvrir et conserver tout ce que j'avais conquis précédemment. C'est, je crois, tout ce qu'on peut faire ; mais je crains à présent, de m'être amolli comme Annibal dans les délices de Capoue[19]. Voilà ce qui s'est passé depuis.

Je m'attendais bien qu'un si grand événement ne se passerait pas sans les larmes et le désespoir d'usage[j] ; et si je remarquai d'abord un peu plus de confusion, et une sorte de recueillement, j'attribuai l'un et l'autre à l'état de Prude : aussi, sans m'occuper de ces légères différences, que je croyais purement locales, je suivais simplement la grande route des consolations[20], bien persuadé que, comme il arrive d'ordinaire, les sensations aideraient le sentiment, et qu'une seule action ferait plus que tous les discours, que pourtant je ne négligeais pas. Mais, je trouvai une résistance vraiment effrayante, moins encore par son excès, que par la forme sous laquelle elle se montrait.

Figurez-vous une femme assise, d'une roideur immobile, et d'une figure invariable ; n'ayant l'air, ni de penser, ni d'écouter, ni d'entendre ; dont les yeux fixes laissent échapper des larmes assez continues, mais qui coulent sans effort. Telle était Mme de Tourvel pendant mes discours ; mais si j'essayais de ramener son attention vers moi par une caresse, par le geste même le plus innocent, à cette apparente apathie succédaient aussitôt la terreur, la suffocation, les convulsions, les sanglots, et quelques cris par intervalle, mais sans un mot articulé.

Ces crises revinrent plusieurs fois, et toujours plus fortes ; la dernière même fut si violente, que j'en fus entièrement découragé, et craignis un moment d'avoir remporté une victoire inutile. Je me rabattis sur les lieux communs d'usage, et dans le nombre se trouva celui-ci : « Et vous êtes dans le désespoir, parce que vous avez fait mon bonheur ? » À ce mot, l'adorable femme se tourna vers moi, et sa figure, quoique encore un peu égarée, avait pourtant déjà repris son expression céleste. « Votre bonheur ! » me dit-elle. Vous devinez ma réponse. « Vous êtes donc heureux ? » Je redoublai les protestations. « Et heureux par moi ! » J'ajoutai les louanges et les tendres propos. Tandis que je parlais, tous ses membres s'assouplirent ; elle retomba avec mollesse, appuyée sur son fauteuil, et m'abandonnant une main que j'avais osé prendre : « Je sens, dit-elle, que cette idée me console et me soulage. »

Vous jugez qu'ainsi remis sur la voie, je ne la quittai plus ; c'était réellement la bonne, et peut-être la seule. Aussi, quand je voulus tenter un second succès, j'éprouvai d'abord quelque résistance, et ce qui s'était passé auparavant, me rendait circonspect ; mais, ayant appelé à mon secours cette même idée de mon bonheur, j'en ressentis bientôt les favorables effets : « Vous avez raison, me dit la tendre personne ; je ne puis plus supporter mon existence, qu'autant qu'elle servira à vous rendre heureux. Je m'y consacre tout entière : dès ce moment je me donne à vous, et vous n'éprouverez de ma part ni refus, ni regret. » Ce fut avec cette candeur, naïve ou sublime, qu'elle me livra sa personne et ses charmes, et qu'elle augmenta mon bonheur en le partageant. L'ivresse fut complète et réciproque ; et, pour la première fois, la mienne survécut au plaisir[21]. Je ne sortis de ses bras que pour tomber à ses genoux, pour lui jurer un amour éternel ; et il faut tout avouer, je pensais ce que je disais. Enfin, même après nous être séparés, son idée ne me quittait point, et j'ai eu besoin de me travailler[22] pour m'en distraire.

Ah ! pourquoi n'êtes-vous pas ici, pour balancer au moins le charme[k] de l'action par celui de la récompense ? Mais je ne perdrai rien pour attendre, n'est-il pas vrai ? et j'espère pouvoir regarder, comme convenu entre nous, l'heureux arrangement que je vous ai proposé dans ma dernière Lettre. Vous voyez que je m'exécute, et que, comme je vous l'ai promis, mes affaires seront assez avancées pour pouvoir vous donner une partie de mon temps. Dépêchez-vous donc de renvoyer votre pesant Belleroche, et laissez là le doucereux Danceny, pour ne vous occuper que de moi. Mais que faites-vous donc tant à cette campagne, que vous ne me répondez seulement pas ? Savez-vous que je vous gronderais volontiers ? Mais le bonheur porte à l'indulgence. Et puis, je n'oublie pas qu'en me replaçant au nombre de vos soupirants, je dois me soumettre de nouveau à vos petites fantaisies. Souvenez-vous cependant que le nouvel Amant ne veut rien perdre des anciens droits de l'ami.

Adieu comme autrefois… Oui, *adieu, mon Ange, je t'envoie tous les baisers de l'amour.*

P. S. Savez-vous que Prévan, au bout de son mois de prison, a été obligé de quitter son Corps[23] ? C'est aujourd'hui la nouvelle de tout Paris. En vérité, le voilà cruellement puni d'un tort qu'il n'a pas eu, et votre succès est complet !

*Paris, ce 29 Octobre 17**.*

LETTRE CXXVI

MADAME DE ROSEMONDE À LA PRÉSIDENTE DE TOURVEL

Je vous aurais répondu plus tôt, mon aimable enfant, si la fatigue de ma dernière Lettre ne m'avait rendu mes douleurs, ce qui m'a encore privée tous ces jours-ci de l'usage de mon bras. J'étais bien pressée de vous remercier des bonnes nouvelles que vous m'avez données de mon neveu, et je ne l'étais pas moins de vous en faire, pour votre compte, de sincères félicitations. On est forcé de reconnaître véritablement là un coup de la Providence[a], qui, en touchant l'un, a aussi sauvé l'autre. Oui, ma chère Belle, Dieu qui ne voulait que vous éprouver, vous a secourue au moment où vos forces étaient épuisées ; et malgré votre petit murmure[1], vous avez, je crois, quelques actions de grâces à lui rendre. Ce n'est pas que je ne sente fort bien qu'il vous eût été plus agréable que cette résolution vous fût venue la première, et que celle de Valmont n'en eût été que la suite ; il semble même, humainement parlant, que les droits de notre sexe en eussent été mieux conservés, et nous ne voulons en perdre aucun ! Mais qu'est-ce que ces considérations légères, auprès des objets importants qui se trouvent remplis ? Voit-on celui qui se sauve du naufrage, se plaindre de n'avoir pas eu le choix des moyens ?

Vous éprouverez bientôt, ma chère fille, que les peines que vous redoutez, s'allégeront d'elles-mêmes ; et quand elles devraient subsister toujours et dans leur entier, vous n'en sentiriez pas moins qu'elles seraient encore plus faciles à supporter, que les remords du crime et le mépris de soi-même. Inutilement vous aurais-je parlé plutôt avec cette apparente sévérité : l'amour est un sentiment indépendant, que la prudence[b] peut faire éviter, mais qu'elle ne saurait vaincre ; et qui, une fois né, ne meurt que de sa belle mort, ou du défaut absolu d'espoir. C'est ce dernier cas dans lequel vous êtes, qui me rend le courage et le droit de vous dire librement mon avis. Il est cruel d'effrayer un malade désespéré, qui n'est plus susceptible que de consolations et de palliatifs : mais il est sage d'éclairer un convalescent sur les dangers qu'il a courus, pour lui inspirer la prudence dont il a besoin, et la soumission aux conseils qui peuvent encore lui être nécessaires.

Puisque vous me choisissez pour votre Médecin, c'est comme tel que je vous parle, et que je vous dis que les petites incommodités que vous ressentez à présent, et qui peut-être exigent quelques remèdes, ne sont pourtant rien en comparaison de la maladie effrayante dont voilà la guérison assurée. Ensuite, comme votre amie, comme l'amie d'une femme raisonnable et vertueuse, je me permettrai d'ajouter que cette passion qui vous avait subjuguée, déjà si malheureuse par elle-même, le devenait encore plus par son objet. Si j'en crois ce qu'on m'en dit, mon neveu, que j'avoue aimer peut-être avec faiblesse, et qui réunit en effet beaucoup de qualités louables à beaucoup d'agréments, n'est ni sans danger pour les femmes, ni sans torts vis-à-vis d'elles, et met presque un prix égal à les séduire et à les perdre. Je crois bien que vous l'auriez converti. Jamais personne, sans doute, n'en fut plus digne ; mais tant d'autres s'en sont flattées de même, dont l'espoir a été déçu, que j'aime bien mieux que vous n'en soyez pas réduite à cette ressource.

Considérez à présent, ma chère Belle, qu'au lieu de tant de dangers que vous auriez eu à courir, vous aurez, outre le repos de votre conscience et votre propre tranquillité, la satisfaction d'avoir été la principale cause de l'heureux retour[2] de Valmont. Pour moi, je ne doute pas que ce ne soit, en grande partie, l'ouvrage de votre courageuse résistance, et qu'un moment de faiblesse de votre part, n'eût peut-être laissé mon neveu dans un égarement éternel. J'aime à penser ainsi, et désire vous voir penser de même ; vous y trouverez vos premières consolations, et moi de nouvelles raisons de vous aimer davantage.

Je vous attends ici sous peu de jours, mon aimable fille, comme vous me l'annoncez. Venez retrouver le calme et le bonheur dans les mêmes lieux où vous l'aviez perdu ; venez surtout vous réjouir avec votre tendre mère, d'avoir si heureusement tenu la parole que vous lui aviez donnée, de ne rien faire qui ne fût digne d'elle et de vous !

*Du Château de ..., ce 30 Octobre 17**.*

LETTRE CXXVII

LA MARQUISE DE MERTEUIL
AU VICOMTE DE VALMONT

Si je n'ai pas répondu, Vicomte, à votre Lettre du 19, ce n'est pas que je n'en aie eu le temps ; c'est tout simplement qu'elle m'a donné de l'humeur, et que je ne lui ai pas trouvé le sens commun. J'avais donc cru n'avoir rien de mieux à faire que de la laisser dans l'oubli ; mais puisque vous revenez sur elle, que vous paraissez tenir aux idées qu'elle contient, et que vous prenez mon silence pour un consentement, il faut vous dire clairement mon avis.

J'ai pu avoir quelquefois la prétention de remplacer à moi seule tout un sérail[1], mais il ne m'a jamais convenu d'en faire partie. Je croyais que vous saviez cela. Au moins, à présent que vous ne pouvez plus l'ignorer, vous jugerez facilement combien votre proposition a dû me paraître ridicule. Qui, moi ! je sacrifierais un goût, et encore un goût nouveau, pour m'occuper de vous ? Et pour m'en occuper comment ? en attendant à mon tour, et en esclave soumise, les sublimes faveurs de votre *Hautesse*[2]. Quand, par exemple, vous voudrez vous distraire un moment de *ce charme inconnu* que *l'adorable, la céleste* Mme de Tourvel, vous a fait seule éprouver, ou quand vous craindrez de compromettre, auprès *de l'attachante Cécile*, l'idée supérieure[a] que vous êtes bien aise qu'elle conserve de vous : alors descendant jusqu'à moi, vous y viendrez chercher des plaisirs, moins vifs, à la vérité, mais sans conséquence ; et vos précieuses bontés, quoiqu'un peu rares, suffiront de reste à mon bonheur !

Certes, vous êtes riche en bonne opinion de

vous-même : mais apparemment je ne le suis pas en modestie ; car j'ai beau me regarder, je ne peux pas me trouver déchue jusque-là. C'est peut-être un tort que j'ai, mais je vous préviens que j'en ai beaucoup d'autres encore.

J'ai surtout celui de croire que *l'écolier, le doucereux* Danceny, uniquement occupé de moi, me sacrifiant, sans s'en faire un mérite, une première passion, avant même qu'elle ait été satisfaite, et m'aimant enfin comme on aime à son âge, pourrait, malgré ses vingt ans, travailler plus efficacement que vous à mon bonheur et à mes plaisirs. Je me permettrai même d'ajouter, que, s'il me venait en fantaisie de lui donner un adjoint, ce ne serait pas vous, au moins pour le moment.

Et par quelles raisons, m'allez-vous demander ? Mais d'abord il pourrait fort bien n'y en avoir aucune, car le caprice qui vous ferait préférer, peut également vous faire exclure. Je veux pourtant bien, par politesse, vous motiver mon avis. Il me semble que vous auriez trop de sacrifices à me faire ; et moi, au lieu d'en avoir la reconnaissance que vous ne manqueriez pas d'en attendre, je serais capable de croire que vous m'en devriez encore ! Vous voyez bien, qu'aussi éloignés l'un de l'autre par notre façon de penser, nous ne pouvons nous rapprocher d'aucune manière ; et je crains qu'il ne me faille beaucoup de temps, mais beaucoup, avant de changer de sentiment. Quand je serai corrigée, je vous promets de vous avertir. Jusque-là, croyez-moi, faites d'autres arrangements, et gardez vos baisers ; vous avez tant à les placer mieux… !

Adieu, comme autrefois, dites-vous ? mais autrefois, ce me semble, vous faisiez un peu plus de cas de moi ; vous ne m'aviez pas destinée tout à fait aux troisièmes rôles[3], et surtout vous vouliez bien attendre que j'eusse dit oui, avant d'être sûr de mon consentement. Trouvez donc bon, qu'au lieu de vous dire aussi adieu comme autrefois, je vous dise, adieu comme à présent.

Votre servante, Monsieur le Vicomte.

*Du Château de …, ce 31 Octobre 17**.*

LETTRE CXXVIII

LA PRÉSIDENTE DE TOURVEL
À MADAME DE ROSEMONDE

Je n'ai reçu qu'hier, Madame, votre tardive réponse. Elle m'aurait tuée sur-le-champ, si j'avais eu encore mon existence en moi : mais un autre en est possesseur ; et cet autre est M. de Valmont. Vous voyez que je ne vous cache rien[a]. Si vous devez ne me plus trouver digne de votre amitié, je crains moins encore de la perdre, que de la surprendre. Tout ce que je puis vous dire, c'est que, placée par M. de Valmont entre sa mort ou son bonheur, je me suis décidée pour ce dernier parti. Je ne m'en vante, ni ne m'en accuse ; je dis simplement ce qui est.

Vous sentirez aisément, d'après cela, quelle impression a dû me faire votre Lettre, et les vérités sévères qu'elle contient. Ne croyez pas cependant qu'elle ait pu faire naître un regret en moi, ni qu'elle puisse jamais me faire changer de sentiment ni de conduite. Ce n'est pas que je n'aie des moments cruels, mais quand mon cœur est le plus déchiré, quand je crains de ne pouvoir plus supporter mes tourments, je me dis : Valmont est heureux[1] ; et tout disparaît devant cette idée, ou plutôt elle change tout en plaisirs[b].

C'est donc à votre neveu que je me suis consacrée ; c'est pour lui que je me suis perdue. Il est devenu le centre unique de mes pensées, de mes sentiments, de mes actions. Tant que ma vie sera nécessaire à son bonheur, elle me sera précieuse, et je la trouverai fortunée. Si quelque jour il en juge autrement… il n'entendra de ma part ni plainte ni reproche. J'ai déjà osé fixer les yeux sur ce moment fatal, et mon parti est pris.

Vous voyez à présent combien peu doit m'affecter la crainte que vous paraissez avoir, qu'un jour M. de Valmont ne me perde : car avant[c] de le vouloir, il aura donc cessé de m'aimer ; et que me feront alors de vains reproches que je n'entendrai pas ? Seul, il sera mon juge. Comme je n'aurai vécu que pour lui, ce sera en lui que reposera ma mémoire ; et s'il est forcé de reconnaître que je l'aimais, je serai suffisamment justifiée.

Vous venez, Madame, de lire dans mon cœur. J'ai préféré le malheur de perdre votre estime par ma franchise, à celui de m'en rendre indigne par l'avilissement du mensonge. J'ai cru devoir cette entière confiance à vos anciennes bontés pour moi. Ajouter un mot de plus, pourrait vous faire soupçonner que j'ai l'orgueil d'y compter encore, quand[d], au contraire, je me rends justice, en cessant d'y prétendre.

Je suis avec respect, Madame, votre très humble et très obéissante servante.

*Paris, ce premier Novembre 17***[2].

LETTRE CXXIX

LE VICOMTE DE VALMONT
À LA MARQUISE DE MERTEUIL

Dites-moi donc, ma belle amie, d'où peut venir ce ton d'aigreur et de persiflage qui règne dans votre dernière Lettre ? Quel est donc ce crime que j'ai commis, apparemment sans m'en douter, et qui vous donne tant d'humeur ? J'ai eu l'air, me reprochez-vous, de compter sur votre consentement, avant de l'avoir obtenu : mais je croyais que ce qui pourrait paraître de la présomption pour tout le monde, ne pouvait jamais être pris, de vous à moi, que pour de la confiance ; et depuis quand ce sentiment nuit-il à l'amitié ou à l'amour ? En réunissant l'espoir au désir, je n'ai fait que céder à l'impulsion naturelle qui nous fait nous placer toujours le plus près possible du bonheur que nous cherchons ; et vous avez pris pour l'effet de l'orgueil ce qui ne l'était que de mon empressement. Je sais fort bien que l'usage a introduit, dans ce cas, un doute respectueux ; mais vous savez aussi que ce n'est qu'une forme, un simple protocole[1] ; et j'étais, ce me semble, autorisé à croire que ces précautions minutieuses[2] n'étaient plus nécessaires entre nous.

Il me semble même que cette marche franche et libre, quand elle est fondée sur une ancienne liaison, est bien préférable à l'insipide cajolerie, qui affadit si souvent l'amour. Peut-être, au reste, le prix que je trouve à cette manière, ne vient-il que de celui que j'attache au bonheur qu'elle me rappelle ; mais par là même il me serait plus pénible encore de vous en juger autrement.

Voilà pourtant le seul tort que je me connaisse : car je n'imagine pas que vous ayez pu penser sérieusement qu'il existât une femme dans le monde qui me parût préférable à vous ; et encore moins, que j'aie pu vous apprécier aussi mal que vous feignez de le croire. Vous vous êtes regardée, me dites-vous à ce sujet, et vous ne vous êtes pas trouvée déchue à ce point. Je le crois bien, et cela prouve seulement que votre miroir est fidèle. Mais n'auriez-vous pas pu en conclure avec plus de facilité et de justice, qu'à coup sûr je n'avais pas jugé ainsi de vous ?

Je cherche vainement une cause à cette étrange idée. Il me semble pourtant qu'elle tient, de plus ou moins près, aux éloges que je me suis permis de donner à d'autres femmes. Je l'infère au moins de votre affectation à relever les épithètes *d'adorable, de céleste, d'attachante*, dont je me suis servi en vous parlant de Mme de Tourvel, ou de la petite Volanges. Mais ne savez-vous pas que ces mots, plus souvent pris au hasard que par réflexion, expriment moins le cas que l'on fait de la personne, que la situation dans laquelle on se trouve quand on en parle ? Et si, dans le moment même où j'étais si vivement affecté, ou par l'une ou par l'autre, je ne vous en désirais pourtant pas moins ; si je vous donnais une préférence marquée sur toutes deux, puisqu'enfin je ne pouvais renouveler notre première liaison qu'au préjudice des deux autres, je ne crois pas qu'il y ait là si grand sujet de reproche.

Il ne me sera pas plus difficile de me justifier sur *le charme inconnu* dont vous me paraissez aussi un peu choquée : car d'abord, de ce qu'il est inconnu, il ne s'ensuit pas qu'il soit plus fort. Hé ! qui pourrait l'emporter sur les délicieux plaisirs que vous seule savez rendre toujours nouveaux, comme toujours plus vifs ? J'ai donc voulu dire seulement que celui-là était d'un genre que je n'avais pas encore éprouvé ; mais sans prétendre lui assigner de classe ; et j'avais ajouté ce que je répète aujourd'hui, que, quel qu'il soit, je saurai le combattre et le vaincre. J'y mettrai bien plus de zèle encore, si je peux voir, dans ce léger travail, un hommage à vous offrir.

Pour la petite Cécile, je crois bien inutile de vous en parler. Vous n'avez pas oublié que c'est à votre demande que je me suis chargé de cette enfant, et je n'attends que votre congé pour m'en défaire. J'ai pu remarquer son ingénuité et sa fraîcheur ; j'ai pu même la croire un moment *attachante*, parce que, plus ou moins, on se complaît toujours un peu dans son ouvrage : mais assurément elle n'a pas assez de consistance[3] en aucun genre, pour fixer en rien l'attention.

À présent, ma belle amie, j'en appelle à votre justice, à vos premières bontés pour moi ; à la longue et parfaite amitié, à l'entière confiance qui depuis ont resserré nos liens : ai-je mérité le ton rigoureux que vous prenez avec moi ? Mais qu'il vous sera facile de m'en dédommager quand vous voudrez ! Dites seulement un mot, et vous verrez si tous les attachements me retiendront ici, non pas un jour, mais une minute. Je volerai à vos pieds et dans vos bras, et je vous prouverai, mille fois et de mille manières, que vous êtes, que vous serez toujours la souveraine de mon cœur.

Adieu, ma belle amie ; j'attends votre réponse avec beaucoup d'empressement.

*Paris, ce 3 Novembre 17**.*

LETTRE CXXX

MADAME DE ROSEMONDE
À LA PRÉSIDENTE DE TOURVEL

Et pourquoi, ma chère Belle, ne voulez-vous plus être ma fille ? pourquoi semblez-vous m'annoncer que toute correspondance va être rompue entre nous ? Eſt-ce pour me punir de n'avoir pas deviné ce qui était contre toute vraisemblance ? ou me soupçonnez-vous de vous avoir affligée volontairement ? Non, je connais trop bien votre cœur, pour croire qu'il pense ainsi du mien. Aussi la peine que m'a faite votre Lettre eſt-elle bien moins relative à moi qu'à vous-même.

Ô ma jeune amie ! je vous le dis avec douleur ; mais vous êtes bien trop digne d'être aimée, pour que jamais l'amour vous rende heureuse. Hé ! quelle femme vraiment délicate et sensible, n'a pas trouvé l'infortune dans ce même sentiment qui lui promettait tant de bonheur ! Les hommes savent-ils apprécier la femme qu'ils possèdent ?

Ce n'eſt pas que plusieurs ne soient honnêtes dans leurs procédés, et conſtants dans leur affection : mais, parmi ceux-là même, combien peu savent encore se mettre à l'unisson de notre cœur ! Ne croyez pas, ma chère enfant, que leur amour soit semblable au nôtre. Ils éprouvent bien la même ivresse ; souvent même ils y mettent plus d'emportement : mais ils ne connaissent pas cet empressement inquiet, cette sollicitude délicate qui produit en nous ces soins tendres et continus, et dont l'unique but est toujours l'objet aimé[a]. L'homme jouit du bonheur qu'il ressent, et la femme de celui qu'elle procure. Cette différence, si essentielle et si peu remarquée, influe pourtant, d'une manière bien sensible, sur la totalité de leur conduite respective. Le plaisir de l'un est de satisfaire des désirs, celui de l'autre est surtout de les faire naître. Plaire n'est pour lui qu'un moyen de succès ; tandis que pour elle, c'est le succès lui-même. Et la coquetterie, si souvent reprochée aux femmes, n'est autre chose que l'abus de cette façon de sentir, et par là même en prouve la réalité. Enfin ce goût exclusif, qui caractérise particulièrement l'amour, n'est dans l'homme qu'une préférence, qui sert au plus à augmenter un plaisir, qu'un autre objet affaiblirait peut-être, mais ne détruirait pas ; tandis que dans les femmes, c'est un sentiment profond, qui non seulement anéantit tout désir étranger ; mais qui, plus fort que la nature, et soustrait à son empire, ne leur laisse éprouver que répugnance et dégoût, là même où semble devoir naître la volupté.

Et n'allez pas croire que des exceptions plus ou moins nombreuses, et qu'on peut citer, puissent s'opposer avec succès à ces vérités générales ! Elles ont pour garant la voix publique, qui, pour les hommes seulement, a distingué l'infidélité de l'inconstance[1] : distinction dont ils se prévalent, quand ils devraient en être humiliés ; et qui, pour notre sexe, n'a jamais été adoptée que par ces femmes dépravées qui en font la honte, et à qui tout moyen paraît bon, qu'elles espèrent pouvoir les sauver du sentiment pénible de leur bassesse.

J'ai cru, ma chère Belle, qu'il pourrait vous être utile d'avoir ces réflexions à opposer aux idées chimériques d'un bonheur parfait, dont l'amour ne manque jamais d'abuser notre imagination : espoir trompeur, auquel on tient encore, même alors qu'on se voit forcé de l'abandonner, et dont la perte irrite et multiplie les chagrins déjà trop réels, inséparables d'une passion vive ! Cet emploi d'adoucir vos peines, ou d'en diminuer le nombre, est le seul que je veuille, que je puisse remplir en ce moment. Dans les maux sans remèdes, les conseils ne peuvent plus porter que sur le régime. Ce que je vous demande seulement, c'est de vous souvenir que plaindre un malade, ce n'est pas le blâmer[2]. Eh ! qui sommes-nous, pour nous blâmer les uns les autres ? Laissons le droit de juger, à celui-là seul qui lit dans les cœurs ; et j'ose même croire qu'à ses yeux paternels, une foule de vertus peut racheter une faiblesse.

Mais, je vous en conjure, ma chère amie, défendez-vous surtout de ces résolutions violentes, qui annoncent moins la force qu'un entier découragement : n'oubliez pas qu'en rendant un autre possesseur de votre existence, pour me servir de votre expression, vous n'avez pas pu cependant frustrer vos amis de ce qu'ils en possédaient à l'avance, et qu'ils ne cesseront jamais de réclamer.

Adieu, ma chère fille ; songez quelquefois à votre tendre mère, et croyez que vous serez, et par-dessus tout, l'objet de ses plus chères pensées.

*Du Château de …, ce 4 Novembre 17**[3].*

LETTRE CXXXI

LA MARQUISE DE MERTEUIL
AU VICOMTE DE VALMONT

À la bonne heure, Vicomte, je suis plus contente de vous cette fois-ci que l'autre ; mais à présent, causons de bonne amitié, et j'espère vous convaincre que, pour vous comme pour moi, l'arrangement que vous paraissez désirer serait une véritable folie.

N'avez-vous pas encore remarqué que le plaisir, qui est bien en effet l'unique mobile de la réunion des deux sexes, ne suffit pourtant pas pour former une liaison entr'eux ? et que s'il est précédé du désir qui rapproche, il n'est pas moins suivi du dégoût qui repousse ? C'est une loi de la nature, que l'amour seul peut changer ; et de l'amour, en a-t-on quand on veut ? il en faut pourtant toujours ; et cela serait fort embarrassant, si on ne s'était pas aperçu qu'heureusement il suffisait qu'il en existât d'un côté. La difficulté est devenue par là de moitié moindre, et même sans qu'il y ait eu beaucoup à perdre ; en effet, l'un jouit du bonheur d'aimer, l'autre de celui de plaire, un peu moins vif à la vérité, mais auquel se joint le plaisir de tromper, ce qui fait équilibre ; et tout s'arrange.

Mais dites-moi, Vicomte, qui de nous deux se chargera de tromper l'autre ? Vous savez l'histoire de ces deux fripons, qui se reconnurent en jouant : Nous ne nous ferons rien, se dirent-ils, payons les cartes par moitié ; et ils quittèrent la partie. Suivons, croyez-moi, ce prudent exemple, et ne perdons pas ensemble un temps que nous pouvons si bien employer ailleurs.

Pour vous prouver qu'ici votre intérêt me décide autant que le mien, et que je n'agis ni par humeur ni par caprice, je ne vous refuse pas le prix convenu entre nous ; je sens à merveille que pour une seule soirée nous nous suffirons de reste ; et je ne doute pas que nous ne sachions assez l'embellir pour ne la voir finir qu'à regret. Mais n'oublions pas que ce regret est nécessaire au bonheur ; et quelque douce que soit notre illusion, n'allons pas croire qu'elle puisse être durable.

Vous voyez que je m'exécute à mon tour, et cela, sans que vous vous soyez encore mis en règle avec moi : car enfin je devais avoir la première Lettre de la céleste prude[1] ; et pourtant, soit que vous y teniez encore, soit que vous ayez oublié les conditions d'un marché, qui vous intéresse peut-être moins que vous ne voulez me le faire croire, je n'ai rien reçu, absolument rien[2]. Cependant, ou je me trompe, ou la tendre dévote doit beaucoup écrire : car que ferait-elle quand elle est seule ? elle n'a sûrement pas le bon esprit de se distraire. J'aurais donc, si je voulais, quelques petits reproches à vous faire ; mais je les passe sous silence, en compensation d'un peu d'humeur que j'ai eu peut-être dans ma dernière Lettre[a].

À présent, Vicomte, il ne me reste plus qu'à vous faire une demande ; et elle est encore autant pour vous que pour moi : c'est de différer un moment que je désire peut-être autant que vous, mais dont il me semble que l'époque doit être retardée jusqu'à mon retour à la Ville[3]. D'une part, nous n'aurions pas ici la liberté nécessaire ; et de l'autre, j'y aurais quelque risque à courir : car il ne faudrait qu'un peu de jalousie, pour me rattacher de plus belle ce triste Belleroche, qui pourtant ne tient plus qu'à un fil. Il en est déjà à se battre les flancs pour m'aimer ; c'est au point, qu'à présent je mets autant de malice que de prudence dans les caresses dont je le surcharge. Mais, en même temps, vous voyez bien que ce ne serait pas là un sacrifice à vous faire ! une infidélité réciproque rendra le charme bien plus puissant.

Savez-vous que je regrette quelquefois que nous en soyons réduits à ces ressources ! Dans le temps où nous nous aimions[b], car je crois que c'était de l'amour, j'étais heureuse ; et vous, Vicomte ?... Mais pourquoi s'occuper encore d'un bonheur qui ne peut revenir ? Non, quoi que vous en disiez, c'est un retour impossible. D'abord, j'exigerais des sacrifices que sûrement vous ne pourriez ou ne voudriez pas faire, et qu'il se peut bien que je ne mérite pas ; et puis, comment vous fixer ? Oh ! non, non, je ne veux seulement pas m'occuper de cette idée ; et malgré le plaisir que je trouve en ce moment[c] à vous écrire, j'aime bien mieux vous quitter brusquement.

Adieu, Vicomte.

*Du Château de ..., ce 6 Novembre 17**.*

LETTRE CXXXII

LA PRÉSIDENTE DE TOURVEL
À MADAME DE ROSEMONDE

Pénétrée, Madame, de vos bontés pour moi, je m'y livrerais tout entière, si je n'étais retenue en quelque sorte par la crainte de les profaner en les acceptant. Pourquoi faut-il, quand je les vois si précieuses, que je sente en même temps que je n'en suis plus digne ? Ah ! j'oserai du moins vous en témoigner ma reconnaissance ; j'admirerai surtout cette indulgence de la vertu, qui ne connaît nos faiblesses que pour y compatir, et dont le charme puissant conserve sur les cœurs un empire si doux et si fort, même à côté du charme de l'amour.

Mais puis-je mériter encore une amitié qui ne suffit plus à mon bonheur ? Je dis de même de vos conseils ; j'en sens le prix, et ne puis les suivre. Et comment ne croirais-je pas à un bonheur parfait, quand je l'éprouve en ce moment ? Oui, si les hommes sont tels que vous le dites, il faut les fuir, ils sont haïssables ; mais qu'alors Valmont[1] est loin de leur ressembler ! S'il a comme eux, cette violence de passion, que vous nommez emportement, combien n'est-elle pas surpassée en lui par l'excès de sa délicatesse ! Ô mon amie ! Vous me parlez de partager mes peines, jouissez donc de mon bonheur ; je le dois à l'amour, et de combien encore l'objet en augmente le prix ! Vous aimez votre neveu, dites-vous, peut-être avec faiblesse ? Ah ! si vous le connaissiez comme moi ! Je l'aime avec idolâtrie, et bien moins encore qu'il ne le mérite. Il a pu sans doute être entraîné dans quelques erreurs, il en convient lui-même ; mais qui jamais connut comme lui le véritable amour ? Que puis-je vous dire de plus ? il le ressent tel qu'il l'inspire.

Vous allez croire que c'est là *une de ces idées chimériques, dont l'amour ne manque jamais d'abuser notre imagination* : mais dans ce cas, pourquoi serait-il devenu plus tendre, plus empressé, depuis qu'il n'a plus rien à obtenir ? Je l'avouerai, je lui trouvais auparavant un air de réflexion, de réserve, qui l'abandonnait rarement, et qui souvent me ramenait, malgré moi, aux fausses et cruelles impressions qu'on m'avait données de lui. Mais depuis qu'il peut se livrer sans contrainte aux mouvements de son cœur, il semble deviner tous les désirs du mien. Qui sait si nous n'étions pas nés l'un pour l'autre[2] ! Si ce bonheur ne m'était pas réservé, d'être nécessaire au sien ! Ah ! si c'est une illusion, que je meure donc avant qu'elle finisse. Mais non ; je veux vivre pour le chérir, pour l'adorer. Pourquoi cesserait-il de m'aimer ? Quelle autre femme rendrait-il plus heureuse que moi ? Et, je le sens par moi-même, ce bonheur qu'on fait naître, est le plus fort lien, le seul qui attache véritablement. Oui, c'est ce sentiment délicieux qui anoblit l'amour, qui le purifie en quelque sorte, et le rend vraiment digne d'une âme tendre et généreuse, telle que celle de Valmont.

Adieu, ma chère, ma respectable, mon indulgente amie. Je voudrais en vain vous écrire plus longtemps : voici l'heure où il a promis de venir, et toute autre idée m'abandonne. Pardon ! mais vous voulez mon bonheur, et il est si grand dans ce moment, que je suffis à peine à le sentir.

*Paris, ce 7 Novembre 17**.*

LETTRE CXXXIII

LE VICOMTE DE VALMONT
À LA MARQUISE DE MERTEUIL

Quels sont donc, ma belle amie, ces sacrifices que vous jugez que je ne ferais pas, et dont pourtant le prix serait de vous plaire ?

Faites-les-moi connaître seulement, et si je balance à vous les offrir, je vous permets d'en refuser l'hommage. Eh ! comment me jugez-vous depuis quelque temps, si, même dans votre indulgence, vous doutez de mes sentiments ou de mon énergie ? Des sacrifices que je ne voudrais ou ne pourrais pas faire ? Ainsi, vous me croyez amoureux, subjugué ? Et le prix que j'ai mis au succès, vous me soupçonnez de l'attacher à la personne ? Ah ! grâces au Ciel, je n'en suis pas encore réduit là, et je m'offre à vous le prouver. Oui, je vous le prouverai, quand même ce devrait être envers Mme de Tourvel. Assurément, après cela, il ne doit pas vous rester de doute.

J'ai pu, je crois, sans me compromettre, donner quelque temps à une femme qui a au moins le mérite d'être d'un genre qu'on rencontre rarement. Peut-être aussi la saison morte[1] dans laquelle est venue cette aventure, m'a fait m'y livrer davantage ; et encore à présent, qu'à peine le grand courant[2] commence à reprendre, il n'est pas étonnant qu'elle m'occupe presque en entier. Mais songez donc qu'il n'y a guère que huit jours que je jouis du fruit de trois mois de soins. Je me suis si souvent arrêté davantage à ce qui valait bien moins, et ne m'avait pas tant coûté !... et jamais vous n'en avez rien conclu contre moi.

Et puis, voulez-vous savoir la véritable cause de

l'empressement que j'y mets ? la voici. Cette femme est naturellement timide ; dans les premiers temps elle doutait sans cesse de son bonheur, et ce doute suffisait pour le troubler : en sorte que je commence à peine à pouvoir remarquer jusqu'où va ma puissance en ce genre. C'est une chose que j'étais pourtant curieux de savoir ; et l'occasion ne s'en trouve pas si facilement qu'on le croit.

D'abord, pour beaucoup de femmes, le plaisir est toujours le plaisir, et n'est jamais que cela ; et auprès de celles-là, de quelque titre qu'on nous décore, nous ne sommes jamais que des facteurs, de simples commissionnaires[3], dont l'activité fait tout le mérite, et parmi lesquels, celui qui fait le plus, est toujours celui qui fait le mieux.

Dans une autre classe, peut-être la plus nombreuse aujourd'hui, la célébrité de l'Amant, le plaisir de l'avoir enlevé à une rivale, la crainte de se le voir enlever à son tour, occupent les femmes presque tout entières : nous[a] entrons bien, plus ou moins, pour quelque chose dans l'espèce de bonheur dont elles jouissent ; mais il tient plus aux circonstances qu'à la personne. Il leur vient par nous, et non de nous.

Il fallait donc trouver, pour mon observation, une femme délicate et sensible, qui fît son unique affaire de l'amour, et qui, dans l'amour même ne vît que son Amant ; dont l'émotion, loin de suivre la route ordinaire, partît toujours du cœur, pour arriver aux sens ; que j'ai vue, par exemple (et je ne parle pas du premier jour), sortir du plaisir tout éplorée, et le moment d'après retrouver la volupté dans un mot qui répondait à son âme. Enfin, il fallait qu'elle réunît encore cette candeur naturelle, devenue insurmontable par l'habitude de s'y livrer, et qui ne lui permet de dissimuler aucun des sentiments de son cœur. Or, vous en conviendrez, de telles femmes sont rares ; et je puis croire que sans celle-ci, je n'en aurais peut-être jamais rencontré.

Il ne serait donc pas étonnant qu'elle me fixât plus longtemps qu'une autre ; et si le travail que je veux faire sur elle, exige que je la rende heureuse, parfaitement heureuse ! pourquoi m'y refuserais-je, surtout quand cela me sert, au lieu de me contrarier ? Mais de ce que l'esprit est occupé, s'ensuit-il que le cœur soit esclave[4] ? Non, sans doute. Aussi le prix que je ne me défends pas de mettre à cette aventure, ne m'empêchera pas d'en courir d'autres, ou même de la sacrifier à de plus agréables.

Je suis tellement libre, que je n'ai seulement pas négligé la petite Volanges, à laquelle pourtant je tiens si peu. Sa mère la ramène à la Ville dans trois jours ; et moi, depuis hier, j'ai su assurer mes communications : quelque argent au portier, et quelques fleurettes[5] à sa femme, en ont fait l'affaire. Concevez-vous que Danceny n'ait pas su trouver ce moyen si simple ? Et puis, qu'on dise que l'amour rend ingénieux ! il abrutit, au contraire, ceux qu'il domine. Et je ne saurais pas m'en défendre ! Ah ! soyez tranquille. Déjà je vais, sous peu de jours, affaiblir, en la partageant, l'impression, peut-être trop vive, que j'ai éprouvée, et si un simple partage ne suffit pas, je les multiplierai.

Je n'en serai pas moins prêt à remettre la jeune pensionnaire à son discret Amant, dès que vous le jugerez à propos. Il me semble que vous n'avez plus de raisons pour l'en empêcher ; et moi, je consens à rendre ce service signalé au pauvre Danceny. C'est, en vérité, le moins que je lui doive pour tous ceux qu'il m'a rendus. Il est actuellement dans la grande inquiétude de savoir s'il sera reçu chez Mme de Volanges ; je le calme le plus que je peux, en l'assurant que, de façon ou d'autre, je ferai son bonheur au premier jour ; et en attendant je continue à me charger de la correspondance, qu'il veut reprendre à l'arrivée de *sa Cécile*. J'ai déjà six Lettres de lui, et j'en aurai bien encore une ou deux avant l'heureux jour. Il faut que ce garçon-là soit bien désœuvré !

Mais laissons ce couple enfantin, et revenons à nous ; que je puisse m'occuper uniquement de l'espoir si doux que m'a donné votre Lettre. Oui, sans doute, vous me fixerez, et je ne vous pardonnerais plus d'en douter. Ai-je donc jamais cessé d'être constant[6] pour vous ? Nos liens ont été dénoués, et non pas rompus ;

notre prétendue rupture ne fut qu'une erreur de notre imagination : nos sentiments, nos intérêts, n'en sont pas moins restés unis. Semblable au voyageur, qui revient détrompé, je reconnaîtrai comme lui, que j'avais laissé le bonheur pour courir après l'espérance, et je dirai comme d'Harcourt :

*Plus je vis d'Étrangers, plus j'aimai ma Patrie**.

Ne combattez donc plus l'idée ou plutôt le sentiment qui vous ramène à moi ; et après avoir essayé de tous les plaisirs dans nos courses différentes, jouissons[b] du bonheur de sentir qu'aucun d'eux n'est comparable à celui que nous avions éprouvé, et que nous retrouverons plus délicieux encore !

Adieu, ma charmante amie. Je consens à attendre votre retour ; mais pressez-le donc, et n'oubliez pas combien je le désire.

*Paris, ce 8 Novembre 17**.*

LETTRE CXXXIV

LA MARQUISE DE MERTEUIL
AU VICOMTE DE VALMONT

En vérité, Vicomte, vous êtes bien comme les enfants, devant qui il ne faut rien dire ! et à qui on ne peut rien montrer, qu'ils ne veuillent s'en emparer aussitôt ! Une simple idée qui me vient, à laquelle même je vous avertis que je ne veux pas m'arrêter, parce que je vous en parle, vous en abusez pour y ramener votre attention ; pour m'y fixer, quand je cherche à m'en distraire ; et me faire, en quelque sorte,

* Du Belloi, *Tragédie du Siège de Calais*[7].

partager malgré moi vos désirs étourdis ! Est-il donc généreux à vous de me laisser supporter seule tout le fardeau de la prudence ! Je vous le redis, et me le répète plus encore, l'arrangement que vous me proposez, est réellement impossible. Quand vous y mettriez toute la générosité que vous montrez en ce moment, croyez-vous donc que je n'aie pas aussi ma délicatesse, et que je veuille accepter des sacrifices qui nuiraient à votre bonheur ? Or, est-il vrai, Vicomte, que vous vous faites illusion sur le sentiment qui vous attache à Mme de Tourvel ? C'est de l'amour, ou il n'en exista jamais ; vous le niez bien de cent façons, mais vous le prouvez de mille. Qu'est-ce, par exemple, que ce subterfuge dont vous vous servez vis-à-vis de vous-même (car je vous crois sincère avec moi), qui vous fait rapporter à l'envie d'observer, le désir que vous ne pouvez ni cacher ni combattre, de garder cette femme ? Ne dirait-on pas que jamais vous n'en avez rendu une autre heureuse ? Ah ! si vous en doutez, vous avez bien peu de mémoire ! Mais non, ce n'est pas cela. Tout simplement votre cœur abuse votre esprit[1], et le fait se payer de mauvaises raisons ; mais moi, qui ai un grand intérêt à ne pas m'y tromper, je ne suis pas si facile à contenter.

C'est ainsi qu'en remarquant votre politesse, qui vous a fait supprimer soigneusement tous les mots que vous vous êtes imaginé m'avoir déplu, j'ai vu cependant que, peut-être sans vous en apercevoir, vous n'en conserviez pas moins les mêmes idées. En effet, ce n'est plus l'adorable, la céleste Mme de Tourvel : mais c'est *une femme étonnante, une femme délicate et sensible*, et cela, à l'exception de toutes les autres ; *une femme rare enfin*, et telle *qu'on n'en rencontrerait pas une seconde.* Il en est de même de ce charme inconnu qui n'est pas *le plus fort.* Hé bien ! soit ; mais puisque vous ne l'aviez jamais trouvé jusque-là, il est bien à croire que vous ne le trouveriez pas davantage à l'avenir, et la perte que vous feriez, n'en serait pas moins irréparable. Ou ce sont là, Vicomte, des symptômes assurés d'amour, ou il faut renoncer à en trouver aucun.

Soyez assuré, que pour cette fois, je vous parle sans

humeur. Je me suis promis de n'en plus prendre ; j'ai trop bien reconnu qu'elle pouvait devenir un piège dangereux. Croyez-moi, ne soyons qu'amis, et restons-en là. Sachez-moi gré seulement de mon courage à me défendre ; oui de mon courage, car il en faut quelquefois, même pour ne pas prendre un parti qu'on sent être mauvais.

Ce n'est donc plus que pour vous ramener à mon avis par persuasion, que je vais répondre à la demande que vous me faites sur les sacrifices que j'exigerais, et que vous ne pourriez pas faire. Je me sers à dessein de ce mot *exiger*, parce que je suis bien sûre que, dans un moment, vous m'allez, en effet, trouver trop exigeante : mais tant mieux ! Loin de me fâcher de vos refus, je vous en remercierai. Tenez, ce n'est pas avec vous que je veux dissimuler, j'en ai peut-être besoin.

J'exigerais donc, voyez la cruauté ! que cette rare, cette étonnante Mme de Tourvel ne fût plus pour vous qu'une femme ordinaire, une femme telle qu'elle est[a] seulement ; car il ne faut pas s'y tromper, ce charme qu'on croit trouver dans les autres, c'est en nous qu'il existe, et c'est l'amour seul qui embellit tant l'objet aimé. Ce que je vous demande là, tout impossible que cela soit, vous feriez peut-être bien l'effort de me le promettre, de me le jurer même ; mais, je l'avoue, je n'en croirais pas de vains discours. Je ne pourrais être persuadée que par l'ensemble de votre conduite.

Ce n'est pas tout encore, je serais capricieuse. Ce sacrifice de la petite Cécile, que vous m'offrez de si bonne grâce, je ne m'en soucierais pas du tout. Je vous demanderais au contraire de continuer ce pénible service, jusqu'à nouvel ordre de ma part ; soit que j'aimasse à abuser ainsi de mon empire ; soit que, plus indulgente ou plus juste, il me suffît de disposer de vos sentiments, sans vouloir contrarier vos plaisirs. Quoi qu'il en soit, je voudrais être obéie ; et mes ordres seraient bien rigoureux !

Il est vrai qu'alors je me croirais obligée de vous remercier ; que sait-on ? peut-être même de vous récompenser. Sûrement, par exemple, j'abrégerais une absence qui me deviendrait insupportable. Je vous reverrais enfin, Vicomte, et je vous reverrais… comment ?… Mais vous vous souvenez que ceci n'est plus qu'une conversation, un simple récit d'un projet impossible, et je ne veux pas l'oublier toute seule…

Savez-vous que mon procès m'inquiète un peu ? J'ai voulu enfin connaître au juste quels étaient mes moyens ; mes Avocats me citent bien quelques lois, et surtout beaucoup d'*autorités*, comme ils les appellent : mais je n'y vois pas autant de raison et de justice. J'en suis presque à regretter d'avoir refusé l'accommodement[2]. Cependant, je me rassure, en songeant que le Procureur est adroit, l'Avocat éloquent, et la Plaideuse jolie. Si ces trois moyens devaient ne plus valoir, il faudrait changer tout le train des affaires ; et que deviendrait le respect pour les anciens usages !

Ce procès est actuellement la seule chose qui me retienne ici. Celui de Belleroche est fini ; hors de Cour[3], dépens compensés[4]. Il en est à regretter le bal de ce soir ; c'est bien le regret d'un désœuvré ! Je lui rendrai sa liberté entière, à mon retour à la Ville. Je lui fais ce douloureux[b] sacrifice, et je m'en console par la générosité qu'il y trouve.

Adieu, Vicomte, écrivez-moi souvent : le détail de vos plaisirs me dédommagera, au moins en partie, des ennuis que j'éprouve.

*Du Château de …, ce 11 Novembre 17**.*

LETTRE CXXXV

LA PRÉSIDENTE DE TOURVEL À MADAME DE ROSEMONDE

J'essaie de vous écrire, sans savoir encore si je le pourrai. Ah ! Dieu, quand je songe qu'à ma dernière

Lettre c'était l'excès de mon bonheur qui m'empêchait de la continuer ! C'est celui de mon désespoir qui m'accable à présent ; qui ne me laisse de force que pour sentir mes douleurs, et m'ôte celle de les exprimer.

Valmont... Valmont ne m'aime plus. Il ne m'a jamais aimée ; l'amour ne s'en va pas ainsi. Il me trompe, il me trahit, il m'outrage. Tout ce qu'on peut réunir d'infortunes, d'humiliations, je les éprouve ; et c'est de lui qu'elles me viennent !

Et ne croyez pas que ce soit un simple soupçon : j'étais si loin d'en avoir ! Je n'ai pas le bonheur de pouvoir douter. Je l'ai vu : que pourrait-il me dire pour se justifier ?... Mais que lui importe ! il ne le tentera seulement pas... Malheureuse ! que lui feront tes reproches et tes larmes ? c'est bien de toi qu'il s'occupe !...

Il est donc vrai qu'il m'a sacrifiée, livrée même... et à qui ?... une vile créature... Mais que dis-je ? Ah ! j'ai perdu jusqu'au droit de la mépriser. Elle a trahi moins de devoirs, elle est moins coupable que moi. Oh ! que la peine est douloureuse, quand elle s'appuie sur le remords ! Je sens mes tourments qui redoublent. Adieu, ma chère amie ; quelqu'indigne que je me sois rendue de votre pitié, vous en aurez cependant pour moi, si vous pouvez vous former l'idée de ce que je souffre.

Je viens de relire ma Lettre, et je m'aperçois qu'elle ne peut vous instruire de rien ; je vais donc tâcher d'avoir le courage de vous raconter ce cruel événement. C'était hier ; je devais pour la première fois, depuis mon retour, souper hors de chez moi. Valmont vint me voir à 5 heures ; jamais il ne m'avait paru si tendre. Il me fit connaître que mon projet de sortir le contrariait, et vous jugez que j'eus bientôt celui de rester chez moi. Cependant, deux heures après, et tout à coup, son air et son ton changèrent sensiblement. Je ne sais s'il me sera échappé quelque chose qui aura pu lui déplaire ; quoi qu'il en soit, peu de temps après, il prétendit se rappeler une affaire qui l'obligeait de me quitter, et il s'en alla : ce ne fut pourtant pas sans m'avoir témoigné des regrets très vifs, qui me parurent tendres, et qu'alors je crus sincères.

Rendue à moi-même, je jugeai plus convenable de ne pas me dispenser de mes premiers engagements, puisque j'étais libre de les remplir. Je finis ma toilette, et montai en voiture. Malheureusement mon Cocher me fit passer devant l'Opéra[1], et je me trouvai dans l'embarras de la sortie[2] ; j'aperçus à quatre pas devant moi, et dans la file à côté de la mienne, la voiture de Valmont. Le cœur me battit aussitôt, mais ce n'était pas de crainte ; et la seule idée qui m'occupait, était le désir que ma voiture avançât. Au lieu de cela, ce fut la sienne qui fut forcée de reculer, et qui se trouva à côté de la mienne. Je m'avançai sur-le-champ : quel fut mon étonnement, de trouver à ses côtés une fille, bien connue pour telle[3] : je me retirai, comme vous pouvez penser, et c'en était déjà bien assez pour navrer[4] mon cœur ; mais ce que vous aurez peine à croire, c'est que cette même fille, apparemment instruite par une odieuse confidence, n'a pas quitté la portière de la voiture, ni cessé de me regarder, avec des éclats de rire à faire scène[5].

Dans l'anéantissement où j'en fus, je me laissai pourtant conduire dans la maison où je devais souper ; mais il me fut impossible d'y rester ; je me sentais, à chaque instant, prête à m'évanouir, et surtout je ne pouvais retenir mes larmes.

En rentrant, j'écrivis à M. de Valmont, et lui envoyai ma Lettre aussitôt ; il n'était pas chez lui. Voulant[a], à quelque prix que ce fût, sortir de cet état de mort, ou le confirmer à jamais, je renvoyai[6] avec ordre de l'attendre ; mais avant minuit mon domestique revint, en me disant que le cocher, qui était de retour, lui avait dit que son Maître ne rentrerait pas de la nuit. J'ai cru ce matin n'avoir plus autre chose à faire qu'à lui redemander mes Lettres, et le prier de ne plus venir chez moi. J'ai en effet donné des ordres en conséquence ; mais, sans doute, ils étaient inutiles. Il est près de midi ; il ne s'est point encore présenté, et je n'ai pas même reçu un mot de lui.

À présent, ma chère amie, je n'ai plus rien à ajouter :

vous voilà instruite, et vous connaissez mon cœur. Mon seul espoir est de n'avoir pas longtemps encore à affliger votre sensible amitié.

*Paris, ce 15 Novembre 17***.

LETTRE CXXXVI

LA PRÉSIDENTE DE TOURVEL AU VICOMTE DE VALMONT

Sans doute, Monsieur, après ce qui s'est passé hier, vous ne vous attendez plus à être reçu chez moi, et sans doute aussi vous le désirez peu ! Ce billet a donc moins pour objet de vous prier de n'y plus venir, que de vous redemander des Lettres qui n'auraient jamais dû exister, et qui, si elles ont pu vous intéresser un moment, comme des preuves de l'aveuglement que vous aviez fait naître, ne peuvent que vous être indifférentes à présent qu'il est dissipé, et qu'elles n'expriment plus qu'un sentiment que vous avez détruit.

Je reconnais et j'avoue[a] que j'ai eu tort de prendre en vous une confiance, dont tant d'autres avant moi avaient été les victimes ; en cela je n'accuse que moi seule ; mais je croyais au moins n'avoir pas mérité d'être livrée par vous au mépris et à l'insulte[b]. Je croyais qu'en vous sacrifiant tout, et perdant pour vous seul mes droits à l'estime des autres et à la mienne, je pouvais m'attendre cependant à ne pas être jugée par vous plus sévèrement que par le public, dont l'opinion sépare encore, par un immense intervalle, la femme faible de la femme dépravée. Ces torts, qui seraient ceux de tout le monde, sont les seuls dont je vous parle. Je me tais sur ceux de l'amour ; votre cœur n'entendrait pas le mien. Adieu, Monsieur.

*Paris ..., ce 15 Novembre 17***.

LETTRE CXXXVII

LE VICOMTE DE VALMONT À LA PRÉSIDENTE DE TOURVEL

On vient seulement, Madame, de me rendre votre Lettre ; j'ai frémi en la lisant, et elle me laisse à peine la force d'y répondre. Quelle affreuse idée avez-vous donc de moi ! Ah ! sans doute, j'ai des torts ; et tels que je ne me les pardonnerai de ma vie, quand même vous les couvririez de votre indulgence. Mais que ceux que vous me reprochez, ont toujours été loin de mon âme ! Qui, moi ! vous humilier ! vous avilir ! quand je vous respecte autant que je vous chéris ; quand je n'ai connu l'orgueil, que du moment où vous m'avez jugé digne de vous. Les apparences vous ont déçue[1] ; et je conviens qu'elles ont pu être contre moi : mais, n'aviez-vous donc pas dans votre cœur ce qu'il fallait pour les combattre ? et ne s'est-il pas révolté à la seule idée qu'il pouvait avoir à se plaindre du mien ? Vous l'avez cru cependant ! Ainsi, non seulement vous m'avez jugé capable de ce délire atroce, mais vous avez même craint de vous y être exposée par vos bontés pour moi. Ah ! si vous vous trouvez dégradée à ce point par votre amour, je suis donc moi-même bien vil à vos yeux ?

Oppressé par le sentiment douloureux que cette idée me cause, je perds à la repousser, le temps que je devrais employer à la détruire. J'avouerai tout, une autre considération me retient encore. Faut-il donc retracer des faits que je voudrais anéantir, et fixer votre attention et la mienne sur un moment d'erreur que je voudrais racheter du reste de ma vie, dont je suis encore à concevoir la cause, et dont le souvenir doit faire à jamais mon humiliation et mon désespoir ? Ah ! si en m'accusant, je dois exciter votre colère, vous n'aurez[a] pas au moins à chercher loin votre vengeance ; il vous suffira de me livrer à mes remords.

Cependant, qui le croirait ? cet événement a pour première cause, le charme tout-puissant que j'éprouve auprès de vous. Ce fut lui qui me fit oublier trop longtemps une affaire importante, et qui ne pouvait se remettre. Je vous quittai trop tard, et ne trouvai plus la personne que j'allais chercher. J'espérais la rejoindre à l'Opéra, et ma démarche fut pareillement infructueuse. Émilie que j'y trouvai, que j'ai connue dans un temps où j'étais bien loin de connaître ni vous ni l'amour, Émilie n'avait pas sa voiture, et me demanda de la remettre chez elle, à quatre pas de là. Je n'y vis aucune conséquence, et j'y consentis. Mais ce fut alors que je vous rencontrai ; et je sentis sur-le-champ que vous seriez portée à me juger coupable.

La crainte de vous déplaire ou de vous affliger, est si puissante sur moi, qu'elle dut être et fut en effet bientôt remarquée. J'avoue même qu'elle me fit tenter d'engager cette fille à ne pas se montrer ; cette précaution de la délicatesse a tourné contre l'amour. Accoutumée, comme toutes celles de son état, à n'être sûre d'un empire toujours usurpé, que par l'abus qu'elles se permettent d'en faire, Émilie se garda bien d'en laisser échapper une occasion si éclatante. Plus elle voyait mon embarras s'accroître, plus elle affectait de se montrer ; et sa folle gaieté, dont je rougis que vous ayez pu un moment vous croire l'objet, n'avait de cause que la peine cruelle que je ressentais, qui elle-même venait encore de mon respect et de mon amour.

Jusque-là, sans doute, je suis plus malheureux que coupable ; et ces torts, *qui seraient ceux de tout le monde, et les seuls dont vous me parlez*, ces torts n'existant pas, ne peuvent m'être reprochés. Mais vous vous taisez en vain sur ceux de l'amour : je ne garderai pas sur eux le même silence ; un trop grand intérêt m'oblige à le rompre.

Ce n'est pas que, dans la confusion où je suis de cet inconcevable égarement, je puisse, sans une extrême douleur, prendre sur moi d'en rappeler le souvenir. Pénétré de mes torts, je consentirais à en porter la peine, ou j'attendrais mon pardon du temps, de mon éternelle tendresse et de mon repentir. Mais comment pouvoir me taire, quand ce qui me reste à vous dire, importe à votre délicatesse ?

Ne croyez pas que je cherche un détour pour excuser ou pallier ma faute ; je m'avoue coupable. Mais je n'avoue point, je n'avouerai jamais que cette erreur humiliante puisse être regardée comme un tort de l'amour. Eh ! que peut-il y avoir de commun entre une surprise des sens, entre un moment d'oubli de soi-même, que suivent bientôt la honte et le regret, et un sentiment pur, qui ne peut naître que dans une âme délicate, s'y soutenir que par l'estime, et dont enfin le bonheur est le fruit ! Ah ! ne profanez pas ainsi l'amour. Craignez surtout de vous profaner vous-même, en réunissant sous un même point de vue, ce qui jamais ne peut se confondre. Laissez les femmes viles et dégradées redouter une rivalité qu'elles sentent malgré elles pouvoir s'établir, et éprouver les tourments d'une jalousie également cruelle et humiliante : mais vous, détournez vos yeux de ces objets qui souilleraient vos regards ; et pure comme la Divinité, comme elle aussi punissez l'offense sans la ressentir.

Mais quelle peine m'imposerez-vous, qui me soit plus douloureuse que celle que je ressens[2] ? qui puisse être comparée au regret de vous avoir déplu, au désespoir de vous avoir affligée, à l'idée accablante de m'être rendu moins digne de vous ? Vous vous occupez de punir ! et moi, je vous demande des consolations : non que je les mérite ; mais parce qu'elles me sont nécessaires, et qu'elles ne peuvent me venir que de vous.

Si tout à coup, oubliant mon amour et le vôtre, et ne mettant plus de prix à mon bonheur, vous voulez au contraire me livrer à une douleur éternelle, vous en avez le droit ; frappez : mais si, plus indulgente ou plus sensible, vous vous rappelez encore ces sentiments si tendres qui unissaient nos cœurs ; cette volupté de l'âme, toujours renaissante et toujours plus vivement sentie ; ces jours si doux, si fortunés, que chacun de nous devait à l'autre ; tous ces biens de l'amour, et que lui seul procure ! peut-être préférerez-vous le pouvoir de les faire renaître à celui de les détruire. Que[b] vous dirai-je enfin ? j'ai tout perdu, et tout perdu par ma faute ; mais je puis tout recouvrer par vos bienfaits. C'est à vous à décider maintenant. Je n'ajoute plus qu'un mot. Hier encore vous me juriez que mon bonheur était bien sûr tant qu'il dépendrait de vous ! Ah ! Madame, me livrerez-vous aujourd'hui à un désespoir éternel ?

*Paris, ce 15 novembre 17**.*

LETTRE CXXXVIII

LE VICOMTE DE VALMONT À LA MARQUISE DE MERTEUIL

Je persiste, ma belle amie : non, je ne suis point amoureux ; et ce n'est pas ma faute[1] si les circonstances me forcent d'en jouer le rôle. Consentez seulement, et revenez ; vous verrez bientôt par vous-même, combien je suis sincère. J'ai fait mes preuves hier, et elles ne peuvent être détruites par ce qui se passe aujourd'hui.

J'étais donc chez la tendre Prude, et j'y étais bien sans aucune autre affaire, car la petite Volanges, malgré son état, devait passer toute la nuit au bal précoce[2] de Mme de V… Le désœuvrement m'avait fait désirer d'abord de prolonger cette soirée ; et j'avais même, à ce sujet, exigé un petit sacrifice : mais à peine fut-il accordé, que le plaisir que je me promettais fut troublé par l'idée de cet amour que vous vous obstinez à me croire, ou au moins à me reprocher ; en sorte que je n'éprouvai plus d'autre désir, que celui de pouvoir à la fois m'assurer et vous convaincre que c'était, de votre part, pure calomnie.

Je pris donc un parti violent; et sous un prétexte assez léger, je laissai là ma Belle toute surprise, et sans doute encore plus affligée. Mais moi, j'allai tranquillement joindre Émilie à l'Opéra; et elle pourrait vous rendre compte, que jusqu'à ce matin que nous nous sommes séparés, aucun regret n'a troublé nos plaisirs.

J'avais pourtant un assez beau sujet d'inquiétude, si ma parfaite indifférence ne m'en avait sauvé: car vous saurez que j'étais à peine à quatre maisons de l'Opéra, et ayant Émilie dans ma voiture, que celle de l'austère dévote vint exactement ranger[3] la mienne, et qu'un embarras[4] survenu nous laissa près d'un demi-quart d'heure à côté l'un de l'autre. On se voyait comme à midi, et il n'y avait pas moyen d'échapper.

Mais ce n'est pas tout; je m'avisai de confier à Émilie que c'était la femme à la Lettre. Vous vous rappellerez peut-être cette folie-là, et qu'Émilie était le pupitre*. Elle qui ne l'avait pas oubliée, et qui est rieuse, n'eut de cesse qu'elle n'eût considéré tout à son aise *cette vertu*, disait-elle, et cela, avec des éclats de rire d'un scandale à en donner de l'humeur.

Ce n'est pas tout encore; la jalouse femme n'envoya-t-elle pas chez moi dès le soir même? Je n'y étais pas: mais, dans son obstination, elle y envoya une seconde fois, avec ordre de m'attendre. Moi, dès que j'avais été décidé à rester chez Émilie, j'avais renvoyé ma voiture, sans autre ordre au Cocher que de venir me reprendre ce matin; et comme en arrivant chez moi, il y trouva l'amoureux messager, il crut tout simple de lui dire que je ne rentrerais pas de la nuit. Vous devinez bien l'effet de cette nouvelle, et qu'à mon retour j'ai trouvé mon congé signifié avec toute la dignité que comportait la circonstance!

Ainsi, cette aventure interminable selon vous, aurait pu, comme vous voyez, être finie de ce matin; si même elle ne l'est pas, ce n'est point, comme vous l'allez croire, que je mette du prix à la continuer: c'est

* Lettres XLVII et XLVIII[5].

que, d'une part, je n'ai pas trouvé décent de me laisser quitter ; et, de l'autre, que j'ai voulu vous réserver l'honneur[a] de ce sacrifice.

J'ai donc répondu au sévère billet par une grande épître de sentiments ; j'ai donné de longues raisons, et je me suis reposé sur l'amour, du soin de les faire trouver bonnes. J'ai déjà réussi. Je viens de recevoir un second billet[6], toujours bien rigoureux, et qui confirme l'éternelle rupture, comme cela devait être ; mais dont le ton n'est pourtant plus le même. Surtout, on ne veut plus me voir : ce parti pris y est annoncé quatre fois de la manière la plus irrévocable. J'en ai conclu qu'il n'y avait pas un moment à perdre pour me présenter. J'ai déjà envoyé mon Chasseur pour s'emparer du Suisse ; et dans un moment, j'irai moi-même faire signer mon pardon : car dans les torts de cette espèce, il n'y a qu'une seule formule qui porte absolution générale, et celle-là ne s'expédie qu'en présence.

Adieu, ma charmante amie ; je cours tenter ce grand événement.

*Paris, ce 15 Novembre 17**.*

LETTRE CXXXIX

LA PRÉSIDENTE DE TOURVEL
À MADAME DE ROSEMONDE

Que je me reproche, ma sensible amie, de vous avoir parlé trop et trop tôt, de mes peines passagères ! je suis cause que vous vous affligez à présent ; ces chagrins qui vous viennent de moi, durent encore, et moi, je suis heureuse. Oui, tout est oublié, pardonné ; disons mieux, tout est réparé. À cet état de douleur et d'angoisse ont succédé le calme et les délices. Oh ! joie de mon cœur, comment vous exprimer ! Valmont est innocent ; on n'est point coupable avec autant d'amour. Ces torts graves, offensants, que je lui reprochais avec tant d'amertume, il ne les avait pas ; et si, sur un seul point, j'ai eu besoin d'indulgence, n'avais-je donc pas aussi mes injustices à réparer ?

Je ne vous ferai point le détail des faits ou des raisons qui le justifient ; peut-être même l'esprit les apprécierait mal : c'est au cœur seul qu'il appartient de les sentir. Si pourtant vous deviez me soupçonner de faiblesse, j'appellerais votre jugement à l'appui du mien. Pour les hommes, dites-vous vous-même, l'infidélité n'est pas l'inconstance[1].

Ce n'est pas que je ne sente que cette distinction, qu'en vain l'opinion autorise, n'en blesse pas moins la délicatesse ; mais de quoi se plaindrait la mienne, quand celle de Valmont en souffre plus encore ? Ce même tort que j'oublie, ne croyez pas qu'il se le pardonne ou s'en console ; et pourtant, combien n'a-t-il pas réparé cette légère faute par l'excès de son amour et celui de mon bonheur.

Ou ma félicité est plus grande, ou j'en sens mieux le prix depuis que j'ai craint de l'avoir perdue : mais ce que je puis vous dire, c'est que, si je me sentais la force de supporter encore des chagrins aussi cruels que ceux que je viens d'éprouver, je ne croirais pas en acheter trop cher le surcroît de bonheur que j'ai goûté depuis. Ô ! ma tendre mère, grondez votre fille inconsidérée, de vous avoir affligée par trop de précipitation ; grondez-la d'avoir jugé témérairement et calomnié celui qu'elle ne devait pas cesser d'adorer : mais, en la reconnaissant imprudente, voyez-la heureuse, et augmentez sa joie en la partageant.

*Paris, ce 16 Novembre 17**, au soir.*

LETTRE CXL

LE VICOMTE DE VALMONT
À LA MARQUISE DE MERTEUIL

Comment donc se fait-il, ma belle amie, que je ne reçoive point de réponse de vous ? Ma dernière Lettre pourtant me paraissait en mériter une ; et depuis trois jours que je devrais l'avoir reçue, je l'attends encore ! Je suis fâché au moins ; aussi ne vous parlerai-je pas du tout de mes grandes affaires.

Que le raccommodement ait eu son plein effet ; qu'au lieu de reproches et de méfiance, il n'ait produit que de nouvelles tendresses ; que ce soit moi actuellement qui reçoive les excuses et les réparations dues à ma candeur soupçonnée, je ne vous en dirai mot, et sans l'événement imprévu de la nuit dernière, je ne vous écrirais pas du tout. Mais comme celui-là regarde votre pupille, et que vraisemblablement elle ne sera pas dans le cas de vous en informer elle-même, au moins de quelque temps, je me charge de ce soin.

Par des raisons que vous devinerez, ou que vous ne devinerez pas, Mme de Tourvel ne m'occupait plus depuis quelques jours ; et comme ces raisons-là ne pouvaient exister chez la petite Volanges, j'en étais devenu plus assidu auprès d'elle. Grâce à l'obligeant portier, je n'avais aucun obstacle à vaincre, et nous menions, votre pupille et moi, une vie commode et réglée. Mais l'habitude amène la négligence : les premiers jours, nous n'avions jamais pris assez de précautions pour notre sûreté ; nous tremblions encore derrière les verrous. Hier, une incroyable distraction a causé l'accident dont j'ai à vous instruire ; et si, pour mon compte, j'en ai été quitte pour la peur, il en coûte plus cher à la petite fille.

Nous ne dormions pas, mais nous étions dans le repos et l'abandon qui suivent la volupté, quand nous avons entendu la porte de la chambre s'ouvrir tout à coup. Aussitôt je saute à mon épée, tant pour ma défense que pour celle de notre commune pupille ; je m'avance et ne vois personne : mais, en effet, la porte était ouverte. Comme nous avions de la lumière, j'ai été à la recherche, et n'ai trouvé âme qui vive. Alors je me suis rappelé que nous avions oublié nos précautions ordinaires ; et sans doute la porte poussée seulement, ou mal fermée, s'était rouverte d'elle-même.

En allant rejoindre ma timide compagne pour la tranquilliser, je ne l'ai plus trouvée dans son lit ; elle était tombée, ou s'était sauvée dans la ruelle : enfin elle y était étendue sans connaissance, et sans autre mouvement que d'assez fortes convulsions. Jugez de mon embarras ! Je parvins pourtant à la remettre dans son lit, et même à la faire revenir[1] ; mais elle s'était blessée dans sa chute ; et elle ne tarda pas à en ressentir les effets.

Des maux de reins, de violentes coliques, des symptômes moins équivoques encore, m'ont eu bientôt éclairé sur son état[2] : mais, pour le lui apprendre, il a fallu lui dire d'abord celui où elle était auparavant ; car elle ne s'en doutait pas. Jamais peut-être, jusqu'à elle, on n'avait conservé tant d'innocence, en faisant si bien tout ce qu'il fallait pour s'en défaire ! Oh ! celle-là ne perd pas son temps à réfléchir !

Mais elle en perdait beaucoup à se désoler, et je sentais qu'il fallait prendre un parti. Je suis donc convenu avec elle que j'irais sur-le-champ chez le Médecin et le Chirurgien[3] de la maison, et qu'en les prévenant qu'on allait venir les chercher, je leur confierais le tout, sous le secret ; qu'elle, de son côté, sonnerait sa Femme de chambre ; qu'elle lui ferait ou ne lui ferait pas sa confidence, comme elle voudrait ; mais qu'elle enverrait chercher du secours, et défendrait surtout qu'on réveillât Mme de Volanges : attention délicate et naturelle d'une fille qui craint d'inquiéter sa mère.

J'ai fait mes deux courses et mes deux confessions le plus leſtement[4] que j'ai pu, et de là je suis rentré chez moi, d'où je ne suis pas encore sorti : mais le Chirurgien, que je connaissais d'ailleurs, eſt venu à midi me rendre compte de l'état de la malade. Je ne m'étais pas trompé ; mais il espère que s'il ne survient pas d'accident, on ne s'apercevra de rien dans la maison. La femme de chambre eſt du secret ; le Médecin a donné un nom à la maladie[5] ; et cette affaire s'arrangera comme mille autres, à moins que par la suite il ne nous soit utile qu'on en parle.

Mais y a-t-il encore quelque intérêt commun entre vous et moi ? Votre silence m'en ferait douter ; je n'y croirais même plus du tout, si le désir que j'en ai, ne me faisait chercher tous les moyens d'en conserver l'espoir.

Adieu, ma belle amie ; je vous embrasse, rancune tenante[6].

*Paris, ce 21 Novembre 17**.*

LETTRE CXLI

LA MARQUISE DE MERTEUIL
AU VICOMTE DE VALMONT

Mon Dieu ! Vicomte, que vous me gênez[1] par votre obſtination ! Que vous importe mon silence ? Croyez-vous, si je le garde, que ce soit faute de raisons pour me défendre ! Ah ! plût à Dieu ! Mais non, c'eſt seulement qu'il m'en coûte de vous les dire.

Parlez-moi vrai ; vous faites-vous illusion à vous-même, ou cherchez-vous à me tromper ? La différence entre vos discours et vos actions, ne me laisse de choix qu'entre ces deux sentiments : lequel eſt le véritable ? Que voulez-vous donc que je vous dise, quand moi-même je ne sais que penser ?

Vous paraissez vous faire un grand mérite de votre dernière scène avec la Présidente ; mais qu'est-ce donc qu'elle prouve pour votre système, ou contre le mien ? Assurément je ne vous ai jamais dit que vous aimiez assez cette femme pour ne la pas tromper, pour n'en pas saisir toutes les occasions qui vous paraîtraient agréables ou faciles : je ne doutais même pas qu'il ne vous fût à peu près égal de satisfaire avec une autre, avec la première venue, jusqu'aux désirs que celle-ci seule aurait fait naître ; et je ne suis pas surprise que, par un libertinage d'esprit qu'on aurait tort de vous disputer, vous ayez fait une fois par projet, ce que vous aviez fait mille autres par occasion. Qui ne sait que c'est là le simple courant du monde, et votre usage à tous tant que vous êtes, depuis le scélérat jusqu'aux *espèces*[2] ? Celui qui s'en abstient aujourd'hui, passe pour romanesque ; et ce n'est pas là, je crois, le défaut que je vous reproche.

Mais ce que j'ai dit, ce que j'ai pensé, ce que je pense encore, c'est que vous n'en avez pas moins de l'amour pour votre Présidente ; non pas, à la vérité, de l'amour bien pur ni bien tendre, mais de celui que vous pouvez avoir ; de celui, par exemple, qui fait trouver à une femme les agréments ou les qualités qu'elle n'a pas ; qui la place dans une classe à part, et met toutes les autres en second ordre ; qui vous tient encore attaché à elle, même alors que vous l'outragez ; tel enfin que je conçois qu'un Sultan peut le ressentir pour sa Sultane favorite, ce qui ne l'empêche pas de lui préférer souvent une simple Odalisque[3]. Ma comparaison me paraît d'autant plus juste, que, comme lui, jamais vous n'êtes ni l'Amant ni l'ami d'une femme ; mais toujours son tyran ou son esclave. Aussi suis-je bien sûre que vous vous êtes bien humilié, bien avili, pour rentrer en grâce avec ce bel objet ! et trop heureux d'y être parvenu, dès que vous croyez le moment arrivé d'obtenir votre pardon, vous me quittez *pour ce grand événement*.

Encore, dans votre dernière Lettre, si vous ne m'y parlez pas de cette femme uniquement, c'est que vous ne voulez m'y rien dire *de vos grandes affaires* ; elles vous semblent si importantes, que le silence que vous gardez à ce sujet, vous semble une punition pour moi. Et c'est après ces mille preuves de votre préférence décidée pour une autre, que vous me demandez tranquillement s'il y a encore *quelqu'intérêt commun entre vous et moi*! Prenez-y garde, Vicomte! si une fois je réponds, ma réponse sera irrévocable; et craindre de la faire en ce moment, c'est peut-être déjà en dire trop. Aussi je n'en veux absolument plus parler.

Tout ce que je peux faire, c'est de vous raconter une histoire. Peut-être n'aurez-vous pas le temps de la lire, ou celui d'y faire assez attention pour la bien entendre? libre à vous. Ce ne sera, au pis aller, qu'une histoire de perdue[4].

Un homme de ma connaissance s'était empêtré, comme vous, d'une femme qui lui faisait peu d'honneur[5]. Il avait bien, par intervalle, le bon esprit de sentir que, tôt ou tard, cette aventure lui ferait tort: mais quoiqu'il en rougît, il n'avait pas le courage de rompre. Son embarras[a] était d'autant plus grand, qu'il s'était vanté à ses amis d'être entièrement libre; et qu'il n'ignorait pas que le ridicule qu'on a, augmente toujours en proportion qu'on s'en défend. Il passait ainsi sa vie, ne cessant de dire après: *Ce n'est pas ma faute*[6]. Cet homme avait une amie qui fut tentée un moment de le livrer au Public en cet état d'ivresse, et de rendre ainsi son ridicule ineffaçable: mais pourtant, plus généreuse que maligne, ou peut-être encore par quelque autre motif, elle voulut tenter un dernier moyen, pour être, à tout événement, dans le cas de dire, comme son ami: *Ce n'est pas ma faute.* Elle lui fit donc parvenir sans aucun autre avis, la Lettre qui suit[7], comme un remède dont l'usage pourrait être utile à son mal.

« On s'ennuie de tout, mon Ange[8], c'est une loi de la Nature[9]; ce n'est pas ma faute[10].

« Si donc je m'ennuie aujourd'hui d'une aventure qui m'a occupé entièrement depuis quatre mortels mois[11], ce n'est pas ma faute.

« Si, par exemple, j'ai eu juste autant d'amour que

toi de vertu, et c'est sûrement beaucoup dire, il n'est pas étonnant que l'un ait fini en même temps que l'autre. Ce n'est pas ma faute.

« Il suit de là, que depuis quelque temps je t'ai trompée : mais aussi, ton impitoyable tendresse m'y forçait en quelque sorte ! Ce n'est pas ma faute.

« Aujourd'hui, une femme que j'aime éperdument, exige que je te sacrifie. Ce n'est pas ma faute.

« Je sens bien que voilà une belle occasion de crier au parjure : mais si la Nature n'a accordé aux hommes que la constance, tandis qu'elle donnait aux femmes l'obstination, ce n'est pas ma faute.

« Crois-moi, choisis un autre Amant, comme j'ai fait une autre Maîtresse[12]. Ce conseil est bon, très bon ; si tu le trouves mauvais, ce n'est pas ma faute.

« Adieu, mon Ange, je t'ai prise avec plaisir, je te quitte sans regret ; je te reviendrai peut-être. Ainsi va le monde[13]. Ce n'est pas ma faute. »

De vous dire, Vicomte, l'effet de cette dernière tentative, et ce qui s'en est suivi ce n'est pas le moment : mais je vous promets de vous le dire dans ma première Lettre. Vous y trouverez aussi mon *ultimatum*[14] sur le renouvellement du traité que vous me proposez. Jusque-là, adieu tout simplement…

À propos, je vous remercie de vos détails sur la petite Volanges ; c'est un article à réserver jusqu'au lendemain du mariage, pour la Gazette de médisance[15]. En attendant, je vous fais mon compliment de condoléance sur la perte de votre postérité. Bonsoir, Vicomte[16].

*Du Château de …, ce 24 Novembre 17**.*

LETTRE CXLII

LE VICOMTE DE VALMONT
À LA MARQUISE DE MERTEUIL

Ma foi, ma belle amie, je ne sais si j'ai mal lu ou mal entendu, et votre Lettre, et l'hiſtoire que vous m'y faites, et le petit modèle épiſtolaire qui y était compris. Ce que je puis vous dire, c'eſt que ce dernier m'a paru original et propre à faire de l'effet : aussi je l'ai copié tout simplement, et tout simplement encore je l'ai envoyé à la céleſte Présidente. Je n'ai pas perdu un moment, car la tendre missive a été expédiée dès hier au soir. Je l'ai préféré ainsi, parce que d'abord je lui avais promis de lui écrire hier ; et puis aussi, parce que j'ai pensé qu'elle n'aurait pas trop de toute la nuit, pour se recueillir et méditer *sur ce grand événement*, dussiez-vous une seconde fois me reprocher l'expression[1].

J'espérais pouvoir vous renvoyer ce matin la réponse de ma bien-aimée ; mais il eſt près de midi, et je n'ai encore rien reçu. J'attendrai jusqu'à 5 heures ; et si alors je n'ai pas eu de nouvelles, j'irai en chercher moi-même ; car, surtout en procédés, il n'y a que le premier pas qui coûte.

À présent, comme vous pouvez croire, je suis fort empressé d'apprendre la fin de l'hiſtoire de cet homme de votre connaissance si véhémentement soupçonné de ne savoir pas, au besoin, sacrifier une femme[2].

Ne se sera-t-il pas corrigé ? et sa généreuse amie ne lui aura-t-elle pas fait grâce ?

Je ne désire pas moins de recevoir votre *ultimatum* : comme vous dites si politiquement[3] ! Je suis curieux, surtout, de savoir, si, dans cette dernière démarche, vous trouverez encore de l'amour. Ah ! sans doute, il y en a, et beaucoup ! Mais pour qui ? Cependant, je ne prétends rien faire valoir, et j'attends tout de vos bontés.

Adieu, ma charmante amie, je ne fermerai cette Lettre qu'à 2 heures, dans l'espoir de pouvoir y joindre la réponse désirée.

À 2 heures après midi.

Toujours rien, l'heure me presse beaucoup ; je n'ai pas le temps d'ajouter un mot : mais cette fois, refuserez-vous encore les plus tendres baisers de l'amour[4] ?

*Paris, ce 27 Novembre 17**.*

LETTRE CXLIII

LA PRÉSIDENTE DE TOURVEL À MADAME DE ROSEMONDE

Le voile est déchiré, Madame, sur lequel était peinte l'illusion de mon bonheur[1]. La funeste vérité m'éclaire, et ne me laisse voir qu'une mort assurée et prochaine, dont la route m'est tracée entre la honte et le remords. Je la suivrai..., je chérirai mes tourments s'ils abrègent mon existence. Je vous envoie la Lettre que j'ai reçue hier, je n'y joindrai aucune réflexion, elle les porte avec elle. Ce n'est plus le temps de se plaindre, il n'y a plus qu'à souffrir. Ce n'est pas de pitié que j'ai besoin, c'est de force[a].

Recevez, Madame, le seul adieu que je ferai, et exaucez ma dernière prière ; c'est de me laisser à mon sort, de m'oublier entièrement, de ne plus me compter sur la terre. Il est un terme dans le malheur, où l'amitié même augmente nos souffrances et ne peut les guérir. Quand les blessures sont mortelles, tout secours devient inhumain. Tout autre sentiment m'eſt étranger, que celui du désespoir. Rien ne peut plus me convenir, que la nuit profonde où je vais ensevelir ma honte. J'y pleurerai mes fautes, si je puis pleurer encore ! car depuis hier, je n'ai pas versé une larme. Mon cœur flétri n'en fournit plus.

Adieu, Madame, ne me répondez point. J'ai fait le serment sur cette Lettre cruelle de n'en plus recevoir aucune[2].

*Paris, ce 27 Novembre 17**.*

LETTRE CXLIV

LE VICOMTE DE VALMONT À LA MARQUISE DE MERTEUIL[1]

Hier, à 3 heures[a] du soir, ma belle amie, impatienté de n'avoir pas de nouvelles, je me suis présenté chez la belle délaissée ; on m'a dit qu'elle était sortie. Je n'ai vu dans cette phrase qu'un refus de me recevoir, qui ne m'a ni fâché ni surpris ; et je me suis retiré, dans l'espérance que cette démarche engagerait au moins une femme si polie, à m'honorer d'un mot de réponse. L'envie que j'avais de la recevoir, m'a fait passer exprès chez moi vers les neuf heures, et je n'y ai rien trouvé. Étonné de ce silence, auquel je ne m'attendais pas, j'ai chargé mon Chasseur d'aller aux informations ; et de savoir si la sensible personne était morte ou mourante. Enfin, quand je suis rentré, il m'a appris que Mme de Tourvel était sortie en effet à 11 heures du matin, avec sa Femme de chambre ; qu'elle s'était fait conduire au Couvent de …, et qu'à 7 heures du soir, elle avait renvoyé sa voiture et ses gens, en faisant dire qu'on ne l'attendît pas chez elle. Assurément, c'eſt se mettre en règle. Le Couvent eſt le véritable asile d'une veuve[2] ; et si elle persiste dans une résolution si louable, je joindrai à toutes les obligations que je lui ai déjà, celle de la célébrité que va prendre cette aventure.

Je vous le disais bien, il y a quelque temps, que malgré vos inquiétudes, je ne reparaîtrais sur la scène du monde que brillant d'un nouvel éclat. Qu'ils se montrent donc, ces Critiques sévères, qui m'accusaient d'un amour romanesque et malheureux[3] ; qu'ils fassent des ruptures plus promptes et plus brillantes : mais non, qu'ils fassent mieux ; qu'ils se présentent comme consolateurs ; la route leur est tracée. Hé bien ! qu'ils osent seulement tenter cette carrière que j'ai parcourue en entier, et si l'un d'eux obtient le moindre succès, je lui cède la première place. Mais ils éprouveront tous, que quand j'y mets du soin, l'impression que je laisse est ineffaçable. Ah ! sans doute, celle-ci le sera ; et je compterais pour rien tous mes autres triomphes, si jamais je devais avoir auprès de cette femme un rival préféré.

Ce parti qu'elle a pris, flatte mon amour-propre, j'en conviens : mais je suis fâché qu'elle ait trouvé en elle une force suffisante pour se séparer autant de moi. Il y aura donc entre nous deux, d'autres obstacles que ceux que j'aurai mis moi-même ! Quoi ! si je voulais me rapprocher d'elle, elle pourrait ne le plus vouloir ; que dis-je ? ne le pas désirer, n'en plus faire son suprême bonheur ! Est-ce donc ainsi qu'on aime ? et croyez-vous, ma belle amie, que je doive le souffrir ? Ne pourrais-je pas, par exemple, et ne vaudrait-il pas mieux, tenter de ramener cette femme au point de prévoir la possibilité d'un raccommodement, qu'on désire toujours tant qu'on l'espère ? Je pourrais essayer cette démarche sans y mettre d'importance, et par conséquent, sans qu'elle vous donnât d'ombrage. Au contraire, ce serait un simple essai que nous ferions de concert ; et quand même je réussirais, ce ne serait qu'un moyen de plus, de renouveler, à votre volonté, un sacrifice qui a paru vous être agréable. À présent, ma belle amie, il me reste à en recevoir le prix, et tous mes vœux sont pour votre retour. Venez donc vite retrouver votre Amant, vos plaisirs, vos amis, et le courant des aventures.

Celle de la petite Volanges a tourné à merveille. Hier, que mon inquiétude ne me permettait pas de reſter en place, j'ai été, dans mes courses différentes, jusque chez Mme de Volanges. J'ai trouvé votre pupille déjà dans le salon, encore dans le coſtume de malade, mais en pleine convalescence, et n'en étant que plus fraîche et plus intéressante. Vous autres femmes, en pareil cas, vous seriez reſtées un mois sur votre chaise longue : ma foi, vive les demoiselles ! Celle-ci m'a en vérité donné envie de savoir si la guérison était parfaite !

J'ai encore à vous dire que cet accident de la petite fille, a pensé rendre fou votre *sentimentaire*[b4] Danceny. D'abord, c'était de chagrin ; aujourd'hui c'eſt de joie. *Sa Cécile* était malade ! Vous jugez que la tête tourne dans un tel malheur. Trois fois par jour il envoyait savoir des nouvelles, et n'en passait aucun sans s'y présenter lui-même ; enfin il a demandé, par une belle Épître à la Maman, la permission d'aller la féliciter sur la convalescence d'un objet si cher ; et Mme de Volanges y a consenti : si bien que j'ai trouvé le jeune homme établi comme par le passé, à un peu de familiarité près qu'il n'osait encore se permettre.

C'eſt de lui-même que j'ai su ces détails ; car je suis sorti en même temps que lui, et je l'ai fait jaser[c]. Vous n'avez pas d'idée de l'effet que cette visite lui a causé. C'eſt une joie, ce sont des désirs, des transports impossibles à rendre. Moi qui aime les grands mouvements, j'ai achevé de lui faire perdre la tête, en l'assurant que sous très peu de jours, je le mettrais à même de voir sa belle de plus près encore.

En effet, je suis décidé à la lui remettre, aussitôt après mon expérience faite. Je veux me consacrer à vous tout entier ; et puis, vaudrait-il la peine que votre pupille fût aussi mon élève, si elle ne devait tromper que son mari ? Le chef-d'œuvre eſt de tromper son Amant ! et surtout son premier Amant ! car, pour moi, je n'ai pas à me reprocher d'avoir prononcé le mot d'amour.

Adieu, ma belle amie ; revenez donc au plus tôt jouir de votre empire sur moi, en recevoir l'hommage et m'en payer le prix.

*Paris, ce 28 Novembre 17**.*

LETTRE CXLV[1]

LA MARQUISE DE MERTEUIL AU VICOMTE DE VALMONT

Sérieusement, Vicomte, vous avez quitté la Présidente ? vous lui avez envoyé la Lettre que je vous avais faite pour elle, en vérité, vous êtes charmant ; et vous avez surpassé mon attente ! J'avoue de bonne foi que ce triomphe me flatte plus que tous ceux que j'ai pu obtenir jusqu'à présent. Vous allez trouver peut-être que j'évalue bien haut cette femme, que naguère j'appréciais si peu ; point du tout : mais c'est que ce n'est pas sur elle que j'ai remporté cet avantage ; c'est sur vous : voilà le plaisant, et ce qui est vraiment délicieux !

Oui, Vicomte, vous aimiez beaucoup Mme de Tourvel, et même vous l'aimez encore ; vous l'aimez comme un fou : mais parce que je m'amusais à vous en faire honte vous l'avez bravement sacrifiée. Vous en auriez sacrifié mille, plutôt que de souffrir une plaisanterie. Où nous conduit pourtant la vanité ! Le sage[2] a bien raison, quand il dit qu'elle est l'ennemie du bonheur.

Où en seriez-vous à présent, si je n'avais voulu que vous faire une malice ? Mais je suis incapable de tromper, vous le savez bien ; et dussiez-vous, à mon tour, me réduire au désespoir et au Couvent, j'en cours les risques, et je me rends à mon vainqueur.

Cependant, si je capitule, c'est en vérité pure faiblesse : car si je voulais, que de chicane[3] n'aurais-je pas encore à faire ! et peut-être le mériteriez-vous ? J'admire, par exemple, avec quelle finesse ou quelle gaucherie vous me proposez en douceur de vous laisser renouer avec la Présidente. Il vous conviendrait beaucoup, n'est-ce pas, de vous donner le mérite de cette rupture sans y perdre les plaisirs de la jouissance ? Et comme alors cet apparent sacrifice n'en serait plus un pour vous, vous m'offrez de le renouveler à ma volonté ! Par cet arrangement, la céleste dévote[4] se croirait toujours l'unique choix de votre cœur, tandis que je m'enorgueillirais d'être la rivale préférée ; nous serions trompées toutes deux, mais vous seriez content, et qu'importe le reste ?

C'est dommage, qu'avec tant de talent pour les projets, vous en ayez si peu pour l'exécution ; et que par une seule démarche inconsidérée, vous ayez mis vous-même un obstacle invincible à ce que vous désirez le plus.

Quoi, vous aviez l'idée de renouer, et vous avez pu écrire ma Lettre ! Vous m'avez donc crue bien gauche à mon tour ! Ah ! croyez-moi, Vicomte, quand une femme frappe dans le cœur d'une autre, elle manque rarement de trouver l'endroit sensible, et la blessure est incurable. Tandis que je frappais celle-ci, ou plutôt que je dirigeais vos coups, je n'ai pas oublié que cette femme était ma rivale, que vous l'aviez trouvée un moment préférable à moi, et qu'enfin, vous m'aviez placée au-dessous d'elle. Si je me suis trompée dans ma vengeance, je consens à en porter la faute[5]. Ainsi, je trouve bon que vous tentiez tous les moyens : je vous y invite même, et vous promets de ne pas me fâcher de vos succès, si vous parvenez à en avoir. Je suis si tranquille sur cet objet, que je ne veux plus m'en occuper. Parlons d'autre chose.

Par exemple, de la santé de la petite Volanges. Vous m'en direz des nouvelles positives à mon retour, n'est-il pas vrai ? Je serai bien aise d'en avoir. Après cela, ce sera à vous de juger s'il vous conviendra mieux de remettre la petite fille à son Amant, ou de tenter de devenir une seconde fois le fondateur d'une nouvelle branche des Valmont, sous le nom de Gercourt. Cette idée m'avait paru assez plaisante ; et en vous laissant le choix, je vous demande pourtant de ne pas prendre de parti définitif, sans que nous en ayons causé ensemble. Ce n'est pas vous remettre à un temps éloigné, car je serai à Paris incessamment. Je ne peux pas vous dire positivement le jour ; mais vous ne doutez pas que, dès que je serai arrivée, vous n'en soyez le premier informé.

Adieu, Vicomte ; malgré mes querelles, mes malices et mes reproches, je vous aime toujours beaucoup, et je me prépare à vous le prouver. Au revoir, mon ami.

*Du Château de ..., ce 29 Novembre 17**.*

LETTRE CXLVI

LA MARQUISE DE MERTEUIL
AU CHEVALIER DANCENY[1]

Enfin, je pars, mon jeune ami, et demain au soir, je serai de retour à Paris. Au milieu de tous les embarras qu'entraîne un déplacement, je ne recevrai personne. Cependant, si vous avez quelque confidence bien pressée à me faire, je veux bien vous excepter de la règle générale ; mais je n'excepterai que vous : ainsi, je vous demande le secret sur mon arrivée. Valmont même n'en sera pas instruit.

Qui m'aurait dit, il y a quelque temps, que bientôt vous auriez ma confiance exclusive, je ne l'aurais pas cru. Mais la vôtre a entraîné la mienne. Je serais tentée de croire que vous y avez mis de l'adresse, peut-être même de la séduction. Cela serait bien mal au moins ! Au reste, elle ne serait pas dangereuse à présent ; vous avez vraiment bien autre chose à faire ! quand l'Héroïne est en scène, on ne s'occupe guère de la Confidente[a].

Aussi n'avez-vous seulement pas eu le temps de me faire part de vos nouveaux succès. Quand votre Cécile était absente, les jours n'étaient pas assez longs pour écouter vos tendres plaintes. Vous les auriez faites aux échos[2], si je n'avais pas été là pour les entendre. Quand depuis elle a été malade, vous m'avez même encore honorée du récit de vos inquiétudes ; vous aviez besoin de quelqu'un à qui les dire. Mais à présent, que celle que vous aimez est à Paris, qu'elle se porte bien, et surtout que vous la voyez quelquefois, elle suffit à tout, et vos amis ne vous sont plus rien.

Je ne vous en blâme pas ; c'est la faute de vos vingt ans. Depuis Alcibiade jusqu'à vous, ne sait-on pas que les jeunes gens n'ont jamais connu l'amitié que dans leurs chagrins ? Le bonheur les rend quelquefois indiscrets, mais jamais confiants. Je dirai bien comme Socrate : *j'aime que mes amis viennent à moi quand ils sont malheureux** : mais en sa qualité de Philosophe, il se passait bien d'eux quand ils ne venaient pas. En cela, je ne suis pas tout à fait si sage que lui, et j'ai senti votre silence avec toute la faiblesse d'une femme.

N'allez pourtant pas me croire exigeante : il s'en faut bien que je le sois ! Le même sentiment qui me fait remarquer ces privations, me les fait supporter avec courage, quand elles sont la preuve ou la cause du bonheur de mes amis. Je ne compte donc sur vous pour demain au soir, qu'autant que l'amour vous laissera libre et désoccupé[4], et je vous défends de me faire le moindre sacrifice.

Adieu, Chevalier ; je me fais une vraie fête de vous revoir : viendrez-vous ?

*Du Château de …, ce 29 Novembre 17**.*

* Marmontel, *Conte moral d'Alcibiade*[3].

LETTRE CXLVII

MADAME DE VOLANGES À MADAME DE ROSEMONDE

Vous serez sûrement aussi affligée que je le suis, ma digne amie, en apprenant l'état où se trouve Mme de Tourvel ; elle est malade depuis hier : sa maladie a pris si vivement, et se montre avec des symptômes si graves, que j'en suis vraiment alarmée.

Une fièvre ardente, un transport[1] violent et presque continuel ; une soif qu'on ne peut apaiser, voilà tout ce qu'on remarque. Les Médecins disent ne pouvoir rien pronostiquer encore ; et le traitement sera d'autant plus difficile, que la malade refuse avec obstination toute espèce de remèdes : c'est au point qu'il a fallu la tenir de force pour la saigner ; et il a fallu depuis en user de même deux autres fois pour lui remettre sa bande, que dans son transport elle veut toujours arracher.

Vous qui l'avez vue, comme moi, si peu forte, si timide et si douce, concevez-vous donc que quatre personnes puissent à peine la contenir, et que pour peu qu'on veuille lui représenter quelque chose, elle entre dans des fureurs inexprimables ? Pour moi, je crains qu'il n'y ait plus que du délire[a], et que ce ne soit une vraie aliénation d'esprit.

Ce qui augmente ma crainte à ce sujet, c'est ce qui s'est passé avant-hier.

Ce jour-là, elle arriva vers les onze heures du matin, avec sa Femme de chambre, au Couvent de … Comme elle a été élevée dans cette Maison, et qu'elle a conservé l'habitude d'y entrer quelquefois, elle y fut reçue comme à l'ordinaire, et elle parut à tout le monde tranquille et bien portante. Environ deux heures après, elle s'informa si la chambre qu'elle occupait, étant Pensionnaire, était vacante, et sur ce qu'on lui répondit qu'oui, elle demanda d'aller la revoir : la Prieure l'y accompagna avec quelques autres Religieuses. Ce fut alors qu'elle déclara qu'elle revenait s'établir dans cette chambre, que, disait-elle, elle n'aurait jamais dû quitter, et qu'elle ajouta qu'elle n'en sortirait *qu'à la mort* : ce fut son expression.

D'abord on ne sut que dire : mais le premier étonnement passé, on lui représenta que sa qualité de femme mariée ne permettait pas de la recevoir sans une permission particulière[2]. Cette raison ni mille autres n'y firent rien ; et dès ce moment elle s'obstina, non seulement à ne pas sortir du Couvent, mais même de sa chambre. Enfin, de guerre lasse, à 7 heures du soir, on consentit qu'elle y passât la nuit. On renvoya sa voiture et ses gens, et on remit au lendemain à prendre un parti.

On assure que pendant toute la soirée, loin que son air ou son maintien eussent rien d'égaré, l'un et l'autre étaient composés et réfléchis ; que seulement elle tomba quatre ou cinq fois dans une rêverie si profonde, qu'on ne parvenait pas à l'en tirer en lui parlant ; et que, chaque fois, avant d'en sortir, elle portait les deux mains à son front qu'elle avait l'air de serrer avec force : sur quoi une des Religieuses qui étaient présentes, lui ayant demandé si elle souffrait de la tête, elle la fixa longtemps avant de répondre, et lui dit enfin : « Ce n'est pas là qu'est le mal ! » Un moment après, elle demanda qu'on la laissât seule, et pria, qu'à l'avenir on ne lui fît plus de question.

Tout le monde se retira, hors sa Femme de chambre, qui devait heureusement coucher dans la même chambre qu'elle, faute d'autre place.

Suivant le rapport de cette fille, sa Maîtresse a été assez tranquille jusqu'à 11 heures du soir. Elle a dit alors vouloir se coucher : mais, avant d'être entièrement déshabillée, elle se mit à marcher dans sa chambre, avec beaucoup d'action et des gestes fréquents. Julie, qui avait été témoin de ce qui s'était passé dans la journée, n'osa lui rien dire, et attendit en silence pendant près d'une heure. Enfin, Mme de Tourvel l'appela deux fois coup sur coup ; elle n'eut que le temps d'accourir, et sa Maîtresse tomba dans ses bras, en disant : « Je n'en puis plus. » Elle se laissa conduire à son lit, et ne voulut rien prendre, ni qu'on allât chercher aucun secours. Elle se fit mettre seulement de l'eau auprès d'elle, et elle ordonna à Julie de se coucher.

Celle-ci assure être restée jusqu'à 2 heures du matin sans dormir, et n'avoir entendu, pendant ce temps, ni mouvement ni plaintes. Mais elle dit avoir été réveillée à 5 heures par les discours de sa Maîtresse, qui parlait d'une voix forte et élevée ; et qu'alors lui ayant demandé si elle n'avait besoin de rien, et n'obtenant point de réponse, elle prit de la lumière, et alla au lit de Mme de Tourvel, qui ne la reconnut point ; mais qui, interrompant tout à coup les propos sans suite qu'elle tenait, s'écria vivement : « Qu'on me laisse seule, qu'on me laisse dans les ténèbres ; ce sont les ténèbres qui me conviennent. » J'ai remarqué hier par moi-même que cette phrase lui revient souvent.

Enfin Julie profita de cette espèce d'ordre, pour sortir et aller chercher du monde et des secours : mais Mme de Tourvel a refusé l'un et l'autre, avec les fureurs et les transports qui sont revenus si souvent depuis.

L'embarras où cela a mis tout le Couvent, a décidé la Prieure à m'envoyer chercher hier à 7 heures du matin... Il ne faisait pas jour. Je suis accourue sur-le-champ[3]. Quand on m'a annoncée à Mme de Tourvel, elle a paru reprendre sa connaissance, et a répondu : « Ah ! oui, qu'elle entre. » Mais quand j'ai été près de son lit, elle m'a regardée fixement, a pris vivement ma main qu'elle a serrée, et m'a dit d'une voix forte, mais sombre : « Je meurs pour ne vous avoir pas crue[4]. » Aussitôt après se cachant les yeux, elle est revenue à son discours le plus fréquent ; « Qu'on me laisse seule, etc. » ; et toute connaissance s'est perdue.

Ce propos qu'elle m'a tenu, et quelques autres échappés dans son délire, me font craindre que cette cruelle maladie n'ait une cause plus cruelle encore.

Mais respectons les secrets de notre amie, et contentons-nous de plaindre son malheur.

Toute la journée d'hier a été également orageuse et partagée entre des accès de transports effrayants, et des moments d'un abattement léthargique[5], les seuls où elle prend et donne quelque repos. Je n'ai quitté le chevet de son lit, qu'à 9 heures du soir, et je vais y retourner ce matin pour toute la journée. Sûrement je n'abandonnerai pas ma malheureuse amie ; mais ce qui est désolant, c'est son obstination à refuser tous les soins et tous les secours.

Je vous envoie le bulletin de cette nuit, que je viens de recevoir, et qui, comme vous le verrez, n'est rien moins que consolant. J'aurai soin de vous les faire passer tous exactement.

Adieu, ma digne amie ; je vais retrouver la malade. Ma fille, qui heureusement est presque rétablie, vous présente son respect.

*Paris, 29 Novembre 17**.*

LETTRE CXLVIII

LE CHEVALIER DANCENY
À MADAME DE MERTEUIL

Ô ! Vous que j'aime ! ô ! toi que j'adore ! ô ! vous qui avez commencé mon bonheur ! ô ! toi qui l'as comblé ! Amie sensible, tendre Amante, pourquoi le souvenir de ta douleur vient-il troubler le charme que j'éprouve[a] ? Ah ! Madame, calmez-vous, c'est l'amitié qui vous le demande. Ô mon amie ! sois heureuse, c'est la prière de l'amour[1].

Hé ! quels reproches avez-vous donc à vous faire ? croyez-moi, votre délicatesse vous abuse. Les regrets qu'elle vous cause, les torts dont elle m'accuse, sont également illusoires ; et je sens dans mon cœur qu'il n'y a eu entre nous deux d'autre séducteur que l'amour[2]. Ne crains donc plus de te livrer aux sentiments que tu inspires, de te laisser pénétrer de tous les feux que tu fais naître. Quoi ! pour avoir été éclairés plus tard, nos cœurs en seraient-ils moins purs ? non, sans doute. C'est au contraire la séduction, qui, n'agissant jamais que par projets, peut combiner sa marche et ses moyens, et prévoir au loin les événements. Mais l'amour véritable ne permet pas ainsi de méditer et de réfléchir : il nous distrait de nos pensées par nos sentiments ; son empire n'est jamais plus fort que quand il est inconnu ; et c'est dans l'ombre et le silence, qu'il nous entoure de liens qu'il est également impossible d'apercevoir et de rompre.

C'est ainsi qu'hier même, malgré la vive émotion que me causait l'idée de votre retour, malgré le plaisir extrême que je sentis en vous voyant, je croyais pourtant n'être encore appelé ni conduit que par la paisible amitié ; ou plutôt, entièrement livré aux doux sentiments de mon cœur, je m'occupais bien peu d'en démêler l'origine ou la cause. Ainsi que moi, ma tendre amie, tu éprouvais sans le connaître, ce charme impérieux qui livrait nos âmes aux douces impressions de la tendresse ; et tous deux nous n'avons reconnu l'amour, qu'en sortant de l'ivresse où ce Dieu nous avait plongés.

Mais cela même nous justifie au lieu de nous condamner. Non, tu n'as pas trahi l'amitié, et je n'ai pas davantage abusé de ta confiance. Tous deux, il est vrai, nous ignorions nos sentiments ; mais cette illusion, nous l'éprouvions seulement sans chercher à la faire naître. Ah ! loin de nous en plaindre, ne songeons qu'au bonheur qu'elle nous a procuré ; et sans le troubler par d'injustes reproches, ne nous occupons qu'à l'augmenter encore par le charme de la confiance et de la sécurité. Ô ! mon amie ! que cet espoir[b] est cher à mon cœur ! Oui, désormais délivrée de toute crainte, et tout entière à l'amour, tu partageras mes désirs, mes transports, le délire de mes sens, l'ivresse de mon âme ; et chaque instant de nos jours fortunés sera marqué par une volupté nouvelle.

Adieu, toi que j'adore ! Je te verrai ce soir, mais te trouverai-je seule ? je n'ose l'espérer. Ah ! tu ne le désires pas autant que moi.

*Paris, ce premier Décembre 17**.*

LETTRE CXLIX

MADAME DE VOLANGES À MADAME DE ROSEMONDE

J'ai espéré hier, presque toute la journée, ma digne amie, pouvoir vous donner ce matin des nouvelles plus favorables de la santé de notre chère malade : mais depuis hier au soir cet espoir est détruit, et il ne me reste que le regret de l'avoir perdu. Un événement bien indifférent en apparence, mais bien cruel par les suites qu'il a eues, a rendu l'état de la malade au moins aussi fâcheux qu'il était auparavant, si même il n'a pas empiré.

Je n'aurais rien compris à cette révolution[1] subite, si je n'avais reçu hier l'entière confidence de notre malheureuse amie. Comme elle ne m'a pas laissé ignorer que vous étiez instruite aussi de toutes ses infortunes, je puis vous parler sans réserve sur sa triste situation.

Hier matin, quand je suis arrivée au couvent, on me dit que la malade dormait depuis plus de trois heures ; et son sommeil était si profond et si tranquille, que j'eus peur un moment qu'il ne fût léthargique. Quelque temps après, elle se réveilla, et ouvrit elle-même les rideaux de son lit. Elle nous regarda tous avec l'air de la surprise ; et comme je me levais pour aller à elle, elle me reconnut, me nomma, et me pria d'approcher. Elle ne me laissa le temps de lui faire aucune question, et me demanda où elle était, ce que nous faisions là, si elle était malade, et pourquoi elle n'était pas chez elle. Je crus d'abord que c'était un nouveau délire, seulement plus tranquille que le précédent : mais je m'aperçus qu'elle entendait[2] fort bien mes réponses. Elle avait en effet retrouvé sa tête, mais non pas sa mémoire.

Elle me questionna, avec beaucoup de détail, sur tout ce qui lui était arrivé depuis qu'elle était au couvent, où elle ne se souvenait pas d'être venue. Je lui répondis exactement, en supprimant seulement ce qui aurait pu la trop effrayer ; et lorsqu'à mon tour je lui demandai comment elle se trouvait, elle me répondit qu'elle ne souffrait pas dans ce moment, mais qu'elle avait été bien tourmentée pendant son sommeil, et qu'elle se sentait fatiguée. Je l'engageai à se tranquilliser et à parler peu ; après quoi, je refermai en partie ses rideaux, que je laissai entr'ouverts, et je m'assis auprès de son lit. Dans le même temps, on lui proposa un bouillon qu'elle prit et qu'elle trouva bon.

Elle resta ainsi environ une demi-heure, durant laquelle elle ne parla que pour me remercier des soins que je lui avais donnés, et elle mit dans ses remerciements l'agrément et la grâce que vous lui connaissez. Ensuite elle garda pendant quelque temps un silence absolu, qu'elle ne rompit que pour dire : « Ah ! oui, je me ressouviens d'être venue ici » ; et un moment après, elle s'écria douloureusement : « Mon amie, mon amie, plaignez-moi ; je retrouve tous mes malheurs. » Comme alors je m'avançai vers elle, elle saisit ma main, et s'y appuyant la tête : « Grand Dieu, continua-t-elle, ne puis-je donc mourir ? » Son expression[a], plus encore que ses discours, m'attendrit jusqu'aux larmes ; elle s'en aperçut à ma voix, et me dit : Vous me plaignez ! Ah ! si vous connaissiez… » Et puis s'interrompant : « Faites qu'on nous laisse seules, et je vous dirai tout. »

Ainsi que je crois vous l'avoir marqué, j'avais déjà des soupçons sur ce qui devait faire le sujet de cette confidence ; et craignant que cette conversation, que je prévoyais devoir être longue et triste, ne nuisît peut-être à l'état de notre malheureuse amie, je m'y refusai d'abord, sous prétexte qu'elle avait besoin de repos ; mais elle insista, et je me rendis à ses instances. Dès que nous fûmes seules, elle m'apprit tout ce que déjà vous avez su d'elle, et que par cette raison je ne vous répéterai point.

Enfin, en me parlant de la façon cruelle dont elle avait été sacrifiée, elle ajouta : « Je me croyais bien sûre d'en mourir, et j'en avais le courage ; mais de survivre à mon malheur et à ma honte, c'est ce qui m'est impossible. » Je tentai de combattre ce découragement, ou plutôt ce désespoir, avec les armes de la Religion, jusqu'alors si puissantes sur elle ; mais je sentis bientôt que je n'avais pas assez de force pour ces fonctions augustes, et je m'en tins à lui proposer d'appeler le Père Anselme, que je sais avoir toute sa confiance. Elle y consentit, et parut même le désirer beaucoup. On l'envoya chercher en effet, et il vint sur-le-champ[b]. Il resta fort longtemps avec la malade, et dit en sortant, que si les Médecins en jugeaient comme lui, il croyait qu'on pouvait différer la cérémonie des Sacrements[3] ; qu'il reviendrait le lendemain.

Il était environ 3 heures après midi, et jusqu'à 5 notre amie fut assez tranquille, en sorte que nous avions tous repris de l'espoir. Par malheur, on apporta alors une lettre pour elle. Quand on voulut la lui remettre, elle répondit d'abord n'en vouloir recevoir aucune, et personne n'insista. Mais de ce moment, elle parut plus agitée. Bientôt après, elle demanda d'où venait cette lettre ; elle n'était pas timbrée : qui l'avait apportée ? on l'ignorait : de quelle part on l'avait remise ? on ne l'avait pas dit aux Tourières. Ensuite elle garda quelque temps le silence ; après quoi, elle recommença à parler, mais ses propos sans suite nous apprirent seulement que le délire était revenu.

Cependant, il y eut encore un intervalle tranquille, jusqu'à ce qu'enfin elle demanda qu'on lui remît la lettre qu'on avait apportée pour elle. Dès qu'elle eut jeté les yeux dessus, elle s'écria : « De lui, grand Dieu ! » et puis d'une voix forte, mais oppressée : « Reprenez-la, reprenez-la. » Elle fit sur-le-champ fermer les rideaux de son lit, et défendit que personne approchât : mais presqu'aussitôt nous fûmes bien obligés de revenir auprès d'elle. Le transport avait repris plus violent que jamais, et il s'y était joint des convulsions vraiment effrayantes. Ces accidents n'ont plus cessé de la soirée, et le bulletin de ce matin m'apprend que la nuit n'a pas été moins orageuse. Enfin, son état est tel, que je m'étonne qu'elle n'y ait pas déjà succombé; et je ne vous cache point qu'il ne me reste que bien peu d'espoir.

Je suppose que cette malheureuse lettre est de M. de Valmont, mais que peut-il encore oser lui dire? Pardon, ma chère amie; je m'interdis toute réflexion, mais il est bien cruel de voir périr si malheureusement une femme, jusqu'alors si heureuse et si digne de l'être.

*Paris, ce 2 Décembre 17***.*

LETTRE CL

LE CHEVALIER DANCENY
À LA MARQUISE DE MERTEUIL

En attendant le bonheur de te voir, je me livre, ma tendre amie, au plaisir de t'écrire; et c'est en m'occupant de toi, que je charme le regret d'en être éloigné. Te retracer mes sentiments, me rappeler les tiens, est pour mon cœur une vraie jouissance, et c'est par elle que le temps même des privations m'offre encore mille biens précieux à mon amour. Cependant, s'il faut t'en croire, je n'obtiendrai point de réponse de toi: cette lettre même sera la dernière, et nous nous priverons d'un commerce qui, selon toi, est dangereux, et *dont nous n'avons pas besoin.* Sûrement je t'en croirai, si tu persistes: car que peux-tu vouloir, que par cette raison même je ne le veuille aussi? Mais avant de te décider entièrement, ne permettras-tu pas que nous en causions ensemble ?

Sur l'article des dangers, tu dois juger seule : je ne puis rien calculer, et je m'en tiens à te prier de veiller à ta sûreté, car je ne puis être tranquille quand tu seras inquiète. Pour cet objet, ce n'est pas nous deux qui ne sommes qu'un, c'est toi qui es nous deux.

Il n'en est pas de même *sur le besoin* : ici nous ne pouvons avoir qu'une même pensée ; et si nous différons d'avis, ce ne peut être que faute de nous expliquer ou de nous entendre. Voici donc ce que je crois sentir.

Sans doute une lettre paraît bien peu nécessaire, quand on peut se voir librement. Que dirait-elle, qu'un mot, un regard, ou même le silence, n'exprimassent cent fois mieux encore ? Cela me paraît si vrai, que dans le moment où tu me parlas de ne plus nous écrire, cette idée glissa facilement sur mon âme, elle la gêna peut-être, mais ne l'affecta point. Tel à peu près quand voulant donner un baiser sur ton cœur, je rencontre un ruban ou une gaze, je l'écarte seulement, et n'ai cependant pas le sentiment d'un obstacle.

Mais depuis, nous nous sommes séparés, et dès que tu n'as plus été là, cette idée de lettre est revenue me tourmenter. Pourquoi, me suis-je dit, cette privation de plus ? Quoi ! pour être éloigné, n'a-t-on plus rien à se dire ? Je suppose que favorisé par les circonstances, on passe ensemble une journée entière ; faudra-t-il prendre le temps de causer sur celui de jouir ? Oui, de jouir, ma tendre amie ; car auprès de toi, les moments mêmes du repos fournissent encore une jouissance délicieuse. Enfin, quel que soit le temps, on finit par se séparer ; et puis, on est si seul ! C'est alors qu'une lettre est précieuse ! si on ne la lit pas, du moins on la regarde… Ah ! sans doute, on peut regarder une lettre sans la lire, comme il me semble que la nuit j'aurais encore quelque plaisir à toucher ton portrait…

Ton portrait, ai-je dit ? Mais une lettre est le portrait de l'âme. Elle n'a pas, comme une froide image, cette stagnance[1] si éloignée de l'amour ; elle se prête à tous nos mouvements : tour à tour elle s'anime, elle jouit, elle se repose… Tes sentiments me sont tous si précieux ! me priveras-tu d'un moyen de les recueillir ?

Es-tu donc sûre que le besoin de m'écrire ne te tourmentera jamais ! Si dans la solitude ton cœur se dilate ou s'oppresse[2], si un mouvement de joie passe jusqu'à ton âme, si une tristesse involontaire vient la troubler un moment, ce ne sera donc pas dans le sein de ton ami, que tu répandras ton bonheur ou ta peine ? tu auras donc un sentiment qu'il ne partagera pas ? tu le laisseras donc rêveur et solitaire, s'égarer loin de toi ? Mon amie, ma tendre amie ! Mais c'est à toi qu'il appartient de prononcer. J'ai voulu discuter seulement, et non pas te séduire[3] ; je ne t'ai dit que des raisons, j'ose croire que j'eusse été plus fort par des prières. Je tâcherai donc, si tu persistes, de ne pas m'affliger ; je ferai mes efforts pour me dire ce que tu m'aurais écrit ; mais tiens, tu le dirais mieux que moi ; et j'aurais surtout plus de plaisir à l'entendre.

Adieu, ma charmante amie ; l'heure approche enfin où je pourrai te voir ; je te quitte bien vite, pour t'aller retrouver plus tôt.

*Paris, ce 3 Décembre 17**.*

LETTRE CLI

LE VICOMTE DE VALMONT
À LA MARQUISE DE MERTEUIL

Sans doute, Marquise, que vous ne me croyez pas assez peu d'usage, pour penser que j'aie pu prendre le change[1] sur le tête-à-tête où je vous ai trouvée ce soir, et sur *l'étonnant hasard* qui avait conduit Danceny chez vous ! Ce n'est pas que votre physionomie exercée n'ait su prendre à merveille l'expression du calme et de la sérénité[2], ni que vous vous soyez trahie par aucune de ces phrases, qui quelquefois échappent au trouble ou au repentir. Je conviens même encore que vos regards dociles vous ont parfaitement servie, et que s'ils avaient su se faire croire aussi bien que se faire entendre, loin que j'eusse pris ou conservé le moindre soupçon, je n'aurais pas douté un moment du chagrin extrême que vous causait ce *tiers importun*[3]. Mais, pour ne pas déployer en vain d'aussi grands talents, pour en obtenir le succès que vous vous en promettiez, pour produire enfin l'illusion que vous cherchiez à faire naître, il fallait donc auparavant former votre Amant novice[a] avec plus de soin.

Puisque vous commencez à faire des éducations, apprenez à vos élèves à ne pas rougir et se déconcerter à la moindre plaisanterie ; à ne pas nier si vivement, pour une seule femme, les mêmes choses dont ils se défendent avec tant de mollesse pour toutes les autres. Apprenez-leur encore à savoir entendre l'éloge de leur Maîtresse, sans se croire obligés d'en faire les honneurs ; et si vous leur permettez de vous regarder dans le cercle, qu'ils sachent au moins auparavant déguiser ce regard de possession si facile à reconnaître, et qu'ils confondent si maladroitement avec celui de l'amour. Alors vous pourrez les faire paraître dans vos exercices publics, sans que leur conduite fasse tort à leur sage institutrice ; et moi-même, trop heureux de concourir à votre célébrité, je vous promets de faire et de publier les programmes de ce nouveau collège[4].

Mais jusque-là je m'étonne, je l'avoue, que ce soit moi que vous ayez entrepris de traiter comme un écolier. Oh ! qu'avec toute autre femme, je serais bientôt vengé ! que je m'en ferais de plaisir ! et qu'il surpasserait aisément celui qu'elle aurait cru me faire perdre ! Oui, c'est bien pour vous seule que je peux préférer la réparation à la vengeance ; et ne croyez pas que je sois retenu par le moindre doute, par la moindre incertitude ; je sais tout.

Vous êtes à Paris depuis quatre jours ; et chaque jour vous avez vu Danceny, et vous n'avez vu que lui seul. Aujourd'hui même votre porte était encore fermée ; et il n'a manqué à votre Suisse, pour m'empêcher d'arriver jusqu'à vous, qu'une assurance égale à la vôtre. Cependant je ne devais pas douter, me mandiez-vous, d'être le premier informé de votre arrivée[b], de cette arrivée dont vous ne pouviez pas encore me dire le jour, tandis que vous m'écriviez la veille de votre départ. Nierez-vous ces faits, ou tenterez-vous de vous en excuser ? L'un et l'autre sont également impossibles, et pourtant je me contiens encore ! Reconnaissez là votre empire ; mais croyez-moi, contente de l'avoir éprouvé, n'en abusez pas plus longtemps. Nous nous connaissons tous deux, Marquise ; ce mot doit vous suffire[5].

Vous sortez demain toute la journée, m'avez-vous dit ? À la bonne heure, si vous sortez en effet ; et vous jugez que je le saurai. Mais enfin, vous rentrerez le soir ; et pour notre difficile réconciliation, nous n'aurons pas trop de temps jusqu'au lendemain. Faites-moi donc savoir si ce sera chez vous, ou *là-bas*[6], que se feront nos expiations nombreuses et réciproques. Surtout, plus de Danceny. Votre mauvaise tête s'était remplie de son idée, et je peux n'être pas jaloux de ce délire de votre imagination : mais songez que de ce moment, ce qui n'était qu'une fantaisie, deviendrait une préférence marquée. Je ne me crois pas fait pour cette humiliation, et je ne m'attends pas à la recevoir de vous.

J'espère même que ce sacrifice ne vous en paraîtra pas un. Mais quand il vous coûterait quelque chose, il me semble que je vous ai donné un assez bel exemple ! qu'une femme sensible et belle, qui n'existait que pour moi, qui dans ce moment même meurt peut-être d'amour et de regret, peut bien valoir un jeune écolier, qui, si vous voulez, ne manque ni de figure ni d'esprit[7], mais qui n'a encore ni usage ni consistance[8].

Adieu, Marquise ; je ne vous dis rien de mes sentiments pour vous. Tout ce que je puis faire en ce moment, c'est de ne pas scruter mon cœur. J'attends votre réponse. Songez, en la faisant, songez bien que plus il vous est facile de me faire oublier l'offense que vous m'avez faite, plus un refus de votre part, un simple délai, la graverait dans mon cœur en traits ineffaçables.

*Paris, ce 3 Décembre 17**, au soir.*

LETTRE CLII

LA MARQUISE DE MERTEUIL AU VICOMTE DE VALMONT

Prenez donc garde, Vicomte, et ménagez davantage mon extrême timidité ! Comment voulez-vous que je supporte l'idée accablante d'encourir votre indignation, et surtout que je ne succombe pas à la crainte de votre vengeance ? d'autant que comme vous savez, si vous me faisiez une noirceur, il me serait impossible de vous la rendre. J'aurais beau parler, votre existence n'en serait ni moins brillante ni moins paisible. Au fait, qu'auriez-vous à redouter ? d'être obligé de partir, si on vous en laissait le temps. Mais ne vit-on pas chez l'Étranger comme ici ? et à tout prendre, pourvu que la Cour de France vous laissât tranquille à celle où vous vous fixeriez[1], ce ne serait pour vous que changer le lieu de vos triomphes. Après avoir tenté de vous rendre votre sang-froid par ces considérations morales ; revenons à nos affaires.

Savez-vous, Vicomte, pourquoi je ne me suis jamais remariée ? ce n'est assurément pas faute d'avoir trouvé assez de partis avantageux ; c'est uniquement pour que personne n'ait le droit de trouver à redire à mes actions. Ce n'est même pas que j'aie craint de ne pouvoir plus faire mes volontés, car j'aurais bien toujours fini par là, mais c'est qu'il m'aurait gêné que quelqu'un eût eu seulement le droit de s'en plaindre ; c'est qu'enfin je ne voulais tromper que pour mon plaisir, et non par nécessité. Et voilà que vous m'écrivez la lettre la plus maritale[2] qu'il soit possible de voir ! Vous ne m'y parlez que de torts de mon côté, et de grâces du vôtre ! Mais comment donc peut-on manquer à celui à qui on ne doit rien ? je ne saurais le concevoir[3] !

Voyons ; de quoi s'agit-il tant ? Vous avez trouvé Danceny chez moi, et cela vous a déplu ? à la bonne heure ; mais qu'avez-vous pu en conclure ? ou que c'était l'effet du hasard, comme je vous le disais, ou celui de ma volonté, comme je ne vous le disais pas. Dans le premier cas, votre lettre eſt injuſte ; dans le second, elle eſt ridicule : c'était bien la peine d'écrire[a] ! Mais vous êtes jaloux, et la jalousie ne raisonne pas. Hé bien, je vais raisonner pour vous.

Ou vous avez un rival, ou vous n'en avez pas. Si vous en avez un, il faut plaire pour lui être préféré ; si vous n'en avez pas, il faut plaire encore pour éviter d'en avoir. Dans tous les cas c'eſt la même conduite à tenir ; ainsi, pourquoi vous tourmenter ? Pourquoi, surtout, me tourmenter moi-même ! Ne savez-vous donc plus être le plus aimable ? et n'êtes-vous plus sûr de vos succès ? Allons donc, Vicomte, vous vous faites tort. Mais ce n'eſt pas cela ; c'eſt qu'à vos yeux, je ne vaux pas que vous vous donniez tant de peine. Vous désirez moins mes bontés, que vous ne voulez abuser de votre empire. Allez, vous êtes un ingrat. Voilà bien, je crois, du sentiment ! et pour peu que je continuasse, cette lettre pourrait devenir fort tendre ; mais vous ne le méritez pas.

Vous ne méritez pas davantage que je me juſtifie. Pour vous punir de vos soupçons, vous les garderez ; ainsi, sur l'époque de mon retour, comme sur les visites de Danceny, je ne vous dirai rien. Vous vous êtes donné bien de la peine pour vous en inſtruire, n'eſt-il pas vrai ? Hé bien ! en êtes-vous plus avancé ? Je souhaite que vous y ayez trouvé beaucoup de plaisir ; quant à moi, cela n'a pas nui au mien[4].

Tout ce que je peux donc répondre à votre menaçante lettre, c'eſt qu'elle n'a eu ni le don de me plaire, ni le pouvoir de m'intimider ; et que pour le moment je suis on ne peut pas moins disposée à vous accorder vos demandes.

Au vrai, vous accepter tel que vous vous montrez aujourd'hui, ce serait vous faire une infidélité réelle. Ce ne serait pas là renouer avec mon ancien Amant ; ce serait en prendre un nouveau, et qui ne vaut pas l'autre à beaucoup près. Je n'ai pas assez oublié le premier pour m'y tromper ainsi. Le Valmont que j'aimais était charmant ; je veux bien convenir même que je n'ai pas rencontré d'homme plus aimable. Ah ! je vous en prie, Vicomte, si vous le retrouvez, amenez-le-moi ; celui-là sera toujours bien reçu.

Prévenez-le cependant, que dans aucun cas, ce ne serait ni pour aujourd'hui ni pour demain. Son *Menechme*[5] lui a fait un peu de tort ; et en me pressant trop, je craindrais de m'y tromper. Ou bien, peut-être ai-je donné parole à Danceny pour ces deux jours-là ? Et votre lettre m'a appris que vous ne plaisantiez pas, quand on manquait à sa parole. Vous voyez donc qu'il faut attendre.

Mais que vous importe ? vous vous vengerez toujours bien de votre rival. Il ne fera pas pis à votre Maîtresse, que vous ferez à la sienne ; et après tout ; une femme n'en vaut-elle pas une autre ? Ce sont vos principes. Celle même qui serait *tendre et sensible, qui n'existerait que pour vous, qui mourrait enfin d'amour et de regret*, n'en serait pas moins sacrifiée à la première fantaisie, à la crainte d'être plaisanté un moment ; et vous voulez qu'on se gêne ? Ah ! cela n'est pas juste !

Adieu, Vicomte ; redevenez donc aimable. Venez, je ne demande pas mieux que de vous trouver charmant ; et dès que j'en serai sûre, je m'engage à vous le prouver. En vérité, je suis trop bonne.

*Paris, ce 4 Décembre 17**.*

LETTRE CLIII

LE VICOMTE DE VALMONT
À LA MARQUISE DE MERTEUIL

Je réponds sur-le-champ à votre lettre, et je tâcherai d'être clair ; ce qui n'eſt pas facile avec vous, quand une fois vous avez pris le parti de ne pas entendre.

De longs discours n'étaient pas nécessaires pour établir que chacun de nous ayant en main tout ce qu'il faut pour perdre l'autre, nous avons un égal intérêt à nous ménager mutuellement : aussi, ce n'eſt pas de cela dont il s'agit. Mais entre le parti violent de se perdre, et celui, sans doute meilleur, de reſter unis, comme nous l'avons été, de le devenir davantage encore en reprenant notre première liaison ; entre ces deux partis, dis-je, il y en a mille autres à prendre. Il n'était donc pas ridicule de vous dire, et il ne l'eſt pas de vous répéter que, de ce jour même, je serai, ou votre Amant ou votre ennemi.

Je sens à merveille que ce choix vous gêne ; qu'il vous conviendrait mieux de tergiverser ; et je n'ignore pas que vous n'avez jamais aimé à être placée ainsi entre le oui et le non : mais vous devez sentir aussi que je ne puis vous laisser sortir de ce cercle étroit, sans risquer d'être joué ; et vous avez dû prévoir que je ne le souffrirais pas. C'eſt maintenant à vous à décider : je peux vous laisser le choix, mais non pas reſter dans l'incertitude.

Je vous préviens seulement que vous ne m'abuserez pas par vos raisonnements, bons ou mauvais ; que vous ne me séduirez pas davantage par quelques cajoleries dont[a] vous chercheriez à parer vos refus ; et qu'enfin le moment de la franchise eſt arrivé. Je ne demande pas mieux que de vous donner l'exemple ; et je vous déclare avec plaisir, que je préfère la paix et l'union ; mais s'il faut rompre l'une ou l'autre[b], je crois en avoir le droit et les moyens.

J'ajoute donc que le moindre obstacle mis de votre part, sera pris de la mienne pour une véritable déclaration de guerre : vous voyez que la réponse que je vous demande, n'exige ni longues ni belles phrases. Deux mots suffisent.

*Paris, ce 4 Décembre 17**.*

RÉPONSE DE LA MARQUISE DE MERTEUIL
écrite au bas de la même Lettre.

Hé bien[c] ! la guerre[1].

LETTRE CLIV

MADAME DE VOLANGES
À MADAME DE ROSEMONDE

Les bulletins vous instruisent mieux que je ne pourrais le faire, ma chère amie, du fâcheux état de notre malade. Tout entière aux soins que je lui donne, je ne prends sur eux le temps de vous écrire, qu'autant qu'il y a d'autres événements que ceux de la maladie. En voici un, auquel certainement je ne m'attendais pas. C'est une Lettre que j'ai reçue de M. de Valmont, à qui il a plu de me choisir pour sa confidente, et même pour sa médiatrice auprès de Mme de Tourvel, pour qui il avait aussi joint une Lettre à la mienne. J'ai renvoyé l'une en répondant à l'autre. Je vous fais passer cette dernière, et je crois que vous jugerez comme moi, que je ne pouvais ni ne devais rien faire de ce qu'il me demande. Quand je l'aurais voulu, notre malheureuse amie n'aurait pas été en état de m'entendre. Son délire est continuel. Mais que direz-vous de ce désespoir de M. de Valmont ? D'abord faut-il y croire, ou veut-il seulement tromper tout le monde, et jusqu'à la fin* ? Si pour cette fois il est sincère, il peut bien dire qu'il a lui-même fait son malheur. Je crois qu'il sera peu content de ma réponse : mais j'avoue que tout ce qui me fixe sur cette malheureuse aventure, me soulève de plus en plus contre son auteur.

Adieu, ma chère amie ; je retourne à mes tristes soins, qui le deviennent bien davantage encore par le peu d'espoir que j'ai de les voir réussir. Vous connaissez mes sentiments pour vous.

*Paris, ce 5 Décembre 17**.*

LETTRE CLV[1]

LE VICOMTE DE VALMONT
AU CHEVALIER DANCENY

J'ai passé deux fois chez vous, mon cher Chevalier ; mais depuis que vous avez quitté le rôle d'Amant pour celui d'homme à bonnes fortunes[2], vous êtes, comme de raison, devenu introuvable. Votre valet de chambre[a] m'a assuré cependant que vous rentreriez chez vous ce soir ; qu'il avait ordre de vous attendre : mais moi, qui suis instruit de vos projets, j'ai très bien compris que vous ne rentreriez que pour un moment, pour prendre le costume de la chose[3], et que sur-le-

* C'est parce qu'on n'a rien trouvé dans la suite de cette correspondance, qui pût résoudre ce doute, qu'on a pris le parti de supprimer la Lettre de M. de Valmont[1].

champ vous recommenceriez vos courses victorieuses. À la bonne heure, et je ne puis qu'y applaudir ; mais peut-être, pour ce soir, allez-vous être tenté de changer leur direction. Vous ne savez encore que la moitié de vos affaires ; il faut vous mettre au courant de l'autre, et puis vous vous déciderez. Prenez donc le temps de lire ma Lettre. Ce ne sera pas vous distraire de vos plaisirs, puisqu'au contraire elle n'a d'autre objet que de vous donner le choix entr'eux.

Si j'avais eu votre confiance entière, si j'avais su par vous la partie de vos secrets que vous m'avez laissée à deviner, j'aurais été instruit à temps ; et mon zèle, moins gauche, ne gênerait pas aujourd'hui votre marche. Mais partons du point où nous sommes. Quelque parti que vous preniez, votre pis-aller ferait toujours bien le bonheur d'un autre.

Vous avez un rendez-vous pour cette nuit, n'est-il pas vrai ? avec une femme charmante et que vous adorez ? car à votre âge, quelle femme n'adore-t-on pas[b], au moins les huit premiers jours ! Le lieu de la scène doit encore ajouter à vos plaisirs. Une petite maison délicieuse, *et qu'on n'a prise que pour vous*[4], doit embellir la volupté, des charmes de la liberté, et de ceux du mystère. Tout est convenu, on vous attend, et vous brûlez de vous y rendre ! voilà ce que nous savons tous deux, quoique vous ne m'en ayez rien dit. Maintenant, voici ce que vous ne savez pas, et qu'il faut que je vous dise.

Depuis mon retour à Paris, je m'occupais des moyens de vous rapprocher de Mlle de Volanges, je vous l'avais promis ; et encore la dernière fois que je vous en parlai, j'eus lieu de juger par vos réponses, je pourrais dire par vos transports, que c'était m'occuper de votre bonheur. Je ne pouvais pas réussir à moi seul dans cette entreprise assez difficile ; mais après avoir préparé les moyens, j'ai remis le reste au zèle de votre jeune Maîtresse. Elle a trouvé, dans son amour, des ressources qui avaient manqué à mon expérience : enfin votre bonheur veut qu'elle ait réussi. Depuis deux jours, m'a-t-elle dit ce soir, tous les obstacles sont surmontés, et votre bonheur ne dépend plus que de vous.

Depuis deux jours aussi, elle se flattait de vous apprendre cette nouvelle elle-même, et malgré l'absence de sa Maman, vous auriez été reçu ; mais vous ne vous êtes seulement pas présenté ! et pour vous dire tout, soit caprice ou raison, la petite personne m'a paru un peu fâchée de ce manque d'empressement de votre part. Enfin, elle a trouvé le moyen de me faire aussi parvenir jusqu'à elle, et m'a fait promettre de vous rendre le plus tôt possible la Lettre que je joins ici. À l'empressement qu'elle y a mis, je parierais bien qu'il y est question d'un rendez-vous pour ce soir. Quoi qu'il en soit, j'ai promis sur l'honneur et sur l'amitié, que vous auriez la tendre missive dans la journée, et je ne puis ni ne veux manquer à ma parole.

À présent, jeune homme, quelle conduite allez-vous tenir ? Placé entre la coquetterie et l'amour, entre le plaisir et le bonheur, quel va être votre choix ? Si je parlais au Danceny d'il y a trois mois, seulement à celui d'il y a huit jours, bien sûr de son cœur, je le serais de ses démarches ; mais le Danceny d'aujourd'hui, arraché par les femmes, courant les aventures, et devenu, suivant l'usage, un peu scélérat[5], préférera-t-il une jeune fille bien timide, qui n'a pour elle que sa beauté, son innocence et son amour, aux agréments d'une femme parfaitement *usagée*[6] ?

Pour moi, mon cher ami, il me semble que, même dans vos nouveaux principes, que j'avoue bien être aussi un peu les miens, les circonstances me décideraient pour la jeune Amante. D'abord, c'en est une de plus, et puis la nouveauté, et encore la crainte de perdre le fruit de vos soins en négligeant de le cueillir ; car enfin, de ce côté, ce serait véritablement l'occasion manquée[7], et elle ne revient pas toujours, surtout pour une première faiblesse ; souvent, dans ce cas, il ne faut qu'un moment d'humeur, un soupçon jaloux, moins encore, pour empêcher le plus beau triomphe. La vertu qui se noie, se raccroche quelquefois aux branches ; et une fois réchappée, elle se tient sur ses gardes[8], et n'est plus facile à surprendre.

Au contraire, de l'autre côté, que risquez-vous ? pas même une rupture, une brouillerie tout au plus, où l'on achète de quelques soins le plaisir d'un raccommodement. Quel autre parti reste-t-il à une femme déjà rendue, que celui de l'indulgence ? Que gagnerait-elle à la sévérité ? la perte de ses plaisirs, sans profit pour sa gloire.

Si, comme je le suppose, vous prenez le parti de l'amour, qui me paraît aussi celui de la raison, je crois qu'il est de la prudence de ne point vous faire excuser au rendez-vous manqué ; laissez-vous attendre tout simplement ; si vous risquez de donner une raison, on sera peut-être tenté de la vérifier. Les femmes sont curieuses et obstinées ; tout peut se découvrir ; je viens, comme vous savez, d'en être moi-même un exemple. Mais si vous laissez l'espoir, comme il sera soutenu par la vanité, il ne sera perdu que longtemps après l'heure propre aux informations ; alors demain vous aurez à choisir l'obstacle insurmontable qui vous aura retenu ; vous aurez été malade, mort s'il le faut, ou toute autre chose dont vous serez également désespéré, et tout se raccommodera.

Au reste, pour quelque côté que vous vous décidiez, je vous prie seulement de m'en instruire ; et comme je n'y ai pas d'intérêt, je trouverai toujours que vous avez bien fait. Adieu, mon cher ami.

Ce que j'ajoute encore, c'est que je regrette Mme de Tourvel ; c'est que je suis au désespoir d'être séparé d'elle ; c'est que je paierais de la moitié de ma vie, le bonheur de lui consacrer l'autre. Ah ! croyez-moi, on n'est heureux que par l'amour[d].

*Paris, ce 5 Décembre 17**.*

LETTRE CLVI

CÉCILE VOLANGES
AU CHEVALIER DANCENY
(Jointe à la précédente.)

Comment se fait-il, mon cher ami, que je cesse de vous voir, quand je ne cesse pas de le désirer ? n'en avez-vous plus autant d'envie que moi ? Ah ! c'est bien à présent que je suis triste ! plus triste que quand nous étions séparés tout à fait. Le chagrin que j'éprouvais par les autres, c'est à présent de vous qu'il me vient, et cela fait bien plus de mal.

Depuis quelques jours, Maman n'est jamais chez elle, vous le savez bien ; et j'espérais que vous essaieriez de profiter de ce temps de liberté : mais vous ne songez seulement pas à moi ; je suis bien malheureuse ! Vous me disiez tant que c'était moi qui aimais le moins ! je savais bien le contraire, et en voilà bien la preuve. Si vous étiez venu pour me voir, vous m'auriez vue en effet : car moi, je ne suis pas comme vous ; je ne songe qu'à ce qui peut nous réunir. Vous mériteriez bien que je ne vous dise rien de tout ce que j'ai fait pour ça, et qui m'a donné tant de peine : mais je vous aime trop, et j'ai tant d'envie de vous voir, que je ne peux m'empêcher de vous le dire. Et puis, je verrai bien après si vous m'aimez réellement !

J'ai si bien fait que le Portier est dans nos intérêts, et qu'il m'a promis que toutes les fois que vous viendriez, il vous laisserait toujours entrer comme s'il ne vous voyait pas : et nous pouvons bien nous fier à lui, car c'est un bien honnête homme. Il ne s'agit donc plus que d'empêcher qu'on ne vous voie dans la maison ; et ça, c'est bien aisé, en n'y venant que le soir, et quand il n'y aura plus rien à craindre du tout. Par exemple, depuis que Maman sort tous les jours[a], elle se couche tous les jours à 11 heures ; ainsi nous aurions bien du temps.

Le Portier m'a dit que, quand vous voudriez venir comme ça, au lieu de frapper à la porte, vous n'auriez qu'à frapper à sa fenêtre, et qu'il ouvrirait tout de suite ; et puis, vous trouverez bien le petit escalier ; et comme vous ne pourrez pas avoir de la lumière, je laisserai la porte de ma chambre entr'ouverte, ce qui vous éclairera toujours un peu. Vous prendrez bien garde de ne pas faire de bruit ; surtout en passant auprès de la petite porte de Maman. Pour celle de ma Femme de chambre, c'est égal, parce qu'elle m'a promis qu'elle ne se réveillerait pas ; c'est aussi une bien bonne fille ! et pour vous en aller, ça sera tout de même. À présent, nous verrons si vous viendrez.

Mon Dieu, pourquoi donc le cœur me bat-il si fort en vous écrivant ? Est-ce qu'il doit m'arriver quelque malheur, ou si c'est l'espérance de vous voir qui me trouble comme ça ? Ce que je sens bien, c'est que je ne vous ai jamais tant aimé, et que jamais je n'ai tant désiré de vous le dire. Venez donc, mon ami, mon cher ami ; que je puisse vous répéter cent fois que je vous aime, que je vous adore, que je n'aimerai jamais que vous.

J'ai trouvé moyen de faire dire à M. de Valmont que j'avais quelque chose à lui dire ; et lui, comme il est bien bon ami, il viendra sûrement demain, et je le prierai de vous remettre ma Lettre tout de suite. Ainsi je vous attendrai demain au soir ; et vous viendrez sans faute, si vous ne voulez pas que votre Cécile soit bien malheureuse.

Adieu, mon cher ami ; je vous embrasse de tout mon cœur.

*Paris, ce 4 Décembre 17**, au soir.*

LETTRE CLVII

LE CHEVALIER DANCENY AU VICOMTE DE VALMONT

Ne doutez, mon cher Vicomte, ni de mon cœur, ni de mes démarches : comment résisterais-je à un désir de ma Cécile ? Ah ! c'est bien elle, elle seule que j'aime, que j'aimerai toujours ! son ingénuité, sa tendresse, ont un charme pour moi, dont j'ai pu avoir la faiblesse de me laisser distraire, mais que rien n'effacera jamais. Engagé dans une autre aventure, pour ainsi dire sans m'en être aperçu, souvent le souvenir de Cécile est venu me troubler jusque dans les plus doux plaisirs ; et peut-être mon cœur ne lui a-t-il jamais rendu d'hommage plus vrai, que dans le moment même où je lui étais infidèle. Cependant, mon ami, ménageons sa délicatesse, et cachons-lui mes torts ; non pour la surprendre[1], mais pour ne pas l'affliger. Le bonheur de Cécile est le vœu le plus ardent que je forme ; jamais je ne me pardonnerais une faute qui lui aurait coûté une larme.

J'ai mérité, je le sens, la plaisanterie que vous me faites, sur ce que vous appelez mes nouveaux principes : mais vous pouvez m'en croire, ce n'est point par eux que je me conduis dans ce moment ; et dès demain je suis décidé à le prouver. J'irai m'accuser à celle même qui a causé mon égarement, et qui l'a partagé ; je lui dirai : « Lisez dans mon cœur ; il a pour vous l'amitié la plus tendre ; l'amitié unie au désir, ressemble tant à l'amour[2] !... Tous deux nous nous sommes trompés ; mais susceptible d'erreur, je ne suis point capable de mauvaise foi. » Je connais mon amie, elle est honnête autant qu'indulgente ; elle fera plus que m'approuver, elle me pardonnera. Elle-même se reprochait souvent d'avoir trahi l'amitié ; souvent sa délicatesse effrayait son amour : plus sage que moi, elle fortifiera dans mon âme ces craintes utiles que je cherchais témérairement à étouffer dans la sienne[3]. Je lui devrai d'être meilleur, comme à vous d'être plus heureux. Ô ! mes amis, partagez ma reconnaissance. L'idée de vous devoir mon bonheur en augmente le prix.

Adieu, mon cher Vicomte. L'excès de ma joie ne m'empêche point de songer à vos peines, et d'y prendre part. Que ne puis-je vous être utile ! Mme de Tourvel reste donc inexorable ? On la dit aussi bien malade. Mon Dieu, que je vous plains ! Puisse-t-elle reprendre à la fois de la santé et de l'indulgence, et faire à jamais votre bonheur ! Ce sont les vœux de l'amitié ; j'ose espérer qu'ils seront exaucés par l'amour.

Je voudrais causer plus longtemps avec vous ; mais l'heure me presse, et peut-être Cécile m'attend déjà.

*Paris, ce 5 Décembre 17***[4].

LETTRE CLVIII

LE VICOMTE DE VALMONT
À LA MARQUISE DE MERTEUIL
(À son réveil.)

Hé bien, Marquise, comment vous trouvez-vous des plaisirs de la nuit dernière ? n'en êtes-vous pas un peu fatiguée ? Convenez donc que Danceny est charmant ! il fait des prodiges, ce garçon-là ! Vous n'attendiez pas cela de lui, n'est-il pas vrai ? Allons, je me rends justice ; un pareil rival méritait bien que je lui fusse sacrifié. Sérieusement, il est plein de bonnes qualités ! Mais surtout, que d'amour, de constance, de délicatesse !

Ah ! si jamais vous êtes aimée de lui comme l'eſt sa Cécile, vous n'aurez point de rivales à craindre : il vous l'a prouvé cette nuit. Peut-être à force de coquetterie, une autre femme pourra vous l'enlever un moment ; un jeune homme ne sait guère se refuser à des agaceries provocantes : mais un seul mot de l'objet aimé suffit, comme[a] vous voyez, pour dissiper cette illusion ; ainsi il ne vous manque plus que d'être cet objet-là, pour être parfaitement heureuse[1].

Sûrement vous ne vous y tromperez pas ; vous avez le tact[2] trop sûr pour qu'on puisse le craindre. Cependant l'amitié qui nous unit, aussi sincère de ma part que bien reconnue de la vôtre, m'a fait désirer pour vous, l'épreuve de cette nuit ; c'eſt l'ouvrage de mon zèle, il a réussi[b] : mais point de remerciements ; cela n'en vaut pas la peine : rien n'était plus facile.

Au fait, que m'en a-t-il coûté ? un léger sacrifice, et quelque peu d'adresse. J'ai consenti à partager avec le jeune homme les faveurs de sa Maîtresse : mais enfin il y avait bien autant de droit que moi ; et je m'en souciais si peu ! La Lettre que la jeune personne lui a écrite, c'eſt bien moi qui l'ai dictée ; mais c'était seulement pour gagner du temps, parce que nous avions à l'employer mieux. Celle que j'y ai jointe, oh ! ce n'était rien, presque rien ; quelques réflexions de l'amitié pour guider le choix du nouvel amant : mais en honneur elles étaient inutiles ; il faut dire la vérité, il n'a pas balancé un moment.

Et puis, dans sa candeur, il doit aller chez vous aujourd'hui vous raconter tout ; et sûrement ce récit-là vous fera grand plaisir ! il vous dira : *Lisez dans mon cœur*[3] ; il me le mande : et vous voyez bien que cela raccommode tout. J'espère qu'en y lisant ce qu'il voudra, vous y lirez peut-être aussi que les Amants si jeunes ont leurs dangers ; et encore, qu'il vaut mieux m'avoir pour ami que pour ennemi[4].

Adieu, Marquise ; jusqu'à la première occasion.

*Paris, ce 6 Décembre 17**.*

LETTRE CLIX

LA MARQUISE DE MERTEUIL
AU VICOMTE DE VALMONT
(Billet[1].)

Je n'aime pas qu'on ajoute de mauvaises plaisanteries à de mauvais procédés ; ce n'eſt pas plus ma manière que mon goût. Quand j'ai à me plaindre de quelqu'un, je ne le persifle pas ; je fais mieux : je me venge. Quelque content de vous que vous puissiez être en ce moment, n'oubliez point que ce ne serait pas la première fois que vous vous seriez applaudi d'avance, et tout seul, dans l'espoir d'un triomphe qui vous serait échappé à l'inſtant même où vous vous en félicitiez. Adieu.

*Paris, ce 6 Décembre 17**[2].*

LETTRE CLX

MADAME DE VOLANGES
À MADAME DE ROSEMONDE

Je vous écris de la chambre de votre malheureuse amie, dont l'état eſt à peu près toujours le même. Il doit y avoir cet après-midi une consultation de quatre Médecins. Malheureusement c'eſt, comme vous le savez, plus souvent une preuve de danger qu'un moyen de secours.

Il paraît cependant que la tête est un peu revenue la nuit dernière. La Femme de chambre m'a informée ce matin, qu'environ vers minuit, sa maîtresse l'a fait appeler ; qu'elle a voulu être seule avec elle, et qu'elle lui a dicté une assez longue lettre. Julie a ajouté que, tandis qu'elle était occupée à en faire l'enveloppe, Mme de Tourvel avait repris le transport ; en sorte que cette fille n'a pas su à qui il fallait mettre l'adresse. Je me suis étonnée d'abord que la lettre elle-même n'ait pas suffi pour le lui apprendre ; mais sur ce qu'elle m'a répondu qu'elle craignait de se tromper, et que cependant sa maîtresse lui avait bien recommandé de la faire partir sur-le-champ, j'ai pris sur moi d'ouvrir le paquet[1].

J'y ai trouvé l'écrit que je vous envoie, qui en effet ne s'adresse à personne, pour s'adresser à trop de monde. Je croirais cependant que c'est à M. de Valmont que notre malheureuse amie a voulu écrire d'abord ; mais qu'elle a cédé, sans s'en apercevoir, au désordre de ses idées. Quoi qu'il en soit, j'ai jugé que cette lettre ne devait être rendue à personne. Je vous l'envoie, parce que vous y verrez mieux que je ne pourrais vous le dire, quelles sont les pensées qui occupent la tête de notre malade. Tant qu'elle restera aussi vivement affectée, je n'aurai guère d'espérance. Le corps se rétablit difficilement, quand l'esprit est si peu tranquille.

Adieu, ma chère et digne amie. Je vous félicite d'être éloignée du triste spectacle que j'ai continuellement sous les yeux.

*Paris, ce 6 Décembre 17**.*

LETTRE CLXI[1]

LA PRÉSIDENTE DE TOURVEL À ...

(Dictée par elle,
et écrite par sa Femme de chambre.)

Être cruel et malfaisant, ne te lasseras-tu point de me persécuter ? Ne te suffit-il pas de m'avoir tourmentée, dégradée, avilie ? veux-tu me ravir jusqu'à la paix du tombeau ? Quoi ! dans ce séjour de ténèbres[2] où l'ignominie m'a forcée de m'ensevelir, les peines sont-elles sans relâche, l'espérance est-elle méconnue ? Je n'implore point une grâce que je ne mérite point, pour souffrir sans me plaindre, il me suffira que mes souffrances n'excèdent pas mes forces. Mais ne rends pas mes tourments insupportables. En me laissant mes douleurs, ôte-moi le cruel souvenir des biens que j'ai perdus. Quand tu me les as ravis, n'en retrace plus à mes yeux la désolante image. J'étais innocente et tranquille : c'est pour t'avoir vu que j'ai perdu le repos ; c'est en t'écoutant que je suis devenue criminelle. Auteur[a] de mes fautes, quel droit as-tu de les punir ?

Où sont les amis qui me chérissaient ! où sont-ils ? mon infortune les épouvante ; aucun n'ose approcher. Je suis opprimée, et ils me laissent sans secours ! Je meurs, et personne ne pleure sur moi ! Toute consolation m'est refusée. La pitié s'arrête sur les bords de l'abîme où le criminel se plonge. Les remords le déchirent, et ses cris ne sont pas entendus !

Et toi[3], que j'ai outragé ; toi, dont l'estime ajoute à mon supplice ; toi, qui seul enfin aurais le droit de te venger, que fais-tu loin de moi ? Viens punir une femme infidèle. Que je souffre enfin des tourments mérités. Déjà je me serais soumise à ta vengeance ;

mais le courage m'a manqué pour t'apprendre ta honte. Ce n'était point dissimulation, c'était respect[b]. Que cette lettre au moins t'apprenne mon repentir. Le Ciel a pris ta cause; il te venge d'une injure que tu as ignorée. C'est lui qui a lié ma langue et retenu mes paroles[c]; il a craint que tu ne me remisses une faute qu'il voulait punir. Il m'a soustraite à ton indulgence, qui aurait blessé sa justice[d].

Impitoyable dans sa vengeance, il m'a livrée à celui-là même qui m'a perdue. C'est à la fois pour lui et par lui que je souffre. Je veux le fuir en vain; il me fuit, il est là, il m'obsède sans cesse. Mais qu'il est différent de lui-même! Ses yeux n'expriment plus que la haine et le mépris. Sa bouche ne profère que l'insulte et le reproche. Ses bras ne m'entourent que pour me déchirer.

Qui me sauvera de sa barbare fureur?

Mais quoi! c'est lui... Je ne me trompe pas; c'est lui que je revois. Ô! mon aimable ami! reçois-moi[4] dans tes bras; cache-moi dans ton sein: oui, c'est toi, c'est bien toi! quelle illusion funeste m'avait fait te méconnaître? combien j'ai souffert dans ton absence! Ne nous séparons plus, ne nous séparons jamais. Laisse-moi respirer. Sens mon cœur, comme il palpite! Ah! ce n'est plus de crainte, c'est la douce émotion de l'amour. Pourquoi te refuser à mes tendres caresses? Tourne vers moi tes doux regards! Quels sont ces liens que tu cherches à rompre? pour qui prépares-tu cet appareil de mort[5]? qui peut altérer ainsi tes traits? que fais-tu? Laisse-moi: je frémis! Dieu! c'est ce monstre encore!

Mes amies[6], ne m'abandonnez pas. Vous qui m'invitiez à le fuir, aidez-moi à le combattre; et vous qui, plus indulgente, me promettiez de diminuer mes peines, venez donc auprès de moi. Où êtes-vous toutes deux? S'il ne m'est plus permis de vous revoir, répondez au moins à cette Lettre; que je sache que vous m'aimez encore.

Laisse-moi donc, cruel! quelle nouvelle fureur t'anime? Crains-tu qu'un sentiment doux ne pénètre jusqu'à mon âme? Tu redoubles mes tourments; tu me forces de te haïr. Oh ! que la haine est douloureuse ! comme elle corrode[7] le cœur qui la distille ! Pourquoi me persécutez-vous ? que pouvez-vous encore avoir à me dire ? ne m'avez-vous pas mise dans l'impossibilité de vous écouter comme de vous répondre ? N'attendez plus rien de moi. Adieu, Monsieur.

*Paris, ce 5 Décembre 17**.*

LETTRE CLXII

LE CHEVALIER DANCENY AU VICOMTE DE VALMONT

Je suis instruit, Monsieur, de vos procédés envers moi. Je sais aussi que, non content de m'avoir indignement joué, vous ne craignez pas de vous en vanter, de vous en applaudir[a]. J'ai vu la preuve de votre trahison écrite de votre main[1]. J'avoue que mon cœur en a été navré[2], et que j'ai senti quelque honte d'avoir autant aidé moi-même à l'odieux abus que vous avez fait de mon aveugle confiance : pourtant, je ne vous envie pas ce honteux avantage ; je suis seulement curieux de savoir si vous les conserverez tous également sur moi. J'en serai instruit, si, comme je l'espère, vous voulez bien vous trouver demain, entre 8 et 9 heures du matin, à la porte du bois de Vincennes, village de Saint-Mandé ; j'aurai soin d'y faire trouver tout ce qui sera nécessaire pour les éclaircissements qui me restent à prendre avec vous.

LE CHEVALIER DANCENY.
*Paris, ce 6 Décembre 17**, au soir.*

LETTRE CLXIII

MONSIEUR BERTRAND
À MADAME DE ROSEMONDE

Madame,

C'est avec bien du regret que je remplis le triste devoir de vous annoncer une nouvelle qui va vous causer un si cruel chagrin. Permettez-moi de vous inviter d'abord à cette pieuse résignation, que chacun a si souvent admirée en vous, et qui peut seule nous faire supporter les maux dont est semée notre misérable vie.

Monsieur votre neveu… Mon Dieu ! faut-il que j'afflige tant une si respectable dame ! Monsieur votre neveu a eu le malheur de succomber dans un combat singulier qu'il a eu ce matin avec M. le Chevalier Danceny. J'ignore entièrement le sujet de la querelle ; mais il paraît, par le billet que j'ai trouvé encore dans la poche de M. le Vicomte, et que j'ai l'honneur de vous envoyer[1] ; il paraît, dis-je, qu'il n'était pas l'agresseur. Et il faut que ce soit lui que le Ciel ait permis qui succombât !

J'étais chez M. le Vicomte à l'attendre, à l'heure même où on l'a ramené à l'Hôtel. Figurez-vous mon effroi, en voyant Monsieur votre neveu porté par deux de ses gens, et tout baigné dans son sang. Il avait deux coups d'épée dans le corps, et il était déjà bien faible[2]. M. Danceny était aussi là, et même il pleurait. Ah ! sans doute, il doit pleurer : mais il est bien temps de répandre des larmes, quand on a causé un malheur irréparable !

Pour moi, je ne me possédais pas ; et malgré le peu que je suis, je ne lui en disais pas moins ma façon de penser. Mais c'est là que M. le Vicomte s'est montré véritablement grand. Il m'a ordonné de me taire ; et celui-là même, qui était son meurtrier, il lui a pris la main, l'a appelé son ami, l'a embrassé devant nous tous, et nous a dit : « Je vous ordonne d'avoir pour Monsieur, tous les égards qu'on doit à un brave et galant[3] homme. » Il lui a, de plus, fait remettre, devant moi, des papiers fort volumineux, que je ne connais pas, mais auxquels je sais bien qu'il attachait beaucoup d'importance[4]. Ensuite, il a voulu qu'on les laissât seuls ensemble pendant un moment. Cependant j'avais envoyé chercher tout de suite tous les secours, tant spirituels que temporels : mais, hélas ! le mal était sans remède. Moins d'une demi-heure après, M. le Vicomte était sans connaissance. Il n'a pu recevoir que l'extrême-onction ; et la cérémonie était à peine achevée, qu'il a rendu son dernier soupir[5].

Bon Dieu ! quand j'ai reçu dans mes bras à sa naissance ce précieux appui d'une maison si illustre, aurais-je pu prévoir que ce serait dans mes bras qu'il expirerait, et que j'aurais à pleurer sa mort[6] ? Une mort si précoce et si malheureuse ! Mes larmes coulent malgré moi. Je vous demande pardon, Madame, d'oser ainsi mêler mes douleurs aux vôtres : mais dans tous les états, on a un cœur et de la sensibilité ; et je serais bien ingrat, si je ne pleurais pas toute ma vie un Seigneur qui avait tant de bontés pour moi, et qui m'honorait de tant de confiance.

Demain, après l'enlèvement du corps, je ferai mettre les scellés partout, et vous pouvez vous en reposer entièrement sur mes soins. Vous n'ignorez pas, Madame, que ce malheureux événement finit la substitution[7], et rend vos dispositions entièrement libres. Si je puis vous être de quelque utilité, je vous prie de vouloir bien me faire passer vos ordres : je mettrai tout mon zèle à les exécuter ponctuellement.

Je suis avec le plus profond respect, Madame, votre très humble, etc.

BERTRAND.

*Paris, ce 7 Décembre 17**.*

LETTRE CLXIV

MADAME DE ROSEMONDE À MONSIEUR BERTRAND

Je reçois votre Lettre à l'instant même, mon cher Bertrand, et j'apprends par elle l'affreux événement dont mon neveu a été la malheureuse victime. Oui, sans doute, j'aurai des ordres à vous donner; et ce n'est que pour eux que je peux m'occuper d'autre chose que de ma mortelle affliction.

Le billet de M. Danceny, que vous m'avez envoyé, est une preuve bien convaincante que c'est lui qui a provoqué le duel: et mon intention est que vous en rendiez plainte sur-le-champ, et en mon nom. En pardonnant à son ennemi, à son meurtrier, mon neveu a pu satisfaire à sa générosité naturelle: mais moi, je dois venger à la fois sa mort, l'humanité et la religion. On ne saurait trop exciter la sévérité des Lois contre ce reste de barbarie, qui infecte encore nos mœurs[1]; et je ne crois pas que ce puisse être dans ce cas, que le pardon des injures nous soit prescrit. J'attends donc que vous suiviez cette affaire avec tout le zèle et toute l'activité dont je vous connais capable, et que vous devez à la mémoire de mon neveu.

Vous aurez soin avant tout, de voir M. le Président de … de ma part, et d'en conférer avec lui[2]. Je ne lui écris pas, pressée que je suis de me livrer tout entière à ma douleur. Vous lui ferez mes excuses, et lui communiquerez cette Lettre.

Adieu, mon cher Bertrand; je vous loue et vous remercie de vos bons sentiments, et suis pour la vie toute à vous.

*Du Château de …, ce 8 Décembre 17**.*

LETTRE CLXV

MADAME DE VOLANGES
À MADAME DE ROSEMONDE

Je vous sais déjà instruite, ma chère et digne amie, de la perte que vous venez de faire ; je connaissais votre tendresse pour M. de Valmont, et je partage bien sincèrement l'affliction que vous devez ressentir. Je suis vraiment peinée d'avoir à ajouter de nouveaux regrets à ceux que vous éprouvez déjà, mais hélas, il ne vous reste non plus que des larmes à donner à notre malheureuse amie. Nous l'avons perdue hier, à 11 heures du soir. Par une fatalité attachée à son sort, et qui semblait se jouer de toute prudence humaine, ce court intervalle qu'elle a survécu à M. de Valmont, lui a suffi pour en apprendre la mort[1] ; et, comme elle a dit elle-même, pour n'avoir pu succomber sous le poids de ses malheurs qu'après que la mesure en a été comblée.

En effet, vous avez su que depuis plus de deux jours elle était absolument sans connaissance ; et encore hier matin, quand son Médecin arriva, et que nous nous approchâmes de son lit, elle ne nous reconnut ni l'un ni l'autre, et nous ne pûmes en obtenir ni une parole, ni le moindre signe. Hé bien, à peine étions-nous revenus à la cheminée, et pendant que le Médecin m'apprenait le triste événement de la mort de M. de Valmont, cette femme infortunée a retrouvé toute sa tête ; soit que la nature seule ait produit cette révolution[2], soit qu'elle ait été causée par ces mots répétés de *M. de Valmont* et de *mort*, qui ont pu rappeler à la malade les seules idées dont elle s'occupait depuis longtemps.

Quoi qu'il en soit, elle ouvrit précipitamment les rideaux de son lit, en s'écriant : « Quoi ! que dites-vous ? M. de Valmont est mort ! » J'espérais lui faire croire qu'elle s'était trompée, et je l'assurai d'abord qu'elle avait mal entendu : mais loin de se laisser persuader ainsi, elle exigea du Médecin qu'il recommençât ce cruel récit ; et sur ce que je voulus essayer encore de la dissuader, elle m'appela et me dit à voix basse : « Pourquoi vouloir[a] me tromper ? n'était-il pas déjà mort pour moi ! » Il a donc fallu céder.

Notre malheureuse amie a écouté d'abord d'un air assez tranquille : mais bientôt après, elle a interrompu le récit, en disant : « Assez, j'en sais assez. » Elle a demandé sur-le-champ qu'on fermât ses rideaux ; et lorsque le Médecin a voulu s'occuper ensuite des soins de son état, elle n'a jamais voulu souffrir qu'il approchât d'elle.

Dès qu'il a été sorti, elle a pareillement renvoyé sa garde et sa femme de chambre ; et quand nous avons été seules, elle m'a priée de l'aider à se mettre à genoux sur son lit, et de l'y soutenir. Là elle est restée quelque temps en silence, et sans autre expression que celle de ses larmes qui coulaient abondamment. Enfin, joignant ses mains et les élevant vers le Ciel : « Dieu tout-puissant », a-t-elle dit d'une voix faible, mais fervente, « je me soumets à ta justice : mais pardonne à Valmont. Que mes malheurs, que je reconnais avoir mérités, ne lui soient pas un sujet de reproche, et je bénirai ta miséricorde. » Je me suis permis, ma chère et digne amie, d'entrer dans ces détails sur un sujet que je sens bien devoir renouveler et aggraver vos douleurs, parce que je ne doute pas que cette prière de Mme de Tourvel ne porte cependant une grande consolation dans votre âme.

Après que notre amie eut proféré ce peu de mots, elle se laissa retomber dans mes bras ; et elle était à peine replacée dans son lit, qu'il lui prit une faiblesse qui fut longue, mais qui céda pourtant aux secours ordinaires. Aussitôt qu'elle eut repris connaissance, elle me demanda d'envoyer chercher le Père Anselme : et elle ajouta : « C'est à présent le seul Médecin dont j'aie besoin ; je sens que mes maux vont bientôt finir. » Elle se plaignait de beaucoup d'oppression ; et elle parlait difficilement.

Peu de temps après elle me fit remettre, par sa Femme de chambre, une cassette que je vous envoie, qu'elle me dit contenir des papiers à elle, et qu'elle me chargea de vous faire passer aussitôt après sa mort*. Ensuite elle me parla de vous, et de votre amitié pour elle, autant que sa situation le lui permettait, et avec beaucoup d'attendrissement.

Le Père Anselme arriva vers les quatre heures, et resta près d'une heure seul avec elle. Quand nous rentrâmes, la figure de la malade était calme et sereine ; mais il était facile de voir que le Père Anselme avait beaucoup pleuré. Il resta pour assister aux dernières cérémonies de l'Église[3]. Ce spectacle, toujours si imposant et si douloureux, le devenait encore plus par le contraste que formait la tranquille résignation de la malade, avec la douleur profonde de son vénérable Confesseur, qui fondait en larmes à côté d'elle. L'attendrissement devint général ; et celle que tout le monde pleurait, fut la seule qui ne se pleura point[4].

Le reste de la journée se passa dans les prières usitées, qui ne furent interrompues que par les fréquentes faiblesses de la malade. Enfin, vers les onze heures du soir, elle me parut plus oppressée et plus souffrante. J'avançai ma main pour chercher son bras ; elle eut encore la force de la prendre, et la posa sur son cœur. Je n'en sentis plus le battement ; et en effet, notre malheureuse amie expira dans le moment même.

Vous rappelez-vous, ma chère amie, qu'à votre dernier voyage ici, il y a moins d'un an, causant ensemble de quelques personnes dont le bonheur nous paraissait plus ou moins assuré, nous nous arrêtâmes avec complaisance sur le sort de cette même femme, dont aujourd'hui nous pleurons à la fois les malheurs et la mort ! Tant de vertus, de qualités louables et d'agréments ; un caractère si doux et si facile ; un mari

* Cette cassette contenait toutes les Lettres relatives à son aventure avec M. de Valmont.

qu'elle aimait, et dont elle était adorée ; une société où elle se plaisait, et dont elle faisait les délices ; de la figure, de la jeunesse, de la fortune ; tant d'avantages réunis, ont donc été perdus par une seule imprudence ! Ô providence ! sans doute il faut adorer tes décrets ; mais combien ils sont incompréhensibles ! Je m'arrête ; je crains d'augmenter votre tristesse, en me livrant à la mienne.

Je vous quitte et vais passer chez ma fille qui est un peu indisposée. En apprenant de moi, ce matin, cette mort si prompte de deux personnes de sa connaissance, elle s'est trouvée mal, et je l'ai fait mettre au lit. J'espère cependant que cette légère incommodité n'aura pas de suite. À cet âge-là on n'a pas encore l'habitude des chagrins, et leur impression en devient plus vive et plus forte. Cette sensibilité si active est, sans doute, une qualité louable : mais combien tout ce qu'on voit chaque jour nous apprend à la craindre ! Adieu, ma chère et digne amie.

*Paris, ce 9 Décembre 17**.*

LETTRE CLXVI

MONSIEUR BERTRAND À MADAME DE ROSEMONDE

Madame,

En conséquence des ordres que vous m'avez fait l'honneur de m'adresser, j'ai eu celui de voir M. le Président de …, et je lui ai communiqué votre Lettre, en le prévenant que, suivant vos désirs, je ne ferais rien que par ses conseils. Ce respectable Magistrat m'a chargé de vous observer que la plainte que vous êtes dans l'intention de rendre contre M. le Chevalier Danceny, compromettrait également la mémoire de Monsieur votre neveu ; et que son honneur se trouverait nécessairement entaché par l'Arrêt de la Cour, ce qui serait sans doute un grand malheur. Son avis eſt donc qu'il faut bien se garder de faire aucune démarche ; et que s'il y en avait à faire, ce serait au contraire pour tâcher de prévenir que le Miniſtère public[1] ne prît connaissance de cette malheureuse aventure, qui n'a déjà que trop éclaté.

Ces observations m'ont paru pleines de sagesse, et je prends le parti d'attendre de nouveaux ordres de votre part.

Permettez-moi de vous prier, Madame, de vouloir bien, en me les faisant passer, y joindre un mot sur l'état de votre chère santé, pour laquelle je redoute extrêmement le triſte effet de tant de chagrins. J'espère que vous pardonnerez cette liberté à mon attachement et à mon zèle.

Je suis avec respect, Madame, votre, etc.

*Paris, ce 10 Décembre 17**.*

LETTRE CLXVII

ANONYME
À MONSIEUR LE CHEVALIER DANCENY

Monsieur,

J'ai l'honneur de vous prévenir que ce matin, au parquet de la Cour, il a été queſtion, parmi MM. les Gens du Roi[1], de l'affaire que vous avez eue ces jours derniers avec M. le Vicomte de Valmont, et qu'il eſt à craindre que le Miniſtère public n'en rende plainte. J'ai cru que cet avertissement pourrait vous être utile ; soit pour que vous fassiez agir vos protections, pour arrêter ces suites fâcheuses, soit, au cas que vous n'y puissiez parvenir, pour vous mettre dans le cas de prendre vos sûretés personnelles[2].

Si même vous me permettez un conseil, je crois que vous feriez bien, pendant quelque temps, de vous montrer moins que vous ne l'avez fait depuis quelques jours. Quoiqu'ordinairement on ait de l'indulgence pour ces sortes d'affaires, on doit néanmoins toujours ce respect à la Loi.

Cette précaution devient d'autant plus nécessaire, qu'il m'est revenu qu'une Mme de Rosemonde, qu'on m'a dit tante de M. de Valmont, voulait rendre plainte contre vous, et qu'alors la Partie publique[3] ne pourrait pas se refuser à sa réquisition. Il serait peut-être à propos que vous puissiez faire parler à cette dame.

Des raisons particulières m'empêchent de signer cette lettre ; mais je compte que, pour ne pas savoir de qui elle vous vient, vous n'en rendrez pas moins justice au sentiment qui l'a dictée.

J'ai l'honneur d'être, etc.

*Paris, ce 10 Décembre 17**.*

LETTRE CLXVIII

MADAME DE VOLANGES À MADAME DE ROSEMONDE

Il se répand ici, ma chère et digne amie, sur le compte de Mme de Merteuil, des bruits bien étonnants et bien fâcheux. Assurément je suis loin d'y croire, et je parierais bien que ce n'est qu'une affreuse calomnie ; mais je sais trop combien les méchancetés, même les moins vraisemblables, prennent aisément consistance, et combien l'impression qu'elles laissent s'efface difficilement, pour ne pas être très alarmée de celles-ci, toutes faciles que je les crois à détruire. Je désirerais, surtout, qu'elles pussent être arrêtées de bonne heure, et avant d'être plus répandues. Mais je n'ai su qu'hier, fort tard, ces horreurs qu'on commence seulement à débiter ; et quand j'ai envoyé ce matin chez Mme de Merteuil, elle venait de partir pour la campagne, où elle doit passer deux jours. On n'a pas pu me dire chez qui elle était allée. Sa seconde femme[1], que j'ai fait venir me parler, m'a dit que sa Maîtresse lui avait seulement donné ordre de l'attendre jeudi prochain ; et aucun des Gens qu'elle a laissés ici, n'en sait davantage. Moi-même, je ne présume pas où elle peut être ; je ne me rappelle personne de sa connaissance qui reste aussi tard à la campagne[2].

Quoi qu'il en soit, vous pourrez, à ce que j'espère, me procurer, d'ici à son retour, des éclaircissements qui peuvent lui être utiles ; car on fonde ces odieuses histoires sur des circonstances de la mort de M. de Valmont, dont apparemment vous aurez été instruite si elles sont vraies, ou dont, au moins, il vous sera facile de vous faire informer : ce que je vous demande en grâce. Voici ce qu'on publie, ou, pour mieux dire, ce qu'on murmure encore, mais qui ne tardera sûrement pas à éclater davantage.

On dit donc que la querelle survenue entre M. de Valmont et le Chevalier Danceny, est l'ouvrage de Mme de Merteuil, qui les trompait également tous deux ; que, comme il arrive presque toujours, les deux rivaux ont commencé par se battre, et ne sont venus qu'après aux éclaircissements ; que ceux-ci ont produit une réconciliation sincère ; et que pour achever de faire connaître Mme de Merteuil au Chevalier Danceny, et aussi pour se justifier entièrement, M. de Valmont a joint à ses discours une foule de lettres, formant une correspondance[a] régulière qu'il entretenait avec elle, et où celle-ci raconte sur elle-même, et dans le style le plus libre, les anecdotes les plus scandaleuses.

On ajoute que Danceny, dans sa première indignation, a livré ces lettres à qui a voulu les voir ; et qu'à présent elles courent Paris. On en cite particulièrement deux* ; l'une où elle fait l'histoire entière de sa vie et de ses principes, et qu'on dit le comble de l'horreur ;

* Lettres LXXXI et LXXXV de ce Recueil.

l'autre, qui justifie entièrement M. de Prévan, dont vous vous rappelez l'histoire, par la preuve qui s'y trouve qu'il n'a fait au contraire que céder aux avances les plus marquées de Mme de Merteuil, et que le rendez-vous était convenu avec elle.

J'ai heureusement les plus fortes raisons de croire que ces imputations sont aussi fausses qu'odieuses. D'abord, nous savons toutes deux que M. de Valmont n'était sûrement pas occupé de Mme de Merteuil, et j'ai tout lieu de croire que Danceny ne s'en occupait pas davantage : ainsi, il me paraît démontré qu'elle n'a pu être, ni le sujet, ni l'auteur de la querelle. Je ne comprends pas non plus quel intérêt aurait eu Mme de Merteuil, que l'on suppose d'accord avec M. de Prévan, à faire une scène qui ne pouvait jamais être que désagréable par son éclat ; et qui pouvait devenir très dangereuse pour elle, puisqu'elle se faisait par là un ennemi irréconciliable, d'un homme qui se trouvait maître d'une partie de son secret, et qui avait alors beaucoup de partisans. Cependant il est à remarquer que, depuis cette aventure, il ne s'est pas élevé une seule voix en faveur de Prévan, et que, même de sa part, il n'y a eu aucune réclamation.

Ces réflexions me porteraient à le soupçonner l'auteur des bruits qui courent aujourd'hui ; et à regarder ces noirceurs comme l'ouvrage de la haine et de la vengeance d'un homme qui, se voyant perdu, espère par ce moyen répandre au moins des doutes, et causer peut-être une diversion utile. Mais de quelque part que viennent ces méchancetés, le plus pressé est de les détruire. Elles tomberaient d'elles-mêmes, s'il se trouvait, comme il est vraisemblable, que MM. de Valmont et Danceny ne se fussent point parlé depuis leur malheureuse affaire, et qu'il n'y eût pas eu de papiers remis.

Dans mon impatience de vérifier ces faits, j'ai envoyé ce matin chez M. Danceny ; il n'est pas non plus à Paris. Ses Gens[3] ont dit à mon valet de chambre qu'il était parti cette nuit, sur un avis qu'il avait reçu hier[4], et que le lieu de son séjour était un secret. Apparemment il craint les suites de son affaire. Ce n'est donc que par vous, ma chère et digne amie, que je puis avoir les détails qui m'intéressent, et qui peuvent devenir si nécessaires à Mme de Merteuil. Je vous renouvelle ma prière, de me les faire parvenir le plus tôt possible.

P. S. L'indisposition de ma fille n'a eu aucune suite ; elle vous présente son respect.

*Paris, ce 11 Décembre 17**.*

LETTRE CLXIX

LE CHEVALIER DANCENY
À MADAME DE ROSEMONDE

Madame,

Peut-être trouverez-vous la démarche que je fais aujourd'hui, bien étrange : mais, je vous en supplie, écoutez-moi avant de me juger, et ne voyez ni audace ni témérité, où il n'y a que respect et confiance. Je ne me dissimule pas les torts que j'ai vis-à-vis de vous, et je ne me les pardonnerais de ma vie, si je pouvais penser un moment qu'il m'eût été possible d'éviter de les avoir. Soyez même bien persuadée, Madame, que pour me trouver exempt de reproches, je ne le suis pas de regrets ; et je peux ajouter encore avec sincérité, que ceux que je vous cause entrent pour beaucoup dans ceux que je ressens. Pour croire à ces sentiments dont j'ose vous assurer, il doit vous suffire de vous rendre justice, et de savoir que, sans avoir l'honneur d'être connu de vous, j'ai pourtant celui de vous connaître.

Cependant, quand je gémis de la fatalité qui a causé à la fois vos chagrins et mes malheurs, on veut me faire craindre que, tout entière à votre vengeance, vous ne cherchiez les moyens de les satisfaire, jusque dans la sévérité des Lois.

Permettez-moi d'abord de vous observer à ce sujet, qu'ici votre douleur vous abuse, puisque mon intérêt sur ce point est essentiellement lié à celui de M. de Valmont, et qu'il se trouverait enveloppé lui-même dans la condamnation que vous auriez provoquée contre moi. Je croirais donc, Madame, pouvoir au contraire compter plutôt de votre part, sur des secours que sur des obstacles, dans les soins que je pourrais être obligé de prendre pour que ce malheureux événement restât enseveli dans le silence.

Mais cette ressource de complicité, qui convient également au coupable et à l'innocent, ne peut suffire à ma délicatesse : en désirant de vous écarter comme partie, je vous réclame comme mon juge. L'estime des personnes qu'on respecte est trop précieuse, pour que je me laisse ravir la vôtre sans la défendre, et je crois en avoir les moyens.

En effet, si vous convenez que la vengeance est permise, disons mieux, qu'on se la doit, quand on a été trahi dans son amour, dans son amitié, et surtout, dans sa confiance ; si vous en convenez, mes torts vont disparaître à vos yeux. N'en croyez pas mes discours ; mais lisez, si vous en avez le courage, la correspondance que je dépose entre vos mains*. La quantité de Lettres qui s'y trouvent en original, paraît rendre authentiques celles dont il n'existe que des copies. Au reste, j'ai reçu ces papiers, tels que j'ai l'honneur de vous les adresser, de M. de Valmont lui-même. Je n'y ai rien ajouté, et je n'en ai distrait que deux Lettres que je me suis permis de publier.

L'une[1] était nécessaire à la vengeance commune de M. de Valmont et de moi, à laquelle nous avions droit tous deux, et dont il m'avait expressément chargé. J'ai cru de plus, que c'était rendre service à la société, que

* C'est de cette correspondance, de celle remise pareillement à la mort de Mme de Tourvel, et des Lettres confiées aussi à Mme de Rosemonde par Mme de Volanges, qu'on a formé le présent Recueil, dont les originaux subsistent entre les mains des héritiers de Mme de Rosemonde.

de démasquer une femme aussi réellement dangereuse que l'eſt Mme de Merteuil, et qui, comme vous pouvez le voir, eſt la seule, la véritable cause de tout ce qui s'eſt passé entre M. de Valmont et moi.

Un sentiment de juſtice m'a porté aussi à publier la seconde[2], pour la juſtification de M. de Prévan, que je connais à peine, mais qui n'avait aucunement mérité le traitement rigoureux qu'il vient d'éprouver, ni la sévérité des jugements du public, plus redoutable encore ; et sous laquelle il gémit depuis ce temps, sans avoir rien pour s'en défendre.

Vous ne trouverez donc que la copie de ces deux Lettres, dont je me dois de garder les originaux. Pour tout le reſte, je ne crois pas pouvoir remettre en de plus sûres mains un dépôt qu'il m'importe peut-être qui ne soit pas détruit, mais dont je rougirais d'abuser. Je crois, Madame, en vous confiant ces papiers, servir aussi bien les personnes qu'ils intéressent, qu'en les leur remettant à elles-mêmes ; et je leur sauve l'embarras de les recevoir de moi, et de me savoir inſtruit d'aventures, que sans doute elles désirent que tout le monde ignore.

Je crois devoir vous prévenir à ce sujet, que cette correspondance, ci-jointe, n'eſt qu'une partie d'une collection bien plus volumineuse, dont M. de Valmont l'a tirée en ma présence[3], et que vous devez retrouver à la levée des scellés, sous le titre, que j'ai vu, de *compte ouvert*[4] *entre la Marquise de Merteuil et le Vicomte de Valmont.* Vous prendrez, sur cet objet, le parti que vous suggérera votre prudence.

Je suis avec respect, Madame, etc.

P. S. Quelques avis que j'ai reçus, et les conseils de mes amis m'ont décidé à m'absenter de Paris pour quelque temps : mais le lieu de ma retraite, tenu secret pour tout le monde, ne le sera pas pour vous. Si vous m'honorez d'une réponse, je vous prie de l'adresser à la Commanderie[5] de ..., par P..., et sous le couvert de M. le Commandeur[6] de ... C'eſt de chez lui que j'ai l'honneur de vous écrire.

Ce 12[7] *Décembre 17**.*

LETTRE CLXX

MADAME DE VOLANGES
À MADAME DE ROSEMONDE

Je marche, ma chère amie, de surprise en surprise, et de chagrin en chagrin. Il faut être mère, pour avoir l'idée de ce que j'ai souffert hier toute la matinée ; et si mes plus cruelles inquiétudes ont été calmées depuis, il me reste encore une vive affliction, et dont je ne prévois pas la fin.

Hier, vers 10 heures du matin, étonnée de ne pas avoir encore vu ma fille, j'envoyai ma femme de chambre pour savoir ce qui pouvait occasionner ce retard. Elle revint le moment d'après fort effrayée, et m'effraya bien davantage, en m'annonçant que ma fille n'était pas dans son appartement ; et que depuis le matin, sa Femme de chambre ne l'y avait pas trouvée. Jugez de ma situation ! Je fis venir tous mes Gens, et surtout mon Portier : tous me jurèrent ne rien savoir et ne pouvoir rien m'apprendre sur cet événement. Je passai aussitôt dans la chambre de ma fille. Le désordre qui y régnait m'apprit bien qu'apparemment elle n'était sortie que le matin : mais je n'y trouvai d'ailleurs aucun éclaircissement. Je visitai[1] ses armoires, son secrétaire ; je trouvai tout à sa place et toutes ses hardes[2], à la réserve de la robe avec laquelle[a] elle était sortie. Elle n'avait seulement pas pris le peu d'argent qu'elle avait chez elle.

Comme elle n'avait appris qu'hier tout ce qu'on dit de Mme de Merteuil, qu'elle lui est fort attachée, et au point même qu'elle n'avait fait que pleurer toute la soirée ; comme je me rappelais aussi qu'elle ne savait pas que Mme de Merteuil était à la campagne, ma première idée fut qu'elle avait voulu voir son amie, et qu'elle avait fait l'étourderie d'y aller seule. Mais le temps qui s'écoulait sans qu'elle revînt, me rendit toutes mes inquiétudes. Chaque moment augmentait ma peine ; et tout en brûlant de m'instruire, je n'osais pourtant prendre aucune information, dans la crainte de donner de l'éclat à une démarche, que peut-être je voudrais après pouvoir cacher à tout le monde. Non, de ma vie, je n'ai tant souffert !

Enfin, ce ne fut qu'à 2 heures, passées, que je reçus à la fois une Lettre de ma fille, et une de la supérieure du Couvent de … La Lettre de ma fille disait seulement qu'elle avait craint que je ne m'opposasse à la vocation qu'elle avait de se faire Religieuse, et qu'elle n'avait osé m'en parler : le reste n'était que des excuses sur ce qu'elle avait pris, sans ma permission, ce parti, que je ne désapprouverais sûrement pas, ajoutait-elle, si je connaissais ses motifs, que pourtant elle me priait de ne pas lui demander.

La Supérieure me mandait qu'ayant vu arriver une jeune personne seule, elle avait d'abord refusé de la recevoir, mais que l'ayant interrogée, et ayant appris qui elle était, elle avait cru me rendre service, en commençant par donner asile à ma fille, pour ne pas l'exposer à de nouvelles courses, auxquelles elle paraissait déterminée. La Supérieure en m'offrant comme de raison de me remettre ma fille, si je la redemandais, m'invite, suivant son état, à ne pas m'opposer à une vocation qu'elle appelle si décidée ; elle me disait encore n'avoir pas pu m'informer plus tôt de cet événement, par la peine qu'elle avait eue à me faire écrire par ma fille, dont le projet était que tout le monde ignorât où elle s'était retirée. C'est une cruelle chose que la déraison des enfants !

J'ai été sur-le-champ à ce Couvent ; et après avoir vu la Supérieure, je lui ai demandé de voir ma fille ; celle-ci n'est venue qu'avec peine, et bien tremblante. Je lui ai parlé devant les Religieuses, et je lui ai parlé seule : tout ce que j'en ai pu tirer au milieu de beaucoup de larmes, est qu'elle ne pouvait être heureuse qu'au Couvent ; j'ai pris le parti de lui permettre d'y rester, mais sans être encore au rang des Postulantes[3], comme elle le demandait. Je crains que la mort de Mme de Tourvel et celle de M. de Valmont n'aient trop affecté cette jeune tête. Quelque respect que j'aie pour la vocation religieuse, je ne verrais pas sans peine, et même sans crainte, ma fille embrasser cet état. Il me semble que nous avons déjà assez de devoirs à remplir sans nous en créer de nouveaux, et encore, que ce n'est guère à cet âge que nous savons ce qui nous convient.

Ce qui redouble mon embarras, c'est le retour très prochain de M. de Gercourt ; faudra-t-il rompre ce mariage si avantageux ? Comment donc faire le bonheur de ses enfants, s'il ne suffit pas d'en avoir le désir et d'y donner tous ses soins ? Vous m'obligerez beaucoup de me dire ce que vous feriez à ma place ; je ne peux m'arrêter à aucun parti : je ne trouve rien de si effrayant que d'avoir à décider du sort des autres, et je crains également de mettre dans cette occasion-ci, la sévérité d'un juge ou la faiblesse d'une mère.

Je me reproche sans cesse d'augmenter vos chagrins, en vous parlant des miens ; mais je connais votre cœur, la consolation que vous pourriez donner aux autres, deviendrait pour vous la plus grande que vous puissiez recevoir.

Adieu, ma chère et digne amie ; j'attends vos deux réponses avec bien de l'impatience.

*Paris, ce 13 Décembre 17**.*

LETTRE CLXXI

MADAME DE ROSEMONDE
AU CHEVALIER DANCENY

Après ce que vous m'avez fait connaître, Monsieur, il ne reste qu'à pleurer et qu'à se taire. On regrette de vivre encore, quand on apprend de pareilles horreurs ; on rougit d'être femme, quand on en voit une capable de semblable excès.

Je me prêterai volontiers, Monsieur, pour ce qui me concerne, à laisser dans le silence et l'oubli tout ce qui pourrait avoir trait et donner suite à ces tristes événements. Je souhaite même qu'ils ne vous causent jamais d'autres chagrins que ceux inséparables du malheureux avantage[a] que vous avez remporté sur mon neveu. Malgré ses torts, que je suis forcée de reconnaître, je sens que je ne me consolerai jamais de sa perte ; mais mon éternelle affliction sera la seule vengeance que je me permettrai de tirer de vous ; c'est à votre cœur à en apprécier l'étendue.

Si vous permettez à mon âge une réflexion qu'on ne fait guère au vôtre, c'est que, si on était éclairé sur son véritable bonheur, on ne le chercherait jamais hors des bornes prescrites par les lois et la religion.

Vous pouvez être sûr que je garderai fidèlement et volontiers le dépôt que vous m'avez confié ; mais je vous demande de m'autoriser à ne le remettre à personne, pas même à vous, Monsieur, à moins qu'il ne devienne nécessaire à votre justification. J'ose croire que vous ne vous refuserez pas à cette prière, et que vous n'êtes plus à sentir qu'on gémit souvent de s'être livré, même à la plus juste vengeance.

Je ne m'arrête pas dans mes demandes, persuadée

que je suis de votre générosité et de votre délicatesse ; il serait bien digne de toutes deux, de remettre aussi entre mes mains les lettres de Mlle de Volanges, qu'apparemment vous avez conservées, et qui sans doute ne vous intéressent plus. Je sais que cette jeune personne a de grands torts avec vous ; mais je ne pense pas que vous songiez à l'en punir ; et ne fût-ce que par respect pour vous-même, vous n'avilirez pas l'objet que vous avez tant aimé. Je n'ai donc pas besoin d'ajouter que les égards que la fille ne mérite pas, sont au moins bien dus à la mère, à cette femme respectable, vis-à-vis de qui vous n'êtes pas sans avoir beaucoup à réparer ; car enfin, quelque illusion qu'on cherche à se faire par une prétendue délicatesse de sentiments, celui qui le premier tente de séduire un cœur encore honnête et simple, se rend par là même le premier fauteur[1] de sa corruption, et doit être à jamais comptable des excès et des égarements qui la suivent.

Ne vous étonnez pas, Monsieur, de tant de sévérité de ma part ; elle est la plus grande preuve que je puisse vous donner de ma parfaite estime. Vous y acquerrez de nouveaux droits encore, en vous prêtant, comme je le désire, à la sûreté d'un secret, dont la publicité[2] vous ferait tort à vous-même, et porterait la mort dans un cœur maternel, que déjà vous avez blessé. Enfin, Monsieur, je désire de rendre ce service à mon amie ; et si je pouvais craindre que vous me refusassiez cette consolation, je vous demanderais de songer auparavant que c'est la seule que vous m'ayez laissée.

J'ai l'honneur d'être, etc.

*Du Château de ..., ce 15 Décembre 17**.*

LETTRE CLXXII

MADAME DE ROSEMONDE
À MADAME DE VOLANGES

Si j'avais été obligée, ma chère amie, de faire venir et d'attendre de Paris les éclaircissements que vous me demandez concernant Mme de Merteuil, il ne me serait pas possible de vous les donner encore ; et sans doute je n'en aurais reçu que de vagues et d'incertains : mais il m'en est venu que je n'attendais pas, que je n'avais pas lieu d'attendre ; et ceux-là n'ont que trop de certitude. Ô ! mon amie, combien cette femme vous a trompée !

Je répugne à entrer dans aucun détail sur cet amas d'horreurs ; mais quelque chose qu'on en débite, assurez-vous qu'on est encore au-dessous de la vérité. J'espère, ma chère amie, que vous me connaissez assez pour me croire sur ma parole, et que vous n'exigerez de moi aucune preuve. Qu'il vous suffise de savoir qu'il en existe une foule, que j'ai dans ce moment même entre les mains.

Ce n'est pas sans une peine extrême, que je vous fais la même prière de ne pas m'obliger à motiver le conseil que vous me demandez, relativement à Mlle de Volanges. Je vous invite à ne pas vous opposer à la vocation qu'elle montre. Sûrement nulle raison ne peut autoriser à forcer de prendre cet état, quand le sujet n'y est pas appelé : mais quelquefois c'est un grand bonheur qu'il le soit ; et vous voyez que votre fille elle-même vous dit que vous ne la désapprouveriez pas, si vous connaissiez ses motifs. Celui qui nous inspire nos sentiments, sait mieux que notre vaine sagesse, ce qui convient à chacun ; et souvent, ce qui paraît un acte de sa sévérité, en est au contraire un de sa clémence.

Enfin, mon avis, que je sens bien qui vous affligera, et que par là même vous devez croire que je ne vous donne pas sans y avoir beaucoup réfléchi, est que vous laissiez Mlle de Volanges au Couvent, puisque ce parti est de son choix ; que vous encouragiez, plutôt que contrarier le projet qu'elle paraît avoir formé ; et que dans l'attente de son exécution, vous n'hésitiez pas à rompre le mariage que vous aviez arrêté.

Après avoir rempli ces pénibles devoirs de l'amitié, et dans l'impuissance où je suis d'y joindre aucune consolation, la grâce qui me reste à vous demander, ma chère amie, est de ne plus m'interroger sur rien qui ait rapport à ces tristes événements : laissons-les dans l'oubli qui leur convient ; et sans chercher d'inutiles et d'affligeantes lumières, soumettons-nous aux décrets de la Providence, et croyons à la sagesse de ses vues, lors même qu'elle ne nous permet pas de les comprendre. Adieu, ma chère amie.

*Du Château de ..., ce 15 Décembre 17**.*

LETTRE CLXXIII

MADAME DE VOLANGES
À MADAME DE ROSEMONDE

Ô ! mon amie ! de quel voile effrayant vous enveloppez le sort de ma fille ! Et vous paraissez craindre que je ne tente de le soulever ! Que me cache-t-il donc qui puisse affliger davantage le cœur d'une mère, que les affreux soupçons auxquels vous me livrez ? Plus je connais votre amitié, votre indulgence, et plus mes tourments redoublent : vingt fois, depuis hier, j'ai voulu sortir de ces cruelles incertitudes, et vous demander de m'instruire sans ménagement et sans détour ; et chaque fois j'ai frémi de crainte, en songeant à la prière que vous me faites de ne pas vous interroger. Enfin, je m'arrête à un parti qui me laisse encore quelque espoir ; et j'attends de votre amitié que vous ne vous refuserez pas à ce que je désire ; c'est de me répondre si j'ai à peu près compris ce que vous pouviez avoir à me dire ; de ne pas craindre de m'apprendre tout ce que l'indulgence maternelle peut couvrir, et qui n'est pas impossible à réparer. Si mes malheurs excèdent cette mesure, alors je consens à vous laisser en effet ne vous expliquer que par votre silence : voici donc ce que j'ai su, et jusqu'où mes craintes peuvent s'étendre.

Ma fille a montré avoir quelque goût pour le Chevalier Danceny, et j'ai été informée qu'elle a été jusqu'à recevoir des Lettres de lui, et même jusqu'à lui répondre ; mais je croyais être parvenue à empêcher que cette erreur d'un enfant n'eût aucune suite dangereuse[1] : aujourd'hui que je crains tout, je conçois qu'il serait possible que ma surveillance eût été trompée, et je redoute que ma fille, séduite[2], n'ait mis le comble à ses égarements.

Je me rappelle encore plusieurs circonstances qui peuvent fortifier cette crainte. Je vous ai mandé que ma fille s'était trouvée mal à la nouvelle du malheur arrivé à M. de Valmont ; peut-être cette sensibilité avait-elle seulement pour objet l'idée des risques que M. Danceny avait courus dans ce combat. Quand depuis elle a tant pleuré en apprenant tout ce qu'on disait de Mme de Merteuil, peut-être ce que j'ai cru la douleur de l'amitié, n'était que l'effet de la jalousie, ou du regret de trouver son Amant infidèle. Sa dernière démarche peut encore, ce me semble, s'expliquer par le même motif. Souvent on se croit appelée à Dieu, par cela seul qu'on se sent révoltée contre les hommes. Enfin, en supposant que ces faits soient vrais, et que vous en soyez instruite, vous aurez pu, sans doute, les trouver suffisants pour autoriser le conseil rigoureux que vous me donnez.

Cependant, s'il était ainsi, en blâmant ma fille, je

croirais pourtant lui devoir encore de tenter tous les moyens de lui sauver les tourments et les dangers d'une vocation illusoire et passagère. Si M. Danceny n'a pas perdu tout sentiment d'honnêteté, il ne se refusera pas à réparer un tort dont lui seul est l'auteur, et je peux croire enfin que le mariage de ma fille est assez avantageux, pour qu'il puisse en être flatté, ainsi que sa famille.

Voilà, ma chère et digne amie, le seul espoir qui me reste ; hâtez-vous de le confirmer, si cela vous est possible. Vous jugez combien je désire que vous me répondiez, et quel coup affreux me porterait votre silence*.

J'allais fermer ma lettre, quand un homme de ma connaissance est venu me voir, et m'a raconté la cruelle scène que Mme de Merteuil a essuyée avant-hier. Comme je n'ai vu personne tous ces derniers jours, je n'avais rien su de cette aventure ; en voilà le récit, tel que je le tiens d'un témoin oculaire.

Mme de Merteuil, en arrivant de la campagne, avant-hier Jeudi, s'est fait descendre à la Comédie-Italienne[4], où elle avait sa loge ; elle y était seule, et ce qui dut lui paraître extraordinaire, aucun homme ne s'y présenta pendant tout le spectacle[5]. À la sortie, elle entra, suivant son usage, au petit salon, qui était déjà rempli de monde ; sur-le-champ il s'éleva une rumeur, mais dont apparemment elle ne se crut pas l'objet. Elle aperçut une place vide sur l'une des banquettes, et elle alla s'y asseoir ; mais aussitôt toutes les femmes qui y étaient déjà, se levèrent comme de concert, et l'y laissèrent absolument seule. Ce mouvement marqué d'indignation générale fut applaudi de tous les hommes, et fit redoubler les murmures, qui, dit-on, allèrent jusqu'aux huées[6].

Pour que rien ne manquât à son humiliation, son malheur voulut que M. de Prévan, qui ne s'était montré nulle part depuis son aventure, entrât dans le même moment dans le petit salon. Dès qu'on l'aperçut, tout le monde, hommes et femmes, l'entoura et l'applaudit ; et il se trouva, pour ainsi dire, porté devant Mme de

* Cette Lettre est restée sans réponse[3].

Merteuil, par le public qui faisait cercle autour d'eux. On assure que celle-ci a conservé l'air de ne rien voir et de ne rien entendre, et qu'elle n'a pas changé de figure ! Mais je crois ce fait exagéré. Quoi qu'il en soit, cette situation, vraiment ignominieuse pour elle, a duré jusqu'au moment où on a annoncé sa voiture ; et à son départ, les huées scandaleuses ont encore redoublé. Il eﬆ affreux de se trouver parente de cette femme. M. de Prévan a été, le même soir, fort accueilli de tous ceux des Officiers de son Corps qui se trouvaient-là, et on ne doute pas qu'on ne lui rende bientôt son emploi et son rang.

La même personne qui m'a fait ce détail, m'a dit que Mme de Merteuil avait pris la nuit suivante une très forte fièvre, qu'on avait cru d'abord être l'effet de la situation violente où elle s'était trouvée ; mais qu'on sait depuis hier au soir, que la petite vérole[7] s'eﬆ déclarée confluente et d'un très mauvais caractère. En vérité, ce serait, je crois, un bonheur pour elle d'en mourir. On dit encore que toute cette aventure lui fera peut-être beaucoup de tort pour son procès, qui eﬆ près d'être jugé, et dans lequel on prétend qu'elle avait besoin de beaucoup de faveur.

Adieu, ma chère et digne amie. Je vois bien dans tout cela les méchants punis ; mais je n'y trouve nulle consolation pour leurs malheureuses victimes.

*Paris, ce 18 Décembre 17**.*

LETTRE CLXXIV

LE CHEVALIER DANCENY
À MADAME DE ROSEMONDE[1]

Vous avez raison, Madame, et sûrement je ne vous refuserai rien de ce qui dépendra de moi, et à quoi vous paraîtrez attacher quelque prix. Le paquet que j'ai l'honneur de vous adresser contient toutes les Lettres de Mlle de Volanges. Si vous les lisez, vous ne verrez peut-être pas sans étonnement qu'on puisse réunir tant d'ingénuité et tant de perfidie. C'est, au moins, ce qui m'a frappé le plus dans la dernière lecture que je viens d'en faire.

Mais, surtout, peut-on se défendre de la plus vive indignation contre Mme de Merteuil, quand on se rappelle avec quel affreux plaisir elle a mis tous ses soins à abuser de tant d'innocence et de candeur ?

Non, je n'ai plus d'amour. Je ne conserve rien d'un sentiment si indignement trahi ; et ce n'est pas lui qui me fait chercher à justifier Mlle de Volanges. Mais cependant, ce cœur si simple, ce caractère si doux et si facile, ne se seraient-ils pas portés au bien, plus aisément encore qu'ils ne se sont laissé entraîner vers le mal ? Quelle jeune personne, sortant de même du couvent, sans expérience et presque sans idées, et ne portant dans le monde, comme il arrive presque toujours alors, qu'une égale ignorance du bien et du mal ; quelle jeune personne, dis-je, aurait pu résister davantage à de si coupables artifices ? Ah ! pour être indulgent, il suffit de réfléchir à combien de circonstances indépendantes de nous, tient l'alternative effrayante de la délicatesse, ou de la dépravation de nos sentiments. Vous me rendiez donc justice, Madame, en pensant que les torts de Mlle de Volanges, que j'ai sentis bien vivement, ne m'inspirent pourtant aucune idée de vengeance. C'est bien assez d'être obligé de renoncer à l'aimer ! il m'en coûterait trop de la haïr.

Je n'ai eu besoin d'aucune réflexion pour désirer que tout ce qui la concerne, et qui pourrait lui nuire, restât à jamais ignoré de tout le monde. Si j'ai paru différer quelque temps de remplir vos désirs à cet égard, je crois pouvoir ne pas vous en cacher le motif ; j'ai voulu auparavant être sûr que je ne serais point inquiété sur les suites de ma malheureuse affaire. Dans un temps où je demandais votre indulgence, où j'osais même croire y avoir quelques droits, j'aurais craint d'avoir l'air de l'acheter en quelque sorte par cette condescendance de ma part ; et sûr de la pureté de mes motifs, j'ai eu, je l'avoue, l'orgueil de vouloir que vous ne puissiez en douter. J'espère que vous pardonnerez cette délicatesse, peut-être trop susceptible, à la vénération que vous m'inspirez, au cas que je fais de votre estime.

Le même sentiment me fait vous demander, pour dernière grâce, de vouloir bien me faire savoir si vous jugez que j'ai rempli tous les devoirs qu'ont pu m'imposer les malheureuses circonstances dans lesquelles je me suis trouvé. Une fois tranquille sur ce point, mon parti est pris ; je pars pour Malte[2] : j'irai y faire avec plaisir, et y garder religieusement des vœux qui me sépareront d'un monde dont, jeune encore, j'ai déjà eu tant à me plaindre ; j'irai enfin chercher à perdre, sous un ciel étranger, l'idée de tant d'horreurs accumulées, et dont le souvenir ne pourrait qu'attrister et flétrir mon âme.

Je suis avec respect, Madame, votre très humble, etc.

*Paris, ce 25 Décembre 17**.*

LETTRE CLXXV

MADAME DE VOLANGES
À MADAME DE ROSEMONDE

Le sort de Mme de Merteuil paraît enfin rempli, ma chère et digne amie ; et il est tel que ses plus grands ennemis sont partagés entre l'indignation qu'elle mérite, et la pitié qu'elle inspire. J'avais bien raison de dire que ce serait peut-être un bonheur pour elle de mourir de sa petite vérole[1]. Elle en est revenue, il est vrai, mais affreusement défigurée ; et elle y a particulièrement perdu un œil. Vous jugez bien que je ne l'ai pas revue : mais on m'a dit qu'elle était vraiment hideuse.

Le Marquis de ..., qui ne perd pas l'occasion de dire une méchanceté, disait hier, en parlant d'elle, que la maladie l'avait retournée, et qu'à présent son âme était sur sa figure[a]. Malheureusement[b] tout le monde trouva que l'expression était juste[c2].

Un autre événement vient d'ajouter encore à ses disgrâces et à ses torts. Son procès a été jugé avant-hier, et elle l'a perdu tout d'une voix. Dépens, dommages et intérêts, restitution des fruits[3], tout a été adjugé aux mineurs[4] : en sorte que le peu de sa fortune qui n'était pas compromis dans ce procès, est absorbé, et au-delà, par les frais.

Aussitôt qu'elle a appris cette nouvelle, quoique malade encore, elle a fait ses arrangements, et est partie seule dans la nuit et en poste[5]. Ses gens disent aujourd'hui qu'aucun d'eux n'a voulu la suivre. On croit qu'elle a pris la route de la Hollande.

Ce départ fait plus crier encore que tout le reste ; en ce qu'elle a emporté ses diamants, objet très considérable, et qui devait rentrer dans la succession de son mari, son argenterie, ses bijoux ; enfin, tout ce qu'elle a pu ; et qu'elle laisse après elle pour près de 50 000 livres de dettes[6]. C'est une véritable banqueroute.

La famille[d] doit s'assembler demain pour voir à prendre des arrangements avec les créanciers. Quoique parente bien éloignée, j'ai offert d'y concourir[7] : mais je ne me trouverai pas à cette assemblée, devant assister à une cérémonie plus triste encore. Ma fille prend demain l'habit de Postulante. J'espère que vous n'oublierez pas, ma chère amie, que dans ce grand sacrifice que je fais, je n'ai d'autre motif, pour m'y croire obligée, que le silence que vous avez gardé vis-à-vis de moi.

M. Danceny a quitté Paris, il y a près de quinze jours. On dit qu'il va passer à Malte, et qu'il a le projet de s'y fixer. Il serait peut-être encore temps de le retenir ?... Mon amie !... ma fille est donc bien coupable !... Vous pardonnerez sans doute à une mère de ne céder[e] que difficilement à cette affreuse certitude.

Quelle fatalité s'est donc répandue autour de moi depuis quelque temps, et m'a frappée dans les objets les plus chers ! Ma fille, et mon amie !

Qui pourrait ne pas frémir en songeant aux malheurs que peut causer une seule liaison dangereuse[8] ! et quelles peines ne s'éviterait-on point[f] en y réfléchissant davantage ! Quelle femme ne fuirait pas au premier propos d'un séducteur ? Quelle mère pourrait, sans trembler, voir une autre personne qu'elle parler à sa fille[9] ? Mais ces réflexions tardives n'arrivent jamais qu'après l'événement ; et l'une des plus importantes vérités, comme aussi peut-être des plus généralement reconnues, reste étouffée et sans usage dans le tourbillon de nos mœurs inconséquentes.

Adieu, ma chère et digne amie ; j'éprouve en ce moment que notre raison, déjà si insuffisante pour prévenir nos malheurs, l'est encore davantage pour nous en consoler*.

*Paris, ce 14 Janvier 17**.*

FIN DE LA QUATRIÈME
ET DERNIÈRE PARTIE.

* Des raisons particulières et des considérations que nous nous ferons toujours un devoir de respecter, nous forcent de nous arrêter ici.

Nous ne pouvons, dans ce moment, ni donner au Lecteur la suite des aventures de Mlle de Volanges, ni lui faire connaître les sinistres événements qui ont comblé les malheurs ou achevé la punition de Mme de Merteuil.

Peut-être quelque jour nous sera-t-il permis de compléter cet Ouvrage ; mais nous ne pouvons prendre aucun engagement à ce sujet : et quand nous le pourrions, nous croirions encore devoir auparavant consulter le goût du Public, qui n'a pas les mêmes raisons que nous de s'intéresser à cette lecture[10].

Note de l'Éditeur.

CORRESPONDANCE

ENTRE MADAME RICCOBONI ET L'AUTEUR DES LIAISONS DANGEREUSES

LETTRE Ire

Je ne suis pas surprise qu'un fils de M. de Choderlos[1] écrive bien. L'esprit est héréditaire dans sa famille ; mais je ne puis le féliciter d'employer ses talents, sa facilité, les grâces de son style, à donner aux étrangers une idée si révoltante des mœurs de sa nation et du goût de ses compatriotes. Un écrivain distingué, comme M. de Laclos, doit avoir deux objets en se faisant imprimer, celui de plaire, et celui d'être utile[2]. En remplir un, ce n'est pas assez pour un homme honnête. On n'a pas besoin de se mettre en garde contre des caractères qui ne peuvent exister[3], et j'invite M. de Laclos à ne jamais orner le vice, des agréments qu'il a prêtés à Mme de Merteuil.

RÉPONSE

DE MONSIEUR DE L. À MADAME R.

Monsieur de Laclos remercie, bien sincèrement, Madame Riccoboni, de la bonté qu'elle a eue de lui faire parvenir son avis sur l'ouvrage qu'il vient de faire paraître. Il lui doit bien plus de remerciements encore, de l'indulgence qu'elle a portée dans son jugement littéraire : mais il la supplie de lui permettre quelques réclamations sur la sévérité avec laquelle elle a jugé la morale de l'Auteur.

M. de L. commence par féliciter Mme R. de ne pas croire à l'existence des femmes méchantes et dépravées. Pour lui, éclairé par une expérience plus malheureuse, il assure avec chagrin, mais avec sincérité, qu'il ne pourrait effacer aucun des traits qu'il a rassemblés dans la personne de Mme de Merteuil, sans mentir à sa conscience, sans taire au moins, une partie de ce qu'il a vu. Serait-ce donc un tort d'avoir voulu, dans l'indignation de ces horreurs, les dévoiler, les combattre, et peut-être en prévenir de semblables ?

Si M. de L. peut être accusé *d'avoir donné*, par là, *aux étrangers une idée si révoltante des mœurs de sa nation et du goût de ses compatriotes*, il faut faire le même reproche au peintre de Lovelace[1], à l'Auteur des *Égarements du cœur et de l'esprit*[2], etc., etc.

Sans quitter l'ouvrage dont il est question, si les étrangers apportent dans ce pays la crainte salutaire des Merteuil, en sentiront-ils moins le prix des Tourvel, et des Rosemonde ; et se plaindra-t-on d'eux s'ils jugent les femmes d'après ce qu'en dit cette même Mme de Rosemonde, Lettre 130 ?

Enfin, M. de L. n'a point cherché *à orner le vice des agréments qu'il a prêtés à Mme de Merteuil*, mais il a cru qu'en peignant le vice, il pouvait lui laisser tous les agréments dont il n'est que trop souvent orné ; et il a voulu que cette parure dangereuse et séduisante, ne pût affaiblir, un moment, l'impression d'horreur que le vice doit toujours exciter. Tel, à peu près, au monument élevé par Pigalle*[3], on ne voit point sans effroi, sous une draperie moelleuse, le squelette de la mort fortement prononcé[4].

M. de L. n'en sent pas moins que les regards peuvent être blessés de quelques-uns des tableaux qu'il n'a pas craint de présenter : mais son premier objet était *d'être utile*, et ce n'est que pour y parvenir qu'il a *désiré de plaire.*

Quand ses Lecteurs, fatigués de ces images attristantes, voudront se reposer sur des sentiments plus doux ; quand ils rechercheront la nature embellie ; quand ils voudront connaître tout ce que l'esprit et les grâces peuvent ajouter de charmes à la tendresse, à la vertu ; M. de L. les invitera à relire *Ernestine*, *Fanny*, *Catesby*[5], etc. etc. etc. Et si à la vue d'aussi charmants tableaux, ils doutaient de l'existence des modèles, il leur dira avec confiance : ils sont tous dans le cœur du peintre. Peut-être alors, conviendront-ils que c'est aux femmes seules, qu'appartient cette sensibilité précieuse, cette imagination facile et riante qui embellit tout ce qu'elle touche, et crée les objets tels qu'ils devraient être : mais que les hommes, condamnés à un travail plus sévère, ont toujours suffisamment bien fait quand ils ont rendu la nature avec exactitude et fidélité.

M. de L. osera-t-il joindre à cette justification, peut-être trop longue, un exemplaire de son ouvrage ? Mme R. recevra cet hommage avec indulgence, si elle veut bien en juger moins sur sa valeur que sur le sentiment qui le fait présenter.

* Le mausolée de M. le Maréchal de Saxe, à Strasbourg.

LETTRE II

Du 14 Avril 1782

Vous êtes bien généreux, Monsieur, de répondre par des compliments si polis, si flatteurs, si spirituellement exprimés, à la liberté que j'ai osé prendre d'attaquer le fond d'un ouvrage dont le style et les détails méritent tant de louanges. Vous me feriez un tort véritable en m'attribuant la partialité *d'un Auteur*. Je le suis de si peu de choses, qu'en lisant un livre nouveau, je me trouverais bien injuste et bien sotte, si je le comparais aux bagatelles sorties de ma plume, et croyais mes idées propres à guider celles des autres. C'est en qualité de femme, Monsieur, de Française, de patriote zélée pour l'honneur de ma nation, que j'ai senti mon cœur blessé du caractère de Mme de Merteuil. Si, comme vous l'assurez, ce caractère affreux existe, je m'applaudis d'avoir passé mes jours dans un petit cercle, et je plains ceux qui étendent assez leurs connaissances pour se rencontrer avec de pareils monstres.

Recevez mes sincères remerciements, Monsieur, de l'agréable présent que vous avez bien voulu me faire. Tout Paris s'empresse à vous lire, tout Paris s'entretient de vous. Si c'est un bonheur d'occuper les habitants de cette immense Capitale, jouissez de ce plaisir. Personne n'a pu le goûter autant que vous. J'ai l'honneur d'être, Monsieur, avec tous les sentiments qui vous sont dus,

Votre très humble et très
obéissante servante,
RICCOBONI.

RÉPONSE

C'est encore moi, Madame, et je crains bien que vous ne me trouviez importun. Mais le moyen de ne pas répondre à votre obligeante lettre ! de ne pas vous remercier de vos remerciements ! Enfin, que vous dirai-je ? Cette correspondance peut cesser, et même je m'y attends : je sens que vous avez le droit de vous taire, et que je n'aurai pas celui de réclamer contre votre silence : mais sans doute vous ne vous attendez pas que ce soit moi qui en donne l'exemple ; ce sera bien assez de m'y conformer. J'ai appris depuis longtemps à supporter des privations, mais non pas à m'en imposer.

Non, Madame, je ne vous ai point soupçonnée de la partialité *d'un Auteur* : et qui pourrait vous en inspirer ? Que pourrait-on écrire qui détruisît jamais le charme de ces ouvrages délicieux, que vous seule nommez des bagatelles ; mais qu'on chérira toujours, tant qu'on sentira le prix des sentiments honnêtes, délicatement exprimés ? Mais, dites-vous, vous êtes femme et Française ! Hé bien ! ces deux qualités ne m'effraient point. Je sens dans mon cœur tout ce qu'il faut pour ne pas redouter ce tribunal.

Peut-être ces mêmes *Liaisons dangereuses*, tant reprochées[1] aujourd'hui par les femmes, sont une preuve assez forte que je me suis beaucoup occupé d'elles ; et comment s'en occuper et ne les aimer pas ?

Que si j'en ai rencontré quelques-unes, jetées en quelque sorte hors de leur sexe par la dépravation et la méchanceté ; si, frappé du mal qu'elles faisaient, des maux qu'elles pouvaient faire, j'ai répandu l'alarme et dévoilé leurs coupables artifices ; qu'ai-je fait en cela, que servir les femmes honnêtes ; et pourquoi me reprocheraient-elles d'avoir combattu l'ennemi qui faisait leur honte, et pouvait faire leur malheur ?

Mais, poursuit-on, vous créez des monstres pour les combattre ; de telles femmes n'existent point : supposons-le, j'y consens. Alors, pourquoi tant de rumeur ? Quand Don Quichotte s'arma pour aller combattre les moulins à vent, quelqu'un s'avisa-t-il d'en prendre la défense ? On le plaignit, on ne l'accusa point. Revenons à la vérité.

On insiste, et l'on me demande, Mme de Merteuil a-t-elle jamais existé ? Je l'ignore. Je n'ai point prétendu faire un libelle. Mais quand Molière peignit le Tartufe, existait-il un homme qui, sous le manteau de la Religion, eût entrepris de séduire la mère dont il épousait la fille ; de brouiller le fils avec le père ; d'enlever à celui-ci sa fortune ; et de finir par se rendre le délateur de sa victime, pour échapper à ses réclamations ? Non sans doute, cet homme n'existait pas : mais vingt, mais cent hypocrites avaient commis séparément de semblables horreurs : Molière les réunit sur un seul d'entr'eux, et le livra à l'indignation publique.

Vous ne me soupçonnerez pas, sans doute, de me comparer à Molière : mais j'ai pu, comme lui, rassembler dans un même personnage, les traits épars du même caractère. J'ai donc peint, ou au moins j'ai voulu peindre, les noirceurs que des femmes dépravées s'étaient permises, en couvrant leurs vices de l'hypocrisie des mœurs.

Si aucune femme ne s'est livrée à la débauche en feignant de se rendre à l'amour ; si jamais une autre n'a facilité, provoqué même, la séduction de sa compagne, de *son amie* ; s'il ne s'en trouve point qui ait voulu perdre, qui ait perdu en effet son amant, devenu trop tôt infidèle ; si l'on n'en a point vu, dans ce choc des passions viles, se permettre un grand mal pour un très léger intérêt ; si enfin ce mot de *gaieté* n'a pas été profané, indistinctement par les hommes et par les femmes, pour exprimer des horreurs qui doivent révolter toute âme honnête ; si tout cela n'est point, j'ai eu tort d'écrire... Mais qui osera nier ces vérités de tous les jours ?

Voilà, Madame, une partie des raisons que je me suis dites avant de publier mon ouvrage, et que peut-être je serai obligé de dire un jour à tout le monde ; j'en ai d'autres encore, mais ce n'est pas avec vous qu'il est besoin de tout dire.

J'ajouterai cependant que Mme de Merteuil n'est pas plus une Française qu'une femme de tout autre pays. Partout où il naîtra une femme avec des sens actifs et un cœur incapable d'amour ; quelque esprit et une âme vile ; qui sera méchante, et dont la méchanceté aura de la profondeur sans énergie ; là existera Mme de Merteuil sous quelque costume qu'elle se présente, et seulement avec des différences locales. Si j'ai donné à celle-ci l'habit Français, c'est que, persuadé qu'on ne peint avec vérité qu'en peignant d'après nature, j'ai préféré la draperie que je pouvais avoir sous mes yeux : mais l'œil exercé dépouille aisément le modèle, et reconnaît *le nu*.

Soyez donc, Madame, femme et Française ; chérissez votre sexe et votre patrie, qui tous deux doivent s'honorer de vous posséder ; j'y trouverai un motif de plus de désirer votre suffrage, mais non une raison nouvelle pour ne pas l'obtenir.

J'ai l'honneur d'être, Madame, etc.

LETTRE III

Vendredi 19 avril 1782

Me croire dispensée de vous répondre, Monsieur, et me donner votre adresse[1], c'est au moins une petite contradiction. On vous aura dit que j'étais farouche ? Je le suis en effet. Mais l'antre où je me cache ne m'a pas rendue tout à fait impolie, et je reconnaîtrais mal la bonne opinion que vous daignez avoir de mon caractère, si je paraissais insensible aux égards dont vous m'honorez. Une de vos expressions me semble assez singulière. Un militaire, mettre au rang de ses *privations*, la négligence d'une femme dont il a pu entendre parler à sa grand'mère ! Cela ne vous fait-il pas rire, Monsieur ?

Vous avez la fantaisie de me persuader, même de me convaincre par vos raisonnements, qu'un livre, où brille votre esprit, est le résultat de vos remarques et non l'ouvrage de votre imagination. N'est-ce pas là votre idée ? En le supposant, toutes les campagnes n'offrent point l'aspect d'un joli paysage, et c'est au peintre à choisir les vues qu'il dessine. Oui sans doute, Monsieur, on a montré avant vous des monstres détestables, mais leur vice est puni par les Lois. Tartufe, que vous chargez à tort d'un désir incestueux[2], est un voleur adroit, mis à la fin de la pièce entre les mains de la Justice. Molière a dû rassembler des traits frappants sur ce personnage, le théâtre exigeant une action vive et pressée. Votre second exemple, Lovelace, est un être de raison. La passion vraiment forte, vraiment tendre que Richardson lui donne pour Clarisse, le met absolument hors de la nature. Votre libertin, indifférent et vain, s'en rapproche bien davantage ; il trompe, il trahit de sang-froid ; ce qu'un homme amoureux ne saurait faire.

Malgré tout votre esprit, malgré toute votre adresse à justifier vos intentions, on vous reprochera toujours, Monsieur, de présenter à vos Lecteurs une vile créature, appliquée dès sa première jeunesse à se former au vice, à se faire des principes de noirceur, à se composer un masque pour cacher, à tous les regards, le dessein d'adopter les mœurs d'une de ces malheureuses que la misère réduit à vivre de leur infamie. Tant de dépravation irrite et n'instruit pas ; on s'écrie à chaque page, cela n'est point, cela ne saurait être ! L'exagération ôte au précepte la force propre à corriger. Un Prédicateur emporté, fanatique, en damnant son auditoire n'excite pas la moindre réflexion salutaire ; il en a trop dit, on ne le croit pas. Ce sont les vérités douces et simples, qui s'insinuent aisément dans le cœur ; on ne peut se défendre d'en être touché, parce qu'elles parlent à l'âme et l'ouvrent au sentiment dont on veut la pénétrer. Un homme extrêmement pervers, est aussi rare dans la société qu'un homme extrêmement vertueux. On n'a pas besoin de prévenir contre les crimes ; tout le monde en conçoit de l'horreur. Mais des règles de conduite seront toujours nécessaires, et ce sera toujours un mérite d'en donner. Vous avez tant de facilité, Monsieur, un style si aimable, pourquoi ne pas les employer à présenter des caractères que l'on désire d'imiter ? Vous prétendez aimer les femmes ? faites-les donc taire, apaisez leurs cris et calmez leur colère. Vous ne savez pas, Monsieur, combien vous regretterez un jour leur amitié ; elle est si douce, elle devient si agréable à votre sexe, quand ses passions amorties lui permettent de ne plus les regarder comme l'objet de son amusement. Les hommes s'estiment, se servent, s'obligent même ; mais sont-ils capables de ces attentions délicates, de ces petits soins, de ces complaisances continuelles et consolantes, dont l'amitié des femmes fait seule goûter les charmes. Changez de système, Monsieur, ou vous vivrez chargé de la malédiction de la moitié du monde, excepté de la mienne pourtant : car je vous pardonne de tout mon cœur, et je vous excuserai même, autant que je le pourrai, sans me faire arracher les yeux. J'ai l'honneur d'être, Monsieur,

Votre très humble et très
obéissante servante,
RICCOBONI.

RÉPONSE

Vous croire dispensée de me répondre, Madame, et vous donner mon adresse, c'est en effet *une petite contradiction* : mais désirer de recevoir de vos lettres, et ne vous pas donner le moyen de me les faire parvenir, en eût été une autre. Forcé de choisir, j'ai préféré, je l'avoue, le parti de mes désirs à celui de mes craintes. Ce que je ne voulais pas devoir à mon indiscrétion, j'espérais l'obtenir de votre politesse ; et il est si difficile de s'arrêter dans ses désirs, que je souhaite, actuellement, mériter qu'au moins par la suite, votre politesse ne soit plus le seul motif de votre correspondance. Je m'attends encore que cet espoir sera déçu, et cependant si je connaissais quelques moyens pour qu'il ne le fût pas, je n'en négligerais aucun : c'est toujours même conduite, comme vous voyez ; et que ce soit votre faute ou la mienne, j'ai bien peur de ne me pas corriger. Je ne peux pas même gagner sur moi de ne pas trouver *une privation* dans votre silence ! et cependant je me rappelle fort bien d'avoir entendu, comme vous dites, Madame, parler de vous à ma grand'mère ; j'en parle même encore tous les jours avec mon père, qui n'est plus jeune ; et pour tout dire, je ne le suis plus moi-même. Mais nos petits-neveux parleront aussi de vous, à leur tour ; et si après vous avoir lue, ils ne regardaient pas comme une privation de ne plus avoir à vous lire, j'estimerais bien peu le goût de la postérité ! je vous pardonne de me trouver ces torts par le plaisir que je trouve à m'en justifier ; il n'en est pas de même de ceux que vous trouvez à mon ouvrage. Une longue justification est si près d'être une justification ennuyeuse, qu'il ne faut pas moins que le cas infini que je fais de votre suffrage, pour me donner le courage de revenir sur ces objets.

Je conviens avec vous, Madame, que *toutes les campagnes n'offrent point l'aspect d'un joli paysage,* et que *c'est au peintre à choisir les vues qu'il dessine* : mais si quelques-uns nous plaisent par le choix des sites riants, rejetterons-nous entièrement ceux qui préfèrent pour leurs tableaux, les rochers, les précipices, les gouffres, et les volcans ? Et la paisible habitante de Paris, sera-t-elle autorisée à reprocher au peintre du Vésuve, de calomnier la nature ? Mais quoi ! Le même pinceau ne peut-il pas s'exercer tour à tour dans les deux genres ? Si je m'en souviens bien, Vernet fit son tableau de la Tempête avant celui du Calme, et l'un n'a pas nui à l'autre[1].

Ce n'est pas que, pour mon compte, je m'engage à courir l'autre carrière. Hé ! Qui osera se croire le talent nécessaire pour peindre les femmes dans tous leurs avantages ! pour rendre comme on le sent, et leur force, et leurs grâces, et leur courage, et même leurs faiblesses ! toutes les vertus embellies ! jusqu'aux défauts devenus séduisants ! la raison sans raisonnement, l'esprit sans prétentions, l'abandon de la tendresse et la réserve de la modestie, la solidité de l'âge mûr et l'enjouement folâtre de l'enfance ! Que sais-je… Mais surtout comment ne pas laisser là le tableau, pour courir après le modèle ? Rousseau osa fixer Julie ; il essaya de la peindre : il porta l'enthousiasme jusqu'au délire, et vingt fois cependant il resta au-dessous de son sujet.

Sans doute une femme, née avec une belle âme, un cœur sensible et un esprit délicat, peut répandre sur les portraits qu'elle trace, une partie du charme qu'elle possède ; elle jouit dans son travail d'une paisible facilité ; elle ne fait, en quelque sorte, que donner une contre-épreuve d'elle-même : mais quel homme assez froid, peut faire une étude tranquille de ce modèle enchanteur ? Quelle main ne sera pas tremblante ? Quels yeux ne seront point troublés... ? Et, si cet homme impassible existe, par là même il ne sera qu'une image imparfaite. Dans son tableau, sans vie et sans chaleur, je ne retrouverai plus la femme qu'il faut aimer. Celle-là ne peut se reconnaître qu'aux transports qu'elle excite ; et celui qui les ressent s'occupe-t-il à les peindre ?

Vous voyez, Madame, combien je suis loin encore *de faire taire les femmes, d'apaiser leurs cris et de calmer leur colère.* Heureusement j'avais déjà quelques-unes d'elles pour amies, et *mon criminel ouvrage* ne m'a point encore attiré *leur malédiction.* Je me rappelle à ce sujet un mot de Julie, qui disait, en parlant de Dieu : « les réprouvés, dit-on, le haïssent, il faudrait donc qu'il m'empêchât de l'aimer[2] », j'ose dire comme elle. Je mets trop de prix à l'amitié des femmes, pour ne pas espérer de la conserver, peut-être même d'en obtenir encore. Pour vous, Madame, il y aurait sûrement de l'indiscrétion à vous demander plus que de l'indulgence... Je sens qu'il faut m'arrêter ici pour ne pas tomber encore dans *une petite contradiction.*

Cette longue lettre ne répond, comme vous voyez, qu'à une partie de la vôtre, et je n'ai même dit encore qu'une partie de mes raisons sur les objets dont j'ai parlé. Si vous craignez un second volume, il sera nécessaire que vous me le fassiez savoir bientôt.

J'ai l'honneur d'être, etc.

SECONDE RÉPONSE À LA MÊME LETTRE

Cette lettre n'est, Madame, que la continuation de celle que j'ai eu l'honneur de vous écrire il y a quelques jours. Il me semble que votre silence me donne le droit de poursuivre, et j'en profite pour éclaircir les objets qui me restent à traiter avec vous.

Je n'ai point prétendu charger Tartufe *d'un désir incestueux.* Si je n'ai pas désigné Marianne[1] par le mot de *belle*-fille, c'est qu'écrivant sur un sujet si connu, j'étais assuré d'être entendu ; c'est de plus que je ne prétendais pas apprécier le péché, mais seulement le procédé : or, l'action considérée sous cette face, et relativement à Orgon, me paraît absolument la même. Il n'en est pas moins vrai que l'expression n'est pas exacte ; et j'aurais dû dire *de séduire la femme de l'homme dont il épousait la fille.* Je me permets, à mon tour, une observation sur ce que vous me dites de cette pièce ; c'est que Tartufe n'est point puni *par les Lois*, mais par l'autorité. Je fais cette remarque, parce qu'il me semble que le droit du Moraliste, soit Dramatique soit Romancier, ne commence qu'où les Lois se taisent. Molière lui-même paraît si bien être de cet avis, qu'il a pris soin de mettre à l'abri des atteintes de la Loi, jusqu'à la donation irrégulière d'Orgon à Tartufe. C'est qu'en effet les hommes une fois rassemblés en société, n'ont droit de se faire justice que des délits que le Gouvernement ne s'est pas chargé de punir. Cette justice du Public est le ridicule pour les défauts, et l'indignation pour les vices. La punition de Tartufe n'est elle-même, qu'une suite de l'indignation du Prince ; et le châtiment est motivé sur d'autres actions, que celles qui se sont passées durant le cours de la pièce.

Mais combien cette salutaire indignation publique n'est-elle pas utile à réveiller, sur les vices en faveur desquels elle semble se relâcher ! C'est ce que j'ai voulu faire. Mme de Merteuil et Valmont excitent, dans ce moment, une clameur générale ; mais rappelez-vous les événements de nos jours, et vous retrouverez une foule de traits semblables, dont les héros, des deux sexes, ne sont ou n'ont été que mieux accueillis et plus honorés. J'ajoute même que je me suis particulièrement privé de quelques traits qui manquent à mes caractères, par la seule raison qu'ils étaient trop récents et trop connus ; et que l'honnête homme, en diffamant le vice, répugne cependant à diffamer les vicieux.

Les mœurs que j'ai peintes ne sont pourtant pas, Madame, celles *de ces malheureuses que la misère réduit à vivre de leur infamie* : mais ce sont celles de ces femmes, plus viles encore, qui savent calculer ce que le rang ou la fortune leur permettent d'ajouter à ces vices infâmes ; et qui en redoublent le danger par la profanation de l'esprit et des grâces. Le tableau en est attristant, je l'avoue, mais il est vrai ; et le mérite que je reconnais à tracer *des sentiments qu'on désire d'imiter*, n'empêche pas, je crois, qu'il ne soit utile de peindre ceux dont on doit se défendre.

Je ne finirai pas cette lettre sans vous remercier, Madame, de l'honnêteté avec laquelle vous avez combattu mon avis, et même encore de la complaisance que vous avez eue de le combattre ; et si je me félicite d'avoir fixé un moment, sur moi, l'attention volage du Public, c'est particulièrement par l'occasion que j'y ai trouvée de faire parvenir jusqu'à vous, et de pouvoir vous adresser moi-même, l'assurance et l'hommage des sentiments d'estime et de respect que je vous ai voués pour la vie.

J'ai l'honneur d'être, etc.

LETTRE IV

Du Vendredi

Avec de l'esprit, de l'éloquence et de l'obstination, on a souvent raison, Monsieur, ou du moins on réduit au silence, les personnes qui n'aiment ni à disserter, ni à soutenir leur opinion avec trop de chaleur. Permettez-moi donc de terminer une dispute dont nos derniers neveux ne verraient pas la fin si elle continuait. Le brillant succès de votre livre doit vous faire oublier ma légère censure. Parmi tant de suffrages, à quoi vous servirait celui d'une cénobite ignorée ? Il n'ajouterait point à votre gloire. Dire ce que je ne pense pas me paraît une trahison, et je vous tromperais en feignant de me rendre à vos sentiments. Ainsi, Monsieur, après un volume de lettres, nous nous retrouverions toujours au point d'où nous sommes partis. J'ai l'honneur d'être[1]

Votre très humble et très
obéissante servante,
RICCOBONI.

PIÈCES FUGITIVES

LES SOUVENIRS,

Épître à Églé[1]

Églé, vous ne voulez donc pas
Que, pour un cœur sensible et tendre,
Du plaisir que l'on a pu prendre,
Le souvenir ait des appas ?
De cette erreur je vois la cause ;
Auprès de vous à chaque instant,
Le plaisir renaît plus touchant ;
Le passé paraît peu de chose
À qui peut jouir du présent.
Moi que l'ennui souvent accable ;
Et qui ne peux, ainsi que vous,
Passer d'un moment agréable
À des moments encor plus doux ;
J'ai dû chercher dans ce système
Quelque remède à ma langueur ;
Hé ! Quand ce serait une erreur,
Le souvenir de ce qu'on aime
Est au moins l'ombre du bonheur.
   Voyez cette jeune bergère
Que son amant vient de quitter :
Son premier soin est d'écarter
Tout ce qui pourrait la distraire ;
Le souvenir de son berger
Est le plaisir qu'elle préfère,
Et suffit pour la consoler.

Soumise encore à sa puissance,
Et racontant, avec candeur,
Le trouble de sa conscience
Et les feux qui brûlent son cœur,
La dévote et sensible Hortense,
Aux genoux de son directeur[2],
Pour obtenir quelque indulgence,
Des fautes qu'à sa révérence[3],
Sa bouche vient de confier,
Veut bien en faire pénitence,
Mais ne veut pas les oublier.

Lorsque la vieillesse pesante
Est enfin prête à nous saisir,
Au moment où sa main tremblante
Nous touche et flétrit le plaisir,
Dans une erreur qui nous enchante
On veut encor s'entretenir,
On en parle, l'âme est contente,
On jouit par le souvenir.

Le souvenir nous récompense
Des maux qu'amour nous fait souffrir ;
Il nous console dans l'absence ;
Il embellit, par sa présence,
L'objet qui sait nous attendrir ;
Il sait réveiller le désir,
Sans nous porter à l'inconstance :
C'est l'enfant chéri du plaisir
Et le père de l'espérance.

Surtout j'aime à me rappeler
Une flamme, toujours chérie,
Dont mon cœur se plaît à brûler ;
Et si, par mes feux attendrie,
Un jour, au gré de mon envie,
Je parvenais à vous toucher,
Églé, dussiez-vous vous fâcher,
Je ne l'oublierais de ma vie.

ÉPÎTRE À MARGOT

Pourquoi craindrais-je de le dire ?
C'est Margot qui fixe mon goût :
Oui, Margot ! Cela vous fait rire ?
Que fait le nom ? la chose est tout[1].
Margot n'a pas, de la naissance
Les titres vains et fastueux ;
Ainsi que ses humbles aïeux ;
Elle est encor dans l'indigence ;
Et pour l'esprit, quoiqu'amoureux ;
S'il faut dire ce que j'en pense,
À ses propos les plus heureux,
Je préférerais son silence :
Mais Margot a de si beaux yeux,
Qu'un seul de ses regards vaut mieux
Que fortune, esprit et naissance.
Quoi ! dans ce monde singulier,
Triste jouet d'une chimère,
Pour apprendre qui doit me plaire ;
Irai-je consulter d'*Hozier*[2] ?
Non, l'aimable enfant de Cythère
Craint peu de se mésallier ;
Souvent, pour l'amoureux mystère[3],
Ce Dieu, dans ses goûts roturiers,
Donne le pas à la Bergère,
Sur la Dame aux seize quartiers[4].
Eh ! qui sait ce qu'à ma Maîtresse
Garde l'avenir incertain ?
Margot, encor dans sa jeunesse,
N'est qu'à sa première faiblesse,
Laissez-la devenir Catin,
Bientôt, peut-être, le destin
La fera Marquise ou Comtesse[5] ;

Joli minois, cœur libertin,
Font bien des titres de Noblesse.
Margot est pauvre, j'en conviens ;
Qu'a-t-elle besoin de richesse ?
Doux appas et vive tendresse,
Ne sont-ce pas d'assez grands biens[6] ?
Trésors d'amour ce sont les siens.
Des autres biens, qu'a-t-on à faire[7] ?
Source de peine et d'embarras,
Qui veut en jouir, les altère,
Qui les garde, n'en jouit pas.
Ainsi, malgré l'erreur commune,
Margot me prouve chaque jour,
Que sans naissance et sans fortune,
On peut être heureux en amour.
Reste l'esprit… J'entends d'avance
Nos beaux diseurs, docteurs subtils,
Se récrier : quoi ! diront-ils,
Point d'esprit ! quelle jouissance !
Que deviendront les doux propos,
Les bons contes, les jeux de mots,
Dont un amant, avec adresse,
Se sert auprès de sa Maîtresse,
Pour charmer l'ennui du repos ?
Si l'on est réduit à se taire,
Quand tout est fait, que peut-on faire ?
Ah ! les Beaux Esprits[8] ne sont pas
Grands Docteurs en cette science :
Mais voyez le bel embarras !
Quand tout est fait, on recommence.
Et même sans recommencer,
Il est un plaisir plus facile,
Et que l'on goûte sans penser :
C'est le sommeil, repos utile
Et pour les sens et pour le cœur ;
Et préférable à la langueur
De cette tendresse importune,
Qui, n'abondant qu'en beaux discours,
Jure cent fois d'aimer toujours,
Et ne le prouve jamais qu'une.
Ô ! toi, dont je porte les fers[9],

Doux objet d'un tendre délire !
Le temps que j'emploie à t'écrire,
Est sans doute un temps que je perds ?
Jamais tu ne liras ces vers,
Margot, car tu ne sais pas lire :
Mais pardonne un ancien travers.
De penser, la triste habitude
M'obsède encore malgré moi,
Et je fais mon unique étude,
Au moins, de ne penser qu'à toi.
À mes côtés, viens prendre place ;
Le plaisir attend ton retour ;
Viens, et je troque, dans ce jour,
Les lauriers ingrats du Parnasse,
Contre les myrtes de l'Amour[10].

LE BON CHOIX

Des Beaux Esprits[1] je hais la vanité ;
Les rabaisser est œuvre méritoire ;
Ils ont besoin de plus d'humilité,
Et c'est pour eux que j'écris cette histoire.
De leurs talents quelle est l'utilité ?
En tirent-ils plaisir, profit ou gloire ?
Non ; et pourquoi s'en feraient-ils accroire ?
J'en ai tant vu supplantés par des sots !
Soit à la Ville, à la Cour, à l'Armée,
Les gens d'esprit n'ont jamais les bons lots[2] :
Les sots ont tout, même la renommée.
D'en raconter le pourquoi, le comment,
Ce n'est mon fait : je dirai seulement,
Comme en amour, ainsi qu'en toute affaire,
Les Beaux Esprits souvent perdent leurs soins,
Tandis qu'un sot a le talent de plaire.
Ne m'en étonne, et le blâme encor moins[3] :

Car, après tout, dans l'amoureux mystère,
Le bien parler ne vaut pas le bien faire.
Vous saurez donc qu'en un même logis,
Vivaient ensemble et comme bons amis,
Deux jeunes gens ; l'un avait nom Pamphile[4] ;
Pour son esprit renommé dans la Ville,
Faisant bouquets[5], contes et madrigaux,
Et tous les mois loué dans les journaux.
L'autre n'avait pareille destinée ;
Vrai sans-souci, ne s'occupant de rien,
Il dormait tard, buvait et mangeait bien,
Puis digérait pour finir la journée :
Tant que vivant de la sorte inconnu,
Jusques à nous son nom n'est pas venu.
Plusieurs croiront que cela m'embarrasse ;
Mais pour si peu je ne m'étonne pas.
Un nom se perd, un autre le remplace :
J'en connais tant, dont en semblable cas ;
Un nom d'emprunt a soutenu la race[6].
À mon Héros enfin s'il faut un nom,
D'autorité je le nomme Cléon.
Ainsi nommé, tout ce qui m'est utile,
C'est que Cléon soit ami de Pamphile :
Au demeurant, tous deux jeunes et frais,
Bons compagnons, et passablement faits.
Au même temps, vint habiter encore,
Sous même toit la charmante Isidore[7],
Brune piquante, à l'air vif et fripon,
Et dont les yeux à la fois font éclore
Et les désirs et l'espoir du pardon.
Il en faut moins pour tenter la jeunesse ;
Aussi bientôt, voilà que nos amis
Sont tous les deux chez leur voisine admis.
Ce n'est d'abord que simple politesse,
Et jusque-là les succès sont égaux :
Mais le désir, sous le nom de tendresse
Des deux amis fit bientôt deux rivaux[8].
Hé ! mais, dira quelque critique austère,
S'ils sont rivaux, comment sont-ils amis ?
Rien n'est plus simple, en voici le mystère.
Pamphile avait, en Héros littéraire,

Pour son rival un souverain mépris ;
Tel concurrent n'était pas une affaire[9],
Permis à lui de disputer le prix.
Cléon, modeste autant que débonnaire,
Respectait fort Messieurs les Beaux Esprits,
Et le respect étouffe la colère :
Ainsi tous deux, par un motif contraire,
Étaient rivaux, et non pas ennemis.
Tous les succès sont d'abord pour Pamphile ;
Son doux parler, son langage facile,
Charment l'oreille et captivent le cœur ;
En l'écoutant, la beauté plus docile,
Blâme en secret son injuste rigueur.
C'était d'abord louange enchanteresse,
Qu'accompagnaient des regards éloquents ;
Il traite ensuite avec délicatesse,
Dans ses propos, le bonheur des Amants ;
Puis il s'enflamme, et ses discours brûlants,
Des doux plaisirs peignent l'heureuse ivresse.
À tout cela, que disait son rival ?
Rien, ou deux mots qu'encor il plaçait mal.
Ainsi passaient les rapides journées
Entre Isidore, et Pamphile, et Cléon,
Lorsque l'Amour, ou bien l'occasion[10],
De tous les trois changea les destinées.
C'était l'été, de plus c'était le soir[11] ;
À la chaleur cherchant à se soustraire,
Notre Beauté, tranquille et solitaire,
Prenant le frais, rêvait dans son boudoir.
Son abandon, sa toilette légère,
Tous deux sans art, augmentaient ses appas.
Ainsi Vénus, pour enchanter la terre,
Se laissait voir, et ne se parait pas[12].
Nos deux amis qu'un même espoir amène,
Viennent tous deux, et tous deux sont reçus ;
Pamphile encor s'empare de la scène,
Parlant le mieux, quoiqu'il parlât le plus.
À ses discours, l'Amour prêtait encore
Un plus doux charme, un attrait plus flatteur :
En l'écoutant, la charmante Isidore,
D'un feu nouveau sent embraser son cœur ;

Il naît à peine et déjà la dévore.
Tout la trahit, jusqu'au soin qu'elle prend
Pour dérober ses secrètes pensées ;
Sur ses beaux yeux ses paupières baissées
Rendent encor son regard plus touchant ;
Elle se tait : mais un soupir brûlant
Vient entr'ouvrir ses lèvres demi-closes ;
Son teint de lys n'offre plus que des roses ;
Avec effort son sein est agité ;
De son maintien l'expressive mollesse
Marque l'instant d'une douce faiblesse ;
Ainsi l'Albane[13] eût peint la volupté.
Oh ! de l'esprit puissance enchanteresse,
Dit-elle enfin ! quel prestige flatteur,
À votre voix, fait naître le bonheur ?
L'heureux talent ! Sans doute vos ouvrages
Offrent aussi ces charmantes images !
Je veux les voir. Pour moi vous les lirez ;
En les lisant, vous les embellirez.
Parlant ainsi, vous voyez que la belle
À son amant offrait l'occasion
De la revoir, d'être seul avec elle ;
Et d'éviter l'incommode Cléon.
Mais cet éloge a trop flatté Pamphile ;
Ivre de gloire, encor plus que d'amour ;
« Eh quoi ! mes vers ! Ah ! rien n'est plus facile,
Vous les verrez, et même dès ce jour. »
Il dit, et part. Son rival plus tranquille,
Le laisse aller, et cherche à faire mieux.
Près d'Isidore, il approche en silence ;
Il la voit belle, et la voit sans défense ;
Pour la séduire, un geste audacieux,
En ce moment, lui tient lieu d'éloquence :
La belle crie, et se plaint de l'offense ;
Sans s'étonner, l'Amant silencieux
La laisse dire, et cependant s'avance ;
Si bien fait-il, malgré la résistance,
Qu'il trouve enfin la route de son cœur[14],
Puis s'en empare et s'y place en vainqueur.
Ainsi placé, le temps ne dure guère :
Aussi tous deux oubliaient aisément

L'ami Pamphile ; il vit tout le mystère,
Car par malheur il rentra brusquement.
Vous croyez tous qu'Isidore est confuse :
Vous vous trompez, et sans chercher d'excuse,
Dans son maintien règne la liberté.
Pamphile seul était déconcerté ;
Il savait tout, et ne savait que dire.
La belle enfin avec un doux sourire,
Lui dit : mon cher, soyez de bonne foi,
Vous aimez mieux vos ouvrages que moi ;
Soyez content, je promets de les lire,
Même d'avance ici je les admire :
Mais apprenez que femme qui se rend,
Veut régner seule au cœur de son Amant.
À mes dépens si vous cherchez à rire,
Vous le pouvez, vous avez mon secret :
Mais d'un couplet ou bien d'une satire,
Je vous préviens que je crains peu l'effet :
Car, entre nous, ce que vous pourrez dire,
Ne vaudra pas ce que Cléon a fait.

SUR CETTE QUESTION

PROPOSÉE DANS UN « MERCURE » :

Orosmane fut-il plus malheureux
quand il se crut trahi par Zaïre,
que, quand après l'avoir tuée,
il l'eut reconnue innocente ?

Quand Orosmane furieux,
Dans un accès de jalousie,
Se fut passé la fantaisie
De tuer l'objet de ses feux,
Je crois bien qu'il en fut honteux ;
Car, dans la bonne compagnie[1],

On rit d'un époux ombrageux :
Mais ce ne fut qu'un ridicule
Que se donna notre Héros,
Et s'il en perdit le repos,
Ce fut par excès de scrupule.
  On dit qu'il en eut tant d'ennui
Qu'il se tua ; je veux le croire,
Mais n'en déplaise à sa mémoire,
Peu de gens feront comme lui ;
Car on peut dire, à notre gloire,
Que nous avons tous, aujourd'hui,
Une douceur bien méritoire
À supporter les maux d'autrui[2].
  Mais quand dut se trouver à plaindre
Notre héros ? ce fut alors
Que malgré son rang, ses trésors,
Et ses Eunuques, il put craindre
D'être trahi ; car, entre nous,
Pour un homme fier et jaloux,
Et tout homme l'est à l'extrême,
N'est-ce pas une vérité
Que voir mourir l'objet qu'on aime,
Vaut mieux que d'en être quitté ?
  Si vous doutez de ce système,
Interrogez tous nos Sultans ;
De ces Messieurs Paris abonde ;
On ne voit qu'eux dans le grand monde ;
Bien scélérats, bien élégants,
Petits despotes de tendresse,
Un peu Français par la faiblesse,
Mais bien Turcs par les sentiments[3].
  Au reste, à quoi devait s'attendre
Ce fier Sultan ? mari jaloux
D'une Française vive et tendre,
Ignorait-il que les verrous,
Et tous les soins que l'on peut prendre,
N'ont jamais garanti l'époux
Quand l'épouse a voulu se rendre ?
Si l'on veut s'en mettre en courroux,
Et tout tuer ; si l'homme sage
Ne sait pas s'armer de courage,

Et braver ce léger hasard ;
Maris, prenez tous un poignard,
Un peu plus tôt, un peu plus tard,
Vous pourrez tous en faire usage.
Oui, malgré les beaux sentiments,
Si bien exprimés par Voltaire ;
Malgré les vœux et les serments,
Et tout le langage ordinaire
Vain protocole[4] des amants ;
L'Hymen n'a point de feux constants :
Zaïre aurait été légère,
Et le Sultan, dans sa colère,
Ne s'est trompé que sur le temps.

ÉPÎTRE À LA MORT

Divinité puissante, et partout redoutée,
Sous qui semble gémir la nature attristée ;
Toi, dont le nom suffit pour inspirer l'effroi,
Ô Mort ! toi, qui régis sous une même loi,
Et l'esclave rampant, et le monarque auguste,
Et le faible, et le fort, et l'impie, et le juste,
Déesse, tes sujets se plaindront-ils toujours ?
Je n'imiterai point leurs frivoles discours :
Tandis qu'autour de moi, dans ta marche rapide,
Brille, sans me frapper, ton acier homicide,
Réparateur des torts que les humains t'ont faits,
Écoute-moi, je viens célébrer tes bienfaits.
Quelle Divinité doit nous être plus chère ?
Seule, du malheureux tu finis la misère ;
En vain sa voix plaintive, invoquant d'autres Dieux,
Exprime en longs sanglots son désespoir affreux :
Tous les Dieux restent sourds, et complices du crime,
Ils semblent au malheur dévouer leur victime.
Seule, tu viens tarir la source de ses pleurs :

Il trouve dans tes bras l'oubli de ses douleurs.
Que je chéris surtout ta faveur bienfaisante,
Quand bravant, sous ta faux, la fortune inconstante,
Les mortels, enivrés de plaisirs et d'honneurs,
Évitent, par tes coups, la honte et les malheurs !
Spectateur des revers où le destin nous livre,
Quel mortel fortuné peut désirer de vivre ?
Favori de la mort, toi, généreux Guerrier,
Qui cours au-devant d'elle à l'aspect d'un laurier,
D'une couronne en vain la gloire te décore :
Tremble, tu n'as rien fait, puisque tu vis encore.
À tant d'honneurs acquis, à ta célébrité,
La Mort peut seule, enfin, mettre un sceau respecté.
Tu vis… demain, peut-être, un nouveau jour s'apprête,
Où tes lauriers flétris tomberont de ta tête.
Mille exemples fameux te l'ont dit avant moi ;
Et Pompée, et Crassus, tous deux plus grands que toi,
Trahis dans leur espoir, ont de leurs destinées,
Vu finir avant eux les brillantes journées.
Toi qui, loin des Guerriers arrêtant tes regards,
Cherches d'autres succès sous d'autres étendards,
Élève d'Apollon, vois, au haut du Parnasse,
Tes maîtres, qui jaloux de la première place,
Ont tous, pour l'obtenir, affronté les hasards.
Les lauriers d'Apollon valent bien ceux de Mars !
De tant de concurrents, il en fut peu, sans doute,
Dignes de parcourir cette brillante route :
Mais parmi ceux-là même, en est-il dont la mort,
En les frappant plutôt, n'eût embelli le sort ?
Corneille, qui longtemps fut, à si juste titre,
Du Parnasse Français et la gloire et l'arbitre,
Lui qui sut s'élever sans guide et sans appui,
Créateur d'un talent inconnu jusqu'à lui,
Corneille a trop vécu. Suréna, Pulchérie[1],
Tant de faibles enfants d'une muse flétrie,
Accusent le destin, qui laissa, dans son cours,
Éteindre ce beau feu qui dût briller toujours.
Par son exemple instruit, son émule plus sage,
A, des mêmes talents, mieux su régler l'usage.
La muse de Racine a comblé tous nos vœux :
Racine en est plus grand, en fut-il plus heureux ?

Hélas ! il succomba sous les traits de l'envie…
La gloire l'attendait au terme de sa vie.
Plus malheureux encor, cet aimable Bernard[2],
Qui, chantant nos plaisirs, réunit avec art
Les charmes de l'amour et ceux de l'harmonie,
Survit à sa raison, et pleure son génie !
Ô ! vous qui prétendez à des destins brillants,
Craignez, craignez surtout de vivre trop longtemps ;
En vain sur votre tête un beau jour semble luire :
Succès, gloire, bonheur, le temps peut tout détruire.
Les Dieux mêmes, les Dieux ont vu, sur leurs autels,
Se flétrir des lauriers qu'ils croyaient immortels.
Mais quittant les Palais, le Parnasse et les temples,
Cherchons autour de nous de moins rares exemples.
Entends-tu, de ces voix, la confuse rumeur,
De l'oreille attristée éternelle douleur ?
Reconnais, à ce bruit, la foule malheureuse,
Tour à tour médisante, ou dévote, ou joueuse,
De ces femmes, jadis fières de leurs attraits,
Et dont les jours nombreux ont effacé les traits.
Céphise suit leurs pas, en dévorant ses larmes ;
Céphise qui, jadis, si vaine de ses charmes,
Avec faste, à son char, enchaînait mille amants ;
Pour en fixer un seul, prend des soins impuissants.
Vainement son esprit les rassemble autour d'elle :
Tout fuit, et son miroir, cruellement fidèle,
Offre, pour tout spectacle, à ses yeux consternés,
La cause des affronts qui lui sont destinés.
Mais que Thémire encore est cent fois plus à plaindre.
Ses sens tumultueux ne peuvent se contraindre ;
Et ce spectre ambulant, dans ses folles ardeurs,
S'en va, l'or à la main, mendier des faveurs.
Elle offre à l'indigent sa tendresse importune :
L'indigent reste mort entre elle et sa fortune.
Toi qui de toutes deux as prolongé les jours,
Pourquoi de tant d'affronts ne pas finir le cours ?
Ah ! Thémire et Céphise, au printemps de leur âge,
Par leurs vaines frayeurs, t'ont souvent fait outrage :
Ô[3] ! Mort ! tu t'en souviens en ces temps malheureux,
Et ta seule vengeance est d'exaucer leurs vœux.
Plus aisément séduit, quelquefois l'homme espère

Parcourir jusqu'au bout une heureuse carrière ;
Et des mêmes désirs longtemps préoccupé,
Plus heureux que la femme, est plus tard détrompé,
Facile à prodiguer une feinte tendresse,
L'indigente beauté sourit à la vieillesse :
Mais quel sera le fruit de ce pénible soin ?
De ces douces erreurs le terme n'est pas loin ;
À peine il a goûté ces trompeuses amorces,
La Nature en courroux lui refuse des forces,
Et bientôt, consumé d'inutiles désirs,
Vivant pour les douleurs, il est mort aux plaisirs[4] ;
Ô ! tombeau désirable ! ô ! demeure tranquille !
Le malheur nous poursuit : prête-nous un asile.
À l'orage qui gronde, ô Mort ! dérobe-nous ;
Et préservés par toi, nous bénirons tes coups[5].
Ah ! dis-moi donc pourquoi, dans ta rigueur extrême,
Tu semblas oublier et Zélis, et moi-même ;
Zélis, unique objet de mes vives amours,
Qui, seule, de ma vie embellissait le cours,
Et qui depuis, hélas ! trahissant ma tendresse,
Aux plus cruels regrets a livré ma jeunesse ?
Ah ! lorsqu'à ses genoux, dans ses yeux caressants,
J'ai de ses premiers feux, lu les premiers serments ;
Quand, plus tendre, Zélis à son amour livrée,
Réunissait son âme à mon âme enivrée ;
Puisque tant de bonheur un jour devait finir,
Pourquoi, par le trépas, ne le point prévenir[6] ?
Et cependant, ô Mort ! les yeux baignés de larmes,
Pour me rejoindre à toi, j'essaie en vain mes armes,
L'image de Zélis retient encor mon bras ;
L'ingrate, malgré moi, m'enchaîne sur ses pas :
Comment pouvoir quitter le séjour qu'elle habite ?
Mais si reconnaissant l'erreur qui l'a séduite,
De mes tourments, Zélis, prenait quelque pitié ;
Si son cœur retrouvait sa première amitié ;
Ô Mort ! entends mes vœux ; et si dans ta mémoire,
Tu gardes quelque place au Chantre de ta gloire,
Accours, viens te mêler à nos embrassements,
Et par tes coups heureux, assure nos serments.

À MADEMOISELLE ***

Dois-je croire ce qu'on m'écrit ?
Julie, eſt-il donc vrai ? Quoi ! malgré mon absence ;
La gaieté n'a cessé d'animer ton esprit ?
Voilà quelle eſt ma récompense !
Ah ! les absents ont tort, on me l'avait bien dit.
Quoi ! le jour d'un départ, passer son temps à rire !
Pas l'ombre même du chagrin !
Encor n'aurais-je eu rien à dire
Si c'eût été le lendemain :
L'étiquette eût été remplie ;
Mais rire le jour même, eſt une perfidie.
Je te croyais un si bon cœur !
J'ai si souvent vu la douleur,
Pour un rien, obscurcir tes charmes !
Un chat, un chien, quelques oiseaux,
Te causaient de vives alarmes ;
De la foule des animaux
À qui tes yeux donnent des larmes[1] ;
Dis, par quelle fatalité,
Ton amant seul se voit-il excepté ?
Je pourrais bien, ô ! ma Julie,
De *La Suze*[2] suivant les pas,
Te faire ici quelque élégie
Qu'à coup sûr tu ne lirais pas[3] :
Mais je prends un parti plus sage ;
Et sans me plaindre davantage,
Avec toi, volontiers, je demeure d'accord
Que rire va si bien à l'air de ton visage,
Qu'en riant, tu n'as jamais tort.

À MADEMOISELLE ***

Jeune Aglaé, la nature indulgente,
En te formant te prodigua ses dons ;
Tu reçus d'elle esprit, grâce touchante,
Et doux attraits qu'en toi nous adorons ;
Mais avoir eu tant de biens en partage,
Ce n'est assez si l'on n'en sait jouir ;
L'art de jouir[1] est le talent du sage ;
Sans ce talent, le plaisir est l'image
D'un feu follet qu'on voit s'évanouir.
Daigne permettre à ma muse sincère,
Quelques conseils que dicte l'amitié ;
Ce sentiment a des droits pour te plaire,
C'est de l'amour la plus belle moitié.
Déjà trois fois l'aurore a vu tes larmes,
Depuis le jour où, quittant tes appas,
Ton jeune amant a fui d'entre tes bras
Et t'a laissée en proie à tes alarmes ;
C'est trop pleurer : pour l'honneur de tes charmes,
À cet amant tu dois un successeur,
Choisis donc vite et nomme ton vainqueur.
Le vain désir de paraître fidèle
Peut-il valoir le plaisir de changer ?
Non, non, crois-moi, tu dois te partager,
Sans l'inconstance, à quoi sert d'être belle ?
Qu'une coquette étant sur le retour,
S'attache un sot, le garde par prudence,
Et veuille encor de sa fausse constance,
Par vanité, faire honneur à l'amour ;
Je lui pardonne, et je ris en silence.
Mais qu'à ton âge, au printemps de tes jours ;
De cent rivaux trahissant l'espérance,
Tu fasses vœu de regretter toujours

Le même amant, en dépit de l'absence,
Pour ce tort-là je n'ai point d'indulgence.
Vois ce ruisseau dont le rapide cours
Baigne, en fuyant, l'un et l'autre rivage,
Qu'il soit pour toi l'image des amours.
Pour l'arrêter dans sa course volage,
En vain les fleurs semblent le caresser,
D'un droit égal, chacune à son passage
Peut en jouir, mais non pas le fixer.
Prends-le pour guide, et te laisse séduire
À chaque instant par un plaisir nouveau[2] ;
À nous tromper l'amour saura t'instruire,
Et sur nos yeux il mettra son bandeau.
Mais à pleurer peut-être on t'encourage :
On t'aura dit que, dans ces premiers temps,
Si jeune encor, pour l'honneur de ton âge,
Tu dois au moins feindre des feux constants :
Va ! l'on te trompe, et ce monde est plus sage ;
Il ne croit plus au regret des absents,
Et moins encore aux veuves[3] de vingt ans.

À MLLE DE SIVRY,

QUI, À L'ÂGE DE DOUZE ANS, SAIT LE GREC ET LE LATIN[1], ET FAIT DE TRÈS JOLIS VERS

À l'âge où l'on fait des poupées,
Vous composez des vers charmants ;
Tandis que, dans des jeux d'enfants,
Vos compagnes désoccupées
Perdent leur esprit et leur temps,
Vous cultivez tous les talents,
Et déjà votre renommée,
Redoutable aux Auteurs du temps,

Fait craindre à leur troupe alarmée
Une rivale de douze ans.
Nulle étude n'est étrangère
À votre esprit, à votre goût ;
Et si vous traitez de chimère
Ces récits où brille, surtout,
Un revenant, une sorcière,
Cependant vous savez vous plaire
Aux contes à dormir debout,
Mais vous les lisez dans Homère.
Vous rassemblez les agréments
De tous les lieux, de tous les âges ;
Vous avez tous les sentiments,
Tous les tons, et tous les langages ;
Tour à tour vous plaisez aux sages
Et vous amusez les enfants.
L'esprit vous donne des années ;
Il a su hâter vos beaux jours :
De vos brillantes destinées,
Il saura ralentir le cours ;
Et, par lui, vous serez toujours,
Dans les époques fortunées,
Et des talents et des amours.
Croyez à cet heureux présage.
C'est l'exemple qui m'encourage
À vous promettre un sort si doux :
Les neufs déités du Permesse[2]
Ne connurent, ainsi que vous,
Ni l'enfance ni la vieillesse.

CHANSON

En vain d'une cruelle absence,
J'espérais charmer la rigueur ;
Je ne trouve, éloigné d'Hortense,

Que les soucis, que la langueur.
En vain de la plus belle aurore
Le doux éclat brille à mes yeux ;
Loin de la beauté qu'on adore,
On ne voit point de jours heureux.

*

Aux fleurs que le zéphyr caresse
Si je trouve quelques appas,
Bientôt je dis, avec tristesse,
Hortense ne les verra pas :
De Flore, alors, les plus doux charmes
N'excitent plus que mes regrets,
Et les soucis, et les alarmes
Changent les roses en cyprès[1].

*

Souvent dans un sombre bocage,
J'évite la chaleur du jour ;
Mais bientôt je quitte un ombrage
Qui n'est plus utile à l'amour.
Ce n'est plus ce bois solitaire,
Lieu charmant, temple des plaisirs,
Où mon Hortense, moins sévère,
Venait écouter mes soupirs.

*

Ramené par l'indifférence,
Je retrouve un monde brillant ;
Mais je n'y revois point Hortense,
Je soupire, et sors à l'instant.
Cependant l'absence cruelle
M'afflige et n'éteint pas mes feux ;
Qu'Hortense soit toujours fidèle,
Je me croirai toujours heureux.

AUTRE

L'amour lui-même a créé ma Bergère,
Mais un enfant à tout ne peut songer ;
Trop occupé de la former pour plaire,
Il ne la fit point pour aimer.

*

Il lui donna beauté, grâce touchante ;
Dons précieux faits pour être adorés ;
Mais elle n'eut qu'une âme indifférente,
Par qui ces dons sont déparés.

*

De mille feux son regard étincelle,
Et de l'amour c'est encore une erreur ;
Il les mit tous dans les yeux de la belle ;
Et n'en garda point pour son cœur.

*

Laisse à ses yeux leur douceur naturelle,
Et dans son cœur, Amour, place tes feux :
Glicère ainsi ne sera pas moins belle,
Et je serai moins malheureux.

AUTRE

LES QUATRE PARTIES DU JOUR

Toujours belle et toujours sévère ;
Si Thémire a su m'enflammer,
C'est moins par l'espoir de lui plaire,
Que par le bonheur de l'aimer,
Toujours plus charmante et plus belle,
Thémire m'offre à chaque instant,
L'attrait d'une beauté nouvelle,
Sans que je devienne inconstant.

II

Au matin, d'une jeune rose
Thémire offre l'éclat flatteur ;
C'est une fleur nouvelle éclose,
Elle ravit par sa fraîcheur.
Le coloris de la nature,
Le fard que donne la pudeur,
Sont l'ornement de sa parure
Et l'interprète de son cœur.

III

À midi, lorsqu'elle s'apprête
À prendre de nouveaux atours,
C'est Vénus, dans un jour de fête,
Se jouant avec les amours :
Mais de cent parures nouvelles,
En vain l'éclat est emprunté,

Tout ce qui pare les plus belles,
Est embelli par sa beauté.

IV

Au milieu d'un monde agréable,
Il faut la suivre vers le soir ;
Elle est toujours la plus aimable,
Et n'a pas l'air de le savoir.
Dans son esprit est la finesse,
Et dans son cœur le sentiment,
On croit entendre la tendresse
Folâtrer avec l'enjouement.

V

De la nuit, la riante image
Devrait achever ce portrait ;
Par malheur Thémire est trop sage ;
Et le tableau reste imparfait.
Mais si quelque jour, moins sévère,
Elle permet de le finir,
Qu'il soit tracé par le mystère,
Et gravé par le souvenir.

ENVOI

Dès longtemps une erreur chérie,
Occupant mon cœur inquiet,
Offrait à mon âme attendrie,
L'image d'un objet parfait ;
Dans cette douce rêverie,
Je vous ai peinte trait pour trait,
Et ce tableau de fantaisie,
Par vous, est devenu portrait.

AUTRE

I

Lison[1] revenait au Village,
C'était le soir[2] ;
Elle crut voir sur son passage,
Il faisait noir,
Accourir le berger Silvandre,
Lison eut peur ;
Elle ne voulait pas l'attendre,
C'eſt un malheur.
C'était le soir,
Il faisait noir,
Lison eut peur,
C'eſt un malheur.

II

Que pouvait faire cette belle,
C'était le soir ?
Silvandre court plus vite qu'elle,
Il faisait noir ;
Il la joint[3] et soudain l'arrête,
Lison eut peur ;
La peur la fit choir sur l'herbette
C'eſt un malheur.
C'était le soir,
Il faisait noir,
Lison eut peur,
C'eſt un malheur.

III

Quand Lison fut ainsi tombée,
C'était le soir ;
Le berger, à la dérobée,
Il faisait noir,
Voulut ravir certaine rose,
Lison eut peur ;
La peur ne sert pas à grand-chose,
C'est un malheur.
C'était le soir,
Il faisait noir,
Lison eut peur,
C'est un malheur.

IV

Personne n'était sur la route,
C'était le soir ;
Bientôt Lison n'y vit plus goutte ;
Il faisait noir :
Sa taille devint moins légère,
Lison eut peur ;
Neuf mois après elle fut mère,
C'est un malheur.
C'était le soir,
Il faisait noir,
Lison eut peur,
C'est un malheur.

La fortune des « Liaisons dangereuses »

Lectures, relectures, images

ABBÉ ROYOU
(attribution incertaine)

[COMPTE RENDU DES « LIAISONS DANGEREUSES »]

« Année littéraire », 1782, III

« Parmi la foule de ces productions éphémères, dont le seul mérite est d'amuser pour un temps l'oisive société, plusieurs raisons, Monsieur[1], qui sont bien opposées feront distinguer un *Recueil de Lettres* distribué en quatre parties ; le titre est : *Les Liaisons dangereuses*, ou *Lettres recueillies dans une société, et pour l'instruction de quelques autres*. Par M. *C. de L.* avec cette épigraphe empruntée de *J.-J. Rousseau* : *j'ai vu les mœurs de mon temps, et j'ai publié ces Lettres*. Cet ouvrage se vend à Amsterdam, et se trouve à Paris ; chez *Durand neveu*, Libraire, à la Sagesse, rue Galande.

Le soi-disant Rédacteur nous annonce dans une préface qu'il n'a d'autre part à ces quatre volumes, que d'avoir fait un choix dans un nombre de lettres qui lui ont été remises ; il nous prévient aussi qu'on trouvera dans le style des fautes qu'il ne lui a point été permis de corriger ; comme tout Éditeur jaloux de faire sentir l'avantage de la production qu'il publie, il nous donne d'avance un résultat de ces lettres qu'il prétend devoir être très utiles à l'entretien des bonnes mœurs. Un extrait rapide suffira pour vous donner une idée des événements et des caractères.

Une lettre de *Cécile Volanges* à une de ses amies, pensionnaire dans un couvent, est le début des *Liaisons dangereuses* : cette jeune personne est chez sa mère, et sur le point de se marier, c'est l'innocence même, que n'a point encore souillée le souffle d'un monde corrupteur ; elle a entendu s'arrêter un carrosse, et sa mère lui fait dire de passer chez elle ; elle est toute troublée, serait-ce le mari qu'on lui destine ? « Comme tu vas te moquer de la pauvre *Cécile* ! oh ! j'ai été bien heureuse ! Mais tu y aurais été attrapée comme moi. En entrant chez Maman, j'ai vu un Monsieur en noir, debout auprès d'elle. Je l'ai salué du mieux que j'ai pu, et suis restée sans pouvoir bouger de ma place. Tu juges comme je l'examinais ! *Madame*, a-t-il dit à ma mère, en me saluant, *voilà une charmante demoiselle, et je sens mieux que jamais le prix de vos bontés.* À ce propos si positif, il m'a pris un tremblement tel que je ne pouvais me soutenir ; j'ai trouvé un fauteuil, et je m'y suis assise, bien rouge et bien déconcertée. J'y étais à peine, que voilà le Monsieur à mes genoux. Ta pauvre *Cécile* alors a perdu la tête ; j'étais, comme a dit Maman, tout effarouchée. Je me suis levée en jetant un cri perçant..., tiens, comme ce jour de tonnerre. Maman est partie d'un éclat de rire, en me disant : *Eh bien ! qu'avez-vous, asseyez-vous, et donnez votre pied à Monsieur.* » Il se trouve que le Monsieur était un cordonnier. Indépendamment de la plaisanterie qui résulte de la méprise, l'Auteur fait en passant une critique ingénieuse du luxe et de ses abus, qui ont permis à des artisans de se servir de voitures. Vous voyez dans cette Lettre le caractère ingénu d'une jeune personne qui va entrer dans le monde ; imaginez le génie même de la corruption qui s'élève pour s'occuper de la perte de *Cécile Volange*, c'est le personnage affreux que joue une *marquise de Mertheuil*, elle répand son âme *infernale* dans le sein d'un scélérat digne d'être son complice. *Valmont* fut autrefois son amant, et aujourd'hui ils sont liés par le désir ardent de nuire, de communiquer la peste dont ils sont dévorés. Cette femme qui dégoûte autant qu'elle effraie, engage le Vicomte *de Valmont* à se faire une étude d'entraîner la chute d'une jeune fille sans expérience, qui n'a pour appui que sa candeur et sa simplicité. Il faut observer que *Cécile* doit épouser un *Comte de Hercourt*, qui, jadis, a été dans les bonnes grâces de cette *Mertheuil*, et un secret levain de vengeance vient se joindre à la perversité de la *Marquise* ; voici comme elle écrit à *Valmont* : « Jurez-moi, qu'en fidèle Chevalier, vous ne courrez aucune aventure que vous n'ayez mis celle-ci à fin ; elle est digne d'un héros, vous servirez l'amour et la vengeance, ce sera enfin une *rouerie* de plus à mettre dans vos mémoires, car je veux qu'ils soient imprimés un jour, et je me charge de vous les écrire. » Elle lui trace le plan de tous les pièges qu'il doit tendre à l'innocente *Cécile* ; cette dernière conserve bien son caractère dans toutes les lettres. Le *Vicomte* répond à cette *Marquise*, que le plaisir de séduire une jeune fille n'est pas fait pour flatter sa vanité ; il roule un autre projet dans sa tête, bien plus agréable pour son amour-propre ; il connaît une certaine Présidente *de Tourvel*, qui a des mœurs, des principes austères, de la dévotion, qui est réellement attachée à son mari et à ses devoirs. Voilà la conquête qu'il brûle d'entreprendre. Voulez-vous, Monsieur, connaître l'esprit du monde, de ces sociétés à la mode ? écoutez le détestable *Valmont*. « Me voilà donc depuis quatre jours livré à une passion forte ; vous savez si je désire vivement, si je dévore les obstacles ; mais ce que vous ignorez, c'est combien la solitude ajoute à l'ardeur du désir, je n'ai qu'une idée, j'y pense le jour et j'y rêve la nuit. J'ai bien besoin d'avoir cette femme, pour me sauver du ridicule d'en être amoureux, car où ne mène pas un désir contrarié ? » La *Mertheuil* rit de sa nouvelle passion, elle l'affuble de tous les ridicules que lui peut fournir sa méchanceté ; elle traite le vice comme on approfondirait le plus beau système de morale. Elle apprend à *Valmont* que le *jeune Danceny raffole de Mlle de Volanges*. On ne saurait suivre ce commerce de lettres abominables, on ne peut que s'arrêter aux faits. Mme *de Volanges* a beau montrer à la Présidente l'abîme où elle court, elle ne se défie point des attaques du *Vicomte*, qui déploie tous les secrets de la perversité ; il va jusqu'à employer la plus horrible hypocrisie : il joue l'homme compatissant, charitable, le bienfaiteur des pauvres. Le Chevalier *Danceny* a ses entrées dans la maison de Mme *de Volanges*, il devient amoureux de sa fille, qui de son côté n'est pas moins éprise ; et l'infortunée *Cécile* perd sa vertu et sa tranquillité. Les jeunes personnes verront dans ce tableau, combien elles doivent être attentives sur leurs premières démarches, qu'il n'en est point d'indifférente, et que la plus faible faute entraîne un égarement condamnable. On remarquera que cette infâme *Mertheuil* est de la société de Mme *de Volanges*, et qu'elle souffle tous ses poisons corrupteurs dans le sein de *Cécile*. Revenons à ce *Valmont*. Il est forcé cependant de rendre hommage à la vertu, et c'est un des traits le plus ingénieux de la part de l'Auteur. « J'arrive au village, je vois de la rumeur, je m'avance, j'interroge, on me raconte le fait ; je fais venir le Collecteur, et cédant à ma compassion, je paie noblement cinquante-six livres, pour lesquelles on réduisait cinq personnes à la paille et au désespoir. Après cette action si simple, vous n'imaginez pas quel chœur de bénédictions retentit autour de moi de la part des assistants ! quelles larmes de reconnaissances coulèrent des yeux du vieux chef de cette famille, et embellissaient cette figure de patriarche, qu'un moment auparavant, l'empreinte farouche du désespoir rendait vraiment hideuse. J'examinais ce spectacle, lorsqu'un autre paysan plus jeune, conduisant par la main une femme et deux enfants, et s'avançant vers moi à pas précipités, leur dit : *tombons tous aux pieds de cette image de Dieu*, et dans le même instant j'ai été entouré de cette famille, prosternée à mes genoux. J'avouerai ma faiblesse, mes yeux se sont mouillés de larmes, et j'ai senti en moi un mouvement involontaire, mais délicieux. J'ai été étonné du plaisir qu'on éprouve en faisant le bien, et je serais tenté de croire que ce que nous appelons les gens vertueux, n'ont pas tant de mérite qu'on se plaît à nous le dire. »

Le *travail*, si l'on peut le dire, de la défaite de la Présidente, fait horreur ; c'est l'enfer même avec tous ses mauvais génies, ouvert pour engloutir sa proie. Les circonstances, ses détails ne peuvent qu'exciter une indignation qui va jusqu'à la douleur ; on croit voir une bête féroce, avide de dévorer sa victime. La *Mertheuil*, d'une autre part, entraîne par gradations *Cécile* dans le précipice. Elle est la confidente de la jeune personne, qui enfin a des remords, et c'est ce que veut détruire la scélérate Marquise ; elle réussit ; elle a inspiré à son complice, *Valmont*, d'entrer dans la confiance du Chevalier *Danceny* : ce dernier se livre lui-même au méchant qui prépare sa ruine. La *Mertheuil* a su adroitement instruire Mme *de Volanges* de l'intrigue de sa fille ; leur maison est fermée à l'imprudent Chevalier. La lettre où la Marquise trace rapidement son histoire, depuis ses premières années, est encore un de ces morceaux qui révoltent ; le vice et l'hypocrisie ne sauraient aller plus loin ; elle est un chef-d'œuvre de perversité. Il lui arrive une petite anecdote, où les rieurs ne sont pas pour elle : elle a rencontré chez la Maréchale de *** un M. *de Prévan*, qui s'introduit chez elle pendant la nuit ; elle sonne, ses gens accourent, on renvoie ce *Prévan*, que le Commandant de son corps fait mettre en prison ; tout cela forme une nouvelle qui circule dans Paris, et donne lieu à des propos sur le compte de Mme *de Mertheuil*. *Valmont*, par la plus noire des trahisons, a su se rendre maître de *Cécile*, qui, sans l'aimer, a cédé à ses attaques combinées. Ceci est une *des roueries* les plus complètes ; la *Mertheuil* s'empare de *Danceny* ; le *Vicomte* emploie un Religieux respectable pour déterminer sans qu'il s'en doute, la chute de la Présidente, qui montre une vigueur incroyable dans les combats, et qui est à la fin au rang des victimes de ce scélérat. C'est ainsi qu'il s'applaudit de son succès. « Dans la foule des femmes auprès desquelles j'ai rempli jusqu'à ce jour le rôle et les fonctions d'amant, je n'en avais encore rencontré aucune qui n'eût au moins autant d'envie de se rendre, que j'en avais de l'y déterminer ; je m'étais même accoutumé à appeler prudes celles qui ne faisaient que la moitié du chemin, par opposition à tant d'autres, dont la défense provocante ne connut jamais qu'imparfaitement les premières avances qu'elles ont faites ; ici, au contraire, j'ai trouvé une première prévention défavorable, fondée depuis sur les conseils et les rapports d'une femme haineuse, (Mme *de Volange*) mais clairvoyante ; une timidité naturelle et extrême, que fortifiait une pudeur éclairée, un attachement à la vertu, que la religion dirigeait, et qui comptait déjà deux années de triomphe ; enfin, des démarches éclatantes, inspirées par ces différents motifs, et qui toutes n'avaient pour but que de se soustraire à mes poursuites. » Et voilà la femme que ce monstre est enchanté d'avoir perdue ! Tous les détails dont il fait partie à cette *Mertheuil*, encore une fois, inspirent l'horreur ; ce qui est encore plus affreux, ce sont les procédés du Vicomte, à la suite de son funeste triomphe : la malheureuse Présidente au désespoir, se retire dans un couvent, tandis qu'il est prouvé par les Médecins, que *Cécile* porte dans son sein un fruit de son égarement. Mme *de Tourvel*, succombe à son désespoir, elle meurt. *Valmont*, l'horrible *Valmont*, écrit une lettre à la Marquise, où il ne lui offre que deux partis à prendre, celui de redevenir sa Maîtresse, ou son ennemie déclarée. Il ajoute que le moindre obstacle qu'elle opposera, lui paraîtra une véritable déclaration de guerre. La *Mertheuil* ne lui répond que par ces deux mots mis au bas de la même lettre : *Hé bien ! la guerre.*

Il était juste que de pareils héros du crime reçussent une punition éclatante. *Valmont* est tué par *Danceny* ; sa querelle avec le Chevalier est reconnue être l'ouvrage de cette méchante *Merteuil*. Le Vicomte avant que d'expirer, a remis à *Danceny* un nombre de lettres, qui formaient une correspondance régulière entre lui et cette femme abominable. Le Chevalier n'écoutant que son indignation, a rendu ces lettres publiques, elles courent tout Paris. Il eſt prouvé que l'anecdote de ce M. *de Prévan*, eſt bien différente de la façon dont *Merteuil* l'a racontée à son ancien amant ; « il n'avait fait au contraire, que céder aux avances les plus marquées de cette *Mertheuil*, et le rendez-vous était convenu avec elle. » Juſtification de *Danceny* dans une très longue lettre adressée à une Mme *de Rosemonde*, la parente de *Valmont*. Mme *de Volanges* apprend à cette Mme *de Rosemonde*, que sa fille eſt allée s'ensevelir dans un Couvent. Cette malheureuse mère a des alarmes qu'on refuse d'éclaircir. La *Merteuil* a commencé à être punie. « En arrivant de la campagne avant-hier, Jeudi, elle s'eſt fait descendre à la Comédie-Italienne, où elle avait sa loge ; elle y était seule, et ce qui dut lui paraître extraordinaire, aucun homme ne s'y présenta pendant le speƈtacle ; à la sortie, elle entra, suivant son usage, au petit salon, qui était déjà rempli de monde ; sur-le-champ il s'éleva une rumeur, mais dont apparemment elle ne se crut pas l'objet ; elle aperçut une place vuide sur l'une des banquettes, et elle alla s'y asseoir ; mais aussitôt toutes les femmes qui y étaient, se levèrent comme de concert, et l'y laissèrent absolument seule. Ce mouvement marqué d'indignation générale, fut applaudi de tous les hommes, et fit redoubler les murmures, qui, allèrent jusqu'aux excès. »

La petite vérole prend à cette femme si criminelle. Le Chevalier *Danceny* dégoûté du monde, se détermine à partir pour Malte. La Marquise n'a pas le bonheur de mourir ; elle se survit en quelque sorte, à elle-même ; elle eſt revenue de sa maladie affreusement défigurée, et elle y a perdu un œil. « Le Marquis *de* … qui ne perd pas l'occasion de dire une méchanceté, disait hier, en parlant d'elle, que *la maladie l'avait retournée, et qu'à présent son âme était sur sa figure.* » Elle essuie aussi la perte d'un Procès considérable. Désespérée de sa nouvelle situation, elle eſt partie seule et en poſte, on croit qu'elle a pris la route de la Hollande. Elle fait une énorme banqueroute, laissant après elle pour plus de 50 000 liv. de dettes. Mlle *de Volanges* doit prendre l'habit de poſtulante. Voici les réflexions de la mère ; « qui pourrait ne pas frémir, en songeant aux malheurs que peut causer une seule liaison dangereuse ? Et quelles peines ne s'éviterait-on pas en y réfléchissant davantage ? Quelle femme ne fuirait pas au premier propos d'un séduƈteur ? Quelle mère, sans trembler, pourrait voir une autre personne qu'elle, parler à sa fille? Mais ces réflexions tardives n'arrivent jamais qu'après l'événement ; et l'une des plus importantes vérités, comme aussi peut-être des plus généralement reconnues, reste étouffée et sans usage dans le tourbillon de nos mœurs inconséquentes. »

Ce peu de mots semble être le résultat de la morale que recèle en quelque sorte cet Ouvrage bien singulier, qui peut être considéré sous deux points de vue entièrement opposés. Vous voyez d'un côté un tableau approfondi du monde ; et qui, par malheur, n'est qu'une trop fidèle ressemblance. *Crébillon* le fils, *Marivaux*, nous en avaient montré les ridicules, les travers ; ils ne nous avaient offert que des superficies ; ici c'est le mécanisme même de la scélératesse développée dans tous ses ressorts. L'écrivain, d'une main courageuse, a levé le voile qui nous dérobe ces excès monstrueux, dont la société est tous les jours plus coupable ; grâce à l'abus du *bel esprit*, et aux suites affreuses du luxe, qui déprave tout, corrompt tout, et entraîne la perte totale du physique comme du moral. Ces lettres nous donnent de grandes leçons : qu'une mère, qu'une jeune épouse ne sauraient être trop circonspectes dans leurs liaisons, que ces cercles si vantés ne sont qu'une assemblée de gens atroces, qui sous les plus heureux dehors cachent une âme *infernale* ; que ce qu'on appelle en général *la bonne compagnie* est sans contredit *la plus mauvaise et la plus à fuir.* En un mot, l'auteur des *Liaisons dangereuses* a déféré au tribunal de la vertu la plupart de ces hommes du jour, qui à l'abri de leurs noms, de leurs richesses, jouissent avec une effronterie scandaleuse de l'impunité, et répandent partout la contagion de leurs mœurs perverses ; sans contredit ces peintures ont leur utilité. Il y a beaucoup d'esprit dans cet Ouvrage, une profondeur d'idées, que peu de Romanciers en ce genre nous avaient fait voir jusqu'à présent. Voilà assurément l'éloge que nous accordons avec plaisir à l'Écrivain, quel qu'il soit, qui a publié ces lettres ; mais ce recueil, envisagé sous un autre coup d'œil, n'est-il pas susceptible de la critique la moins indulgente ? Ces images continuelles de la dépravation la plus horrible, qui ne sont adoucies par aucun caractère opposé, ne sont-elles pas révoltantes, dégoûtantes ? Ne blessent-elles pas même la délicatesse des mœurs ? Osons le dire, combien de jeunes gens étudieront dans *Valmont* les moyens de mettre en action leurs âmes vicieuses et corrompues ! n'a-t-on pas reproché à *Juvénal* sa *Satire des femmes*, qui à chaque instant fait rougir la pudeur ? *Richardson* nous a présenté un *Lovelace* ; mais à côté de ce prodige du vice, il est l'image de la vertu même : *Clarisse*, la touchante *Clarisse*, nous console en quelque sorte des horreurs auxquelles s'abandonne son amant[2]. D'ailleurs *Richardson* fait couler nos larmes, remplit notre âme de diverses émotions : et dans les *Liaisons dangereuses*, le vice monstrueux se fait voir dans toute sa difformité, sans que le cœur éprouve des impressions attendrissantes. Nous l'avouerons : malheur à l'esprit quand il choisit de pareils sujets pour briller !

Il n'est point de serpent ni de monstre odieux
Qui, par l'art imité, ne puisse plaire aux yeux[3].

Et ici nous voyons le crime dans toute sa dégoûtante horreur. Ce n'est pas ainsi que *Fénelon*, *Richardson*, l'ont fait haïr. Il est des objets que l'on ne doit jamais dévoiler ; comme il est des excès criminels dont on doit ensevelir dans un profond oubli jusqu'à la mémoire. Encore une fois, l'auteur des *Liaisons dangereuses* annonce beaucoup d'esprit ; mais s'il nous peint des monstres, qu'il nous trace aussi ceux qui les combattent et les étouffent. Il a fait lui-même sa critique dans une de ses lettres ; il fait dire à un de ses personnages :

« Je vois bien *dans tout cela* les méchants punis, mais je n'y trouve nulle consolation pour leurs malheureuses victimes.

« Je suis, etc. »

MEISTER
(attribution incertaine)

[COMPTE RENDU DES « LIAISONS DANGEREUSES »]

« Correspondance littéraire »,
avril 1782

Depuis plusieurs années il n'a encore paru de roman dont le succès ait été aussi brillant que celui des *Liaisons dangereuses, ou Lettres recueillies dans une Société, et publiées pour l'instruction de quelques autres, par M. C*** de L****, avec cette épigraphe : *J'ai vu les mœurs de mon temps, et j'ai publié ces Lettres.* M. C*** de L*** est M. Chauderlos de La Clos, officier d'artillerie ; il n'était connu jusqu'ici que par quelques pièces fugitives insérées dans l'*Almanach des Muses*, et plus particulièrement par une certaine *Épître à Margot*, qui manqua lui faire une tracasserie assez sérieuse à cause d'une allusion peu obligeante pour Mme la comtesse du Barri, dont la faveur, alors au comble, voulait être respectée.

On a dit de M. Rétif de La Bretonne qu'il était *le Rousseau du ruisseau.* On serait tenté de dire que M. de La Clos est le Rétif de la bonne compagnie. Il n'y a point d'ouvrage en effet, sans en excepter ceux de Crébillon et de tous ses imitateurs, où le désordre des principes et des mœurs de ce qu'on appelle la bonne compagnie et de ce qu'on ne peut guère se dispenser d'appeler ainsi, soit peint avec plus de naturel, de hardiesse et d'esprit : on ne s'étonnera donc point que peu de nouveautés aient été reçues avec autant d'empressement ; il faut s'étonner encore moins de tout le mal que les femmes se croient obligées d'en dire ; quelque plaisir que leur ait pu faire cette lecture, il n'a pas été exempt de chagrin : comment un homme qui les connaît si bien et qui garde si mal leur secret ne passerait-il pas pour un monstre ? Mais, en le détestant, on le craint, on l'admire, on le fête; l'homme du jour et son historien, le modèle et le peintre sont traités à peu près de la même manière.

En disant que le vicomte de Valmont, l'un des principaux personnages du nouveau Roman, parvient, à force d'intrigue et de séduction, à triompher de la vertu d'une nouvelle Clarisse[1], abuse en même temps de l'innocence d'une jeune personne, les sacrifie l'une et l'autre à l'amusement d'une courtisane et finit par les réduire toutes deux au désespoir, on pourrait bien faire soupçonner que c'est là, selon toute apparence, le héros de notre Histoire. Eh bien, tout sublime qu'il est dans son genre, ce caractère n'est encore que très subordonné à celui de la marquise de Merteuil, qui l'inspire, qui le guide, qui le surpasse à tous égards, et qui joint encore à tant de ressources celle de conserver la réputation de la femme du monde la plus vertueuse et la plus respectable. Valmont n'est pour ainsi dire que le ministre secret de ses plaisirs, de ses haines et de sa vengeance; c'est un vrai Lovelace en femme; et comme les femmes semblent destinées à exagérer toutes les qualités qu'elles prennent, bonnes ou mauvaises, celle-ci, pour ne point manquer à la vraisemblance, se montre aussi très supérieure à son rival.

On croit bien qu'après avoir présenté à ses lecteurs des personnages si vicieux, si coupables, l'auteur n'a pas osé se dispenser d'en faire justice; aussi l'a-t-il fait. M. de Valmont et Mme de Merteuil finissent par se brouiller, un peu légèrement à la vérité; mais des personnes de ce mérite sont très capables de se brouiller ainsi: M. de Valmont est tué par l'ami qu'il a trahi; la conduite de Mme de Merteuil est enfin démasquée; pour que sa punition soit encore plus effrayante, on lui donne la petite vérole qui la défigure affreusement; elle y perd même un œil, et, pour exprimer combien cet accident l'a rendue hideuse, on fait dire au marquis de *** que *la maladie l'a retournée, et qu'à présent son âme est sur sa figure*, etc.

Toutes les circonstances de ce dénouement, assez brusquement amenées, n'occupent guère que quatre ou cinq pages; en conscience, peut-on présumer que ce soit assez de morale pour détruire le poison répandu dans quatre volumes de séduction, où l'art de corrompre et de tromper se trouve développé avec tout le charme que peuvent lui prêter les grâces de l'esprit et de l'imagination, l'ivresse du plaisir et le jeu très entraînant d'une intrigue aussi facile qu'ingénieuse ? Quelque mauvaise opinion qu'on puisse avoir de la société en général et de celle de Paris en particulier, on y rencontrerait, je pense, peu de liaisons aussi dangereuses pour une jeune personne que la lecture des *Liaisons dangereuses* de M. de La Clos. Ce n'est pas qu'on prétende l'accuser ici, comme l'ont fait quelques personnes, d'avoir imaginé à plaisir des caractères tellement monstrueux, qu'ils ne peuvent jamais avoir existé : on cite plus d'une société qui a pu lui en fournir l'idée ; mais, en peintre habile, il a cédé à l'attrait d'embellir ses modèles pour les rendre plus piquants, et c'est par là même que la peinture qu'il en fait est devenue bien plus propre à séduire ses lecteurs qu'à les corriger.

Un des reproches qu'on a faits le plus généralement à M. de La Clos, c'est de n'avoir pas donné aux méchancetés qu'il fait faire à ses héros un motif assez puissant pour en rendre au moins le projet plus vraisemblable. Le motif qui les fait concevoir est en effet assez frivole ; c'est pour punir le comte de Gercourt de l'avoir quittée pour je ne sais quelle Intendante, que Mme de Merteuil emploie toutes les ressources de son esprit et toute l'adresse de son ami à perdre la jeune personne qu'il doit épouser. « Prouvons-lui, dit-elle à Valmont, qu'il n'est qu'un sot ; il le sera sans doute un jour ; ce n'est pas là ce qui m'embarrasse, mais le plaisant serait qu'il débutât par là... » Et c'est là l'objet important de tant d'intrigues, de tant de perfidies.

On peut douter si Valmont est amoureux de l'aimable présidente de Tourvel ; en employant, pour la séduire, tout l'artifice imaginable, il semble qu'il n'ait d'autre but que celui d'assurer au vice l'espèce d'avantage qu'il peut usurper quelques moments sur la vertu même la plus pure. Mais ne pourrait-on pas faire le même reproche au caractère que Richardson donne à Lovelace ? Lovelace est-il vraiment amoureux de Clarisse ? Comme Valmont, il ne cherche que *le charme des longs combats et les détails d'une pénible défaite.*

Ce n'est pas sans quelque regret qu'on se permet d'en convenir, mais l'expérience le prouve trop bien tous les jours : à en juger par la conduite de beaucoup de gens, il faut bien que le vice ait ses plaisirs comme la vertu ; et ce qui constitue décidément le caractère du méchant comme celui de l'homme vertueux, c'est de l'être sans aucun objet d'utilité personnelle et pour le seul plaisir de l'être. La société donne aux hommes tant de besoins, tant d'espèces d'amour-propre à contenter, elle leur laisse tant d'inquiétude, tant d'activité dont on ne sait le plus souvent que faire ! Si la bonne compagnie offre assez de gens aimables qui ne trouvent que dans la tracasserie et dans les méchancetés de quoi occuper le vide de leur cœur, l'inutilité de leur existence, pourquoi refuser à Mme de Merteuil, au vicomte de Valmont l'honneur d'avoir été de ce nombre ?

Pour avoir une juste idée de tout le talent qu'on ne peut s'empêcher de reconnaître dans l'ouvrage de M. de La Clos, il faut le lire d'un bout à l'autre ; il n'y en a pas moins dans l'ensemble que dans les détails. Les caractères y sont parfaitement soutenus ; la naïveté de la petite de Volange est un peu bête, mais elle n'en est que plus vraie, et ce personnage contraste aussi heureusement avec l'esprit de Mme de Merteuil que les vices de celle-ci avec la vertu romanesque de Mme de Tourvel. L'extrême sécurité de Mme de Volange sur la conduite de sa fille est peut-être ce qu'il y a de moins vraisemblable dans tout l'ouvrage ; elle est justifiée cependant autant qu'elle peut l'être et par l'adresse de Mme de Merteuil, et par cette confiance qu'une femme, dont la vie fut toujours irréprochable, prend si naturellement dans tout ce qui l'entoure. On peut croire sans peine que la fille d'une Mme de Merteuil serait à coup sûr mieux gardée que ne l'est la petite de Volange ; l'expérience du vice a sur ce point de grands avantages sur les habitudes de la vertu.

Parmi les épisodes qui enrichissent cette ingénieuse production on ne peut se refuser au plaisir de citer celui de la fameuse aventure des Inséparables, dans laquelle le joli Prévan, après avoir triomphé glorieusement dans la même nuit de trois jeunes beautés, oblige le lendemain leurs amants à lui pardonner cette triple trahison, et à se croire ses meilleurs amis. L'aventure de Mme de Merteuil avec ce même Prévan est peut-être encore plus piquante. Son ami Valmont l'exhorte à s'en défier : « S'il peut gagner seulement une apparence, lui dit-il, il se vantera, et tout sera dit ; les sots y croiront, les méchants auront l'air d'y croire ; quelles seront vos ressources ?... » Mme de Merteuil lui répond : « Quant à Prévan, je veux l'avoir et je l'aurai ; il veut le dire, et il ne le dira pas ; en deux mots, voilà notre

Roman… » Et ce Roman n'en est pas un ; car Mme de Merteuil tient parole.

Il n'y a pas moins de variété dans le style de ces Lettres qu'il n'y en a dans les différents caractères des personnages que l'auteur fait paraître sur la scène. La lettre du vicomte à son chasseur et la réponse de celui-ci ne sont pas au-dessous de celles de Lovelace et de son Joseph Leman[2] ; cependant elles n'ont d'autre rapport ensemble que celui d'être également vraies, également originales.

MOUFLE D'ANGERVILLE
(attribution incertaine)

[QUATRE NOTES SUR « LES LIAISONS DANGEREUSES »]

« Mémoires secrets pour servir à l'histoire de la république des lettres », Nouvelles littéraires, avril-juin 1782

29 avril.

Le livre à la mode aujourd'hui, c'est-à-dire celui qui fait la matière des conversations, est un roman intitulé *les Liaisons dangereuses*, en quatre petits volumes. Il est attribué à un M. *de la Clo*, officier d'artillerie, auteur de quelques opuscules en prose et en vers, et surtout de la fameuse *Épître à Margot*, qui parut en 1773, qu'on attribua à M. Dorat, et où la comtesse du Barri était désignée sensiblement, ce qui obligeait le poète de garder l'anonymat.

Dans son dernier ouvrage, très noir, qu'on dit un tissu d'horreurs et d'infamies, on lui reproche d'avoir fait aussi ses héros trop ressemblants : on assure d'ailleurs, qu'il est plein d'intérêt et bien écrit.

*

14 mai.

Le roman des *Liaisons dangereuses* a produit tant de sensations, par les allusions qu'on a prétendu y saisir, par la méchanceté avec laquelle chaque lecteur faisant l'application des portraits qui s'y trouvent à des personnes connues, il en a résulté enfin une clef générale qui embrasse tant de héros et d'héroïnes de société, que la police en a arrêté le débit, et a fait défendre aux endroits publics où l'on le lisait, de le mettre désormais sur leur catalogue.

L'auteur est fils d'un M. Chauderlot, premier commis d'un intendant des finances ; il a déjà éprouvé beaucoup de chagrin de la publicité de son ouvrage. Parce qu'il a peint des monstres, on veut qu'il en soit un, *fœnum habet in cornu, longè fuge*[1]. Il est allé à son régiment travailler à une justification.

*

28 mai.

Les *Liaisons dangereuses*, ou *Lettres recueillies dans une société, et publiées pour l'instruction de quelques autres*, par M. C… De L…

Tel est le titre du nouveau roman qui fait tant de bruit aujourd'hui, et qu'on prétend devoir marquer dans ce siècle : il est en quatre parties formant quatre petits volumes.

Il est précédé d'un *avertissement de l'éditeur*, persiflage, où prévenant les allusions qu'on pourrait trouver dans cet ouvrage, il donne à entendre que ce n'est qu'un roman, un roman gauche même, en ce qu'on y a peint des mœurs corrompues et dépravées, qui ne peuvent être de ce siècle de philosophie, où les hommes sont si honnêtes, et les femmes si modestes et si réservées.

Suit une *Préface du Rédacteur*, qui rend compte de la manière dont il a été chargé de publier cette correspondance. Il annonce en avoir élagué beaucoup de lettres, et réservé seulement celles nécessaires, soit à l'intelligence des événements, soit au développement des caractères. Quant au style, on a désiré que, malgré ses incorrections et ses fautes, il le laissât tel qu'il était, afin de conserver surtout la diversité des styles, qui en fait un des principaux mérites.

*

13 juin.

Les *Liaisons dangereuses* remplissent parfaitement leur titre, et malgré la réclamation générale élevée contre, on doit regarder ce roman comme très utile, puisque le vice, après avoir triomphé durant tout le cours de l'histoire, finit par être puni cruellement. Il y a certainement beaucoup d'art dans l'ouvrage, à ne l'examiner que du côté de la fabrique ; et si le principal héros n'est pas aussi vigoureusement peint encore que le Lovelace de Clarisse, il a des teintes propres, plus adaptées à nos mœurs actuelles ; c'est un vrai *Roué* du jour : d'ailleurs, il est secondé par une femme non moins unique dans son genre, et dont l'auteur n'a point de modèle ; c'est une création de son imagination. Tous les autres personnages sont également variés ; et un mérite fort rare dans ces sortes de romans en lettres, c'est que malgré la multiplicité des interlocuteurs de tout sexe, de tout rang, de tout genre de morale et d'éducation, chacun a son style particulier très distinct. Ce livre doit faire infiniment d'honneur au romancier, qui marche sur les traces de M. Crébillon le fils.

FRANÇOIS METTRA

[SUR « LES LIAISONS DANGEREUSES »]

« Correspondance secrète, politique et littéraire », Nouvelles littéraires, le 8 mai 1782

De Paris, le 8 mai 1782.

Parmi les nouveautés littéraires qui font quelque bruit, on cite dans toutes les sociétés, et par préférence, un Roman en quatre volumes, qui a pour titre, *Les Liaisons dangereuses.* L'auteur est un M. de la Clos, officier d'artillerie dont les entreprises amoureuses n'ont vraisemblablement pas eu un heureux succès, si l'on s'en rapporte à la manière dont il parle des femmes, et aux portraits qu'il a faits de quelques-unes d'elles dans l'ouvrage qu'il vient de publier. Il est écrit en lettres, et dans le nombre, on en remarque plusieurs dont le style est si différent de celui des autres, qu'on serait tenté de croire qu'elles ont été réellement écrites par des personnages placés dans des situations semblables à celles du roman. De là, on vient encore à penser que le fond de l'ouvrage pourrait bien être vrai, et que l'auteur n'a eu d'autre peine que de rassembler des matériaux, déguiser les noms et l'état des acteurs, et remplir les lacunes. On cite ici des personnes de la cour comme les originaux des portraits : quelques-uns ont en effet de la ressemblance, mais d'autres impliquent contradiction. Au surplus, tout ce que les mauvaises mœurs, l'habitude du vice, l'ardeur de satisfaire ses désirs, l'emportement d'une tête exaltée, le mépris de l'opinion publique peuvent donner de perfidie, de fausseté, de scélératesse à une femme qui a pu s'oublier, est peint d'une manière effrayante. La tranquille iniquité, le système de subornation et de barbarie dont ceux de nos agréables, qu'on appelle aujourd'hui des *Roués*, font publiquement profession, sont peints aussi sous les couleurs les plus vraies. Mais, à quelles fins un tel ouvrage ? Quel but moral en peut-il résulter ? je ne le conçois guère. Si Lovelace a été plus nuisible que son caractère n'est admirablement tracé ; si dans un roman aussi plein de philosophie que *Clarisse*, il n'a pu produire d'autre effet aux yeux de nos étourdis, que de leur présenter un modèle de conduite ; quelles idées, dans un siècle perdu de débauche et de vices, où l'on peut à peine distinguer les sexes, où le crime marche la tête levée et fait trophée de son effronterie, quelles idées ne doivent pas faire naître des tableaux dont nos femmes et nos libertins peuvent profiter pour parvenir à donner à leurs projets une marche suivie et calculée, une marche propre à en imposer à l'inexpérience, et capable de conduire la jeunesse dans un gouffre d'horreurs avant même qu'elle ait eu le temps de s'apercevoir du piège ? ajoutons à cela que la lecture de ce roman est très propre à émouvoir les sens, à exciter les désirs, à exalter l'imagination, et qu'on y trouve de temps en temps, des détails, des conversations et des faits qui ne seraient point du tout déplacés dans le *Port… des Chart…*[1]. On a parlé d'interdire la vente de cet ouvrage ; il est honteux qu'on s'en soit tenu au projet. La liberté de la presse est une chose nécessaire, et infiniment utile ; mais que cette liberté dégénère en licence, et qu'un censeur alloue son approbation à une production de cette nature ; cela serait inconcevable, si le censeur ne s'appelait pas Coqueley de Chaussepierre[2]. On a répandu dans le monde ce quatrain médiocre, mais qui prouve l'idée qu'on a de l'avocat à calembours.

Censeur à face triste et blême,
Étayes, tu le dois, les infâmes auteurs.
Ta femme t'en conjure et ton intérêt même :
Il faut accoutumer le Public à vos mœurs.

Il serait à désirer en effet que la censure, si souvent exagérée sur des ouvrages qui peuvent tout au plus choquer l'opinion de quelques individus, se montrât plus sévère sur tout ce qui peut influer sur les mœurs. Beaucoup de jeunes auteurs n'abuseraient pas ainsi qu'ils le font, de leur esprit pour nous peindre avec autant de complaisance des scènes aussi déshonorantes que pernicieuses pour la société.

LE BRUN PINDARE

[POÈMES DIVERS]

1782

PORTRAIT DE MME DE ***

Merteuil paraît ce qu'elle veut paraître,
Et juge bien dans son petit boudoir.
Pour juger mieux, elle devrait peut-être
Apprendre enfin ce qu'elle croit savoir.

AUTRE DE LA MÊME

Merteuil parle et juge de tout ;
Elle est Physicienne ; elle est Chronologiste[1] ;
Botaniste, Chimiste, Alchimiste et Puriste :
Il ne lui manque rien que l'esprit et le goût.

[MANUSCRIT INACHEVÉ]

Malheur à ce Valmont, délicieux infâme
Qui va de cercle en cercle évaporant son âme
Jouet capricieux[2] d'une prude Merteuil.
À tromper la vertu mettant un lâche orgueil
Il cueille enfin la honte et
Immolant sans pudeur l'adorable Tourvelle
&c.

Ses bons mots imposteurs, sa lâche cruauté
Malheur à l'être vil, au mortel effronté
Qui va déshonorant l'amour et la beauté.

LA HARPE

[NOUVELLES LITTÉRAIRES DU PRINTEMPS 1782]

« Correspondance littéraire, adressée à S. A. I. Mgr le Grand-duc », Paris, Migneret, an XII (1804)

M. de Laclos, officier d'artillerie, connu pour quelques jolies pièces de vers insérées dans les journaux, vient de publier un roman en lettres et en quatre parties, qui a pour titre, *les Liaisons dangereuses.* L'auteur paraît avoir voulu renchérir sur le Versac des *Égarements* de Crébillon fils[1], et sur le *Lovelace* de Richardson. Son héros, M. de Valmont, est beaucoup plus raffiné que le premier, et beaucoup plus atroce que le second, et ce n'est pas peu dire. Un des plus grands défauts de ces sortes de romans, c'est de donner pour les *mœurs du siècle*, (c'est ainsi que l'auteur s'est exprimé dans son épigraphe), ce qui n'est au fond que l'histoire d'une vingtaine de fats et de catins qui se croient une grande supériorité d'esprit pour avoir érigé le libertinage en principe, et fait une science de la dépravation. Cette vile espèce, obligée de s'admirer beaucoup elle-même, parce qu'elle est universellement méprisée, ne se doute pas que sa prétendue science, en mettant même toute morale à part, est le comble de la sottise et de la duperie. Car qu'y a-t-il de plus sot que de se faire un travail sérieux et une étude pénible de ce qui pour les autres est un plaisir, ou du moins un amusement ? La belle découverte en fait de jouissance, que de se défendre d'aimer aucune femme, et de se faire une loi de les tromper toutes ! Le plus habile intrigant dans ce genre peut-il se flatter d'avoir autant de plaisir qu'un homme franchement amoureux, ou même franchement libertin, que celui qui n'aime qu'une femme, ou celui qui les aime toutes ? Ceux-ci du moins ont tous les plaisirs du cœur, ou tous ceux des sens. Quels sont ceux du fat ? les plaisirs de la vanité. Comparée aux autres, cette jouissance, je le répète, n'est-elle pas un plaisir de dupes ? À cet inconvénient qui rend si froids les romans de ce genre, se joint souvent un autre vice essentiel, l'invraisemblance des moyens, et ce vice ne peut pas être porté plus loin que dans *les Liaisons dangereuses.* Des artifices grossiers, des atrocités gratuitement révoltantes, des horreurs absurdes, voilà le fond de l'ouvrage ; et cependant l'auteur est un homme d'esprit ; mais il y a loin encore de cette légèreté d'un style agréablement frivole, et de ce persiflage si facile dans la conversation et si rarement bon dans un livre, au talent de composer et d'émouvoir. Tous les ressorts du roman de M. de Laclos sont faux et manqués. Il est absurde que l'amie de Valmont et son ancienne maîtresse, Mme de Merteuil, qui est avec lui en société de perfidies et de noirceurs, mais qui est peinte comme la femme la plus habile en méchanceté, s'amuse à écrire sur son propre compte toutes les horreurs imaginables, sans nécessité et par forme de commerce épistolaire : on ne veut laisser à personne de pareilles preuves contre soi. Il est absurde que M. de Valmont, qui de son côté a mis entre les mains de Mme de Merteuil des secrets qui peuvent le perdre, et qui depuis longtemps n'est plus amoureux d'elle, pousse si loin la sotte fantaisie de redevenir son amant, qu'il lui propose l'étrange alternative, ou de le reprendre, ou de l'avoir pour ennemi. Il est encore plus absurde que cette femme, à qui sans doute un homme de plus ou de moins ne fait pas grand-chose, se brouille avec celui de tous qu'elle a le plus d'intérêt à ménager. Mais on voulait finir tragiquement, et il se trouve que Mme de Merteuil est assez insensée pour communiquer à un ami de Valmont des lettres qui prouvent une trahison de celui-ci, mais qui doivent en même temps la perdre elle-même, en prouvant qu'elle était complice. Valmont est tué par son ami de deux grands coups d'épée ; Mme de Merteuil déshonorée au point de ne pouvoir se montrer, ruinée par un procès qu'elle perd, tombe malade de la petite vérole, devient affreuse, borgne, pauvre, et s'en va porter tout cela en Hollande. Une dévote que Valmont a séduite avec beaucoup de peine, et qu'il a quittée en l'outrageant avec une férocité brutale, meurt de désespoir dans un couvent. Une jeune personne de condition, autre victime de Valmont, se retire aux Carmélites[2], et voilà où conduisent *les Liaisons dangereuses*. Fort bien ; mais la plus honnête femme peut être défigurée par la petite vérole et ruinée par un procès. Le vice ne trouve donc pas ici sa punition en lui-même, et ce dénouement sans moralité ne vaut pas mieux que le reste.

HENRI-DAVID CHAILLET

[COMPTE RENDU DES « LIAISONS DANGEREUSES »]

« Journal helvétique », décembre 1782

Je ne sais trop comment je dois parler de ce roman et peut-être ferais-je mieux de ne point en parler du tout. Quoiqu'il m'ait donné beaucoup d'humeur, je n'ai pu m'empêcher de trouver souvent du plaisir à sa lecture; j'admirais avec humeur. Je sens que je ne saurais guère en parler sans donner l'envie de le lire, et je voudrais qu'on ne le lût point. Et cependant je ne puis me résoudre à m'en taire, parce que je crois avoir des choses intéressantes à en dire.

Avouons d'abord que cet ouvrage mérite d'être distingué des autres ouvrages de ce genre. Il occupe, il fait penser: donc il a un mérite réel. On y trouve plusieurs observations de société non moins fines et neuves qu'elles sont justes et parfaitement bien exprimées. On y trouve de ces mots originaux, dont l'heureuse trouvaille n'est réservée qu'au génie. Ainsi une femme pleine d'esprit traite de simples *machines à plaisir* les jeunes personnes sans expérience qui ne savent qu'aimer. Ainsi un libertin, diminutif de Lovelace y parle avec dédain des amants vulgaires, en qui il ne voit que des *manœuvres d'amour*.

Rendons justice aux intentions de l'auteur, aussi bien qu'à ses talents. *Lisez, si vous en avez le courage**, lisez d'un bout à l'autre *la correspondance* révoltante et criminelle qu'il a

* C'est ainsi que s'exprime l'un des personnages du roman, en renvoyant à un autre le recueil des lettres dont il est formé. T. II, p. 341 [lettre CLXIX].

publiée ; et vous verrez qu'il en résulte à la fin que, *si l'on était éclairé sur son véritable bonheur, on ne chercherait jamais hors des bornes prescrites par les lois et la religion**. Mais par combien de détours égarants[1], à travers quel labyrinthe on parvient à ce but ! Les détails d'une intrigue compliquée le font sans cesse perdre de vue : ce *n'est que vers la fin de* la route que l'on commence à l'apercevoir un peu distinctement, comme le voyageur, au milieu des brouillards de l'automne, voit se dégager par degrés de l'ombre humide la pointe du clocher dont il est tout proche. Le malheur est que cette impression dernière et générale du roman n'efface point les impressions partielles qu'a éprouvées le lecteur dans ses différentes stations**.

Que le vice soit puni à la fin d'un roman, cet hommage de bienséance qu'on rend à la vertu est donc assez peu profitable pour les mœurs. Il l'est d'autant moins qu'à mesure que le dénouement approche, le romancier devient pour l'ordinaire moins rigoureux sur la vraisemblance ; et que l'action, qui jusqu'alors avait eu un développement aisé, une marche lente et mesurée, se précipite, s'embarrasse et, si l'on veut bien me passer ce mot, se tourbillonne tout à coup. Au confluent de toutes les intrigues particulières il se forme presque toujours une espèce de gouffre. Ce n'est pas dans ce sens qu'Horace voulait qu'on se hâtât vers son but : *Semper ad eventum properet*[2].

Ainsi je ne comprends pas *pour l'instruction* de quelles *sociétés* ces lettres peuvent avoir été *publiées*. Je ne doute pas que l'auteur ne les croie instructives ; mais moi, je ne les trouve que dangereuses, presque aussi dangereuses que les liaisons dont elles sont destinées à faire sentir le danger. L'auteur a beau prendre pour épigraphe cette phrase de Rousseau : *j'ai vu les mœurs de mon temps, et j'ai publié ces lettres*. L'excuse serait valable, si ce roman ressemblait à l'*Héloïse*[3] : mais ces deux ouvrages n'ont pas le moindre rapport…

Mais si je commençais par donner une très succincte

* Cette conclusion est celle qu'en tire le personnage à qui on a envoyé les lettres. T. II, p. 349 [lettre CLXXI].

** M'accusera-t-on d'être ici en contradiction avec le jugement que j'ai porté ailleurs des indécentes *Contemporaines* ? je crois qu'on me ferait tort… Et en général, le reproche d'inconséquence, qu'ont sans cesse dans la bouche les esprits superficiels, ne prouve guère, à mon avis, contre ceux auxquels on le fait, sinon qu'on se hâte de les contredire avant de les avoir bien compris.

analyse du roman dont je raisonne ?... Nous nous entendrions mieux.

Mme de Volanges vient de retirer du couvent sa fille Cécile, jeune personne sans aucun usage, sans aucune expérience, et, comme Ver-Vert, *ne sachant rien de rien*[4]. On la destine à épouser un comte de Gercourt, dont on ne nous dit guère autre chose sinon qu'il est en Corse, que son retour est différé, et qu'il a déplu à Mme de Merteuil, qui se fait un très grand plaisir de si bien disposer toutes choses qu'au moment où Cécile deviendra sa femme, Cécile sera déjà corrompue.

Cette Mme de Merteuil est l'âme du roman... Avant que d'aller plus loin, faisons-la mieux connaître.

Son caractère est tout entier de génie. Il est dessiné et soutenu avec une singulière vigueur : il est tout neuf. Une longue lettre d'elle en donne la clef ; et cette lettre, la meilleure peut-être de tout le recueil, est un chef-d'œuvre en son genre.

Elle vit dans le désordre le plus complet, et à force d'esprit et d'habileté elle a trouvé le secret de conserver une réputation intacte, la considération publique, l'estime et la confiance des femmes les plus honnêtes, de Mme de Volanges en particulier. Tout cela, comme on le voit, lui donne beau jeu contre la pauvre petite Cécile*.

Mme de Merteuil a réduit en système l'*art de séduire* ; elle en possède à fond tous les principes, en explique les théorèmes les plus compliqués, en a résolu les problèmes les plus difficiles : les conséquences les plus éloignées, les distinctions les plus subtiles n'échappent point à sa pénétration : elle a fait à ce sujet les observations les plus multipliées et les plus fines. Elle est réellement étonnante. Je doute très fort qu'on trouvât ailleurs autant et d'aussi bons matériaux pour un traité complet de cette science. Ovide et son *Art d'aimer* ne sont rien auprès. Et voilà précisément ce qui fait le danger de cette lecture. Personne, à ce que je suppose, ne me demandera pourquoi. On voit assez qu'un pareil système développé avec complaisance, exposé avec art, avec gaieté avec tout l'esprit possible, et par conséquent avec cet alliage de vérité qui fait mettre partout l'esprit

* Une *liaison* avec une femme du caractère de cette Mme de Merteuil est sans doute *dangereuse*. Mais est-elle évitable ? À cet égard déjà l'instruction qu'on peut retirer de ce roman n'est pas d'une grande utilité.

(*veris falsa remiscet*[5]) ne peut guère se lire, sans que l'imagination tout au moins en soit un peu corrompue et les principes moraux plus ou moins obscurcis, altérés, peut-être.

On jugera du caractère original de ce Lovelace femelle par le trait suivant mieux que par tout ce que je pourrais en dire. Elle est avertie qu'un jeune officier, nommé Prévan, a entrepris sa conquête, et s'est engagé à rendre à certaines femmes jalouses et curieuses un compte exact de ses succès. Ce Prévan est très aimable et très joli, elle se met en tête de l'avoir et se promet en même temps d'empêcher qu'il n'ait à se vanter de l'aventure. Voici comment elle s'y prend. Elle lui fait des avances, mais mesurées, et telles que lui seul peut s'en apercevoir. Au bout de quelques jours, elle lui donne chez elle un rendez-vous nocturne, le reçoit en amitié passionnée, n'oppose pas la moindre résistance à ses désirs, et n'a d'autres précautions que celle d'empêcher qu'il ne quitte ses habits, ce qui prouverait qu'elle est d'intelligence avec lui. Après en avoir passé sa fantaisie, elle lui dit tout à coup du plus grand sang-froid du monde : *Écoutez-moi, vous aurez jusqu'ici un assez agréable récit à faire ; mais je suis curieuse de savoir comment vous raconterez la fin de l'aventure.* Aussitôt elle se met à sonner de toutes ses forces : ses gens accourent à la hâte ; une soubrette, confidente intime, avait eu soin de les faire veiller sans qu'il y parût d'affectation. Prévan perd la tête, veut se défendre, met l'épée à la main. Un valet de chambre vigoureux le désarme et le terrasse. On le met ignominieusement à la porte… Et qui soupçonnera la vertueuse marquise après ce grand éclat ? Est-il concevable que cet étourdi de Prévan ait osé lui manquer à ce point ? Le commandant du corps dans lequel il sert, vient le lendemain en faire des excuses. Prévan est mis aux arrêts. C'est un homme écrasé. Et puis qu'il raconte la chose telle qu'elle s'est passée, et qu'il la fasse croire, s'il peut. Grande rumeur parmi les dévotes : on plaint beaucoup Mme de Merteuil ; il est bien fâcheux qu'une femme aussi sage ne soit pas à l'abri de semblables désagréments. Et la bonne Mme de Volanges est la dupe de tout cela. Rien n'est plus plaisant.

Ainsi par mille artifices divers, par la rapidité de la marche de ses intrigues, par l'art avec lequel elle sait se faire quitter de l'amant dont elle commence à se dégoûter, elle vient à bout d'étouffer tous les mauvais bruits. L'un croit avoir été son seul amant, un autre parlerait en vain et n'a aucun moyen de se faire croire ; un troisième n'oserait parler, parce qu'elle a son secret... Elle a observé qu'il n'est presque personne qui n'ait quelque secret dont il craint par-dessus tout la révélation. Surprenez ce secret fatal, et vous tenez sous le ciseau la chevelure de Samson ; il cesse d'être redoutable pour vous.

Encore un trait de cet étrange caractère, et je reviens à mon analyse. L'amant en règne de la marquise de Merteuil est le chevalier de Belleroche dont la tendresse romanesque a commencé par l'amuser et lui plaire, mais finit par lui devenir à charge. Elle en est excédée. Cependant, toujours fidèle à son système, elle veut que ce soit lui qui croie l'abandonner ; elle veut qu'il se reproche d'être ingrat et volage, qu'il s'étonne de l'épuisement de son cœur. Pour cela que fait-elle ? Elle l'emmène à sa campagne, où elle le surcharge à tel point d'amour et de caresses, où elle fait en sorte qu'ils vivent si fort en liberté, si bien uniquement l'un pour l'autre, que bientôt, aussi ennuyé d'elle qu'elle l'est de ses attentions délicates, de son sérieux amour et de sa tendre vénération, l'*attentif* Belleroche, comme elle l'appelle, n'y tient plus, prend de l'ennui, puis de l'humeur, puis de l'impatience, puis du dégoût : son amour tombe en langueur et ne peut plus se relever de cette léthargie*.

Telle est la dangereuse ennemie qui a juré la perte de l'innocente Cécile. Le séducteur dont elle a fait choix, c'est le vicomte de Valmont. Elle ne pouvait mieux choisir. C'est lui dont je disais qu'il est un diminutif de Lovelace. Il en a tout l'esprit et toute la dépravation ; il en a le ton *versatile* et la gaieté méchante ; il en a les vices, les agréments, le manège. Quelques-unes de ses lettres ne le cèdent point à celles de son modèle, qui peut-être n'a sur lui d'autres avantages que d'être son aîné. Valmont en est une imitation facile, et point une servile copie. C'est un Lovelace, mais un Lovelace français ; il y a dans son caractère plus de nature et moins de profondeur. On peut remarquer encore (je ne dirai pas que ce soit à l'avantage du romancier français) que le réservé Richardson, plein de respect

* Si les honnêtes femmes veulent y réfléchir, elles pourront trouver ici une leçon très utile. Par quelle fatalité sont-elles ordinairement si peu observatrices ? C'est leur tort. Cela me rappelle une certaine lettre, qui m'avait été envoyée par les fugitives, et dont j'avais négligé de faire usage. On l'y trouvera. Il me semble qu'il y a dans cette lettre de fort bonnes choses.

pour les bienséances et la morale, est venu à bout de ne laisser dans les lettres de son héros rien qui soit le moins du monde indécent et capable d'inquiéter une imagination délicate ; au lieu que Valmont ne s'en fait pas faute, et met dans son style, aussi souvent que l'occasion s'en présente l'indécence légère, ingénieuse et sans grossièreté, mais que Richardson ne se serait pourtant pas permise.

Au reste, Valmont avec tout son esprit n'est qu'un écolier à grands talents en comparaison de la marquise. Il est un des Samson dont cette artificieuse Dalila tient la chevelure sous le ciseau. Ils furent amants ; ils sont amis. La conformité de leurs caractères est le sceau de cette liaison. Une brouillerie pourrait leur devenir également funeste : ils ont en main de quoi se pendre l'un l'autre.

Dans ce moment Valmont ne peut se prêter aux projets de Mme de Merteuil : il est occupé ailleurs. Il passe quelque temps dans une campagne voisine de Paris, chez une vieille tante Mme de Rosemonde, où pour l'ordinaire il s'ennuie mortellement, mais où il ne s'ennuie point cette fois-ci, parce qu'il y a trouvé une femme à séduire.

Cette femme est la présidente de Tourvel, femme honnête, sincèrement dévote, et sensible comme le sont tous les vrais dévots. Obtenir sur elle une victoire bien complète, supplanter, pour ainsi dire, Dieu lui-même dans cette âme tendre, est un triomphe dont la nouveauté flatte l'orgueil et pique la curiosité du séducteur. Et dès qu'il aura satisfait cette fantaisie, il se propose de l'abandonner à elle-même.

Que cette Mme de Tourvel est peu comparable à Clarisse ! Elle n'est qu'intéressante et Clarisse est sublime. Elle fait une défense, assez longue, si l'on veut, mais faible, et qui dès les premiers pas laisse trop prévoir qu'elle succombera. Il ne tient même qu'à son indigne* vainqueur de

* À l'occasion de cette épithète d'*indigne*, j'oserais hasarder une critique contre le sublime roman de Richardson : c'est que le faible de Clarisse pour Lovelace m'a toujours paru invraisemblable et incompatible avec un caractère de la trempe du sien. Je conçois mieux l'inclination de Mme de Tourvel pour *Valmont*, parce que Mme de Tourvel n'est pas Clarisse. D'ailleurs, le détail où entre à ce sujet le romancier français, explique fort bien ce goût… Encore une réflexion pendant que nous y sommes.

Souvent, en lisant Clarisse, j'ai mis Saint-Preux à la place de Lovelace, et je me suis demandé, *à celui-ci, comment Clarisse lui résisterait-elle* ? Serait-ce que, pour une femme honnête, Saint-Preux fut un séducteur plus dangereux encore que Lovelace ? Je le crois ; et par cette raison j'ai toujours été mécontent de Saint-Preux.

hâter le moment de sa chute : ce qui rend cette intrigue un peu traînante, un peu languissante dans les commencements.

De plus, et surtout, cette femme religieuse eﬆ mariée, et ne se défend pas plus, pas autrement, que si elle ne l'était pas. L'auteur ne tire aucun parti de cette circonﬆance essentielle. Autant vaudrait qu'elle fût fille. Elle eﬆ mariée, et n'eﬆ point retenue par l'horreur de l'adultère, par la crainte de violer un engagement sacré, de donner à son mari des enfants et des héritiers qui n'ont droit ni à sa tendresse, ni à ses biens : pas un mot de tout cela ; il n'eﬆ queﬆion que des dangers de l'amour. Elle eﬆ mariée, et ne se dit point qu'elle trompera la confiance de son époux, qu'elle ne méritera plus son affeﬆion, qu'elle empoisonnera ses jours : on ne sait quel homme c'eﬆ que le président de Tourvel, ni s'il aime, ni s'il eﬆ aimé, ni s'il mérite de l'être. Voilà si je ne me trompe, une faute capitale. On connaît si parfaitement tous les alentours de Clarisse.

Enfin Mme de Tourvel se rend après un siège de trois mois ; et sa défaite eﬆ on ne peut plus entière. C'eﬆ le plein abandon d'un cœur qui, fatigué d'une inutile résiﬆance, se laisse entraîner sans réserve par sa passion. Honneur, devoir, vertu, tout eﬆ sacrifié, elle a bu l'eau d'oubli : elle croit sa possession nécessaire au bonheur de son amant ; et elle ne veut, comme elle ne peut plus être heureuse qu'en lui, sans lui opposer ni refus, ni regrets, ni remords, elle renonce à elle-même, elle renonce à tout pour le contenter ; elle n'eﬆ plus ni épouse, ni dévote ; elle n'eﬆ ni honnête, ni malhonnête... elle n'eﬆ plus qu'amante.

Que pensez-vous leﬆeurs ? Ne l'excusez-vous point ? Ô combien l'emportement d'une passion vraie a de droits sur notre indulgence ! et n'eﬆ-il point à craindre que cette sympathie n'amollisse nos cœurs, n'affaiblisse nos principes ? De pareils tableaux seront toujours dangereux à présenter... *J'ai vu les mœurs* sentimentales *de mon temps*, et je n'aurais point *publié ces lettres*.

Une mère de famille a dit à l'auteur qu'elle croirait rendre un vrai service à sa fille en lui donnant ce livre le jour de son mariage*. Je suis bien éloigné, quant à moi, de

* Au surplus, la tournure ingénieuse de cette sentence n'eﬆ pas neuve. On a porté, avec plus de raison, selon moi, le même jugement des *Contemporaines*. Si cette conciliation peut satisfaire les moraliﬆes prudes j'y souscris.

penser comme cette mère-là. Étrange présent de noces, que le roman où l'épouse infidèle, au moment où elle vient de violer le premier de tous ses devoirs, n'en devient que plus intéressante.

C'est je crois, la lance d'Achille, dont le fer en limaille guérissait radicalement les blessures qu'elle avait faites[6]. Voyons si la lettre suivante de la bonne Mme de Rosemonde* à Mme de Tourvel, qui lui a fait confidence de sa faiblesse, ne pourra point produire sur le lecteur un effet à peu près semblable.

« Ô ma jeune amie ! je vous le dis avec douleur que jamais l'amour vous rende heureuse. Eh ! quelle femme vraiment délicate et sensible n'a pas trouvé l'infortune dans ce même sentiment qui lui promettait tant de bonheur ! les hommes savent-ils apprécier la femme qu'ils possèdent ? Ce n'est pas que plusieurs ne soient honnêtes dans leurs procédés et constants dans leur affection : mais parmi ceux-là même, combien peu savent encore se mettre à l'unisson de notre cœur** ! Ne croyez pas, ma chère amie que leur amour soit semblable au nôtre. Ils éprouvent bien la même ivresse, souvent même ils y mettent plus d'emportement ; mais ils ne connaissent pas cet empressement inquiet, cette sollicitude délicate qui produit en nous ces soins tendres et continus, dont l'unique but est toujours l'objet aimé***. L'homme jouit du bonheur qu'il ressent, et la femme de celui qu'elle procure. Cette différence si essentielle et si peu remarquée**** influe pourtant d'une

* Cette lettre devrait-elle être de Mme de Rosemonde ? Telle qu'on nous dépeint cette vieille dame, il y a trop d'esprit pour elle.

** Mais enfin, il en est… *Je l'éprouve*, dira toute amante aimée… Toute cette morale sera donc insuffisante pour elle. Et voilà l'écueil où vient toujours échouer cette morale de calcul, qui se croit si persuasive, et qui néglige de remonter aux grands principes, aux principes universels du devoir. On ne calcule point pour soi comme on avait calculé pour les autres. On pose également ses règles, et le résultat de l'opération ne saurait être le même.

*** *Les petits soins, les attentions fines / Sont nés, dit-on, chez les Visitandines*[7]. On dit bien mal. Non, ce n'est pas à l'ombre d'un triste couvent, c'est au sein de l'amour que naquit ce cortège aimable. Bien longtemps avant qu'il y eût des couvents, la première amante eut ces tendres soins. Yarico, sans autre maître que la nature, les prodiguait au marchand anglais qui la trahit[8].

**** Dans cette différence, que je crois réelle, j'admire la sagesse bienfaisante de la nature, qui, destinant la femme à la vie sédentaire et l'homme à la vie active, approprie le caractère de chaque sexe à sa destination, pour qu'il trouve plus de bonheur à la remplir… Ô que tout ce que la nature a fait est bien fait !

manière bien sensible sur la totalité de leur conduite respective. Le plaisir de l'un est de satisfaire des désirs ; celui de l'autre est surtout de les faire naître*. Plaire n'est pour lui qu'un moyen de succès ; tandis que pour elle c'est le succès lui-même. Et la coquetterie, si souvent reprochée aux femmes, n'est autre chose que l'abus de cette façon de sentir, et par là même en prouve la réalité. Enfin, ce goût exclusif qui caractérise particulièrement l'amour n'est dans l'homme qu'une préférence qui sert au plus à augmenter un plaisir qu'un autre projet affaiblirait peut-être, mais ne détruirait pas ; tandis que dans les femmes c'est un sentiment profond, qui non seulement anéantit tout désir étranger, mais qui, plus fort que la nature et soustrait à son empire, ne lui laisse éprouver que répugnance et dégoût là même où semble devoir naître la volupté... Et n'allez pas croire que des exceptions plus ou moins nombreuses, qu'on peut citer, puissent s'opposer avec succès à ces vérités générales. Elles ont pour garant la voix publique, qui pour les hommes seulement a distingué l'infidélité de l'inconstance : distinction dont ils se prévalent, quand ils devraient en être humiliés, et qui, pour notre sexe, n'a jamais été adoptée que par ces femmes dépravées qui en font la honte, et à qui tout moyen paraît bon, qu'elles espèrent pouvoir les sauver du sentiment pénible de leur bassesse. J'ai cru, ma chère belle, qu'il pourrait vous être utile d'avoir ces réflexions à opposer** aux idées chimériques d'un bonheur parfait, dont l'amour ne manque jamais d'abuser notre imagination : espoir trompeur, auquel on tient encore, même alors qu'on se voit forcé de l'abandonner, et dont la perte suit et multiplie les chagrins, déjà trop réels, inséparables d'une passion vive. »

La morale de cette lettre est, que toute femme sensible et sensée doit fermer l'oreille aux discours des amants... et de plus, si l'on y pense bien, que le mariage est une institution très sage, très salutaire et très bien combinée, où sont ménagés, autant que possible, les intérêts respectifs des deux sexes. Je crois l'homme plus fort pour être bon mari que pour être amant tendre et fidèle.

* *Ergo virum tuum appetitu, tuus erit ; et ipse praerit tibi*[9]. Philosophes galants de nos jours ! l'autorité maritale a donc son fondement dans la nature même.

** Faibles armes, hélas ! Ce remède, comme tant d'autres en morale, n'est qu'un remède de précaution, qui peut quelquefois prévenir le mal, mais qui ne peut le guérir.

Valmont, car il est temps de revenir à lui, Valmont ne voulait, comme nous l'avons vu, se faire aimer de la présidente que pour la perdre. Dès qu'il l'a eue, il songe à la quitter : mais il cherche quelque moyen de rendre cela piquant ; son âme corrompue ne goûte le plaisir sans cet assaisonnement.

On ne sait toutefois s'il n'est pas plus touché qu'il ne le veut plus qu'il ne s'y attendait de la passion si vraie dont il est l'objet ; si la contagion d'un tel amour ne l'a point gagné, quelque effort qu'il ait fait pour s'en garantir ; s'il n'est point, en un mot, amoureux sans le savoir et bien honteux de l'être. Le lecteur demeure à cet égard dans l'incertitude désagréable, que je reprocherais à l'auteur, s'il était question d'un sentiment moins équivoque de sa nature.

Quoi qu'il en soit, Mme de Merteuil, à qui Valmont a écrit tout le détail de cette intrigue, est impatientée de sa langueur, trouve que son ami se rouille auprès de la dévote, veut qu'il rompe brusquement avec elle, et lui envoie le modèle de lettre que je crois devoir transcrire ici à cause de son originalité.

« On s'ennuie de tout, mon ange ! c'est une loi de la nature. *Ce n'est pas ma faute...* Si donc je m'ennuie aujourd'hui d'une aventure qui m'occupe entièrement depuis quatre mortels mois, *ce n'est pas ma faute...* Si, par exemple, j'ai eu juste autant d'amour que roi de vertu, et c'est sûrement beaucoup dire, il n'est pas étonnant que l'un ait fini en même temps que l'autre. *Ce n'est pas ma faute...* Il suit de là que depuis quelque temps je t'ai trompée : mais aussi ton impitoyable tendresse m'y forçait en quelque sorte. *Ce n'est pas ma faute...* Aujourd'hui une femme que j'aime éperdument exige que je te sacrifie. *Ce n'est pas ma faute...* Je sens bien que voilà une belle occasion de crier au parjure. Mais si la nature n'a accordé aux hommes que la constance tandis qu'elle donnait aux femmes l'obstination, *Ce n'est pas ma faute...* Crois-moi, choisis un autre amant, comme j'ai fait une autre maîtresse. Ce conseil est bon, très bon. Si tu le trouves mauvais, *Ce n'est pas ma faute...* Adieu, mon ange ! Je t'ai prise avec plaisir, je te quitte sans regret ; je te reviendrai peut-être. Ainsi va le monde. *Ce n'est pas ma faute.* »

Cette lettre odieuse et vile, mais ingénieuse et gaie, est trop conforme à la tournure d'esprit de Valmont pour qu'il balance à en faire usage. Sur-le-champ il la copie et l'envoie.

Que devient, en la recevant, la sensible dévote ? elle qui se croyait aimée, qui n'avait plus que l'amour et que l'amour dédommageait de tout, qui avait rendu son amant possesseur de son existence ! Elle se réveille abandonnée comme Ariane ; elle voit qu'elle a été jouée et trompée : il ne lui reste rien : d'autant plus à plaindre dans cette affreuse situation, qu'elle doit se dire à elle-même : *Je l'ai bien mérité.* Le désespoir amène à sa suite un délire que termine bientôt la mort.

Or maintenant, est-ce ici que se trouve la morale du roman ? Mais quoique, par une de ces inconséquences dont fourmille la société, un Valmont soit bien reçu partout, on sait pourtant assez combien est *dangereuse* une *liaison* particulière avec un tel homme. Il n'était pas besoin de faire un long roman pour ne nous apprendre que cela.

Pendant que cette intrigue va lentement son train, Mme de Merteuil s'occupe de Cécile. Un certain chevalier Danceny est devenu amoureux d'elle et elle lui rend amour pour amour avec une bonne foi et une sécurité d'enfant. Mais on ne peut rien faire de ce Danceny : c'est un autre enfant, un amoureux à principes, un Céladon tout plein de réserve et de respect pour l'innocence de son enfantine maîtresse.

Mme de Merteuil essaie de tout, et rien ne lui réussit. Elle a beau leur ménager de longues entrevues, rendre ces entrevues furtives, faire en sorte que la mère de Cécile défende au chevalier l'entrée de sa maison, irriter ainsi l'amour par l'aiguillon de la gêne, rendre odieux à Cécile le mari qu'on lui destine : tous ces artifices, quoique très bien entendus, ne produisent rien ; l'honnête Danceny est à l'épreuve de tout.

Heureusement pour les projets de l'infernale marquise, Cécile et sa mère vont passer quelque temps à la campagne de Mme de Rosemonde avec Valmont, qui ne trouve rien de plus aisé que de mettre à fin cette aventure.

Pour la rendre piquante, il trouve plaisant d'employer Danceny lui-même, dont il est le confident, comme Mme de Merteuil l'est de Cécile, et fait réussir son projet.

Il lui écrit, sans s'en expliquer davantage : *Cécile se refuse obstinément à un moyen simple, commode et sûr de vous voir.* Ce moyen est seulement de donner à Valmont une clef de sa chambre ; que Cécile refuse en effet, non qu'elle ait la moindre défiance*, mais parce qu'il lui paraît trop hardi de faire faire une fausse clef.

Voilà Danceny tout désespéré, qui écrit à son amante une lettre de reproche, à laquelle la trop ingénue personne répond de la manière du monde la plus comique**. *Si j'avais pu prévoir ça, j'aurais pris cette clef tout de suite... Après tout est-ce que je refuse de la prendre cette clef? Je la prendrai dès demain et puis nous verrons ce que vous aurez encore à dire.*

Le triomphe de Valmont est facile. Mais Cécile n'est qu'à moitié séduite: triste et confuse de sa faiblesse, elle ne sait où se cacher le lendemain et le soir, quand Valmont, comme ils en étaient convenus, vient retourner à sa chambre, il la trouve, contre son attente, fermée en dedans, et il en est fort piqué.

Mais Mme de Merteuil à qui la petite Volanges s'est fort empressée d'écrire avec autant de naïveté que d'embarras ce qui lui est arrivé la plaisante beaucoup sur ses scrupules, se moque d'elle, la persifle; et son élève docile refait des avances et presque des excuses à Valmont, qui se laisse fléchir aisément par ce singulier repentir.

Il s'amuse fort à enseigner à l'Agnès qu'il a séduite, ce qu'il appelle le *catéchisme de la débauche*: il s'applaudit d'avoir fait en sorte *que le mari de son écolière ne courra pas le risque de mourir sans postérité et que le chef de la maison de Gercourt ne sera à l'avenir qu'un cadet de celle de Valmont*: il rit en pensant à la surprise de Gercourt, quand il trouvera si bien instruite une femme qu'il croira novice, quand il l'entendra prononcer avec candeur, avec assurance, les termes réprouvés qu'elle devrait ignorer entièrement.

Qu'est-ce donc que tout cela? va me demander avec humeur quelque lectrice impatientée... Et elle aura raison. Je ne sais quel mauvais roman a pour titre, *Le Triomphe de l'infortune*[10]. On aurait pu intituler celui-ci *Le Triomphe du libertinage.* L'auteur a beau dire: je ne saurais voir l'utilité du double cours de séduction qu'il juge à propos d'y faire faire à ses lecteurs.

Mme de Volanges cependant s'est méprise sur la cause de l'air abattu de Cécile. Croyant y voir l'effet d'un amour

* N'est-ce pas aussi faire cette Cécile un peu trop niaise?

** De toutes les lettres de Cécile, je voudrais que l'auteur n'eût presque conservé que celle-ci. Ces puérilités, *affectement* mal écrites, amusent une fois, deux, trois au plus, et ennuient à la longue.

traversé, elle penche à permettre son mariage avec Danceny. Avant de s'y déterminer, elle consulte encore sa *respectable* amie, Mme de Merteuil. Comme ce n'est pas le compte de celle-ci, elle combat fortement cette idée dans une lettre parfaitement bien écrite, parfaitement bien raisonnée à mon gré et dans laquelle on jugera que je n'ai pas été peu surpris de trouver une morale tout à fait analogue à la mienne* sur cet intéressant sujet… Transcrivons.

« J'ignore, ma chère amie, si j'ai contre cette passion une prévention trop forte ; mais je la crois redoutable, même dans le mariage. Ce n'est pas que je désapprouve qu'un sentiment honnête et doux vienne embellir le lien conjugal et adoucir en quelque sorte les devoirs qu'il impose. Mais ce n'est pas à lui qu'il appartient de le former : ce n'est pas à l'illusion d'un moment à régler le choix de notre vie. En effet, pour choisir il faut comparer : et comment le pouvoir, quand un seul objet nous occupe ; quand celui-là même on ne peut le connaître, plongé que l'on est dans l'ivresse et l'aveuglement ?… J'ai rencontré, comme vous pouvez croire, plusieurs femmes atteintes de ce mal dangereux ; j'ai reçu les confidences de quelques-unes. À les entendre, il n'en est point dont l'amant ne soit l'être parfait ; mais ces perfections chimériques n'existent que dans l'imagination. Leur tête exaltée ne rêve qu'agréments et vertus ; elles en parent à plaisir celui qu'elles préfèrent ; c'est la draperie d'un dieu, portée souvent par un modèle abject. Mais, quel qu'il soit, à peine l'en ont-elles revêtu, que, dupes, de leur propre ouvrage, elles se prosternent pour l'adorer… Ou votre fille n'aime pas Danceny, ou elle éprouve cette même illusion. Elle est commune à tous deux si leur amour est réciproque. Ainsi si votre raison pour les unir à jamais se réduit à la certitude qu'ils ne se connaissent pas, qu'ils ne peuvent se connaître… Mais, me direz-vous, M. de Gercourt et ma fille se connaissent-ils davantage ? Non, sans doute ; mais au moins ne s'abusent-ils pas : ils s'ignorent seulement. Qu'arrive-t-il dans ce cas entre deux époux que je suppose honnêtes ? C'est que chacun d'eux étudie l'autre, s'observe vis-à-vis de lui, cherche et reconnaît bientôt ce qu'il faut qu'il cède de ses goûts et de ses volontés pour la tranquillité commune. Ces légers sacrifices se font sans peine,

* Voyez les réflexions que j'ai faites à l'occasion de *Zoé, drame de M. Mercier*, dans le journal d'août 1782, pp. 51-58.

parce qu'ils sont réciproques et qu'on les a prévus : bientôt ils font naître une bienveillance mutuelle ; et l'habitude, qui fortifie tous les penchants qu'elle ne détruit pas, amène peu à peu cette douce amitié, cette tendre confiance qui jointes à l'estime forment, ce me semble, le véritable, le solide bonheur des mariages… Les illusions de l'amour peuvent être plus douces : mais qui ne sait aussi qu'elles sont moins durables, et quels dangers n'amène point le moment qui les détruit : c'est alors que les moindres défauts paraissent choquants et insupportables, par le contraste qu'ils forment avec l'idée de perfection qui nous avait séduite. Chacun des deux époux croit cependant que l'autre seul a changé, et que lui vaut toujours ce qu'un moment d'erreur l'avait fait apprécier. Le charme qu'on n'éprouve plus, il s'étonne de ne le plus faire naître ; il en est humilié. La vanité blessée aigrit les esprits, augmente les torts, produit l'humeur, enfante la haine ; et de frivoles plaisirs sont payés enfin par une longue infortune. »

Le tableau n'est que trop fidèle, et je serais entièrement de l'avis de Mme de Merteuil si elle n'outrait pas un peu les choses. L'exagération n'est pas dans ce qu'elle dit des funestes suites d'un mariage par amour. Mais, pour que tout s'arrange aussi bien qu'elle le suppose entre deux personnes qui s'épousent sans amour, il faut que ni l'un ni l'autre n'aient le cœur prévenu par un autre amour. Ainsi dès qu'une fois l'amour s'en mêle, il ne reste plus que le choix des fautes ; et alors, ne vaut-il pas mieux consentir à ce que l'épouse coure les risques du voyage quoiqu'en aveugle, que de la forcer à les courir avec un compagnon qu'elle n'accepte qu'avec répugnance ? Ô mœurs antiques ! vie retirée ! éducation solitaire des filles ! combien vous étiez plus propres à produire d'heureux mariages que nos institutions modernes !

Jusqu'ici tout a succédé aux deux héros* du roman au

* On a dit et avec raison, selon moi, que Satan était le vrai héros de Milton[11]. J'ai bien plus de raison de dire que le diabolique *Valmont* et son diabolique amie sont les héros de ce roman. Il n'y a point d'esprit à le dire ; cela saute aux yeux. On voit bien que ce sont les deux caractères favoris de l'auteur, ceux qu'il a travaillés avec le plus de complaisance, et pour ainsi dire, le plus *caressés* : ils éclipsent tous les autres ; tous leur sont subordonnés, sacrifiés. Mme de Rosemonde n'est qu'une bonne vieille ; Cécile n'est qu'un sot enfant ; Mme de Volanges est toujours dupe ; l'honnête Danceny est un peu fade ; la sensible présidente n'intéresse guère qu'après avoir succombé. Je demande si ce n'est pas là un juste

gré de leurs désirs. Mais tout à coup ils se brouillent ; et l'on ne sait trop pourquoi : car le sujet de leur brouillerie n'est guère vraisemblable... le voici.

La marquise a promis à son digne ami de le reprendre pour amant, quand il aurait expédié l'affaire de la présidente. Et elle consent agréablement à acquitter sa lettre de change : elle veut bien l'avoir, mais pour cette soirée. Elle lui représente fort sagement que, pour qu'une liaison de cette nature puisse être de quelque durée, sans qu'il en résulte un dégoût mutuel, il faut absolument de l'amour... « et de l'amour, en a-t-on quand on veut ? Cela serait vraiment fort embarrassant, si l'on ne s'était pas aperçu qu'heureusement il suffisait qu'il en existât d'un côté. La difficulté est devenue par là de moitié moindre, et même sans qu'il n'y ait eu beaucoup à perdre... En effet, l'un jouit du bonheur d'aimer, l'autre de celui de plaire, un peu moins vif à la vérité, mais auquel se joint le plaisir de tromper, ce qui fait équilibre et tout s'arrange... Mais dites-moi, vicomte, qui de nous deux se chargera de tromper l'autre ? Vous savez l'histoire de ces deux fripons, qui se rencontrèrent en jouant : *Nous ne ferons rien*, se dirent-ils, *payons les cartes par moitié* ; et ils quittèrent la partie... Suivons, croyez-moi, ce prudent exemple ; et ne perdons pas ensemble un temps que nous pouvons si bien employer ailleurs ».

À de si bonnes raisons je ne vois pas qu'il y ait un mot à répliquer. Cependant Valmont ne s'en contente pas : il s'obstine dans ses prétentions, ce qui ne me paraît pas être dans son caractère ; il se pique ; il menace, et la courageuse marquise accepte fièrement le défi.

Elle a voulu essayer de Danceny, qu'elle n'a pas eu beaucoup de peine à captiver, et cette fantaisie lui dure encore. Valmont s'amuse à la traverser. Pour s'en venger, Mme de Merteuil instruit Danceny de l'aventure de Cécile. Danceny se bat avec le séducteur de sa maîtresse et le blesse à mort. Mais avant que d'expirer, Valmont remet entre les mains de son vainqueur les lettres de la marquise, qui n'a d'autre ressource qu'une fuite précipitée.

Cécile se retire dans un couvent, sans que sa mère sache pourquoi ; et Danceny, dégoûté du monde par un si malheureux début, s'embarque pour Malte, dans le dessein d'y

sujet de se plaindre du romancier... Tel est-il donc de l'ascendant du vicieux ? Ne le croyez pas !

faire ses vœux... Dénouement auquel on peut reprocher d'être tragique sans effet... Au reste, dans le roman comme dans les comédies, il est si peu de dénouements satisfaisants, que cette faute en est à peine une.

Par ses défauts, aussi bien que par ses mérites, cet ouvrage nous a paru exiger que nous en finissions cette longue analyse raisonnée, dont nous allons maintenant donner le résultat.

Moralement parlant, il me paraît incontestable que c'est un mauvais livre ; je le mets à l'index. Et par cette raison, quelque talent qu'ait l'auteur, je ne me soucie aucunement qu'il donne au public la suite des aventures de la petite Volanges, ni l'histoire sinistre de la juste punition de Mme de Merteuil[12]. Je souhaite fort surtout que jamais nous ne voyions paraître un certain *compte ouvert entre la marquise de Merteuil et le vicomte de Valmont.* Nous en savons bien assez sur ces deux personnes.

J'avoue néanmoins que la lecture de ce roman peut faire naître quelques réflexions utiles : par exemple sur le danger d'une éducation telle que celle de Cécile, sur le risque presque certain que court une femme mariée qui garde à un amant le secret de ses avances, qui n'a pas la précaution de mettre entr'elle et lui une amie ou son mari, qui se flatte d'échapper à ses poursuites sans mystère, où tous les avantages sont pour le poursuivant, etc., etc.

Mais d'où vient cette utilité ? De ce qu'il est absolument impossible (je le pose en fait) de faire, je dis, de bien faire, le récit détaillé, complet, raisonné, d'une action de quelque étendue, sans que ce narrateur amène avec elle des choses utiles, des leçons instructives.

Fluminis
Ritu..., lapides adesos
Stirpesque raptas et pecus, et domos
Volventis una, non sine montium
Clamore, vicinaeque sylvae,
Cum fera diluvies quietos
Irritat amnes[13].

C'est un fleuve débordé qui entraîne tout ce qui se trouve le long de ses bords : la morale y flotte pêle-mêle avec le reste : le cours de la narration en emporte naturellement, nécessairement, plusieurs fragments avec soi...

C'eſt apparemment faute d'avoir fait cette réflexion qu'on a imaginé de faire du poème épique une longue apologie. On en voyait résulter quelques vérités morales : on a voulu qu'elles en fussent le but. C'eſt être *finaliſte* en poésie.

À n'envisager les *Liaisons dangereuses* qu'en littérateur, je dirai encore que c'eſt un roman où il y a d'excellents détails, plutôt que ce n'eſt un bon roman. L'ensemble ne m'en plaît guère : l'intrigue pourrait à mon avis être mieux conduite, et sa marche plus rapide ; les caractères pourraient être mieux développés : car il n'y en a que trois qu'on connaisse à fond, Valmont, Cécile et la marquise ; les quatre ou cinq autres ne sont qu'esquissés.

Quant à l'intérêt, il eſt presque nul, comme l'auteur l'a fort bien remarqué lui-même ; ce n'eſt qu'un intérêt de curiosité, et non pas un intérêt de sentiment : l'esprit seul s'amuse, et le cœur s'ennuie… Ce qui au reſte, si je ne me trompe, n'aura pas nui, autant que l'auteur semblait le craindre, au succès de l'ouvrage.

Relisez la note finale de l'*Héloïse*, avec laquelle ce roman-ci forme le plus parfait contraſte. Rousseau se félicite de ce que l'intérêt qu'excite son recueil, s'il eſt *faible*, eſt du moins *pur et sans mélange de peine*, parce qu'il n'eſt pas produit *par des noirceurs*, et qu'il ne résulte pas du long développement du caractère d'*un scélérat*, qui joue le grand rôle, auquel on *prête l'éclat le plus imposant*. Il a la bonhomie, peut-être ironique, de *plaindre beaucoup les auteurs* qui, *dévorés du zèle de l'utilité publique, passent leur vie* à ourdir de pareils tissus de méchancetés. *Pour moi*, ajoute-t-il, et nous nous joignons à lui dans ce sentiment, *pour moi, j'admire de bon cœur leurs talents et leurs beaux génies : mais je remercie Dieu de ne me les avoir pas donnés*[14].

Mais savez-vous que le succès prodigieux de l'*Héloïse* me paraît un vrai problème ; que j'en suis surpris, que je serais fort tenté de douter qu'elle réussît aussi bien aujourd'hui ; et qu'au contraire je ne serai point du tout étonné de la réussite des *Liaisons dangereuses*, où il y a ample pâture pour l'esprit, comme dans l'*Héloïse* pour le cœur ?

LESUIRE

[SUR « LES LIAISONS DANGEREUSES »]

« Histoire de la république des Lettres et Arts en France », Année 1782

[Chapitre 1, « Succès marqués »]

Les Liaisons dangereuses, ou Lettres recueillies dans une société, pour l'instruction de quelques autres, par M. C. de L. C'est *Le Méchant*[1] réduit en roman par lettres, un scélérat guidé par une femme plus scélérate encore, séduit une jeune Demoiselle et une jeune Dame, uniquement pour flatter sa vanité, et servir la vengeance du monstre femelle qui le dirige. On a prétendu que l'auteur avait osé peindre d'après nature ; c'est le ton du grand monde, ce sont les petites noirceurs des grands. On a été indigné contre l'écrivain téméraire, qui est pourtant connu pour un très honnête homme ; on a soutenu qu'il devait avoir un cœur détestable : des femmes ont assuré qu'elles ne voudraient pas coucher sous le même toit, avec un pareil homme. Il faut avouer que, quoiqu'il y ait beaucoup d'esprit dans cet ouvrage, la lecture en est pénible : les méchants y sont trop supérieurs, les bons trop peu intéressants ; les deux victimes sont une innocente et une dévote qu'on n'est pas porté à beaucoup plaindre. Il y a donc du poison dans ce livre, et pas assez de contrepoison peut-être ; aussi a-t-il été arrêté par le Gouvernement.

LA MAISONFORT

LES ADIEUX DE LA PRÉSIDENTE DE TOURVEL AU VICOMTE DE VALMONT,

romance

Paroles de M. le Marquis de La Maisonfort, accompagnement de Henri-Joseph Rigel, 1782-1784

« Feuilles de Terpsichore », 1784

Toi que j'aimai, que j'aime encore
Écoute mon dernier aveu.
Bientôt il s'éteindra ce feu
Qui me consume et me dévore.
Je vois la mort avec plaisir
Anéantir mon existence :
Je l'attends, puisqu'il faut mourir
Pour cesser d'être en ta puissance.
De l'Amour tu braves les traits ;
Un seul instant rends-lui les armes :
Je meurs avec moins de regrets
Si je te coûte quelques larmes.
Ah ! si jamais le repentir
Près de ma tombe te ramène,
Plus heureux que moi dans ta peine,
Tu pourras pleurer sans rougir.
Je meurs, cruel ! ton injustice
Me rend mes tourments plus affreux.
Ah ! si je te croyais heureux
Regretterais-je un sacrifice ?
Oui, sans remords et sans douleurs,
Jouis, ingrat de ta victoire ;
Un seul jour j'ai fait ton bonheur ;
Ce jour vaut bien cent ans de gloire.

120 Adieux de la Présidente de Tourvel, au Ch.er de Valmont.
Accomp.t de M. Rigel.
N.° 41.
Clavecin
Toi que j'ai-mai, que j'ai-me en-co-re; é-cou-te, é-cou-te mon dernier a-
-veu. bien-tôt il s'é-tein-dra, bien-tôt il s'é-tein-dra ce feu qui me con-
-su-me et me dé-vo-re. je vois la mort a-vec plai-sir a-né-an-
-tir mon éxis-ten-ce, je l'at-tens, je l'at-tens puis qu'il faut mou-rir, puis qu'il faut mou-
-rir, pour cesser d'être en ta puis-san-ce, puis qu'il faut mourir, puis qu'il faut mourir pour cesser d'être
SF
Mineur
en ta puis-san-ce, De l'Amour tu braves les traits, un seul instant rends lui les

121
ar--mes ; je meurs a-vec moins de re-grets si je te cou-te quelques lar---
mes . Mais si ja-mais le re-pen-tir près de ma tom-be te ra--mè--ne, plus heu-
-reux que moi dans ta pei-ne, tu pour-ras pleurer sans rou-gir. plus heu-
-reux que moi dans ta pei-ne, tu pour-ras pleu-rer sans rou-gir.
D.C.
Majeur.
Je meurs cru-el, ton in-jus-ti-ce me rend me rend mes tour-mens plus af-
-freux. ah! si je te cro-yois, ah! si je te cro-yois heu-reux re-gre---te--
-rois-je un sa-cri-fi---ce ! oui sans re-mord et sans dou-leur, jouis in-grat de ta vic-toi-
-re, un seul jour un seul jour j'ai fait ton bon-heur, j'ai fait ton bon heur et ton bonheur vaut bien ma
gloi-re, un seul jour j'ai fait ton bon heur et ton bon-heur vaut bien ma gloi---re.

JACQUES BRISSOT DE WARVILLE

THE DANGERS OF CONNECTIONS, &C. OU LES LIAISONS DANGEREUSES ;

roman traduit du français en anglais, Houkham[1]

« Journal du Lycée de Londres », 1784

On devait bien s'attendre que les libraires anglais qui spéculent sur la littérature française, ne laisseraient pas échapper un roman qui a eu un si grand succès en France. Ont-ils fait bien ou mal ? La solution de cette question dépend de ces deux autres.

Les romans sont-ils utiles ou nuisibles aux mœurs ? Ce roman nouveau peut-il être utile aux Anglais ? On a bien des fois agité la première question ; elle n'est pas encore résolue, parce que les raisons pour et contre sont également séduisantes. Richardson lu, cité partout, quoique long et diffus, a peut-être contribué à soutenir les mœurs, à les conserver : mais d'un autre côté, quels ravages n'a pas faits la foule énorme des romans de tous les genres, dont la France et l'Angleterre sont inondées depuis quelques années. Comme si ces fléaux éphémères ne faisaient pas assez de mal pendant leur courte existence, on leur en assure une plus longue en les ressuscitant dans des collections éternelles. Un roman dont la morale est équivoque est un poison bien dangereux ; un roman médiocre est moins inutile ; un bon roman même n'est l'aliment que de l'enfance, ou d'un être débile, pour qui la morale sans ornement est un objet effrayant, d'où l'on peut conclure que l'homme qui pense aura soin de proscrire de sa bibliothèque ce genre d'ouvrages.

Il proscrira donc aussi le roman tant couru aujourd'hui, qui a pour titre, *les Liaisons dangereuses* ou *Lettres recueillies dans une Société, et publiées pour l'instruction de quelques autres.*

Quand on a lu quelques pages de ce livre, on est tenté de prendre ce titre pour une plaisanterie. Les lettres de Mme de Merteuil, du vicomte de Valmont, publiées pour l'instruction des Sociétés ! Est-ce pour les former à l'art détestable de la séduction, ou pour les en détourner ? Je suis loin de calomnier l'auteur qu'on assure être un homme plein d'esprit et de mœurs. Mais cet Ouvrage, qui paraît avoir un but moral, est dans le fond très dangereux. C'est, dit-on, une peinture de mœurs d'une certaine classe de Société. Si elle n'est pas ressemblante, à quoi peut-elle servir ? Faut-il créer des monstres, pour détourner des vices ordinaires ? Si elle est vraie, il fallait la cacher. Il est des nudités affreuses, qui révoltent plus qu'elles n'instruisent ; et le voile qui couvre les Tibère et les Messaline ne doit pas être entièrement levé.

Les jeunes gens trouveront dans ce roman les moyens de séduire aisément. Les jeunes personnes y verront des peintures riantes du vice embelli. Les vieux libertins s'amuseront des exploits de Valmont. Quel monstre que ce Valmont : s'il en existe un, et ceux qui connaissent la société assurent avoir rencontré beaucoup de ses pareils, s'il en existe, le monde ne doit-il pas être évité avec soin ? C'est une forêt remplie de brigands. Pour s'y engager, il faut être bien armé.

Quelle femme encore que cette marquise de Merteuil ! tantôt c'est une Médée, tantôt une Messaline. Lisez la dixième lettre. Il faut peindre le vice ; mais doit-on le peindre si séduisant ? Y aura-t-il beaucoup de jeunes gens qui préféreront le rôle d'un homme honnête, au rôle brillant et spirituel du scélérat Valmont ? Y aura-t-il beaucoup de jeunes personnes qui ne rougiraient pas de la gaucherie de Sophie[2] ? Et quand on rougit d'un ridicule, on est bien près du vice qui en exempte. Nous craignons trop en France le ridicule. On aime mieux être vicieux que ridicule, et ce livre ne fortifiera que trop ce goût.

Le ton des romans peut servir de mesure pour apprécier les mœurs des nations, des siècles. Ainsi la contrée qui a vu récemment paraître le roman naïf et touchant d'Henriette de Gesternfeld est loin de l'état de dépravation de Paris et de Londres : j'en juge par ce livre même[3]. Dans le dernier siècle les romans étaient pleins de galanterie, et ne respiraient que l'amour honnête. C'est qu'alors on était galant et respectueux. Dans ce siècle on a substitué l'esprit à l'amour, et les romans ont été remplis d'un jargon de métaphysique inintelligible. On s'est lassé de cette métaphysique, et le libertinage lui a succédé. De là tant de romans licencieux ; leur nombre immense est la preuve la plus complète de la dépravation du siècle. La rapidité avec laquelle ils se débitent, la fureur avec laquelle on les dévore, prouvent encore cette perversité.

Paris et Londres sont au même degré pour cette fureur. Le thermomètre de l'une est celui de l'autre. Je crois même que dans le genre des romans licencieux, Londres l'emporte. Là, le cynisme du libertinage n'a aucun voile, et affecte même de n'en point avoir. En France, il se cache encore sous une gaze à la vérité un peu légère. Les Valmont, les Merteuil ne surprendront donc point ici les gens du bon ton. Je doute cependant que la traduction de ce roman ait du succès, par une raison qui lui fera peut-être honneur. Il est si difficile de traduire ce qui n'est qu'esprit, et que l'esprit particulier d'une nation. Par cette raison Marivaux ou Crébillon n'auront jamais les honneurs de la traduction. Ils seraient même très peu entendus ici.

LA MAISONFORT

CÉCILE VOLANGES AU CHEVALIER D'ANCENIS

par l'auteur des « Adieux de la présidente de Tourvel »

Musique de M. Martini
1782-1784

« Feuilles de Terpsichore », 1785

À peine au matin de la vie,
J'ai déjà vécu trop d'un jour.
Hélas ! je n'ai connu l'amour
Qu'en éprouvant la perfidie,
Victime d'un piège fatal,
J'ai trahi l'amant que j'adore,
Et me croyais fidèle encore ;
Entre les bras de son rival *[bis]*.

En conservant mon innocence,
Dancenis méritait mon cœur,
Hélas ! j'ai perdu mon bonheur,
Et mon amant et l'espérance ;
Semblable à cette jeune fleur
Qui sèche dès qu'on l'a cueillie,
Jeune encor je reste flétrie,
Par le souffle d'un séducteur *[bis]*.

Bien moins parjure qu'imprudente,
Je vais longtemps me repentir
Puisse-t-il au moins ressentir
Quelque pitié pour son amante,
Puisse-t-il en faveur des nœuds
Que l'amour resserra lui-même
Ne pas mépriser ce qu'il aime,
Mais l'oublier et vivre heureux *[bis]*.

Romain Girard d'après Lavreince.
Mrs. Merteuil and Miss Cecille Volange, 1785.

Romain Girard d'après Lavreince.
Valmont and Presidte de Tourvel, 1785.

JEAN-LOUIS LAYA

LES DERNIERS MOMENTS DE LA PRÉSIDENTE DE TOURVEL À VALMON,

héroïde

Laya et Legouvé,
« Essais de deux amis », Londres et Paris,
Belin et Brunet, 1786
[Extrait]

Quand, d'un funeste amour victime courageuse,
Après les longs tourments d'une vie orageuse,
Je goûtais le sommeil dont le juste s'endort ;
Quand de l'éternité croyant toucher le port,
Loin d'un monde pervers, de Dieu seul occupée,
Je respirais des saints la paix anticipée ;
Quelle voix me rappelle au séjour de douleur,
Sur la terre d'exil qu'habite le malheur ?
Quel nom cher et fatal a frappé mon oreille ?
Valmon !... ma flamme impure à ce nom se réveille :
Et déjà, loin de moi repoussant mon tombeau,
Je voudrais de mes jours rallumer le flambeau.
Imprudente !... aux douleurs en esclave asservie,
Veux-tu ployer encor sous le faix de la vie ?
Après avoir souffert, veux-tu toujours souffrir ?
Mourante à chaque instant, crains-tu donc de mourir ?
Ah ! rentrons dans ma tombe ; ah ! mourons, mais vengée ;
Mais maudissant l'ingrat qui m'a tant outragée ;
Qui, loin de moi tranquille, insulte froidement
Par un ris sacrilège à mon dernier moment :
Mourons ; mais de mes maux frappe l'auteur impie,
Dieu puissant ! que le monstre aux enfers les expie.
Que plongé tout vivant dans leurs feux éternels...
Que dis-tu malheureuse ? et quels vœux criminels !
Ah ! du ciel sur toi-même appelant l'indulgence,
Invoque un dieu de paix, non un dieu de vengeance ;
Et, désarmant le bras levé pour te punir,

Accorde le pardon si tu veux l'obtenir.
  Valmon, hélas ! sans toi je serais digne encore
D'invoquer, de fléchir cet être que j'adore.
Du pied de ses autels, ma prière aujourd'hui,
Pure comme l'encens, monterait jusqu'à lui.
Ô temps où, de l'amour ignorant la puissance,
Je n'avais respiré que l'air de l'innocence ;
Où, dans un doux sommeil reposant sans effroi,
Je pouvais, en quittant toujours digne de moi
Un lit que n'avait point profané l'adultère,
Voir sans remords le ciel, et sans honte la terre !
Alors, durant mes jours dont la sérénité
Ressemblait à l'azur de ce beau ciel d'été,
Au sein de mes devoirs plaçant leur récompense,
D'un époux, sans rougir, je cherchais la présence.
Alors, durant mes nuits, ces lambris gémissants
Ne s'étaient point peuplés de spectres menaçants.
Des fleurs, des prés, des bois l'image retracée
De tableaux frais et purs enchantait ma pensée.
Les simples jeux du cercle, ou l'étude d'un art,
Une amie à fêter, un retour, un départ,
L'entretien d'un époux, mes vœux dans son absence ;
Ce besoin des bons cœurs, qu'on nomme bienfaisance,
Ce sentiment actif, tendre, respectueux,
Qu'inspire, en se montrant, le malheur vertueux ;
Le plaisir de calmer, de plaindre ses alarmes,
Le plaisir plus touchant de partager ses larmes ;
Voilà comme mon cœur, dans un heureux retour,
Retraçait à mes nuits les souvenirs du jour ;
Et comme le bonheur, grâce à ces doux mensonges,
Dormant à mes côtés, me suivant dans mes songes,
De mes tranquilles nuits compagnon généreux,
Me payait du plaisir d'avoir fait des heureux.
Ô temps de mes vertus ! âge d'or de ma vie,
De quels regrets amers votre fuite est suivie !
Qui vous rappellera ? quand renaîtra le cours
De ces jours innocents unis à mes beaux jours ?
Ces jours d'enchantement et d'ivresse éternelle,
Où, pour nous vierge encor, pour nous toujours nouvelle,
La nature parée et fraîche en tous les temps
Semble, en son hiver même, un aimable printemps !
Tu fuis du cœur coupable, illusion charmante !
Mais toi, toi dont l'amour, seul trésor d'une amante,

Raffermissant ce cœur sous sa faute abattu,
Me tint lieu du bonheur que donne la vertu ;
Toi qui me pouvais seul consoler de moi-même,
Trop coupable enchanteur que j'aimai tant !... que j'aime !
Ah ! lorsque de l'amour dont tu parus épris
Je me croyais l'objet, comme j'étais le prix ;
Si, des cœurs amoureux intéressant modèle,
Ton cœur n'eût point brûlé d'une flamme infidèle ;
Peut-être le remords qui s'attache à mes pas
Ne m'eût osé jamais poursuivre dans tes bras.
Je redouterais moins un monde qui m'accuse :
L'amour a fait ma honte ; il serait mon excuse.
Coupable fortunée ! en voyant ton bonheur,
J'eusse oublié ma faute, et pleuré moins l'honneur.
Mais l'honneur, mais l'espoir, l'espoir, ce don céleste !
Mais Valmon... tout me fuit ! et mon amour me reste !...
Mon amour ! quoi ! ce feu, ce poison dévorant
Conserve ses fureurs dans un corps expirant !
Quoi ! le sang refroidi dans les veines glacées
Laisse à l'âme sa force, à l'esprit ses pensées !
J'aime, lorsqu'attristés des ornements du deuil
Les portiques sacrés attendent mon cercueil !
Où donc est de ce feu l'aliment invisible ?
Quel est ce sentiment si profond, si terrible ;
Ce trait qu'une main faible arrache, et que souvent
Une autre main plus forte enfonce plus avant ?
Quelle est donc cette atteinte, et brûlante et mortelle ?
Quel est ce fier tyran qu'on chasse, qu'on rappelle,
Qui toujours repoussé, mais toujours triomphant,
Traîne au fond de l'abîme un cœur qui se défend ?...
J'ai cru vaincre l'amour, et combattant ses charmes,
J'espérais que mes feux s'éteindraient dans mes larmes ;
Lorsque, réfugiée aux pieds de l'Éternel,
Tremblante et me cachant dans son sein paternel,
J'attendais que son œil, flambeau de la nature,
Ranimât d'un rayon sa faible créature.
Vanité de l'espoir, et des pleurs et des vœux !
J'ai trouvé dans le ciel un complice à mes feux.
Au sein de l'éternel je m'étais retranchée :
Mais dans le temple, encore à Valmon attachée,
Oubliant à la fois et le prêtre et le Dieu,
Et la divine horreur qui remplit le saint lieu,
Je respirais l'amour et son délire extrême,

Et sous les yeux de Dieu, l'oubli de Dieu lui-même !
Dans ces chants vers le ciel élancés à la fois,
N'écoutant que Valmon, n'entendant que sa voix ;
Cherchant toujours Valmon dans ce chœur de fidèles
Que nos solennités rassemblent autour d'elles ;
Veillant, priant, brûlant de coupables ardeurs
Sur le marbre sacré que profanaient mes pleurs :
Il m'a fallu céder, et descendre, flétrie,
Du rang de la vertu que j'avais tant chérie,
Tomber en un seul jour du faîte de l'honneur !
Il m'a fallu choisir ma gloire ou ton bonheur :
J'étais amante, ingrat, et j'ai cédé ma gloire...
Toi qui, déjà tyran, même avant la victoire,
Avant la trahison, déjà perfide amant,
Bravas l'amour en pleurs, et la foi du serment ;
Ah ! du moins, en ce jour, satisfait de ton crime,
Laisse en paix expirer ta mourante victime :
Laisse la tombe au moins maîtresse de mon sort.
Je ne suis plus à toi ; j'appartiens à la mort.
  Et vous, mes seuls amis, à qui mon infortune
Dans ses longues douleurs ne fut point importune ;
Contre un cher ennemi venez me secourir.
Je n'implore de lui que le droit de mourir :
Mais que je puisse au moins, des bornes de la vie,
Contempler sans effroi ma dernière patrie !
Que le pieux cantique et l'hymne du mourant
Chassent l'ange de mort autour de nous errant :
Et que l'huile divine et l'eau sainte versées
Lavent ce cœur impur du venin des pensées !...
Dieu m'entend !... il m'appelle, et son soleil m'a lui.
Je sens que je ne meurs que pour revivre en lui.
De feux resplendissant, quel ange de lumière
A levé devant moi l'immortelle barrière
Par qui d'un monde vil les cieux sont séparés ?
Mes yeux en se fermant, par la Grâce éclairés,
Cessent de voir, tournés vers un lieu plein de charmes,
Cette triste vallée où coulent tant de larmes :
Et mon âme, des cieux atteignant la hauteur,
Libre de sa prison, s'élève à son auteur.

Anonyme.
Édition de Genève, 1786.

Anonyme.
Édition de Genève, 1786.

Tome 3. P. 44.

Anonyme.
Édition de Genève, 1786.

Anonyme.
Édition de Genève, 1786.

Romain Girard d'après Lavreince.
Valmont and Emilie, 1788.

Jacques-Louis-François Touzé.
Jeune femme couchée remet avec un geste d'effroi une lettre à une soubrette, 1788.

Jean-Jacques Le Barbier.
Édition de Genève, 1792.

Jean-Jacques Le Barbier.
Édition de Genève, 1792.

Jean-Jacques Le Barbier.
Édition de Genève, 1792.

Jean-Jacques Le Barbier.
Édition de Genève, 1792.

» Eh bien ! qu'avez-vous ? Asseyez-vous,
et donnez votre pied à Monsieur ».

Anonyme.
Édition de Genève, 1793.

Elle me demanda la clef de mon secrétaire.

Anonyme.
Édition de Genève, 1793.

Alexandre-Évariste Fragonard, Marguerite Gérard et Charles Monnet.
Édition de Londres, 1796.

Alexandre-Évariste Fragonard, Marguerite Gérard et Charles Monnet.
Édition de Londres, 1796.

J'avouerai ma foiblesse..... J'ai été étonné du plaisir qu'on éprouve en faisant le bien ;.....

Alexandre-Évariste Fragonard, Marguerite Gérard et Charles Monnet.
Édition de Londres, 1796.

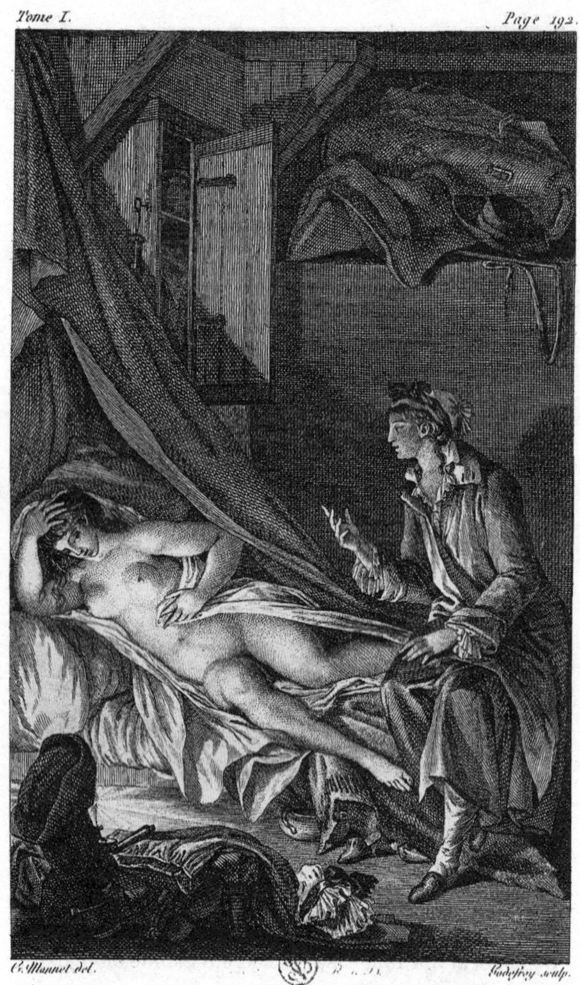

Alexandre-Évariste Fragonard, Marguerite Gérard et Charles Monnet.
Édition de Londres, 1796.

Alexandre-Évariste Fragonard, Marguerite Gérard et Charles Monnet.
Édition de Londres, 1796.

Alexandre-Évariste Fragonard, Marguerite Gérard et Charles Monnet.
Édition de Londres, 1796.

C. Monnet inv. del. N. Le Mire Sculp.

Et nous convinmes qu'au premier cri, j'enfoncerois la porte.

Alexandre-Évariste Fragonard, Marguerite Gérard et Charles Monnet.
Édition de Londres, 1796.

Alexandre-Évariste Fragonard, Marguerite Gérard et Charles Monnet.
Édition de Londres, 1796.

Alexandre-Évariste Fragonard, Marguerite Gérard et Charles Monnet.
Édition de Londres, 1796.

Alexandre-Évariste Fragonard, Marguerite Gérard et Charles Monnet.
Édition de Londres, 1796.

Une main étoit restée dans la mienne ; le joli corps étoit appuyé sur mon bras.

Alexandre-Évariste Fragonard, Marguerite Gérard et Charles Monnet.
Édition de Londres, 1796.

Alexandre-Évariste Fragonard, Marguerite Gérard et Charles Monnet.
Édition de Londres, 1796.

Alexandre-Évariste Fragonard, Marguerite Gérard et Charles Monnet.
Édition de Londres, 1796.

Alexandre-Évariste Fragonard, Marguerite Gérard et Charles Monnet.
Édition de Londres, 1796.

Mlle Gérard del. Trière sculp.

Et elle ajouta .... je sens que mes maux vont bientôt finir.

Alexandre-Évariste Fragonard, Marguerite Gérard et Charles Monnet.
Édition de Londres, 1796.

MME DE BOURDIC-VIOT

LA PRÉSIDENTE DE TOURVELLE À VALMONT,

romance

Almanach des Muses pour 1802

Toi qui séchas souvent mes larmes,
Amitié, je t'implore en vain ;
Mon cœur, insensible à tes charmes,
S'agite et cède à son destin ;
Le feu secret qui le consume
N'est point l'ouvrage de l'amour :
La flamme qu'un enfant allume
N'aurait pas duré plus d'un jour.

Mon esprit est dans le délire,
Je cherche ce que je veux fuir ;
Quand je veux parler, je soupire,
Tout m'attriste jusqu'au plaisir ;
Si parfois la raison m'éclaire
Sur le danger qui me poursuit,
C'est comme une vapeur légère
Que le souffle du vent détruit.

Quel est donc ce charme invincible
Qui fait et défait mon bonheur,
Qui, tour à tour, doux et terrible,
Caresse ou déchire mon cœur ?
Les arbres perdent leur parure,
La rose meurt chaque printemps ;
Mais les saisons et la nature
Ne changent point mes sentiments.

Objet qui causes ma souffrance,
Toi qui m'enlevas mon repos,
Toi qui défends à l'espérance
De venir soulager mes maux,
Tu t'abuses si tu peux croire
Me rebuter par ta froideur :
La constance est comme la gloire ;
Elle grandit dans le malheur.

Ta victime, proscrite, errante,
Ira, de climats en climats,
Fatiguer de sa voix mourante
L'écho que tu n'entendras pas :
Quelques remords pourront, peut-être,
Un jour te ramener vers moi ;
Et, lorsque j'aurai cessé d'être,
Tu me croiras digne de toi.

ÉTIENNE PARISET

NOTICE SUR LE GÉNÉRAL DE LA CLOS

« Le Moniteur », 13 septembre 1803

M. Pierre-Amb.-Franç. Choderlos de la Clos, dont les lettres et l'amitié pleurent la perte, naquit à Amiens en 1741. Il entra, en 1759, en qualité d'aspirant dans le corps royal d'artillerie, et l'année suivante il fut fait sous-lieutenant ; il était capitaine en 1778, lorsqu'il fut envoyé dans l'île d'Aix pour y construire un fort ; en 1789, il fut attaché à la personne du dernier duc d'Orléans, en qualité de secrétaire surnuméraire ; vers la fin de la même année, ou au commencement de 1790, il suivit ce prince en Angleterre, où une mission particulière de la cour exigeait sa présence. M. de la Clos revint à Paris, à l'époque de la fédération. Il fut chargé, par une société célèbre, de rédiger le Journal des Amis de la Constitution ; le dernier numéro de cet ouvrage est du mois de juillet 1791, époque où il y eut scission dans cette société. M. de la Clos prit le parti de la retraite ; il renonça même au service militaire, mais il le reprit en 1792, avec le grade de maréchal de camp : la même année, il fut nommé gouverneur de tous les établissements français dans l'Inde ; il travaillait avec ardeur à rassembler tous les moyens de réussir dans cette mission difficile, lorsqu'il fut destitué et arrêté dans les premiers mois de 1793.

M. de la Clos qui avait beaucoup réfléchi sur toutes les parties de l'art militaire, envoya de sa prison, aux comités de gouvernement, des plans de réforme, et des projets d'expériences sur une nouvelle espèce de projectile. On lui accorda la liberté de faire ses essais à La Fère et à Meudon.

Le succès justifia ce qu'il avait avancé ; mais on ne lui permit pas de pousser ses recherches plus loin ; il fut repris et mis de nouveau en prison ; il n'en sortit que le 11 brumaire, après le 9 thermidor. Ce fut alors qu'on le nomma secrétaire général de l'administration des hypothèques : et telle était l'heureuse facilité de son esprit, que ce genre de travail, tout nouveau pour lui, parut néanmoins lui être familier.

Après la réforme de cette administration, et depuis le 18 brumaire de l'an 8 M. de la Clos reprit ses expériences militaires. Ces expériences faites sous les yeux des meilleurs officiers de l'armée, furent aussi heureuses que les précédentes. LE PREMIER CONSUL qui les avait ordonnées, agréa la demande que lui fit M. de la Clos de rentrer au service ; demande souvent faite auparavant, et toujours en vain. M. de la Clos fut rétabli dans le grade de général de brigade, qui répond à celui de maréchal de camp : il reçut l'ordre de se rendre à l'armée du Rhin où il fut employé dans l'artillerie. De là, il passa en Italie pour commander en second l'artillerie de siège, arme que la bataille de Marengo rendit inutile ; il commanda ensuite l'artillerie de réserve de la même armée d'Italie, sous le général Marmont.

Depuis son retour, en l'an 10, il fut honoré de deux missions particulières. Enfin, malgré la faiblesse de son âge, et l'altération visible de sa santé, il sollicita et obtint en l'an 11 l'honneur d'aller commander l'artillerie de l'armée qu'on destinait pour les côtes d'Italie. Un voyage si long, des soins si pénibles, que son zèle ne lui permettait pas d'interrompre, l'excessive chaleur du climat, et surtout la dangereuse influence de l'air, eurent bientôt achevé de ruiner ses forces. Il a fini par y succomber, et une maladie longue et cruelle a terminé sa vie à Tarente, le 18 fructidor dernier (5 octobre 1803).

Telle fut la vie militaire d'un homme, qui, tout recommandable qu'il est par ses services, l'est encore davantage par ses talents littéraires. L'activité de son esprit ne trouvait point assez d'aliment dans les études de sa profession ; il y associa de bonne heure l'étude des lettres, et il aspira au rare et dangereux talent de bien écrire. Des poésies fugitives, productions d'un génie vif et brillant, qui suffiraient à la réputation de tout autre, ne font qu'une faible partie de la sienne. L'ouvrage qui lui a donné de véritables titres à la gloire littéraire, c'est le roman des *Liaisons dangereuses*, livre que l'on blâma, et qu'on lut avec la même fureur, et dont la singulière destinée fut de nuire à son auteur, à raison même du succès qu'il obtint.

Ce roman est une peinture des mœurs de la bonne compagnie, telles qu'elles étaient alors. Assurément ces mœurs sont révoltantes, mais malheureusement elles existaient, et le tableau n'était que trop fidèle. Ce n'était pas une de ces insipides déclamations, dont le mal est moins de ne pas corriger le vice que de rendre la vertu ridicule. C'était un grand drame que M. de la Clos mettait sous les yeux ; drame où les honteuses et funestes passions du grand monde étaient revêtues de formes sensibles ; où elles parlaient, agissaient, et se montraient, pour ainsi dire, à nu, avec toutes leurs turpitudes, toute leur misère et toute leur infortune. Les méprisables modèles que le peintre avait représentés, frémirent à la vue de ces vives images de leur secrète dépravation : ils ne purent pardonner à M. de la Clos d'avoir offert au grand jour leurs perfidies, leurs noirceurs, et ce mélange affreux de libertinage et de cruauté, que le bon ton avait mis à la mode, et dont l'horreur était cachée sous les grâces de la politesse. Ces femmes surtout qui ne pouvaient souffrir qu'on ne violât point comme elles les lois les plus respectables de la nature et de la société, songèrent à se venger de M. de la Clos ; et comme elles ne pouvaient le convaincre de mensonge ni même d'exagération, elles employèrent un artifice qui leur réussit : ce fut de ranger l'auteur des *Liaisons dangereuses* parmi leurs complices. On insinua qu'un peintre si habile de mœurs si corrompues, les connaissait trop bien pour ne les avoir pas lui-même ; et ce sophisme mille fois répété, établit enfin l'opinion que M. de la Clos avait plutôt révélé sa propre perversité que celle du monde, et que son livre était moins un roman qu'une confession. Ainsi, par une de ces inconséquences dont le monde seul peut donner l'exemple, l'estime qu'on ne pouvait refuser au talent de l'écrivain, on voulut l'ôter à sa personne, et l'indignation qu'on devait au vice découvert, fut la récompense de celui qui l'osait démasquer.

C'est cette impression qu'il importe aujourd'hui d'effacer dans le public ; elle a été pour M. de la Clos une source d'injustices et de persécutions qui ont rempli sa vie d'amertume. Il doit suffire à ses ennemis, s'il en existe encore, d'avoir eu sur lui ce cruel avantage. La justice et la vérité ne permettent pas qu'on leur abandonne sa mémoire. Il faut qu'elle soit restituée, pour ainsi dire, à ses amis et à ses héritiers, environnée de tout le respect dont elle est digne ; respect que la calomnie n'a pas eu le droit de lui contester, et qu'elle n'aura pas le pouvoir de lui ravir.

L'imputation que l'on faisait à M. de la Clos choquait tous les principes de l'équité et de la raison. Pour s'en convaincre, il ne faut que réfléchir sur les qualités qui font l'artiste et l'écrivain. Tout homme doué du talent d'imiter, l'est nécessairement d'une organisation délicate et forte tout ensemble. Son esprit est ouvert à toutes les idées ; son cœur à tous les sentiments ; et comme il a reçu les perceptions de tous les âges, de tous les tempéraments, de toutes les situations, son expérience réunit celle de presque tous les hommes. Cette âme privilégiée est, pour ainsi dire, une âme universelle qui est dans le secret de toutes les autres, au lieu que presque aucune n'est dans le sien. Mais cette extrême aptitude à pénétrer, à s'approprier toutes les manières d'être, n'apprend rien sur le caractère et les habitudes d'un tel homme.

Si nous prenons pour exemple les deux ouvrages qui font peut-être le plus d'honneur à l'esprit humain, l'*Iliade* et *Clarisse** ; qui osera, après la lecture de ces admirables chefs-d'œuvre, marquer dans cette étonnante variété de caractères, celui qui appartenait en propre à Homère ou à Richardson ? En voyant jouer *Britannicus*, dois-je penser que Racine eût l'âme de Burrhus ou de Néron ? Car enfin, si je veux confondre le poète avec ses personnages, comme il ne saurait être eux tous à la fois, qui pourra déterminer mon choix sur ceux-ci de préférence à ceux-là ?

Lorsqu'un livre paraît, il ne reste à l'autorité du lecteur qu'à décider s'il est utile à la morale, et s'il est écrit avec talent : or, un livre peut concourir de deux manières à fortifier la morale ; l'une en démontrant directement l'indispensable nécessité de la vertu ; l'autre, en peignant la difformité du vice et tous les maux qu'il produit ; malheur

* On a reproché aux *Liaisons dangereuses* d'être une contre-épreuve de *Clarisse*. En écrivant son ouvrage, M. de la Clos ne prétendit point rivaliser avec Richardson. Il était, lorsqu'il le fit, relégué dans l'île d'Aix, qui n'est habitée que par des pêcheurs. Il voulut distraire l'ennui de sa solitude par le charme de la composition. Du reste, comme ils ont traité le même fonds l'un et l'autre, il a bien fallu employer les mêmes éléments. Seulement on peut dire, en faveur des *Liaisons dangereuses*, qu'elles renferment une leçon pour plus de personnes.

à l'homme qui, après la lecture des *Liaisons dangereuses*, serait tenté de ressembler à Valmont ! malheur à celle qui ne serait pas saisie d'un effroi salutaire, en voyant tomber victime de sa funeste passion une femme qu'une piété solide, un attachement sincère à ses devoirs, tous les liens de la nature et de la religion, n'ont pu défendre des pièges d'un séducteur ! La terrible catastrophe qui est la suite et l'expiation de sa chute, doit apprendre à toute femme honnête, que le seul moyen de l'être toujours, est de fuir jusqu'à l'aspect même du vice*.

Après avoir inutilement cherché dans les écrits de M. de la Clos de quoi justifier la haine de ses persécuteurs, examinons si elle peut du moins être désarmée par ses actions ? Quel homme fut jamais meilleur fils, meilleur père, meilleur époux ? quel cœur fut jamais plus accessible à la pitié ? eut jamais plus d'égards pour ses inférieurs, de tendresse et de soins pour sa famille, de respect et de fidélité pour ses amis ? La politesse et la bienveillance n'étaient dans lui qu'une seule vertu. Jamais homme avec tant d'ennemis n'a moins senti la haine, et ne s'est moins révolté contre le mal qu'on lui a fait. Il n'avait pas même cette mobilité de caractère qu'on dirait inséparable de l'extrême sensibilité, et jamais la persécution n'a pu troubler l'inaltérable sérénité du sien. La disgrâce ou la prospérité, la louange ou les injures ne pouvaient ébranler sa modestie ni lasser sa patience. Dans sa prison, et lorsque son existence était chaque jour un nouveau miracle, on le voyait aussi calme qu'au milieu de sa famille et de ses amis les plus chers. Le charme de son esprit n'empruntait rien à la médisance, ou à la plus innocente raillerie. Si la calomnie le diffamait au-dehors, l'intimité le vengeait de tant d'outrages, et ce paisible triomphe est le seul qu'ambitionnât ce cœur inoffensif. Telles sont les impressions qu'a laissées M. de la Clos dans le souvenir de ceux qui l'ont bien connu. S'il eût été méchant, on l'eût craint ; on ne l'eût pas calomnié. Le voilà tel qu'on l'a vu dans le monde et dans les armées. Voilà les belles qualités que les officiers chérissaient dans la personne de leur général ; voilà l'homme qu'ils ont voulu honorer, en élevant au lieu même où ils l'ont perdu, et comme un éter-

* Voyez, sur les objections qu'on fit dans le temps, la charmante correspondance de Mme Riccoboni et de M. de la Clos, imprimée à la suite des *Liaisons dangereuses.*

nel monument de leur estime et de leurs regrets, un fort qui portera son nom.

Mais achevons de parcourir les autres productions de M. de la Clos. Il fit paraître en 1786 une lettre à l'Académie française, sur le prix qu'elle proposait pour l'éloge du maréchal de Vauban. Dans cette lettre, écrite avec la décence et les ménagements que ce sujet demandait, l'auteur cherche à réduire à leur juste valeur les services peut-être trop vantés du maréchal ; et comme si la vérité dépendait de fausses convenances ou d'aveugles superstitions, la cour qui devait encourager M. de la Clos, le réprimanda dans les termes les plus durs, et crut répondre par de la hauteur à une opinion que les seules places fortes de M. de Vauban devaient réfuter, ou plutôt qu'elles n'appuyaient que trop bien, puisqu'après avoir mis d'abord tant de peine à les construire, le maréchal en eut si peu dans la suite à les prendre lui-même.

Depuis on a vu M. de la Clos, dans les différents emplois qu'il a exercés, porter avec un égal succès la force et la souplesse de son esprit sur une foule de matières diverses ; car il était fait pour tout embrasser. On a de lui plusieurs traités sur la guerre, sur les finances, et sur quelques autres branches de l'économie politique. Il avait, sur le gouvernement de nos possessions dans l'Inde, les vues étendues et profondes d'un véritable homme d'État. Ses *Instructions aux bailliages*, écrites en 1789, feront toujours honneur à sa mémoire. Du reste, sous quelque couleur que la faveur ou la malignité essayent de présenter ses principes politiques et sa conduite pendant la Révolution, peut-être n'est-il pas un seul homme parmi ses contemporains qui ait le droit de le juger. Quand il s'agit de prononcer sur un ennemi du despotisme, il est bien difficile de ne pas usurper le langage de la servitude, ou celui de l'enthousiasme. Si l'apologiste est suspect, le détracteur ne l'est pas moins. Ils seraient trop intéressés dans leurs discours, en parlant d'un homme à qui on ne peut reprocher de l'avoir été dans ses actions. Sa cause ne peut donc être séparée de celle des amis de la liberté : cette grande cause appartient tout entière à l'équitable postérité, et c'est uniquement avec eux et par elle que M. de la Clos doit être condamné ou absous.

À Auteuil, ce 14 frimaire an 12.

E. PARISET, *de Nantes*.

Canu.
Édition de Paris, Duprat-Duverger, 1811.

Canu.
Édition de Paris, Duprat-Duverger, 1811.

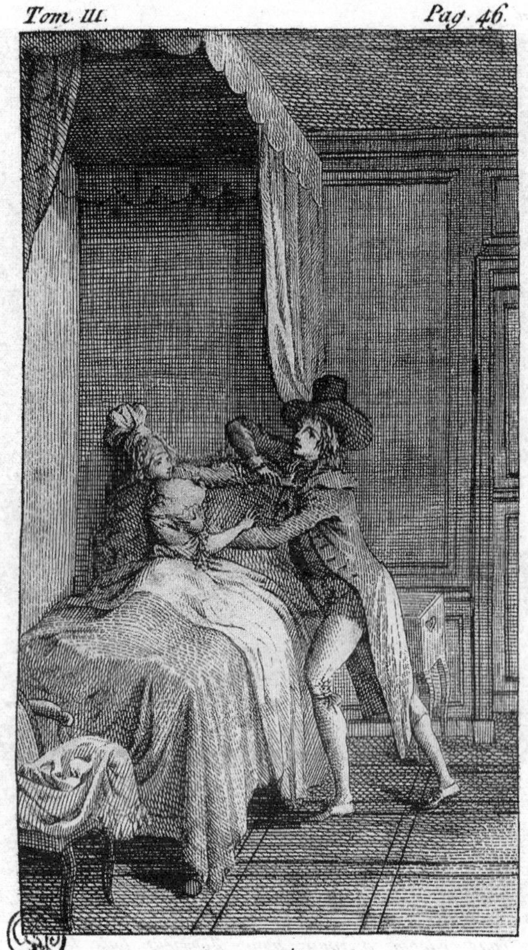

Anonyme.
Édition de Paris, Duprat-Duverger, 1811.

Anonyme.
Édition de Paris, Duprat-Duverger, 1811.

Achille Devéria.
Édition de Paris, Imprimerie Cellot, 1820.

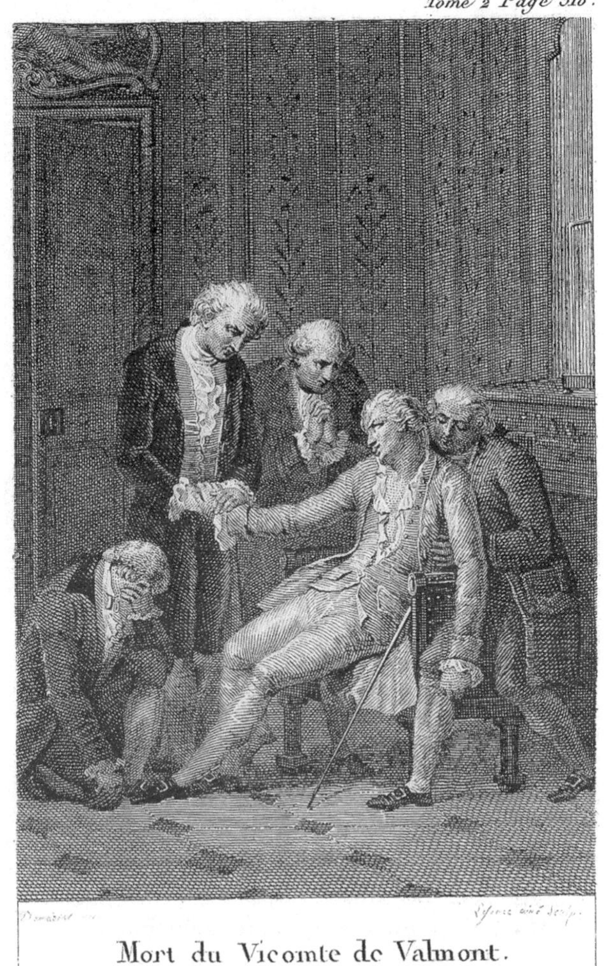

Achille Devéria.
Édition de Paris, Imprimerie Cellot, 1820.

Achille Devéria.
Édition de Paris, Imprimerie Cellot, 1820.

ALEXANDRE DE TILLY

[SOUVENIRS SUR LACLOS]

« Mémoires pour servir à l'histoire des mœurs de la fin du XVIIIe siècle », Paris, 1828

[Extrait]

C'est à peu près vers ce temps[1] que parut un livre qui fit une prodigieuse sensation dans le public et plus de ravage dans bien des têtes que les peintures les plus lascives ou les productions les plus obscènes ; un livre qui plaça son auteur entre le blâme et la louange, le mépris et l'estime ; entre les écrivains distingués et ceux qui ont fait un usage funeste du talent d'écrire ; entre les grands peintres de quelques vices et les corrupteurs de toute vertu ; un livre auquel son auteur ne craignit pas de supposer un but moral, quand il était un outrage universel à la morale de toute la nation ; un livre enfin que toutes les femmes ont confessé avoir lu quand tous les hommes auraient dû le réprouver et qui méritait d'être livré aux flammes par la main de l'exécuteur public, quoiqu'il soit digne, dans son genre, d'occuper une place classique dans les meilleures bibliothèques. Je crois avoir nommé *Les Liaisons dangereuses.*

Je parle aujourd'hui de cet ouvrage comme je n'en pensais pas alors, car j'ai à me reprocher d'en avoir été l'admirateur passionné et surtout de l'avoir prêté dans sa nouveauté à deux ou trois femmes qui se cachaient alors de le lire plus qu'elles ne se sont cachées d'accomplir tout ce qu'il enseigne.

Je souhaitais démesurément de connaître M. de Laclos, mais ce désir, comme tous ceux qui n'ont pas de grandes bases, s'évanouit promptement ; ce n'est que bien des années après que j'ai eu l'occasion de le rencontrer, et plus tard encore que s'est présentée celle de m'entretenir avec lui de son trop célèbre roman qui n'en est pas absolument un et que j'ai su de sa bouche ce qui tient à la fable ou à la vérité dans cette composition élégante et cynique.

Pour le dire tout de suite, je me transporterai momentanément à une époque beaucoup plus avancée que les temps que je devrais suivre dans la marche successive et naturelle de cet ouvrage.

En 1789, M. le duc d'Orléans (à qui j'avais demandé un service qui ne lui coûtait qu'une lecture) m'avait donné rendez-vous de bonne heure, dans son petit appartement du Palais-Royal. J'arrivai dès 9 heures et demie du matin et y trouvai déjà MM. Heymann et de Travanet avec un troisième que je ne connaissais pas ; Travanet me dit que c'était M. de Laclos[2].

Singulière réunion de trois hommes que, pour qui les a bien connus, eux et leur point de départ, tout séparait… et aurait dû séparer surtout du premier prince du sang ! Quoi qu'il en soit, je me hâtai de me mettre en mesure d'adresser quelques paroles à M. de Laclos, quoique j'eusse fort oublié ses *Liaisons dangereuses* pour les miennes. Notre conversation ne fut pas longue, on m'avertit d'entrer chez le prince d'où je ne repassai qu'avec lui dans la pièce voisine où il y avait déjà beaucoup de monde et des avis très partagés sur un écrit nouveau de M. de Calonne[3]. Je ne songeai plus à M. de Laclos et ne le revis que près de deux ans après, en Angleterre, lorsqu'il y accompagna M. le duc d'Orléans que, du salon de Mme de Coigny[4], M. de La Fayette envoya en mission à Londres pour y dire qu'on ne voulait plus de lui à Paris.

Ce n'est point ici le lieu de particulariser les procédés révolutionnaires de cet écrivain, de s'occuper du degré d'influence qu'il a eue sur un prince que ses amis et ses ennemis ont conduit à l'échafaud par la même voie… en l'attirant par l'appât d'un trône où il eût été épouvanté et surtout étonné d'être assis. Je ne veux considérer ici que l'auteur des *Liaisons dangereuses*. J'essayai donc à Londres, une ou deux fois, de savoir de lui-même tout le mystère de son livre, parce que j'étais persuadé qu'un tel ouvrage ne vient dans la tête de personne sans des données préliminaires. Mais il se défendait avec politesse et ne m'apprenait rien de satisfaisant.

Enfin l'ennui me le livra et me servit mieux que son amour-propre et ma curiosité ne l'auraient fait.

Nous étions au lever de M. le prince de Galles[5] qui, suivant sa coutume de prince et sa toilette d'un des plus beaux hommes de l'Europe, se faisait démesurément attendre ; M. de Laclos, qui n'avait pas une grande tactique de cour, mais toute l'impatience sombre d'un philosophe ou d'un conspirateur, malgré son flegme apparent, aima mieux causer que de tirer sa montre et de s'agiter intérieurement.

Voici à peu près ce qu'il me dit :

« J'étais en garnison à l'île de Ré et après avoir écrit quelques élégies de morts qui n'entendront rien, quelques épîtres en vers dont la plupart ne seront jamais imprimées[6], très heureusement pour le public et pour moi, étudié un métier qui ne devait me mener ni à un grand avancement ni à une grande considération, je résolus de faire un ouvrage qui sortît de la route ordinaire, qui fît du bruit *et qui retentît encore sur la terre quand j'y aurais passé.* Un de mes camarades qui porte un nom célèbre dans les sciences[7] avait eu plusieurs aventures d'un grand éclat, auxquelles il ne manquait qu'un autre théâtre. C'était un homme né spécialement pour les femmes et pour les perfidies dans lesquelles elles sont maîtresses passés ; en un mot, si *c'eût été un homme de cour*, il aurait eu la réputation de Lovelace et aurait été de meilleure compagnie que lui. Il m'avait pris pour son confident ; je riais de ses *espiègleries et l'aidais quelquefois de mes conseils.* Je lui avais connu une maîtresse qui valait bien Mme de Merteuil, mais c'est à Grenoble que je vis l'original, dont la mienne n'est qu'une faible copie ; une marquise de L. T. D. P. M.[8], dont toute la ville racontait des traits dignes des jours des impératrices romaines les plus insatiables. Je pris des notes et je me promis bien de les réaliser en temps et lieu. L'histoire de Prévan était arrivée il y a longtemps à M. Rochech…[9], officier supérieur des mousquetaires, il en fut déshonoré ; on en rirait à présent. J'avais bien par-devers moi quelques petites historiettes de ma jeunesse, qui étaient assez piquantes ; je fondis ensemble toutes ces parties hétérogènes ; j'inventai le reste, le caractère de Mme de Tourvel surtout, qui n'est pas commun. Je soignai mon style autant que j'en suis capable et, après quelques mois d'un dernier travail, je jetai mon livre dans le public ; *je n'ai presque pas su depuis sa fortune, mais on me dit qu'il vit encore.* »

J'ai oublié ce que je lui répondis ; ce qu'il me dit, je m'en souviens : je l'ai répété.

Puisque j'ai fait cette excursion, pourquoi, avant de me rejeter huit ou neuf années en arrière, n'émettrais-je pas tout de suite en peu de mots mon sentiment sur cette production purement considérée sous l'aspect de son mérite littéraire et appréciée d'après le genre et le danger de ses tableaux ?

Mon opinion sur ce sujet, que je n'ai jamais entendu débattre, ne s'appuiera sur celle de personne.

C'est premièrement un très grand art d'avoir fait Mme de Merteuil si corrompue, puisqu'elle en contraste mieux avec cette candeur angélique de Mme de Tourvel et que Valmont est moins méchant qu'elle ; l'auteur est en règle puisque les femmes valent mieux que nous, mais vont beaucoup plus vite et plus loin dans le chemin du vice, quand elles ont commencé à y marcher.

En revanche, c'est un grand défaut que d'avoir voulu donner à chaque personnage un style à lui seul, ce qui n'est pas la même chose que de leur avoir imprimé une physionomie distinctive. Il en résulte qu'à côté d'une page supérieurement écrite, on trouve des naïvetés déplacées ou des négligences sans excuse qui sont bien moins des contrastes que des taches. Le portrait de Mme de Tourvel est adorable et a fait verser bien des larmes à la jeunesse des deux sexes. Que de jeunes personnes aimeraient mieux mourir comme elle que de vivre comme son odieuse rivale ! Voilà un hommage à la vertu. Que de jeunes gens ont rêvé une telle maîtresse, ont fléchi le genou devant son image et prosterné leur imagination devant son ombre ! C'est encore un tribut au véritable amour ! Mais aussi c'est là toute la part de la vertu dans ce livre. Le reste est une conception coupable, ce sont des tableaux plus répréhensibles que ceux de l'Arétin[10], où il n'y a presque jamais de mauvais ton, souvent de la vérité ; mais plus fréquemment de l'exagération et de la charge, que ceux qui n'en savent pas davantage ont prises pour une éclatante peinture des mœurs générales d'une certaine classe ; c'est, sous cet aspect, un des flots révolutionnaires qui a tombé dans l'océan qui a submergé la cour. C'est un des mille éclairs de ce tonnerre, ce dont personne ne s'est douté, ce que la plupart des lecteurs trouveront ici exagéré, ridicule peut-être ; ce que l'auteur ne m'a pas dit, mais ce qu'un conjuré aussi profond que lui a bien su, au sein de cette vaste conspiration, dans laquelle, à l'avance, chacun s'était distribué son rôle, à la cour, à la ville, dans les provinces et dans l'armée. La mort même de Valmont n'a aucune moralité, puisque son genre est rigoureusement condamnable ; l'intervention du père Anselme est un persiflage de son ministère ; il n'y a pas jusqu'à l'antichambre qui n'y trouve une leçon d'infamie et un encouragement à se pervertir ; et enfin le rôle de cette innocente, qui fait tout ce que feraient les plus scélérates, qui donne à sa mère tous les ridicules, aux jeunes filles tous les mauvais exemples, est le dernier coup de pinceau de ce tableau, composé avec un art trois fois coupable.

À force d'être naturel, le style est quelquefois faible, mais presque toujours élégant, gracieux et concis. Toutes les parties de l'intrigue rentrent l'une dans l'autre, avec une facilité qui cache le travail. Ce sont des vices monstrueux à la réflexion, qui paraissent tout simples à la lecture. L'auteur vous entraîne et l'on ne se désintéresse de ce concert et de cette intelligence avec lui, qu'après avoir couru toute la carrière et distingué le but. En un mot, c'est l'ouvrage d'une tête du premier ordre, d'un cœur pourri et du génie du mal.

Dans le nouvel ordre de choses ce livre a perdu de son intérêt et, néanmoins, durera autant que la langue.

Que si quelqu'un s'étonne de cette longue diatribe et de cette nouvelle analyse d'une vieille production, c'est qu'il ne sent pas comme moi, c'est qu'elle n'a pas eu sur lui la même action, qu'il n'en a pas vu les mêmes effets, c'est qu'il est ou trop insensible, ou trop impressionnable, c'est qu'il regarde *Les Liaisons dangereuses* comme un roman que dans la jeunesse on ferme quand on l'a lu et que je l'envisage moi, comme un de ces météores désastreux qui ont apparu sous un ciel enflammé, à la fin du XVIIIe siècle.

FRANÇOIS ANCELOT
ET XAVIER SAINTINE

LES LIAISONS DANGEREUSES

*Drame en trois actes, mêlé de chant, représenté
pour la première fois, à Paris,
sur le Théâtre National
du Vaudeville, le 20 février 1834*

ACTE I, SCÈNE XIII

PRÉVAL D'ARMINCOURT, CHAVIGNY,
MME DE ROSEMONDE, CÉCILE, VALMONT,
CHASSEURS *et* GARDES-CHASSE

MME DE ROSEMONDE : Eh bien ! messieurs, vous avez donc laissé partir Mme de Tourvel ?

VALMONT : Comment ?

MME DE ROSEMONDE : Oui, elle vient de prendre congé de moi tout à coup ; elle est en route pour Paris dans sa voiture.

VALMONT : Mme de Tourvel ?...

MME DE ROSEMONDE : Elle-même : une lettre qu'elle prétend avoir reçue du président !... Elle aime tant son mari !

TOUS, *riant* : Ah ! ah ! ah !

MME DE ROSEMONDE : Eh bien ! messieurs, qu'est-ce donc qui vous fait rire ?

CÉCILE : Oh ! peu de chose, madame ! Nous rions d'un de nos compagnons de chasse qui croyait avoir frappé une biche au cœur, et qui l'a vue fuir à toutes jambes...

VALMONT, *à part* : Je me vengerai !

CÉCILE, *bas à Valmont* : Voici la clef !... Prenez.

VALMONT, *bas* : À ce soir !... J'y serai !... *(À part.)* C'est un dédommagement.

ENSEMBLE
CHŒUR D'HOMMES

Ah ! pour lui quelle gloire !
Célébrons tous en chœur
La rapide victoire

De cet adroit chasseur.
Il s'est cru sur la piste,
Quand nous sonnions du cor.
Le gibier qui résiste
Courra longtemps encor.

CHŒUR DE FEMMES

Messieurs, chantez la gloire
De cet adroit chasseur ;
Donnez à sa victoire
Un éloge railleur.
Quand le gibier résiste.
Et fuit au bruit du cor,
Partons !... Dieu vous assiste
Si vous chassez encor.

Chavigny offre la main à Mme de Rosemonde : Cécile et Valmont se font des signes d'intelligence.

La toile tombe.

EUSÈBE GIRAULT DE SAINT-FARGEAU

[SUR « LES LIAISONS DANGEREUSES »]

« Revue des romans », Paris, Firmin-Didot, 1839

LACLOS (Pierre Ambroise Choderlos de),
né à Amiens en 1741, mort à Trente le 15 octobre 1805.
LES LIAISONS DANGEREUSES, *4 part. in-12*, 1782 ; *nouv. édit., 4 vol. in-18*, 1823.

Quand ce roman parut, on jouait en France depuis longtemps avec les vieilles mœurs ; on attaquait de toutes parts, dans des romans licencieux et par mille voies indirectes, la chasteté des femmes, la vertu des jeunes filles, la pudeur des hommes. Un écrivain d'un caractère bilieux et d'une énergie terrible se mit à prendre au sérieux tous ces petits livres ; il voulut faire peur à cette société pervertie, il tint le miroir devant elle : il écrivit *Les Liaisons dangereuses.* Quel livre, grand Dieu ! quelle femme atroce ! quelle petite fille ignorante ! quel roué dangereux et froid ! quelle mère imbécile ! quel monde ! quel luxe ! quel dédain pour l'espèce intermédiaire ! quel horrible commentaire de tous ces contes voluptueux, de tous ces romans gazés, de toutes ces esquisses sentimentales dont on avait inondé le public pendant quarante ans ! c'était horrible à voir ! Nous ne savons pas ce qu'eût fait la société si elle eût pu se voir dans ce miroir fidèle. Mais elle n'eut pas le temps de s'y regarder, elle était sur le bord d'un abîme, elle y tomba, et ils tombèrent tous ensemble, trône, autel, grands seigneurs, pouvoir et croyances, la duchesse et la fille d'opéra, toute cette espèce à part, pour laquelle la vie était un culte et le respect extérieur une adoration ; elle périt le même jour ! Tout le vieux monde, le monde en dentelles et en habits brodés, le monde à part qui vivait sans travail, qui naissait heureux et riche, le monde né tout exprès pour les arts, pour l'amour, pour la bonne chère, pour le pouvoir, pour la gloire des armes, pour les femmes, tout cela est mort en un jour! tout cela est mort sans retour! — Les deux héros des *Liaisons dangereuses*, Valmont et la marquise de Verteuil, ne ressemblent en rien aux jolis petits vicomtes, aux délicieuses petites marquises des romans de Crébillon fils; Valmont et la marquise de Verteuil sont deux scélérats de la plus dangereuse espèce; ils se chargent de crimes pour le plaisir de commettre des crimes; Mme de Verteuil, trouvant en son chemin une douce et jolie fille bien ignorante et bien naïve, s'amuse, en manière de passe-temps, à la corrompre, et à la jeter à moitié déshonorée dans les bras de Valmont, qui reçoit la malheureuse victime en souriant de mépris à une conquête si facile. Valmont, de son côté, a ce cœur de roche, cet esprit de l'enfer, de vil oisif, à qui nulle femme ne résiste: il rencontre en son chemin une noble et rare personne, pleine de religion et de vertu. Aussitôt Valmont se met à la poursuite de cette noble femme, il appelle à son aide toutes ses horribles ressources et toutes les hontes de l'hypocrisie. D'abord la jeune femme, si faible et si forte à la fois, regarde Valmont en pitié: le moyen qu'un pareil vice s'élève à une telle vertu! Peu à peu Valmont fait d'insensibles progrès dans ce chaste cœur (il est vrai de dire que ce personnage de Valmont est rempli d'un horrible intérêt, et que cette noble femme qu'il séduit est bien touchante). Bientôt Valmont triomphe. C'en est fait, sa victime lui appartient tout entière; c'est une vertu qui succombe sous les coups de l'infâme Valmont: quelle joie pour Mme de Verteuil! La vertu est plus difficile à perdre que l'innocence. Puis, quand ces deux vices mâle et femelle ont tout flétri, quand il n'y a plus autour d'eux ni vertu ni innocence, ils se regardent l'un l'autre, et sont épouvantés de se voir si affreux. — Voilà ce livre: il a dû surtout son horrible succès à sa brutalité; il n'a pas déguisé le vice, bien au contraire il l'a mis en pratique, il en a fait un enseignement, et cette folle société du XVIIIe siècle s'est estimée heureuse tout un jour de se faire peur à elle-même.

ARSÈNE HOUSSAYE

LE CHEVALIER DE LA CLOS

« Le Constitutionnel », 1846

Imaginez en 1760, au temps où débutait à l'Opéra Sophie Arnould[1], sous le règne de Mme de Pompadour, un jeune homme, pâli sous les rêves de la gloire héroïque, étudiant les actions des plus illustres capitaines, déjà renommé pour sa bravoure, parce qu'il s'était battu en duel, en désespoir de se montrer sur un autre champ de bataille, tour à tour heureux et fier de sentir sous sa main la poignée d'une épée, de découvrir dans les livres la science de la guerre.

Maintenant, voyez cet autre portrait ; c'est un chevalier de 1766 qui continue les roués de la Régence. Nous sommes à l'Opéra pour le début de Mlle Beaumesnil[2]. On joue une pastorale. Notre chevalier est dans une loge, en belle et bonne compagnie. On l'appelle *zevalier* ; il applaudit celle qui débute et s'écrie : c'est *adoable* ! Il disparaît de la loge pour aller saluer la débutante d'un peu plus près. Il arrive à elle et lui débite un madrigal impertinent. Mlle Beaumesnil, dans son ravissement, lui promet de le recevoir à son petit lever. Il retourne à la loge, où déjà l'on se désolait d'une si longue absence : là, dans cette loge, étaient une femme de quarante ans et une jeune fille débutant dans la vie.

Voyez-vous à Grenoble, dans cette chambre d'hôtel garni, vers 1779, un homme déjà grisonnant, quoique jeune encore ? Il est assis devant une petite table où il écrit avec passion, tantôt interrogeant ses souvenirs, tantôt feuilletant *Clarisse Harlowe*, *la Religieuse*[3] et *la Nouvelle Héloïse*. Il est minuit ; une petite lampe l'éclaire d'une lueur fauve. Un sourire méchant passe çà et là sur ses lèvres ; Lavater[4] dirait que cet homme qui écrit une satire de Pétrone est un homme qui se venge. C'est la satire du monde où il a vécu, du monde qui lui a ouvert son cœur. Pourquoi se venge-t-il ? par caprice, parce qu'il a reconnu que le fond de la coupe était du poison, parce qu'en habitant le cœur des femmes, il a découvert que l'enfer s'y cachait. Mais, croyez-le bien, il se venge parce qu'il sent fuir, comme a dit un poète, le rivage de la jeunesse.

89 a sonné comme le glas funèbre du XVIIIe siècle ; suivons cet homme qui va être vieux, mais qui, par ses actions, veut se prouver à lui-même qu'il est jeune encore ; suivons-le pas à pas. Le voyez-vous d'abord à ces bruyantes orgies du Palais-Royal, assis à la droite du prince[5] dont il est le conseil ? Liberté ! république ! s'écrient tous ces hommes d'esprit après souper, qui se croient de fiers Romains. Liberté ! république ! Le cri part du Palais-Royal comme un boulet contre le palais des Tuileries. Suivez le plus passionné de tous ! Le voilà rédigeant avec Brissot la fameuse pétition du Champ-de-Mars, qui demande le jugement de Louis XVI. Ce n'est pas tout : il se fait tribun de la borne, comme Camille Desmoulins le jour de la prise de la Bastille ; il entraîne sur ses pas toutes les colères de la rue ; tout à l'heure, il demandait le jugement du roi, c'est la tête de Louis XVI qu'il demande à présent. Les tribuns des clubs sont jaloux du tribun de la rue ; ils l'emprisonnent pour se délivrer de ses ambitions furieuses. Est-ce fini ?

Non. En 1803, le 5 octobre, voyez-vous, à Tarente, cet homme qui va mourir épuisé par toutes les passions bonnes et mauvaises ? La veille, il combattait encore ; la France reconnaissante n'inscrira peut-être pas son nom sur un arc de triomphe ; mais oubliera-t-elle que le général d'artillerie Chauderlos de La Clos, auteur des *Liaisons dangereuses*, a combattu héroïquement pour elle sur le Rhin et en Italie ?

Ainsi c'est un tableau varié que cette vie de La Clos, tour à tour, comme déjà on l'a entrevu, soldat sévère, épris de son épée, chevalier galant, courant les cercles et les coulisses, écrivain satirique et scandaleux, tribun passionné, enfin grand capitaine ; et encore, on n'a indiqué dans cette première esquisse que les principaux traits. Voyons de plus près cette figure multiple.

À part un très brillant paradoxe de l'auteur de *Barnave*[6], on ne trouve rien de littéraire sur La Clos. Il semble que l'avenir veuille oublier ce nom qu'il serait injuste d'inhumer dans *les Liaisons dangereuses.* Ce roman peut n'être plus qu'un monument curieux d'une époque évanouie ; mais La Clos n'est-il pas sorti de ce triste monument par ses savantes études sur l'artillerie et surtout par ses glorieuses campagnes ? La Clos est inconnu des nouvelles générations, et cette ignorance les honore ; à peine si quelques écoliers et quelques curieux littéraires recherchent son roman. Je n'ai pu découvrir son portrait gravé. Le roi possède à Eu ou à Neuilly un beau portrait de La Clos[7] ; un autre existe, un seul, qui fut dessiné aux trois crayons par Carmontel dans une soirée du Palais-Royal. C'est un portrait en pied que j'ai été admis à voir comme une curiosité sans prix. La Clos est assis près d'une table à trictrac ; il est accoudé et pensif ; ce n'est pas le jeu qui l'occupe. Sa figure porte quarante-cinq ans à peu près ; c'est une figure plus intelligente que belle ; les lignes sont franches, mais un peu aiguës. Ce qui frappe au premier abord, c'est un front proéminent, un œil scrutateur, une expression trop philosophique où ne se trahit ni chaleur d'âme, ni bonhomie. Il a peut-être eu le tort grave de penser profondément qu'on faisait son portrait ; cela arrive à tout le monde, même aux hommes d'esprit.

Dans ce XVIIIe siècle où l'on ne croyait à rien, le nom même, le nom de son père, la plus noble partie de l'héritage, n'était plus une chose sacrée. Dans les lettres où l'on se moquait si bien des titres, c'était à qui prendrait un air de noblesse par son nom : de tous temps les hommes ont aimé à se contredire. Fontenelle et Crébillon donnèrent l'exemple ; on sait que leur vrai nom était Le Bouvier et Jollyot. On vit poindre alors la noblesse de plume.

Quelques hommes sincères, quelques franches natures, n'ayant point perdu l'amour de la famille, comme Piron, Diderot, Gilbert, se contentèrent d'illustrer leur nom, tout simple qu'il fût ; mais combien d'autres ont illustré un nom qui n'était pas celui de leurs pères ! Vous seriez surpris si j'alignais tous les noms qu'ils ont mis de côté comme une vieille défroque qui s'ajustait mal à leur taille. Ainsi vous connaissez Poquelin et Arouet ; mais connaissez-vous M. Le Bouvier, M. Carlet, M. Paradis, M. Pinot, M. Carton, M. Claris, M. Pierres, M. Jollyot, M. Caron, M. Néricault ? Le jour du jugement, l'ange exterminateur, n'ayant inscrit ces écrivains que sous leur vrai nom, aura lui-même bien de la peine à reconnaître Fontenelle, Marivaux, Montcrif, Duclos, Dancourt, Florian, Bernis, Crébillon, Beaumarchais, Destouches.

L'homme d'esprit et le grand capitaine que j'étudie aujourd'hui s'appelait Chauderlos tout court. Comment illustrer un pareil nom, à moins de conquérir le monde et d'en découvrir un autre ? L'*Iliade* et tous les poèmes épiques ne feraient point passer à la postérité un nom si malencontreux. Si Bonaparte se fût appelé Chauderlos, Sainte-Hélène, ce poétique symbole de toute gloire moderne, ne remplirait pas les avenues du XIXe siècle.

Chauderlos ne voulut pas se charger d'illustrer le nom de son père ; sa mère était une demoiselle La Clos[8] ; il trouva plus simple et plus commode de s'appeler de La Clos, et même le chevalier de La Clos. Bien lui en prit et nul ne s'en est plaint.

Pierre-Ambroise Chauderlos, chevalier de La Clos, naquit à Amiens, en 1741, et mourut à Tarente en 1803. Ainsi, il passa à travers toutes les joies, toutes les folies, toutes les grandeurs du demi-siècle le plus curieux de l'histoire de France. Son père, gentilhomme ou gentillâtre picard, le destina à la vie de soldat. La Clos entra aspirant au corps du génie, où il fut nommé sous-lieutenant à dix-huit ans. Il fit ses plus belles campagnes dans les hôtels de 1760, depuis l'antichambre jusqu'à l'oratoire.

Homme de belle stature, de figure expressive, très galamment tourné, brisé de bonne heure aux allures de la belle compagnie et aux aventures de théâtre, tenant bien son épée et sa plume, hardi jusqu'à l'impertinence, spirituel jusqu'à la satire, il alla le plus gaiement du monde de conquête en conquête.

Il rechercha les vanités littéraires. Il débuta en poésie comme Rivarol et Rulhière, par quelque impertinente épître à une fille à la mode. Son épître à Margot[9] est digne des petits vers de Voltaire par le tour et l'esprit. Très répandu dans le monde du théâtre, il fit en se jouant un opéra-comique. Il avait été entraîné dans ce genre facile par un Américain[10] à la mode, M. de Saint-George, qui se reposait de ses duels en composant de la musique. On n'a pas oublié que cette musique était plus ingénieuse que savante, brillant plus par l'esprit que par le caractère. La Clos avait lu beaucoup de romans, il emprunta le sujet et le titre de son opéra au roman de Mme Riccoboni, *Ernestine*. On voit que La Clos ne se montrait pas très inventif. Pendant la représentation, je ne dis pas la première, il n'y en a pas eu deux, La Clos et Saint-George, en gens de bonne compagnie qui sont prêts à tout, se promenaient dans la coulisse, effeuillant les bouquets des comédiennes et leur promettant un beau souper, si la pièce tombait. Sans doute, ils voulaient souper, mais ils ne s'attendaient pas à être pris au mot. Jamais opéra-comique ne fut plus gaiement honni par le parterre : vers le milieu de la pièce, tous les spectateurs essayèrent des variantes qui pronostiquèrent le destin d'*Ernestine.* La pièce fut saluée, à la chute du rideau, par un chœur de sifflets. « Si nous ne nous étions déjà battus, dit le poète au musicien, je trouverais bien du plaisir à vous couper la gorge. — Et moi donc ! » dit l'Américain furieux, qui n'avait pas le courage de plaisanter sur sa défaite ; « car, vous l'avouerez, c'est votre thème qui a tout perdu. — Par exemple ! Est-ce que vous vous imaginez qu'on a écouté les paroles ? On a eu bien assez de la musique. »

Les deux collaborateurs avaient pris une certaine attitude menaçante et comique, quand la jolie Mlle Olympe, qui remplissait le rôle d'Ernestine, vint se jeter entre eux tout effarée : « Je suis perdue, dit-elle avec désespoir ; c'est la seconde fois cette semaine que me voilà sifflée. — Ne vous désolez pas, dit La Clos ; avec des yeux comme les vôtres on se retrouve toujours. Venez souper avec moi. — Avec moi, dit Saint-George, en saisissant la comédienne. — Ni l'un ni l'autre, dit-elle, en repoussant le musicien ; je ne veux plus entendre parler de vous : un homme qui m'a fait chanter *ta ti ta ta ta ti*, c'est bien la peine de chanter ! — Vous avez raison, dit La Clos, c'est de la musique surannée, indigne d'une bouche si fraîche. Vous auriez mieux fait de dire mes paroles sans les chanter. — Oui, je vous conseille de parler ainsi ! Vous avez donc oublié comment j'ai été accueillie quand j'ai chanté :

Le vin nous fait aimer
Et l'amour nous fait boire. »

Et disant ces mots, Olympe s'enfuit et disparut dans les détours du parc de papier peint. Pendant que La Clos la poursuivait, Saint-George cherchait les autres comédiens de la pièce. Nul d'entre eux ne voulut consentir à souper en compagnie, tant la chute était désespérée. On eût dit un champ de bataille, où les vaincus ne songeaient qu'à la retraite. En vain, les deux auteurs poursuivirent les comédiens jusque dans leurs loges, ils n'en trouvèrent pas un décidé à souper avec eux. Comme ils se retrouvèrent ensemble à la porte du théâtre, ils se regardèrent en éclatant de rire. « Est-ce que nous ne souperons pas ? » dit La Clos.

Saint-George lui prit le bras et l'entraîna au café de la Régence[11]. Ils entrèrent tête levée, en vainqueurs. Comme ils passaient fièrement près d'un groupe de joueurs d'échecs, ils poussèrent un spectateur qui, pour se retenir, poussa son voisin sur les échecs. C'était Jean-Jacques Rousseau, qui se retourna furieux : « C'est donc un guet-apens ! » dit-il pâle et sombre, croyant voir ses ennemis imaginaires. Car alors, comme Pascal, il voyait partout un abîme, ou plutôt la mort. « Corbleu ! monsieur », dit La Clos, qui ne connaissait pas la figure du célèbre philosophe de Genève, « savez-vous qui je suis ? »

Tout le monde se tourna vers La Clos, avec un mouvement de vive et respectueuse curiosité. Les joueurs eux-mêmes levèrent la tête. « Apprenez donc qu'il ne faut pas me parler sans respect, car je suis un auteur sifflé. »

Grimm, citant cet opéra, dit que le talent de Pergolèse n'aurait pu soutenir de pareilles paroles. Bachaumont n'est pas plus bienveillant[12] : « L'auteur a prudemment gardé l'incognito : une excellente musique aurait perdu toute sa valeur, adaptée à ce plat et détestable opéra. »

La Clos ne voulut pas tenter une seconde fois les hasards du théâtre ; il se rejeta plus avant dans les folies du siècle, courant de la coulisse au boudoir, du boudoir au cabaret.

Cependant, en ce beau temps, on ne se contentait déjà plus de séduire ; le règne de Richelieu[13] pâlissait ; Jean-Jacques était venu. Autour de lui mille désœuvrés se faisaient l'écho de sa parole. C'était à qui prêcherait à son tour. On prêchait partout, hormis à l'église, partout, dans les cercles, dans les boudoirs, jusque dans les ruelles ; plus d'un philosophe de coulisses écrivait ses pamphlets contre les mœurs sur les genoux d'une comédienne. La Clos voulut se faire entendre ; il avait soulevé le voile des passions du monde à l'heure la plus triste, comme Diderot avait soulevé le voile des passions du couvent ; il tailla sa plume, et, sans pitié pour cette société qui l'avait mollement bercé sur son sein coupable, il l'éclaira d'une horrible lumière, en écrivant *les Liaisons dangereuses.* Crébillon, le gai, qui voyait tout en riant, avait écrit sur le même monde ; mais ses livres étaient des miroirs trompeurs, couverts de roses et de gaze, où l'on n'entrevoyait que d'aimables scandales. Au lieu de ces jolies enluminures, voilà tout à coup un peintre sans fard qui foule au pied la gaze et les roses pour reproduire la vérité toute nue. Au premier abord pourtant n'est-ce pas encore les héros et les héroïnes de Crébillon ? C'est le même sourire et la même grâce ; de la soie et du velours, de l'or et des bouquets, rien n'y manque ; mais regardez de plus près. Ne voyez-vous pas le cœur qui s'agite et se débat dans le mal ? La société faisait tous les soirs, après souper, un pas vers sa ruine ; elle avait été folâtre dans ses vices ; elle avait commis, en riant, comme par boutade, de jolis crimes fardés et musqués ; elle finissait, à force d'être une galante pécheresse, par être criminelle sérieusement pour le seul plaisir de commettre le crime. Ce fut alors que La Clos la surprit pour la peindre. Se voyant dans ce sombre tableau, la société se fit peur à elle-même ; cependant, le croira-t-on ? loin de se couvrir le front de cendres, elle s'amusa à se regarder telle que le peintre la reproduisait dans toute l'horrible vérité qui sort d'un puits impur.

Le roman de La Clos fut donc lu avec passion et avec effroi. Tout le monde voulut voir celui qui écrivait ainsi. Loin de lui fermer sa porte, on l'appela. La Clos avait dit à chacun : « Je te connais sous ton masque. » Et chacun, voyant un homme qui savait si bien tous les secrets, le flattait de peur qu'il ne parlât trop haut sans déguiser les noms.

Le succès du livre fut prodigieux, surtout dans les salons ; ce fut même un événement littéraire, car les critiques les plus difficiles, témoin Grimm, reconnurent de prime abord qu'il avait fallu un talent vaste et varié pour écrire un pareil livre. Le roman parut sous ce titre : *Les Liaisons dangereuses, ou Lettres recueillies dans une société et publiées pour l'instruction de quelques autres*, par M. C. de L… avec cette épigraphe : « J'ai vu les mœurs de mon temps, et j'ai publié ces lettres. » Voici comment Grimm annonça ce livre aux souverains du Nord : « Il n'y a pas d'ouvrage, sans en excepter ceux de Crébillon, où le désordre des principes et des mœurs de ce qu'on appelle la bonne compagnie, et de ce qu'on ne peut guère se dispenser, malgré tout, d'appeler ainsi, soit peint avec plus de naturel, de hardiesse et d'esprit. On ne s'étonnera donc point de tout le mal que les femmes se croient obligées d'en dire ; quelque plaisir que leur ait pu faire cette lecture, il n'a pas été exempt de chagrin. Comment un homme qui connaît si bien et qui garde si mal leur secret ne passerait-il pas pour un monstre ? Mais en le détestant on le craint, on l'admire, on le fête ; l'homme du jour et son historien, le modèle et le peintre, sont traités à peu près de la même manière. Quelque mauvaise opinion qu'on puisse avoir de la société parisienne, on y rencontrerait, je pense, bien peu de liaisons aussi dangereuses pour une jeune personne que la lecture des *Liaisons dangereuses.* »

Nous nous garderons donc de rappeler les tableaux de ce roman, bien plutôt destiné à séduire les lecteurs qu'à les corriger ; nous y reconnaîtrons un peintre énergique, plus préoccupé du contour, de l'idée et du caractère, que de la couleur. On ne saurait trop admirer la naïveté et même la bêtise de Cécile Volanges. Un homme d'un talent médiocre n'a jamais osé montrer une femme bête, — il y en a. — Cécile Volanges fait le plus heureux contraste à Mme de Merteuil qui est le démon de l'esprit. Un autre contraste non moins heureux, c'est la vertu romanesque de Mme de Tourvel, opposée aux vices raffinés du vicomte de Valmont.

La Clos n'est pas tout à fait l'auteur de son livre. Sans *Clarisse Harlowe, la Nouvelle Héloïse* et *la Religieuse*, qui sait s'il eût créé ce roman, dont bien des pages ne sont que des échos ? On sent donc Richardson, Jean-Jacques et Diderot dans *les Liaisons dangereuses.* La Clos n'était pas doué de ce génie créateur, qui inspire un livre original sans le secours d'autrui. La Clos était un homme d'esprit, qui savait voir le monde à l'heure où la vérité promène son rayon. Après avoir vu, il voulut peindre ; mais sachant à peine ébaucher, il prit le crayon du romancier anglais, la palette de Diderot et le pinceau de Jean-Jacques. Dominé par la vérité, l'indignation ou l'amour du bruit et du scandale, guidé par ces maîtres illustres, il arriva à créer une œuvre vivante. Pour le fond, on découvre au premier abord que La Clos s'est contenté de transporter à Paris les personnages de *Clarisse Harlowe* ; il les a rembrunis, voilà tout son secret. Son vrai mérite est de les avoir encadrés dans les mœurs du temps. Pour la forme, on reconnaît bien vite le style passionné, limpide, énergique, de *la Nouvelle Héloïse.* Pour la couleur et la vérité, c'est *la Religieuse.* Ce mot de Grimm peint assez vivement La Clos : « Si Rétif de La Bretonne est le Rousseau du ruisseau, Chauderlos de La Clos est le Rétif de La Bretonne de la bonne compagnie*. »

En 1782, quand il publia les *Liaisons dangereuses*, La Clos était sans doute marié[14]. Sur ce point surtout, les détails manquent tout à fait. Le Dictionnaire Michaud, qu'il serait bien utile de remplacer, se contente de dire : « Bon fils, bon père et bon époux. » Que sont devenus ses enfants[15] ?

En 1786, nous retrouvons Chauderlos de La Clos homme de guerre, écrivain sérieux, cherchant à faire oublier les *Liaisons dangereuses* par un Mémoire à l'Académie française, qui avait proposé l'éloge de Vauban, pour sujet du prix d'éloquence de l'année. À cette date, La Clos ne lisait plus Richardson, mais Polybe ; son Mémoire porte cette épigraphe : « Cherche moins à briller par tes discours, qu'à les rendre utiles[16]. » La Clos est bien loin de faire l'éloge de Vauban, il convient que l'illustre maréchal a créé l'art de bien attaquer une place, mais il le condamne pour avoir passé toute sa vie à fortifier, sans découvrir l'art de la fortification ; il l'accuse (l'accusation a été réfutée dans le *Journal des Savants*[17]) d'avoir enterré quatorze cent quarante millions avec une effrayante prodigalité : « pour élever d'une main les mêmes places qu'il renversait de l'autre si facilement. Qui pourra le louer, coûtant à la France plus de la moitié de la dette actuelle de l'État pour laisser à découvert une partie de ses frontières ? Le système de M. de Vauban n'est autre que le système bastionné, connu dès la fin du XVe siècle, déjà régulièrement exécuté en 1567 à la citadelle d'Anvers[18] ». Quand il écrivait ce Mémoire, digne encore d'être consulté**, La Clos était à La Rochelle, où il y avait sans doute une Académie, car le Mémoire est signé : Chauderlos de La Clos, de l'Académie de La Rochelle[19].

En 1787, La Clos redevint poète, ainsi que le témoigne une vive boutade sur Orosmane, à propos de la tragédie de Voltaire[20]. Nous regrettons de n'avoir pu, malgré toutes

* Au moment où j'écris ceci, un contemporain de La Clos, celui-là qui déjà m'a permis de voir l'auteur des *Liaisons dangereuses* dans le dessin de Carmontel, vient m'assurer que tous les personnages de ce roman sont des portraits pris à la nature. L'histoire s'est passée à Grenoble, telle que l'a racontée La Clos, à part quelques épisodes qui seraient des souvenirs de jeunesse du romancier.

** Carnot, le conventionnel, publia des observations sur ce Mémoire.

nos recherches, découvrir le recueil de poésies de La Clos, où, sans doute, l'homme doit çà et là se montrer sous le poète.

Jusqu'à 1789, La Clos vécut dans le beau monde qu'il avait peint, toujours galant et satirique, toujours aimé et recherché. Aux premiers orages de la Révolution, il leva la tête, et, une fois encore, il se tourna contre cette pauvre société, à qui il devait l'éclat de sa jeunesse. Il passa au cabinet du duc d'Orléans, ce prince égaré qui appelait la tempête, mais qui mourut sans peur. Il fit de la politique dans quelques feuilles furibondes, entre autres dans le *Journal des Amis de la Constitution**. Il marcha toujours droit devant lui sans effroi et sans regret. Il rédigea avec Brissot la pétition du Champ-de-Mars qui demandait le jugement de Louis XVI. Ce jour-là, le tribun monta sur la borne et entraîna sur ses pas toutes les colères de la rue. Le croira-t-on ? Ce succès de haillons lui tourna la tête à lui, qui avait brillé tout à son aise dans les salons dorés en regard des robes de soie et des habits brodés. Il mit son éloquence au service des clubs ; partout où il vit le peuple assemblé, il se fit une tribune, d'où tombèrent de sanglants sarcasmes contre la noblesse.

Après avoir marqué en juillet 1789 au club de Montrouge qui était le club des grands seigneurs orléanistes ou encyclopédistes, La Clos se montra très puissant par son éloquence et son audace au club des Feuillants, au Palais-Royal, à la butte des Moulins.

La carrière politique de La Clos commença donc aux premières rumeurs de la Révolution. Il avait vécu depuis quelques années dans la familiarité intime du duc d'Orléans qui appréciait les ressources du génie militaire du capitaine d'artillerie comme l'esprit philosophique et railleur du romancier. On ne pourrait dire si La Clos, qui fut hardiment révolutionnaire, travailla pour la liberté ou pour le duc d'Orléans ; peut-être travailla-t-il pour tous les deux. Ce qui est hors de doute, c'est qu'il montra jusqu'à la mort du roi, dans les clubs, dans les journaux et sur le champ de bataille, l'audace prêchée par Danton.

Il avait fini par se retirer de l'orage, voulant respirer en liberté, « loin des saturnales de la liberté ». Mais dès que la

* Journal des Jacobins, plus tard Journal des Amis ou plutôt des Ennemis de la Constitution.

patrie fut déclarée en danger, il reprit du service. Il fut nommé colonel d'artillerie près du vieux général Luckner. On peut accorder à La Clos toute la gloire de la campagne, car le général se laissait conduire par le colonel.

Cependant, comme on voulait se débarrasser d'un homme aussi dangereux par son génie que par son audace, il fut, au retour de la campagne, nommé gouverneur des établissements français dans l'Inde ; mais comment perdre de vue ce grand drame où il jouait un rôle ? Il voulut rester sur le théâtre.

Après les 5 et 6 octobre, il passa en Angleterre avec le duc d'Orléans. Il ne revint en France que pour être emprisonné. Son génie militaire le consola dans la prison. Il envoya à Robespierre des idées de réforme politique, que le trop célèbre tribun fit passer dans ses discours. La Clos obtint la liberté pour aller à La Fère essayer une nouvelle espèce de projectiles, qui était, selon lui, plus terrible que la foudre. L'essai réussit à son gré, et surprit tous les officiers présents. Mais à Paris on jugea que c'était un homme dangereux ; on le reconduisit en prison. Son projet fut abandonné ; et, comme dit un historien, « il est au nombre des inventions oubliées qui nous viendront un jour de l'étranger ».

On s'est fort étonné que La Clos ait échappé au destin du duc d'Orléans, puisqu'il a été arrêté comme orléaniste. Des biographes, des contemporains affirment qu'il n'a dû son salut qu'à son talent et à sa souplesse. S'il faut en croire Rabbe et quelques écrits du temps, La Clos serait l'auteur des discours de Robespierre[21]. C'est là un point d'histoire qui ne peut être discuté ici ; nous nous y sommes à peine arrêté ; nous nous garderons donc de prendre un parti pour ou contre cette opinion. Cependant, nous avons eu la curiosité d'étudier le style de La Clos dans le journal *Les Amis de la Constitution*, dans la *Galerie des États-Généraux*, où on le reconnaît entre Mirabeau et Rivarol, ses collaborateurs ; nous avons relu les discours de Robespierre ; et pourquoi ne le dirions-nous pas ? Robespierre nous paraît tout entier dans La Clos. Il ne faut pas oublier que, dans ses trois ou quatre discours importants, Robespierre a surpris tout le monde, surtout ses amis, qui ne croyaient pas à son éloquence. Mais, dira-t-on, La Clos, après la mort de Robespierre, se fût avoué l'auteur des discours. Pourquoi l'eût-il fait ? La Clos était au-dessus de cette gloire encore dangereuse ; et puis, c'eût été avouer une lâcheté. Il faut bien croire d'ailleurs, puisqu'il s'est trouvé quelqu'un pour écrire cela, que La Clos l'ait dit, ne fût-ce qu'une fois.

Cet homme était toujours prêt à tout ; après le 9 thermidor, Tallien, le craignant à son tour et voulant le mettre *hors la politique*, lui donna la direction des hypothèques. La Clos, selon sa coutume, y marqua son passage par des réformes. Directeur des hypothèques ! position curieuse en ces années de trouble où la terre n'était sacrée pour personne.

Bonaparte, devenu premier consul, nomma La Clos général de brigade à l'armée du Rhin, où il se distingua parmi les plus vaillants. Il passa de là en Italie avec Marmont ; il y prit part aux plus glorieux faits d'armes. Bonaparte, reconnaissant que La Clos avait profondément étudié les hommes, lui donna, à son retour en France, des missions très délicates. Enfin, pour lui prouver son estime avec éclat, il le nomma commandant de l'artillerie destinée aux côtes d'Italie. Mais à peine La Clos fut-il arrivé à Tarente, qu'il succomba, épuisé par dix années de luttes sans trêve. Il mourut sans penser à la mort, tout préoccupé des splendeurs futures de la France. Un de ses officiers proposa pour son épitaphe ces six mots glorieux : « Bon citoyen, brave soldat, loyal ami[22]. »

Étrange destinée que celle de tous ceux qui ont commencé leur carrière sous le règne de Mme Dubarry et qui l'ont terminée sous le règne de Bonaparte ! tableau esquissé par Boucher et fini par David !

À MONSIEUR LE DIRECTEUR
DU CONSTITUTIONNEL

Permettez-moi d'ajouter une note à mon étude sur Choderlos de La Clos. Le jour même où parut mon second article, je reçus une lettre ainsi conçue :

*Vous avez apprécié La Clos avec justice ; vos renseignements sont exacts pour la plupart ; cependant, que n'avez-vous ouvert l'*Almanach des *25 000* adresses *?*

J'ouvris l'*Almanach* en question ; j'y trouvai : *Choderlos de La Clos, éligible, rue de Provence*, 15. J'allai rue de Provence, où j'appris que M. Choderlos de La Clos[23], était mort l'an passé. On m'indiqua son beau-frère, M. B… de T…, dont le jardin s'étend sous mes fenêtres. À mon retour, je trouvai chez moi une carte de M… B… de T… J'allai chez lui. Quoique seulement allié, M. B… de T…[24] est bien de la famille de La Clos, par l'esprit.

Il m'apprit ce que je savais et ce que je ne savais pas.

Le père de Choderlos de La Clos était d'origine mauresque.

J'avais dit, selon la Biographie Michaud, « bon fils, bon époux, bon père ». Voici d'abord l'histoire de son mariage : Mlle Duperré était une des plus nobles et des plus belles héritières de La Rochelle. Comme sa mère était morte, elle faisait les honneurs de la maison de M. Duperré. Elle apprit un jour que M. de La Clos, l'auteur des *Liaisons dangereuses*, venait à La Rochelle passer au moins une saison, pour continuer ses études sur l'artillerie. « Jamais, dit-elle avec effroi, jamais M. de La Clos ne sera accueilli dans notre salon. » La Clos répondit à l'ami officieux qui lui répéta ce mot : « Je songe à me marier ; je veux épouser avant six mois Mlle Duperré. » En effet, six mois après, La Clos était le beau-frère du jeune marin qui devint plus tard l'amiral Duperré, ministre de la Marine.

La Clos eut trois enfants : deux garçons et une fille. Aujourd'hui, ces trois enfants sont morts sans postérité. L'aîné est mort à vingt-cinq ans, colonel d'artillerie. Le cadet est mort l'an passé à Paris, éligible, ainsi que le témoigne l'*Almanach des 25 000 adresses*. Il a beaucoup souffert des attaques, presque toujours injustes, prodiguées à la mémoire de son père. Ces attaques contre le père atteignirent le fils. M. Charles de La Clos a rassemblé tout ce qui pouvait servir à faire bien connaître son père.

L'auteur des *Liaisons dangereuses* est mort à Tarente, général d'artillerie, plus pauvre que Malfilâtre et Gilbert[25]. La France n'était pas riche alors, du moins en argent comptant. Il est mort fier des triomphes de son pays, profondément attristé par la misère qui menaçait sa femme et ses trois enfants. La fortune, sans doute, y a pris garde : le dernier des La Clos est mort ayant 50 000 livres de rentes.

J'espère un jour, Monsieur, vous communiquer de très curieuses lettres de La Clos à sa femme, d'abord les lettres d'adieu de La Clos révolutionnaire datées de la prison le 9 thermidor (il devait mourir le 10), et les lettres d'adieu de La Clos soldat datées de Tarente[26].

CHARLES BAUDELAIRE

[NOTES SUR « LES LIAISONS DANGEREUSES »]

1866

[I]

BIOGRAPHIE

BIOGRAPHIE MICHAUD

Pierre-Ambroise-François Choderlos de Laclos né à Amiens en 1741.

À 19 ans, sous-lieutenant dans le corps royal du génie.

Capitaine [en] 1778, il construit un fort à l'île d'Aix.

Appréciation ridicule des *Liaisons dangereuses* par la *Biographie Michaud*, signée Beaulieu, édition 1819.

En 1789, secrétaire du duc d'Orléans. Voyage en Angleterre avec Philippe d'Orléans.

En 91, pétition provoquant la réunion du Champ-de-Mars.

Rentrée au service en 92, comme maréchal de camp.

Nommé gouverneur des Indes françaises, où il ne va pas.

À la chute de Philippe, enfermé à Picpus.

(Plans de réforme, expériences sur les projectiles.)

Arrêté de nouveau, relâché le 9 Thermidor.

Nommé secrétaire général de l'administration des hypothèques.

Il revient à ses expériences militaires et rentre au service, général de brigade d'artillerie. Campagnes du Rhin et d'Italie, mort à Tarente, 5 octobre 1803.

Homme vertueux, « bon fils, bon père, excellent époux ».

Poésies fugitives.

Lettre à l'Académie française en 1786, à l'occasion du prix proposé pour l'éloge de Vauban (1 440 millions).

FRANCE LITTÉRAIRE DE QUÉRARD, 1828

La première édition des *Liaisons dangereuses* est de 1782.
Causes secrètes de la Révolution du 9 au 10 thermidor par Vilate, ex-juré au tribunal révolutionnaire.
Paris, 1795.
Continuation des *Causes secrètes*, 1795.

LOUANDRE ET BOURQUELOT

Il faut, disent-ils, ajouter à ses ouvrages *Le Vicomte de Barjac.*
Erreur, selon Quérard, qui rend cet ouvrage au marquis de Luchet.

HATIN

31 octobre an II de la Liberté, Laclos est autorisé à publier la correspondance de la Société des Amis de la Constitution séante aux Jacobins.
Journal des Amis de la Constitution.
En 1791, Laclos quitte le journal, qui reste aux Feuillants.

[II]
NOTES

Ce livre, s'il brûle, ne peut brûler qu'à la manière de la glace.

Livre d'histoire.
Avertissement de l'éditeur et préface de l'auteur (sentiments feints et dissimulés).

— Lettres de mon père (badinages).

La Révolution a été faite par des voluptueux.

Nerciat[1] (utilité de ses livres).

Au moment où la Révolution française éclata, la noblesse française était une race physiquement diminuée (de Maistre[2]).

Les livres libertins commentent donc et expliquent la Révolution.

Ne disons pas : *Autres mœurs que les nôtres*, disons : *Mœurs plus en honneur qu'aujourd'hui.*

Est-ce que la morale s'est relevée ? Non, c'est que l'énergie du mal a baissé. — Et la niaiserie a pris la place de l'esprit.

La fouterie et la gloire de la fouterie étaient-elles plus immorales que cette manière moderne *d'adorer* et de mêler le saint au profane ?

On se donnait alors beaucoup de mal pour ce qu'on avouait être une bagatelle, et on ne se damnait pas plus qu'aujourd'hui.

Mais on se damnait moins bêtement.

On ne se pipait pas.

George Sand

Ordure et jérémiades.

En réalité, le satanisme a gagné. Satan s'est fait ingénu. Le mal se connaissant était moins affreux et plus près de la guérison que le mal s'ignorant. G. Sand inférieure à de Sade.

Ma sympathie pour le livre.

Ma mauvaise réputation.

Ma visite à Billault.

Tous les livres sont immoraux.

Livre de moraliste aussi haut que les plus élevés, aussi profond que les plus profonds.

À propos d'une phrase de Valmont (à retrouver) :

Le temps des Byron venait.

Car Byron était *préparé*, comme Michel-Ange.

Le grand homme n'est jamais aérolithe.

Chateaubriand devait bientôt crier à un monde qui n'avait pas le droit de s'étonner :

« Je fus toujours vertueux sans plaisir. J'eusse été criminel sans remords[3]. »

Caractère sinistre et satanique.

Le satanisme badin.

Comment on faisait l'amour sous l'Ancien Régime.

Plus gaîment, il est vrai.

Ce n'était pas *l'extase*, comme aujourd'hui, c'était *le délire.*

C'était toujours le mensonge, mais on n'adorait pas son semblable. On *le trompait*, mais on *se trompait* moins soi-même.

Les mensonges étaient d'ailleurs assez bien soutenus quelquefois pour induire la comédie en tragédie.

Ici, comme dans la vie, la palme de la perversité reste à [la] femme.

(Saufeia). Fœmina simplex dans sa petite maison.

Manœuvres de l'Amour.

Belleroche. Machines à plaisir.

Car Valmont est surtout un vaniteux. Il est d'ailleurs généreux, toutes les fois qu'il ne s'agit pas de femmes et de sa gloire.

Le dénouement.

La petite vérole (grand châtiment).

La Ruine.

Caractère général sinistre.

La détestable humanité se fait un enfer préparatoire.

L'amour de la guerre et la guerre de l'amour.

La gloire. L'amour de la gloire. Valmont et la Merteuil en parlent sans cesse, la Merteuil moins.

L'amour du combat. La tactique, les règles, les méthodes. La gloire de la victoire.

La stratégie pour gagner un prix très frivole.

Beaucoup de sensualité. Très peu d'amour, excepté chez Mme de Tourvel.

Puissance de l'analyse racinienne.
Gradation.
Transition.
Progression.
Talent rare aujourd'hui, excepté chez Stendhal, Sainte-Beuve et Balzac.

Livre essentiellement français.

Livre de sociabilité, terrible, mais sous le badin et le convenable.
Livre de sociabilité.

LIAISONS DANGEREUSES.

« Cette défaveur (qui s'attache aux émigrés et à leurs entreprises) surprendra peu les hommes qui pensent que la Révolution française a pour cause principale la dégradation morale de la noblesse.
« M. de Saint-Pierre observe quelque part, dans ses *Études sur la Nature*, que si l'on compare la figure des nobles français à celle de leurs ancêtres, dont la peinture et la sculpture nous ont transmis les traits, on voit à l'évidence que ces races ont dégénéré. »
Considérations sur la France, p. 197, de l'édition sous la rubrique de Londres, 1797, in-8.

[III]

INTRIGUE ET CARACTÈRES

INTRIGUE

Comment vient la brouille entre Valmont et la Merteuil.
Pourquoi elle devait venir.
La Merteuil a tué la Tourvel.
Elle n'a plus rien à vouloir de Valmont.
Valmont est dupe. Il dit à sa mort qu'il regrette la Tourvel, et de l'avoir sacrifiée. Il ne l'a sacrifiée qu'à son Dieu, à sa vanité, à sa gloire, et la Merteuil le lui dit même crûment, après avoir obtenu ce sacrifice.
C'est la brouille de ces deux scélérats qui amène les dénouements.

Les critiques faites sur le dénouement relatif à la Merteuil.

CARACTÈRES

À propos de Mme de Rosemonde, retrouver le portrait des vieilles femmes, bonnes et tendres, fait par la Merteuil.

Cécile, type parfait de la détestable jeune fille, niaise et sensuelle.

Son portrait, par la Merteuil, qui excelle aux portraits. (Elle ferait bien, même celui de la Tourvel, si elle n'en était pas horriblement jalouse, comme d'une supériorité.) Lettre XXXVIII.

La jeune fille. La niaise, stupide et sensuelle. Tout près de l'ordure originelle.

La Merteuil. Tartuffe femelle, tartuffe de mœurs, tartuffe du XVIIIe siècle.

Toujours supérieure à Valmont, et elle le prouve.

Son portrait par elle-même. Lettre LXXXI. Elle a d'ailleurs du bon sens et de l'esprit.

Valmont, ou la recherche du pouvoir par le Dandysme. Don Juan et la feinte de la dévotion.

La présidente. (Seule, appartenant à la bourgeoisie[4]. Observation importante.) Type simple, grandiose, attendrissant. Admirable création. Une femme naturelle. Une Ève touchante. La Merteuil, une Ève satanique.

D'Anceny, fatigant d'abord par la niaiserie, devient intéressant. Homme d'honneur, poète et beau diseur.

Mme de Rosemonde. Vieux pastel, *charmant* portrait à barbes[5] et à tabatière.

Ce que la Merteuil dit des vieilles femmes.

[IV]

CITATIONS
POUR SERVIR AUX CARACTÈRES

Que me proposez-vous ? de séduire une jeune fille qui n'a rien vu, ne connaît rien... Vingt autres y peuvent réussir comme moi. Il n'en eſt pas ainsi de l'entreprise qui m'occupe : son succès m'assure autant de gloire que de plaisir. L'amour qui prépare ma couronne, hésite lui-même entre le myrte et le laurier...

Lettre IV. — Valmont à Mme de Merteuil.

J'ai bien besoin d'avoir cette femme pour me sauver du ridicule d'en être amoureux... J'ai, dans ce moment, un sentiment de reconnaissance pour les femmes faciles, qui me ramène naturellement à vos pieds.

Lettre IV. — Valmont à Mme de Merteuil.

Conquérir eſt notre deſtin : il faut le suivre.

Lettre IV. — Valmont à Mme de Merteuil.

(Note ; car c'eſt aussi le deſtin de Mme de Merteuil. Rivalité de gloire.)

Me voilà donc, depuis quatre jours, livré à *une passion forte.*

Lettre IV. — Valmont à la Merteuil.

Rapprocher ce passage d'une note de Sainte-Beuve sur le goût de la passion dans l'École romantique.

Depuis sa plus grande jeunesse, jamais il n'a fait un pas ou dit une parole sans avoir un projet, et jamais il n'eut [un projet qui ne fût malhonnête ou criminel]. Aussi, si Valmont était entraîné par des passions fougueuses ; [si, comme mille autres, il était séduit par les erreurs de son âge, en blâmant sa conduite, je plaindrais sa personne, et j'attendrais, en silence, le temps où un retour heureux lui rendrait l'eſtime des gens honnêtes]. Mais Valmont n'eſt pas cela... etc.

Lettre IX. — Mme de Volanges à la présidente de Tourvel.

Cet entier abandon de soi-même, ce délire de la volupté, où le plaisir *s'épure par son excès*, ces biens de l'amour ne sont pas connus d'elle... Votre présidente croira avoir tout fait pour vous en vous traitant comme son mari, et, dans le tête-à-tête conjugal le plus tendre, on est toujours *deux*.

Lettre V. — La Merteuil à Valmont.

(Source de la sensualité mystique et des sottises amoureuses du XIXe siècle.)

J'aurai cette femme. Je l'enlèverai au mari *qui la profane* (G. Sand). J'oserai la ravir au Dieu même qu'elle adore (Valmont Satan, rival de Dieu). Quel délice d'être tour à tour l'objet et le vainqueur de ses remords ! Loin de moi l'idée de détruire les préjugés qui l'assiègent ! Ils ajouteront à mon bonheur et à ma gloire. Qu'elle croie à la vertu, mais qu'elle me la sacrifie... Qu'alors, j'y consens, elle me dise : « Je t'adore ! »

Lettre VI. — Valmont à la Merteuil.

Après ces préparatifs, pendant que Victoire s'occupe des autres détails, je lis un chapitre du *Sopha*, une *lettre d'Héloïse*, et deux *contes* de La Fontaine, pour recorder les différents tons que je voulais prendre.

Lettre X. — La Merteuil à Valmont.

Je suis indigné, je l'avoue, quand je songe que cet homme, sans *raisonner*, sans *se donner la moindre peine*, en *suivant tout bêtement l'instinct de son cœur*, trouve une félicité à laquelle je ne puis atteindre. Oh ! je la troublerai !

Lettre XV. — Valmont à la Merteuil.

J'avouerai ma faiblesse. Mes yeux se sont mouillés de larmes... J'ai été étonné du plaisir qu'on éprouve en faisant le bien...

Lettre XXI. — Valmont à la Merteuil.

Don Juan devenant Tartuffe, et charitable par intérêt.

Cet aveu prouve à la fois l'hypocrisie de Valmont, sa haine de la vertu et, en même temps, un reste de sensibilité, par quoi il est inférieur à la Merteuil, chez qui tout ce qui est humain est calciné.

J'oubliais de vous dire que pour mettre tout à profit, j'ai demandé à ces bonnes gens de prier Dieu pour le succès de mes projets.

Lettre XXI. [Valmont à la Merteuil.]

Impudence et raffinement d'impiété.

Elle est vraiment délicieuse... Cela n'a ni caractère ni principes. Jugez combien [sa société sera douce et facile]... Sans esprit et sans finesse [, elle a pourtant une certaine fausseté naturelle...] En vérité, je suis [presque jalouse de celui à qui ce plaisir est réservé.]

Lettre XXXVIII. — La Merteuil à Valmont.

Excellent portrait de la Cécile.

Il est si sot encore qu'il n'en a pas seulement obtenu un baiser. Ce garçon-là fait pourtant de fort jolis vers ! Mon Dieu ! que ces gens d'esprit sont bêtes !

Lettre XXXVIII. [La Merteuil à Valmont.]

Commencement du portrait de Danceny, qui attirera lui-même la Merteuil.

Je regrette de n'avoir pas le talent des filous... Mais nos parents ne songent à rien.

Suite de la Lettre XL. — Valmont à la Merteuil.

Elle veut que je sois *son ami.* (La malheureuse victime en est déjà là)...

Et puis-je me venger moins d'une femme hautaine qui semble rougir d'avouer qu'elle adore ?

Lettre LXX. — Valmont à la Merteuil.

À propos de la Vicomtesse :

Le parti le plus difficile ou le plus gai est toujours celui que je prends ; et je ne me reproche pas une bonne action, pourvu qu'elle m'exerce ou m'amuse.

Lettre LXXI. — Valmont à la Merteuil.

(Portrait de la Merteuil par elle-même.)

Que vos craintes me causent de pitié ! Combien elles me prouvent ma supériorité sur vous !... Être orgueilleux et faible, il te sied bien de vouloir calculer mes moyens et juger de mes ressources !

(La femme qui veut toujours faire l'homme, signe de grande dépravation.)

. . . .

Imprudentes, qui dans leur amant actuel ne savent pas voir leur ennemi futur...

Je dis : mes principes... Je les ai créés, et je puis dire que je suis mon ouvrage.

Ressentais-je quelque chagrin… J'ai porté le zèle jusqu'à me causer des douleurs volontaires, pour chercher pendant ce temps l'expression du plaisir. Je *me suis travaillée* avec le même soin pour réprimer les symptômes d'une joie inattendue.

Je n'avais pas quinze ans, je possédais déjà les talents auxquels la plus grande partie de nos politiques doivent leur réputation, et [je ne me trouvais encore qu'aux premiers éléments de la science que je voulais acquérir].

Ma tête seule fermentait. Je ne désirais pas de jouir, *je voulais* SAVOIR. (George Sand et autres.)

Lettre LXXXI. — La Merteuil à Valmont.

Encore une touche au portrait de la petite Volanges par la Merteuil :

Tandis que nous nous occuperions à former cette petite fille pour l'intrigue [nous n'en ferions qu'une femme facile]. Ces sortes de femmes ne sont absolument que des machines à plaisir.

Lettre CVI. — La Merteuil à Valmont.

Cet enfant eſt réellement séduisant. Ce contraſte de la candeur naïve avec le langage de l'effronterie, ne laisse pas de faire de l'effet ; et je ne sais pourquoi, il n'y a plus que les choses bizarres qui me plaisent.

Lettre CX. — Valmont à la Merteuil.

Valmont se glorifie et chante son futur triomphe :

Je la montrerai, dis-je, oubliant ses devoirs… Je ferai plus, je la quitterai… Voyez mon ouvrage, et cherchez-en dans le siècle un second exemple !

Lettre CXV. — Valmont à la Merteuil.

Citation *Importante.*

La note et l'annonce de la fin.
Champfleury[6].
Lui écrire.

J'ai trouvé plaisant d'envoyer une lettre écrite du lit même.

Ch. Testa et A. Besson.
Édition de Paris, Boulanger, 1894.

Aubrey Beardsley.
«Count Valmont», «The Savoy», nº 8, 1896.

HEINRICH MANN

[INTRODUCTION À LA TRADUCTION ALLEMANDE DES « LIAISONS DANGEREUSES »]

Leipzig, 1905

[Extrait]

[...] Libre de tout lien, exempt de toute sentimentalité, mobile et toujours prêt à se battre avec bravoure, totalement désinvolte et comblé, Valmont, élégant félin centré sur lui-même avec nonchalance, est le frère cadet de Pippo Spano*, et l'homme de l'époque rococo un représentant attardé de la Renaissance. Certes, il a moins de force et plus de vanité. La sensibilité, tout comme le style de l'art a, au cours des trois siècles qui les séparent, perdu de sa vigueur. Celle-ci a disparu, remplacée par des fioritures, mais le tracé général est le même, et le chemin suivi par la culture n'a pas encore été bouleversé ni brutalement interrompu par des mains violentes. Un salon du milieu du XVIIIe siècle est la réplique affadie d'une république du XVe, dans la façon de penser, dans les instincts qu'elle fait triompher, dans la ténacité de ses pulsions de vengeance qui dégénèrent en mesquineries, dans une foule de mots crus qui jaillissent brutalement des bruissements de soie qui s'y font entendre, dans une infinité de sentiments brutaux et d'actions frauduleuses que l'on recouvre de dentelles. Faire d'une rencontre amoureuse une embuscade est l'une des choses les moins violentes, fouiller à fond le contenu d'un secrétaire qui ne vous appartient pas l'un des

---

Traduction et notes de Chantal Simonin.

* *Pippo Spano*, condottiere de la Renaissance représenté sur une fresque d'Andrea del Castagno à Florence, est le titre d'une nouvelle que Heinrich Mann a rédigée à Florence en 1903.

gestes les moins indélicats. « Je regrette de n'avoir pas le talent des filous. [...] Mais nos parents ne pensent à rien[1]. » À l'autre bout de l'échelle des possibles, quelqu'un s'écrie : « Une fois parvenu à ce triomphe, je dirai à mes rivaux : "Voyez mon ouvrage, et cherchez-en dans le siècle un second exemple !" » Un Romain pouvait parler ainsi, qui avait conquis la moitié d'un continent, un condottiere qui s'était emparé, à force de ruses, d'une bourgade assiégée pendant des années. Le César du XVIIIe siècle, lui, le proclame alors qu'une femme est sur le point de lui succomber.

Combien l'époque était perverse ! Comme il devait avoir conscience à tout moment de l'inimitié régnant entre les hommes, comme il devait se rétracter contre toute étincelle de bienveillance, cet homme qui a pu froidement traquer une malheureuse pour lui infliger torture sur torture et arracher à cette âme des mélodies dictées par des tourments — tout cela pour sa propre gloire ! Qui, parmi ceux qui lui succédèrent, fut en mesure de le comprendre, après que l'ancienne société eut volé en éclats ? Elle seule, avec ces vanités qui ne cessaient de s'affronter, fut capable de donner naissance à de tels cerveaux. L'homme ne devient pervers que lorsqu'il est en société et qu'il cherche à agir ; seul dans sa chambre, il ne l'est pas, pas plus qu'il ne l'est seul dans la forêt. Ceux qui s'abîment dans une contemplation solitaire inclinent à la bonté, et c'est bonne et naïve que sera l'époque romantique, naïve et bonne même chez ses libertins. On se met à souhaiter vivement que les deux sexes vivent en paix. On finit presque par oublier qu'ils étaient en guerre, il faudra le redécouvrir plus tard comme une nouvelle vérité. Comme Valmont aurait alors haussé les épaules ! Le visage entraîné de la marquise de Merteuil serait, lui, resté impassible.

Car la marquise, par principe, ne dit jamais ce qu'elle pense, elle s'arrange pour qu'on ne le devine pas. Dès son entrée dans le monde, elle a entrepris un travail sur elle-même, elle a réprimé toute joie involontaire, elle s'est infligé des souffrances pour apprendre à les cacher derrière une apparence de gaîté. Elle n'a manifesté aucun plaisir pendant sa nuit de noces afin que son époux la tienne pour frigide et qu'il ait toute confiance en elle. Parmi ses amants, il n'en est pas un qui ne soit convaincu d'être le seul. Aucun de leurs prédécesseurs ou de ceux qui partagent la même fortune n'a le droit d'ébruiter ce que la marquise, elle, sait, car de tous, y compris de Valmont, elle connaît un secret dangereux. Elle a conscience de surpasser mille fois les exploits de Valmont, bien sûr, il a précipité bien des femmes dans le malheur, mais il lui est aussi arrivé d'échouer, c'était alors un succès de moins. Elle en tout cas, elle ose. Comme il lui faut être plus rusée ! « Croyez-moi, Vicomte, on acquiert rarement les qualités dont on peut se passer. » Dans l'orgueil qu'elle met à tenir en bride ses amants, à vivre en bravant la société, elle manifeste la volonté d'une Catherine Sforza*. C'est elle qui, assurément, occupe le zénith de ce siècle. C'est sans raison que Valmont se compare à Turenne et à Frédéric II, et c'est pure vantardise. Le matériau avec lequel il travaille est trop peu viril, comme il s'en rend compte, semble-t-il, une fois seulement. Il a, dans ce siècle féminin, toujours le second rôle. Seule la Merteuil, ce génie féminin, fait de l'intrigue amoureuse une haute philosophie et l'élève au rang d'un jeu grandiose dont l'enjeu sera la puissance : « conquérir est notre destin ». « Descendue dans mon cœur, j'y ai étudié celui des autres. » Valmont ne connaît que ce qui le concerne, ce que l'expérience du séducteur lui a appris. Il a par exemple des idées totalement fausses sur les femmes âgées. Il n'imagine même pas ce que son ancienne maîtresse, la marquise de Merteuil, ressent en réalité pour lui depuis qu'ils se sont séparés à l'amiable, il croit qu'une telle femme a pu lui pardonner cet abandon. Elle seule est à même de percer à jour tous les êtres, elle seule est armée pour les rencontrer tous. Libertine dans tous les sens du terme, elle en vient, au cours de ses réflexions immorales, à formuler les maximes les plus audacieuses. C'est une esthète. Elle se prépare par différentes lectures à l'atmosphère que ses nuits d'amour devront lui apporter, et en arrive à d'étranges comportements érotiques. Son tempérament d'artiste lui fait haïr la platitude, et ces femmes faciles, parce que bêtes, qui ne sont rien d'autre que des machines à plaisir. Pour ne surtout pas s'enliser dans les pratiques ordinaires, elle va, dans le rôle de conseillère de la jeunesse, jusqu'aux limites de la perversité manifeste. Quelle manière avisée de corrompre une petite créature confiante ! Et cette façon dont elle dirige la main vaniteuse

* Personnage féminin de la Renaissance, célèbre pour avoir défendu avec acharnement les droits de ses enfants.

de Valmont pour qu'il donne sciemment la mort à sa maîtresse ! Elle se considère comme l'alliée de l'ennemi de son propre sexe. Elle seule marque véritablement dans l'humanité l'endroit où plus rien d'humain ne pénètre. La femme de la Renaissance ne lui arrive pas à la cheville. À supposer que la vie de Catherine Sforza se résumerait tout entière dans ce moment où elle s'est écriée sur le rempart d'Imola : « Mon enfant ? Tuez-le donc, je ferai mieux », eh bien, même alors, celle-ci n'égalerait pas la marquise de Merteuil. Cette femme est inaccessible. Le comble du vice est inaccessible comme l'est le comble de la pureté. Rien ne pourrait la faire sombrer. Seul son propre orgueil finit par en venir à bout. Et lorsque tout est découvert et qu'elle se voit huée dans le foyer d'un théâtre par cette même société qui lui prodiguait ses faveurs, par ces demi-voyous hypocrites auxquels n'ont manqué que l'audace et le génie pour devenir ce qu'elle est, alors sa grandeur se libère. Elle triomphe encore au moment même où elle sombre. Personne ne peut croire qu'elle se sent touchée, et le public, presque horrifié tant sa physionomie reste impassible, ne peut que la huer toujours plus fort.

Où donc est-elle depuis qu'elle a disparu ? Jusqu'à cette heure elle n'est jamais réapparue, même sous une forme affadie comme le fit Valmont. Chez Balzac, dans l'œuvre de celui qui donnera à son tour forme à une société, la femme la plus dangereuse n'est pas une marquise, c'est une prostituée petite-bourgeoise. Et cette Marnesse[2] ne fait que laisser un pauvre vieux se détruire à cause d'elle. C'est à peine si elle-même intervient. Peu d'initiative des sens, encore moins de l'esprit. Plus de philosophie, juste quelques cynismes proférés par des putains. Quelle chute immense, alors que venait tout juste de régner au sommet de la culture la perversité la plus farouche ! Jamais la perversité ne fut plus farouche que chez la marquise de Merteuil, et comme dans l'art seule compte l'intensité, on est autorisé à croire que la Merteuil est l'une des plus grandes figures de la littérature mondiale.

FERNAND NOZIÈRE

LES LIAISONS DANGEREUSES

Pièce en 3 actes, Paris,
Société générale d'éditions illustrées, 1908

Dans le château de Mme de Rosemonde l'appartement de Cécile Volanges. Une petite pièce très élégante et très virginale.
À droite, la porte donnant sur le couloir de la maison.
À gauche, au fond, une large porte donnant sur la chambre de Cécile.

ACTE III

SCÈNE PREMIÈRE

CÉCILE, *seule*

Au lever du rideau, Cécile est devant un petit bureau. Elle est en négligé et prête à se mettre au lit ; elle achève d'écrire une lettre et elle la relit.

CÉCILE : « Ma chère Sophie. Tu me demandes avec tant d'insistance de te parler de M. de Valmont, que je te soupçonnerais d'en être amoureuse, si tu ne le connaissais que par mes lettres. Il ressemble un peu à ce jeune homme qui accompagna un jour au couvent, notre amie Henriette et sa mère. Mais il paraît moins timide. C'est un homme bien extraordinaire ! Maman en dit beaucoup de mal…, mais le chevalier Danceny en dit beaucoup de bien ! et je crois que c'est lui qui a raison ! Je n'ai jamais vu d'homme aussi adroit. J'ai peur qu'il ne s'ennuie bientôt de la vie qu'on mène ici et qu'il ne s'en retourne à Paris ; cela serait bien fâcheux. Il faut qu'il ait bien bon cœur de rester exprès pour rendre service à son ami et à moi. Je voudrais bien lui en témoigner ma reconnaissance, mais je ne sais comment faire. Il m'a promis que si je me laissais conduire, il me procurerait l'occasion de revoir le chevalier Danceny. Je ferai bien assez ce qu'il voudra, mais je ne peux pas concevoir que cela soit possible.

« Adieu, ma bonne amie… je n'ai plus de place. »

Elle ferme sa lettre, pose son cachet. Puis elle s'étire, soupire. Elle se dirige lentement vers sa chambre. Au moment où elle va y pénétrer, la porte de droite s'ouvre, et, drapé dans un large manteau apparaît Valmont. Cécile l'aperçoit et est sur le point de pousser un cri. Valmont lui fait signe de se taire.

SCÈNE II

VALMONT, CÉCILE

VALMONT : Chut !

CÉCILE : Monsieur ! Monsieur ! Qu'y a-t-il ? le chevalier ?…

VALMONT : Il va très bien !

CÉCILE, *mettant la main sur son cœur* : Ah !

VALMONT, *la soutenant* : Je vous ai fait peur ? *(Il la conduit jusqu'au fauteuil.)*

CÉCILE : Je vais très bien ! *(Valmont dépose son chapeau et son épée.)*

CÉCILE : Que faites-vous ?

VALMONT : Mon épée m'embarrasse !

CÉCILE : Je vous en conjure, retirez-vous !… *(Elle pousse un cri en voyant qu'elle est à peine vêtue.)*

VALMONT : Quoi ?

CÉCILE : Je suis à peine vêtue !

VALMONT, *enlevant son manteau et en enveloppant Cécile* : Prenez mon manteau !

CÉCILE : Vous ne pouvez rester ici !

VALMONT : Pourquoi ?

CÉCILE : Ne riez pas, Monsieur. Vous sentez que je serais perdue si l'on vous voyait sortir de ma chambre à minuit.

VALMONT : Il vaut donc mieux que j'y attende le jour.

CÉCILE : Vite ! Vite ! Dites-moi pourquoi vous avez dû vous introduire ici à cette heure ? Vous avez une lettre pour moi ?

VALMONT : Non ! À la vérité, le chevalier Danceny a griffonné tout à l'heure un billet.

CÉCILE : Vous l'avez vu ?

VALMONT : Il est chez moi !

CÉCILE : Quand est-il arrivé ?

VALMONT : À 9 heures !

CÉCILE : Et ce billet ?

VALMONT : Il ne me l'a pas confié. Il a pensé sans doute qu'il n'était point parfait ni digne de vous être adressé.

CÉCILE : Il vous a donc prié de venir aussitôt m'annoncer qu'il était là, près de moi ?

VALMONT : Non !

CÉCILE : Monsieur, Monsieur, je devine votre plan ! Vous m'avez promis de me procurer le moyen de revoir le chevalier et sans doute vous l'avez amené jusqu'à moi. Il est derrière cette porte dans le couloir. Mais je ne consentirai pas à le recevoir.

VALMONT : Calmez-vous ! Il n'est pas ici ! Il ne sait même pas que je suis venu ! Il dort !

CÉCILE : Mais je ne comprends plus.

VALMONT, *il se lève* : C'est très simple, cependant ! La nuit est belle ! J'étouffais dans ma chambre. Je me suis légèrement habillé (vous voudrez bien excuser la simplicité de mon costume) et je me suis promené dans le parc. N'aimeriez-vous pas la beauté de la nuit, Mademoiselle ?

CÉCILE, *elle va à la fenêtre* : Mais, Monsieur, quand je l'aimerais.

VALMONT, *soulevant les rideaux de la fenêtre* : Voyez cette lumière qui fait les arbres si légers, si vaporeux. Voyez-vous la caresse des rayons pâles, la nudité des statues de marbre. Le ciel est si beau et quelques étoiles semblent dorées ! Quel silence ! Quel émoi ! Il semble qu'on entende la nature respirer, soupirer comme une femme amoureuse ! Le moyen de ne pas demeurer éveillé devant un tel spectacle.

CÉCILE : Il est vrai que je suis restée longtemps à ma fenêtre. J'étais heureuse, et j'aurais presque pleuré.

VALMONT : Ne vous étonnez donc pas de ma promenade nocturne. Sans y songer, j'ai franchi la haie qui sépare des miennes les terres de Mme de Rosemonde. J'ai traversé le petit bois qui semblait très mystérieux ! Je suis arrivé dans le parterre où des roses tremblaient et s'effeuillaient ! Ému par la douceur de l'heure, j'ai eu, tout à coup, brusquement l'idée de vous voir et de vous faire partager mon extase ! Ma tante, comme vous savez, m'a donné la clef de la maison et vous avez bien voulu me confier la clef de votre chambre. Me voici !

CÉCILE : Partez !

VALMONT, *se lève* : Ne voulez-vous pas goûter avec moi la joie de cette nuit d'été ?

CÉCILE : Mais que dirait-on, Monsieur, si l'on m'apercevait avec vous, dans les allées ? On penserait que je vous ai fixé un rendez-vous.

VALMONT : Vous avez raison, Mademoiselle ! Restons ici ! *(Il s'assied et prend la main de Cécile qui résiste.)*

CÉCILE : Je vous ordonne, Monsieur, de me laisser en repos.

VALMONT : Ne m'est-il pas permis de baiser votre main ? Je prends congé de vous.

CÉCILE : Baisez-la donc !

VALMONT, *caressant* : La jolie main.

CÉCILE : Laissez !

VALMONT, *la caressant* : Ce n'est pas une main froide et pure de princesse. On n'imagine pas qu'elle s'offre sur un coussin de velours à la dévotion des courtisans. C'est une main d'une douceur exquise et d'une grande sensibilité. Elle implore, elle frissonne… Elle vit ! Ses doigts ne sont pas impérieux ! Ils ne se dressent pas pour donner des ordres. Ils se ferment pour répandre des caresses. *(Il baise la main et le poignet.)*

CÉCILE : Ce n'est pas ainsi, Monsieur, qu'on baise une main.

VALMONT : Mais si, mais si, Mademoiselle. *(Ses lèvres montent le long du bras.)*

CÉCILE : Monsieur, ce n'est plus ma main que vous baisez… C'est mon bras !

VALMONT : Il est vrai qu'il est délicieux.

CÉCILE : Assez !

VALMONT : Je m'arrête ! *(En effet, il s'arrête et embrasse longuement le milieu du bras. Malgré elle, Cécile ferme le bras pour mieux sentir les lèvres de Valmont.)*

CÉCILE, *soupirant* : Ah !

VALMONT : C'est fini !

CÉCILE, *d'une voix plus tendre* : Au revoir, Monsieur... au revoir.

VALMONT : Au revoir, Mademoiselle.

CÉCILE : Vous ne partez pas ?

VALMONT : Et mon manteau ?

CÉCILE : Je vais vous le rendre. *(Elle défait le manteau de Valmont dont elle s'était enveloppée, et elle le place entre elle et Valmont, de façon qu'il ne peut voir son costume léger.)*

VALMONT : Merci !

CÉCILE, *tenant toujours entre eux le manteau* : Ne me regardez pas.

VALMONT : Non !

CÉCILE, *idem* : Vous vous éloignerez sans tourner les yeux vers moi !

VALMONT : Oui !

CÉCILE, *idem* : Vous le jurez ?

VALMONT : Par l'amour !

CÉCILE : Sur l'honneur ?

VALMONT : Si vous voulez !

CÉCILE : Partez donc ! *(Elle lâche le manteau et Valmont qui feignant de le tenir le laisse tomber.)*

VALMONT : Que je suis maladroit !

CÉCILE, *se cachant la figure dans ses mains* : Oh !

VALMONT, *agenouillé sur son manteau* : Cécile ! Cécile ! Laissez-moi vous admirer. Ne me privez pas de cette minute adorable !

CÉCILE : Non ! Non ! Monsieur, cette plaisanterie n'a que trop duré !

VALMONT : Ce n'est pas une plaisanterie.

CÉCILE, *très digne* : Je vous ordonne de vous retirer.

VALMONT : Votre dignité me plaît, et j'aime, sous cette coiffure de nuit, la noblesse de votre visage !

CÉCILE : Prenez garde, Monsieur. Ne m'obligez pas à appeler M. de Belleroche dont l'appartement n'est pas très éloigné.

VALMONT : Vous pouvez l'appeler. Il n'est point là. Il soupire, en ce moment, auprès de ma filleule Georgette, et il ne reviendra qu'à l'aube.

CÉCILE : J'ai du moins les gens de service. *(Elle s'élance vers la sonnette.)*

VALMONT, *l'arrêtant et la serrant sur son cœur* : Êtes-vous folle !

CÉCILE : Laissez-moi !

VALMONT, *la tenant toujours enlacée* : Si vous provoquez un éclat, que ne dira-t-on pas de vous ? Songez que vous m'avez donné votre clef ! Si j'ai pu pénétrer cette nuit dans votre chambre, c'est que vous m'en avez fourni les moyens. Nous sommes d'accord !

CÉCILE : Je dirai la vérité. J'avouerai que je suis en correspondance avec Danceny.

VALMONT : On pensera que vous avez deux intrigues. À qui persuaderez-vous que je ne suis que votre messager ? Je vous préviens que je n'accepterai pas un rôle aussi ridicule. J'affirmerai que je suis ici de votre consentement et que cette nuit n'est pas la première que je passe auprès de vous !

CÉCILE, *pleurant* : Monsieur de Valmont, je vous en supplie ! Jamais je n'ai été méchante envers vous ! Je vous aimais bien, je vous admirais ! Ce soir même, je l'écrivais à une amie de couvent ! Ne me perdez pas !

VALMONT : Mais je ne vous veux point de mal ; c'est vous qui me menacez d'appeler des valets et de me chasser honteusement ! Agissez-vous en amie ?

CÉCILE, *pleurant toujours* : Je vous demande pardon !

VALMONT, *essuyant les yeux de Cécile* : Ne pleurez pas ! Notre situation n'est pas si triste. La nuit est belle ! Nous sommes seuls et je vous dis que je vous trouve jolie. Y a-t-il là de quoi verser des larmes ?

CÉCILE, *avec quelques sanglots* : Non !

VALMONT : Je ne vous suis pas odieux et vous n'avez pas trop cruellement souffert quand j'ai baisé votre main !

CÉCILE, *souriant* : Et mon bras !

VALMONT : Et votre bras. *(Il le baise amoureusement, longuement.)*

CÉCILE : Ah !

VALMONT : Je vous ai fait mal ?

CÉCILE : Non !

VALMONT : Vous frissonnez ?

CÉCILE : J'ai froid !

VALMONT : Pauvre petite ! Venez que je vous réchauffe ! *(Il l'attire sur ses genoux, la prend dans ses bras et la berce.)*

CÉCILE : Je ne veux pas ! Je ne veux pas !

VALMONT : N'êtes-vous pas bien ? Laissez-vous bercer comme un enfant !… comme un enfant joli ! *(Il l'embrasse dans le cou.)*

CÉCILE : Oh ! j'ai froid !… j'ai froid !… Je sens que je m'évanouis.

VALMONT : Cécile ! *(Il se penche sur ses lèvres.)*

CÉCILE : Non ! Pas cela ! Non ! Non ! Je ne veux pas. *(Elle se dégage.)*

VALMONT, *s'avançant* : Cécile !

CÉCILE, *les mains jointes* : Partez ! Partez !

VALMONT : Vous semblez une petite fille qui fait sa prière.

CÉCILE, *idem* : Partez !

VALMONT : J'y consens !

CÉCILE : Ah ! Je vous remercie. Je savais bien que vous auriez pitié de moi.

VALMONT : Je ne suis pas méchant.

CÉCILE : Vous êtes bon !

VALMONT : Je m'en vais !

CÉCILE : À demain !

VALMONT : Ici ?

CÉCILE : Oh ! Monsieur ! Non ! C'est dans le salon, devant tout le monde que je vous reverrai.

VALMONT : À demain ! Vous êtes satisfaite de ma docilité ?

CÉCILE : Je vous en conserverai une profonde gratitude !

VALMONT : Ne mérité-je pas une récompense ou plutôt un dédommagement ?

CÉCILE : Comment ?

VALMONT, *la menant vers la glace* : Considérez tous les biens que j'abandonne.

CÉCILE, *baissant les yeux* : Ils ne méritent pas tant d'estime !

VALMONT : Quand je renonce à un tel trésor, ne m'accorderez-vous pas un suprême baiser ?

CÉCILE : Vous partirez dès que je vous l'aurai accordé ?

VALMONT : Oui.

CÉCILE : Vous me le jurez ?

VALMONT : Je vous le jure !

CÉCILE : Eh bien…

VALMONT : Eh bien ?

CÉCILE : Eh bien ! puisque je suis à votre merci, faites vite.

VALMONT : Oh ! non ! pas vite !

CÉCILE : Eh bien, Monsieur, faites donc ! *(Elle va à la porte.)*

Valmont l'attire sur ses genoux et, très longuement, il baise ses lèvres. Quand le baiser est achevé, la tête de Cécile repose sur l'épaule de Valmont qui la regarde et qui de nouveau baise ses lèvres. Tout à coup, Cécile se relève.

CÉCILE, *à voix basse* : On marche dans le couloir. *(Elle va à la porte et elle écoute.)* On vient ici ! Cachez-vous !

VALMONT : Où ?

CÉCILE : Dans la chambre !

VALMONT : Mon épée, mon chapeau !

CÉCILE : Allez ! Allez ! Je meurs de peur.

Valmont disparaît dans la chambre, Cécile ferme la porte. Elle revient vite à sa table et ouvre un livre.

Lubin de Beauvais.
Édition de Paris, Ferroud, 1908.

Lubin de Beauvais.
Édition de Paris, Ferroud, 1908.

Lubin de Beauvais.
Édition de Paris, Ferroud, 1908.

ANDRÉ GIDE

LES DIX ROMANS FRANÇAIS QUE...

« La Nouvelle Revue française », avril 1913

[...] Si j'avais à choisir dix romans, sans souci de leur origine, j'en prendrais deux français : *La Chartreuse* serait le premier.

Les Liaisons dangereuses de Laclos serait l'autre.

J'ai tant aimé ce livre d'abord... je me demande à présent si je ne le surfais pas un peu. Il faut que je le relise. Je ne l'ai découvert, fort heureusement, qu'assez tard ; je veux dire : plus près de trente ans que de vingt. Les trop jeunes lecteurs se fatiguent des résistances de Mme de Tourvel ; ils pensent que le livre gagnerait lorsque, cédant plus vite à Valmont, elle trouverait moins longuement, ensuite, à se plaindre. Ils méritent de préférer *Faublas*[1].

Tout dans *Les Liaisons* me déconcerte, et rien de ce que l'on m'apprend sur Laclos ne m'éclaire pour quels motifs il écrivit ce roman. J'en viens presque à douter si, dans son impertinente préface, l'auteur se moque, ou si vraiment il ne s'imaginait pas « rendre service aux mœurs », comme il dit. Je voudrais qu'il en fût ainsi et que, de cette vérité : que c'est desservir l'art que de servir les mœurs, ce livre servît de preuve par l'absurde. Il faut bien reconnaître qu'il devient assez médiocre quand il se pique, vers la fin, de devenir réparateur et de donner raison, je ne dis pas à la présidente de Tourvel en qui s'incarnent l'amour sincère et la vertu, mais bien à Mme de Volanges, à Mme de Rosemont, et à d'autres comparses qui représentent si l'on veut le parti des bonnes mœurs — contre quoi le véritable amour et la véritable vertu auront à lutter toujours, et plus que les Valmont et les Merteuil.

Et parfois au contraire je doute si, sous le couvert d'une vertueuse intention, Laclos ne voulut pas plutôt composer le vrai manuel de la débauche. Au demeurant elle n'est pas du côté de la Merteuil et de Valmont, mais bien de Danceny et de la petite Volanges ; la débauche commence où commence à se dissocier de l'amour le plaisir. Je force à peine ma pensée si je renonce à voir un débauché dans Valmont, mais seulement un libertin, dans Don Juan, au pire un dissolu : un infidèle. Danceny n'est plus un débauché s'il cesse d'autre part d'aimer Cécile. Entre les sensations du plaisir et les sentiments de l'amour, la couture n'est ni fatale, ni même parfaitement naturelle. « L'Amour, que l'on nous vante comme la cause de nos plaisirs, n'en est au plus que le prétexte. » Cette petite phrase, que Laclos met dans la bouche de la Merteuil, éclaire simplement quelques-uns des prétendus « mystères » du cœur humain.

C'est également dans ce livre que je trouve, et toujours dans la même lettre de la marquise de Merteuil, la critique la plus subtile et la plus pertinente, encore que la plus détournée, des doctrines de Barrès. « Croyez-moi, vicomte, dit-elle, on acquiert rarement les qualités dont on peut se passer. » Et l'enracinement que Barrès préconise met précisément l'homme en telle situation qui n'exige de lui que le moindre effort et que la plus petite vertu… Ailleurs nous avons insisté.

[…]

Simon.
Berlin, Wilhelm Borngräber Verlag, 1914.

Simon.
Berlin, Wilhelm Borngräber Verlag, 1914.

Simon.
Berlin, Wilhelm Borngräber Verlag, 1914.

Simon.
Berlin, Wilhelm Borngräber Verlag, 1914.

Georges Jeanniot.
Édition de Paris, L. Carteret, 1914-1918.

ANDRÉ SUARÈS

« LES LIAISONS DANGEREUSES »

« Xénies », Émile-Paul, 1923

Sous un air discret, il n'est rien que ce livre terrible ne se permette. Il a la mine un peu froide, et il ose tout. Il va aussi loin qu'on puisse aller, et dans le crime même, du pas le plus léger, le plus élégant parfois, et le plus tranquille. Il offense la nature avec beaucoup de naturel. Par là d'abord, il est d'une portée profonde et redoutable : il fait connaître que tout est naturel, et le contre nature comme le reste.

Les héros des *Liaisons dangereuses* n'ont pas de remords ; mais ils savent qu'on peut en avoir et ils n'ignorent rien de ce qu'ils font. Ils ont conscience de leurs sentiments et de leurs actes. Ils sont tout sensations, calcul et volonté. Bourreaux ou meurtriers, ils sont cruels par choix et même par bravade. En somme, leur intelligence est toujours en éveil ; leur expérience de la vie est accomplie. La conscience en eux est de l'esprit, et de l'esprit seulement. Ils n'ont pas de cœur ; et ce qu'ils en pourraient avoir comme tout le monde, ils le tuent par orgueil de n'être pas comme les autres.

Ils vivent naturellement dans l'artifice. La société leur tient lieu de nature ; les salons du monde sont leur jungle. Raffinés, ils sont tigres et polis. On ne doit pas l'oublier pour les comprendre.

La passion de vaincre fait le fond de leur perversité.

L'orgueil est le ressort de ce noir mystère. Ils portent dans l'amour et l'amitié la morale des tyrans et de la force. La volonté de puissance est leur seule loi ; et même s'ils la consacrent à la conquête du plaisir, il faut entendre que leur plaisir suprême, jusque dans les bras d'une amante innocente, est de dominer. Rien ne peut donc modérer en eux la fureur égoïste. Dans l'amour même, ils ne cherchent que l'empire. Ils ne reculent devant rien pour l'obtenir et le garder. L'orgueil les mène naturellement à la cruauté. Ils sont capables d'étouffer tout sentiment, même celui qui les enivre au passage, même celui qui les caresse en secret, pour accomplir un dessein despotique. Ils ont ainsi un intérêt supérieur à l'intérêt de toutes les passions.

Voilà en quoi ce livre est si funeste, et le seul dangereux entre tous les livres, *Madame Bovary* seule exceptée, peut-être. Il attente à la vie. Dans *Madame Bovary*, le poète expose et détruit l'illusion vitale que chaque être pensant nourrit sur soi-même pour s'aider à vivre.

Pendant longtemps, ce livre des *Liaisons* a été suspect, sur la foi des peintures libertines qu'on pensait y trouver. On le lisait, on n'en parlait que sous le manteau. Un esprit aussi libre que Sainte-Beuve s'excuse de le nommer. Mal famé décidément, on a fini par y voir une espèce d'œuvre licencieuse, à la façon d'un Fragonard beaucoup plus hardi et plus cynique*.

Il n'est pas de plus fausse renommée. Le gai génie de Frago, sa licence voluptueuse, ses appels au plaisir, ses malices et son allégresse amoureuses, le charme et l'élégance qu'il donne à l'anecdote des baisers, ce monde heureux et riant n'a rien de commun avec *Les Liaisons dangereuses*, si ce n'est quelques traits du costume et de la mode.

Fragonard est bien en chair ; sa peinture si sensuelle à la fois et si lyrique ne rappelle pas le moins du monde la prose nue, grise et cruelle des *Liaisons*. Dans Fragonard, il y a la poésie des sens et du plaisir. Parfois même il en a la rêverie ; il en bat la crème légère, jusqu'à l'envelopper d'une vapeur songeuse et d'un aimable nuage, moitié langueur de volupté et moitié petite mousse de champagne. Fragonard est un Watteau débarqué à Cythère, et qui entend y séjourner. Enfin, dans Fragonard, on rencontre assez souvent Casanova. Le fameux chevalier est immoral à la façon des boucs et des coqs qui font fanfare de leurs prouesses : il est le bouquissime et le coquissime de la galanterie, un superlatif vivant, à l'italienne. Cette sorte

* On n'a pas eu d'autre idée en le mettant naguère à la portée de tout le monde ; et il est honteux d'en avoir fait une édition populaire.

d'immoralité tourne à la farce. Qu'on est loin de Valmont, et qu'il donne peu à rire ! Si les Mémoires de Casanova sont l'opéra bouffe des mœurs sous Louis XV, *Les Liaisons dangereuses* en sont la cruelle et secrète tragédie. Il y règne une subtilité méchante qui pénètre tout, les actions et les caractères. La politesse y ajoute cette perfidie du lent poison qu'une main charmante verse et qu'un sourire fait passer.

Les Liaisons dangereuses sont un livre sec et presque froid. Sans ébriété, sans l'ombre de rêverie, décharné, écrit au scalpel, c'est un traité d'anatomie morale. Les romans des autres peuples sont puérils près de celui-là.

Il n'est ni voluptueux ni obscène. Il est bien pis : il est meurtrier. Il touche aux sources les plus profondes de la vie sentimentale ; il les trouble, il les altère ; et même il peut les corrompre jusqu'à les empoisonner. Il ruine l'ingénuité sacrée du désir, et sa candeur nécessaire. Il dessèche le cœur et substitue à cet oiseau ridicule, en ses battements d'émotion vivante, le calcul de l'orgueil, cette montre méchante, dont un moi inhumain est le grand ressort sans pitié.

Jamais livre n'a plus outragé le fond sensible de l'homme. *Les Liaisons dangereuses* sont le seul livre dangereux, ai-je dit, parce qu'il n'en est sans doute pas un autre qui tienne si peu compte du sentiment, et qui l'ose exclure à tel point, même de la passion, qu'elle n'a plus rien de commun avec la sensibilité.

[CHARLES LUCAS DE PESLOÜAN]

LES VRAIS MÉMOIRES DE CÉCILE DE VOLANGES

Paris, J. Fort, 1926

[Extrait]

J'étais jeune ; j'avais des sens exigeants et qui savaient comment devoir être contentés ; l'amour pur que je portais dans l'âme m'était interdit ; l'objet de cet amour venait de me décevoir ; enfin, j'étais maltraitée, ma mère me tenant comme une prisonnière ; si bien qu'en trompant sa surveillance, je me vengeais aussi de ses cruautés. Dès le soir où l'on m'avait séparée de Danceny je m'étais dit que, si les joies du cœur m'étaient défendues, il me restait celles des sens ; l'idée de ces joies s'était liée à l'image de Valmont, avant même que je le connusse : je l'avais vu, son audace m'avait séduite ; mon projet de conquête, mon succès m'agitaient au plus haut point ; si bien qu'après tant de jours et surtout tant de nuits troublées, moins peut-être par le chagrin de mon âme que par les désirs de ma chair, quoique je n'eusse pour Valmont aucun amour, tout en lui en prêtant quelque peu pour moi, j'arrivais au terme que je devais fatalement atteindre.

Je savais être à ce terme ; je savais n'avoir pas l'excuse de l'ignorance ; une fois seule dans ma chambre je ne tâchai pas de me tromper moi-même sur ce que j'attendais de la visite qui m'était promise, et je m'interrogeai seulement sur la façon dont je recevrais le visiteur. Devrais-je me dépenser en coquetterie et résister avant que de céder ? Devrais-je au contraire offrir franchement les faveurs que l'on demanderait, et que, d'ailleurs, j'avais hâte d'accorder ? Mon dégoût de l'hypocrisie que je voyais autour de moi me détermina pour le second parti. Décidée à ne pas feindre la pudeur, je me dévêtis ; et, comme il faisait chaud, quoique la saison fût avancée, je m'étendis sur mon lit. Les lecteurs qui ont en main l'édition des *Liaisons dangereuses* parues en l'an III, y verront un dessin de Mlle M. Gérard qui représente Cécile dans ce moment d'attente ; ils pourront le tenir pour exact[1]. (L'artiste, en effet, semble avoir vu le lieu de la scène ; et j'expliquerai plus loin qu'il est fort possible qu'au moins on le lui ai décrit.) J'avouerai cependant que j'étais peut-être un peu plus découverte.

[Cécile cite la lettre XCVI.*]*

Je n'ai rien à dire contre ce récit. J'y trouve bien ce que Valmont put éprouver et penser ; car, pas un moment, jusqu'au jour que je dirai, il ne connut ma vraie nature. Mais, si je me plaisais comme lui à raconter pareille histoire, je la rapporterais tout différemment.

J'étais bien loin de dormir quand Valmont entra ; le tourment de l'attente me l'interdisait ; mais je tenais les yeux mi-clos, curieuse de savoir comment il se présenterait. Sa façon me surprit, puis me déçut : je le vis hésitant, s'inclinant comme pour me baiser et se relevant aussitôt, avançant la main et la retirant avant que de m'avoir touchée ; et tandis que je brûlais, il n'eut dans ses gestes rien de l'ardeur que je pouvais attendre. Je saisis un regard qui était presque de pitié, comme sur une victime innocente ; d'où je sus que je m'offrais, non pas à un homme épris, mais à un galant ; et, sentant alors combien il était vrai que je n'avais pas d'amour pour lui, je pensai un moment à me dérober. Le désir, hélas ! parlait trop haut ; et je résolus de laisser faire ; mais, comprenant que ce galant n'entendrait rien à mes intentions de sincérité, je décidai, quelque regret que j'en eusse, de lui montrer autant d'innocence qu'il m'en croyait. Feint était mon sommeil, feintes furent mes résistances, feintes mes larmes, les premières, comme celles que j'eus ensuite, feinte la peur que je montrai de l'intervention de ma mère. Ne l'avais-je pas assez entendue parler de Valmont pour savoir que, si peu de confiance qu'elle eût en moi, elle l'accuserait de perfidie et de violence avant de me croire coupable. À quoi comparer la naïveté de l'homme quand il a jugé stupide la fille qu'il pense être le premier à séduire ! Il en vient à oublier combien les défenses de la pudeur sont aisées, et qu'une faible résistance, un mouvement de retraite suffisent à défaire l'assaillant, quelque force qu'il y mette, car il n'en a jamais assez, en même temps que d'adresse. Quand Valmont écrit : *je me trouvai moi-même à sa place*, quelle confiance a-t-il en lui pour croire que ce *Je* se fût trouvé en telle place et y serait demeuré, si Cécile n'y avait pas été consentante ! Mais je l'étais, en effet ; et, s'il put se plaire aux lenteurs et méditer pendant ce plaisir, c'est qu'aussi je ne m'y déplaisais pas. Je voulais goûter dans tout son détail une joie qui m'avait été si souvent décrite et que j'attendais depuis si longtemps. Je reconnais qu'elle ne me fut pas une déception et que je la pris complète, sans même avoir éprouvé une souffrance que, sans doute, j'aurais ressentie si Bathilde[2] n'y avait pourvu. Je n'eus pas à retenir un cri de douleur ; je ne pensai pas à le feindre, et Valmont ne marqua pas de surprise ; tellement que je me suis demandé depuis, si ce conquérant avait jamais eu les prémices d'une fille.

Nous dépensâmes ensuite l'un et l'autre plus de vivacité ; je sentis chez lui une franchise dans le plaisir et une reconnaissance qui me touchèrent et changèrent l'idée que tout à l'heure je m'étais faite de ses sentiments ; et je lui eusse découvert ma nature si je n'avais été piquée de le voir tellement persuadé de mon innocence. À un moment j'allais cependant le faire, tant j'avais horreur de dissimuler ; mais, comme certains souvenirs se présentent à l'esprit dans le moment qu'ils le devraient le moins, je pensai tout à coup à la recommandation de mon tuteur d'avoir en tout un air de modestie ; je réfléchis aussitôt que je ne gagnerais rien à me montrer savante ; et je résolus de demeurer aux yeux de Valmont ce qu'il me voyait. Je veux croire, comme il dit, qu'il fut content de moi : je l'étais bien de lui ; et, s'il m'en souvient et quoi qu'il en dise, je m'endormis de fatigue avant qu'il ne m'eût quittée.

..... Là, prenant mon ton de reine, et élevant la voix : " Sortez, Monsieur, continuai-je et ne reparaissez jamais devant moi ".....

Maurice Berty.
Édition de Paris, Nilsson, 1927.

Maurice Berty.
Édition de Paris, Nilsson, 1927.

Alastair.
Édition de Paris, Black Sun, 1929.

Alastair.
Édition de Paris, Black Sun, 1929.

Alastair.
Édition de Paris, Black Sun, 1929.

Alastair.
Édition de Paris, Black Sun, 1929.

Arpad Jarosy.
Édition de Vienne et Berlin, Trianon Verlag, vers 1930.

JEAN GIRAUDOUX

CHODERLOS DE LACLOS

« La Nouvelle Revue française »,
décembre 1932
[Extrait]

C'est par cet oubli complet ou cette négligence de la légende de la résistance féminine que le livre de Laclos est compromettant pour l'humanité. Il a, pour l'ensemble des femmes, quelque chose d'une histoire de famille assez louche. Mais l'originalité et le tragique de l'intrigue ne résident pas seulement dans le concours que se livrent Mme de Merteuil et Valmont, et dans la colère qu'éprouve la jeune veuve de voir que l'homme, malgré tous ses efforts, ne peut être aussi facile que la femme. Ils résident bien plutôt dans leur entente. La beauté, le sujet et le scandale du livre, c'est le couple, le mariage du mal. Le libertinage n'est pas une occupation d'égoïste ou de solitaire, le mal n'est pas un Don Juan soutenu par un comparse ridicule et tremblant ; il est le couple parfait, celui que forment l'homme le plus beau et le plus intelligent et la femme la plus charmante et la plus fine. Couple qu'a scellé sur une ottomane, suivant les paroles de l'auteur, non l'amour mais l'accouplement. Couple qui a même échangé ses attributs, la femme se donnant aussitôt, au premier désir et à la première invite, l'homme se complaisant à la résistance. C'est le spectacle de ce superbe assemblage lâché à la chasse du plaisir qui est nouveau, de l'égalité de la femme et de l'homme dans l'exercice de leurs passions. Toutes les qualités demandées au couple parfait lui sont dévolues, confiance absolue, secret vis-à-vis de l'humanité entière, sans compter une jalousie gênante mais toujours excitante. Rien de plus émouvant dans les histoires d'animaux que celle du couple chassant, qu'il s'agisse du renard ou du lion. Rien de plus satisfaisant aussi pour l'esprit de mal que la vue de la belle Merteuil et du beau Valmont rabattant chacun l'un pour l'autre, se confondant jusqu'à l'hermaphroditisme dans le succès et sa volupté : car la victoire pour tous deux a moins de prix que la confidence et c'est en grande partie pour l'autre que chacun, son gibier à terre, prend son plaisir. Ce code de la débauche par couple, qui a ses devoirs, ses sacrifices, ses punitions, semble même leur conférer une besogne plus digne et plus cruelle que celle même qui les occupe, une besogne vengeresse. Un plus grand poète nous aurait laissé sentir qui ils vengent, Laclos ne l'a peut-être pas su. Mais en tout cas, du fait qu'ils sont deux, du fait qu'il y a deux Néron dans ce *Britannicus*, deux Don Juan dans ce *Don Juan*, ils mènent à leur déchaînement final et à leur vrai et irrémédiable aboutissant toutes les passions auxquelles les plus grands drames n'ont donné que des conclusions unilatérales et bourgeoises. Ils continuent à avancer là où Euripide a reculé. La science de leur père l'artilleur a donné à leur stratégie un côté un peu pédant, mais invincible. C'est Racine aidé par Vauban... Alors Andromaque se rend, Phèdre surprend dans son lit Hippolyte, Roxane tue Bajazet mais repue, et Iphigénie, bien qu'elle n'ait rien à voir en tout cela, est violée en passant. Tous les meurtres et tous les suicides de Racine ont lieu, mais après jouissance, et l'on ne décapite que des corps épuisés.

LETTRE PREMIÈRE

CÉCILE VOLANGES A SOPHIE CARNAY

aux Ursulines de...

U vois, ma bonne amie, que je te tiens parole, et que les bonnets et les pompons ne prennent pas tout mon temps; il m'en restera toujours pour toi. J'ai pourtant vu plus de parures dans cette seule journée que dans les quatre ans que nous avons passés ensemble; et je crois que la superbe Tanville* aura plus de chagrin à ma première visite, où je compte bien la demander, qu'elle n'a cru nous en faire toutes les fois qu'elle est venue nous voir *in fiocchi*. Maman m'a consultée sur tout; elle me traite beaucoup moins en pensionnaire que par le passé. J'ai une Femme de chambre à moi; j'ai une chambre et un cabinet dont je dispose, et je t'écris à un Secrétaire

George Barbier.
Édition de Paris, Le Vasseur et Cie, 1934.

George Barbier.
Édition de Paris, Le Vasseur et Cie, 1934.

George Barbier.
Édition de Paris, Le Vasseur et Cie, 1934.

George Barbier.
Édition de Paris, Le Vasseur et Cie, 1934.

George Barbier.
Édition de Paris, Le Vasseur et Cie, 1934.

George Barbier.
Édition de Paris, Le Vasseur et Cie, 1934.

George Barbier.
Édition de Paris, Le Vasseur et Cie, 1934.

George Barbier.
Édition de Paris, Le Vasseur et Cie, 1934.

George Barbier.
Édition de Paris, Le Vasseur et Cie, 1934.

ANDRÉ MALRAUX

LACLOS

« Tableau de la littérature française.
De Corneille à Chénier »,
Gallimard, 1939

L'auteur, qui paraît pourtant avoir cherché la vraisemblance, l'a détruite lui-même et bien maladroitement, par l'époque où il a placé les événements qu'il publie. En effet, plusieurs des personnages qu'il met en scène ont de si mauvaises mœurs qu'il est impossible de supposer qu'ils aient vécu dans notre siècle ; dans ce siècle de philosophie, où les lumières, répandues de toutes parts, ont rendu, comme chacun sait, tous les hommes si honnêtes et toutes les femmes si modestes et si réservées.

Ça, c'est un extrait de la Préface que Laclos a mise en tête des *Liaisons*, sous le nom de son éditeur.

Un officier de quarante ans, d'une intelligence connue, ayant « étudié un métier qui ne devait le mener ni à un grand événement ni à une grande considération, décide de faire un ouvrage qui sorte de la route ordinaire, qui fasse du bruit, et qui retentisse encore sur la terre après qu'il y aura passé[1] ». Il entreprend de raconter une anecdote de sa jeunesse : une femme abandonnée par son amant fera coucher n'importe qui avec la fiancée de celui-ci, pour qu'il soit trompé avant même son mariage. Il y ajoute l'histoire d'une autre femme qui, séduite et quittée par un complice de la première, meurt de chagrin. Plus, les environs de ces histoires, avec quelque folklore de boudoirs Louis XV.

Dans une seconde préface (il y en a deux) il explique que son livre est fort nécessaire, spécialement du point de vue de la morale. « Pour prévenir contre le vice, il faut bien le peindre… » Car chacun sait que l'indignation de Bossuet lui a permis d'écrire beaucoup de portraits comme celui de Mme de Merteuil. Roublard, il ajoute :

> Les hommes et les femmes dépravés auront intérêt à décrier un ouvrage qui peut leur nuire ; et comme ils ne manquent pas d'adresse, peut-être auront-ils celle de mettre dans leur parti les Rigoristes, armés par le tableau des mauvaises mœurs qu'on n'a pas craint de présenter,

ce qui laisse supposer que lesdits Rigoristes, s'ils s'avisaient de pousser les hauts cris, seraient manœuvrés par les Dépravés. Là-dessus, Laclos se trouve avoir créé les deux plus séduisants modèles de libertinage qui aient jamais été.

D'ailleurs, si ses personnages sont tels, c'est la faute des modèles. Chacun sait encore que quand un grand écrivain crée un personnage significatif, la marquise de Merteuil, Julien Sorel ou Raskolnikov, cela vient uniquement du fuligineux quelconque dont est partie sa rêverie.

Laclos envoie son livre à une dame vertueuse, auteur de romans dont il avait d'ailleurs tiré un opéra-comique[2] ; la dame n'est pas d'accord. Il lui explique la pureté de ses intentions exactement dans le style, avec les arguments et la gradation de son héros quand il séduit Mme de Tourvel. (Plus tard, les lettres seront jointes aux éditions du livre, la dame traitée d'idiote opiniâtre.)

Le succès est immense. L'auteur renonce à toute œuvre de fiction, et meurt général. Cent cinquante ans plus tard, son livre fait partie de la littérature européenne.

Les *Liaisons* sont le récit d'une *intrigue.* (Comme par hasard, ce mot désigne à la fois l'organisation des faits dans un ouvrage de fiction, et un ensemble efficace et orienté de tromperies.) Intriguer tend toujours à « faire croire » quelque chose à quelqu'un ; toute intrigue est une architecture de mensonges ; croire à l'intrigue, c'est croire d'abord qu'on peut agir sur les hommes, — par leurs passions, *qui sont leurs faiblesses.* Il y a là-dessous une vue de l'homme qui a trouvé quelques expressions littéraires éclatantes, de La Rochefoucauld à Laclos et Stendhal, une figure mythique d'époque, celle de Talleyrand, et une expression idéologique assez poussiéreuse, — bien que ce soit chez Tracy[3] que le jeune Beyle ait épinglé la formule qui devait gouverner quelques-uns de ses rêves et la part qu'il croyait astucieuse de sa vie : « connaître les hommes pour agir sur eux ».

Mais que veut dire : connaître les hommes ?

Tout d'abord : les hommes, plutôt que l'homme. La vie chrétienne, en faisant de l'homme le lieu du combat dont le démon était le protagoniste, limitait très étroitement l'objet de la psychologie. Non qu'elle ignorât le domaine des psychologues qui succédèrent aux psychologues chrétiens ; mais elle le tenait pour secondaire. Il était moins important pour elle de connaître les raisons pour lesquelles un homme en tue un autre, que de savoir si le mort était mort sauvé. Quelque profonde que soit l'expérience chrétienne du monde, elle culmine toujours dans une solitude. L'importance du type grandit à mesure que celle de l'âme diminue ; les péchés permettent à la vie chrétienne de n'avoir pas besoin des types, à travers quoi l'Occident ira de l'âme à l'individu.

Cette ramification infinie de l'Homme implique une modification fondamentale de la psychologie, car ces êtres divers, et conçus comme tels, agissent les uns sur les autres. Satan aussi s'est ramifié : le mal a pris toutes les formes du monde. Mais, par là, il a changé de nature. Et la passion s'est métamorphosée : elle était fatalité, elle devient désirs. Fatalité, la passion chrétienne l'était encore assez, moins d'un siècle plus tôt, pour que les sujets antiques lui fussent fraternels ; mais il ne faudra plus un siècle pour entendre de Napoléon : « La tragédie, maintenant, c'est la politique. »

Ce livre, qui ne parle que de passion, l'ignore presque toute. Une seule y paraît : l'amour qu'éprouve Mme de Tourvel. Celui de Valmont pour elle, il ne cesse de le dominer ; et la marquise lui dira là-dessus, à la fin du livre, quelques vérités évidentes. D'ailleurs, l'amour de Mme de Tourvel, qui n'est nullement étranger à la composition du livre dont il ordonne la perspective à la manière d'un horizon, est bien étranger à son *système.* Les *Liaisons* nous peignent une suite précise de manœuvres, et leurs conséquences ; or, si l'aumône truquée de Valmont transforme l'idée que la Présidente se faisait de lui, aucun *fait* ne justifie l'instant décisif où elle décide de s'abandonner à l'amour (je ne veux pas dire : de coucher avec Valmont, mais d'accepter en elle-même l'idée qu'elle l'aime). Et lorsque, après la longue suite de lettres où Laclos veut faire prendre à son lecteur une gradation pour une psychologie, la Présidente trahie commence à répéter toujours les mêmes choses, à parler le langage opiniâtre et maniaque de la passion véritable, — celui de la fatalité — ses cris semblent soudain surgis d'un autre univers.

Les cartes semblent simples, dans ce jeu qui n'a que deux couleurs : la vanité, le désir sexuel. Vanité contre vanité, vanité contre désir, désir contre vanité. Les nuances, les numéros des cartes sont fournis par les personnages. Des êtres s'affrontent, mais quelles forces s'affrontent en eux ? Le caractère dramatique de la sexualité est masqué sous les loups de satin rose, le désir même presque toujours subordonné à la vanité. Comme la vanité est le sentiment sur quoi les paroles ont le plus d'efficacité, le problème technique du livre est de savoir ce qu'un personnage va *faire croire* à un autre, afin de gouverner son action. D'où une vue fort claire de la fonction de l'intelligence. Le monde, saisissable par la raison, est objet de lois. L'homme supérieur est celui qui doit établir ces lois, celles de la France ou « celles du cœur humain ». Robespierre ne sera pas sûr que Montesquieu n'ait été capable de faire une Constitution mieux que lui (là-dessus s'est fondé le respect français des intellectuels). Et Valmont, c'est parfois Montesquieu galant.

Sans sa richesse et sa naissance, accentuées par son évident ton de cour, comme on reconnaîtrait en lui l'intellectuel du livre ! De tous les romanciers qui ont fait agir des personnages lucides et prémédités, Laclos est celui qui place le plus haut l'idée qu'il se fait de l'intelligence. Idée telle qu'elle le mènera à cette création sans précédent : *faire agir des personnages de fiction en fonction de ce qu'ils pensent.* La marquise et Valmont sont les deux premiers dont les actes soient déterminés par une idéologie. Pour voir l'importance de leur création, il n'est que de voir leur postérité, où se rencontrent Julien Sorel et Raskolnikov…

On perdra cette belle confiance en la puissance de l'esprit sur la vie. De Valmont à Ivan Karamazov[4], la part organique et souterraine de l'homme ne cessera de grandir. L'intelligence qui, dans les *Liaisons*, ne s'oppose somme toute qu'à la bêtise (ou à la vertu) finira par rencontrer chez les Mères un plus redoutable ennemi.

Le créateur de héros faisait appel à des qualités connues de tous et portées dans un personnage au plus haut période. La force de caractère du héros antique ou cornélien est *donnée* pour le lecteur, à la façon de la force physique d'Hercule. Don Juan est la séduction comme Vénus est la beauté. Ce qui est nouveau chez Laclos, ce qui explique l'action foudroyante du livre, c'est qu'à la fois, il peint Don Juan et vend la mèche.

Double jeu difficile à mener, rarement menable. Et pourtant indispensable à ce genre de création romanesque. La Marquise, Valmont, Julien Sorel, Vautrin, Rastignac, Raskolnikov, Ivan Karamazov ont ceci de particulier qu'ils accomplissent des actes *prémédités*, en fonction d'une conception générale de la vie. Leur force romanesque vient de ce qu'en eux cette conception vit exactement comme une passion ; elle est leur passion. Invincible, irréductible, toujours liée d'ailleurs à une passion commune (ambition, sexualité) qu'elle ordonne et fonde en qualité. De tels personnages répondent au désir toujours profond de l'homme d'agir en gouvernant son action. Avec eux, le héros finit, et le personnage significatif commence.

Il y a dans tout personnage significatif au moins trois éléments : d'abord la conception d'un but décisif de l'homme, puis la volonté de l'atteindre, puis la mise en système de cette volonté : pour Julien Sorel comme pour Vautrin, le but de l'homme est le pouvoir ; chacun d'eux entend le conquérir ; chacun d'eux élabore la méthode la plus efficace à cette conquête. Cette méthode étant l'élément artistique le plus important. Car le but de Raskolnikov et celui de Vautrin sont les mêmes, et ce que veut Lamiel n'est pas au fond très différent de ce que souhaite Mme Bovary ; mais Mme Bovary est une Lamiel sans « méthode ». (D'ailleurs les personnages principaux de Flaubert sont bien souvent des personnages de Balzac conçus dans l'échec au lieu de l'être dans la réussite : Mme Bovary devenue châtelaine de la Vaubyessard[5], c'est un roman de Balzac, et l'*Éducation sentimentale*, c'est les *Illusions perdues* dont l'auteur ne croirait plus à l'ambition.)

Le personnage significatif tel qu'il naît chez Laclos n'est pas un ambitieux : encore que son domaine soit très proche de celui de l'ambition, puisqu'il est celui de l'action sur les êtres. Ni la marquise ni Valmont n'ont envisagé le pouvoir politique comme moyen d'action : la société trop forte encore les contraint à l'hypocrisie, comme Julien, mais non comme les héros de Balzac, nés plus tard. Pourtant, comme on conçoit aisément une politique de Valmont, et comme elle serait proche de celle de l'autre technicien du masque, Machiavel[6]...

Les personnages significatifs de Laclos ont pour agir sur le lecteur une raison profonde : ils portent d'autant plus à l'imitation qu'eux-mêmes imitent leur propre personnage. Fait nouveau en littérature : ils se conçoivent. Et non par une comédie. Don Quichotte se conçoit en tant que Mambrin[7], mais il est fou ; Valmont se conçoit bien comme Valmont. Il projette devant lui une représentation de lui-même faite d'un ton particulier, de lucidité, de désinvolture et de cynisme, très concrète pour le lecteur ; et les moyens qu'il emploie pour se conformer à cette image sont ceux que Laclos suggère au lecteur pour ressembler à Valmont. Cette fascination par son personnage est la seule passion véritable du Vicomte : elle n'est pas étrangère à sa rupture avec la marquise, et c'est elle qui lui fera accomplir l'acte le plus important à ses yeux de tout le livre : l'envoi de la lettre insultante à Mme de Tourvel.

Les deux personnages essentiels agissent donc avec d'autant plus de virulence qu'ils le font à deux degrés, sous leur image mythique et leur image vivante, et que c'est l'image mythique qui informe l'image vivante ; celle-ci devenant son modèle en action, confronté à la vie, incarné ; l'œuvre d'art bénéficiant à la fois de la méthode nécessaire à cette image incarnée pour agir, et du prestige permanent de l'image mythique. Comme le destin de tous les personnages des *Liaisons* est, à des degrés divers, gouverné par ces deux-là, ils ont exactement une situation de démiurges ; ils sont descendus de l'Olympe de l'intelligence pour tromper des mortels. Les *Liaisons*, si on les résumait, seraient une mythologie.

Laclos le sent si bien que, malgré la fin de son roman, malgré le vêtement de faits dont il ajuste si bien ses héros, il n'attaque jamais ceux-ci dans leur élément mythique : leur prestige. L'origine des *Liaisons* est, somme toute, une humiliation de la marquise, puisque, si Gercourt ne l'avait pas quittée, il n'y aurait pas d'intrigue. Mais cet abandon est pour le lecteur pure information. De haine véritable (qui donnerait au roman une tout autre épaisseur, et d'ailleurs changerait son optique), de blessure d'orgueil semblable à la blessure d'amour de Mme de Tourvel, il n'est pas question. Jamais Laclos n'a voulu Mme de Merteuil vaincue : la petite vérole, c'est le dénouement postiche des romans de l'hypocrisie, l'exempt de Tartufe. Si bien que, lui qui développe inépuisablement la honte ou la douleur de Mme de Tourvel, ne fera pas écrire *une seule fois* la marquise vaincue. Qu'on parle d'elle : elle ne parlera plus.

Satan aussi finit battu ; ça ne limite pas sa carrière.

Mais, si le rêve de Laclos est mythologique, son roman ne l'est pas. Une mythologie moderne repose d'ordinaire sur d'autres moyens, d'ordre verbal ou sentimental. Il n'est que de penser à la meilleure mythologie de notre littérature, *Les Misérables*, ou à Jean-Christophe, ou à Eugène Sue et à ce qu'il y a d'Eugène Sue dans Balzac. Presque toutes les créations mythiques, on les sent venues du domaine de la poésie. Or, ce qui nous frappe, et qui nous frapperait bien davantage si nous n'avions pas, plus près de nous, l'exemple parallèle de Stendhal, c'est que la matière des *Liaisons* est tout autre. C'est la plus opposée au mythe : celle d'une expérience humaine. Et nous sentons bien que c'est dans le rapport entre les deux domaines du livre, entre sa mythologie et sa psychologie, que se cache le secret des *Liaisons*.

Cette psychologie, comment ne pas la reconnaître à son ton :

Ce délire de la volupté où le plaisir s'épure par son excès...

... Votre prude est dévote, de cette dévotion de bonne femme qui condamne à une éternelle enfance.

... Une des choses qui me flattent le plus est une attaque vive et bien faite, où tout se succède avec ordre quoiqu'avec rapidité ; qui ne nous met jamais dans ce pénible embarras de réparer nous-mêmes une gaucherie dont au contraire nous aurions dû profiter ; qui sait garder l'air de la violence jusque dans les choses que nous accordons, et flatter avec adresse nos deux passions favorites, la gloire de la défense et le plaisir de la défaite.

... Toute sage qu'elle est, Mme de Tourvel a ses petites ruses comme une autre.

... À force de chercher de bonnes raisons, on en trouve ; on les dit ; et après on y tient, non pas tant parce qu'elles sont bonnes que pour ne pas se démentir.

... Cela n'a ni caractère ni principes ; jugez combien sa société sera douce et facile.

... En effet, si les premiers amours paraissent, en général, plus honnêtes, et comme on dit plus purs ; s'ils sont au moins plus lents dans leur marche, ce n'est pas, comme on le pense, délicatesse ou timidité, c'est que le cœur, étonné par un sentiment inconnu, s'arrête pour ainsi dire à chaque pas, pour jouir du charme qu'il éprouve, et que ce charme est si puissant sur un cœur neuf qu'il l'occupe au point de lui faire oublier tout autre plaisir. Cela est si vrai qu'un libertin amoureux, si un libertin peut l'être, devient de ce moment même moins pressé de jouir…

… Il savait assez que les gens heureux ne sont pas d'un accès si facile.

… J'ai trouvé moins dangereux de me tromper dans mon choix que de me laisser pénétrer.

… Il n'est pas vrai que, plus les femmes vieillissent, plus elles deviennent riches et sévères. C'est de 40 à 50 ans que le désespoir de voir leur figure flétrir, la rage de se sentir obligées d'abandonner des prétentions et des plaisirs auxquels elles tiennent encore rendent presque toutes les femmes bégueules et acariâtres. Il leur faut ce long intervalle pour faire en entier ce sacrifice…

… Il est bon d'accoutumer aux grands événements quelqu'un qu'on destine aux grandes aventures.

… Persuadé d'une part que qui commande s'engage, et de l'autre que l'autorité illusoire que nous avons l'air de laisser prendre aux femmes est un des pièges qu'elles évitent le plus difficilement.

… Il a reconnu de bonne heure que pour avoir l'empire dans la société il suffisait de manier avec une égale adresse, la louange et le ridicule. Nul ne possède comme lui ce double talent : il séduit avec l'un et se fait craindre avec l'autre. On ne l'estime pas, on le flatte. Telle est son existence au milieu d'un monde qui, plus prudent que courageux, aime mieux le ménager que le combattre.

Bavardage lucide et perspicacité, amertume et précision, c'est le ton des moralistes français. Celui qui s'oppose le plus aux mythologies.

Ton d'une extrême importance ici : car chaque personnage de Laclos ne vit que par son ton, n'est que ton. Cela ne tient pas seulement à la forme du roman par lettres ; car Laclos, fier d'avoir « varié les voix de ses personnages », voyait dans ces voix écrites le grand moyen d'expression du romancier. Il joue sa partie sur elle : ses personnages existent à peine physiquement, et n'ont pas de biographie. Sauf la marquise : sa lettre biographique, maladroitement introduite, saisissante, admirable, ne correspond à rien de réel, et sert à renforcer, non son personnage incarné, mais son personnage mythique.

Comme tout écrivain, Laclos ne devenait maître de ses moyens que lorsqu'il échappait au style de l'époque. Et sans doute avait-il confusément senti qu'il n'y échappait que dans la mesure où il échappait au mensonge. Ses personnages, l'auteur compris, écrivent mal dès qu'ils mentent. Mauvaises les dissertations, pas très bonnes les préfaces ; et les lettres de Valmont à Mme de Tourvel sont moins bonnes que celles à la marquise. Celle-ci, qui ment à tous sauf à Valmont, ne trouve que pour lui écrire ce style qui nous est parvenu presque intact. Les lettres de Cécile aussi sont une réussite ; mais Cécile non plus ne ment pas. Laclos conquiert son propre ton sur le style d'époque dans la mesure où il délivre celui-ci de sa comédie ; et le ton de ses personnages en prenant un quelconque poncif d'époque (le roué pour Valmont, par exemple) et en le contraignant à contrôler ses mensonges.

D'où, trois tons superposés : celui des personnages, celui de l'époque (qui est mort), celui d'une réflexion particulière. Tantôt Laclos réfléchit selon l'optique de ses personnages, lorsqu'il leur fait dire : « *Voilà bien les hommes ! Tous également scélérats dans leurs projets, ce qu'ils mettent de faiblesse dans l'exécution ils l'appellent probité* », ou : « *Des moyens de déshonorer une femme j'en ai trouvé cent, j'en ai trouvé mille, mais quand je me suis occupé de chercher comment elle pourrait s'en sauver, je n'en ai jamais vu la possibilité* ». Et parfois il réfléchit — qu'il s'en inquiète ou non — selon son expérience propre, à tel point que, les citations rapprochées, on ne sait plus qui parle — comme on le voit par celles de la page précédente où, des trois dernières, l'une est de la marquise, l'autre de Valmont, la troisième de Mme de Volanges.

C'est que son ton propre n'a pas la même origine que celui de ses personnages. Celui des personnages naît de l'idée qu'il se fait d'eux, le sien ne naît pas de l'idée qu'il se fait de lui-même. Les réussites du premier sont des réussites de l'imagination, c'est-à-dire d'une mémoire orientée, intellectualisée. Les réussites du second viennent de surprises, de découvertes soudaines, de confrontations inattendues entre les faits qu'il rapporte et sa mémoire globale de la vie. Et ce sont les constantes trouvailles du « ton Laclos » qui sauvent les personnages et la mince anecdote des *Liaisons* de ce qu'ils portent en eux de schématique et de misérable.

L'exemple de Nietzsche moraliste est ici révélateur : trente ans de conflit entre une pensée impérieuse et résolue à ne voir que ce qu'elle a choisi, et une compréhension profonde comme une compréhension d'aveugle ; avec, pour conséquence, la densité qu'apporte à une doctrine, alors même qu'elle lui est étrangère et parfois ennemie, une mémoire du cœur royale entre celles des hommes.

Il est peu d'artistes qui n'essaient de mettre le domaine obscur et complexe de leur talent au service du système plus clair de leurs pensées ; mais les plus grands y parviennent bien mal, les romanciers surtout, et il suffit de moins d'un siècle pour qu'ils semblent avoir eu du génie contre eux-mêmes. C'est que leur art est inséparable d'une question qu'ils se posent sur l'homme et que leur attitude la plus profonde est celle de l'interrogation. Toute psychologie, toute expérience viennent de l'homme ressenti comme mystère. Toute mythologie est une victoire sur ce mystère ; mais, petit ou grand, le héros n'est pas celui qui élucide le mystère, c'est celui qui le dévalorise. Encore ne garde-t-il vie que si le mystère, aussi affaibli qu'il soit, — et jamais sans doute ne fut-il plus faible qu'au XVIIIe siècle français — continue à tâtons dans l'œuvre son existence souterraine.

On peut tout mettre sous le mot mystère. Pour Laclos, il n'eût pu signifier que la part de l'homme incontrôlable, ingouvernable par lui, — sa fatalité. Et il y a bien une ombre de fatalité qui rôde sous ce jeu d'échecs Louis XVI, malgré les efforts des deux meneurs du jeu pour la posséder : c'est l'érotisme.

Il y a érotisme dans un livre dès qu'aux amours physiques qu'il met en scène, se mêle l'idée d'une contrainte. Or, les théories de la marquise, ses allusions à la liberté sexuelle, — une des parties brillantes, mais les moins originales, les plus « d'époque » du livre — sont bien orientées vers le simple plaisir ; mais rien de ce qui est *mis en acte*, représenté dans les *Liaisons* ne l'est.

Valmont veut coucher avec la marquise, qui ne veut plus coucher avec lui. Il veut coucher avec Mme de Tourvel, qui ne veut pas. Il couche avec Cécile, qui voudrait coucher avec Danceny. Quand la marquise couche avec Prévan, c'est obsédée par l'idée de le faire chasser. Tout au long de cette célèbre apologie du plaisir, pas *un* couple, une seule fois, n'entre dans un lit sans une idée de derrière la tête.

Et cette idée c'est, presque toujours, la contrainte. La partie anecdotique des *Liaisons* fait souvent penser aux petits érotiques dont ce livre est le contemporain ou le successeur ; cette intrigue est semblable à bien d'autres chez Crébillon, chez Nerciat, chez Sade lui-même ; l'originalité, c'est que le moyen de contrainte ne soit plus la force, mais la persuasion. Le mensonge n'est que le moyen le plus fin de contrainte : agir sur une partie de l'esprit de la personne à séduire, pour que cette partie contraigne la personne tout entière. Et le lecteur ressent cette contrainte avec d'autant plus de force qu'il est dans le secret, et que lorsque Cécile ou Mme de Tourvel se croient libres, il les sent prisonnières parce qu'il les sait jouées.

Ah ! qu'elle se rende, mais qu'elle combatte ; que, sans avoir la force de vaincre, elle ait celle de résister ; qu'elle savoure à loisir le sentiment de sa faiblesse, et soit contrainte d'avouer sa défaite. Laissons le braconnier obscur tuer à l'affût le cerf qu'il a surpris : le vrai chasseur doit le forcer.

Tous avaient la haine dans le cœur, mais les propos n'en étaient pas moins tendres : la gaieté éveilla le désir, qui, à son tour, lui prêta de nouveaux charmes. Cette étonnante orgie dura jusqu'au matin.

Mon projet est au contraire qu'elle sente bien la valeur et l'étendue de chacun des sacrifices qu'elle me fera ; de ne pas la conduire si vite que le remords ne puisse la suivre ; de faire expier sa vertu dans une lente agonie ; de la fixer sans cesse sur ce désolant spectacle, et de ne lui accorder le bonheur de m'avoir dans ses bras qu'après l'avoir forcée à n'en plus dissimuler le désir.

Comme si ce n'était rien en une soirée d'enlever une jeune fille à son amant aimé, d'en user ensuite tant qu'on veut et absolument comme de son bien, et sans plus d'embarras d'en obtenir ce qu'on n'ose même pas exiger de toutes les filles dont c'est le métier ; et cela sans la déranger en rien de son tendre amour.

Inutile d'accumuler les citations. Par leurs deux personnages significatifs *Les Liaisons* sont une mythologie de la volonté ; et leur mélange permanent de volonté et de sexualité est leur plus puissant moyen d'action. Le personnage le plus érotique du livre, la marquise, est aussi le plus volontaire ; elle est même le personnage féminin le plus volontaire de la littérature française, et Lamiel pourra lui prendre bien des traits. Qu'on relise la lettre fameuse où elle conte sa vie à Valmont. Il n'y a que Loyola qui croie à ce point à la puissance de l'homme sur lui-même (encore était-ce celle de l'homme, non de la femme ; et croyait-il en Dieu !).

Pour donner à ce caractère toute sa force, Laclos le fait sans professeur. Elle conseille Valmont, et le traite d'idiot, avec raison, s'il ose la conseiller. C'est l'un de ses traits mythiques les plus agissants, que le récit de son adolescence silencieuse où, sans amis et sans maîtres, et tout occupée de contrôler son visage, elle « se cause des douleurs volontaires » pour chercher pendant ce temps l'expression de la joie.

Qu'une femme capable d'une énergie de cette sorte et à qui Stendhal eût prêté « de grands desseins » ne soit si longtemps occupée que de rendre cocu par avance un amant qui l'a quittée, serait une singulière histoire, si le livre n'était que l'application d'une volonté à des fins sexuelles. Mais il est tout autre chose : une érotisation de la volonté. Volonté et sexualité se mêlent, se multiplient, forment un seul domaine, précisément parce que, Laclos ressentant et exprimant la sexualité avec d'autant plus de violence qu'elle est liée à une contrainte, la volonté ne se sépare pas de la sexualité, devient, au contraire, une composante du domaine érotique du livre.

Ce n'est peut-être pas par hasard que le *dernier* meneur du jeu est une femme.

Ainsi donc, l'expérience humaine, sensuelle et anecdotique de Laclos lui fournissant le ton et la matière de sa psychologie, l'intelligence le moyen de création de ses héros, c'est le lien de la contrainte et de la sexualité qui lui donne le fond obscur où vont se crisper les racines les plus profondes de son sujet, l'« aura » qui l'enveloppe, et qui en fait l'unité artistique, s'accorde à lui comme la musique des vers à l'acte tragique. Les *Liaisons* sont une rêverie de jeune fille quittée, racontée par un homme très intelligent qui voudrait faire croire que c'est arrivé. Dans la mesure où ces rêveries retrouvent, en chacun de nous, la rêverie plus profonde du mythe, combien des plus grands romans ne sont pas autre chose ! Presque toutes les fictions ne consistent qu'à faire croire d'une vieille rêverie qu'elle est de nouveau arrivée ; leur problème est celui des moyens qu'emploie l'artiste pour le faire croire. Ceux de Laclos ne furent pas si dérisoires : pour la première fois, il mit une psychologie au service d'une mythologie.

Le temps a marqué les limites des *Liaisons dangereuses*. Stendhal, en créant dans l'amour véritable une Mme de

Merteuil apaisée, moins algébriste et assez poudrée d'expérience pour négliger la méchanceté, a fait des *Liaisons* une *Chartreuse de Parme* primitive et parfois presque grimaçante. Le problème de Laclos reste entier, aussi intrigant peut-être que celui de Rimbaud, au-delà de ce livre étrange où un militaire professionnel semble ignorer l'existence des valeurs de caractère*, comme Shakespeare ignore celle du Christ. Mais tout problème artistique se résout dans le domaine propre de l'art, c'est-à-dire par le talent, et sans doute les *Liaisons* doivent-elles leur force et leur durée à l'accord de la lucidité de Laclos et de ses obsessions.

Lorsque son livre n'était déjà plus qu'un chef-d'œuvre mineur et presque clandestin, c'est à Tilly que Laclos disait : « J'ai voulu faire un ouvrage qui retentît encore sur la terre quand j'y aurai passé[8]. » Comme il est rare qu'un écrivain se croie assuré des siècles par son seul talent, il semble que Laclos ait attendu sa postérité d'une dénonciation de son temps. Je crains (et les mémoires du temps semblent nous le montrer de plus en plus) que les mœurs des *Liaisons* n'aient eu dans la France de 1780 que l'importance de celles du Montparnasse dans la France de 1939. Les dépravations d'époque font toujours un peu rire, et le passage de l'après-guerre allemande à l'Allemagne hitlérienne suffit à nous en montrer la profondeur. Laclos fut autre chose : il fut un dénonciateur de rêves. Et je ne veux pas dire un exorciste. Il révéla les rêves de son temps par le seul procédé qui existe : en leur donnant la vie. En les faisant entrer dans le long domaine des rêves de tous, celui où les hommes promis à la mort contemplent avec envie les personnages un instant maîtres de leur destin.

* Mais non de la noblesse du cœur, comme on le voit chez Mme de Tourvel et de Rosemonde.

Chas Laborde.
Dangerous Acquaintances, Londres, The Nonesuch Press, 1940.

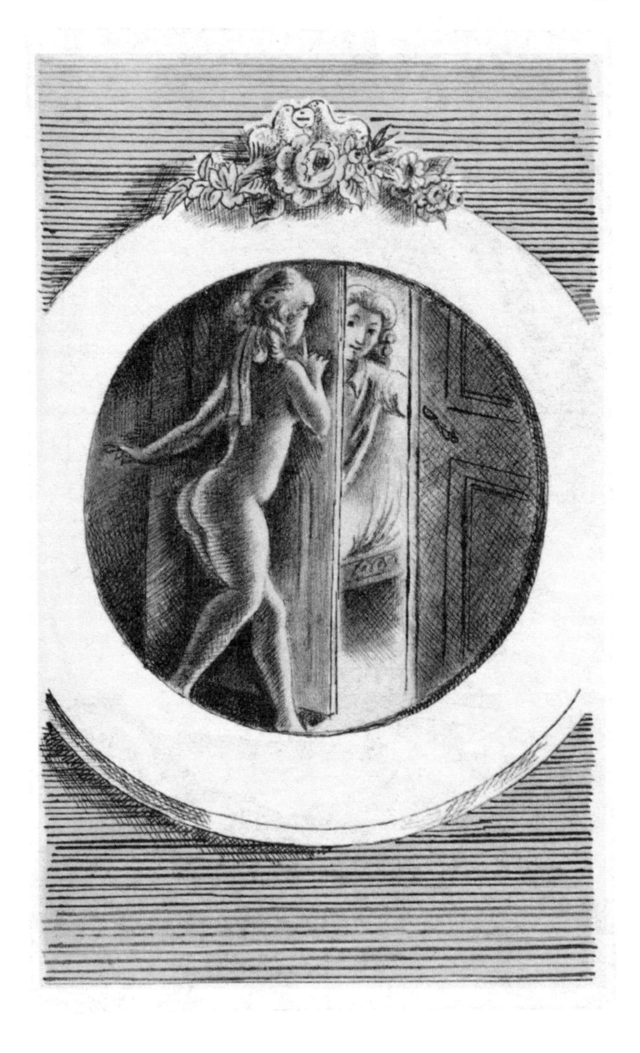

Chas Laborde.
Dangerous Acquaintances, Londres,
The Nonesuch Press, 1940.

Chéri Hérouard.
Édition de Paris, Colbert, 1946.

ANDRÉ MAUROIS

LES LIAISONS DANGEREUSES

« Sept visages de l'amour »,
La Jeune Parque, 1946
[Extrait]

La *Nouvelle Héloïse* est l'un des aspects de l'amour au XVIIIe siècle, les *Liaisons dangereuses* en sont un autre. Rousseau, romantique, fuit son temps et nous peint l'amour tel qu'il le voudrait ; Laclos, réaliste, observe son temps et nous peint l'amour tel qu'il le voit. À la vérité, il le peint dans un milieu très fermé qui est la société aristocratique. C'est un monde où hommes et femmes ont des loisirs, où le souci de gagner sa vie est inconnu, où les jeux de la politique qui occupent tant l'homme moderne sont interdits, où les classes dites « dirigeantes » n'ont rien à diriger. Que faire, quand on n'a rien à faire, sinon l'amour ? Celui-ci devient alors un jeu, comparable aux échecs, où la possession donne partie gagnée. Après quoi chacun cherche un autre partenaire et essaie à nouveau les mêmes gambits. C'est monotone, triste, souvent cruel. « Mais que voulez-vous, semble nous dire l'auteur, les hommes sont ainsi faits. »

I. L'AUTEUR

Qui était-il, cet auteur ? Le général Choderlos de Laclos. Mais général, il ne le devint que sur le tard. Au temps où il écrit son fameux roman (1782), il est encore subalterne en province. À Grenoble, la garnison de France où l'on s'amuse le mieux, la noblesse locale a remarqué ce grand garçon maigre, au teint pâle, aux yeux bleus, aux dehors froids, à l'âme ardente et raffinée. Il est admirateur passionné de Rousseau et aussi de Richardson. Il a lu et relu *Clarisse Harlowe* ; c'est un peu pour créer un Love-lace[1] français qu'il écrira les *Liaisons.*

Était-il lui-même un Don Juan ? Il semble que non. Un de ses biographes nous dit que, de même que Stendhal faisait la guerre dans l'Intendance, Laclos faisait l'amour dans le Service des Renseignements. Il aimait à parler avec les dames et à recueillir leurs confidences. Elles les font plus volontiers à ces observateurs non combattants qu'aux grands conquérants de l'amour. Henry James et Marcel Proust aimaient l'un et l'autre les « potins » à la folie. C'est en effet avec de petits potins que l'on fait parfois les grands romans. Une anecdote devient le point de départ d'une scène, d'un chapitre. Plus tard les gens de Grenoble reconnaîtront des personnages, ou croiront les reconnaître, dans les *Liaisons dangereuses*, et feront au livre un succès.

La peinture de la société française que nous offre Laclos est très dure. « Un des plus grands défauts de ces sortes de romans, dit La Harpe, est de donner pour les mœurs du siècle ce qui n'est au fond que l'histoire d'une vingtaine de fats et de catins[2]. » Rien n'est plus vrai, surtout en France. Entre les deux guerres, de 1920 à 1940, nous vîmes à Paris un petit groupe de trente ou quarante personnes alimenter, de leurs permutations amoureuses, toute la chronique scandaleuse. Le reste de la nation menait des vies normales, mais les menait sans bruit, tandis que le petit groupe des cyniques remplissait les gazettes de l'éclat de ses aventures.

Le romancier décrit plus volontiers la catin que la sainte. Les événements, dans la vie de la première, sont plus nombreux. En outre, au XVIIIe siècle, un homme comme Laclos, décrivant « le grand monde », avait tendance à en exagérer les noirceurs. Déjà la Révolution couvait sous la cendre bourgeoise. Un officier pauvre comme celui-ci avait de vives rancunes contre les grands seigneurs. Les *Liaisons dangereuses* sont un peu, dans le roman, ce que le *Mariage de Figaro* est au théâtre : un pamphlet contre une noblesse dépravée. Non qu'on y trouve un mot de politique, mais c'est « une pièce à charge au dossier de la classe » qu'attaquera la Révolution.

De même que le *Mariage de Figaro*, le livre fit fureur

parmi ceux qu'il visait. Tout le monde, à Paris et à Versailles, voulut connaître l'auteur. Son colonel s'inquiéta. Un officier romancier et libertin... Cela ne paraissait pas sérieux. Mais Laclos était excellent artilleur et le canon fit passer le roman. Bien que les caractères eussent été observés à Grenoble, les gens de goût reconnaissaient un livre de moraliste et des personnages éternels. De cela, l'auteur lui-même était conscient. « J'ai préféré, nous dit-il, la draperie que je pouvais avoir sous les yeux ; l'homme exercé dépouille aisément le modèle et reconnaît le nu. » Valmont et Mme de Merteuil sont des types autant et plus que des portraits.

L'étrange est que cet auteur à succès, après un triomphe, n'écrivit plus rien. L'artillerie l'emporta, et l'amour. Car le créateur de Valmont se maria et fut le plus heureux, le plus sentimental des maris. Nous avons ses lettres à sa femme, qui était née Soulange Duperré, et sœur de l'Amiral de France. « Il y a près de douze ans que je te dois mon bonheur, lui écrit-il. Le passé est la caution de l'avenir. » — « Je vois avec plaisir qu'enfin tu te sens aimée, mais permets-moi de te dire qu'il y a douze ans que tu dois en être bien sûre. » Il la loue d'être « une maîtresse adorable, une excellente femme et une tendre mère ». Engraisse-t-elle ? « De toi, plus il y en a, et mieux c'est. » Et il ne s'agit pas d'un lion devenu vieux, puisque cette passion exclusive dure depuis vingt ans.

Dans sa vieillesse, après la Révolution, au cours de laquelle il avait été l'agent des ducs d'Orléans, Laclos pensait à écrire un autre roman pour prouver « qu'il n'y a pas de bonheur hors de la famille ». André Gide se réjouit de ce que ce vertueux projet n'ait pu être mené à bien, et ne croit pas un instant que Laclos, meneur d'intrigues mystérieuses et romancier cynique, ait sincèrement aimé la vertu. « Il n'y a point de doute, dit Gide, que Laclos n'ait été la main dans la main avec Satan. » Après avoir lu ses lettres, je n'en suis pas tout à fait aussi sûr. Mais qu'il ait bien connu Satan et qu'il ait peint en connaisseur l'enfer de l'amour-jeu, la lecture de son unique livre le prouve.

Karl Staudinger.
Édition de Stuttgart, Vienne et Saint-Gall, Janus-Bibliothek der Weltliteratur, 1950.

PAUL ACHARD

LES LIAISONS DANGEREUSES

Pièce en huit tableaux

« Paris Théâtre », septembre 1952

TABLEAU VII

Au couvent des Feuillantines, une pièce sévère, attenante à la cellule de Mme de Tourvel qu'on aperçoit par une porte ouverte. Cloche. Un grand fauteuil, une chaise, un prie-Dieu, une petite table, un crucifix. Par une fenêtre grillagée au fond, on peut apercevoir une galerie de cloître. Clarté d'une fin d'après-midi d'hiver.

Mme de Tourvel est assise dans le fauteuil, semblant absente. Une religieuse arrange ses oreillers et lui couvre les genoux d'une fourrure ou d'une couverture. Mme de Rosemonde est assise auprès d'elle.

Entre Mme de Volanges, qui s'approche doucement.

SCÈNE PREMIÈRE

UNE RELIGIEUSE, MME DE TOURVEL,
MME DE ROSEMONDE,
MME DE VOLANGES, LE PÈRE ANSELME

MME DE VOLANGES : Quelle imprudence ! Les médecins lui avaient défendu de se lever.

LA RELIGIEUSE : Mme la présidente a profité de l'instant où je les reconduisais pour se traîner jusqu'ici.

MME DE ROSEMONDE, *assez bas* : Ce dernier effort l'a épuisée. Elle a les yeux grands ouverts, mais elle regarde dans le vide. Plusieurs fois dans son délire elle nous a appelées. Entre ses crises, on ne sait si elle est lucide, elle reste hébétée et nous fixe sans nous voir.

MME DE VOLANGES, *un peu plus haut*: Ce soir, elle semble plus calme.

MME DE TOURVEL, *le regard fixe*: Je suis calme. Depuis des heures, je n'ai pas versé une larme, mon cœur flétri n'en fournit plus. *(À Mme de Volanges.)* Mon amie, je meurs pour ne pas vous avoir crue... Dès le premier jour, j'ai déjà osé fixer mes yeux sur ce moment fatal. Je savais... je savais... Qu'il n'entende de ma part ni plainte, ni reproche.

(Elle retombe.)

MME DE VOLANGES, *à Mme de Rosemonde*: Je viens vous relayer.

MME DE TOURVEL, *se dressant*: Monstre ! Être cruel et malfaisant, ne te lasseras-tu pas de me persécuter ? Ne te suffit-il pas de m'avoir tourmentée, dégradée, avilie ? Veux-tu me ravir jusqu'à la paix du tombeau ?

MME DE ROSEMONDE, *allant vers elle*: Le délire la reprend.

MME DE TOURVEL : Qui me défendra ? Il n'y a personne autour de moi. Tous ont fui. Mon infortune les épouvante. Aucun n'ose s'approcher. Ils me laissent sans secours ! Je meurs et personne ne pleure sur moi. Pitié !

MME DE ROSEMONDE : Je suis là, mon enfant.

MME DE VOLANGES : Apaisez-vous, ma chérie.

MME DE TOURVEL : C'est pour l'avoir connu que j'ai perdu le repos. C'est en l'écoutant que je suis devenue criminelle... Et toi que j'ai outragé, toi qui seul aurais le droit de te venger, viens châtier ta femme infidèle. Chasse ce démon. Il est là. Je le vois. Je veux le fuir ; en vain. Il me suit. Il m'obsède. Ses yeux n'expriment que la haine. Sa bouche ne profère que l'insulte. Ses bras ne m'entourent que pour me déchirer. Qui me sauvera ? Pitié !

MME DE ROSEMONDE, *bas*: Seigneur, détournez d'elle ce calice et prenez ma vie qui va finir, en échange de la sienne. Épargnez sa jeunesse.

MME DE VOLANGES, *à la Religieuse*: Aller chercher le Père Anselme. C'est à présent le seul médecin dont elle a besoin.

(La Religieuse sort.)

MME DE TOURVEL : C'est lui, je ne me trompe pas. C'est lui qui est près de moi. Oh ! mon bien-aimé ! Prends-moi dans tes bras ! Combien j'ai souffert de ton absence, ne nous séparons plus... Jamais ! Serre-moi. Sens mon cœur, comme il tremble ! Ah ! ce n'est plus de crainte. C'est la douce émotion de l'amour. Pourquoi te refuser à mes tendres caresses ? Penche sur moi ton beau visage... Laisse-moi ! Dieu, c'est ce monstre encore ! Au secours, mon Dieu ! Laisse-moi, cruel. Ne me force pas à te haïr. Oh !... que la haine est douloureuse ! Grâce... Pitié !

(Elle retombe.)
(Sur les dernières paroles, le Père Anselme est entré, avec la Religieuse.)

LE PÈRE ANSELME, *à Mme de Rosemonde* : Madame la marquise, quelqu'un est là qui vient de la part de M. de Valmont.

MME DE VOLANGES : Si c'est pour annoncer la venue de votre neveu, je crains qu'il n'arrive trop tard.

Le Père Anselme, aidé de la Religieuse, soulève Mme de Tourvel ; tous deux emmènent la présidente jusque dans sa cellule. Mme de Volanges les accompagne. Azolan entre, en manteau noir.

SCÈNE II

MME DE ROSEMONDE, AZOLAN,
MME DE VOLANGES

MME DE ROSEMONDE : Azolan ? C'est vous ?

AZOLAN : Que Madame la marquise daigne m'excuser si je me permets de me présenter devant elle dans un tel lieu, mais c'est à l'hôtel de Madame la marquise qu'on m'a conseillé de me rendre ici.

MME DE ROSEMONDE, *inquiète* : Qu'y a-t-il, Azolan ?

AZOLAN : Madame la marquise, c'est avec bien du regret que je remplis le triste devoir de vous annoncer une nouvelle qui va vous causer un cruel chagrin.
(Mme de Volanges revient en scène et s'approche.) M. le vicomte de Valmont a eu le malheur de succomber dans un combat singulier avec M. le chevalier Danceny.

MME DE ROSEMONDE : Dieu du ciel !

AZOLAN : À midi, on l'a ramené à l'hôtel, porté par des valets et tout baigné dans son sang, avec deux coups d'épée dans le corps.

MME DE ROSEMONDE : Était-il mort ?

AZOLAN : Non, Madame la marquise : il avait les yeux grands ouverts. M. Danceny était là aussi. Et même il pleurait.

MME DE ROSEMONDE : Il était bien temps de répandre des larmes…

AZOLAN : Je ne me possédais pas. Et, malgré le peu que je suis, je n'en ai pas moins dit au chevalier ma façon de penser. Mais c'est là que M. le vicomte s'est montré véritablement grand. Il m'a ordonné de me taire et celui-là même qui était son meurtrier, il lui a pris la main, l'a appelé son ami, l'a embrassé devant nous tous qui pleurions et nous a dit : « Je vous donne l'ordre d'avoir pour Monsieur tous les égards qu'on doit à un brave et galant homme. » Puis il lui a remis cette grosse liasse de lettres. M. Danceny, dès qu'il en eut pris connaissance, m'a chargé de vous faire tenir un ces papiers où, paraît-il, tout est expliqué. Ensuite, mon maître a ordonné qu'on le laissât seul avec le chevalier.

(Il tend les lettres à Mme de Rosemonde.)

MME DE ROSEMONDE : Et vous lui avez obéi, plutôt que de mander un médecin ?

AZOLAN : J'avais aussitôt envoyé chercher des secours, tant spirituels que temporels. Mais, hélas ! le mal était sans remède. Une demi-heure après, M. le vicomte entrait en agonie. Il n'a pu recevoir que l'extrême-onction. On eût dit qu'il l'attendait, car aussitôt il a rendu son dernier soupir.

VOIX DE MME DE TOURVEL, *un cri* : Ah !…

(Mme de Volanges se rend dans la cellule de Mme de Tourvel.)

UNE VOIX : Elle est sans connaissance.

AZOLAN, *s'empressant autour de Mme de Rosemonde* : Je vous demande pardon, Madame, d'oser mêler ma douleur à la vôtre, mais dans tous les états on a un cœur… Et je serais bien ingrat si je ne regrettais toute ma vie un maître qui eut tant de bontés pour moi. Je n'ai pas le droit de le juger : les maîtres sont les maîtres. Je n'ai que le devoir de le pleurer.

UNE VOIX : Elle revient à elle.

MME DE ROSEMONDE : Merci, Azolan. Retirez-vous, mais restez à notre portée. Nous pouvons avoir besoin de vous.

(Azolan s'incline et sort.)

VOIX DE MME DE TOURVEL : Valmont est mort...

VOIX DE MME DE VOLANGES : Vous avez mal entendu, ma chérie.

VOIX DE MME DE TOURVEL : Il était déjà mort pour moi... Dieu tout-puissant, je me soumets à ta justice, mais pardonne à Valmont... *(Petit temps.)* Mon Père, je suis prête...

(Un silence. Puis un coup de cloche, suivi d'autres coups de cloche, jusqu'à la fin du tableau.)

MME DE VOLANGES, *revenant* : Elle a eu encore la force de prendre ma main et de la poser sur son cœur. Je n'en ai plus senti le battement. Ses dernières paroles, à peine perceptibles, ont été pour lui. *(Le Père Anselme ferme la porte de la cellule ou en tire le rideau.)* Ma pauvre amie, j'ajoute encore à votre douleur. Croyez que je la partage de tout mon cœur. Mais je voudrais courir auprès de ma fille, afin qu'elle n'apprenne pas par mes gens l'affaire du duel et cette mort affreuse. Elle en serait bouleversée. C'est une enfant. Je veux la préparer moi-même à apprendre ces nouvelles.

MME DE ROSEMONDE, *à travers ses larmes* : Allez, allez auprès de votre enfant. Vous me retrouverez ici auprès de notre malheureuse amie... Je ne la quitterai pas. Je lui dois ce suprême service.

MME DE VOLANGES : Je viendrai vous relever avant minuit. Pardonnez-moi.

(Elle sort.)
(Une religieuse apporte un candélabre allumé et le dépose sur la petite table. Mme de Rosemonde défait le paquet de lettres.)

RIDEAU

(Ici, le rideau peut être tiré par la Religieuse, lentement, le temps que le candélabre soit remplacé par un autre candélabre identique, également allumé, mais dont les bougies sont à peu près consumées, et le tableau suivant s'enchaîne immédiatement. Le rideau, ouvert, montre Mme de Rosemonde abîmée dans ses tristes pensées, les lettres lues. Et le huitième tableau se déroule comme ci-dessous, avec la différence que, au lieu de Nicolas, c'est une religieuse qui annonce Danceny.

Ou bien, ainsi que ce fut fait au théâtre Montparnasse-Gaston-Baty, le tableau suivant se déroule au château de Mme de Rosemonde. La salle commune n'est éclairée que par un feu de cheminée. Auprès de l'âtre, Mme de Rosemonde, assise dans un fauteuil, immobile, le regard ailleurs ; entre ses mains, des lettres. D'autres lettres sur un petit meuble, devant elle, Mme de Volanges, anxieuse et très émue, l'interroge.)

ROGER VAILLAND

LACLOS PAR LUI-MÊME

Le Seuil, 1953
[Extrait]

Le libertinage, tel que nous le dépeint Laclos, ressemble bien davantage à la corrida qu'au whist. C'est un *jeu dramatique*, avec des *figures* bien déterminées aboutissant au « moment de vérité » et à la « mise à mort ».

Jeu de société, jeu rigoureux comme les échecs, jeu dramatique comme la corrida, le libertinage ne pouvait que fasciner Laclos qui était ambitieux, géomètre et soldat. Et ce jeu fascinant, il l'a peint en romancier *réaliste* : c'est précisément parce qu'il était géomètre, soldat et ambitieux ; sa formation l'avait habitué à réfléchir sur les réalités matérielles et sociales et à écrire pour décrire la réalité ou pour donner des ordres bien concrets, — jamais pour le seul plaisir du beau langage, du « morceau de bravoure », à quoi céda si souvent Rousseau, et même Voltaire, et même parfois le grand Diderot, que j'aime par-dessus tous.

Les Liaisons dangereuses, roman par lettres, est un roman réaliste parce que :

1° Ces lettres ne sont pas des « prétextes » : Laclos ne les a pas écrites dans le ton de Laclos, pour les éventuels lecteurs de Laclos, mais au contraire telles que les auraient écrites, chacun dans sa manière, les personnages imaginés par lui. C'est ce qu'a bien distingué Grimm[1] [...].

2° Les personnages imaginés par Laclos existaient communément à son époque [...].

3° Laclos s'est efforcé de peindre des « types », c'est-à-dire, en bon géomètre, d'utiliser les *figures* pour rendre évidentes les *lois*. Il s'en explique lui-même très clairement dans une lettre à Mme Riccoboni [...]*.

4° Laclos a tellement le souci du réel que, tout à fait exceptionnellement pour son époque, les *questions d'argent* ne sont pas totalement absentes des *Liaisons* :

> Leur naissance est égale, j'en conviens ; mais l'un est sans fortune, et celle de l'autre est telle que, même sans naissance, elle aurait suffi pour le mener à tout. J'avoue bien que l'argent ne fait pas le bonheur, mais il faut avouer aussi qu'il le facilite beaucoup. Mlle de Volanges est, comme vous le dites, assez riche pour deux : cependant, soixante mille livres de rente dont elle va jouir, ne sont pas déjà tant quand on porte le nom de Danceny, quand il faut monter et soutenir une maison qui y réponde. Nous ne sommes plus au temps de Mme de Sévigné. Le luxe absorbe tout : on le blâme, mais il faut l'imiter ; et le superflu finit par priver du nécessaire.
>
> (*Liaisons*, lettre CIV.)

Laclos, romancier réaliste, a donc dépeint le libertinage, *jeu dramatique*, avec le même souci de vérité que Hemingway, autre romancier réaliste, a mis à dépeindre — dans *Mort dans l'après-midi* — la corrida, autre *jeu dramatique*. De la lecture des *Liaisons* on peut très aisément déduire les *règles* et les *figures* du libertinage.

La principale règle du libertinage contraint le libertin à une stricte *vertu*, au sens cartésien du mot, c'est-à-dire à être toujours *agissant* et jamais *agi*, — et, dans le cas particulier, toujours séducteur, jamais séduit.

Les *figures* du libertinage sont au nombre de quatre :

*la première figure est *le choix*, qui doit être méritoire ;

*la deuxième figure est *la séduction*, qui, comme au gibier dans la chasse à courre, doit laisser toutes ses chances à la femme poursuivie ;

*la troisième figure est *la chute*, qui doit être exécutée bien nettement et sans aucune fioriture ;

*la quatrième figure est *la rupture*, dont le principal mérite est d'être éclatante : c'est le défi au Commandeur. C'est

* « On insiste et l'on me demande, Mme de M. a-t-elle jamais existé ? [...] qui osera nier la vérité de tous les jours ? » (voir p. 470).

également, et en tant que vérification de la *vertu* du libertin, la mise à mort (réelle ou symbolique) de la victime désignée au cours de la première figure.

Laclos est tellement respectueux de la réalité qu'à la quatrième figure des *Liaisons* il fait *mettre à mort* la Présidente de Tourvel, c'est-à-dire la femme qu'il aime entre toutes les femmes.

Les Liaisons dangereuses 1960, 1959.
Un film de Roger Vadim.

Les Liaisons dangereuses 1960, 1959.
Un film de Roger Vadim.

ROGER VADIM ET ROGER VAILLAND
avec la collaboration de Claude Brulé

LES LIAISONS DANGEREUSES 1960

Adaptation de Roger Vadim et Roger Vailland,
dialogues de Roger Vailland,
Julliard, 1960
[Extraits]

I. LE COMPLOT

[Jerry Court doit annoncer à Juliette Valmont, dont il est l'amant, ses fiançailles avec Cécile Volanges.]

[...] *La sonnerie du téléphone retentit dans le living-room des Valmont.*

VALMONT (à Juliette)

Tu réponds ?

JULIETTE

Allô !... Oui, Jerry ?

Elle s'empare du téléphone et l'emmène dans sa chambre, tout en continuant de parler.
Valmont, intéressé, laisse le livre qu'il allait prendre et s'avance pour rejoindre sa femme.

JULIETTE (au téléphone)

Triste !... Pourquoi triste ? Quelle idée !... ... Oui, je me suis demandé pourquoi vous n'êtes pas venu ce soir...

Elle bouche le récepteur de sa main libre et se tourne vers Valmont.

JULIETTE (à Valmont)

Il a quelque chose d'important à me dire. Mais il ne veut pas le faire au téléphone.

Pendant la suite du dialogue de Juliette au téléphone, Valmont embrasse sa femme dans le cou, sur la nuque. Juliette se laisse faire. Elle sourit. Mais sa voix ne trahit aucun trouble.

JULIETTE (au téléphone)

Bon, j'attendrai demain. Non, je ne suis pas seule. Je suis avec mon mari. Il m'embrasse. *(On entend des grognements dans l'appareil.)* Bien sûr, je suis seule… Je plaisantais… Bonsoir, mon amour… Non, je suis sur mon lit… J'étais en train de me déshabiller quand le téléphone a sonné…

Valmont déboutonne le haut de la robe de Juliette et passe ses mains sous le tissu. Deux fois de suite, on entend la voix de Jerry qui grésille dans l'écouteur.

JULIETTE (au téléphone)

Non… Ce n'est pas coupé… J'enlevais ma robe…

Juliette se mord les lèvres et ferme les yeux une seconde. Mais elle réussit à parler d'une voix presque naturelle.

JULIETTE

Je ne comprends pas très bien ce que vous regrettez… Quel problème ?… Vous êtes mystérieux…

. . . .

Nous revenons chez Court qui est toujours au téléphone, visiblement ému.

COURT

Good night, darling.

Il raccroche, et vide aussitôt d'un trait un verre de whisky qu'il a rempli tout en téléphonant.

. . . .

Valmont s'est étendu sur le lit. Juliette est restée debout. Elle a encore la main sur le récepteur qu'elle vient de raccrocher.

JULIETTE

M. Jerry Court m'agace.

VALMONT

Ah oui ?...

JULIETTE

Vous autres, hommes, vous êtes toujours si sûrs de vous...

Elle s'assied sur le bord du lit. Pendant la réplique suivante, elle ouvrira la robe de chambre de Valmont. Sous cette robe de chambre, Valmont est torse nu.

JULIETTE

... On vous choisit, on vous prend, vous croyez nous avoir conquises. Il ne nous reste qu'une façon de mettre les points sur les i : c'est de rompre les premières. En ce qui concerne Court, ce qui m'agace...

VALMONT

... C'est que, pour une fois, la suite des opérations échappe à ton contrôle.

JULIETTE

Il n'y a que toi qui me connaisses.

Valmont attire vers lui Juliette, qui tombe sur sa poitrine. Mais, aussitôt, elle se dégage et se raidit sur ses deux bras. Elle est ainsi étendue sur Valmont, mais le torse cambré en arrière.

VALMONT

Tu boudes ?

JULIETTE

Je suis fidèle à mes principes. Je ne trompe pas l'amant de l'instant, même avec toi.

VALMONT

Enfin, tout de même, tu es libre !

JULIETTE

Il doit être content de lui. À lui la France ! Il est venu, il a vu, il a vaincu. Pour commencer, la femme d'un haut fonctionnaire qui lui a appris l'amour à la française…

VALMONT

Je te fais confiance.

JULIETTE

Et pour finir, une pure jeune fille avec je ne sais combien de millions à la clé… enfin, assez de millions pour faire une épouse parfaite… Une épouse parfaite, voilà le point faible. Il croit épouser la vertu ; il faut qu'il épouse le vice !

VALMONT

Elle n'a peut-être pas les mêmes dispositions que toi.

Juliette le regarde, sourit et lui défait la ceinture de sa robe de chambre.

JULIETTE

Une jeune fille, ça se forme. Tu m'as bien formée.

VALMONT

Lequel de nous deux a formé l'autre ?

Valmont prend la main de Juliette. Mais aussitôt, Juliette se lève et s'éloigne. Elle marche de long en large, non loin du lit où Valmont est toujours étendu sur le dos.

JULIETTE

Plan de campagne : les Volanges vont passer les fêtes à Megève, toi aussi.

VALMONT

Je vais en Suisse.

JULIETTE

Toutes les neiges se valent. Tu peux bien changer de neige pour me faire plaisir, c'est la moindre des choses. Ton charme opère, Cécile tombe.

VALMONT

C'est ma cousine.

JULIETTE

Je suis bien ta femme. Je te fais d'ailleurs un joli cadeau : à peine dix-sept ans, un peu gauche, mais des yeux qui promettent.

VALMONT

Je devrais te remercier.

JULIETTE

Les choses qu'on apprend à cet âge-là demeurent toute la vie. Il va présenter à ses amis la petite fille modèle découverte à Paris, et les amis vont trouver dans leur lit une élève de Valmont. Nous n'avons pas fini de rire.

Elle commence d'enlever sa robe. Valmont, sur le lit, la regarde.

JULIETTE

Tu vas à Megève ?

VALMONT

Je n'ai jamais su te résister.

Juliette est maintenant au premier plan, le dos nu.

JULIETTE

Moi non plus.

Elle s'avance vers Valmont.

VALMONT

(comme s'il lui disait un mot d'amour)

Tu es abominable.

Juliette fait encore un pas et jette sa robe sur le visage de Valmont qui ne bouge pas. Elle continue d'avancer vers lui.

VII. LA GUERRE

[Valmont est rentré avec précipitation de Deauville — où il a laissé Marianne Tourvel, très amoureuse de lui — à Paris, où l'a rappelé son épouse Juliette.]

[...]

JULIETTE

Comment Mme Tourvel a-t-elle réagi à l'opération « rupture » ?

VALMONT

Elle m'attend à Deauville.

JULIETTE

Tu ne tiens pas tes promesses, Valmont.

VALMONT

Je ne sais pas comment lui dire... Je déteste les larmes.

JULIETTE

Téléphone.

VALMONT

Les larmes s'entendent.

JULIETTE

Télégraphie.

VALMONT

Qu'est-ce que tu peux bien expliquer dans un télégramme !

JULIETTE

Ce que, d'habitude, tu as le courage de dire. Tu permets que je télégraphie pour toi ?

Elle n'attend pas la réponse, se lève, décroche le téléphone.

JULIETTE

Allô... Un télégramme pour le Calvados... Babylone 32-82... M. Valmont...

Pendant que Juliette va dicter l'adresse et le texte du télégramme, la caméra nous montre alternativement en très gros plan le visage de Valmont et celui de Juliette...

JULIETTE (dictant)

Mme Tourvel, Auberge du Roi, Deauville... « Mon ange, on s'ennuie de tout, c'est une loi de la nature. Stop. Je t'ai prise avec plaisir et je te quitte sans regrets. Stop. Adieu. Stop. Ainsi va le monde. Ce n'est pas ma faute. Stop. Valmont. »

On entend la voix de l'employée de la poste répéter le texte du télégramme.

C'est bien ça, Mademoiselle.

VALMONT

Tu me parais un peu trop contente de toi.

JULIETTE (à la téléphoniste)

Combien de temps pour Deauville ?... Et en urgent ?... Une heure ? Envoyez-le en urgent.

Elle a un sourire léger sur les lèvres. Elle raccroche.

D'après Roger Vadim et Roger Vailland.
Les Liaisons dangereuses 1960, ciné-roman,
Mon film, n° 685, février 1961.

D'après Roger Vadim et Roger Vailland.
Les Liaisons dangereuses 1960, ciné-roman,
Mon film, n° 685, février 1961.

Hilde Schlotterbeck.
Édition d'Olten, Stuttgart et Salzbourg, Fackelverlag, 1962.

Raymond Hawthorn.
Édition de Londres, The Folio Society, 1962.

Raymond Hawthorn.
Édition de Londres, The Folio Society, 1962.

Raymond Hawthorn.
Édition de Londres, The Folio Society, 1962.

Raymond Hawthorn.
Édition de Londres, The Folio Society, 1962.

Paulette Debraine.
Édition de Paris, Club du Livre sélectionné, années 1960.

Paulette Debraine.
Édition de Paris, Club du Livre sélectionné, années 1960.

HELLA S. HAASSE

UNE LIAISON DANGEREUSE

Lettres de La Haye, 1976
[Extrait]

8. LA MARQUISE DE MERTEUIL

Je ne crois pas posséder ce que l'on appelle communément une « conscience ». Je ne décèle rien en moi de cette prétendue voix intérieure, non plus que d'une aversion instinctive pour le crime. Personne ne peut m'empêcher de faire ou de ne pas faire quelque chose sous prétexte que ce serait « mal » (du reste, qu'est-ce que cela veut dire ?), mais seulement parce que ce serait contraire au bon sens, ou pourrait finalement me nuire. Si j'ai regretté après coup d'avoir dicté à Valmont la lettre d'adieu destinée à l'Autre[1], ce n'est pas parce qu'*elle* a souffert, mais parce que je n'ai pas prévu sa réaction et l'effet qu'elle produirait sur Valmont. Je peux dire que je n'éprouve aucune pitié pour une femme adulte qui a choisi de vivre d'illusions, non plus que pour une jouvencelle comme Cécile Volanges qui fut avant tout victime de sa propre curiosité et de sa coquetterie. Suis-je mauvaise parce que l'une manquait de sens des réalités et l'autre était incapable de se dominer ? Jamais je n'aurais utilisé une violence brutale, ou encouragé les autres à en faire usage, si je n'avais pu atteindre mon but en m'attaquant aux points faibles de leur nature ; simplement parce que la violence, sous quelque forme que ce soit, me répugne. Est-il donc interdit de percer à jour le faux-semblant, l'aveuglement ? Ce que j'ai fait n'était aucunement contraire aux lois de la logique. Observer, voir

---

Traduction d'Anne-Marie de Both-Diez.

clair dans les caractères et les situations et, ensuite, agir pour la plus grande satisfaction de soi sur la base de ces observations, n'est-ce pas là le pouvoir par excellence de quiconque ne dispose d'aucun autre moyen concret de puissance sociale ?

Pendant une nuit d'insomnie, j'ai laissé défiler dans mon esprit quelques femmes célèbres dans le monde entier, c'est-à-dire dont chacun connaît le nom depuis des siècles. Naturellement, ce furent surtout des princesses, en tout cas des femmes revêtues d'un pouvoir temporel, qui avaient de l'influence et de l'autorité dans les affaires des hommes. Ce qui m'a frappée c'est le nombre d'entre elles dont l'image est déterminée par des traditions de scandales, de débauche, de meurtres, de trahison et de violence. [...]

Maurice-Frantz Pointeau.
Édition de Paris, Imprimerie nationale, 1981.

Maurice-Frantz Pointeau.
Édition de Paris, Imprimerie nationale, 1981.

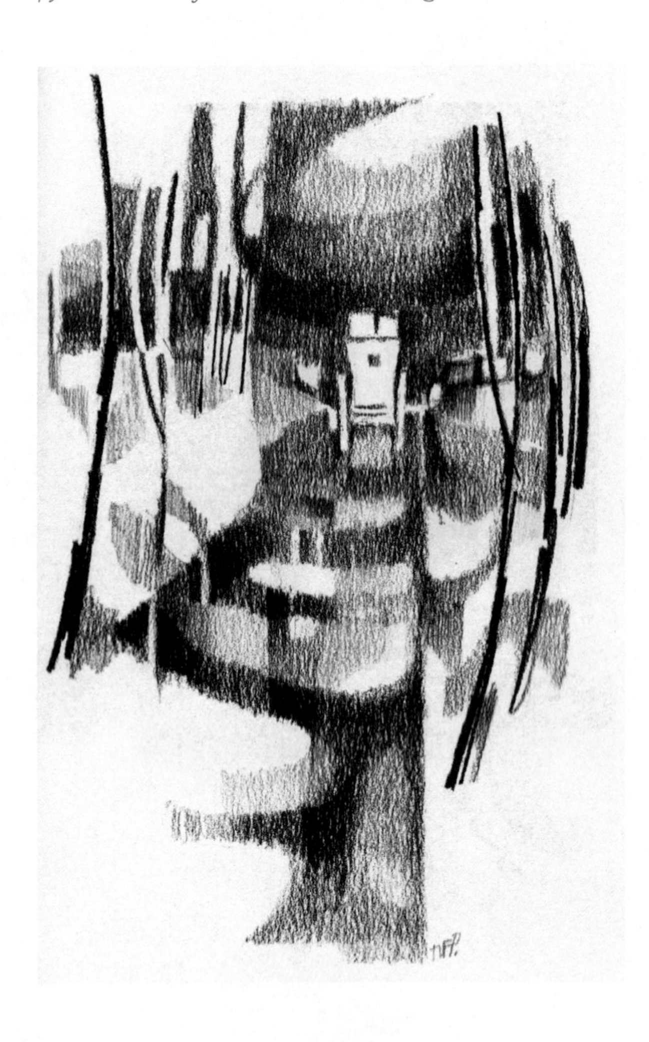

Maurice-Frantz Pointeau.
Édition de Paris, Imprimerie nationale, 1981.

HEINER MÜLLER

QUARTETT

D'APRÈS LACLOS

1981

Éditions de Minuit, 1983

Personnages

MERTEUIL
VALMONT

Période

Un salon d'avant la Révolution française
Un bunker d'après la troisième guerre mondiale

MERTEUIL : Valmont. Je la croyais éteinte, votre passion pour moi. D'où vient ce soudain retour de flamme. Et d'une passion si juvénile. Trop tard bien sûr. Vous n'enflammerez plus mon cœur. Pas une seconde fois. Jamais plus. Je ne vous dis pas cela sans regret, Valmont. Certes il y eut des minutes, peut-être devrais-je dire des instants, une minute c'est une éternité, où je fus, grâce à votre société, heureuse. C'est de moi que je parle, Valmont. Que sais-je de vos sentiments à vous. Et peut-être ferais-je mieux de parler des minutes où j'ai su vous utiliser, vous si remarquable dans la fréquentation de ma physiologie, pour éprouver quelque chose qui m'apparaît dans le souvenir comme un sentiment de bonheur. Vous n'avez pas oublié comment on s'y prend avec cette machine. Ne retirez pas votre main. Non que j'éprouve quelque chose pour vous. C'est ma peau qui se souvient. À moins qu'il lui soit parfaitement égal, non, je parle de ma peau, Valmont, de savoir de quel animal provient l'instrument de sa volupté, main ou griffe. Quand je ferme les yeux, vous êtes beau, Valmont. Ou bossu, si je veux. Le privilège des aveugles. Ils ont en amour la meilleure part. La comédie des circonstances

---

Traduction de Jean Jourdheuil et Béatrice Perregaux.

accessoires leur eſt épargnée : ils voient ce qu'ils veulent. L'idéal serait aveugle et sourd-muet. L'amour des pierres. Vous ai-je effrayé, Valmont. Que vous êtes facile à décourager. Je ne vous savais pas comme cela. La gent féminine vous a-t-elle infligé des blessures après moi. Des larmes. Avez-vous un cœur, Valmont. Depuis quand. Votre virilité aurait-elle subi des dommages, après moi. Votre haleine sent la solitude. Celle qui a succédé à celle qui m'a succédé vous a-t-elle envoyé promener. L'amoureux délaissé. Non. Ne retirez pas votre délicieuse proposition, Monsieur. J'achète. J'achète de toute façon. Inutile de craindre les sentiments. Pourquoi vous haïrais-je, je ne vous ai pas aimé. Frottons nos peaux l'une contre l'autre. Ah l'esclavage des corps. Le tourment de vivre et de ne pas être Dieu. Avoir une conscience, et pas de pouvoir sur la matière. Ne vous pressez pas, Valmont. Comme cela c'eſt bien. Oui oui oui oui. C'était bien joué, non. Que m'importe la jouissance de mon corps, je ne suis pas une fille d'écurie. Mon cerveau travaille normalement. Je suis tout à fait froide, Valmont. Ma vie Ma mort Mon bien-aimé.

Entrée de Valmont.

MERTEUIL : Valmont. Vous êtes à l'heure. Et pour un peu je regretterais votre ponctualité. Elle abrège un bonheur que j'aurais volontiers partagé avec vous, mais il se trouve juſtement qu'il eſt impossible à partager, si vous comprenez ce que je veux dire.

VALMONT : Dois-je entendre que vous êtes de nouveau amoureuse, Marquise. Eh bien je le suis aussi, si vous appelez ça comme ça. Une fois de plus. Je serais désolé d'avoir interrompu un amant en train de donner l'assaut à votre belle personne. Par quelle fenêtre s'eſt-il échappé. Puis-je espérer qu'il se sera cassé le cou.

MERTEUIL : Fi, Valmont. Et gardez votre compliment pour la dame de votre cœur, où que se situe cet organe. J'espère pour vous que la nouvelle gaine eſt dorée. Vous devriez me connaître mieux. Amoureuse. Je nous croyais d'accord là-dessus, ce que vous appelez l'amour eſt l'affaire des domeſtiques. Comment pouvez-vous me supposer capable d'un mouvement aussi bas. Le bonheur suprême eſt le bonheur des animaux. Assez rare qu'il nous tombe du ciel. Vous me l'avez fait éprouver de temps en temps, quand il me plaisait encore de vous utiliser à cela, Valmont, et j'espère que vous ne repartiez pas les mains vides. Qui eſt l'heureuse élue du moment. Ou peut-on déjà dire la malheureuse.

VALMONT : C'est la Tourvel. Quant à celui qu'il vous est impossible de partager

MERTEUIL : Jaloux. Vous, Valmont. Quelle rechute. Je vous comprendrais si vous le connaissiez. D'ailleurs je suis sûre que vous l'avez rencontré. Un bel homme. Bien qu'il ne soit pas si différent de vous. Les oiseaux migrateurs sont pris eux aussi dans les filets de l'habitude, même quand leur vol se déploie sur des continents. Tournez-vous je vous prie. L'avantage qu'il a sur vous, c'est la jeunesse. Même au lit, si vous voulez le savoir. Voulez-vous le savoir. Un rêve, si je vous prends, vous Valmont, pour la réalité, pardonnez-moi. Peut-être que plus rien ne vous distinguerait l'un de l'autre dans dix ans, à supposer que je puisse maintenant, d'un amoureux regard de méduse, vous changer en pierre. Ou en un matériau plus plaisant. Une image féconde : le musée de nos amours. Nous ferions salle comble, n'est-ce pas Valmont, avec les statues de nos désirs en décomposition. Les rêves morts, classés par ordre alphabétique ou chronologiquement, libérés des hasards de la chair, préservés des terreurs du changement. Notre mémoire a besoin de béquilles : on ne se souvient même plus des diverses courbes des queues, sans parler des visages : une brume. La Tourvel est une insulte. Je ne vous ai pas remis en liberté pour que vous grimpiez sur cette vache, Valmont. Je comprendrais que vous vous intéressiez à la petite Volanges, légume tout frais sorti de la serre du couvent, ma nièce virginale, mais la Tourvel. Je l'avoue, c'est un sacré morceau de chair, mais partagé avec un mari qui n'en démord pas, un mari fidèle, comme j'ai tout lieu de le craindre, et cela depuis combien d'années, que va-t-il vous rester, Valmont. Un résidu. Allez-vous vraiment tisonner ce triste rebut. Vous me faites pitié, Valmont. Si encore c'était une putain, qui ait appris son métier. La Merreaux, par exemple, je la partagerais avec dix hommes, mais la seule dame de la haute société qui soit assez perverse pour se complaire dans le mariage, une bigote aux genoux rougis par les prie-Dieu et aux doigts enflés à force de se tordre les mains devant son confesseur. Ces mains-là n'agrippent pas d'appareil génital sans la bénédiction de l'Église, Valmont. Je parie qu'elle rêve de l'immaculée conception quand son amoureux mari veut bien condescendre sur elle, avec l'intention conjugale de lui faire un enfant, une fois par an. Qu'est-ce que la dévastation d'un paysage comparée au gaspillage de jouissance qu'entraîne la fidélité d'un mari. À vrai dire, le comte Gercourt spécule sur l'innocence de ma nièce. En tout honneur, d'ailleurs : le contrat d'achat est chez le notaire. Craindriez-vous par hasard sa concurrence, il vous a déjà soufflé la Vressac, et vous aviez alors deux ans de moins. Vous vieillissez, Valmont. Je pensais que cela vous ferait plaisir, sans parler de la chevauchée sur la vierge, de couronner ce bel animal de Gercourt de l'inévitable ramure, avant qu'il prenne son emploi de garde-forestier, que tous les braconniers de la capitale envahissent sa forêt et l'abonnent à cette parure. Soyez un bon chien, Valmont, et prenez la trace tant qu'elle est fraîche. Un peu de jeunesse dans votre lit, puisque le miroir ne vous en renvoie plus. Pourquoi lever la patte devant un tronc d'église. À moins que vous en soyez à mendier l'aumône du mariage. Voulez-vous que nous donnions un exemple au monde et que nous nous épousions, Valmont.

VALMONT : Comment oserais-je vous faire une pareille insulte aux yeux du monde, Marquise. L'aumône pourrait être empoisonnée. D'ailleurs je préfère choisir ma chasse moi-même. Ou l'arbre devant lequel je lève la patte, comme vous aimez à dire. Il y a trop longtemps qu'il n'a pas plu sur vous, quand vous êtes-vous regardée dans le miroir pour la dernière fois, amie de mon âme. J'aimerais pouvoir vous servir encore de nuage, mais le vent me pousse vers d'autres cieux. Je ne doute pas que j'arriverai à faire fleurir le tronc d'église. Pour ce qui est de la concurrence : Marquise, je sais que vous avez de la mémoire. Que le Président vous ait préféré la Tourvel, même en enfer vous ne l'oublierez pas. Je suis prêt à me faire l'amoureux instrument de votre vengeance. Et me promets de l'objet de mon adoration une chasse bien meilleure que de votre nièce virginale, inexpérimentée qu'elle est dans les arts de la fortification. Qu'aura-t-elle appris dans son couvent, à part le jeûne et un peu de masturbation pieuse avec le crucifix. Passés les frimas des prières enfantines, je parie qu'elle brûle de recevoir le coup de grâce qui mettra fin à son innocence. Elle se jettera sur mon couteau avant que je l'aie tiré. Elle ne fera pas le moindre zigzag : elle ignore les frissons de la chasse. Qu'importe le gibier sans la volupté de la poursuite. Sans la sueur de l'angoisse, le souffle coupé, le regard révulsé. Le reste est digestion. Mes meilleures feintes feront de moi un bouffon, tout comme le théâtre vide fait du comédien un bouffon. Il faudra que je m'applaudisse moi-même. Le tigre en cabotin. Que la plèbe se saute entre deux portes, soit, son temps est précieux, il nous coûte de l'argent, notre métier sublime à nous est de tuer le temps. Il nous faut nous y consacrer tout entiers : il y en a trop. Qui pourrait faire que s'arrêtent et se dressent les horloges du monde : l'éternité comme érection perpétuelle. Le temps est la faille de la création, toute l'humanité y a sa place. L'Église a comblé cette faille avec Dieu, à l'intention de la plèbe ; nous, nous savons qu'elle est noire et sans fond. Quand la plèbe s'en avisera, elle nous jettera dedans.

MERTEUIL : Les horloges du monde. Avez-vous des difficultés, Valmont, à faire que se dresse le meilleur de vous-même.

VALMONT : Avec vous, Marquise. Même s'il me faut avouer que je commence à comprendre pourquoi la fidélité est le plus sauvage des dérèglements. Trop tard hélas pour ce qui est de notre tendre relation, mais je me propose de m'adonner un peu à cette nouvelle expérience. Je hais les choses passées. Le changement les accumule. Considérez la croissance de nos ongles, nous continuons à germer dans notre cercueil. Et imaginez qu'il nous faille habiter avec les déchets de nos années. Des pyramides de saleté, jusqu'à ce que soit arraché le ruban de la ligne d'arrivée. Ou dans les déjections de nos corps. Seule la mort est éternelle, la vie se répète jusqu'à ce que l'abîme soit béant. Le déluge, un défaut de canalisation. Pour ce qui est de l'amoureux mari : il est à l'étranger en mission secrète. Peut-être réussira-t-il, politique comme il est, à faire éclater une nouvelle guerre. Excellent venin contre l'ennui de la dévastation. La vie va plus vite quand la mort devient un spectacle, la beauté du monde fait dans le cœur une entaille moins profonde, avons-nous un cœur, Marquise, quand on en contemple la destruction, on voit la parade des jeunes culs nous rappeler quotidiennement que nous sommes éphémères, on ne peut pas tous les avoir, n'est-ce pas, et que la vérole emporte tous ceux qui nous échappent, dans l'éclair des canonnades, devant la haie des pointes d'épée, avec un certain sang-froid. Pensez-vous parfois à la mort, Marquise. Que dit votre miroir. C'est toujours l'autre qui nous y regarde.

C'est lui que nous cherchons quand nous creusons à travers les corps étrangers, nous quittant nous-mêmes. Possible qu'il n'y ait ni l'un ni l'autre, seulement le néant dans notre âme qui réclame sa pâtée. Quand sera-t-il possible d'inspecter votre virginale nièce, Marquise.

MERTEUIL : Vous avez donc retrouvé votre peau, Valmont. Nul homme dont le membre ne se raidisse à la pensée que sa précieuse chair doit disparaître, c'est l'angoisse qui fait les philosophes. Bienvenue dans le péché et oubliez le tronc d'église avant que la dévotion vous submerge, vous allez oublier votre seule vocation. Qu'avez-vous appris si ce n'est à manœuvrer votre queue dans un trou en tous points semblable à celui dont vous êtes issu, avec toujours le même résultat, plus ou moins divertissant, et toujours dans l'illusion que l'applaudissement des muqueuses d'autrui va à votre seule personne, que les cris de jouissance vous sont adressés à vous, alors que vous n'êtes que le véhicule inanimé de la jouissance de la femme qui vous utilise, indifférent et tout à fait interchangeable, bouffon dérisoire de sa création. Vous le savez bien, pour une femme tout homme est un homme qui fait défaut. Et vous savez également ceci, Valmont : bien assez tôt le destin vous enjoindra de n'être même plus cela, un homme qui fait défaut. Au fossoyeur de trouver ensuite sa satisfaction.

VALMONT : Quel ennui que la bestialité de notre conversation. Chaque mot ouvre une blessure, chaque sourire dévoile une canine. Nous devrions faire jouer nos rôles par des tigres. Encore une morsure, encore un coup de griffe ? L'art dramatique des bêtes féroces.

MERTEUIL : Vous perdez votre aplomb, Valmont, vous devenez sensible. La vertu est une maladie infectieuse. Qu'est-ce que c'est, notre âme. Un muscle ou une muqueuse. Ce que je crains, c'est la nuit des corps. À quatre jours de voyage de Paris, dans un trou bourbeux qui appartient à ma famille, cette chaîne de membres et de vagins alignés sur le fil d'un nom de hasard accordé à un ancêtre mal lavé par un roi puant, quelque chose vit, entre l'homme et la bête. Que j'espère ne pas avoir à rencontrer, ni dans cette vie, ni dans une autre, à supposer qu'il y en ait une autre. À la seule pensée de son odeur, je sue de tous mes pores. Mes miroirs exsudent son sang. Cela ne trouble pas mon image, je ris du tourment des autres comme tout animal qui est doué de raison. Mais il m'arrive de rêver qu'il surgit de mes miroirs sur ses pieds de fumier et sans visages, mais je vois ses mains avec précision, griffes et sabots, quand il m'arrache la soie des cuisses et se jette sur moi comme la terre sur un cercueil, et peut-être sa violence est-elle la clef qui ouvre mon cœur. Allez, Valmont. La vierge demain soir à l'opéra.

Valmont sort.

MERTEUIL : Madame de Tourvel. Mon cœur à vos pieds. N'ayez pas peur, amour de mon âme. Croyez-vous réellement que cette poitrine puisse abriter une pensée impudique après tant de semaines de pieux commerce avec vous. Je l'avoue, j'étais un autre avant que m'atteigne l'éclat de vos yeux. Valmont le bourreau des cœurs. JE BRISE LE CŒUR DES FEMMES LES PLUS FIÈRES. Je ne vous connaissais pas, Madame. Une honte, quand j'y pense. Dans quelle saleté ai-je pataugé. Quel art du déguisement. Quelle infamie. Des péchés aussi nombreux que les boutons de la scarlatine. La seule vue d'une belle femme, que dis-je, le derrière d'une vendeuse des halles, et je me changeais en bête de proie. J'étais un abîme, Madame. Avez-vous envie d'y jeter un coup d'œil, je veux dire, dans ses profondeurs, pardonnez-moi, du haut de votre vertu. Je vous vois rougir. Comment se fait-il que vous rougissiez, ma très chère. Cela vous va bien. Où votre imagination va-t-elle donc chercher les couleurs dont elle vous peint mes vices. Dans le sacrement du mariage peut-être, dont je vous croyais cuirassée contre les violences terrestres de la séduction. Je serais tenté d'étaler devant vous le détail de mes péchés, êtes-vous curieuse de mon catalogue, pour vous voir plus longtemps rouge de honte, cela vous va si bien. On en conclut en tout cas que vous avez du sang dans les veines. Du sang. Quel cruel destin que de ne pas être le premier. Ne m'y faites pas penser. Même si vous vous ouvriez les veines pour moi, votre sang tout entier ne pourrait compenser ce mariage où un autre m'a précédé, et pour toujours. L'instant irrémédiable. Caractère unique et fatal du battement de paupières. Et cetera. Ne m'y faites pas penser. Ne craignez rien. Je respecte les saints nœuds qui vous lient à votre mari, et s'il ne trouvait plus le chemin de votre lit, je serais le premier à l'aider à y remonter. Sa jouissance est ma joie depuis que votre vertu m'a appris à haïr le libertin que j'étais et que je sais vos entrailles scellées. À peine si j'ose baiser votre main. Et si je prends cette liberté, ce n'eſt pas une passion terreſtre qui me pousse. Ne retirez pas votre main, Madame. Un breuvage dans le désert. Même l'amour de Dieu a eu besoin d'un corps. Sinon pourquoi aurait-il fait homme son fils et lui aurait-il donné la croix pour bien-aimée. LA CHAIR A SON ESPRIT À ELLE. Voulez-vous être ma croix. Vous l'êtes, pas avec moi, par le sacrement de votre mariage. Mais peut-être votre corps a-t-il quelque accès secret qui ne tombe pas sous ce verdict, oublié ou négligé par l'amour de Monsieur le Président. Croyez-vous réellement que tant de beauté n'ait pour fin que la reproduction et ne puisse offrir que la sempiternelle cavité de devant. N'eſt-ce pas un blasphème que de réserver cette bouche au va-et-vient du souffle, à l'absorption routinière de la nourriture, et la cavité dorée de ce merveilleux derrière à la triſte tâche d'évacuer les excréments. Cette langue n'eſt-elle là que pour mouvoir des syllabes et de la matière morte. Quel gaspillage. Et quelle avarice en même temps. Vices jumeaux. Oui, vous offensez Dieu, Madame, en remettant l'usure de vos dons à l'action du temps, et à la délicate faune du cimetière. N'eſt-ce pas pour le moins péché mortel que de nous refuser à accomplir ce qu'il nous eſt donné de penser. D'étouffer dans l'œuf les produits de nos bienheureux cerveaux. L'inſtrument qu'eſt notre corps ne nous eſt-il pas prêté pour que nous en jouions jusqu'à ce que le silence en fasse sauter les cordes. La pensée qui ne se fait pas action empoisonne l'âme. Vivre avec le péché mortel d'avoir choisi et de réprouver tout le reſte. Mourir partiellement inutilisé. C'eſt le salut de votre âme immortelle qui me tient à cœur, Madame, chaque fois qu'il eſt porté atteinte à votre corps hélas périssable. Vous en prendrez congé plus facilement quand il aura été utilisé de part en part. Le ciel eſt avare de matière, et l'enfer eſt exact, il punit la paresse et l'abſtention, son supplice éternel s'attache aux parties qui furent négligées. La plus grande chute eſt celle qu'on fait du haut de l'innocence.

Entrée de Valmont.

VALMONT : J'y songerai, mon cher Valmont. Je suis touchée de vous voir aussi préoccupé du salut de mon âme. Je ne manquerai pas de faire savoir à mon mari que le ciel l'a désigné pour avoir l'usufruit de tous mes orifices. Non sans mentionner la source désintéressée d'où m'eſt venue cette révélation. Je vois que vous partagez ma joie à l'idée de ces voyages de reconnaissance dans le lit conjugal. Vous êtes un saint, Valmont. Ou me serais-je abusée sur votre compte ? Me jouez-vous un jeu ? Que cache cette grimace. Un masque ou un visage. En mon cœur germe l'horrible soupçon que vous couvrez du manteau de la crainte de Dieu une passion très terrestre. Craignez, Valmont, le courroux d'une épouse offensée.

MERTEUIL : Craindre. Qu'aurais-je à craindre de votre courroux, sinon le rétablissement de ma vertu ébranlée. Craindre. Que serait la conversion du pécheur sans le coup de poignard quotidien du désir, l'aiguillon du repentir, l'action bienfaisante du châtiment. Craindre. Je recherche votre courroux, Madame. Comme le désert la pluie, comme l'aveugle l'éclair qui fait exploser la nuit de ses yeux. Ne refusez pas à ma chair qui me désobéit à moi-même la punition de votre main. Chaque coup sera une caresse, chaque entaille de vos ongles un don du ciel, chaque morsure un mémorial.

VALMONT : Je ne suis pas une oie, Valmont, comme vous semblez le croire. Je ne vous ferai pas le plaisir d'être un instrument de votre jouissance dégénérée. Des larmes, mylord.

MERTEUIL : Comment non, ma reine. Quand vos paroles sont des poignards, vous me tuez. Répandez mon sang, si cela peut apaiser votre courroux. Mais ne raillez pas mes sentiments les meilleurs. Cette frivolité ne cadre pas avec votre belle âme. Vous ne devriez pas copier un monstre comme la Merteuil. Vous êtes une mauvaise copie, tout à votre honneur. Pardonnez-moi si j'humecte votre main, vous seule pouvez contenir le flot de mes larmes. Laissez-moi sur votre sein — ah vous continuez à vous méfier de moi. Laissez-moi dissiper vos doutes. Mettez ma fermeté à l'épreuve. Dévoilez par exemple cette poitrine, dont la cuirasse du costume ne parvient de toute façon pas à dissimuler la beauté. Que je sois foudroyé, si j'ose seulement lever les yeux. Sans parler de ma main, qu'elle pourrisse si

VALMONT : Tombez, Valmont. Tombez, vous êtes foudroyé. Et retirez votre main, elle sent le pourri.

MERTEUIL : Vous êtes atroce.

VALMONT : Moi ?

MERTEUIL : D'ailleurs, je dois vous faire un aveu. Vous vous rendez coupable d'un homicide en défendant votre lit conjugal.

VALMONT : Ainsi, vous mourez pour une bonne cause, et nous nous reverrons à la face de Dieu.

MERTEUIL : Je ne suis pas versé dans la géographie du ciel. J'aurais peur de ne pas vous retrouver dans les champs des bienheureux, lesquels sont très peuplés, si l'on en croit l'Église. Mais je ne parle pas de moi : il s'agit du sang d'une vierge. La nièce du monstre, la petite Volanges. Elle me poursuit. Église, salon ou théâtre, du plus loin qu'elle m'aperçoit, elle dandine à l'assaut de ma chair faible son derrière virginal. Un réceptacle du mal, d'autant plus dangereux qu'il est bel et bien innocent, un tout rose instrument de l'enfer, une menace qui vient du néant. Ah le néant en moi. Il croît et m'engloutit. Il lui faut sa victime quotidienne. Un jour, la tentation fondra sur moi. Je serai le diable qui précipitera cette enfant dans la damnation, si vous ne me prêtez la main et, plus encore, si vous n'êtes pas l'ange qui me porte au-dessus de l'abîme sur les ailes de l'amour. Faites cela, faites ce sacrifice pour votre sœur sans défense, même si, par crainte de la flamme qui me consume, vous restez à mon égard le cœur froid. Finalement, votre enjeu est moins grand que celui d'une vierge. Faut-il vous dire ce que le ciel en pense. L'enfer vous sera trois fois reconnaissant, si vous persistez à refuser de partager votre lit. Votre froideur, Madame, précipite trois âmes dans le feu éternel, et qu'est-ce qu'un meurtre comparé au crime perpétré sur une âme.

VALMONT : Est-ce que je vous comprends bien, Vicomte. Étant donné que vous êtes incapable de mettre un frein à votre lubricité ou, comment disiez-vous, à ce néant qui croît en vous, et auquel il vous faut sacrifier quotidiennement, votre vide philosophique ne serait-il pas plutôt le besoin quotidien de votre très terrestre appareil génital ? et comme cette vierge-là n'a pas appris à se mouvoir avec décence, dans quel lupanar de couvent l'aura-t-on élevée, il faudrait que le bonheur de mon mariage

MERTEUIL : Ce n'est pas vous. Ce cœur froid n'est pas le vôtre. Vous sauvez ou vous damnez trois âmes immortelles, Madame, en mettant en jeu ou en refusant un corps, qui est de toute façon périssable. Revenez au meilleur de vous-même. La jouissance sera multiple : la fin justifie le moyen, l'aiguillon du sacrifice rendra plus parfait le bonheur de votre mariage.

VALMONT : Vous savez que je préférerais me tuer plutôt que

MERTEUIL : Et renoncer à la félicité. Je parle de celle qui est éternelle.

VALMONT : Cela suffit, Valmont.

MERTEUIL : Oui, cela suffit. Pardonnez l'effroyable épreuve à laquelle il a fallu que je vous soumette pour apprendre ce que je sais : Madame, vous êtes un ange, et mon prix n'est pas trop élevé.

VALMONT : Quel prix, mon ami.

MERTEUIL : Le renoncement à vie au piment de la volupté qui a rempli mon autre vie, ah qu'elle est loin derrière moi, faute d'un objet qui fût digne de mon adoration. Laissez-moi à vos pieds

VALMONT : Le diable a bien des déguisements. Un nouveau masque, Valmont ?

MERTEUIL : Voyez la preuve de ma vérité. En quoi serais-je dangereux pour vous, avec quoi forcerais-je la crypte de votre vertu. Le diable n'a plus de part en moi, la jouissance terrestre plus d'arme. LA MER S'ÉTEND DÉSERTE ET VIDE. Si vous n'en croyez pas vos yeux, persuadez-vous avec votre douce main. Posez votre main, Madame, sur cet espace vide entre mes cuisses. Ne craignez rien, je suis tout âme. Votre main, Madame.

VALMONT : Vous êtes un saint, Valmont. Je vous permets de me baiser les pieds.

MERTEUIL : Vous me rendez heureux, Madame. Et me rejetez dans mon abîme. Ce soir à l'opéra, je serai de nouveau exposé aux charmes de cette fameuse vierge que le diable a recrutée contre moi. Devrais-je l'éviter. La vertu se fait paresseuse quand elle n'a plus à s'acharner contre les épines de la tentation. Ne me mépriseriez-vous pas si je me dérobais au danger. IL FAUT QUE L'HOMME S'ÉLANCE AU-DEVANT DE LA VIE HOSTILE. Tout art réclame que l'on s'exerce. Ne m'envoyez pas sans arme à la bataille. Trois âmes se retrouvent dans le feu, si cette mienne chair à peine domptée se remet à bourgeonner devant la jeune pousse. La proie n'est pas sans pouvoir sur le chasseur, les effrois de l'opéra ont leur douceur. Laissez-moi mesurer ma faible force à votre beauté nue, ma reine, protégé par les barrières du mariage, pour que votre sainte image m'accompagne quand je m'avancerai dans l'arène obscure, prisonnier de ma chair faible, face aux pointes d'acier d'une poitrine juvénile.

VALMONT : Je me demande si vous résisterez à cette

poitrine, Vicomte. Je vous vois chanceler. Nous serions-nous mépris sur votre degré de sainteté. Soutiendrez-vous cette épreuve plus difficile. La voici. Je suis une femme, Valmont. Êtes-vous capable de regarder une femme sans être un homme.

MERTEUIL : J'en suis capable, lady. Comme vous voyez, pas un de mes muscles ne bouge à votre proposition, pas un de mes nerfs ne tremble. Je vous dédaigne d'un cœur léger, partagez ma joie. Des larmes. Vous avez lieu de pleurer, ma reine. Des larmes de joie, je le sais. Vous avez lieu d'être fière d'avoir été dédaignée de la sorte. Je vois que vous m'avez compris. Couvrez-vous, ma chère. Un impudique courant d'air pourrait vous effleurer, froid comme la main d'un mari.

Un temps.

VALMONT : Je crois que je pourrais m'habituer à être une femme, Marquise.

MERTEUIL : Je voudrais le pouvoir.

Un temps.

VALMONT : Alors quoi. Continuons à jouer.

MERTEUIL : Jouer, nous ? Quoi, continuons ?

VALMONT : Vierge vénérée, belle enfant, charmante nièce. Ah la vue de votre innocence me fait oublier mon sexe et me transforme en votre tante, qui vous a si chaudement recommandée à moi. Quelle pensée édifiante. Je vais m'ennuyer à mort sous sa triste figure. Je connais toutes les taches de son âme. Sans parler du reste. Mais cette fatalité entre mes jambes, priez avec moi qu'elle ne s'insurge contre ma vertu et ne fonde sur vous, et fermez l'abîme de vos yeux avant qu'il nous engloutisse, cette fatalité me ferait presque désirer l'échange. Oui, je voudrais pouvoir l'échanger, mon sexe, ici à l'ombre du danger, et me perdre tout entier à votre beauté. Perdition qui ne peut être contrebalancée que par la destruction du tableau, dans ce vertige voluptueux auquel il invite si violemment. Seule la jouissance peut enlever à l'amour son bandeau et lui faire voir à travers le voile de la peau la nudité de la chair, nourriture indifférente des tombeaux. Dieu doit l'avoir voulu, non. Sinon, pourquoi l'arme du visage. Qui crée veut la destruction. Et l'âme ne peut pas s'échapper avant que la chair ait pourri. Mieux vaut vous en débarrasser tout de suite. Si seulement vous étiez laide. Seule garantie contre le péché de la chair, se libérer à temps des attributs de la beauté. Mais cela ne suffit pas, tout ou rien, il ne peut rien arriver à un squelette, si ce n'est que le vent joue avec ses os par-delà le péché. Oublions ce qui se dresse entre nous, avant que cela nous lie le temps d'un spasme, suis-je bon, Marquise, nous sommes tous à nous débattre au bout du cordon ombilical, et permettez-moi de vous prêter ma protection virile, le bras d'un père contre la méchanceté du monde que le calme du couvent vous a laissée ignorer. Je connais, croyez-moi, mon sombre sexe, et quand je pense que n'importe quelle brute, novice épais, valet lubrique, pourrait rompre ce sceau grâce auquel la nature garde le secret de vos entrailles virginales, cela me fend le cœur. Plutôt pécher moi-même que de souffrir cette injustice qui crie vengeance.

MERTEUIL : Ah elle crie. Que cherche votre main paternelle, Monsieur, sur ces parties de mon corps que la mère supérieure m'a interdit de toucher.

VALMONT : Quoi, paternelle. Laissez-moi être votre prêtre, car qui est plus paternel que le prêtre qui ouvre à tous les enfants de Dieu la porte du paradis. La clef est en ma main, le poteau indicateur, l'instrument céleste, le glaive flamboyant. Hâtons-nous : avant que la nièce devienne la tante, il faut que la leçon soit apprise. À genoux, pécheresse. Je sais les rêves qui traversent votre sommeil. Repentez-vous, et je transformerai votre châtiment en grâce. Ne craignez pas pour votre innocence. Il y a plusieurs demeures dans la maison de Dieu. Il vous suffit d'ouvrir ces lèvres étonnantes pour qu'aussitôt s'envole la colombe du Seigneur et qu'elle répande le Saint-Esprit. Elle en tremble d'impatience, vous voyez. Qu'est-ce que la vie sans la mort quotidienne. Vous parlez comme un ange. L'école du couvent. Le langage de la mère supérieure. Les dons de Dieu, il ne faut pas que l'homme les vomisse. À celui qui donne, il sera donné. Ce qui tombe, il faut le relever. Le Christ ne serait pas arrivé à Golgotha sans le juste qui l'aida à porter la croix. Votre main, Madame. C'est la résurrection. Innocence, disiez-vous. Ce que vous appelez votre innocence est un blasphème. Il n'aime qu'UNE vierge, le monde n'a besoin que d'un rédempteur. Croyez-vous que ce corps doué vous ait été accordé pour aller seule à l'école, et pour le soustraire aux yeux du monde. IL N'EST PAS BON QUE L'HOMME SOIT SEUL. Si vous voulez savoir où Dieu demeure, fiez-vous aux contractions de vos cuisses, au tremblement de vos genoux. Une petite peau devrait-elle nous empêcher de ne faire qu'un seul corps. BRÈVE EST LA DOULEUR, ÉTERNELLE EST LA JOIE. Qui apporte la lumière ne doit pas craindre les ténèbres : le paradis a trois entrées. Qui exclut la troisième fait offense à l'architecte trinitaire. IL Y A ASSEZ DE PLACE DANS LA MOINDRE CHAUMIÈRE.

MERTEUIL : Vous êtes plein d'attentions, Monsieur. Je vous suis obligée de m'avoir montré, d'avoir su me montrer de si pénétrante façon où Dieu demeure. Je vais prendre note de toutes ses demeures, je veillerai à ce que le flot des visiteurs soit ininterrompu, et à ce que ses invités s'y sentent bien, aussi longtemps que j'aurai assez de souffle pour les recevoir.

VALMONT : Pourquoi pas un peu plus longtemps. Le souffle ne devrait pas être la condition de l'hospitalité, ni la mort un motif de divorce. Tel ou tel invité pourrait avoir des besoins particuliers, L'AMOUR EST AUSSI FORT QUE LA MORT. Et laissez-moi faire autre chose encore, Mademoiselle, que je puis appeler Madame, à présent. La femme n'a finalement qu'un seul amant. J'entends le bruit de la bataille que le tic-tac des horloges du monde livre à votre beauté sans défense. Quand je pense qu'il faudra voir ce corps sublime se plisser au fil des années, cette bouche se dessécher, ces seins se flétrir, ces flancs se ratatiner sous la charrue du temps, cela me perce le cœur si profondément que je veux, en outre, prendre le rôle du médecin et vous aider à naître à la vie éternelle. Je veux être l'accoucheur de la mort, qui est notre avenir à tous. Je veux joindre mes mains aimantes autour de votre gorge. Comment sinon prier pour votre jeunesse avec quelque chance de succès. Je veux libérer votre sang de la prison des veines, les entrailles de la contrainte du corps, les os de l'étau de la chair. Comment sinon saisir de mes mains, et voir de mes yeux, ce que l'enveloppe éphémère soustrait à mon regard et à ma prise. L'ange qui demeure en vous, je veux le renvoyer dans la solitude des étoiles.

MERTEUIL : Anéantissement de la nièce.

Un temps.

MERTEUIL : Et si nous nous entre-dévorions, Valmont, pour en finir avant que vous soyez tout à fait infect.

VALMONT : Je suis au regret de devoir vous dire que j'ai déjà consommé, Marquise. La Présidente est tombée.

MERTEUIL : L'épouse éternelle.

VALMONT : Madame de Tourvel.

MERTEUIL : Vous êtes une putain, Valmont.

VALMONT : J'attends ma punition, ma reine.

MERTEUIL : Mon amour pour la putain n'a-t-il pas mérité un châtiment.

VALMONT : Je suis une ordure. Je veux manger vos excréments.

MERTEUIL : Ordure pour ordure. Je veux que vous me crachiez dessus.

VALMONT : Je veux que vous lâchiez votre eau sur moi.

MERTEUIL : Vos excréments.

VALMONT : Prions, Mylady, que l'enfer ne nous sépare pas.

MERTEUIL : Et maintenant, Valmont, nous allons laisser la Présidente mourir de sa faute inutile. Passons au sacrifice de la dame.

VALMONT : Je me suis mise à vos pieds, Valmont, pour que vous ne trébuchiez plus. Vous m'avez baptisée du parfum du caniveau. Du ciel de mon mariage, je me suis précipitée dans l'abîme de vos désirs, pour le salut de cette vierge. Je vous ai dit que je me donnerais la mort si, cette fois encore, vous ne résistiez pas au mal qui émane de vous. Je vous ai prévenu, Valmont. La seule chose que je puisse encore faire pour vous, c'est de vous inclure dans ma dernière prière. Vous êtes mon assassin, Valmont.

MERTEUIL : Le suis-je. Trop d'honneur, Madame. Ce n'est pas moi qui ai édicté les commandements, au nom desquels vous voulez vous exécuter. N'avez-vous donc tiré de votre pieux adultère aucun autre surcroît de jouissance que le délicat remords dont vous vous délectez maintenant. Vous n'êtes pas trop froide pour l'enfer, si j'ose en juger par nos ébats. Une chair de moins de quarante ans ne sait pas mentir à ce point. Et ce que la plèbe appelle suicide n'est que le couronnement de la masturbation. Vous permettez, je prends mon lorgnon pour mieux voir le spectacle, votre dernier, ma reine, avec crainte et pitié. J'ai fait installer des miroirs pour que vous puissiez mourir au pluriel. Et faites-moi la joie de recevoir de mes mains ce verre de vin, votre dernier

VALMONT : J'espère contribuer à votre divertissement, Valmont, avec ce spectacle, mon dernier, bien qu'ayant ouvert les yeux trop tard sur le bourbier de votre âme je ne puisse pas compter sur un effet moral. HOW TO GET RID OF THIS MOST WICKED BODY. Je vais m'ouvrir les veines, comme si j'ouvrais un livre qui n'a pas été lu. Vous apprendrez à le lire, Valmont, quand je ne serai plus. Je vais faire cela avec une paire de ciseaux, parce que je suis une femme. À chaque métier son humour. Vous allez pouvoir renouveler le maquillage de votre sale tête avec mon sang. Je vais chercher à travers ma chair le chemin qui mène à mon cœur. Que vous n'avez pas trouvé, Valmont, parce que vous êtes un homme, parce que votre poitrine est vide et qu'en vous ne croît que le néant. Votre corps est le corps de votre mort, Valmont. Une femme a de multiples corps. Vous, si vous voulez voir du sang, il faut vous le tirer à vous-même. Ou les uns aux autres. Vous êtes jaloux du lait de nos seins, et cela fait de vous des bouchers. Si seulement vous pouviez enfanter. Je regrette, Valmont, qu'en raison d'un décret de la nature difficile à saisir, cette expérience doive vous rester inaccessible, ce jardin, défendu. Vous donneriez la meilleure part de vous-même si vous saviez ce qui vous échappe, et si la nature entendait raison. Je vous ai aimé, Valmont. Mais je vais enfoncer une aiguille dans mes parties honteuses avant de me tuer, pour m'en aller avec l'assurance que rien ne croît en moi de ce que vous y avez planté, Valmont. Vous êtes un monstre, et je veux en devenir un. Verte et gonflée de venin, je traverserai votre sommeil. Je danserai pour vous, au bout d'une corde. Mon visage sera un masque bleu. La langue pend. La tête dans la cuisinière à gaz, je saurai que vous êtes derrière moi avec en tête une seule pensée, comment pénétrer en moi, et moi je le voudrai, au moment où le gaz me fera exploser les poumons. C'est bon d'être une femme, Valmont, et non un vainqueur. Quand je ferme les yeux, je suis capable de vous voir pourrir. Je ne vous envie pas pour le cloaque qui croît en vous, Valmont. Voulez-vous en savoir plus. Je suis une encyclopédie à l'agonie, chaque mot est un caillot de sang. Vous n'avez pas besoin de me dire, Marquise, que le vin était empoisonné. Je voudrais pouvoir assister à votre mort comme j'assiste maintenant à la mienne. D'ailleurs, je me plais encore à moi-même. La masturbation continue avec les vers. J'espère que mon jeu ne vous a pas ennuyée. Ce serait à vrai dire impardonnable.

MERTEUIL : Mort d'une putain. À présent nous sommes seuls cancer mon amour.

CHRISTOPHER HAMPTON

LES LIAISONS DANGEREUSES

1985

Adaptation française
de Jean-Claude Brisville,
Papiers, 1988

17 [LA MORT DE VALMONT]

Bois de Vincennes, un matin brumeux de décembre. D'un côté de la scène, Azolan et Valmont, qui fait son choix dans un étui d'épées. De l'autre côté, un valet et Danceny, en bras de chemise et l'épée à la main, piaffant d'impatience.

DANCENY *(d'une voix coléreuse)* : Et moi qui vous faisais aveuglément confiance ! Allons, monsieur, dépêchez-vous ! J'ai grand-hâte à vous démontrer que je suis moins facile à berner une épée à la main que dans un salon de mode.

VALMONT : Économisez votre souffle, jeune homme, il va vous être nécessaire.

Il prend posément une épée dans l'étui et la confie à Azolan tandis qu'il retire sa veste et passe un gant de couleur noire. Les deux hommes tombent en garde. Au début du combat, Danceny se jette avec fureur sur son adversaire qui pare avec adresse toutes ses bottes. Un moment, le combat est égal. Valmont, sans attaquer, sans reculer, déjoue facilement les coups de Danceny qui cherche vainement une brèche dans sa défense. Mais soudain, il la trouve et touche Valmont au bras gauche. Une pause — et le duel reprend. Mais Valmont, peu à peu, et sans que sa blessure y soit pour rien, semble se désintéresser de l'affaire. Sur une maladresse de Danceny, il a visiblement l'occasion de le toucher, mais ne l'exploite pas. On doit s'apercevoir qu'il ne veut plus de la victoire et qu'il ne se bat plus que pour la forme — par politesse. Enfin, voyant s'ouvrir la garde son adversaire, Danceny en profite et se fend. Transpercé au-dessous du cœur, Valmont se pétrifie sur place un instant. Mais quand le chevalier retire son épée, il s'abat d'un coup à ses pieds. Azolan se précipite vers Valmont et précautionneusement lui soulève la tête.

VALMONT : J'ai froid.

Azolan le couvre de sa propre veste.

DANCENY *(à son valet)* : Un chirurgien… vite !

Le valet sort rapidement. Danceny se tient seul, à l'écart, mal à son aise. Avec effort, Valmont parvient à relever sa tête.

VALMONT *(d'une voix faible)* : Un instant, monsieur, je vous prie. *(Danceny s'approche lentement à contrecœur.)* Deux choses seulement : un conseil que vous pouvez bien sûr ignorer… mais qui se veut sincère, et puis, une requête.

DANCENY : Je vous écoute.

VALMONT : Prenez bien garde… à la marquise de Merteuil. *(Danceny esquisse un mouvement de scepticisme.)* Je vous le dis parce que c'est la vérité. Dans cette affaire, elle nous a tous deux manœuvrés. Nous avons été tous les deux ses créatures.

Danceny réfléchit, ébranlé par le ton de Valmont.

DANCENY : Et la requête ?

VALMONT : Je vous prie d'aller voir Mme de Tourvel.

DANCENY : N'est-elle pas malade ?

VALMONT *(d'une voix essoufflée)* : Elle l'est — et c'est pourquoi vous ne devez tarder. Dites-lui… que je ne peux lui expliquer pourquoi je l'ai quittée… mais que depuis… ma vie n'a rien valu. *(Un temps.)* Dites-lui bien… que mon départ est pour elle une chance… et que je suis heureux de ne pas avoir à vivre sans elle. *(Il perd le souffle.)* Et dites-lui encore… que son amour… fut le seul vrai bonheur que j'aie connu.

DANCENY *(ému)* : Je lui dirai.

VALMONT : Merci.

Dans le silence, un chant d'oiseau. Très ému, Danceny se passe la main sur le visage.

AZOLAN *(à voix basse, mais d'un ton indigné)*: Il est bien temps…

VALMONT *(dans un dernier souffle)*: Laisse-le. Il avait de bonnes raisons. C'est une chose que personne n'a jamais pu dire à mon sujet.

Il lève la main vers Danceny, mais avant que celui-ci ait pu la prendre, elle retombe.

CHRISTIANE BAROCHE

L'HIVER DE BEAUTÉ

Gallimard, 1987

[Extrait]

Dix-sept ans… l'âge que j'avais quand le Marquis m'a prise. J'ai aimé l'amour, tout de suite. Ce ne sont pas les hommes que j'ai recherchés, mon cœur était, oh disons-le, empli d'un autre. Mais j'ai aimé leurs corps, leurs mains, leurs hanches étroites. Valmont était grand, avec ces yeux gris qui me parlaient de… de la mer. Sauf qu'ils étaient vides.

Valmont était une belle image. On ne fait pas son bonheur avec des images. C'est en France que l'idée du bonheur s'impose vraiment ; ici, l'on parle d'honneur, de devoir, de rendre des comptes à Dieu du bon emploi de sa vie. Je ne crois plus à Dieu-comptable, au tabellion suprême tenant livre ouvert et plume à la main, avec des arrière-pensées de lucre et de pouvoir, comme Chaumont. Pourquoi le Dieu de nos pères est-il seulement prêt à sévir, réservant ses bienfaits pour un avenir sans vie ? *Ma* vie, la voilà, c'est une courte déchirure, l'orbite sanglante par laquelle Il s'est enfui comme un voleur, en me poussant devant Lui, les mains pleines. J'espère que mon œil mort pend à Son ciel de lit et réclame ses intérêts. De quoi suis-je coupable, et pourquoi m'a-t-on punie ? Je n'ai tué que des vertus chancelantes, crevé l'œil que des miroirs complaisants, pris la vie qu'aux illusions entretenues par l'hypocrisie de la Cour ! Je suis aussi coupable que le Marquis lorsqu'il m'a dévoyée, mais pas plus que lui, pas plus que mon père me vendant pour un titre et pour caser ma sœur. Notre père imbécile qui êtes au grenier, ne priez pas pour moi.

STEPHEN FREARS

LES LIAISONS DANGEREUSES

Scénario de Christopher Hampton,
adapté en français par E. Kahane,
Jade-Flammarion, 1989

141. EXT. DOUVE DU CHÂTEAU. AUBE

Le fossé asséché est blanc de neige. Panoramique : la caméra plonge sous la voûte du perron qui forme un pont. Sur la terre gelée et brunâtre, Valmont et Danceny se battent à l'épée, décrivant des cercles dans la lueur grise de l'aube. Au-dessus d'eux, sur les marches du pont, des hommes vêtus de noir. Non loin d'eux, Azolan et les témoins. Valmont marche sur Danceny.

MERTEUIL (*off*)

« Mon cher Danceny... je crois comprendre que vous avez passé la nuit auprès de Cécile Volanges. Je tiens cela de quelqu'un qui est son amant habituel... le vicomte de Valmont. »

Le duel se poursuit avec une farouche détermination, l'habileté de Valmont contre la fougue de Danceny. Durant un temps, ils semblent à égalité, bien que Valmont, un bretteur chevronné, se montre le plus dangereux.

Bientôt, il porte une botte qui blesse légèrement son adversaire au bras. Il se détourne avec un geste d'impatience, jette son épée et en choisit une autre dans l'étui qu'Azolan lui présente. D'un pas menaçant, il s'avance sur Danceny. Celui-ci recule jusque sous le pont. Là, il manque son esquive et tombe à terre. Valmont le tient à sa merci mais, cédant à une étrange défaillance, il détourne son regard.

142. INT. CHAMBRE DE VALMONT. JOUR

Comme dans la Séquence 129, Valmont attire Mme de Tourvel au-dessus de lui et elle plaque son corps nu contre le sien.

143. EXT. DOUVE. AUBE

Valmont s'éloigne de quelques pas, lui-même surpris de cet instant d'absence. Danceny se relève d'un bond.

144-146. SÉQUENCES SUPPRIMÉES

147. INT. CHAMBRE DANS UN COUVENT. JOUR

La caméra suit Mme de Volanges et Cécile qui marchent derrière une religieuse, leurs talons sonnant sur les dalles de la grande salle gothique. Elles s'approchent d'un lit, entouré d'un grand rideau qui fait office de cloison. Mme de Tourvel y est couchée, son visage pâle comme la mort. Elle tourne son visage en voyant arriver Mme de Volanges.

TOURVEL

Je meurs pour avoir refusé de vous croire.

148. EXT. DOUVE. AUBE

Valmont repart à l'assaut. Les deux hommes se battent, se fendant et reculant tour à tour. Soudain, Valmont glisse sur le sol glacé et Danceny, plus par chance que par habileté, lui fait une estafilade au bras (celui qui ne retient pas l'épée). Danceny fait aussitôt un pas en arrière, comme les règles l'exigent. Valmont regarde, fasciné, le filet de sang qui s'étend sur sa manche déchirée.

149. INT. CHAMBRE DE MME DE TOURVEL AU COUVENT. JOUR

Mme de Tourvel se débat en gémissant. Des religieuses l'immobilisent pendant que l'une d'elles pose des ventouses sur son dos, là où le scalpel du chirurgien a tracé une série de scarifications.

150. EXT. DOUVE. AUBE

Le duel a repris. Un échange de bottes violentes… et tout à coup, à la surprise de Danceny, Valmont rompt le combat, tourne le dos et s'éloigne.

151. INT. CHAMBRE DE VALMONT. JOUR

Retour à la séquence 129 : Mme de Tourvel allongée sur Valmont, l'embrasse passionnément.

152. EXT. DOUVE. JOUR

Valmont fait volte-face et revient sur Danceny. Le duel dégénère en une rixe sauvage qui se termine soudain : Danceny se retrouve adossé au mur, l'épée de Valmont pointée devant sa gorge. Une fois de plus, Valmont lui tourne le dos et s'écarte de quelques pas.

153. INT. CHAMBRE DE MME DE TOURVEL AU COUVENT. JOUR

Le chirurgien presse la lame incurvée du scalpel pour inciser la veine du coude de Mme de Tourvel. Un ruisselet de sang noirâtre s'écoule dans un petit récipient d'argent.

154. EXT. DOUVE. JOUR

Danceny repousse un nouvel assaut de Valmont, mais l'effort est tel qu'il tombe à genoux dans la neige. Tous deux sont épuisés. La chemise du chevalier est maculée du sang de plusieurs blessures superficielles. Valmont part en titubant, s'approche du mur et rafraîchit son front contre les dalles de pierre grise.

Danceny reste un moment à genoux, tentant de reprendre son souffle.

Gros plan sur Valmont : ses doigts se relâchent autour de la garde de son épée, qu'il tient droite à la hauteur de son visage. Seul son index la maintient contre le mur. Du coin de l'œil, il regarde Danceny qui approche.

Soudain, il laisse tomber son arme et, simultanément, il se précipite sur l'épée de Danceny, qui s'enfonce dans son ventre. Un bref instant, tous deux sont comme en état de choc. Danceny revient à lui et retire son épée. Valmont glisse le long du mur et s'écroule, le front dans la neige.

D'un cri, Danceny appelle son témoin.

DANCENY

Appelez le chirurgien.

VALMONT

Non, non.

DANCENY

Obéissez !

Son témoin s'élance. Azolan s'approche avec la houppelande de Valmont, qu'il étend doucement sur ses épaules. Danceny est toujours debout, seul, ne sachant que faire. Valmont l'appelle d'une voix faible.

VALMONT

Un moment de votre temps, chevalier.

Danceny s'approche avec appréhension.

VALMONT

Deux choses. D'abord, un conseil… Vous l'ignorerez peut-être mais il est sincère. Et une prière.

DANCENY

Parlez.

VALMONT

Le conseil… Gardez-vous de la marquise de Merteuil.

DANCENY

Vous me permettrez d'accueillir avec scepticisme ce que vous me direz d'elle.

VALMONT

Néanmoins, je dois vous le dire… en cette affaire, vous et moi n'étions que ses jouets…

En parlant, il glisse une main sous son pourpoint et en tire péniblement une liasse de lettres tachées de sang.

VALMONT

… et je crois que ces lettres… qu'elle m'a écrites… vous le prouveront.

Il les tend à Danceny, qui est agenouillé auprès de lui.

VALMONT

Quand vous les aurez lues, vous déciderez peut-être de les rendre publiques.

DANCENY

Et la prière ?

VALMONT

Je veux que vous parveniez… de quelque manière… à voir Mme de Tourvel…

DANCENY

Je crois savoir qu'elle est très malade.

VALMONT

C'est pourquoi cela m'importe tellement. Il faut que vous lui disiez que je ne saurais expliquer par quelle aberration j'ai rompu avec elle… car, depuis lors, ma vie a perdu sa raison d'être… J'ai plongé la lame encore plus profond que vous, mon ami, aidez-moi à l'ôter de mon cœur… Dites-lui aussi qu'elle doit se réjouir que je disparaisse… comme je me réjouis de ne pas être condamné à vivre sans elle… Dites-lui que son amour aura été le seul bonheur que j'aie connu.

Gros plan sur Danceny : des larmes coulent le long de ses joues.

VALMONT

Ferez-vous cela pour moi ?

DANCENY

Je vous le promets.

Danceny, la tête baissée, essuie ses larmes. Azolan, qui soutient Valmont, regarde le chevalier avec indignation.

Les Liaisons dangereuses, 1989.
Un film de Stephen Frears.

AZOLAN

C'est un peu tard pour regretter.

VALMONT

Laissez-le en paix. Sa cause était noble. Je crains que personne au monde n'ait jamais pu dire cela de moi.

Sa tête s'incline brusquement. Il est mort.
Vue de haut : Azolan et Danceny, agenouillés de part et d'autre du corps de Valmont. Autour, la neige est rouge de son sang.

155. EXT. COUVENT. SOIR

Danceny traverse le cloître.

156. INT. CHAMBRE DE MME DE TOURVEL AU COUVENT. SOIR

Danceny est penché au-dessus de Mme de Tourvel, et lui parle d'une voix pressante, mais nous n'entendons pas ses paroles. Elle est couchée sur le côté, les draps remontés jusqu'à son menton. Mme de Volanges et Cécile sont debout près de la fenêtre, hors de portée de voix.
Au bout d'un moment, Mme de Tourvel ouvre la bouche, faisant taire Danceny.

TOURVEL

Assez...

Elle lui jette un bref coup d'œil.

TOURVEL

Tirez les rideaux.

Il se lève et referme les rideaux qui entourent le lit.
Derrière les rideaux, on distingue Mme de Tourvel qui se retourne sur le dos, et son profil apparaît en ombre chinoise.

157. INT. CHAMBRE DE MME DE TOURVEL AU COUVENT. NUIT

Les religieuses ferment les yeux de Mme de Tourvel.

158. INT. CHAMBRE DE MME DE TOURVEL AU COUVENT. NUIT

Cécile, debout au pied du lit où repose la morte. Les religieuses allument des cierges qu'elles disposent autour de Mme de Tourvel.

159. INT. CABINET DE TOILETTE DE MME DE MERTEUIL. JOUR

On entend un hurlement de rage et de frustration. La porte s'ouvre violemment et Mme de Merteuil entre. Avec des cris mêlés de sanglots, elle balaye de la main les pots et les flacons de sa coiffeuse, puis elle se rue à travers la pièce, brisant tout sur son passage, bibelots, vases, miroirs... Plusieurs femmes de chambre apparaissent à la porte, épouvantées. Elle les chasse avec de grands cris à peine articulés.

MERTEUIL

Sortez !... Sortez toutes !

Elles se sauvent en courant. Mme de Merteuil tombe à genoux parmi les débris, arrachant ses vêtements avec des hurlements brouillés de larmes, à demi folle de rage et de douleur.

160. INT. LOGE DE MME DE MERTEUIL À L'OPÉRA. SOIR

Quelques instants avant le lever du rideau. Mme de Merteuil entre dans sa loge, seule, et s'approche du rebord pour regarder l'assistance. À trois loges de là, un couple de spectateurs distingués font de même. Mme de Merteuil le voit et s'incline légèrement pour les saluer. À sa surprise, ils se détournent aussitôt, l'ignorant ostensiblement. Irritée, elle baisse son regard sur les fauteuils d'orchestre. Dans le silence qui s'est fait depuis un moment, elle aperçoit des dizaines de visages levés vers elle, l'observant avec des chuchotements excités. Puis le silence retombe.

Tout le public de l'orchestre et des balcons la regarde. Soudain, elle entend un « hou » solitaire, qui est aussitôt repris par toute la salle, en un raz de marée de huées et de sifflets. Mme de Merteuil écoute, impassible, puis tourne les talons et sort. Elle trébuche à la porte de sa loge, mais continue à force de volonté.

Les Liaisons dangereuses, 1989.
Un film de Stephen Frears.

161. INT. CABINET DE TOILETTE DE MME DE MERTEUIL. NUIT

La pièce a été remise en ordre et il ne reste aucune trace des saccages que Mme de Merteuil a perpétrés.

Elle est assise devant sa coiffeuse, seule, et se démaquille. À mesure que le fard s'efface, une autre femme apparaît pour la première fois, lasse, fragile, presque vulnérable. Elle étudie son image dans le miroir avec angoisse, dévisageant la seule amie qu'elle ait jamais eue.

Une larme solitaire coule lentement sur sa joue, puis peu à peu, son visage se fond dans le noir.

STEPHEN FREARS

LES LIAISONS DANGEREUSES,

Découpage par Pierre Kandel

L'Avant-scène cinéma, 2001

CHAMBRE ÉMILIE — INTÉRIEUR NUIT

233 — *Plan rapproché sur Valmont, en chemise de nuit et ses longs cheveux défaits. Il est couché tête-bêche sur la croupe dénudée d'Émilie, une jeune courtisane, et installe un encrier sur sa fesse droite. Une feuille de papier est étalée sur ses reins. Valmont commence à écrire.*

VALMONT *(lisant son texte à haute voix)* « Bien chère Madame de Tourvel... Si j'avais joui plus tôt... »

234 — *Plan moyen sur le couple couché sur le lit. Émilie éclate de rire au jeu de mots de Valmont.*

VALMONT (à Émilie) Sans bouger, ai-je dit *(reprenant sa lettre)*... de vos bons conseils... *(De violents éclairs se mettent à illuminer la chambre, inspirant à Valmont la suite de sa lettre.)*

235 — *Reprise du plan rapproché sur Valmont.*

VALMONT ... la tempête qui vient de m'assaillir... aurait fait naître... la trêve bénie... *(Un lent panoramique circulaire vers la gauche commence. Valmont cherche l'inspiration puis reprend.)*... qu'attend...

Les Liaisons dangereuses, 1989.
Un film de Stephen Frears.

PARC DE MME DE ROSEMONDE —
EXTÉRIEUR JOUR

236 — *Plan moyen. Assise sur un banc, le parc en arrière-plan, Mme de Tourvel lit la lettre de Valmont.*

VALMONT *(off)* ... mon cœur. La table sur laquelle j'écris... est mouillée par l'émotion que j'éprouve. Cependant, malgré les tourments, les délires...

237 — *Plan très serré sur la lettre entre les mains de Mme de Tourvel.*

VALMONT *(off)* ... qui dévorent mes sens...

238 — *Plan très serré sur Mme de Tourvel de trois quarts, penchée sur la lettre.*

VALMONT *(off)* ... et qui m'empêchent de fermer l'œil... je vous assure que dans ce moment, je suis cent fois plus heureux que vous. »

CHAMBRE ÉMILIE — INTÉRIEUR NUIT

239 — *Plan rapproché sur le couple, Émilie couchée sur le ventre, Valmont dans l'autre sens qui, après avoir rangé l'encrier, la considère un instant, allongée contre lui.*

VALMONT Nous finirons cette lettre plus tard... *(Des éclairs illuminent une fois de plus la chambre. Émilie se tourne vers Valmont, dévoilant à la caméra la totalité de son dos et de ses reins dénudés. Valmont se penche sur elle et l'embrasse.)*

PHILIPPE SOLLERS

APOLOGIE DE LA MARQUISE DE MERTEUIL

« Le Monde », 28 avril 1989

Peut-être Laclos ne serait-il pas autrement surpris de voir ses *Liaisons* représentées au cinéma en anglais, et de déchiffrer sur les lèvres de la marquise de Merteuil glissée dans la belle, bleue, intelligente et un peu massive Glenn Close le mot *war* (entendez *ouarr !*) adressé à Valmont. On s'en souvient : il s'agit de la lettre 153. La marquise renvoie son ultimatum au vicomte avec cette seule annotation : *Hé bien ! la guerre.* Tout le livre est composé pour en arriver à ce *Hé bien* joyeux, mortel et intraduisible. « Livre essentiellement français », écrivait Baudelaire en 1856 (tiens, l'année de la naissance de Freud[1]). Et encore : « Les livres libertins commentent donc et expliquent la Révolution. » Il serait énorme que le Bicentenaire de la Révolution française se cristallise dans cette résurrection sur grand écran de Laclos, et que l'étranger s'en occupe mieux que nous-mêmes.

On a beaucoup réfléchi sur *Les Liaisons dangereuses*, mais la plupart du temps avec gêne. Malraux, en 1939, semble vouloir dire qu'avec la Seconde Guerre mondiale, imminente, un monde s'achève, comme à la fin du XVIIIe siècle[2]. Il souligne la grande nouveauté technique du livre, le fait que, pour la première fois, des personnages de fiction agissent en fonction de ce qu'ils pensent, d'où l'« érotisation de la volonté » qui les définit. Il a ce mot étonnant : « Le problème de Laclos reste entier, aussi intrigant peut-être que celui de Rimbaud. » Le poète visionnaire devenu un marchand consciencieux et soucieux d'économies en vue du mariage (Rimbaud), et le stratège littéraire de génie transformé en général conjugal rousseauiste (Laclos), voilà en effet de quoi nourrir une curiosité inlassable. Je m'en tiendrai à l'apologie du diable secret qui, s'il était compris, nous épargnerait sans doute bien des déchaînements diaboliques : la marquise de Merteuil. J'ai pour elle, je l'avoue, une passion fanatique. « Personnage féminin le plus volontaire de la littérature », dit Malraux, en remarquant, le premier, sa ressemblance quasiment mystique avec Loyola. Oui, les *Liaisons* sont des exercices spirituels, dans tous les sens de ce mot. Baudelaire, encore : « La niaiserie a pris la place de l'esprit... Ordure et jérémiades. George Sand inférieure à de Sade. » La marquise ? Voici son style : « Si vous n'avez pas cette femme, les autres rougiront de vous avoir eu. » Laclos est un expert en balistique ; il a inventé, à son époque, le *boulet creux*. Chacune de ses phrases a une courbe et une chute précises : elle vibre et explose en fins éclats pénétrants. Voilà une littérature conçue pour faire le plus de dégâts possibles. Qui dira que nous n'en avons pas besoin ?

La gêne que provoquent les *Liaisons* ? Elle se manifeste dans le désir d'*éviter* la Merteuil, de tout ramener à la présidente de Tourvel. On oblige le livre à se conformer à la phase romantique qui a suivi. On gomme autant que possible la parodie et le blasphème qu'il accomplit froidement par rapport au sentiment racinien et à l'effusion de *La Nouvelle Héloïse. Il faut* que l'interprétation aboutisse le plus vite possible aux états d'âme et à l'oppression d'Emma Bovary, à ses tourments comme à ses vapeurs. « La marquise de Merteuil, c'est moi[3] », aurait pu dire Laclos. Mais ici et maintenant, avec nos exploits de destructions scientifiques, ne sommes-nous pas plus que jamais au XIXe siècle ? En dépit de Proust, Sainte-Beuve règne toujours, lui qui, préférant les *Mémoires* de Mme d'Épinay, rangeait Laclos dans la race « exécrable », d'un « orgueil infernal » de ceux qui salissent l'amour. Merteuil, c'est le mauvais œil, la mauvaise mère effrayante, la Méduse que personne ne peut souffrir (qu'elle soit défigurée et borgne, à la fin de l'aventure, est comme l'emblème de cette impossibilité de la regarder en face). Nous prenons pour argent comptant la conclusion « morale » de ce livre scandaleux et éblouissant, au lieu de comprendre en quoi elle n'est là que pour déjouer la censure. Les lettres de Laclos à Mme Riccoboni sont, de ce point de vue, un comble d'habileté et d'ironie. En vérité, ce roman est là pour démontrer à quel point tous les autres sont ennuyeux, inutiles. La raison en est simple : leur incapacité à trouver l'équivalence entre *dire* et *faire*. Les *Liaisons* sont une multitude de romans en un seul ; on devrait en tirer non pas trois ou quatre films, mais cent. Le guet-apens, par exemple (l'histoire de Prévan), se suffit à lui-même. Une série télévisée pourrait s'appeler : découverte de l'hystérie. On y verrait avec quelle minutie Laclos décrit les symptômes de la Présidente (la « Céleste Prude »), ses alternances touchantes et comiques de convulsions et de prostrations. La séquence du *pupitre*[4] (ou comment écrire une lettre *sur le vif*) devrait être remise en scène à intervalles réguliers. Bref, il faudrait s'attarder partout, moduler les différentes *gaietés* (la marquise : « Il y a plus de six semaines que je ne me suis pas permis une gaieté »), les *bizarreries* (Valmont : « Il n'y a plus que les choses bizarres qui me plaisent »). Un film entier sur le thème de *la petite maison* serait un enchantement. Un autre nous expliquerait ce qu'est un « catéchisme de débauche » ou une « gazette de médisance ». Un autre encore nous montrerait l'art de la marquise voulant se débarrasser de Belleroche, à la campagne, en le surchargeant d'attentions pour le dégoûter. Un autre enfin nous ferait le portrait systématique des « espèces », des jeunes filles « machines à plaisir », des « facteurs », des « commissionnaires », des « manœuvres d'amour ». Le rebondissement permanent et calculateur de la fiction serait enfin traité et amplifié dans sa trame. Cent soixante-quinze lettres, du 3 août au 14 janvier, du plein été au plein hiver 17** : jamais le chiffre 17 n'aura eu une telle puissance mythique. Laclos au Panthéon, comme son ami Monge, autre spécialiste de géométrie descriptive ? Pour le Tricentenaire, espérons.

Le sexe, le cœur, l'esprit : de cette trinité discordante, la marquise est la seule à tenir jusqu'au bout le nœud. Les autres s'empêtrent dans leurs sensations, même Valmont, et c'est la raison de sa chute. Devenu faible, il veut faire le fort et, au lieu de plaire, s'imposer : il en meurt. La marquise, elle, ne meurt pas, elle s'abîme, pendant que son défi résonne indéfiniment en retrait : « Je suis mon ouvrage. » Elle emporte dans la nuit, pour longtemps, son secret *médical* : « L'amour est, comme la médecine, l'art d'aider la nature. » Ce grand livre de vérité, où l'on voit le mensonge s'expérimenter en et par lui-même, nous apprend qu'il n'y a d'aveuglement et de reniement de soi que par rapport au plaisir. Une femme unique ose dire qu'elle est tout un sérail à elle seule ; elle va jusqu'à nous léguer la précieuse formule chimique obtenue dans son laboratoire : « Ce délire de la volupté où le plaisir s'épure par son excès. » Laclos, plus tard, dira qu'il envisage d'écrire une suite « heureuse » des *Liaisons.* Mais il devait savoir que, pour y parvenir, il lui aurait fallu adopter sans discussion le système de la Merteuil. Or un tel aveu, très vite, il ne peut plus le faire à personne : ni au duc d'Orléans, ni aux Jacobins, ni au Premier consul en train de devenir Empereur, ni, bien entendu, à sa femme. La porte de lumière s'est refermée. Comme elle est forte, pourtant, la fameuse confidence de Londres, en 1790 : « J'étais en garnison à l'île de Ré... Je résolus de faire un ouvrage qui sortît de la route ordinaire, qui fît du bruit, et qui retentît encore sur la terre quand j'y aurai passé*. » Sommes-nous toujours sur la même terre ? Sans doute, à moins que nous ne sachions plus ouvrir cette Bible, à jamais incompatible avec l'autre, et, simplement, la lire pour la pratiquer.

* Ces expressions un peu oratoires, et dont je me rappelle comme si c'était hier, me frappèrent d'autant plus que sa conversation froide et méthodique n'était nullement de cette couleur-là.

Valmont, 1989.
Un film de Milos Forman.

PASCAL QUIGNARD

SUR LA FIN DES LIAISONS

« La Haine de la musique », Calmann-Lévy, 1996

Le vicomte de Valmont regarde l'herbe verte de la prairie de Saint-Mandé. La manche de sa chemise a été lacérée par le fer : il a reçu un coup d'épée au bras. En silence, il tourne le dos au cadavre du chevalier Danceny. Il monte dans son carrosse.

*

Le vicomte tire violemment les rideaux du lit où est alitée la présidente de Tourvel. Elle a le front couvert de sueur tandis que ses lèvres laissent passer le râle dans le silence de la chambre. Il crie un ordre, soulève le buste, déchire très délicatement le déshabillé en satin qui serre le cou de la présidente. Les membres nus, blancs et maigres de Mme de Tourvel, dans la faible lumière du chandelier, l'émeuvent. Il lui fait boire un grand verre d'alcool de poire de Colmar. Elle reprend connaissance, le voit, s'agrippe à lui en prononçant son prénom, l'étreint. Comme elle l'étreint, il la prend. Prise, elle revit. Ils rentrent dès le lendemain matin, dans la brume épaisse de l'aube, tant le froid est vif, à Paris. Valmont devient un financier redoutable. La présidente de Tourvel prépare ses soirées. Elle secourt ses nuits.

*

Dans le plus complet silence le corps du chevalier

Danceny, ramassé par les témoins sur la prairie de Saint-Mandé, eſt déposé sur un brancard. Ils le transportent avec beaucoup de précaution chez un chirurgien de Vincennes. Le chirurgien le sauve. Six mois plus tard, Danceny eſt reçu à la loge des Neuf-Sœurs[1] où il se lie d'amitié avec le prince de Rohan, l'Américain Benjamin Franklin, le peintre Greuze, le docteur Guillotin, Danton et Hubert Robert. Sous la Révolution il vote la mort du roi et obtient de l'Assemblée conſtituante qu'on brise sur les ſtatues du passé « toutes les parties génitales de tous les hommes, affreux veſtiges de l'Ancien Régime. »

*

Sur la rive droite de la Seine, à l'Opéra, Mme de Merteuil salue le vicomte et la présidente en souriant et passe devant eux sans souffler mot : l'amant du moment soulève au-dessus d'elle la portière. Mme de Merteuil a réchappé de la petite vérole et son visage eſt demeuré indemne. Non seulement elle a gagné son procès mais le tribunal lui a fait droit d'une somme fixée à dix-huit mille livres. Elle reſte à Paris en dépit de l'impression de ses lettres. La réputation de la marquise, à force d'être salie, subjugue. En société, à la comédie, les hommes s'empressent, au point que sa vie quotidienne en eſt importunée. Elle décide un voyage, un périple solitaire, embarque au Havre de Grâce[2], traverse la Manche, parcourt en berline la campagne du Hampshire. Tout à coup dans les nuages, le brouhaha et les cahots, elle fait signe au cocher de s'arrêter et acquiert là, dans le bourg de Deane[3], une petite maisonnette de vingt chambres. Une allée, longue et sinueuse, de graviers gris y conduit. Derrière la demeure, un grand bassin au milieu d'un pré, un petit bois attenant qui le borne.

À l'horizon, des collines basses et les brumes se confondent. L'air eſt mouillé et bleu.

Tout se tait.

*

Mme de Merteuil visite chaque après-midi ses pauvres et ses pauvresses. Elle remarque deux d'entre elles, Cassandra et Jane, qui vivent, à la lisière du bourg, dans la petite cure de Steventon[4], et avec qui elle se plaît à chanter des mélodies de Jackson d'Exeter[5]. La marquise apprend la basse de viole auprès d'un ancien archer de la Compagnie royale. Elle invite chez elle ses jeunes amies pour des petits trios de Haendel ou de Caix d'Hervelois que les crises de fou rire interrompent. Jane offre à la marquise une vieille pièce de Purcell, d'un genre voisin, entourée d'une faveur gris perle, morceau de musique qui stupéfie la marquise malgré son antiquité. Cassandra est à la flûte, Jane au clavecin, tandis que la marquise assure la basse et marque du pied la mesure : elles déchiffrent l'entièreté du vieux manuscrit. Après le déchiffrage, la soirée est très avancée ; elles boivent du vin, disent des sottises ; la marquise les incite à les commettre mais les demoiselles Austen y répugnent. Soudain le coq chante et Jane se lève du divan toute pâle. Elle prend sa sœur par la main et toutes deux se précipitent en tenant leur robe vers la cure. La marquise fait acheter pour Jane, dans l'espoir de la corrompre, pour la salle d'études de Steventon, où dormait cent ans plus tôt le cochon, un vrai piano, d'une valeur de quarante guinées. La marquise n'en apprécie pas le son imprécis, partant incertain et sentimental, mais Jane est folle de bonheur. La marquise acquiert et essaie d'interpréter sur sa viole toutes les œuvres qui sont restées sous le nom de Henry Purcell qu'elle a fait rechercher à Londres ; elle se met au chant pour pouvoir les chanter mais les deux jeunes filles ne veulent plus l'aider à interpréter une musique qui leur paraît trop ampoulée. Peu importe : la marquise prend goût au cricket. Désormais elle s'habille en amazone et peste contre l'incommodité des jupes falbalassées dont la mode s'étend. Sur les conseils de Jane, elle s'enthousiasme pour la poésie de Crabbe[6]. Elle va de plus en plus souvent se promener dans le bois qui longe la propriété et que traverse un ruisseau, dont l'eau est acheminée jusqu'au bassin par un mince et frêle aqueduc que des ormes dérobent à la vue. Elle compte parmi ses paysans trois ou quatre jeunes joueurs de cricket qu'elle fait appeler quand le désir génésique tout à coup la brûle sous le ventre. Elle les fait masquer avec des masques d'animaux pour n'apercevoir d'eux que la vie, ou du moins une de ses apparences qui lui apparaît comme la plus sincère et la plus touchante. Elle se lasse des jeunes gens. La conversation des jeunes filles est devenue elle aussi fastidieuse, et leur mépris intransigeant de l'œuvre de Purcell la désappointe chaque jour davantage, alors qu'elles la lui ont fait découvrir. En dépit des piques de Jane, la marquise n'a pas un instant l'impression de vieillir en étant émue par ces sonorités vieilles de deux cents ans. Elle s'apprête à quitter le Hampshire.

Quelques lubies lui viennent avec l'âge mais qui, dans le bourg de Deane, ne paraissent pas choquantes : elle aurait voulu être un kangourou. Elle estime que le Groenland n'existe pas. Dans le même temps elle prétend que Dieu non plus. Elle est sûre et certaine que les hommes peuvent voler. Elle est convaincue que les odeurs les plus fortes sont en train de disparaître de ce monde. Elle affirme qu'au printemps elle adorerait être un petit moucheron devant les fleurs. Elle déclare qu'elle aime l'énergie dans le regard des femmes, dans le regard de la plus jeune de ses deux amies musiciennes, dans le regard d'un homme qu'elle a connu, dans le regard des chiens, dans le regard des dames-blanches[7] qui dévorent les écureuils roux qui abondent dans le Hampshire. Elle préfère à tout, même au plaisir, l'ombre, en juillet, des châtaigniers. Elle commence à aimer tirer sur l'herbe les chaises longues. Elle aime aussi les plats de fraises écrasées, la gamme de *mi* majeur, le son de la basse de viole quand une fenêtre fermée sépare de sa source, la beauté de l'eau, la beauté du son de l'eau et la beauté du reflet de la nature qui se perçoit sur elle, qui s'y rompt à la chute d'une feuille ou au jet d'un gravier gris, et que le calme et l'instant qui suit tranquillement restaurent.

*

En mars 1798, la marquise de Merteuil, renonçant à ses petites amies et aux joueurs de cricket, rejoignit la France. Elle débarqua à Dieppe et évita Paris, gagnant en voiture sa propriété de Jargeau, près d'Orléans, sur les bords de la Loire[8].

Elle voit le château dévasté. Pendant trois mois elle le fait reconstruire. Après avoir longtemps hésité, laissant les ouvriers à leurs pierres, à leur poussière et à leur bruit, elle prend son courage à deux mains et décide de se rendre à Paris.

En septembre 1798, la marquise de Merteuil est à Meudon où elle rencontre l'Américain Benjamin Franklin[9], avec qui elle dîne et qui lui fait l'impression d'être un imbécile. Elle repousse ses mains qui s'aventurent sur ses genoux.

Elle se passionne pour l'Exposition industrielle organisée sur le Champ-de-Mars, dont l'Américain lui fait l'éloge. Benjamin Franklin lui dit :

« Qui n'a pas entendu un toast porté par Jacques Danton dans le réfectoire du couvent des Jacobins n'a pas la moindre idée de la voix masculine. »

Le lendemain matin, bien avant que l'aube perce, elle fait atteler. Elle quitte Meudon. Elle franchit le pont de Sèvres. Elle suit les champs et les quais. Elle arrive dans la vieille cité. La première impression qu'en reçoit la marquise est la stupeur. Les places sont dépouillées de leurs statues. L'aspect de la capitale a été très appauvri par la guerre civile. De nombreux hôtels qu'elle a connus sont détruits. Les bâtiments et les jardins des communautés religieuses ont été saccagés. Les maisons demeurées debout, faute qu'elles aient été entretenues, sont dans un état de décrépitude et d'ordure repoussant.

Les jardins ouverts au public sur la rive droite ont été abandonnés.

Le ciel est blanc et une fine pluie toute blanche, silencieuse, d'une nature presque normande, voile le regard. Sa voiture suit la route pavée qui longe la Seine. La marquise se sent tout à coup comme une étrangère. Elle a même l'impression qu'elle est une âme qui découvre l'autre monde. Les deux rives du fleuve soulèvent le cœur par la détresse des hommes qui s'y serrent et la nudité des enfants maigres et livides qui y jouent.

Sur le rebord du quai, elle voit cinq mots qui sont gravés au couteau et surchargés de charbon : *La liberté ou la mort.* Soudain elle se dit qu'elle connaissait un homme qui avait fait de cette sentence le secret de sa vie.

Son cœur lui fait mal.

Elle demande à son cocher de s'arrêter.

*

La marquise est descendue de voiture sous la pluie fine. Elle tient la main sur son cœur. Le quai étant glissant à son pied, elle s'est approchée avec peine de l'inscription. Auprès d'elle un brocanteur continue d'étaler en silence, malgré la pluie, ses livres sur son tréteau. Elle a pris dans ses mains un volume — qu'elle essuie sans y penser avec son gant. Il se trouve que les armes qui figurent sur la reliure sont celles de Danceny. Elle frémit. Elle en choisit un autre : cet autre appartenait à un homme qu'elle a connu à la cour et dont elle avait partagé les plaisirs. Le brocanteur la presse de dire son prix. Importunée par sa demande, elle laisse les livres sur le tréteau avec impatience.

Elle se dit : « Si je fouille encore dans l'étal, je vais trouver un livre aux armes de Valmont. »

Elle n'articule pas ce nom mais, soudain, ses jambes fléchissent sous elle.

Elle agrippe le rebord de pierre du quai. Un brouillard enveloppe ses yeux.

Elle reprend lentement sa respiration.

Elle rouvre ses yeux. En contrebas, sur la grève, elle voit un homme en train de pêcher qui ferre subitement un poisson. Elle se retourne brusquement. Une larme roule sur sa joue. Elle frotte de façon machinale son gant souillé. Elle veut remonter dans sa voiture mais n'y parvient pas seule.

Le cocher descend de son banc et s'approche d'elle. La marquise est essoufflée. Elle chuchote à son cocher :

« Prêtez-moi votre bras. Aidez-moi. Nous n'allons pas à l'Exposition industrielle. Nous rentrons à Jargeau… Nous rentrons à Jargeau… »

Elle répète tout bas : « À Jargeau ! À Jargeau ! », comme si elle suppliait son propre domestique.

*

Au cocher, elle a dit tout bas : « À Jargeau ! À Jargeau ! »

À Jargeau, c'est la fin de l'été. Il fait un temps magnifique et lourd. La lenteur de la Loire l'attire.

Le soir, sur le sable si chaud, si doux et jaune qui longe l'immense fleuve, elle fait porter un pliant sur le bord de la rive, une carafe d'eau fraîche, une épuisette, un chapeau de paille voilé de gaze jaune de Hollande. Mme de Merteuil a plaisir à s'asseoir sur son pliant et à tenir entre ses doigts un jonc à l'extrémité duquel est nouée une ligne. Elle lance l'appât. Un fredon resurgit. Elle chantonne *Joy*. Elle chantonne *Ô Solitude*[10] *!* Elle sort de l'eau des petits goujons qui ont la longueur d'un doigt.

LAURENT DE GRAEVE

LE MAUVAIS GENRE

Monaco, Éditions du Rocher, 2000.

[Extrait]

Je ne sais au juste comment nos libertins furent avertis des amitiés nouvelles de M. le Vicomte ; puisque notre ami ne semblait manifestement pas vouloir s'inquiéter de ses fréquentations, nous nous en inquiétâmes pour lui. Les dîners à Paris languissaient d'ennui. S'il n'était pas difficile de lancer les conversations, il n'était pas toujours aisé de démentir les calomnies, rumeurs et autres insinuations : l'amitié a des limites.

C'est que les gens sont affreusement méchants. Nos petits-maîtres énervés qui avaient vu certains de leurs projets contrecarrés par Valmont s'ingénièrent à prouver que l'ancien lion des salons n'était plus vraiment l'homme de la situation ; les femmes qui avaient eu à se plaindre de lui profitèrent de l'occasion pour sauvegarder le peu de réputation qu'il leur restait ; quant à celles qui ne l'avaient pas eu pour ennemi, elles commencèrent à rougir d'avoir daigné le laisser entrer dans leur lit.

Piqué au vif, mon âne énamouré consentit, enfin, à avancer. Valmont avait appris de la Femme de chambre de Mme de Tourvel que celle-ci le faisait suivre. Il machina donc à sa seule intention un véritable miracle. Pour parfaire l'illusion, il alla jusqu'à endosser son rôle à Lui.

Il faut se figurer le scélérat converti aux meilleures résolutions distribuer compassion, argent et réconfort aux pauvres du Village. Il faut l'entendre se gargariser de bonnes paroles et s'étrangler de bons sentiments. Il faut le voir encore à son retour au Château se faire pincer les joues par Tantine, qui en bavait de fierté. Il faut imaginer enfin le bon élève réclamer de sa maîtresse le bon point mérité et arracher à Sa Sainteté le baiser christique escompté.

*

Il l'avait troublée. Parce qu'il l'avait vue frissonner, il se décida d'attaquer. On avait dîné tôt. Il n'était pas 10 heures quand Mme de Rosemonde monta diplomatiquement se coucher. Valmont rejoignit Mme de Tourvel au salon. Elle lisait. Depuis quelques jours, les soirées se faisaient plus fraîches. On avait fait allumer un feu dans la cheminée. Valmont se servit un verre de cognac. Sans même lui demander son avis, il en remplit un second pour elle, qu'il déposa à sa portée. Contre toute attente, elle ne protesta pas, ne fût-ce pour la forme.

Il s'assit à l'autre bout de la pièce de manière à pouvoir la contempler sans la gêner. Le visage de la Belle, légèrement hâlé par leurs promenades quotidiennes, se laissait amoureusement caresser par la lumière des flammes. Concentrée, elle tournait les pages de son livre à intervalles réguliers. Tout en lisant, elle trempait de temps à autre les lèvres dans son verre. Valmont ne put bientôt plus détacher son attention de ces lèvres entr'ouvertes, dulcifiées par le feu sucré de l'alcool. Il ferma les yeux pour mieux rêver au goût de ces baisers alcoolisés.

Les bûches crépitaient dans l'âtre. Le silence tranquille était sagement cadencé par les mouvements du balancier de la pendule. Envoûté, Valmont se sentit soudain envahi d'une étrange sérénité.

Mme de Tourvel achevait sa lecture. À mesure qu'elle approchait de la fin, son front se faisait plus soucieux. Valmont la voyait relire un paragraphe ou reprendre une phrase comme pour retarder le plus longtemps possible l'issue pourtant inévitable. Elle arriva enfin au dernier mot de la dernière page. Ses mains parcoururent distraitement la tranche du livre en quête d'un ultime secret. Les personnages rejouèrent une fois encore leur meilleure scène, rien que pour elle. Puis, comme les fantômes qu'ils étaient, ils se dissipèrent et disparurent à tout jamais.

Elle étira les bras pour détendre son corps engourdi. Valmont la vit émerger peu à peu. Elle semblait épuisée : elle était mûre ; le moment approchait : c'était ce soir-là, ou jamais. Pendant qu'elle rangeait le volume dans la bibliothèque, il jeta un rapide coup d'œil sur le titre. En s'installant au clavecin, M. le Vicomte tentait de se souvenir comment se finissait la *Clarissa Harlowe* de Richardson[1].

Trois sonates plus tard, elle se dit éreintée et lui souhaita le bonsoir ; il ne répondit pas ; au moment où elle franchit la porte, il la rappela ; et ce fut en toute confiance qu'elle revint vers lui. Là, tombant à ses pieds, ouvrant son cœur, déployant les bras et le grand apparat, il lui avoua tout : son amour, sa passion, sa désespérance et, surtout, sa crucifixion.

Mme de Tourvel n'en croyait pas ses oreilles. Elle tournait nerveusement son alliance autour de son doigt comme pour conjurer un sort. Lorsqu'elle découvrit leur reflet dans le grand miroir du salon, elle en eut le souffle coupé : à ses genoux, un homme en pleurs lui déclarait d'un ton redoutable les mots tant redoutés. De tous les sentiments qu'elle sentit monter en elle, ce fut bizarrement la pitié qui l'emporta.

*

Jamais les hommes ne mentent aussi bien que lorsqu'ils disent la vérité. Le méchant espérait la tromper par ses discours, il se croyait retors, il se croyait malin, il ignorait encore qu'il était sincère, qu'il était épris, perdu, condamné, fini. Une telle débauche de sentiments parvint enfin à extorquer un soupir à l'inhumaine. Il crut la Présidente à point ; une fois encore, il se trompa ; il eut le geste de trop ; et ce fut de toute justesse qu'il évita le geste dont on ne revient pas.

« On m'avait pourtant prévenue », murmura-t-elle comme pour elle-même.

« Qui ? »

La question avait jailli malgré lui, comme un vieux réflexe professionnel. Mme de Tourvel tressaillit. Elle observa attentivement cet homme qui se tenait à ses pieds, sans pouvoir le reconnaître. Ce regard froid de prédateur lui glaça les sangs. Son instinct lui ordonna de s'enfuir, ce qu'elle fit.

*

Surpris, trempé et ridicule, le Vicomte prit le temps de rassembler ses esprits avant de se lancer à la poursuite de Madame. Lorsqu'il arriva devant ses appartements, on avait prudemment fermé la porte à double tour.

Revenu dans sa chambre, Valmont fit ses comptes. Il fut stupéfait de découvrir que le petit miracle du matin lui avait coûté la bagatelle de trois cents livres[2]. Cet été-là, le soupir se marchandait au prix fort. Furieux contre lui-même, il donna un violent coup de pied dans le montant de son lit et se fit affreusement mal.

Scandale, 2003.
Un film de Lee Jae-yong.

HERVÉ LE TELLIER

BRÈVES LIAISONS.

TENTATIVE DE RÉÉCRITURE DES « LIAISONS DANGEREUSES » EN CARTE POSTALE

« Le Magazine littéraire », mai 2005

Sophie chérie,

Bien arrivée chez mother. Nouvelle garde-robe… On va me marier ! Je kiffe à mort ! J'espère que TVB au couvent. Je te fais parvenir ma carte par Joséphine.

Ta Cécile.

P.-S. : J'ai confondu un cordonnier avec un prétendant… Quelle gourde !

*

Mon Valmont,

Devine à qui la mère Volange veut marier sa fille. À cet imbécile de Gercourt ! Une blonde de quinze ans qui sort du couvent, il est aux anges…. Chiche de la tomber avant lui ? Je te rassure, la gosse n'est pas un cageot. Passe demain soir, je te les présenterai.

MAM (MArquise de Merteuil).

*

Sophie chérie,

Hier, soirée chez mother. Du people, mais pas fun pour un rond. Si cassée que je me suis endormie dans le salon, t'y crois ? Je t'embrasse, ma tendre.

Ta Cécile.

NOTICES, NOTES ET VARIANTES

LES LIAISONS DANGEREUSES

NOTICE

Le manuscrit.

Rares sont les manuscrits d'œuvres publiées du XVIIIe siècle à avoir survécu. Des *Liaisons dangereuses*, il en subsiste un, autographe, dont il est important de souligner le statut et l'origine.

Le 2 avril 1793, Laclos fut arrêté et emprisonné comme orléaniste sur ordre du Comité de sûreté générale. Plus chanceux que d'autres captifs de la prison de l'Abbaye, il en sortit le lendemain pour assister à la levée des scellés de son appartement. Le procès-verbal livre le détail des papiers qui s'y trouvaient, comme des documents ayant trait à sa carrière et des mémoires divers :

> Nous avons également examiné un tas de Papiers qui n'étoit autre chose que des Lettres d'amis nullement relatives aux circonstances [...] nombre de petits Brouillons ou nottes relatives aux affaires domestiques du dit citoyen Laclos, sa correspondance avec le Duc d'Anguien en 1785, 1786 et 1787, enfin le manuscrit des *Liaisons dangereuses* par le citoyen Laclos renfermé dans le troisième carton avec la correspondance de l'Épouse de ce citoyen lors-qu'il étoit à Londres[1].

Le roman avait peut-être fait scandale une dizaine d'années plus tôt, mais il n'offre pas matière, en cette période agitée, à confiscation ou à destruction. Les commissaires sont forcés de constater qu'il ne se trouve dans les cabinets, secrétaire et placards du citoyen Laclos aucun papier compromettant. L'auteur pourra garder son manuscrit. Soigneusement préservé par les siens, l'autographe a été offert à la Bibliothèque nationale en 1849, avec d'autres documents de l'écrivain, dont des poésies et les ébauches d'essais sur l'éducation des femmes, par la veuve du fils de Laclos.

Dans un volume relié ultérieurement (cote : Ffr. 12845) se trouvent

1. Voir Malcolm Cook, « Laclos : an Unpublished Letter of 1793 », *British Journal for Eighteenth-Century Studies*, n° 8, 1985, p. 95.

le manuscrit des *Liaisons dangereuses* et le contrat de Laclos avec son premier éditeur, Durand, ainsi que des pièces de vers, dont certaines figurent dans l'édition que nous reproduisons, et la correspondance avec Mme Riccoboni.

Le manuscrit du roman à proprement parler occupe les feuillets 35 à 127[1] (les feuillets 1 à 34 étant occupés par huit pièces fugitives et la correspondance avec Mme Riccoboni) ; il est rédigé sur deux types de papier, l'un blanc (de la lettre 1 à la lettre 79 comprise), l'autre bleu, correspondant probablement à deux étapes d'écriture. D'abord d'une lecture relativement aisée — de toute évidence, ce n'est pas un premier jet —, il est ensuite (surtout à partir de la lettre 80) tracé en caractères plus petits et plus difficilement déchiffrables. De nombreuses ratures et des repentirs témoignent d'un travail en cours[2]. Au moment de mettre sur papier cet état-là de l'œuvre, Laclos compte peut-être s'en servir comme manuscrit d'imprimeur, mais il est clair qu'il ne l'a pas utilisé pour cela : un changement d'orientation en cours de route ou une prise de conscience de l'importance des révisions à effectuer a pu conduire à une modification du statut du document : alors qu'il aurait dû en théorie procurer le texte définitif, il devient un brouillon sur lequel on observe le déplacement, l'ajout ou la suppression de certaines lettres, ainsi que la réécriture de différents passages. Les deux textes liminaires présents dans le jet autographe, rédigés sur papier bleu, semblent avoir été composés tardivement. Le manuscrit « définitif » de Laclos, celui qui fut utilisé en 1782 pour préparer l'édition originale, a disparu, peut-être détruit au moment même de l'impression, comme c'était souvent le cas au XVIIIe siècle. Ajoutons que nous n'avons pas de version autographe de l'« Avertissement du libraire », un troisième texte liminaire, rédigé pour l'édition de 1787.

Dans le manuscrit la plupart des notes des rédacteur et éditeur supposés sont regroupées sur deux feuillets[3]. Les retours à la ligne sont, pour ainsi dire, inexistants. Les numéros, y compris ceux qui figurent en tête de chaque lettre, sont en chiffres arabes. Les autres nombres, cardinaux et ordinaux, sont rarement écrits en toutes lettres. Le soulignement qui traduit le recours aux italiques est souvent absent. Laclos n'utilise guère les capitales, même après un point final, et il est économe en matière de ponctuation. Tout ceci est normalisé au stade de l'impression.

Certaines lettres ne sont guère modifiées entre la version auto-

1. En voici le découpage. Les feuilles sont en général utilisées au recto et au verso : f° 35 r° : le titre biffé *Le Danger des Liaisons* (ce titre est également celui qui figure sur le contrat, voir la section « Documents », p. 809) ; f° 36 r°-v° : contrat avec le libraire Durand en date des 16 mars et 21 avril 1782 ; f° 37 blanc ; f° 38 r°-v° : notes des lettres 1 à 71 (sur papier blanc) ; f° 39 r°-v° : « Avertissement de l'éditeur » et « Préface du rédacteur » (papier bleu) ; ff[os] 40-88 : lettres 1 à 70 — qui constituent la première partie du roman dans le manuscrit ; f° 89 r° : deux notes concernant la lettre 76 et titre « Les Liaisons dangereuses / 2e partie » (verso blanc) ; f° 90 r° : notes de la 2e partie (lettres 71 à 169), papier blanc jusqu'à la lettre 79 comprise, bleu ensuite ; ff[os] 91 r°-126 v°, lettres 71 à 175. Au verso du folio 126, papier blanc rapporté avec la note finale de l'éditeur d'une autre main ; f° 127 r°, lettre ni datée ni numérotée de « La Pdte de T[ourvel] au Vte de V[almont] », absente de l'édition (papier blanc).

2. La version du manuscrit a été publiée (sans les repentirs ni les passages biffés) par Yves Le Hir aux Classiques Garnier en 1958. L'édition des *Œuvres complètes* procurée en 1979 par Laurent Versini pour la Bibliothèque de la Pléiade en inclut les variantes. La première édition à avoir collationné le manuscrit et relevé certaines variantes est celle de 1903 (Paris, Société du Mercure de France).

3. Le folio 38 pour les notes de la première partie, à l'exception de deux d'entre elles qui figurent, avec celles de la deuxième partie, sur le folio 90 (voir ci-dessus n. 1).

graphe initiale et l'état publié. D'autres, au contraire, comprennent d'importantes corrections avec des passages biffés (parfois illisibles) ou des paragraphes déplacés. Dans la mesure où les lettres de Cécile présentent moins de repentirs que d'autres courriers, Laurent Versini envisage l'hypothèse de la rédaction première de l'histoire de la pensionnaire, replacée ensuite « dans les autres correspondances[1] ». On pourrait aussi se dire que le style maladroit de Cécile ne demande guère de corrections alors que l'essentiel du travail de révision porte sur la forme.

Le manuscrit montre en effet souvent de menus ajustements stylistiques, Laclos ayant par exemple hésité entre deux synonymes ou souhaité éliminer des répétitions comme dans la lettre CXLIV (p. 395), où « je l'ai fait causer » est corrigé en « je l'ai fait jaser » pour éviter la rencontre avec « causé » à la phrase suivante : « C'est de lui-même que j'ai su ces détails ; car je suis sorti en même temps que lui, et je l'ai fait jaser. Vous n'avez pas d'idée de l'effet que cette visite lui a causé. » Un exemple caractéristique d'un autre type de correction figure dans la lettre CXV du vicomte à la marquise (p. 319) : « D'ici à votre [retour *biffé*] arrivée, mes grandes affaires seront terminées de manière ou d'autre ; et sûrement, ni la petite Volanges, ni la Présidente elle-même, ne m'occuperont pas assez alors, pour que je ne sois pas à vous autant que [je le désire *biffé*] vous le désirerez. » En remplaçant « retour » par « arrivée », Laclos change le point de vue apparent de l'épistolier. Par ailleurs, le passage de « je le désire » en « vous le désirerez » montre Valmont jugeant des sentiments de Mme de Merteuil à l'aune des siens propres. Ailleurs, Laclos se livre à un travail d'épuration décelable par instants. Il élimine ainsi, entre le manuscrit et la version publiée, à plusieurs reprises, un terme vulgaire comme « coucher[2] ». Il y a également souvent un effort pour « resserrer » les propos. Dans la lettre IV, Valmont était bavard à propos de son séjour à la campagne. Le manuscrit livre en effet ceci : « Ma [vieille *biffé*] revêche parente m'a beaucoup [rabâché *biffé*] répété qu'elle n'espérait pas que je lui sacrifiasse quelques jours, [qu'elle savait bien *biffé*] que les grands-parents étaient trop ennuyeux, que dans son temps on avait des égards, mais qu'à présent, etc., etc. Au lieu de lui répondre qu'elle avait raison, comme je le pensais, comme je le lui ai même prouvé quelquefois, profondément occupé du projet que je formais alors, je la laissais dire, et elle dirait encore, si après m'être excusé pour le passé sur les affaires qui entraînent, je ne lui avais offert de lui prouver par un séjour de quelque temps mon attachement sincère et mon empressement à lui faire la cour[3]. » La version imprimée (p. 22-23) est laconique : « mon éternelle tante m'a beaucoup pressé de lui sacrifier quelques jours. Vous devinez que j'ai consenti ». Laclos épure et élimine. L'essentiel seul reste. L'efficacité du propos en est accrue. Ailleurs, le lecteur attentif ne peut manquer d'être sensible à des choix de vocabulaire.

Si tout montre qu'il y a eu un véritable travail d'écriture, il ne faudrait pas négliger non plus les enseignements de l'autographe en termes

1. Voir Laclos, *Œuvres complètes*, Bibl. de la Pléiade, p. 1161 (désormais Laclos, *OC*).
2. Voir par exemple XXXIII, var. *a* ou LXVI, var. *a*.
3. Voir IV, var. *c*.

d'organisation. Ce roman fut envisagé d'abord en deux et non en quatre parties. Vient le confirmer la page de titre intermédiaire du manuscrit qui indique, après la lettre LXX, « *Les Liaisons dangereuses* / 2e Partie. » Le roman s'arrêtait une première fois avec la mise en garde de Valmont à la marquise à propos de Prévan[1]. La seconde partie commençait avec le triomphe de Mme de Merteuil, pour conclure définitivement avec l'inversion de cette structure : Prévan regagnant son rang militaire et sa place dans la société, la marquise était exclue et exilée. La réorganisation en quatre parties, due peut-être à la prise d'ampleur de la seconde partie (105 lettres contre 70 pour la première), mais aussi sans doute à une décision de l'imprimeur pour des raisons commerciales, confère un éclairage important à certains temps forts de l'intrigue[2]. Il y a ainsi une ironie romanesque patente lorsque le lecteur découvre la missive de Mme de Rosemonde félicitant la Présidente d'avoir préservé sa vertu (CXXVI), alors même qu'il vient d'apprendre, par la lettre précédente, du vicomte à la marquise, placée en tête du quatrième tome, la chute de la belle dévote.

Pour parvenir à l'architecture définitive, Laclos est passé par plusieurs étapes. Il a ainsi bouleversé l'organisation de certains passages du livre. Le manuscrit témoigne en plusieurs endroits d'un ordre initial de succession des lettres, puis d'une réorganisation *a posteriori*, matérialisée par des indications comme : « Placez ici les lettres 20, 21, 22 et 23, puis revenez à la lettre 19, puis à la lettre 16. » Dans le cas indiqué, comme dans les autres occurrences du genre, l'édition accomplit les transpositions requises en procédant aux nécessaires changements de dates. Parmi les conséquences, il y a ici en particulier l'élimination de la succession, sous les numéros 15 et 16, de deux lettres du vicomte à la marquise (désormais XV et XXI). Laclos intercale entre ces deux courriers qui se suivaient initialement des lettres mettant en lumière les amours de Cécile et Danceny, naïves et touchantes, qui donnent, par effet de repoussoir, un relief particulier aux projets de Valmont pour séduire la Présidente. Signalons, outre ces lettres XVI à XXIII qui portaient à l'origine les numéros 20, 21, 22, 23, 19, 16, 17 et 18[3], les modifications suivantes : les lettres XLV à XLVIII étaient à l'origine classées sous les numéros 46, 47, 48, 45, les lettres LXIV à LXVII, sous les numéros 67, 64, 65, 66, les lettres LXXXVIII à XCI, sous les numéros 90, 91, 88, 89, les lettres CIII à CVI, sous les numéros 104, 105, 106, 103, les lettres CXLV à CXLVII, sous les numéros 147, 146, 145, et les lettres CLX et CLXI, sous les numéros 161 et 160. Ces importants remaniements témoignent d'une élaboration progressive de la structure du roman.

Un autre apport précieux du manuscrit est la présence de pierres

1. Voir la lettre LXX, p. 169 et n. 9.

2. L'indication « Fin de la Seconde Partie », présente dans notre édition (1787) à la fin de la lettre LXXXVII (p. 234), témoigne d'un arrangement postérieur aux mentions « 1re / 2e Partie » portées sur le manuscrit, non retenu au moment de l'impression mais correspondant probablement à ce que Laclos envisageait au moment de mettre un point final à son roman. Les éditions en deux volumes suivent cette organisation, ce qui donne un véritable effet spéculaire avec une première fin sur le triomphe de Mme de Merteuil faisant accuser faussement Prévan, et la seconde, définitive, montrant la marquise exclue de la société qui réintègre l'amant banni à tort.

3. Pour un tableau de correspondance entre manuscrit et édition, voir *Les Liaisons dangereuses*, René Pomeau éd., Imprimerie nationale, 1981, t. I, p. 316. Voir également dans notre édition la lettre XVI et n. 1.

d'attente pour des courriers qui n'ont pas été rédigés ou encore que Laclos a décidé de ne pas inclure au moment de l'impression. Certains ont laissé une trace dans le volume imprimé, ne serait-ce que par le biais de l'indication de leur suppression ou l'évocation de leur contenu. Citons en premier lieu la lettre de Valmont à la Présidente alitée, retournée par Mme de Volanges à son expéditeur. Le vicomte avait accompagné cet envoi d'une autre missive, à la mère de Cécile, l'implorant de lui servir d'appui. Mme de Volanges l'avait transmise à Mme de Rosemonde en renvoyant la lettre destinée à la Présidente. La lettre CLIV nous laisse entendre qu'y figurait peut-être une déclaration d'amour et de repentir sincère du vicomte pour la femme dont il avait abusé. Témoignent de son existence théorique le propos rapide de Mme de Volanges (« C'est une lettre que j'ai reçue de M. de Valmont, à qui il a plu de me choisir pour sa confidente, et même pour sa médiatrice auprès de Mme de Tourvel, pour qui il avait aussi joint une Lettre à la mienne. [...]. Mais que direz-vous de ce désespoir de M. Valmont ? Faut-il y croire, ou veut-il seulement tromper tout le monde, et jusqu'à la fin[1] ? ») et la note ajoutée à cet endroit : « C'est parce qu'on n'a rien trouvé dans la suite de cette correspondance, qui pût résoudre ce doute, qu'on a pris le parti de supprimer la Lettre de M. de Valmont. » L'ambiguïté est ainsi entretenue et le lecteur ne dispose pas de cette pièce essentielle pour pouvoir trancher. L'autographe conservé à la Bibliothèque nationale en offre une ébauche[2]. Pour Biancamaria Fontana, la version imprimée permet d'hésiter entre un Valmont amoureux de la Présidente ou inféodé à la marquise, alors que le manuscrit aurait mis l'accent plus nettement sur les sentiments du vicomte pour Mme de Tourvel[3].

La lettre attendue par Mme de Merteuil, celle qu'elle réclame pour céder aux retrouvailles amoureuses souhaitées par le vicomte, celle écrite par la Présidente au lendemain de la chute, est également absente du roman alors qu'il y est fait plusieurs fois allusion. Nombre de critiques ont cherché à interpréter ce manque. Henri Coulet remarque ainsi à propos de ce qu'il appelle les « lettres occultées » des *Liaisons dangereuses* : « parmi les lettres ainsi éliminées figurent toutes celles où un personnage aurait pu s'exprimer avec sincérité, dévoiler un fragment de la vérité enfermée dans l'œuvre[4] ». On citera encore ce propos de Jean Goldzink : « Laclos [ne] nous donne jamais à lire une seule lettre d'amour adressée directement par la Présidente à son démoniaque et pourtant amoureux amant ! Comme si le romancier le plus éclatant du libertinage voulait préserver, malgré tout, le cri blanc de la passion amoureuse, la langue native du cœur incandescent, royaume réservé du seul romancier qui en soit digne : Jean-Jacques Rousseau en sa *Nouvelle Héloïse*[5]. » Le lecteur reste dans l'expectative,

1. P. 417.
2. Le manuscrit contient, sous le numéro 155, la lettre retranchée à laquelle il est fait allusion par Mme de Volanges. Nous la reproduisons dans la section « Documents », p. 810.
3. « Que Laclos lui-même ait préféré laisser cette question ouverte semble confirmé par la suppression dans le manuscrit final de deux lettres (l'une de Valmont à Mme de Volanges, l'autre de Tourvel à Valmont) qui faisaient pencher la balance en faveur de la première hypothèse » (*Politique de Laclos*, Kimé, 1996, p. 109).
4. « Les Lettres occultées des *Liaisons dangereuses* », *RHLF*, juillet-août 1982, p. 612.
5. « Liaisons et chimères », *Europe*, *Choderlos de Laclos* n° 885-886, janvier-février 2003, p. 49.

à l'instar de Mme de Merteuil. « Parce que cette lettre, Laclos n'a pas voulu, ou pas pu l'écrire. Rêve secret ou tendre chimère d'une langue vraie, d'une langue passionnée, transparente, signe pur de la pure passion, que son absence obstinée dérobe à toute dégradation[1]. » Le manuscrit vient contredire le propos, car la lettre existe, au moins à l'état d'ébauche[2], et elle témoigne d'un sentiment d'écartèlement de la Présidente : la passion lui ôte tout repos. Dans la version publiée, si Mme de Tourvel se livre à Valmont, dans le même temps elle lui retire son discours, sa parole, sa voix. La seule lettre de la Présidente au vicomte après la consommation de leur liaison est en effet le bref texte qui suit la scène de l'embarras des carrosses devant l'Opéra (CXXXVI), au moment de la première rupture[3].

Le passage à l'imprimé.

Avec la version autographe du roman, le recueil Ffr. 12845 du département des manuscrits de la Bibliothèque nationale de France comprend encore (f°36 r°-v°), nous l'avons dit, le contrat de Laclos avec le libraire Durand pour la première publication des *Liaisons dangereuses*[4]. L'écrivain avait fait une demande de permission tacite, autorisation préalable nécessaire pour la publication, dès le 10 octobre 1781, permission accordée par Le Cadet de Néville, directeur de la Librairie, le 12 décembre de la même année sous le numéro 2627. Le contrat de publication initial porte la date du 16 mars 1782. Durand s'engage alors à imprimer 2 000 exemplaires du roman pour lesquels Laclos touchera 1 600 livres. Le tirage est honorable, mais prudent. Il laisse entendre que le libraire était loin d'escompter le succès quasi immédiat de l'œuvre.

Moins d'un mois après la signature du premier contrat, le livre était presque épuisé, d'où la rédaction d'un avenant prévoyant une seconde édition[5].

La date précise de parution de l'ouvrage n'est pas connue. Nous en avons des annonces dans la presse — le *Mercure de France* d'abord, le *Journal de Paris* ensuite — à partir du 23 mars 1782, date à laquelle il est signalé dans le *Supplément* au numéro 12 du *Journal de la librairie.* Dès le 9 avril, le roman est cité dans le *Journal de Paris* comme la lecture idoine pour occuper un mari dont la femme souhaiterait avoir la paix pour s'amuser, même en prenant des amants. Il faut donc certainement nuancer la date de parution généralement indiquée (entre le 7 et le 10 avril[6]). Une chose est claire, le succès du roman, signé des seules initiales de l'auteur[7], est immédiat.

L'édition originale se présente ainsi : « Les Liaisons dangereuses,

1. *Ibid.*
2. Voir la section « Documents » (p. 811) dans laquelle cette lettre est reproduite.
3. La lettre CLXI sans destinataire, écrite pendant la maladie de la Présidente, comprend entre autres des passages qui paraissent être adressés à Valmont.
4. Voir la section « Documents » (p. 809), dans laquelle ce contrat est reproduit.
5. Voir *ibid.*, p. 809-810.
6. L'information est reprise sans indication de source par différents critiques : voir L. Versini, Laclos, *OC*, p. XXIII ; Jean-Paul Bertaud, *Choderlos de Laclos l'auteur des « Liaisons dangereuses »*, Fayard, 2003, p. 97.
7. Il était courant à l'époque de signer un ouvrage de ses initiales, c'était s'en avouer l'auteur. Laclos sera vite découvert sous l'indication « M. C. de L. ».

ou Lettres recueillies dans une Société et publiées pour l'instruction de quelques autres, par M. C... de L..., À Amsterdam ; et se trouve à Paris, chez Durand Neveu, Libraire, à la Sagesse, rue Galande, M.DCC.LXXXII. » Elle est composée de quatre volumes in-12 (248, 242, 231 et 257 pages), le dernier comprenant une page non chiffrée donnant les « Fautes essentielles à corriger avant la lecture ».

La seconde édition est identique, si ce n'est que la liste des *errata* a disparu, les fautes signalées dans le premier tirage ayant été éliminées.

Le retirage rapide n'est qu'un des éléments attestant du succès du roman. En effet, à côté de ces exemplaires sortis des presses de Durand, avec la pleine complicité de l'écrivain — les deux éditions qu'il reconnaît —, des contrefaçons multiples ont circulé. Le nombre impressionnant de tirages et éditions portant le millésime de l'original (seize au total) a été mis en évidence et analysé par Max Brun[1]. Outre l'intégration des *errata* du premier tirage, il n'y a pas de différence significative d'une édition à une autre, toutes se recopiant[2], si ce n'est la division, parfois en deux plutôt que quatre tomes[3]. En 1787, l'édition dite « de Nantes » est la première — et la seule — à apporter un véritable complément.

L'édition de 1787.

Si notre choix d'édition s'éloigne de la tradition[4], il suit la recommandation de l'écrivain lui-même dans une lettre à son fils qui l'a interrogé sur la question. Après avoir condamné les différentes versions illustrées de son roman, Laclos affirme en 1802 : « La moins mauvaise est actuellement celle où l'on a mis une correspondance entre Mme Riccoboni et moi, et quelques pièces fugitives, échappées à ma jeunesse[5]. » La parution date du début de 1787 : dans une lettre du 2 mars 1787, Duchastellier[6] se dit ravi de trouver les vers de l'écrivain en tête du roman dans cette nouvelle édition qu'il remercie Laclos de lui avoir envoyée. Ainsi, si l'écrivain ne l'a pas « faite », comme les deux éditions initiales de 1782, cette version en quatre volumes, sans illustrations[7], a sans doute aucun son approbation. Nous en ignorons le lieu d'impression — aucune adresse ne figure sur la page de titre. Il est souvent fait référence à l'« édition de Nantes » : l'exemplaire qui se trouve dans cette ville est le premier à avoir été répertorié par les bibliographes.

1. Max Brun, « Bibliographie des éditions des *Liaisons dangereuses* portant le millésime 1782 », *Le Livre et l'Estampe*, n° 33, 1963, p. 1-64.

2. Il y a cependant eu des versions tronquées qui n'ont repris le texte que partiellement.

3. Par exemple l'édition de « Neufchâtel, Imprimerie de la Société typographique, 1782 » qui comprend deux volumes in-8°, le premier terminant après la lettre LXXXVIII.

4. L'habitude est de se fonder sur l'édition originale d'avril 1782 ou, plus généralement, sur la seconde, qui intègre les corrections des *errata* de la première. Voir les commentaires de L. Versini (Note sur la présente édition, Laclos, *OC*, p. 1135) ou de René Pomeau (Laclos, *Les Liaisons dangereuses*, 1981, p. 61).

5. 30 messidor an X (19 juillet 1802), Laclos, *OC*, p. 1077.

6. Nous n'avons aucun détail sur ce Duchastellier dont la lettre, conservée avec les manuscrits de Laclos à la BNF, est difficile à déchiffrer.

7. On relève en revanche, dans l'exemplaire qui nous a fourni le texte de base (voir p. 797 et n. 1), deux ornements, l'un représentant deux poissons joints à la queue, chacun avec dix nageoires le long du corps ; l'autre, un cœur ailé enflammé traversé d'une flèche et d'une torche sur fond de couronne de lauriers.

Dès la page de titre, cette édition proclame sa nouveauté : « Les *Liaisons dangereuses, ou Lettres recueillies dans une Société, et publiées pour l'instruction de quelques autres.* Par M. C….. DE L… *Nouvelle Édition, augmentée d'une Correspondance de l'Auteur avec Mme* RICCOBONI, *et de ses Pièces Fugitives.* » Elle est composée de quatre volumes in-12 (165, 166, 167 et 179 pages). Après l'indication de la tomaison, figure la date « M. DCC. LXXXVII ».

En 1928, l'érudit bibliographe Ducup de Saint-Paul évoque l'édition en la disant « d'une importance capitale[1] ». Il souligne qu'elle reprend le texte des deux premiers tirages de 1782 et que l'impression en est plus compacte (30 lignes par page, contre 25 pour l'édition originale). Il observe que les initiales de chaque lettre sont en capitales « Fournier » et que le papier « fin d'Angoumois » contribue à donner un effet soigné à l'ensemble. L'écrivain anglais, grand lecteur de Laclos, Arthur Symons dit posséder, du même état du texte, l'édition en deux tomes, datée, elle, de 1788 : « L'impression et le papier sont communs ; les vignettes[2] assez grossières semblent un travail hollandais, et l'absence de nom d'éditeur ou d'imprimeur et du lieu de la publication, ainsi que le mélange de chiffres italiques et romains, tout semble indiquer que cette édition est une contrefaçon, probablement imprimée en Hollande[3]. »

Convoitée par les bibliophiles, l'édition de 1787 est relativement rare dans ses deux versions — Jean de Gourmont l'avait cherchée en vain à Londres, Paris et Genève[4]. Maurice Allem en signalait un exemplaire en Angleterre[5], un à la Bibliothèque de Nantes[6] et deux autres en mains privées, propriété de MM. Ducup de Saint-Paul et Henry Saillard[7]. Nous en avons consulté l'exemplaire conservé à la British Library[8] (qui nous a servi de texte de base) et celui de la réserve de la Bibliothèque nationale à Paris[9]. L'édition offre plusieurs particularités. L'inclusion de la correspondance avec Mme Riccoboni et des *Poésies fugitives* confirme l'implication de l'auteur. Les lettres et certaines des pièces de vers n'avaient jamais paru. Un autre apport considérable est un troisième texte liminaire, l'« Avertissement du Libraire ».

Les différentes sections de l'édition — « Avertissement du libraire », « Préface du rédacteur », « Avertissement de l'éditeur », roman, cor-

1. Henri Ducup de Saint-Paul, *Essai bibliographique sur les deux véritables éditions originales des « Liaisons dangereuses » de Choderlos de Laclos et sur d'autres éditions françaises intéressantes de ce roman*, Giraud-Badin, 1928, p. 44.

2. Il faut sans doute entendre par « vignettes » les bandeaux ou tout autre ornement typographique.

3. Symons indique ceci, à propos des *Liaisons dangereuses* de 1787 en 4 tomes (Laclos, *Poésies*, Paris, Dorbon Aîné, 1908, p. 96) : « J'incline à croire que cela peut être un exemplaire de l'édition autorisée par Laclos, tandis que mon exemplaire est une contrefaçon. »

4. « On sait que cette édition ne se trouve pas à la Bibliothèque, et l'on affirme qu'elle n'est jamais passée en vente. La Bibliothèque de la ville de Genève et le British Museum l'ignorent autant que nous. Cependant, une édition tout entière ne peut pas avoir disparu » (*Mercure de France*, juillet 1905).

5. Sur la foi du témoignage d'Arthur Symons dans un article de *The Outlook*, les 7 et 17 septembre 1905.

6. Ad. Van Bever en donne une description, fournie par M. Giraud-Mangin, conservateur de la Bibliothèque de Nantes, dans son édition des *Liaisons dangereuses* pour les Maîtres du Livre, et inclut l'« Avertissement du Libraire ».

7. Voir le *Bulletin du Bibliophile*, 1er avril 1928, p. 191-192.

8. Sous la cote BL 1155 g 26.

9. Sous la cote Rés PY2 2025 (1 et 2).

respondance, poèmes — sont paginées séparément[1]. Cela permet aux libraires du temps de choisir l'ordre dans lequel les œuvres sont présentées. Il existe des volumes qui insèrent la correspondance et les poèmes en tête — c'était le cas, semble-t-il, de l'exemplaire reçu par Duchastellier, comme de la contrefaçon que possédait Symons. D'autres les placent à la fin. Nous avons adopté l'ordre de l'exemplaire qui a fourni le texte de base[2]. Les deux textes liminaires connus depuis l'édition originale sont inversés dans l'édition de 1787. L'« Avertissement de l'éditeur » figurait en effet, en 1782, avant la « Préface du rédacteur ». L'ordre de notre édition établit une logique autre. On ajoutera que quelques exemplaires de la petite brochure de poèmes (28 pages), avec sa pagination séparée, ont peut-être circulé indépendamment[3], ce qui permettrait d'expliquer l'allusion à un éventuel recueil de poésies de Laclos à propos duquel Henry Céard s'interroge dans une communication à l'*Intermédiaire des chercheurs et des curieux* en 1884[4].

Le titre du roman.

Sur le manuscrit des *Liaisons dangereuses* se lit un premier titre, biffé : *Le Danger des liaisons*, celui-là même qui figure dans le texte du contrat d'impression passé entre Laclos et Durand. L'expression est habituelle. Parmi les exemples donnés dans le *Dictionnaire de l'Académie*, en 1798, à l'article « Liaison » figure : « Je lui ai fait sentir le danger de ses liaisons. » Selon la *Gazette des Deux-Ponts*[5], dans un article publié dix ans avant le livre qui nous intéresse : « le danger des liaisons est une riche matière qui a fourni déjà le canevas d'une multitude de romans et qui n'est point encore épuisée ».

Il a été supposé que Laclos avait modifié son titre pour éviter toute confusion avec le roman de Mme Mézières du Crest, baronne d'Andlau, marquise de Saint-Aubin, intitulé *Le Danger des liaisons*. Publiée en 1763 (et rééditée en 1769), l'œuvre avait connu un certain succès, ainsi qu'en témoignent les *Mémoires et correspondance littéraires, dramatiques et anecdotiques,* de Favart[6] ou encore les « Vers à Mme de

1. L'ensemble formé de l'« Avertissement du libraire » et de la « Préface du rédacteur » est paginé 1 à 12. L'« Avertissement de l'éditeur », composé en corps plus gros, est paginé de 1 à 4. Le roman lui-même commence sur une nouvelle page 1. Est reliée ensuite la correspondance, paginée de 1 à 23. Les *Pièces fugitives* forment un cahier dont les pages sont numérotées de 1 à 28.

2. Voici, à titre de comparaison, l'ordre de l'exemplaire de la BNF : « Avertissement du libraire » / « Préface du rédacteur » / « Avertissement de l'éditeur » dans un caractère plus gros / « Pièces fugitives » / *Les Liaisons dangereuses*. Pour les lettres, les départs en page sont fréquents. Voici les fins des quatre parties du roman : I Lettre L, fin de la 1re partie indiquée sur la page 165. Ensuite 3 pages blanches. II Lettre LXXXVII, fin de la 2e partie, p. 166. III Lettre CXXIV, fin de la 3e partie, p. 167. IV Fin de la 4e et dernière partie, p. 179. Ensuite, la pagination est séparée pour la « Correspondance entre Madame Riccoboni et l'Auteur des *Liaisons dangereuses* » avec un départ en page pour chaque lettre. Il s'agit bien d'un montage dans un ordre différent des mêmes cahiers que l'exemplaire de la British Library.

3. Il n'y a, cela dit, pas de trace d'une telle circulation séparée, par exemple dans les sources recensées par la Bibliographie de Conlon ou dans l'*Almanach des Muses* pour 1788, qui rend compte rapidement des publications poétiques de l'année précédente.

4. *Intermédiaire des chercheurs et des curieux*, 10 octobre 1884 (t. XVII, p. 579).

5. N° 46, 1772, p. 366.

6. Paris, Léopold Collin, 1808, t. II (lettre de Favart à Durazzo, 28 janvier 1763) : « Je n'envoie pas un roman nouveau qui a pour titre, *Le Danger des Liaisons*, quoiqu'il soit ici en quelque faveur, mais à moins que les romans ne soient de la dernière excellence, je crois, Monseigneur, que vous me dispenserez de vous en faire part. »

C***, Auteur du *Danger des Liaisons*» parus dans l'*Almanach des Muses* pour 1767[1]. De nombreux autres romans du temps portent des titres similaires, comme *Le Danger des passions* (1757) d'Henri de Lambert d'Herbigny, marquis de Thibouville, ou encore *Le Danger des préjugés* (1774[2]) de Marianne-Agnès Falques, entre autres. En 1800, dans une lettre adressée de Milan à sa femme, Laclos critique le titre d'une publication récente, *Le Danger d'un tête-à-tête*, en observant : « tous les romans faits jusqu'à ce jour ont tous prouvé, d'une manière ou de l'autre, le danger des tête-à-tête[3] ».

Au sein des *Liaisons dangereuses*, Mme de Tourvel, évoquant la charité de Valmont dans la lettre XXII (p. 60), se demande s'il n'eſt « peut-être qu'un exemple de plus du danger des liaisons ». Dans la lettre XXXII (p. 79), Mme de Volanges, méfiante, rétorque, en utilisant les locutions du titre retenu et de celui qui a été abandonné : « Quand il ne serait, comme vous le dites, qu'un exemple du danger des liaisons, en serait-il moins lui-même une liaison dangereuse ? » Mme de Merteuil, dans la lettre LXIII (p. 150), dit avoir révélé à Mme de Volanges « qu'il exiſtait entre sa fille et Danceny une liaison dangereuse » et la mère de Cécile conſtate amèrement dans la dernière lettre les « malheurs que peut causer une seule liaison dangereuse ».

Comme le « danger des liaisons », l'expression « liaisons dangereuses » eſt atteſtée avant Laclos. Elle sert de titre à une comédie de Mouslier (1769). Montesquieu l'utilise lorsqu'il évoque les relations internationales dans ses *Considérations sur les causes de la grandeur des Romains*[4] et elle figure, à la même époque, chez Le Maître de Claville dans le *Traité du vrai mérite de l'homme considéré dans tous les âges et dans toutes les conditions* (1734) : « que me servira de vous inspirer les maximes les plus saines pour le choix de vos amis et de vos plaisirs, si vous commencez à contracter des liaisons dangereuses ? » demande un maître à son disciple. Plus près de Laclos, on la trouve dans *Le Méchant par air* (1781), une pièce du théâtre d'éducation de Mme de Genlis[5].

La locution revient par la suite. Casanova, évoquant la franc-maçonnerie dans son *Hiſtoire de ma vie*, rappelle que « le candidat doit se garder des liaisons dangereuses[6] ». Relevons encore, dans *La Femme de bon sens, ou la Prisonnière de Bohême*, traduction de l'anglais par B. Ducos : « malgré la volonté qu'il [Henry] avait de fuir les liaisons dangereuses, il trouvait que, lorsqu'on eſt traversé dans tous ses projets de bonheur, on a besoin de dissipations de quelque espèce, et il changeait ainsi de résolution à chaque inſtant[7] » ; citons pour finir *Les Mères rivales* de Mme de Genlis où un personnage évoque le sort d'une autre : « J'étais sûre, enfin, que vous ne souffririez jamais qu'elle

1. « J'ai lu votre charmant ouvrage : / Savez-vous quel eſt son effet ? / On veut se lier davantage / Avec la Muse qui l'a fait » (p. 78).
2. Le roman avait paru en 1755 sous le titre *Les Préjugés trop bravés et trop suivis, ou les Mémoires de Mlle d'Oran.*
3. Lettre du 15 novembre 1800, Laclos, *OC*, p. 991.
4. *Œuvres complètes*, Bibl. de la Pléiade, t. II, p. 108.
5. Acte II, sc. VI. L. Versini en relève également des occurrences, entre autres chez des auteurs comme Prévoſt ou Baculard d'Arnaud (*Laclos et la Tradition*, Klincksieck, 1968, p. 154-156).
6. Robert Laffont, coll. « Bouquins », 1993, t. I, p. 553.
7. Paris, Maradan, an VI - 1798, t. I, p. 215.

formât des liaisons dangereuses, et que vous auriez, à cet égard, autant de délicatesse et de sévérité que j'en pourrais avoir moi-même[1]. »

Le substantif « liaisons » sera souvent repris dans des titres après Laclos (par Doppet avec *Zélamire ou les Liaisons bizarres* en 1791, par exemple) ; à la différence du substantif « danger », l'adjectif « dangereux » est inhabituel à l'époque dans les intitulés de romans. Ainsi que le remarque L. Versini, le titre retenu pour la publication constitue, par rapport à la première mouture, un « tour à la fois moins didactique et plus concret[2] ». Grâce au roman de Laclos, l'expression « liaison dangereuse » a connu une fortune extraordinaire et est souvent utilisée, de nos jours, en particulier dans la presse.

Avertissements, préface, notes.

Au nombre de trois, les textes liminaires font entendre trois voix différentes et qui, par endroits, se contredisent. Le libraire, le rédacteur et l'éditeur interviennent à différentes étapes dans la chaîne du livre. Ils se succèdent dans cette édition.

Ouvrant le roman, l'« Avertissement du libraire », texte inédit avant 1787, et ajouté avec les œuvres nouvelles, poésies et lettres, auxquelles il fait référence, est marqué au coin de l'écrivain, ainsi que le relève Louis Barthou : « L'"Avertissement du Libraire" ne manquait pas de finesse. On sent que l'auteur tenait la plume. » L'académicien ajoute : « Il n'est pas possible de piquer avec plus d'esprit la curiosité du lecteur[3]. » Dès ce cynique propos inaugural, Laclos semble mettre sur pied un *Caveat lector*, la correspondance avec Mme Riccoboni devant offrir des points de vue sur l'ouvrage même à ceux qui s'abstiendraient de s'y plonger : « Cette Édition est non seulement à l'usage des personnes qui lisent les livres qu'elles achètent ; mais elle convient, plus particulièrement encore, à toutes celles qui sont bien aises de juger un ouvrage sans se donner la peine de le lire[4]. » Il n'est pas interdit de voir dans ces remarques une réponse à peine voilée de l'auteur encore meurtri par les commentaires de contemporains qui, sans avoir lu le roman, le traitaient à l'égal des écrits pornographiques ou moralement pernicieux.

Si le « libraire » vante les suppléments inclus avec le roman, il persifle aussi le lecteur et instille en lui des doutes qui ne seront guère résolus par les deux textes suivants, présents, eux, dès l'édition originale. Le « rédacteur », dans sa « Préface », affirme que l'ouvrage est en fait un recueil de lettres véritables. Il avance des détails, fait référence aux détenteurs de la correspondance, au travail de sélection des lettres, etc. Conformément au poncif classique, il assure que la publication a un double mérite : son utilité et son agrément. Les lecteurs seront mis en garde contre des mœurs abominables et préparés à ce qu'ils risquent de rencontrer dans le monde. Le livre vaut aussi par les styles naturels des lettres et la variété qui s'y trouve, variété et naturel constituant des garanties de l'authenticité de l'ensemble.

L'« éditeur », lui, *avertit* qu'il s'agit selon toute vraisemblance d'une

1. Paris, an IX [1801], t. II, p. 120.
2. Laclos, *OC*, n. 1, p. 1.
3. *Promenades autour de ma vie*, Paris, Laboratoires Martinet, 1933, p. 83.
4. « Avertissement du libraire », p. 5.

fiction ; il s'érige en gardien d'un lecteur trop crédule et propose, dans un texte auquel des procédés rhétoriques donnent une apparence argumentative, un discours dont le seul argument, qui contredit l'épigraphe du roman (absente de l'édition de 1787 ; voir n. 2, p. 1), est irrecevable — les hommes de 1782 seraient trop vertueux pour avoir trempé dans une aventure aussi déplorable que celle que racontent *Les Liaisons dangereuses*. Le rédacteur prend en charge les notes dans le cours du roman, le plus souvent afin « d'indiquer la source de quelques citations, ou de motiver quelques-uns des retranchements qu['il s'est] permis ». Le dernier mot revient cependant à l'éditeur dans une ultime note[1] (p. 459), qui entrevoit la publication possible de la suite des aventures de Cécile et refuse ainsi de clore le roman, malgré le mot « Fin ». Pour un livre qui s'interroge sur les dangers de la lecture — la présidente de Tourvel n'est-elle pas séduite en grande partie par les lettres de Valmont —, ce vertige péritextuel, redoublé par les notes qui informent et désinforment, précisent et détournent, promettent et dérobent, ne manque pas de saveur.

En évoquant la question de l'authenticité dans ses propos liminaires, Laclos est l'héritier d'une longue tradition. Il raffine en multipliant les présentations — souvenir peut-être des deux préfaces de *La Nouvelle Héloïse*, roman qu'il cite à plusieurs reprises — et en offrant deux avertissements qui encadrent ici un autre écrit, intitulé « Préface », et paraissent ainsi implicitement inviter le lecteur à se méfier des propos du rédacteur.

La chronologie du roman.

S'il a été possible de transformer les deux parties initiales en quatre qui sont tout à fait satisfaisantes du point de vue de l'intrigue, avec, par exemple, l'ouverture de la dernière section sur le cri de triomphe de Valmont vainqueur de la Présidente, la question de la chronologie interne est importante. Elle n'est pas sans rapport avec les périodes de rédaction probables de l'œuvre.

La première lettre remonte au 3 août. La dernière est datée du 4 janvier. Les faits sont compliqués par l'ordonnancement des lettres, certaines se trouvant à la place correspondant à leur date de réception, d'autres à celle de leur envoi, ce qui permet des ironies d'organisation auxquelles le lecteur ne peut manquer d'être sensible. En cinq mois, Cécile a été séduite et s'est jetée au couvent ; Valmont a été tué, la Présidente est morte ; Danceny est parti pour Malte ; la marquise, défigurée et ruinée, s'est enfuie. La sainte Cécile, fête de Mlle de Volanges, Noël, le Jour de l'an passent sans être commentés. Aucune fête de l'Église, aucun événement extérieur ne vient apporter d'ouverture sur le monde, si ce n'est le détail problématique du rappel fugace, autour de la mission de Gercourt, des opérations militaires engagées en Corse par la couronne française en 1768-1769 (lettres IX et CXI)[2]. Il y a tout juste, à part cela, quelques allusions aux

1. Je remercie Imen Matar de m'avoir fait observer cette répartition auctorielle des notes. Voir aussi l'article de Michel Delon, « Le Discours infrapaginal dans *Les Liaisons dangereuses* », *Les Notes de Voltaire. Une écriture polyphonique* (SVEC 2003-03), Nicholas Cronk et Christiane Mervaud éd., Oxford, Voltaire Foundation, 2003, p. 138-145.

2. Voir IX, n. 2 et CXI, n. 1. D'autres allusions, comme celle au « vieux ministre » (LXXXI)

conventions mondaines du retour à la ville après un été à la campagne.

Laclos donne, dans la version imprimée, les dates des lettres sans préciser l'année, et tout laisse entendre qu'il a volontairement brouillé les pistes. Parfois, un jour de la semaine est indiqué. Nous savons, par exemple (lettre CXXIII, p. 335), que Valmont a rendez-vous avec Mme de Tourvel pour lui rendre ses lettres un jeudi 28 octobre. En 1779, le 28 octobre tombait un jeudi. Faut-il supposer par voie de conséquence que l'action se déroule en 1779-1780 ?

Dans le manuscrit, comme dans la version imprimée, les années sont, le plus souvent, indiquées sous la forme « 17.. ». Par moments, cependant, Laclos y inscrit « 177. », ce qui pourrait donner du poids à la supposition selon laquelle les événements auraient lieu pour l'essentiel en 1779. L'hypothèse est séduisante à première vue, mais quelques éléments viennent perturber cette identification. Ailleurs, d'autres années ont été supprimées dans le passage du projet à la version imprimée, probablement pour laisser planer l'incertitude. Le « 1778 » unique que nous trouvons dans le manuscrit de la lettre XI renvoie peut-être au temps de la composition initiale de cette partie. Les quelques autres indications complètes d'années (1779, 1780 ou 1781) présentes dans le manuscrit correspondent peut-être au moment d'écriture des ébauches antérieures disparues. Le premier jet que nous possédons de la lettre LXXXIII porte la date « 23 septembre 1780 ». Le « 1781 » isolé de la lettre CXIII indique probablement l'époque à laquelle la copie de ces pages-là a été rédigée. Tout montre des hésitations de l'écrivain en cours de route. Mais s'il est impossible de faire coïncider parfaitement l'ensemble des indices dont nous disposons pour tracer un calendrier exact des agissements des personnages, il s'agit peut-être d'une volonté de l'auteur, et non pas d'une incohérence.

L'hypothèse selon laquelle ces différentes dates nous renseignent sur les moments de composition de l'œuvre permettrait d'imaginer un calendrier en plusieurs étapes. La rédaction aurait démarré en 1778, avec les ébauches initiales remontant au séjour bisontin[1] et une mise au net de la première moitié du roman (lettres I à LXXIX) sur papier blanc. Une interruption ou un temps de réflexion sur le dénouement, correspondant peut-être à la reprise de service de l'auteur[2], aurait fait basculer cette copie au net à l'état de document de travail. Laclos aurait ensuite, en 1780-1781, travaillé à tout ce qui est rédigé sur papier bleu : les lettres LXXX à CLXXV, l'« Avertissement » et la « Préface ». C'est à l'automne de 1781 qu'il a dû mettre au net le manuscrit définitif avant de soumettre sa demande de permission tacite en octobre et de la recevoir en décembre.

L'onomastique.

Les noms des personnages fictifs, au XVIIIe siècle, frappent parfois par leur manque d'originalité. Ceux des personnages de Laclos, des

qui pourrait être Maurepas, nous semblent trop ténues pour permettre d'en tirer des conclusions.

1. Voir la Chronologie, p. LV.
2. Voir *ibid.*, p. LVI.

héros aux « extras », ont fait couler beaucoup d'encre. Si le valet La Fleur, mentionné en passant, a un nom de convention, il n'est pas le seul. Celui de l'amant de la vicomtesse de M..., Vressac (lettre LXXI), rappelle le Versac, conseiller de Meilcour des *Égarements du cœur et de l'esprit* de Crébillon fils ainsi que d'autres roués véritables avec des noms « en *-ac* » comme Canillac, compagnon de débauche du Régent, ou Fronsac, l'un des titres du maréchal de Richelieu. De même, dans Gercourt, il n'est pas interdit d'entendre un écho de Grécourt, poète grivois.

Il a souvent été rappelé que le vicomte, chez Laclos, porte le patronyme du héros d'une fiction apologétique très lue, *Le Comte de Valmont ou les Égarements de la raison* (1774-1776) de l'abbé Gérard, et que le même patronyme est attribué à un chevalier dans *Adèle et Théodore* de Mme de Genlis, paru peu de temps avant *Les Liaisons dangereuses*. Si d'aucuns ont voulu y déceler une consonance maçonnique[1], on peut rappeler que c'est le nom de plusieurs communes françaises. Par ailleurs, le vicomte semble, en devenant « un libertin amoureux, si un libertin peut l'être » (LVII, p. 141), aussi oxymorique que son nom, expression de cette tension onomastique entre la vallée et la montagne. On peut offrir d'autres suggestions d'analyse. Si Cécile renvoie étymologiquement à l'aveuglement, la destinataire de ses lettres, Sophie Carnay est... désincarnée, absente, tout comme la sagesse qui lui donne son prénom. Paradoxalement, leur manque d'originalité souvent commenté n'a pas empêché de nombreux critiques de développer des hypothèses diverses autour des noms portés par les personnages de Laclos[2].

Le recours aux initiales et aux astéronymes pour les personnages plus marginaux (Mme D... qui aime M. M., le marquis de ..., la maréchale de ***, les comtesses de B***, la vicomtesse de M..., l'évêque de ..., etc.) correspond à une convention qui laisse entendre la possibilité d'inscrire un nom réel derrière les initiales (comme celles de M. de C... de L... qui ornent la page de titre du roman). Elle est cependant tellement associée au roman, à la fin du XVIIIe siècle, qu'elle indique le plus souvent pour le lecteur une convention transparente, une fiction d'authenticité.

Des échos onomastiques du roman de Laclos se retrouvent par la suite. La référence peut être explicite comme dans le *Monument du costume physique et moral de la fin du dix-huitième siècle, ou Tableaux de la vie*, avec des textes de Rétif de La Bretonne et des illustrations de Moreau le Jeune. Le texte intitulé « Les Adieux » ouvre ainsi : « Rien de si *avantageux* qu'un petit officier français. La belle présidente de *Tourvel*, non pas cette infortunée dont toute la France a pleuré le malheur, mais une autre plus douce, adorée de son jeune amant, et trompée seulement par son cœur, entrait dans sa loge à l'opéra, la main appuyée sur le bras de son mari[3]. » Certains cas ne sont pas

1. Le nom de Valmont pourrait venir des milieux maçonniques proches des Chevaliers Bienfaisants selon René Le Forestier, *La Franc-maçonnerie templière et occultiste*, Milan, Arché, p. 595, n° 25.

2. Voir René Démoris, « La Symbolique du nom de personne dans *Les Liaisons dangereuses* », *Littérature*, 1979, n° 36, p. 104-119 ; Jean-Louis Cornille, *La Lettre française*, Louvain, Peeters, 2001 ; Joyce O. Lowrie, « The Prévan Cycle as Pre-Text in Laclos' *Les Liaisons dangereuses* », *Sightings. Mirrors in Texts — Texts in Mirrors*, Amsterdam, Rodopi, 2008.

3. Neuwied-sur-le-Rhin, Société typographique, 1789, p. 17.

aussi simples à trancher : y a-t-il ou non volonté de faire surgir le souvenir des personnages de Laclos dans l'esprit du lecteur ?

Est-ce ainsi un clin d'œil ou un hasard s'il y a un gentil Valmont marié dans « L'Heureuse Défiance », conte de La Dixmerie publié en 1784[1] ? Olympe de Gouges a donné en 1788 le *Mémoire de Madame de Valmont*. Par la suite, le même nom est souvent attribué à des personnages romanesques. Beffroy de Reigny le choisit dans la nouvelle « Les Deux Sauteurs » pour un jeune homme qui a résisté à la tentation de l'adultère comme à celle de séduire une jeune fille vertueuse[2] : « J'ai des passions très vives, mais je sais qu'on est plus heureux en les réprimant qu'en voulant toutes les asservir », dit-il à son ami Dorval. Sade, qui a lu Laclos mais n'en parle pas, baptise Valmont, dans « Eugénie de Franval », une nouvelle des *Crimes de l'amour* (1800), celui que le père de l'héroïne mandate pour la séduction manquée de sa femme et avec lequel il convient de forger des lettres afin de laisser supposer que la liaison a eu lieu. Chez La Rochefoucauld-Liancourt, Eugène de Valmont a été l'assassin de la femme qu'il aimait[3]. Une mauvaise émigrée qui revient en France après la Révolution s'appelle la comtesse de Merteuil dans le *Retour d'un émigré sous le Directoire* (anonyme). L'ébauche du *Roman par lettres* de Musset met en scène un héros nommé Prévan qui donne des cours de musique à une jeune duchesse. Le même auteur nous offre Henriette Merteuil et une baronne de Valmont. Un personnage se nomme Gercourt dans *Paula Monti ou l'Hôtel Lambert. Histoire contemporaine* d'Eugène Sue. Une Mme Gercourt est évoquée par un admirateur de Laclos, Nougaret, dans *Le Plaisir et l'Illusion, ou Mémoires et aventures de Volsange*[4] dont le héros, on le constate, porte un patronyme qui est l'anagramme de celui de Cécile dans *Les Liaisons dangereuses*.

Du côté de l'onomastique toujours, une chose frappe dans les suites et imitations : les auteurs cherchent à donner des prénoms aux personnages qui n'en ont pas, souvent, mais pas toujours, pour se conformer aux usages modernes. Mme de Merteuil devient ainsi Juliette chez Vadim et Vailland en 1959 (*Les Liaisons dangereuses 1960*), Louise dans *Le Mauvais Genre* de Laurent de Graeve (2000), Isabelle dans *L'Hiver de beauté* de Christine Baroche (1987) et le téléfilm de Josée Dayan (2003), Kathryn dans le film de Roger Kumble (*Cruel Intentions*, 1999) ou encore Marie-Hortense[5]. Adèle de Tourvel demande le pardon de Valmont mort dans *Les Liaisons dangereuses, drame en trois actes mêlé de chants* d'Ancelot et Xavier Saintine (1834), Marianne Tourvel séjourne à Megève dans *Les Liaisons dangereuses 1960* et Annette Tourvel est, dans *Cruel Intentions*, une jeune Américaine que séduit Sebastian Valmont. Même les personnages mineurs se voient parfois attribuer une identité autre ou plus complète. Dans le film de Stephen Frears (*Dangerous Liaisons*, 1989), comme chez Ancelot et Saintine, le domestique de Valmont s'appelle ainsi *Georges* Azolan alors que Fernand Nozière le nomme, dans sa pièce en trois actes adaptée

1. *Mercure de France*, 2 octobre 1784, p. 6-22.
2. *Le Consolateur, ou Journal des Honnêtes Gens*, n° 27, 3 avril 1792, p. 12-16.
3. *Valmont ou L'Éloquence et le Remords*, scène dramatique, *Œuvres choisies* de La Rochefoucauld-Liancourt, Paris, Morris, 1861, t. III, p. 1-16.
4. Paris, Duchesne, an X – 1802.
5. « Deux lettres oubliées de madame de Merteuil », *Digraphe* n° 63, p. 81-83.

du roman (1908), Dubois, et que Mme de Rosemonde est servie, dans l'adaptation théâtrale de Paul Achard (1952), par un « valet campagnard », Nicolas.

Identifications.

Plus encore que les noms, ce sont les identités des héros qui ont fait couler de l'encre dès la parution du roman. En 1834, dans un article pour le *Bulletin du bibliophile*, Charles Nodier affirme des *Liaisons dangereuses* : « ce livre a une clef ou plutôt il en a dix[1] ! » Une partie du succès de scandale associé au texte dès 1782 tient à la question de l'identification des personnages. Nombre de lecteurs ont tenté de déceler dans la fiction des portraits de contemporains. Les *Mémoires secrets* rapportent à la date du 14 mai 1782 : « Le roman des *Liaisons dangereuses* a produit tant de sensations, par les allusions qu'on a prétendu y saisir, par la méchanceté avec laquelle chaque lecteur faisa[i]t l'application des portraits qui s'y trouvent à des personnes connues, il en a résulté enfin une clef générale qui embrasse tant de héros et d'héroïnes de société, que la police en a arrêté le débit, et a fait défendre aux endroits publics où l'on le lisait, de le mettre désormais sur leur catalogue[2]. » On ne connaît pas cette clef générale, non plus qu'une autre, plus mystérieuse encore. Un Lyonnais nommé Allut affirme en effet, dans sa notice sur *Aloysia Sigea et Nicolas Chorier* en 1862, que son père, lui-même officier d'artillerie, aurait reçu de Laclos un exemplaire des *Liaisons dangereuses* avec la clef en marge. Ce volume n'a jamais été répertorié.

Le comte de Tilly et Stendhal, qui font état, dans des écrits autobiographiques, de conversations avec le romancier, ont offert des détails sujets à caution, mais tous deux laissent entendre que des intrigues de garnison à Grenoble auraient fourni le fonds de l'histoire[3], affirmation reprise par le prince de Ligne[4]. Le témoignage de Tilly, dans ses *Mémoires*, évoque un échange avec Laclos en Angleterre en 1790. Le romancier aurait alors indiqué s'être inspiré des aventures d'un ami « qui porte un nom célèbre dans les sciences » et d'une marquise de L.T.D.P.M. « dont toute la ville racontait des traits dignes des jours des impératrices romaines les plus insatiables ». Prévan aurait eu pour modèle « M. de Rochech…, officier supérieur des mousquetaires », nom derrière lequel on a voulu déceler les patronymes de Rochechouart ou de Rochechinard. Des critiques, s'appuyant sur ces indices, ont proposé de voir en Mme de Merteuil Louise-Françoise-Alexandrine Guérin de Tencin, marquise de La Tour du Pin Montauban, qui avait 21 ans en 1772 et aurait été la maîtresse de

1. Charles Nodier, « De quelques livres satiriques et de leur clef », *Bulletin du bibliophile*, octobre 1834.

2. *Mémoires secrets pour servir à l'histoire de la République des Lettres en France depuis 1762 jusqu'à nos jours*, Londres, J. Adanson, 1777-1789, t. XX, p. 250.

3. Stendhal ajoute, dans *De l'amour* (Le Divan, 1957, p. 212), qu'il aurait vu à Naples, chez le marquis Berio, un manuscrit de plus de trois cents pages « bien scandaleux », la « Liste des grands seigneurs de 1778 avec des notes sur leur moralité, données par le général Laclos ».

4. Le prince de Ligne, dans ses *Mélanges*, affirme connaître la société dont il est question. La marquise de Merteuil serait un composé de plusieurs femmes. Il fait également allusion en passant aux modèles grenoblois des personnages dans une lettre de 1811.

Déodat-Guy-Tancrède Gratet de Dolomieu, ci-devant chevalier de Malte, militaire et, surtout, naturaliste, avec lequel Laclos entretient encore des relations après la Révolution. D'autres noms ont été proposés pour ce personnage dont la famille était renommée dans les sciences : Arthur de Dolomieu, frère du savant, Monge ou encore Meusnier.

Le témoignage de Stendhal ne concorde pas parfaitement avec celui de Tilly. La *Vie de Henry Brulard* identifie autrement la marquise : « Je ne sais si mon lecteur de 1880 connaît un roman fort célèbre encore aujourd'hui : *Les Liaisons dangereuses* avaient été composées à Grenoble par M. Choderlos de Laclos, officier d'artillerie, et peignaient les mœurs de Grenoble. » L'auteur livre alors l'identité de l'inspiratrice de la marquise : « J'ai encore connu Mme de Merteuil, c'était Mme de Montmaur[1], qui me donnait des noix confites, boiteuse qui avait la maison Drevon au Chevallon, près de l'église de Saint-Vincent, entre le Fontanil et Voreppe, mais plus près du Fontanil. [...] La jeune personne riche qui est obligée de se mettre au couvent a dû être une demoiselle de Blacons, de Voreppe. » Stendhal ajoute encore : « J'ai donc vu cette fin des mœurs de Mme de Merteuil, comme un enfant de neuf ou dix ans dévoré par un tempérament de feu peut voir ces choses dont tout le monde évite de lui dire le fin mot[2]. » Il revient sur « Mme de Montmaur, l'original de la Mme de Merteuil des *Liaisons dangereuses* » dans son chapitre XXXVIII : « Elle était vieille maintenant, riche et boiteuse. Cela, j'en suis sûr ; quant au moral, elle s'opposait à ce que l'on ne me donnât qu'une moitié de noix confite quand j'allais chez elle au Chevallon, elle m'en faisait toujours donner une tout entière[3]. » Plusieurs commentateurs adhèrent à ce rapprochement[4] et ont cherché des parallèles entre la femme réelle et le personnage, comme Paul Ballaguy ou René Peter[5].

D'autres éléments d'identification ont été proposés à partir de cet enracinement grenoblois possible. Ainsi, selon François Richard et François Vermale[6] : « C'est la marquise douairière [de Bérenger] qu'il [Laclos] décrit sous les traits de la "respectable Mme de Rosemonde, toujours charmante malgré son grand âge qui ne lui fait rien perdre de sa mémoire et de sa gaieté. Son corps seul a quatre-vingt-quatre ans ; son esprit n'en a que vingt". » Ils voient dans la référence au fossé à franchir (lettre VI, p. 27) le souvenir d'une propriété proche de Grenoble, habitée par ladite marquise, grand-mère maternelle de Dolomieu : « Dans la lettre VIII des *Liaisons dangereuses*, Choderlos s'est souvenu de Sassenage. C'est en effet dans un château avec fossés qu'il place la rencontre de Valmont, et de la présidente de Tourvel. » Des rapprochements possibles ont encore été décelés entre Prévan et

1. Veuve du lieutenant de vaisseau d'Agoult, seigneur de Montmaur, Christine-Marie-Félicité Loys de Loinville n'était pas marquise.

2. *Vie de Henry Brulard*, chap. VI, rédigé à Rome le 2 décembre 1835 (Stendhal, *Œuvres intimes*, Bibl. de la Pléiade, t. II, p. 593).

3. *Ibid.*, p. 896.

4. Voir Georges Poisson, *Choderlos de Laclos ou l'Obstination*, Grasset, 1985.

5. Paul Ballaguy, dans la *Revue de Paris*, 15 mars et 1er juin 1923, adhère à l'explication et offre des analogies entre le personnage et la femme réelle. René Peter y puise des éléments pour *La Dame aux repentirs. L'inspiratrice des « Liaisons dangereuses »* (Librairie des Champs-Élysées, 1939).

6. « Nouveau dossier sur les *Liaisons dangereuses* », *Cahiers de l'Alpe*, octobre-novembre 1962, n° 4, p. 14.

Paulin de Barral, voire Laclos lui-même, ou encore entre Jean-Antoine d'Agoult ou un certain Barin et Danceny, comme entre Mme de Meffray ou Mme de Barral et Mme de Rosemonde[1], entre la présidente de Lavalette et Mme de Tourvel, ou entre Cécile et Mme d'Agoult.

Selon Tilly, Laclos lui aurait affirmé avoir inventé le caractère de Mme de Tourvel. Pourtant la Présidente a été rapprochée par certains critiques de femmes réelles. Elle aurait été inspirée par Mme de Vaulx pour Georges Cucuel[2] ou par Mme Barnave, mère du révolutionnaire, appelée « la Présidente » à Grenoble dans le milieu des officiers, pour Mme Castel-Çagarriga[3].

Laclos lui-même félicite en ces termes un jour son épouse d'avoir qualifié la sensibilité de « trésor de tous, qui n'est jamais celui de qui le possède » : « je ne crois pas qu'on puisse rien trouver de mieux senti, ni de mieux exprimé. Je voudrais avoir embelli de cette phrase, le style de Mme de Tourvel, et elle est échappée à ta plume, sans soin comme sans prétention[4] ! » S'il s'arrête ainsi à la voix de la Présidente, dont il retrouve le ton chez sa femme, plusieurs lecteurs et lectrices semblent s'être identifiés aux personnages fictifs du romancier ou avoir craint qu'on les y associe. Selon Tilly, Louise-Marthe de Conflans, marquise de Coigny, « femme d'esprit, jadis plus que galante, immorale à l'excès », aurait fermé sa porte à l'auteur des *Liaisons dangereuses*, prévenant son suisse : « Vous connaissez bien ce grand monsieur maigre et jaune, en habit noir, qui vient souvent chez moi ; je n'y suis plus pour lui : si j'étais seule avec lui, j'aurais peur. » Le mémorialiste offre une explication de l'attitude de la femme du monde : « Elle crut apparemment qu'il avait calqué sur elle Mme de Merteuil ! Elle n'avait guère mieux valu qu'elle, et était devenue aussi laide[5]. » Un an après la parution des *Liaisons dangereuses*, les *Mémoires secrets* évoquent la belle Isabeau, courtisane mulâtresse née des œuvres d'un « nègre » et d'une grande dame française anonyme : « Il est des gens qui assurent que c'est Mme *de Clugny*, qui a été intendante à Saint-Domingue, et dont les mœurs dissolues sont connues de tout le monde, au point qu'on a prétendu que M. de Chanderleau *[sic]* en avait fait l'héroïne principale de son roman[6]. » Le *Mémorial de Sainte-Hélène* rapporte une soirée animée chez le prince de Galles, futur George IV, au cours de laquelle tous les participants prétendent savoir identifier une Merteuil[7].

D'autres se servent du livre pour analyser leur propre existence. Stendhal, dans la *Vie de Henry Brulard*, dit avoir inscrit sa jeunesse sous le double patronage des héros fictifs de Rousseau et de Laclos : « Moi qui me croyais à la fois un Saint-Preux et un Valmont ! (des *Liaisons dangereuses*, imitation de *Clarisse* qui est devenue le bréviaire

1. Voir Georges Salamand, « Stendhal et l'imbroglio de la famille de Barral ; confirmation d'un modèle des *Liaisons dangereuses* : le comte Paulin de Barral », *Stendhal Club*, n° 75, 1977, p. 234-246.
2. Georges Cucuel, « La Vie de société dans le Dauphiné au XVIIIe siècle », *Revue du XVIIIe siècle*, janvier-juin 1918, p. 150-180 et *RHLF*, 1935, p. 344-374.
3. « Les Clefs des *Liaisons dangereuses* », *RDM*, 15 avril 1961, p. 682-699.
4. Lettre du 6 mai 1794, Laclos, *OC*, p. 799.
5. Tilly, *Mémoires*, 1828, t. I, p. 227.
6. *Mémoires secrets* (10 juin 1763), t. XXII, p. 324-325.
7. Voir Las Cases, *Le Mémorial de Sainte-Hélène*, Bibl. de la Pléiade, t. I, p. 854.

des provinciaux), moi qui, me croyant une disposition infinie à aimer et être aimé, croyais que l'occasion seule me manquait, je me trouvais inférieur et gauche en tout dans une société que je jugeais triste et maussade[1]. » Jules de Goncourt, quant à lui, avoue, dans le *Journal*, en date du 10 juillet 1862, l'ambition de tromper une femme de valeur en lui faisant croire à son amour, de « cacher une espèce de Valmont au fond d'un Chérubin ». Citons encore l'exemple du marquis de La Maisonfort. Il raconte, dans ses *Mémoires*, avoir passé une nuit délicieuse avec Mme de F..., la plus jolie femme de la ville, qui par la suite fait tout pour l'éviter : « J'ai trouvé depuis dans *Les Liaisons dangereuses* une situation pareille, une femme sauvant sa réputation à force d'effronterie et je me suis consolé[2]. » Le jeune Alfred de Musset se prend pour Valmont ; Maupassant signe certaines de ses chroniques de son prénom accolé au patronyme du vicomte (Guy de Valmont) ; plus près de nous, dans ses lettres, André Gide, séducteur du jeune Allégret, se décrit comme un Valmont. On ajoutera pour dernier exemple celui des personnages de *Nous sommes cruels*, roman de Camille de Peretti (2006), qui jouent à être la marquise ou le vicomte, mais aussi de leur auteur, laquelle dit s'être elle-même, plus jeune, prise pour l'héroïne de Laclos : « C'est une histoire que j'ai vécue quand j'avais 16-17 ans. J'étais la marquise de Merteuil et j'avais trouvé un partenaire de crime[3]. »

Traductions.

Le succès des *Liaisons dangereuses* a été immédiat en France et l'on est frappé de découvrir des éditions françaises imprimées à l'étranger, comme à Dublin où l'homme politique irlandais Wolfe Tone s'y plonge[4]. Ce sont les germanophones et les anglophones qui ont eu accès, les premiers, à l'ouvrage dans leur langue. L'honneur d'avoir publié la version étrangère inaugurale du roman revient à Christian Friedrich Ferdinand Anselm von Bonin qui donne, à partir des volumes de 1782, l'ensemble du livre de Laclos, textes liminaires compris, sous le titre *Die gefährlichen Bekanntschaften : oder Briefe, gesammelt in einer Gesellschaft und zur Belehrung einiger anderer bekanntgemacht* en adoptant, comme l'auteur de l'original, une signature allusive : « v. B-n » (1783). Deux autres traductions allemandes suivirent avant la fin du siècle, témoignage de l'intérêt du lectorat germanophone[5].

En 1784, le traducteur anonyme de la première version de langue anglaise insère, après les deux textes liminaires du rédacteur et de

1. *Vie de Henry Brulard*, p. 896.
2. Antoine-Philippe de La Maisonfort, *Mémoires d'un agent royaliste sous la Révolution, l'Empire et la Restauration 1763-1827*, Mercure de France, 1998, p. 66.
3. Entretien de Camille de Peretti avec Dorothy Glaiman et Sophie Lebeuf (evene.fr, mars 2007).
4. Voir Simon Davies, « An early Irish Reader of *Les Liaisons dangereuses*... », *Bulletin of the British Society for Eighteenth-Century Studies*, printemps-été 1984, p. 13-14.
5. Voir Rudolf Fleck (qui a lui-même adapté le roman en allemand pour la scène), « Réception, traductions, influence de Laclos dans les pays de langue allemande », dans *Laclos et le Libertinage*, PUF, 1983, et Marie-Luce Colatrella, « Des *Liaisons dangereuses* à *Schlimme Liebschaften* », dans *Deux siècles de « Liaisons dangereuses »*, p. 211-230.

l'éditeur, une critique attribuée à l'abbé Kentzinger selon laquelle le roman serait moral[1]. Plusieurs autres versions anglaises feront date par la suite.

Dès le début du XIXe siècle, les Russes, pourtant souvent francophones, du moins dans les classes aisées, disposent d'une traduction du roman de Laclos. Elle est publiée à Saint-Pétersbourg en 1804. La première version répertoriée en espagnol date de 1822. Il a en revanche fallu attendre le XXe siècle pour lire le roman de Laclos en italien, le projet du citoyen Piou[2], une relation de l'auteur, n'ayant, semble-t-il, pas abouti.

Le roman constitue un cas de figure intéressant pour mettre en évidence la différence entre « sourciers » et « ciblistes ». Certains traducteurs adaptent le texte à leur pays, modifiant les titres des personnages, révisant ou supprimant les textes liminaires et les notes[3]. Le cas le plus extrême est celui d'une réécriture édifiante en espagnol, *La presidenta de Turvel* (1790). Le titre indique déjà un resserrement de l'intrigue autour de la Présidente. Les lettres dont Cécile est l'auteur ou la destinatrice disparaissent. Onze de celles de la marquise au vicomte sont éliminées. Plus de la moitié de l'œuvre passe ainsi à la trappe, et on ne peut plus véritablement parler de traduction du roman[4].

Diverses retraductions des *Liaisons dangereuses* ont paru dans différentes langues européennes. L'allemand et l'anglais peuvent se targuer de plusieurs versions qui ont coexisté — et coexistent parfois encore — dans le paysage éditorial. En Espagne, trois traductions paraissent de manière quasi simultanée dans les années 1820 ; deux en allemand sortent en 1905, une en 1914 et deux autres en 1926 ; la série ne s'arrête pas là… Selon Rudolf Fleck en 1982, « La bibliographie allemande du roman par lettres de Laclos […] indique exactement quarante éditions différentes en langue allemande parues à l'ouest et à l'est de l'Allemagne ainsi qu'en Autriche et en Suisse[5]. » Quant à l'Italie, si elle attend le XXe siècle pour la première traduction, il en aurait paru une quinzaine en cent ans[6].

Si les grands lecteurs de Laclos ont souvent été des gens de lettres, de Mme Riccoboni à Baudelaire, de Gide à Maurois, d'Arsène Houssaye à Malraux, les traducteurs ne sont pas en reste : Symons pour l'Angleterre, Heinrich Mann pour le domaine germanophone ou Örkeny pour la Hongrie en témoignent.

Il y a encore de nombreuses langues dans lesquelles le roman n'a pas été traduit. Coexistent ainsi une richesse étonnante dans certaines aires linguistiques et une absence totale du roman de Laclos dans d'autres, même après la projection d'adaptations cinématogra-

1. Voir Simon Davies, « Laclos dans la littérature anglaise du XIXe siècle », dans *Laclos et le libertinage*, p. 255-264.
2. Voir la lettre du 28 mars 1801, Laclos, *OC*, p. 1058.
3. Dans la traduction russe de 1804, par exemple, ne figure qu'une partie des notes. Au XXe siècle, Boy (Tadeusz ele ski) omet de la version polonaise, tout comme Heinrich Mann de l'allemande, l'« Avertissement de l'éditeur », etc.
4. Voir Dolores Jiménez, « Une "belle infidèle", *La Presidenta de Turvel* », dans *Deux siècles de « Liaisons dangereuses »*, M. Delon et Francesco Fiorentino éd., Tarente, Lisi, 2005, p. 197-209.
5. Fleck, « Réception, traductions, influence de Laclos […] », *ibid.*, p. 245.
6. Luciano Carcereri, « Le edizioni italiane delle *Liaisons dangereuses* », *Deux siècles de « Liaisons dangereuses »*, p. 173-195.

phiques. Il est possible de nos jours de tout savoir (ou presque) des *Liaisons dangereuses* sans jamais avoir eu entre les mains un exemplaire du livre.

DOCUMENTS

I. CONTRAT ET AVENANT

CONTRAT RÉGISSANT L'ÉDITION ORIGINALE

Ce contrat avec le libraire Durand figure au feuillet 36 (recto et verso) du manuscrit. Voir la Notice, p. 794.

Nous soussignés sommes convenus de ce qui suit.

Savoir que moi De Laclos, capitaine d'artillerie, etc., auteur du *Danger des liaisons*.

Donne et cède la première édition de mon ouvrage à Monsieur Durand, libraire, aux conditions ci-après.

1° Qu'il se chargera d'en payer l'impression livrée à deux mille.

2° Que pour se remplir de ses frais, avances et déboursés, généralement quelconques, il gardera pour lui et pour ses mains le prix de la vente des douze cents premiers exemplaires.

3° Qu'il me tiendra compte de huit cents exemplaires restants (non compris les cinquante que je prélève dès à présent sur l'Édition entière) à raison de trois livres par exemplaire de bénéfice, sur lesquels huit cents exemplaires j'aurai les deux tiers, ce qui formera seize cents livres et à M. Durand l'autre tiers faisant huit cents livres.

Et moi Durand acquiesçant aux propositions ci-dessus, je promets décharger M. de la Clos de tous frais relatifs à l'impression, brochure de son ouvrage, et de lui tenir compte des deux tiers de son bénéfice dans les huit cents exemplaires à mesure qu'il en aura été vendu un cent en son billet payable à l'échéance de six mois, et ainsi de suite jusqu'à la fin de l'Édition. Fait double sous nos seings. Paris ce seize mars mil sept cent quatre-vingt-deux.

J'approuve l'écrit ci-dessus.

DURAND NEVEU.

J'approuve l'écrit ci-dessus.

DE LACLOS.

AVENANT EN VUE D'UNE SECONDE ÉDITION

Cet avenant figure au verso du folio 36 du manuscrit, à la suite du contrat. Voir la Notice, p. 794.

Reçu à compte, le vingt et un avril, douze cents livres, et consenti une seconde édition aux mêmes conditions que la première.

Approuvé le contenu ci-dessus. Paris, 21 avril 1782.
Fait à Paris, le 21 avril 1782. DE LACLOS.
DURAND
neveu.

Reçu quatre cents livres pour fin de compte de la première édition, le 7 mai 1782.

DE LACLOS.

II. LETTRES RETRANCHÉES

LETTRE 155

LE VICOMTE DE VALMONT À MADAME DE VOLANGES

(Brouillon)

Cette ébauche figure au recto du feuillet 123 du manuscrit. Mme de Volanges y fait allusion dans la lettre CLIV, *p. 417.*

*Paris, 4 décembre 17***

Je sais, Madame, que vous ne m'aimez point ; je n'ignore pas davantage que vous m'avez toujours été contraire auprès de Mme de Tourvel et je ne doute pas non plus que vous ne soyez plus que jamais dans les mêmes sentiments, je conviens même que vous pouvez les croire fondés : cependant c'est à vous que je m'adresse, et je ne crains pas non seulement de vous prier de remettre à Mme de Tourvel la lettre que je joins ici pour elle, mais encore de vous demander d'obtenir d'elle qu'elle la lise, et de l'y disposer, en l'assurant de mon repentir, de mes regrets et surtout de mon amour. Je sens que ma démarche peut vous paraître étrange. Elle m'étonne moi-même, mais le désespoir saisit les moyens et ne les calcule pas. Et d'ailleurs un intérêt si grand, si cher et qui nous est commun doit écarter toute autre considération. Mme de Tourvel se meurt, Mme de Tourvel est malheureuse, il faut lui rendre la vie, la santé, le bonheur. Voilà l'objet à remplir ; tous les moyens sont bons qui peuvent en assurer ou en hâter le succès. Si vous rejetez ceux que je vous offre, vous resterez responsable de l'événement ; sa mort, vos regrets, mon éternel désespoir, tout sera votre ouvrage. Je sais que j'ai outragé indignement une femme digne de toute mon adoration ; je sais que mes torts affreux ont seuls causé tous les maux qu'elle ressent ; je ne prétends ni dissimuler mes fautes, ni les excuser ; mais vous, Madame, craignez d'en devenir complice en m'empêchant de les réparer. J'ai enfoncé le poignard dans le cœur de votre amie, mais je peux seul retirer le fer de la blessure ; seul je connais les moyens de la guérir. Qu'importe que je sois coupable si je puis être utile. Sauvez votre amie, sauvez-la, elle a besoin de vos secours et non de votre vengeance.

LA PRÉSIDENTE DE TOURVEL
AU VICOMTE DE VALMONT
(Brouillon)

Sans date, inachevé et très raturé, ce brouillon de lettre se trouve au dernier feuillet du manuscrit (127 r°). Voir la Notice, p. 794.

Ô mon ami, quel est donc le trouble que j'éprouve depuis l'instant où vous vous êtes éloigné de moi ! Quelque tranquillité me serait si nécessaire. Comment se fait-il que je sois livrée à une telle agitation qu'elle va jusqu'à la douleur et me cause un véritable effroi ? Le croirez-vous ? Je sens que même pour vous écrire j'ai besoin de rassembler mes forces et de rappeler ma raison. Cependant je me dis, je me répète que vous êtes heureux ; mais cette idée si chère à mon cœur, et que vous aviez si bien nommée le doux calmant de l'amour, en est au contraire devenue le ferment et me fait succomber sous une félicité trop forte, tandis que, si j'essaie de m'arracher à cette délicieuse méditation, je retombe aussitôt dans les cruelles angoisses que je vous ai tant promis d'éviter, et dont, en effet, je dois me garantir si soigneusement, puisqu'elles altéreraient votre bonheur. Mon ami, vous m'avez facilement appris à ne vivre que pour vous ; apprenez-moi maintenant à vivre loin de vous. Non, ce n'est pas là ce que je veux dire, c'est plutôt que loin de vous je voudrais ne pas vivre ou au moins oublier mon existence. Abandonnée à moi-même, je ne sais supporter ni mon bonheur ni ma peine ; je sens le besoin du repos, et tout repos m'est impossible ; j'ai vainement appelé le sommeil, le sommeil a fui loin de moi ; tour à tour un feu brûlant me dévore, un frisson mortel m'anéantit. Je ne puis ni m'occuper ni rester oisive. Tout mouvement me fatigue et je ne saurais rester en place. Enfin que vous dirai-je ! Je souffrirais moins dans l'accès de la plus violente fièvre et, sans que je puisse ni l'expliquer ni le concevoir, je sens très bien pourtant que cet état de souffrance ne vient que de mon impuissance à contenir ou diriger une foule de sentiments au charme desquels cependant je me trouverais heureuse de pouvoir livrer mon âme tout entière. Au moment même où vous êtes sorti, j'étais moins tourmentée ; quelque agitation se joignait bien à mes regrets, mais je l'attribuais à l'impatience que me causait la présence de mes femmes qui entrèrent à l'instant, et dont le service toujours trop long à mon gré me paraissait se prolonger encore mille fois plus que de coutume. Je voulais surtout être seule : je ne doutais pas alors qu'environnée de souvenirs si doux je ne dusse trouver dans la solitude le seul bonheur dont votre absence me laissait susceptible. Comment aurais-je pu prévoir qu'assez forte auprès de vous pour soutenir le choc de tant de sentiments divers si rapidement éprouvés, je ne pourrais seule en supporter la simple réminiscence. J'ai été bientôt et bien cruellement détrompée… Ici, mon tendre ami, j'hésite à vous dire tout… Cependant ne suis-je pas à vous, et dois-je vous cacher une seule de mes pensées ? Ah ! cela me serait bien impossible. Seulement je réclame votre indulgence pour des fautes involontaires et que mon cœur ne partage pas : j'avais suivant mon habitude renvoyé mes femmes avant de me mettre au lit.

VARIANTES

[Page de titre.]

a. par M. C... D. L.C. *ms., soit « Monsieur Choderlos De La Clos ».*

Préface du rédacteur.

a. Dans un passage raturé de ms. nous lisons notamment : avant de m'expliquer je crois devoir prévenir que je m'intéresse à son succès : ainsi l'on doit me regarder plutôt comme son avocat que comme ⬥⬥ *b. Dans ms., première rédaction, biffée :* Un ouvrage qui dévoilerait les différents tours des fripons et des *[un mot illisible]* escrocs et ferait connaître [les moyens dont ils se servent *biffé*] les ressources qu'ils emploient soit pour venir à leurs fins, soit pour ne pas être soupçonnés et reconnus, serait, je crois, utile aux honnêtes gens, en ce qu'il leur faciliterait le moyen de se défendre et leur inspirerait surtout une méfiance salutaire. Or ce que ferait un tel ouvrage contre les fripons considérés dans l'acception opposée à celle d'honnêtes gens, ces lettres pourront le faire en partie contre les scélérats considérés dans l'acception contraire à celle des gens honnêtes.

Lettre I.

a. Autre pensionnaire du même couvent dont il sera parlé dans la suite. *ms.*

Lettre II.

a. Laclos corrige sur ms. la version antérieure en biffant : dont vous n'êtes pas l'héritier ? ⬥⬥ *b.* hier. [Je jouerai même un rôle dans ce mariage, car la petite personne sera présentée et je suis la seule personne qui puisse l'accompagner. Mais à qui croyez-vous qu'elle donne cette fille ? *biffé*] Et qui croyez-vous qu'elle ait choisi pour gendre ? *ms.*

Lettre III.

a. Dans ms. première rédaction, biffé : Ma maman n'a pourtant pas eu l'air fâchée et elle m'a dit en souriant : Je crois que vous dormirez plus commodément dans votre lit ; vous pouvez vous retirer.

Lettre IV.

a. Ce langage mystique vous étonne *ms.* ⬥⬥ *b.* le plus grand projet qu'un conquérant ait jamais pu former. *ms.* ⬥⬥ *c. Dans ms., Valmont se montrait plus bavard à propos de son séjour à la campagne (voir la Notice, p. 791).*

Lettre VI.

a. l'arrêter ; [les larmes qu'elle répandra serviront d'eau lustrale au sacrifice de l'amour. Ah ! ne m'accusez pas d'être barbare, des peines passagères doubleront ses plaisirs ; *biffé*] et qu'agitée de mille terreurs *ms.*

Lettre VII.

a. journalière qui à elle seule composerait plusieurs volumes ; on *ms.*

Lettre X.

a. voilà huit jours *ms.* ♦♦ *b.* trouve [à m'aimer *biffé*] à être aimé de moi *ms.* ♦♦ *c.* porter. [Revenons. Mon chevalier arrive à ma porte avec l'empressement qu'il a toujours, on lui dit que je suis malade. biffé] Après *ms.*

Lettre XI.

a. moi, [et souvent même en tête-à-tête *biffé*] paraissant *ms.* ♦♦ *b.* Du château de... *ms.*

Lettre XII.

a. Billet de Sophie Volanges à M[de] la M[ise] de Merteuil *ms.* ♦♦ *b.* veut *ms.*

Lettre XIII.

a. ms. donne seulement Réponse .

Lettre XIV.

a. à Sophie Carnai aux Ursulines de ... *ms.*

Lettre XV.

a. le garder. Laissez-moi l'espoir de retrouver ces moments où nous savions fixer le bonheur, sans l'enchaîner par le secours des illusions, où après avoir détaché le bandeau de l'amour, nous le forcions à éclairer de son flambeau des plaisirs dont il était jaloux. Ah ! Que je puisse *ms.* ♦♦ *b.* les siennes ! [Que fait-il pour vous en aimant ce qu'il trouve aimable ? *biffé*] Il dort *ms.* ♦♦ *c.* idées, [je m'avoue amoureux *corrigé en* et que j'avoue mes torts.] En effet *ms.* ♦♦ *d.* nous *ms.*

Lettre XVI.

a. moi [, et puis je t'ai promis que tu saurais tout, et je ne veux pas manquer à ma promesse *biffé*]. Ce chevalier *ms.* ♦♦ *b.* Dame ! Ça *ms.*

Lettre XVII.

a. cette [candeur *biffé*] touchante candeur qui [embellit *biffé*] ajoute un prix inestimable *ms.*

Lettre XIX.

a. pas [, et je suis sûre que vous pensez comme moi *biffé*] ; pourtant *ms.* ↔ *b.* davantage. [Vous devez bien sentir comme moi que c'est mal fait, et sûrement vous ne voudriez pas que je *biffé*] J'espère *ms.*

Lettre XX.

a. raison. [Si j'allais y mettre de l'amour-propre *biffé*] J'y mettrais *ms.* ↔ *b.* ses actions *ms.* ↔ *c.* Lui-même, [qui n'est guère plus formé qu'elle sur cet article, quoique très amoureux, *corrigé en* quoique très amoureux, *[...]* de son âge,] et *ms.* ↔ *d.* apprendre. [La pauvre petite *biffé*] Tous deux [m'aiment à l'adoration, la petite surtout a presque autant d'envie de me dire son secret que d'apprendre celui de Danceni. Depuis 4 jours, surtout *corrigé en* sont en adoration *[...]* particulièrement depuis quatre jours] je l'en vois *ms.*

Lettre XXI.

a. plus *ms.* ↔ *b.* projets [. Je lui fis grâce *biffé*] ; cette réflexion *ms.* ↔ *c.* Cette femme vaut bien 10 louis, et l'ayant payée d'avance *ms.*

Lettre XXIII.

a. prône : [« Je sais, dit-elle, une nouvelle qui n'est pas dans la gazette et qui mériterait plus d'y être que toutes celles qui y sont *corrigé en* J'ai bien *[...]* à débiter », dit-elle] ; et tout de suite *ms.* ↔ *b.* au Château. [J'observerai seulement qu'en y revenant la belle Présidente était fort rêveuse et ne dit pas quatre mots. En descendant de voiture Mme de Rosemonde passe dans son appartement. Il faisait déjà nuit. Deux bougies éclairaient fort mal ce grand salon dans lequel je me trouvai seul avec Mme de Tourvel. Elle s'y promenait lentement, et c'est en me promenant à côté d'elle que se tint cette conversation que je puis vous rendre mot pour mot, et dans laquelle vous distinguerez facilement les interlocuteurs sans que je prenne le soin de les nommer. Nous avions déjà fait toute la longueur du salon sans proférer une parole. Elle marchait les yeux baissés et je l'observais sans pouvoir le deviner, lorsqu'enfin j'ouvris la scène. Je cherchai *biffé*] Pendant la route *ms.* ↔ *c.* forcer. [Mais j'oublie que mon récit n'est pas achevé : où en étions-nous ? *biffé*] Ce projet *ms.*

Lettre XXV.

a. Début biffé de la lettre dans ms. : J'ai peu de temps à moi et beaucoup à écrire. Je vous envoie le brouillon de ma lettre et l'original de celle de la Présidente ; vous verrez par là où j'en suis ; j'y joins le bulletin d'hier.

Lettre XXVI.

a. tandis que [[dans vos projets cruels vous la placiez *biffé*] vous ne cherchiez qu'à la placer entre le mépris et le malheur. Moi, vous aimer, souffrir que vous m'aimiez, permettre que vous me parliez de votre amour ! ô mon Dieu, écoutez [le vœu que je forme *biffé*] ma prière : envoyez-moi la mort avant que ce malheur m'arrive. *biffé*] vous l'outragiez par vos vœux criminels *ms.*

Lettre XXVIII.

a. avait amené ! [Vous voyez si j'avais raison de vous dire que l'amitié était un sentiment froid qui ne suffisait pas au bonheur. Si votre cœur plus tendre ou moins timide osait se livrer à l'amour, si j'avais été assez heureux pour vous en inspirer, vous seriez plus sensible à ma peine *biffé*] Quelle est donc cette amitié *ms.*

Lettre XXXIII.

a. qu'elle doit coucher avec vous ? *ms.* ↔ *b.* vaincues. Voilà pourquoi le drame le plus médiocre, et qu'on ne saurait lire, ne manque presque jamais son effet au théâtre. Croyez-moi *ms.*

Lettre XXXVI.

a. défendre [sera, j'espère, une excuse suffisante à vos yeux. Sans elle, je ne me pardonnerais pas d'employer avec vous le plus léger détour *biffé*], suffira sans doute *ms.* ↔ *b.* cœur. [Non, je me plaisais à vous rendre un culte aussi secret que pur. *biffé*] Enfin *ms.*

Lettre XL.

a. que nous [étions à la vue du château *biffé*] pouvions être vus *ms.*

Lettre XLI.

a. sentiment, que je vous ai assez fait connaître ne pas vouloir écouter *ms.*

Suite de la lettre XL.

a. Sur ms., on trouve en guise de clôture à la lettre ces phrases, qui sont biffées : et ce seul objet va m'occuper pendant le peu de jours que j'ai à passer ici. Adieu, ma belle amie. J'aurai bientôt le plaisir de vous revoir et, n'en déplaise à mon inhumaine, je sens que j'en serai fort aise.

Lettre XLIV.

a. Dans ms., première rédaction, biffée : Je jouis d'une double existence. ↔ *b.* de l'autre ; [Je nage dans la joie *biffé*] je volerai de plaisirs en plaisirs. *ms.* ↔ *c.* croire et je me retirais, quand je m'aperçus que mon valet avait emporté mon flambeau au lieu du sien, ce qui donna occasion à une gaieté de ma part. Je priai la belle de me conduire et de m'éclairer. Elle voulut faire au moins auparavant un commencement de toilette : mais je l'assurai qu'après ce qui venait de se passer, nous pouvions être sans façon et, tant bien que mal, il lui fallut [bien *biffé*] se prêter à cette plaisanterie. Elle vint ainsi jusque chez moi, et là, je la remis à son tendre amant, en permettant à l'heureux couple d'aller réparer *ms.* ↔ *d.* laissez-moi *[5 lignes plus haut]* [Cette prière, faite avec plus de ferveur que d'amour, ne m'avait pas empêché de la joindre, et même de l'arrêter et de saisir ses mains *corrigé en* Cette prière fervente *[...]* ses mains] qu'elle avait jointes *ms.*

Lettre XLVII.

a. lettre [de désespoir *biffé*] écrite *ms.*

Lettre LII.

a. Dans ms., première rédaction, biffée : bientôt je reconnus que j'étais digne d'aimer une femme vertueuse et sensible ; l'excès de mon amour suffisait.

Lettre LVIII.

a. Dans ms., suit une phrase biffée : Aime-t-on la vertu sans craindre les remords, et pourriez-vous n'en pas éprouver, en songeant à moi ? ↔ *b.* chimériques. Et [qui peut vous les inspirer ? *corrigé en* qui vous les inspire ?] [Ah ! livrez-vous sans crainte au doux sentiment qui m'anime. *biffé*] un homme *ms.*

Lettre LXIII.

a. Fin du paragraphe dans ms. : repos. Tel on raconte que le maréchal de Saxe, après avoir fait les dispositions d'une bataille pour le lendemain, s'endormit d'un sommeil tranquille. ↔ *b. conseils* [, toujours plus efficaces que ceux d'une mère, parce qu'ils sont moins suspects. *biffé*]. Ce qui m'assure *ms.*

Lettre LXVI.

a. n'est-il pas [bien *biffé*] édifiant, surtout en voulant coucher avec la fille ? *ms.* ↔ *b.* s'effarouche de la petite fermentation de sentiments que notre jeune homme a mise dans sa lettre *ms.* ↔ *c.* la fille. Que sait-on ? Il peut s'engager un procès. Alors en choisissant bien *ms.*

Lettre LXVIII.

a. Dans ms., suit une phrase biffée : Je me plais dans mon amour comme vous dans vos rigueurs.

Lettre LXXII.

a. Ah ! si vous deviez m'aimer moins, il me serait bien plus facile d'en mourir que de m'en consoler. *ms.*

Lettre LXXIII.

a. il mettra ses soins à [favoriser le succès d'un sentiment naissant auquel il prend déjà le plus grand intérêt. *biffé*] adoucir *ms.*

Lettre LXXVI.

a. et comme quoi [elle avait couché avec lui *biffé*] elle s'était rendue à Prévan *ms.* ⁂ *b.* Cette lettre qui ne contenait que des faits déjà connus a paru devoir être supprimée. *ms.*

Lettre LXXVIII.

a. Suit dans ms. une phrase biffée : Cependant pour quel autre aurais-je eu jamais autant d'indulgence que pour vous ? ⁂ *b. Suit dans ms. une phrase biffée :* Je ne resterai point auprès d'un homme qui a refusé mon amitié.

Lettre LXXXI.

a. Dans ms., première rédaction, biffée : ces femmes inconsidérées que vous nommez sentimentaires . *L'adjectif « sentimentaire », inhabituel, revient plus loin pour qualifier Danceny (voir* CXLIV *et n. 4).* ⁂ *b.* armes, [que je m'étais forgées uniquement pour ma défense, je fus bientôt tentée de m'en servir pour l'attaque *biffé*] j'en essayai l'usage *ms.* ⁂ *c.* avec [impatience *biffé*] sécurité *ms.* ⁂ *d.* après [et me rendit ma liberté que je me promis *biffé*], et quoiqu'à *ms.* ⁂ *e.* punition [publique *biffé*] authentique ôteraient bientôt toute créance [à ce qu'une pareille espèce aurait pu dire ? *biffé*] à ses discours ? *ms.*

Lettre LXXXIII.

a. les vertus. C'est là ce que j'ai éprouvé, vous ne l'ignorez pas. Plus fait *ms.*

Lettre LXXXIV.

a. pénible [pour un cœur aussi tendre que le vôtre *biffé*] dans votre *ms.* ⁂ *b.* à l'heure du [dîner. Vous ne trouverez pas de difficulté pour me la remettre ; vous savez que /Mme de Rosemonde passe toujours à manger *biffé*/ c'est toujours Mme de Rosemonde qui passe la dernière ; je lui donnerai la main ; vous n'aurez qu'à quitter votre métier de tapisserie assez lentement pour rester derrière nous, et comme cette bonne femme ne se retourne jamais, vous me remettrez *corrigé en* déjeuner, parce qu'il vous sera plus facile de me la donner alors [quand on se rend du salon à la salle à manger *biffé*], et qu'elle pourra *ms.*

Lettre LXXXV.

a. Dans ms., suit une phrase biffée : Vous devinez bien qu'il ne fut pas longtemps à se plaindre. ⁂ *b.* Victoire [. Elles consistaient à rassembler chez elle après souper tous les gens de l'office pour y passer la soirée, à trouver un moyen pour les engager à veiller, à attendre ainsi le moment où je sonnerais, à accourir au premier coup de sonnette et à appeler tous les gens, aussitôt qu'elle serait censée avoir pu entendre quelque bruit dans mon appartement. *biffé*], et elle les exécuta comme vous allez le voir. *ms.* ⁂ *c.* tous [et je leur fis l'inutile recommandation de ne point parler de cette aventure ; puis je les renvoyai et ne gardai que Victoire avec moi à qui j'ordonnai *biffé*] et les fis retirer *ms.*

Lettre LXXXIX.

a. Soit indolence, ou timidité *ms.*

Lettre XC.

a. coupable !... [Oh ! mon Dieu, je vous le promets. *biffé*] non mon ami, non, *ms.*

Lettre XCVI.

a. Suivent dans ms. deux phrases biffées : Celui-ci sera moins intéressant. Je crois pourtant que je m'y rendrai.

Lettre XCVII.

a. Fin de la phrase dans ms. : au monde qu'il restât comme ça. ⁂ *b. Suit, dans ms., une phrase biffée :* Je n'en pouvais plus et pourtant je n'ai pas pu dormir une minute, et ce matin en me levant, quand je me suis regardée au miroir, je me faisais peur tant j'étais changée. *La dernière partie de la phrase a été reprise à la fin du paragraphe.*

Lettre XCVIII.

a. Suit dans ms. une phrase biffée : Quel spectacle pour une mère. ⁂ *b.* votre âge ; mais vous êtes tant au-dessus de lui ! *ms.*

Lettre XCIX.

a. Sur ms., ici se trouvait, avec de légères variantes, le passage : Je voudrais bien savoir [...] de la vertu ! c'est bien à elle qu'il convient d'en avoir ! , *que Laclos a biffé et replacé plus loin (p. 264, 5 lignes du bas à p. 265, 8 lignes du haut).* ↔ *b.* s'accoutumer de bonne heure à n'y jamais céder ! *ms.* ↔ *c.* très doux *[p. 266, dernière ligne]*, [on aurait contre soi l'humeur qu'on donnerait en forçant de s'en distraire *[plusieurs mots illisibles biffés]*. Pour la même raison, on aime mieux dans ce moment accorder de légères faveurs que *[plusieurs mots illisibles biffés]* revenir à soi pour s'occuper à se défendre ; tel à peu près dans un demi-sommeil on *[plusieurs mots illisibles biffés]* chassera un insecte importun de peur de se réveiller entièrement *biffé définitivement*] on ne saurait forcer d'en sortir, sans causer une humeur qui [ne manque jamais de tourner *biffé*] tourne infailliblement *ms.*

Lettre CII.

a. Dans ms., début de la lettre, biffé : Vous allez être bien étonnée, Madame, [en ouvrant cette lettre *biffé*] en apprenant que je suis partie de chez vous aussi précipitamment. Vous me croirez un moment bien extraordinaire. Mais que votre surprise va s'augmenter encore, quand vous en saurez les raisons ! ↔ *b.* à rougir [devant vous et je préférerai le malheur à la honte *biffé*] à vos yeux *ms.* ↔ *c.* partons, [fuyons un homme dangereux *biffé*] et que du moins *ms.*

Lettre CIII.

a. recevoir. Venez avec confiance vous y reposer de vos cruelles agitations. [Vous me raconterez vos peines ; je ne vous consolerai pas *biffé*] Ce sera *ms.*

Lettre CIV.

a. goût frivole, enfant du caprice et père du délire, dont *ms.* ↔ *b.* de modestie [qui se trouvent dans toutes les *[*femmes *biffé]* âmes bien nées *biffé en définitive*], et je n'entends pas *ms.* ↔ *c. Suit dans ms. un début de phrase biffé :* Je sens qu'à mesure que les mœurs se sont perdues ↔ *d.* consolations *[6 lignes plus haut]* ? [Eh ! croyez-moi, mon amie, la seule vraiment puissante, c'est de pouvoir se dire : J'ai fait tout ce qui était en moi pour éviter mon malheur. Peut-être ma chère amie, ai-je contre cette passion *corrigé en* Les trouverez-vous dans ce fol amour *[...]* contre cette passion] une prévention *ms.*

Lettre CVI.

a. fureur *[7 lignes plus haut]*. [Comme j'étais injuste en lisant la première de vos deux lettres. Elle me donnait de l'humeur et je m'impatientais. Je ne prévoyais pas combien elle ajouterait au plaisir que m'a fait la seconde, en voyant que j'avais tout deviné. Jugez de ma joie en voyant que tout était arrivé comme je l'avais prévu. En vérité tout en lisant le beau récit *corrigé en* Au reste, après la première *[...]* le beau récit] de cette *ms.* ↔ *b.* vingt fois : [cette femme va lui échapper. Comment pouvait-elle faire autrement ? Elle s'est rendue. La pauvre femme s'est rendue et n'a même pas profité. *biffé*] Voilà *ms.* ↔ *c. Suit dans ms. une première rédaction, biffée :* D'abord c'eſt que je vois clairement que la petite personne n'en sera pas effrayée ; et puis si elle ne se forme pas de façon à nous être utile pour autre chose, c'eſt que nos vues une fois remplies, elle deviendra ce qu'elle pourra. [Saviez-vous que sa mère eſt tentée dans ce moment. *biffé*] Le parti que j'ai pris sur elle m'a décidée à la mener un peu vite, comme vous verrez par ma lettre. Je crois, d'ailleurs, que c'eſt la méthode qui lui convient le mieux ; elle a une sorte d'ingénuité qui n'a pas cédé même au spécifique que vous avez employé et qui pourtant n'en manque guère ; il eſt important de la détruire ; sans cela nous n'en ferions qu'une femme facile et ce n'eſt pas la peine. ⁂ *d.* guère ; et [c'eſt, à ce qu'il me semble, le plus grand défaut que femme *corrigé en* c'eſt, selon moi, la maladie la plus dangereuse que femme] puisse avoir. *ms.*

Lettre CVII.

a. la cause du [départ *biffé*] retour *ms.* ⁂ *b.* que [de considération votre *biffé*] d'affection son *ms.*

Lettre CVIII.

a. de l'amour ; hélas ! je ne le concevais presque que par elles. Mais le tourment *ms.* ⁂ *b.* Par la fatalité [*p. 297, 2 lignes du bas*] qui me poursuit, [le bonheur se présente à moi sous toutes les formes, et c'eſt uniquement pour me faire éprouver toutes les privations *biffé*] les consolations [qui se présentent à moi me deviennent de nouvelles privations par la nécessité de [*deux mots illisibles*] refuser *corrigé en* qui paraissent se présenter en moi, ne font au contraire que m'imposer de nouvelles privations] ; et celles-ci *ms.*

Lettre CX.

a. changer l'enveloppe [*3 lignes plus haut*]. Si ma belle [se lasse, un jour, de payer des ports inutiles *biffé*] s'en lasse, s'ennuie de ce *va-et-vient*, elle gardera *ms.* ⁂ *b.* cet enfant [mais aussi pour faire mes observations *biffé*] et aussi *ms.* ⁂ *c.* choix ; [je gagnais *biffé*] il encourageait mieux que tout autre ma timide [cavalière *biffé*] écolière *ms.* ⁂ *d.* nécessaire [*4 lignes plus haut*] [vis-à-vis d'une jeune fille qu'on ne veut que séduire *corrigé en* à employer pour séduire une jeune fille,] il eſt indispensable et souvent même le plus efficace [pour celle qu'on veut *corrigé en* quand on veut la] dépraver *ms.* ⁂ *e.* aise [d'en augmenter les preuves en fournissant un exemple de plus *corrigé en* de fournir [...] du précepte.] Cependant *ms.* ⁂ *f.* reparaître [de la nuit *biffé*] et la laissai *ms.* ⁂ *g.* avec laquelle elle [*5 lignes plus haut*] [parle cette langue qu'elle commence à savoir *corrigé en* se sert déjà [*plusieurs mots biffés*] du peu qu'elle sait de cette langue !] elle n'imagine [...]. Cette enfant eſt réellement [attachante *corrigé en* séduisante !] Ce contraſte *ms.* ⁂ *h. Fin de la lettre dans ms.* : récompense que [vous m'avez promise. *corrigé en* j'attends de vous.]

Lettre CXII.

a. Dans ms., fin de la phrase, biffée : comme une fleur de printemps qui se presse d'éclore, et que l'hiver trop voisin vient attrister dans ses beaux jours.

Lettre CXIII.

a. vous ne [donnerez pas à ces bruits le temps de se changer en certitude *corrigé en* laisserez *[...]* dangereux], et vous *ms.* ↔ *b.* Si *[p. 311, dernière ligne]* [de pareils plaisirs vous contentent *corrigé en* une telle conquête vous *[*séduit *biffé]* paraît *séduisante ms.*

Lettre CXV.

a. depuis [près de *add. interl.*] trois mois [et demi *biffé*] je ne vous [ai pas, ou presque pas vue *biffé*] vois plus, *ms.* ↔ *b.* jeune fille [novice *biffé*] à son amant *ms.* ↔ *c.* de confiance [et de sécurité *biffé*] ? c'est que depuis huit jours *ms.* ↔ *d.* ennuyeuse comme une [églogue *biffé*] idylle, et ennuyée comme son lecteur ! *ms.* ↔ *e.* autant que [je le désire *biffé*] vous le désirez. *ms.*

Lettre CXVI.

a. comme elle [s'occupe de votre bonheur ! *biffé*] se plaît *ms.*

Lettre CXVIII.

a. de votre absence ? *[1er §, 4 lignes de la fin]* Oh ! que je dirais volontiers comme le Misanthrope, *Perdez votre procès, et soyez-moi fidèle.* [Oui, fidèle, Madame, car l'amitié tendre et telle que je la ressens pour vous *biffé*] N'est-ce pas en effet une véritable infidélité, une noire trahison, que de laisser son ami loin de [soi *corrigé en* vous], après l'avoir *ms. Alceste déclare en fait à Célimène (acte II, sc. 1) : « Perdez votre procès, Madame, avec constance, / Et ne ménagez point un rival qui m'offense. »*

Lettre CXXI.

a. [La difficulté de se rendre est le seul motif *corrigé en* La longue défense est le seul mérite] qui reste *ms.* ↔ *b.* vertu [pour une femme *biffé*], et de *ms.*

Lettre CXXIII.

a. de la [divine *biffé*] Providence *ms.*

Lettre CXXIV.

a. Ne sais-je pas [que le retour de l'Enfant prodigue causa plus de joie à son père que la conduite modérée du fils qui était resté auprès de lui ? *corrigé en* que l'Enfant prodigue [...] jamais absenté ?] Quel compte *ms.*

Lettre CXXV.

a. jusque dans le moment même où elle cesse d'en avoir ? [et que celle qui ne fait que se rendre fût plus près de la volupté que celle qui se donne ? *biffé*] Mais *ms.* ↔ *b.* pruderie *ms.* ↔ *c.* seuls, et [pressé d'entrer en matière, je commençai ainsi : Vous êtes instruite, Madame, du sujet important qui m'amène auprès de vous. — Le père Anselme m'a dit, M., quels étaient vos motifs, et je ne peux que les approuver. — Votre approbation me flatte sans doute infiniment, mais j'ai besoin surtout de votre indulgence pour ma conduite passée, et c'est elle particulièrement que je viens réclamer. — Je ne me suis jamais plainte que vous m'ayez offensée *biffé*] j'entrai en matière. *ms.* ↔ *d.* de la timide personne était *ms.* ↔ *e.* de vos [désirs *biffé*] souhaits *ms.* ↔ *f.* à ce [grand mouvement *biffé*] point *ms.* ↔ *g. Dans ms. suit une phrase biffée :* À l'instant même je m'étais mis à genoux ; j'avais bien senti que la farouche personne avait essayé de se lever et de se dérober à moi, mais la force avait manqué. ↔ *h.* de [ce trouble *biffé*] cet état violent *ms.* ↔ *i.* peines [cruelles *biffé*]. *ms.* ↔ *j.* désespoir [ordinaire, et même je n'y trouvai d'abord de différence que [dans l'excès *biffé*] par leur plus grande force *biffé*] d'usage ; *ms.* ↔ *k.* mérite *ms.*

Lettre CXXVI.

a. un coup de la [grâce *biffé*] providence *ms.* ↔ *b.* que la [raison *biffé*] prudence *ms.*

Lettre CXXVII.

a. Cécile [la réputation d'homme supérieur *biffé*] l'idée supérieure *ms.*

Lettre CXXVIII.

a. Dans ms. suit un début de phrase biffé : Si je me suis rendue par amour ↔ *b.* tout en [bonheur *biffé*] plaisirs *ms.* ↔ *c.* ne me perde [pour me servir de votre expression ; je cesse à présent *biffé*], car avant *ms.* ↔ *d.* encore [et du moment de ma chute, je me suis rendu *biffé*], quand *ms.*

Lettre CXXX.

a. toujours [le bonheur de *biffé*] l'objet aimé. *ms.*

Lettre CXXXI.

a. Dans ms. suit une phrase biffée : Je désire d'ailleurs que le jour qui doit nous réunir ne soit troublé d'aucun nuage. ↔ *b.* nous [étions uniquement occupés l'un de l'autre *biffé*] nous aimions *ms.* ↔ *c.* je trouve [malgré moi *biffé*] en ce moment *ms.*

Lettre CXXXIII.

a. Dans ms., première rédaction biffée de la fin de la phrase : nous pourrons bien convenir plus ou moins à leur bonheur mais seulement à l'aide des circonstances. ⁂ *b.* différentes, [réunissons pour notre félicité réciproque, ce qu'ils ont *biffé*] jouissons *ms.*

Lettre CXXXIV.

a. une femme [comme mille autres *biffé*] telle qu'elle est *ms.* ⁂ *b.* ce [généreux *biffé*] douloureux *ms.*

Lettre CXXXV.

a. chez lui [, et on me rapporta ma lettre *biffé*]. Voulant *ms.*

Lettre CXXXVI.

a. Je reconnais [que dans la rivalité que vous avez établie, ce n'est pas à moi que doit rester l'avantage *add. interl. biffée*] et j'avoue *ms.* ⁂ *b. Dans ms. suit un début de phrase biffé :* Ce n'est pas que je m'étonne que ma faiblesse présente vous ait donné mauvaise

Lettre CXXXVII.

a. colère, [ne cherchez pas à me punir *biffé*] vous n'aurez *ms.* ⁂ *b.* Préférez-vous [le bonheur de les faire renaître au pouvoir de les détruire *corrigé en* le pouvoir de les faire renaître à celui de les détruire.] Que *ms.*

Lettre CXXXVIII.

a. l'hommage *ms.*

Lettre CXLI.

a. rompre. [Le ridicule devint *biffé*] Son embarras *ms.*

Lettre CXLIII.

a. Dans ms. suit un début de phrase biffé : Dans les blessures mortelles

Lettre CXLIV.

a. cinq heures *ms. Il s'agit de l'heure annoncée dans la lettre* CXLII, *avancée ici de deux heures par l'impatience de Valmont.* ⁂ *b.* votre [tendre amour *biffé*] sentimentaire *ms.* ⁂ *c.* je l'ai fait [causer *biffé*] jaser. *ms.*

Lettre CXLVI.

a. Dans ms. suit une phrase biffée : Je ne compte donc pas trop sur vous pour demain.

Lettre CXLVII.

a. inconcevables ? Je crains qu'il y ait plus que du délire *ms.*

Lettre CXLVIII.

a. le souvenir de [tes regrets *biffé*] ta douleur vient-il troubler le charme [de mon bonheur *biffé*] que j'éprouve ? *ms.* ♦♦ *b.* amie ! [ne sens-tu donc pas comme moi le doux empire de l'amour *biffé*] que cet espoir *ms.*

Lettre CXLIX.

a. mourir ? [Je voulus lui parler et mes larmes m'en empêchèrent *biffé*] Son expression *ms.* ♦♦ *b. Dans ms. suit un début de phrase biffé :* Mais ce qui me ferait craindre qu'il n'en eût pourtant pas obtenu tout ce qu'il aurait désiré

Lettre CLI.

a. Deux leçons biffées précèdent ces mots dans ms. : votre élève *puis* votre jeune écolier . ♦♦ *b.* de votre [retour *biffé*] arrivée *ms.*

Lettre CLII.

a. Dans ms. suit une phrase biffée : Suivez un peu mon raisonnement : ou j'ai Danceny ou je ne l'ai pas.

Lettre CLIII.

a. cajoleries [semées avec art *biffé*] dont *ms.* ♦♦ *b.* l'une et l'autre *ms.* ♦♦ *c.* Hé bien ! *est absent de ms.*

Lettre CLV.

a. introuvable. [Je prends donc le parti de vous écrire et je chargerai *biffé*] Votre valet de chambre *ms.* ♦♦ *b.* à votre âge [on adore tout le monde *biffé*] quelle femme n'adore-t-on pas *ms.* ♦♦ *c.* raison, votre jeune maîtresse a paru *ms.* ♦♦ *d. Dans ms. suit une première rédaction biffée de la fin de la lettre :* il n'y a de bonheur que dans l'amour.

Lettre CLVI.

a. soirs *ms. ; c'est peut-être la bonne leçon.*

Lettre CLVIII.

a. suffit [pour le ramener de cette erreur *biffé*], comme *ms.* ♦♦ *b.* zèle [je compte sur votre reconnaissance mais quand vous *biffé*], il a réussi : *ms.*

Lettre CLXI.

a. criminelle. [Complice *biffé*] Auteur *ms.* ↔ *b. Suit dans ms. le début d'une phrase biffé :* Si cependant je porte aujourd'hui la peine de cette faute ↔ *c. Dans ms. suit un début de phrase biffé :* Il ne punit point les fautes remises, mais ↔ *d. Suivent dans ms. ces lignes biffées :* Malheureuse, quel prestige a pu te séduire ainsi ? Où est-il cet homme charmant, cet assemblage de toutes les perfections ? Je le voyais ainsi. Maintenant il ne m'offre plus que la difformité du vice.

Lettre CLXII.

a. Dans ms. suit un début de phrase biffé : J'ignore et je veux ignorer toute ma vie

Lettre CLXV.

a. à voix basse : [Quand vous me tromperiez je n'en mourrais pas moins *biffé*] Pourquoi vouloir *ms.*

Lettre CLXVIII.

a. formant une [exacte et volumineuse *biffé*] correspondance *ms.*

Lettre CLXX.

a. à la réserve [de sa robe du matin *corrigé en* de la robe] avec laquelle

Lettre CLXXI.

a. du malheureux [succès de votre vengeance *biffé*] avantage *ms.*

Lettre CLXXV.

a. une méchanceté [disait hier dans un cercle fort nombreux que c'était une femme que la maladie avait retournée et que son âme *corrigé en* disait hier [...] son âme] était sur sa figure. *ms.* ↔ *b. Dans ms., première rédaction biffée de la fin de la phrase :* il faut convenir que l'expression est juste. ↔ *c. Dans ms. suit un début de phrase biffé :* Pour comble d'infortune cette femme que je ne puis m'empêcher de plaindre, toute ↔ *d.* banqueroute [frauduleuse *biffé*]. La famille *ms.* ↔ *e.* à une mère [la difficulté qu'elle éprouve à se pénétrer d'une vérité si douloureuse *biffé*] de ne céder *ms.* ↔ *f.* les plus chers [*p. 458, dernière ligne*] ! [ma fille et mon amie ! *add. interl.*] Qui pourrait [...] une seule liaison [dangereuse ! ma fille, mon amie ! tristes exemples de cette cruelle vérité, je consacre le reste de ma vie à vous pleurer ! et quelles peines *corrigé en* dangereuse ! et quelles peines] ne s'éviterait-on point *ms.*

NOTES

[Page de titre.]

1. Le mot « liaison » est dénué de la forte connotation sexuelle qu'il a de nos jours : « Il se dit [...] de l'attachement et de l'union qui est entre des personnes particulières, ou des États et Communautés, etc. soit par amitié, soit par intérêt » (*Acad.*). Le manuscrit des *Liaisons dangereuses* donne un premier titre biffé : *Le Danger des liaisons* (voir la Notice, p. 797).

2. D'autres éditions, dont l'originale, donnent ici une épigraphe tirée de *La Nouvelle Héloïse* ; elle figure sous une forme approximative dans le manuscrit : (« j'ai vu les mœurs de mon siècle et j'ai publié ces lettres. j.j. Rousseau préf. de la *Nouvelle héloïse* »), mais paraît avoir été ajoutée *a posteriori* avec l'indication « 1re partie » : « J'ai vu les mœurs de mon temps, et j'ai publié ces lettres. »

Avertissement du Libraire.

1. Tout laisse entendre que Laclos lui-même, déjà « éditeur » et « rédacteur » dans l'édition originale, se cache derrière le « libraire » « auteur » de cet « Avertissement » ajouté en 1787.

2. Papier fin, de qualité, dit parfois « papier royal », sur lequel ne transparaissent ni vergeures, ni pontuseaux, introduit en France d'Angleterre quelques années plus tôt par les Didot. Les éditions commençaient à se faire parfois avec l'équivalent de notre « tirage de tête » : un nombre réduit d'exemplaires, imprimés sur papier luxueux, dans un format plus grand, était vendu à un prix supérieur au tirage courant.

3. Caractère dont la clarté était très appréciée et qui tire son nom de l'imprimeur britannique, John Baskerville (1706-1775). Pour l'édition des œuvres complètes de Voltaire préparée à Kehl, Beaumarchais a acquis la fonderie et les presses de l'Anglais. La date de cet avertissement (1787) le situant au milieu de la parution de l'édition de Kehl (1784-1790), on peut voir ici un clin d'œil adressé au lecteur instruit qui devait saisir l'allusion à la souscription proposée par l'auteur du *Mariage de Figaro* et son équipe.

4. Allusion peut-être au format « Cazin » qui tire son nom d'un imprimeur originaire de Reims, lequel fit son fonds de commerce — très souvent copié — d'une collection d'ouvrages de petit format, reliés en veau ou en maroquin, qui devinrent très vite des objets de collection.

5. Les lettres échangées par Mme Riccoboni et Laclos, voir p. 463.

6. Allusion au roman de Mme Riccoboni, *Lettres de Milady Juliette Catesby à Milady Henriette Campley, son amie* (1759).

7. Voir la Notice des *Pièces fugitives*, p. 898.

Préface du rédacteur.

1. Dans nombre d'autres éditions, dont l'originale, la « Préface du rédacteur » figure après l'« Avertissement de l'éditeur ». Le dialogue entre les textes liminaires qui entretiennent l'ambiguïté sur l'authenticité ou le caractère fictionnel des lettres est probablement hérité du Rousseau de *La Nouvelle Héloïse.* Le « rédacteur » est, selon l'*Encyclopédie*, « celui qui s'occupe à rédiger, à réduire sous un moindre volume, à extraire d'un ouvrage les choses essentielles, et à les présenter séparément ». C'est aussi, bien entendu, celui qui rédige.

2. L'extraction à partir d'un recueil de lettres à publier est un topos romanesque. Crébillon, dans les *Lettres de la marquise*, dit que les 70 courriers et 21 billets retenus ont été prélevés sur un corpus supérieur à 500.

3. Le terme, à l'époque, s'applique aussi bien à l'écrit qu'à l'oral.

4. On lit, dans *La Nouvelle Héloïse* : « Quiconque veut se résoudre à lire ces lettres doit s'armer de patience sur les fautes de langue, sur le style emphatique et plat, sur les pensées communes rendues en termes ampoulés » (Rousseau, *Œuvres complètes*, Bibl. de la Pléiade, t. II, p. 6. — Toutes nos citations de *La Nouvelle Héloïse* renvoient à cette édition et sont modernisées). La « Seconde préface » de Rousseau revient sur la question (*ibid.*, p. 28).

5. Les imperfections de style sont avancées comme des preuves d'authenticité de textes fictifs aussi bien dans les romans mémoires, comme *La Vie de Marianne* de Marivaux, que dans les ouvrages épistolaires comme les *Lettres d'une Péruvienne* de Mme de Graffigny.

6. Des ouvrages comme les *Lettres du chevalier d'Her**** de Fontenelle sont des manuels épistolaires couchés sous forme romanesque. Les « secrétaires » ou recueils de modèles de correspondance pullulent à l'époque classique. Pour Laurent Versini (Laclos, *Œuvres complètes*, Bibl. de la Pléiade, p. 1167, [désormais Laclos, *OC*]), Laclos vise ici des recueils comme les *Lettres choisies de Messieurs de l'Académie* (1725) ou les *Lettres choisies des auteurs français les plus célèbres* (1767). Il y a peut-être également un souvenir de Rousseau : « ceux qui les [les lettres] écrivent ne sont pas des Français, des beaux-esprits, des académiciens, des philosophes ; mais des provinciaux, des étrangers, des solitaires, de jeunes gens, presque des enfants, qui dans leurs imaginations romanesques prennent pour de la philosophie les honnêtes délires de leur cerveau » (« Préface » de *La Nouvelle Héloïse*, p. 6).

7. Référence au dogme horatien de l'*utile dulci* (*Art poétique*, v. 343), lieu commun des études classiques et défense habituelle des auteurs de roman contre les accusations de frivolité dont ils faisaient l'objet.

8. Allusion au dernier vers d'une fable de La Motte (« Les Amis trop d'accord », *Fables nouvelles*, Paris, Grégoire Dupuis, 1719, p. 260) : « L'ennui naquit un jour de l'uniformité. »

9. « La mère en prescrira la lecture à sa fille » est un poncif. Il figure en particulier dans la comédie de Piron, *La Métromanie* (1738, acte III, sc. VII) ; Bret l'emprunte comme épigraphe de son *Essai de contes moraux et dramatiques* (1765) tout comme Sade pour *La Philosophie dans le boudoir.* Nombre de critiques, de Meister (voir « La fortune des *Liaisons* », p. 517) en 1782, qui inaugure un jeu de mots souvent

repris (« On rencontrerait à Paris peu de liaisons aussi dangereuses pour une jeune personne que la lecture des *Liaisons dangereuses* ») à Louis Barthou un siècle et demi plus tard, ont insisté sur le danger de la lecture des *Liaisons dangereuses* pour les ingénues. Rétif de La Bretonne, notamment, raconte, dans *Monsieur Nicolas* (1794-1797), qu'une jeune fille s'est donnée à un barbon pour obtenir le dernier volume des *Liaisons dangereuses*. Laclos se targuera après la Révolution du soutien de l'évêque de Pavie, Giuseppe Bertieri, selon lequel : « c'est un ouvrage très moral, et très bon à faire lire particulièrement aux jeunes femmes » (27 avril 1801 ; Laclos, *OC*, p. 1075). Laclos inverse ici le propos de Rousseau, selon lequel jamais fille chaste n'a lu de romans (voir « Seconde préface » à *La Nouvelle Héloïse*, p. 23).

10. « Terme de mépris, pour signifier, Une femme d'un esprit très simple et très borné » (*Acad.*).

Avertissement de l'éditeur.

1. Jean Sgard détermine ainsi « L'échelle des revenus » (*Dix-huitième siècle*, n° 14, 1982) : plus de 5 000 livres pour les bourgeois, plus de 40 000 pour les nobles, plus de 100 000 pour les princes. Dans les années antérieures à la Révolution, la vicomtesse de Vassy jouit d'une considération importante dans le monde dès lors qu'elle dispose de « cinquante mille livres de rente et un mobilier immense » (Sénac de Meilhan, *L'Émigré*, Gallimard, 2004, p. 293). Mme de Blamont, dans *Aline et Valcour, ou le Roman philosophique*, ne dispose, pour sa part, que de 16 000 livres de rente (Sade, *Œuvres*, Bibl. de la Pléiade, t. I, p. 396), c'est là un « médiocre revenu ».

2. Le titre est porté par l'épouse d'un président de Parlement. Possesseur d'une charge anoblissante, celui-ci exerce des fonctions de juge.

3. Les auteurs se plaisent à ironiser sur l'impossibilité de trouver dans la société contemporaine des modèles de leurs héros. Samuel de Constant, dans un « Avis du libraire » qui précède *Camille, ou Lettres de deux filles de ce siècle ; traduites de l'anglois sur les originaux* (Londres et Paris, Delalain, 1785), condamne le personnage de libertine qu'il trace avec ces mots : « il ne peut y avoir de femme comme Lovelace, un tel être ne serait pas dans la nature, l'imagination même ne pourrait le produire : une femme qui emploie l'art et la ruse avec celui qu'elle aime, ne peut être intéressante ; nous ne verrons jamais un tel roman ».

Lettre I.

1. De nombreux romans, tels *La Nouvelle Clémentine* (1774) de Léonard ou l'*Histoire de Sophie et d'Ursule, ou Lettres extraites d'un Porte-Feuille* (1788) de Le Vacher de Charnois, reposent sur un échange de lettres entre une jeune fille qui arrive dans le monde et son amie de couvent.

2. L'ordre fut fondé à Brescia en 1537 par Angèle Merici avec pour patronne sainte Ursule qui a « gouverné tant de vierges ». Les Ursulines ont ajouté, au XVIIe siècle, aux trois vœux ordinaires, celui d'instruire les filles et elles jouent à partir de là un rôle important

dans l'éducation féminine en France et ailleurs. En faisant de la jeune héroïne leur élève, Laclos confirme ce qu'il affirme dans ses essais : les femmes ne sont pas préparées pour la vie réelle par leur éducation.

3. *Pompon* désigne souvent l'ensemble des fanfreluches : « La parure, les pompons la réveillent singulièrement », dit de sa domestique l'héroïne de *Camille, ou Lettres de deux filles de ce siècle* de Constant (p. 34).

4. Plutôt que « peine », « affliction », il faut comprendre ici « colère », « dépit », sens donnés par le *Dictionnaire de l'Académie*.

5. L'expression italienne, dont le sens est « en grande tenue », est absente du *Dictionnaire de l'Académie*, mais elle est dans l'air du temps et on la croise généralement dans le contexte d'une cérémonie religieuse. Dans le *Quatrième Mémoire* contre Goëzman (1774), Beaumarchais montrait son adversaire, partant « *in fiocchi*, habit noir boutonné, cheveux longs bien poudrés, gants blancs et bouquet à la main, menant sur le poing sa commère à l'église » pour baptiser un enfant illégitime en signant d'un faux nom le registre paroissial (Beaumarchais, *Œuvres*, Bibl. de la Pléiade, p. 861). On retrouvera le terme sous la plume de Laclos lui-même dans une lettre de Milan à sa femme à propos de l'uniforme de parade qu'il doit revêtir pour une cérémonie (30 mars 1801, Laclos, *OC*, p. 1059).

6. « Lieu de retraite pour travailler, ou converser en particulier, ou pour serrer des papiers, des livres [...] » (*Acad.*).

7. C'est-à-dire le repas du milieu de la journée. On accepte que le petit-déjeuner se prenne en déshabillé, mais le « dîner » requiert une coiffure et un vêtement plus formels.

8. Instrument à la mode. Les filles de Louis XV, mais aussi et surtout Marie-Antoinette, en jouent. Nombre de romans se servent de la harpe comme emblème de l'univers féminin et élément de séduction. Dans la langue familière, *Jouer de la harpe* « signifie aussi jouer des mains auprès d'une femme, la patiner, lui toucher la nature, la farfouiller, la clitoriser, la chatouiller avec les doigts » (*Le Roux*). Voir aussi Michel Delon, « La Harpe de Cécile ou le Silence des *Liaisons dangereuses* », *Rivista di Letterature moderne e comparate*, LVIII, 1, 2005, p. 21-31.

9. Les préparatifs, sans doute des lingères, corsetières et autres ouvrières chargées de fournir à Cécile un trousseau de jeune femme du monde.

10. La tourière est « dans les Monastères de filles, Une domestique du dehors, qui a soin de faire passer au tour toutes les choses qu'on y apporte » (*Acad.*).

11. Selon l'*Année littéraire* (lettre VII, 1782, p. 148), qui commente ce passage en rendant compte du roman, « Indépendamment de la plaisanterie qui résulte de la méprise [Cécile prenant le cordonnier pour son fiancé], l'Auteur fait en passant une critique ingénieuse du luxe et de ses abus, qui ont permis à des artisans de se servir de voitures. »

12. Les auteurs du XVIIIe siècle ont souvent recours aux astéronymes pour donner l'impression de faire référence à une personne réelle ou pour n'en révéler l'identité qu'aux initiés. Le choix de « C*** » pour désigner le cordonnier pourrait faire référence au docteur Petrus Camper qui s'est beaucoup intéressé, au moment même où Laclos

fait paraître son roman, à la question de la forme idoine pour les chaussures.

13. Un arrière-fond grivois sous-tend la scène : les expressions « trouver chaussure à son pied » ou « se chausser au même point » sont courantes à l'époque, avec le sens de trouver un partenaire sexuel idoine ; voir par exemple la scène illustrée de l'*Énigme joyeuse pour les bons esprits*, s. l., *circa* 1620 (BNF, Enfer 1735). Le *Dictionnaire* de Le Roux cite un vers de Régnier : « Toutes en fait d'amour se chaussent en un point... »

14. Le cordonnier est le fabricant, et pas simplement le réparateur, de chaussures. Il mesure le pied de la jeune femme assise. C'est là la façon habituelle de procéder à l'époque. Camper affirme pourtant, dans sa *Dissertation sur la meilleure forme des souliers* (1781) : « Je sais maintenant que la méthode de prendre la mesure du pied est défectueuse même chez les plus célèbres et les plus habiles cordonniers. L'anatomie m'a fait voir que notre pied s'allonge dans la marche et se raccourcit pendant l'inaction » (p. 34).

15. Ce détail semble montrer que le couvent de Cécile n'était pas fort éloigné du domicile de sa mère. Les principales maisons des Ursulines dans la capitale à l'époque sont situées rue du Faubourg Saint-Jacques et rue Sainte-Avoie.

16. Le manuscrit indique les lieux et date en tête de chaque lettre. Shelly Charles (« Clarisse ou le Dessous des *Liaisons* », *Poétique*, n° 121, février 2000) voit dans le choix de la date d'ouverture une allusion au dernier livre de *Clarisse Harlove* de Samuel Richardson dont la lettre initiale est également datée d'un 3 août.

Lettre II.

1. Dans la lettre CXXII, nous apprendrons que Mme de Rosemonde a quatre-vingts ans.

2. Terme juridique indiquant que Valmont est l'héritier de sa tante.

3. Nougaret paraît se souvenir de ce passage lorsqu'il fait écrire ainsi une femme qui souhaite se venger d'une autre : « Couvrons-la de honte et d'humiliations... Il faut lui faire perdre cette vertu qui la rend si fière et si hautaine. C'est vous, Monsieur, vous-même, que j'ai choisi pour un tel projet » (*Les Mœurs du temps, ou Mémoires de Rosalie de Terval*, Metz, Pierre Antoine et Mouxaux, an X [1802], t. III, p. 244).

4. *Usus, fructus et abusus* (l'« utilisation », la « jouissance » et l'« abus ») sont les fondements du droit de propriété depuis l'époque romaine. Au sens juridique se superpose ici, à l'évidence, une connotation grivoise.

5. Pour Féraud, « mettre à fin » (nous dirions : « mener à bien ») est « une expression surannée, mais qui est encore bonne dans le style plaisant ou critique, et burlesque ». La mode du Moyen Âge commence à se faire sentir avec un langage troubadour utilisé au détour de certaines pages de romans (dont *La Nouvelle Héloïse*, p. 111), ou dans des œuvres tout entières censées se dérouler pendant la période médiévale. Voir aussi les lettres X, XX et CVI de la marquise de Merteuil et la lettre XLVII du vicomte qui prend congé de « la très belle dame », ainsi que les plaisanteries de la Présidente, dans la lettre XI,

qui imagine Valmont déposant les armes avant d'entrer dans le château de sa tante.

6. Un « roué » est « Un homme sans principes et sans mœurs » (*Acad.*). Le terme remonte à la Régence où l'on désignait ainsi les proches de Philippe d'Orléans dont la conduite dissolue aurait pu leur valoir le supplice de la roue. L'emploi mondain du mot indigne Mercier (« Roué », *Tableau de Paris*, Mercure de France, 1994, t. I, p. 1281-1282) : « Qu'est-ce donc qu'un *roué aimable*, demandera un étranger qui croit savoir la langue française ? C'est un homme du monde, qui n'a ni vertus ni principes ; mais qui donne à ses vices des dehors séduisants, qui les ennoblit à force de grâce et d'esprit. Voilà donc une idée complexe qui a donné lieu à un terme nouveau. [...] Il faudra donc que l'académie française admette ce mot dans son dictionnaire, comme un des termes les plus familiers à cette bonne compagnie, qui veut donner le ton à toute l'Europe : c'est une gentillesse que l'on se prête et que l'on se rend. » Mercier conclut ainsi (p. 1282-1283) : « On a dit de l'auteur des *Liaisons dangereuses*, c'est la plume d'un *roué* ; il n'aura pas pris cette épithète en mauvaise part. Le voilà assimilé à des gens de l'*extrêmement* bonne compagnie ; et l'on peint ainsi d'un seul mot l'immoralité. » Pour ce qui est de *Rouerie* (1re occurrence attestée : 1777 selon le *Robert* ; lexicalisation par l'Académie dans la 6e édition [1832-1835] du *Dictionnaire*), c'est un mot récent au moment où Laclos l'utilise.

7. L'idée de dresser des listes pour les relire par la suite ou de tenir l'histoire de ses amours est un topos du roman libertin. Un roué écrit ainsi à un ami : « Donne-moi de tes nouvelles : mais je te préviens d'avance que je te renvoie tes lettres, si le nombre des belles que tu auras subjuguées, n'est pas assez considérable pour que j'en puisse ranger une sous chaque jour du mois. C'est un almanach d'une nouvelle espèce qui rappellerait des idées plaisantes ; [...] du moins à mesure que l'on vieillirait, l'on se souviendrait que l'on n'a pas perdu son temps étant jeune. Je suis piqué que cette idée ne me soit pas venue plus tôt. Il y aurait ma foi du temps que le calendrier serait rempli » (*Les Erreurs instructives, ou Mémoires du comte de* ***, 3e partie, Londres et Paris, Cuissart et Prault, 1765, p. 135). L'époque aime les narrations d'aventures de roués comme les innombrables *Vies privées* qui fleurissent et racontent les conquêtes d'un maréchal de Richelieu par exemple.

8. Cécile est la nièce à la mode de Bretagne de Mme de Merteuil, Valmont, le neveu de Mme de Rosemonde.

9. L'intendante est l'épouse d'un intendant, « celui qui est préposé pour avoir la conduite, la direction de certaines affaires, avec pouvoir d'en ordonner. *Intendant de la Maison d'un Prince. Intendant des Finances. Intendant de telle armée. Intendant de Province. Intendant d'armée. Intendant des bâtiments. Intendant de la marine* » (*Acad.*).

10. L'éducation des jeunes filles élevées, comme Cécile, mais à la différence de Mme de Merteuil, dans un couvent.

11. Le siècle s'intéresse à la physionomie et essaie de rapporter le caractère au physique, opposant ainsi les blondes aux brunes, les femmes aux yeux bleus à celles qui les ont noirs. Traditionnellement, la blonde est associée à la douceur et à la bonté, mais la brune est considérée comme plus piquante. Dans le *Dictionnaire d'amour* de

Dreux du Radier (1741) on lit notamment que les blondes, « moins vives, moins animées » que les brunes, « passent aussi pour plus susceptibles d'une longue passion ». L'innocente Justine de Sade est blonde, sa sœur vicieuse, Juliette, brune.

12. « Sot » est un moyen de désigner un cocu, au moins depuis Molière (voir *Sganarelle*, sc. XVII, ou encore *L'École des femmes*, acte I, sc. I).

13. Le « lendemain de noces » est l'objet de propos lestes au sein de romans et poèmes du temps. Dans *La Correspondance d'Eulalie* (1784), par exemple, un nouvel époux se vante, ne sachant pas que sa femme a un passé et a fait réparer sa virginité : « Il leva légèrement la couverture et se mit à examiner mes charmes. Les voyant inondés de sang, il se mit à s'écrier : "Ah ! ma femme était pucelle ! que je suis heureux !" » La jeune Felmé est rassurée : « Mon mari vante à tout instant ma vertu et publie ma virginité » (*Anthologie érotique. Le XVIIIe siècle*, Maurice Lever dir., Robert Laffont, coll. « Bouquins », 2003, p. 836).

14. « *Cela* se dit aussi des personnes. Ainsi on dira d'un enfant, *Cela est heureux, cela ne fait que jouer* » (*Acad.*).

15. Dans *Camille* de Samuel de Constant (p. 5), une jeune femme cynique prévoit de jouer un rôle : « je serai un vrai bouton de rose ; j'aurai même cet air naïf et ingénu que donne la vie champêtre » — mais le choix du vocabulaire n'est pas innocent. En effet, le terme désigne aussi, dans le vocabulaire galant du temps, le bouton du sein (voir ainsi « Délire » [1781] de Parny), le pucelage (un conte de Grécourt met en garde les galants : « Ce que l'on croit bouton, souvent est déjà rose », *Œuvres diverses*, Luxembourg, 1767, t. II, 144) ; Laclos, dans une chanson (voir p. 506) parle d'un berger qui « Voulut ravir certaine rose » à Lison) et, dans la terminologie érotique traditionnelle, le clitoris (voir le *Parnasse satyrique*). Lovelace se sert du terme pour décrire Betsy dans *Clarisse Harlove* de Richardson.

16. *Maniéré* commence à avoir parfois une connotation négative. Le *Dictionnaire de l'Académie* définit ainsi le terme : « qui est remarquable par une affectation particulière ».

17. « *Chevalier*. Par ironie, un amant, un aventurier, un homme à bonne fortune, un galant homme, qui aime la galanterie, le commerce des femmes » (*Le Roux*).

18. Le terme « s'occuper de quelqu'un » a un sens libre. Mme de Merteuil rapporte le 27 août qu'en l'absence d'hommes intéressants à Paris elle ne peut s'*occuper* (XXXVIII, p. 94) et invite plus tard Danceny à lui rendre visite, ne comptant sur lui « qu'autant que l'amour [le] laissera[it] libre et désoccupé » (CXLVI, p. 399). Valmont à son tour présente ainsi une requête à la marquise : « Pourrai-je causer avec vous ce matin ? Si vous êtes *occupée*, au moins écrivez-moi un mot » (LIX, p. 144).

Lettre III.

1. « Espèce de fard que les femmes se mettent sur le visage » (*Acad.*). Opposer l'innocente — généralement une jeune fille ou une campagnarde — à la femme corrompue des villes passe souvent par l'évocation du rouge. La mode française du temps veut que l'on en

use sans retenue. Marie-Antoinette ne laisse d'être surprise, à son arrivée en France, par l'emploi du maquillage. Six ans après son mariage, elle souligne encore que « les personnes âgées conservent ici » leur fard « et souvent même un peu plus fort que les jeunes » (Catriona Seth, *Marie-Antoinette. Anthologie et dictionnaire*, Robert Laffont, coll. « Bouquins », 2006, p. 60).

2. On joue pour de l'argent même dans les salons parisiens les plus distingués ou encore à la Cour.

Lettre IV.

1. Court dans tout le roman une série de références au despotisme et au monde du sérail. Par endroits le souvenir des *Lettres persanes* affleure chez Laclos. L'exotisme, en particulier oriental, est souvent synonyme d'érotisme dans la fiction des Lumières. Sade, dans une note de *La Philosophie dans le boudoir* (*Œuvres*, t. III, p. 158), oppose « l'absurde despotisme politique » et « le très luxurieux despotisme des passions du libertinage ». En 1799, une réécriture espagnole édifiante, *La Presidenta de Turvel*, transforme ainsi le propos de Valmont : « Vous feriez que le plus furieux républicain chérisse votre despotisme » (voir Dolores Jiménez, « Une "belle infidèle", *La Presidenta de Turvel [1799]* », *Deux siècles de « Liaisons dangereuses »*, M. Delon et Francesco Fiorentino éd., Tarente, Lisi, 2005, p. 208).

2. L'italique marque la reprise du terme employé par Mme de Merteuil (lettre II, p. 18). Sur le jeu typographique du roman, voir M. Delon, « Le Discours italique dans *Les Liaisons dangereuses* », dans *Laclos et le Libertinage*, préface de René Pomeau, PUF, 1983, p. 137-150.

3. Ces propos de Valmont sonnent comme une réécriture détournée des premières lignes des *Confessions* de Rousseau (voir *Œuvres complètes*, Bibl. de la Pléiade, t. I, p. 5).

4. La formule rappelle nombre de poèmes comme la pièce XII du livre IV des *Élégies* d'Ovide : « Venez ceindre mon front, lauriers de la victoire, je suis vainqueur. » Elle est imitée par Nougaret dans *Les Mœurs du temps, ou Mémoires de Rosalie Terval*, 1802, t. I, p. 199 : « Applaudissez-moi, couronnez mon front de lauriers ou plutôt de myrtes ; j'ai su frapper un coup décisif, et qui lève tous les obstacles que j'avais prévus dans l'exécution de mon projet. » Le myrte est l'emblème de l'amour comme le laurier, celui de la victoire. Laclos y refait allusion dans l'*Épître à Margot* (p. 487). Voir aussi *Médée* de Corneille (acte IV, sc. I, v. 1036) : « Votre époux à son myrte ajoute ce laurier. »

5. Derrière la formule de Valmont, le *saint* respect invite à voir une parodie de l'*Ecce homo* des chrétiens devenu dans l'iconographie une manière de présenter le Sauveur.

6. Selon un usage accepté, Valmont se dispense d'utiliser la particule en accolant au nom de famille de Mme de Tourvel son titre. On trouve ailleurs sous sa plume « la Présidente de Tourvel » (voir la lettre CXX, p. 328).

7. Sur la foi de Mme de Tourvel, voir Bernard Guyon, « La Chute d'une honnête femme », *L'Anneau d'or*, mai-août 1948, p. 167-172.

8. Laclos cite, avec une légère modification, l'*Épître dédicatoire à Monseigneur le Dauphin* des *Fables*. Le premier vers devrait se lire : « Et

si de t'agréer je n'emporte le prix». Laclos est lui-même un grand lecteur du poète et serait mort, selon le *Journal de Turin et de la 27e Division de la République française*, n° 45 du 6 vendémiaire an XIII (29 septembre 1803), «tenant dans ses mains les *Fables* de La Fontaine».

9. La locution adverbiale être «à la suite» d'une affaire, par exemple, signifie «La poursuivre, la solliciter. [...] Être attentif à tout ce qui se passe» (*Acad.*).

10. Cf. Crébillon dans les *Lettres de la marquise de M*** au comte de R**** (1732) : «tous les procès du monde valent-ils celui que je pourrais vous faire perdre ?» (Desjonquères, 1990, p. 113).

11. Jeu de cartes venu d'Angleterre, le whist, appelé à l'époque *w(h)isk* ou *wist*, fait fureur. Selon l'*Encyclopédie*, à l'article «Wisk», «C'est de tous les jeux de cartes, le plus judicieux dans ses principes, le plus convenable à la société, le plus difficile, le plus intéressant, le plus piquant, et celui qui est combiné avec le plus d'art». Il est souvent évoqué dans les mémoires et romans du temps.

12. L. Versini rappelle (Laclos, *OC*, n. 7, p. 17) un passage de *Clarisse* de Richardson dans lequel Lovelace, impatient de voir l'héroïne choisir l'écriture pour seule occupation, s'exclame : «Je lui en donnerais de plus agréables pour peu qu'elle voulût s'y prêter» (t. V, lettre XCII).

13. *Cajoler*: «Flatter, louer, entretenir quelqu'un de choses qui lui plaisent et qui le touchent, avec intention de le séduire» (*Acad.*).

14. Comme celui de Mme de Rosemonde (voir lettre CXIX), les châteaux disposent souvent d'une chapelle dans laquelle un chapelain ou le curé du village dit tous les jours la messe pour les propriétaires.

15. Le sens libre du verbe est utilisé plusieurs fois dans le roman (par exemple dans la lettre VI, p. 26 : «attendez que j'aie eu cette femme»). Féraud, qui cite Marmontel et Gresset, le juge récent : «*Avoir une femme* : être arrangé avec elle, est une expression nouvelle, qui a un mauvais sens» (t. I, p. 219).

16. Le ridicule de la posture du libertin amoureux sert de fond à nombre de réflexions chez les héros de Crébillon, de Richardson ou encore de Dorat ; dans *Les Malheurs de l'inconstance*, le duc parle du «ridicule d'une passion sérieuse» éprouvée pour Mme de Syrcé. Le héros des *Confessions du comte de**** de Duclos juge «ridicule» l'attachement de son ami Senecé pour Mme Dornal.

Lettre V.

1. C'est-à-dire l'injure qui lui a été faite.

2. La description de la beauté de province ridicule est un passage obligé de nombre de romans du temps. Voir par exemple *Camille* de Samuel de Constant. L. Versini (Laclos, *OC*, n. 6, p. 18) retrouve les expressions mêmes choisies pour caractériser Mme de Tourvel chez d'autres auteurs. Bibbiena (*Le Triomphe du sentiment*) offre ainsi «un mélancolique assemblage de traits réguliers, si vous voulez» (1750, t. II, p. 107).

3. «Cette partie de certains habillements, qui est depuis le cou jusqu'à la ceinture» (*Acad.*).

4. Située sur la rive droite, dans un quartier loti plus récemment

que le noble faubourg Saint-Germain, construite entre 1653 et 1722, à l'emplacement actuel du 284, rue Saint-Honoré, Saint-Roch est une grande église dans l'une des paroisses élégantes de Paris. Le père Anselme, le confesseur de la Présidente, est un feuillant du couvent de la rue Saint-Honoré.

5. Les cheveux longs de l'homme laissent entendre qu'il n'est pas coiffé. Il est donc aussi démodé que la Présidente. Aucune information ne nous est donnée sur ce personnage dont on pourrait supposer qu'il s'agit de l'époux de Mme de Tourvel.

6. Le panier est une « Espèce de jupon garni de cercles de baleine pour soutenir les jupes et la robe des femmes » (*Acad.*). L'aune mesure trois pieds huit pouces, le panier de la Présidente, de presque 5 mètres de tour, est donc ridiculement large et très démodé.

7. La mise en garde d'une confidente qui entend épargner une relation peu honorable à un jeune homme est un topos des romans du temps, de même que le sacrifice d'une femme du monde à une rivale de peu d'éclat. Voir par exemple *Les Égarements du cœur et de l'esprit* de Crébillon.

8. Les néologismes en demi sont à la mode. On trouvera plus loin « demi-confidence » (LIII, p. 133) et « demi-sommeil » figure dans un passage du manuscrit non retenu (voir XCIX, var. *c*). Dans les *Comédies, proverbes et chansons* d'Alexandre de Ségur (Paris, Colnet, Debray et Mongie, an X – 1802, p. 78), « Le demi-mot » célèbre cette esthétique : « [...] Il est une heureuse alliance, / Et de l'esprit, et de l'amour, / Qui fait connaître la puissance / Du demi-mot, du demi-jour. »

9. L'expression se retrouve dans la lettre CXXXVII (p. 381). Ici, elle tient de ce que l'on appelle alors le *langage gazé*, Mme de Merteuil faisant clairement référence au plaisir sexuel : la considération est crue, mais l'expression châtiée.

10. Stendhal, dans *De l'amour* (Classiques Garnier, 1959, p. 221), attribue la résistance de la Présidente à sa peur de l'enfer et ridiculise au passage le vicomte : « C'est uniquement pour ne pas être brûlée en l'autre monde, dans une grande chaudière d'huile bouillante, que Mme de Tourvel résiste à Valmont. Je ne conçois pas comment l'idée d'être le rival d'une chaudière d'huile bouillante n'éloigne pas Valmont par le mépris. »

11. On considère Laclos comme le premier utilisateur de ce sens métaphorique d'un terme dont le sens propre désigne le fait d'enduire une muraille.

12. « Espèce signifie aussi Sorte, et il se dit des choses et des personnes singulières. [...] On ne le dit d'un homme que par dérision » (*Acad.*). Le terme a beaucoup servi dans ce sens aux auteurs, de Hamilton au Diderot du *Neveu de Rameau* (il « marque la médiocrité et le dernier degré du mépris », Diderot, *Contes et romans*, Bibl. de la Pléiade, p. 647).

13. *Faire l'amour* : courtiser.

14. *Finir* a un sens grivois, comme celui de « conclure » dans le jargon moderne. Voir par exemple la « Chanson » de Fabre d'Églantine (*Anthologie de la poésie française*, Bibl. de la Pléiade, t. II, p. 297) dans laquelle Thémire s'impatiente des lenteurs d'un galant : « Finissez donc, c'est malhonnête. »

15. *À tout événement* : « À tout hasard, quoi qu'il arrive » (*Acad.*).
16. « *Cruel.* Au propre, inhumain. Quelquefois *cruelle* au féminin devient substantif, et il signifie une femme qui n'accorde aucune faveur » (*Le Roux*).
17. Frédéric Deloffre (Marivaux, *Le Petit-maître corrigé*, Genève et Lille, Droz et Giard, 1955, p. 90) et L. Versini (*Laclos et la tradition*, Klincksieck, 1968, p. 348-349) voient dans cet adverbe, qui revient à plusieurs reprises dans le roman, notamment lorsque Mme de Merteuil salue l'envoi par Valmont à la Présidente de sa lettre de rupture, un tic des petits-maîtres vidé de son sens véritable.

Lettre VI.

1. Le *Dictionnaire de l'Académie* ne reconnaît pour sens figuré de *noirceur* que « l'atrocité d'une action, d'un caractère ». Ici il s'agit d'un mauvais tour. Voir d'autres occurrences, en particulier dans la lettre CLII, p. 413.
2. L'adjectif est à la mode, depuis Rousseau au moins ; Danceny (XVII, p. 49) et Valmont (XXXVI, p. 90) l'utilisent. Le passage ne va pas sans rappeler l'envolée de Saint-Preux à propos du sein de Julie (*La Nouvelle Héloïse*, p. 82).
3. L. Versini (Laclos, *OC*, n. 1, p. 22) renvoie à Saint-Preux imaginant qu'il porte Julie : « Fallait-il traverser un torrent ? J'osais presser de mes bras une si douce charge ; je passais le torrent lentement avec délices, et voyais à regret le chemin que j'allais atteindre » (*La Nouvelle Héloïse*, p. 83).
4. « Mauvais jeu de mots, fondé sur une équivoque de mots » (*Acad.*), le kalembour ou calembourg, comme on l'écrivait parfois, était fort à la mode. Le marquis de Bièvre a contribué à l'*Encyclopédie* avec un article « kalembour » et a fait paraître un *Almanach des calembours* (1771). L'emploi métaphorique implicite rappelle l'expression « passer le Rubicon » qui se trouve dans la traduction par Prévost de la *Clarisse Harlove* de Richardson (éd. Paris, 1777, t. V, p. 89). On dirait de nos jours « sauter le pas ».
5. Sur le choix du mot *enfant*, « objet d'une polémique incessante entre les deux roués » et reflet dévoyé d'un esprit pédagogique des Lumières, voir Didier Masseau, « Le Dévoiement des Lumières », *Europe*, n° 885-886, janvier-février 2003, p. 26.
6. Julie évoque, dans une lettre de *La Nouvelle Héloïse* (p. 258), sa crainte de forcer « la vertu même à servir d'instrument au vice ».
7. L'un des sens de *prêcher*, inhabituel mais attesté, est faire des remontrances.
8. Le manuscrit donne la date du « 7 août ».

Lettre VII.

1. De telles remarques sont courantes dans les romans épistolaires. Au bas de la lettre XLIII d'*Aline et Valcour* (1795) de Sade (*Œuvres*, t. I, p. 972), nous lisons : « Il y avait une réponse de Valcour à la lettre précédente, mais que nous avons supprimée, par l'envie de ne rien offrir au public qui ne fasse qu'allonger le fil sans le démêler, et qu'à retarder le dénouement, sans y ajouter plus d'intérêt. (*Note de l'éditeur*). »

Le lecteur de *La Nouvelle Héloïse* apprenait dès la lettre VIII (p. 47 et 74) que des suppressions semblables avaient été faites dans la correspondance publiée des héros de Rousseau.

2. Recours fréquent des cadets de famille, l'Ordre de Malte exigeait des preuves de noblesse, et l'impétrant n'était admis qu'après une vérification de ses documents. Ordre religieux, hospitalier et militaire, il permettait aux chevaliers n'ayant point encore prononcé de vœux définitifs de se marier, mais ils devaient pour cela renoncer à une carrière qui pouvait rapporter fortune et gloire. Cette possibilité de revenir à la vie civile autorise Mme de Volanges à envisager brièvement le mariage putatif de Danceny et de Cécile.

3. L'un des sens de prier est « inviter, convier » (*Acad.*).

Lettre VIII.

1. Les manuels de modèles épistolaires préconisent de ne commencer sa lettre par « Madame » ou « Monsieur » que lorsque l'on s'adresse aux princes.

2. Les théologiens dénoncent le « tourbillon du monde » dans lequel l'innocent se laisse emporter. Rousseau parle dans *Les Rêveries du promeneur solitaire* (*Œuvres complètes*, t. I, « Troisième promenade », p. 1014) de « torrent du monde ». Chevrier, à son tour, critique la vie parisienne : « cette foule de spectacles que chaque instant varie, et ce tourbillon du grand monde, où chacun joue un rôle pour lequel il n'est pas né » (*Paris, Histoire véridique*, *Œuvres complètes*, Londres, Nourse, 1774, t. III, p. 17) et la marquise de Syrcé se plaint de « porte[r] avec effort dans le tourbillon d'un monde indifférent la blessure d'un cœur enflammé » (Dorat, *Les Malheurs de l'inconstance*, Desjonquères, 1983, p. 64). Pour d'autres occurrences de l'expression dans le texte, voir les lettres LII (p. 132), LXXXI (p. 207) et CLXXV (p. 459).

3. L'orgueil de la dévote qui rêve de convertir le libertin mais tombera à son tour est un topos romanesque. L'héroïne de *Clarisse Harlove* de Richardson et Mme de Senanges dans les *Sacrifices de l'Amour* de Dorat en fournissent des exemples.

Lettre IX.

1. Sur les écarts de jeunesse de Mme de Merteuil, voir la lettre LXXXI, p. 201-212.

2. Il s'agit de l'un des rares détails permettant de proposer une datation du roman. En effet, la Corse devient française en 1768, cédée par la république de Gênes. Pascal Paoli (1725-1807) prend la tête des insurrections indépendantistes. Deux campagnes militaires se succèdent, en 1768 et 1769, pour imposer l'administration française.

Lettre X.

1. Dans *Les Malheurs de l'inconstance* de Dorat, le duc persifle en s'adressant au jeune Mirbelle que la bonne compagnie oublie : « Vous voilà au rang des morts » (*Romanciers libertins*, Bibl. de la Pléiade, t. II, p. 472). Balzac écrit à son tour à Urbain Canel, un libraire qui fut un temps son associé, le 28 janvier 1831 : « Votre silence est effrayant,

mon cher Canel. Si vous êtes mort, écrivez-le-moi » (*Correspondance*, Bibl. de la Pléiade, t. I, p. 331).

2. René Pomeau commente ainsi les reproches de la marquise (*Les Liaisons dangereuses*, Imprimerie nationale, 1981, t. I, p. 315) : « Cette lettre est datée du 12 août : la lettre précédente de Valmont (lettre VI) était du 9 ; la marquise a dû la recevoir le 10 ou le 11. N'ayant pas encore répondu elle-même, il est invraisemblable qu'au bout d'un ou deux jours seulement la marquise accuse Valmont de la négliger. Mais dans le manuscrit la lettre VI était datée du 7 août : date impossible puisque la lettre VI répondait à la lettre V, également du 7 août. En corrigeant, Laclos réduit l'intervalle entre VI et X de cinq jours à trois, mais il omet de corriger en conséquence le début de X. »

3. Seconder la nature est le rôle concédé à la médecine depuis Hippocrate. L'idée qu'en amour l'art prête son secours à la nature se trouve chez Voisenon dans *Le Code des amants, poème héroïque divisé en trois chants par M. V****, Paris, Jorry, 1739, p. 13 : « Que l'art sait bien chez vous seconder la nature ! » dit le galant à sa maîtresse.

4. Le *Dictionnaire de l'Académie* de 1798 ne reconnaît pas le terme, que Féraud condamne : « Quelqu'un a employé *déraisonement [sic]*, mais ce mot n'a pas fait fortune. D'ailleurs il est inutile, et *déraison* a le même sens. » Voir aussi la lettre LXX : « sans déraisonnement, point de tendresse » (p. 169).

5. Les métaphores guerrières sont souvent utilisées dans l'évocation de l'amour. Le libertinage est parfois interprété comme le comportement compensatoire de nobles privés d'un champ de bataille réel et qui détournent donc leur soif de victoires militaires en désir de conquêtes amoureuses.

6. « Journée, se prend quelquefois pour le chemin qu'on fait d'un lieu à un autre dans l'espace d'une journée [...]. *Il marchait à grandes journées, à petites journées* » (*Acad.*). — « Traverse se dit [...] d'une route particulière qui conduit à un lieu où ne mène pas le grand chemin » (*ibid.*).

7. Grâce d'un côté à un travail de cartographie du royaume, mené par les Cassini, et, de l'autre, à l'amélioration du tracé des routes et de l'entretien des ponts et chaussées, sous l'impulsion de Trudaine, les conditions de circulation s'améliorent nettement au cours du siècle. Il y a donc un véritable avantage, en termes de vitesse, à emprunter les axes principaux. De plus, un arrêt du 6 février 1776, acte du ministère de Turgot, donc, définissait quatre catégories de voies de communication dont les « grandes routes » sont les principales.

8. La petite maison est consacrée aux plaisirs. Elle est située en dehors du centre de la ville. Duclos définit dans les *Confessions du comte de **** (1741-1742) les petites maisons comme des endroits discrets, aux limites de Paris, établis « par des amants qui étaient obligés de garder des mesures, et d'observer le mystère pour se voir, et par ceux qui voulaient avoir un asile pour faire des parties de débauche qu'ils auraient craint de faire dans des maisons publiques et dangereuses, et qu'ils auraient rougi de faire chez eux » (Desjonquères, 1992, p. 79). Voir aussi le conte de Bastide, *La Petite Maison* (1758) ainsi que *L'Esprit des mœurs au XVIIIe siècle, ou la Petite Maison* de Mérard de Saint-Just : « Asiles des amours et des plaisirs clandestins », les petites maisons servent à « cacher ses bonnes fortunes », à recevoir

« les femmes que l'on ne peut avoir chez elles, sans conséquence » (Lampsaque, 1790, p. 62). En 1768, l'une des affaires de mœurs qui rendit Sade célèbre se déroula dans une petite maison qu'il louait à Arcueil.

9. Le prénom est ajouté en interligne dans le manuscrit. La domestique de confiance de la marquise (comme celle de Mme de Rosemonde) porte le prénom de l'une des filles de Louis XV, Madame Victoire (1733-1799). Ce détail correspond, pour l'époque de rédaction du roman, à une réalité relevée par les sociologues : les prénoms des élites deviennent, une génération plus tard, ceux des classes populaires. Dans les *Lettres de Julie à Eulalie, ou Tableau du libertinage de Paris* (1784), dont les lettres sont datées de 1782, il y a également une domestique nommée Victoire.

10. Selon Caylus, « la migraine des femmes est la première de toutes leurs ressources pour cacher leur humeur » (« Histoire de Liradi, Nouvelle espagnole » [1745], *Recueil de ces Messieurs, Œuvres badines, complettes, du comte de Caylus*, Amsterdam et Paris, Visse, 1787, t. V, p. 337). De tels procédés sont monnaie courante dans la littérature de l'époque. Dans la lettre XXIII (p. 64), nous apprenons que Tourvel comme Valmont prétexte un mal de tête.

11. *La véritable* désigne la femme de chambre de confiance de la marquise. La substantivation des adjectifs est courante sous la plume de Laclos (voir ainsi les *inséparables*, LXXIX). Le déguisement des femmes en hommes est un passage obligé des romans du temps ; voir par exemple *Les Amours du chevalier de Faublas* (1787) de Louvet de Couvray ou *Pauliska, ou la Perversité moderne* (1798) de Réveroni Saint-Cyr.

12. Mme de Merteuil habite donc un hôtel entre cour et jardin. L'entrée principale est du côté cour. Le côté jardin permet de quitter la maison sans être vu.

13. Dans *Le Sopha. Conte moral* de Crébillon fils (1739), le narrateur Amanzéi raconte qu'il a été réincarné en canapé et a assisté aux ébats de nombreux amoureux. C'est un classique parmi les romans libertins. Quant à *Héloïse*, il pourrait s'agir des lettres d'Héloïse à Abélard, traduites, et souvent mises en vers, au XVIIIe siècle, en particulier par Colardeau, ou encore d'un extrait de *La Nouvelle Héloïse* à laquelle il y a plusieurs références au sein du roman, y compris avec son titre abrégé (lettre XXXIII), et auquel le langage « *sentimental* » de la marquise paraît redevable. Les contes de La Fontaine sont encore une lecture leste. Dans la lettre CV, Mme de Merteuil fait allusion, sans éclaircir sa référence, à l'un des contes, « Comment l'esprit vient aux filles » (voir CV, n. 3).

14. « Répéter quelque chose, afin de l'apprendre par cœur. Il ne se dit guère qu'en cette phrase, *Recorder sa leçon.* Et en parlant d'Un homme qui tâche à se bien remettre dans l'esprit ce qu'il doit faire ou ce qu'il doit dire en quelque occasion, l'on dit qu'*Il recorde sa leçon.* Il est du style familier » (*Acad.*). Julie écrivait à Saint-Preux : « je recorderai peut-être la leçon du bosquet de Clarens » (*La Nouvelle Héloïse*, p. 111).

15. Les boulevards « plantés d'arbres, sablés dans les contre-allées, arrosés dans le milieu, garnis de bancs de pierre de distance en distance », qui ceignent la ville, et où l'on trouve « cafés brillants », jeux, musiques et spectacles, sont « l'une des plus belles promenades

de la capitale, ouverte à tout le monde, et l'une des plus fréquentées » (Jèze, *Tableau universel et raisonné de la ville de Paris*, Paris, J. P. Costard, 1750, p. 18) ; ils sont devenus aussi les lieux idoines pour des assignations suspectes de tout ordre. Comme les boulevards marquent les limites de la ville, les petites maisons sont au-delà.

16. Petit cabinet intime, le boudoir est associé au luxe et à la féminité (voir M. Delon, *L'Invention du boudoir*, Cadeilhan, Zulma, 1999).

17. L'adjectif n'est toujours pas lexicalisé dans le *Dictionnaire de l'Académie* en 1798. Il s'agit d'un néologisme calqué sur l'anglais grâce à la traduction du *Voyage sentimental* de Lawrence Sterne (1769).

18. Une formule semblable se trouve chez Duclos : « j'obtins mon pardon et nous le scellâmes par les mêmes caresses » (*Les Confessions du comte de* ***, p. 158).

19. Le meuble, à la mode, rappelle ses origines turques par son nom. La marquise et Kilacaré, dans *L'Esprit des mœurs au XVIIIe siècle, ou la Petite Maison* de Mérard de Saint-Just, consomment leur liaison sur une ottomane.

20. On songe à « la prostituée de Sibaris, qui se livre sous toutes les formes, et prend toutes les figures pour exciter les désirs du voluptueux qui la paie » (Sade, *Histoire de Juliette*, *Œuvres*, t. III, p. 194). Sade indique plus loin dans une note à l'intention des femmes : « devenez des protées avec vos maris si vous voulez parvenir à les fixer » (*ibid.*, p. 232).

21. Nous lisons chez Mérard de Saint-Just (*L'Esprit des mœurs au XVIIIe siècle, ou la Petite Maison*, p. 90) une analogie comparable entre petite maison et temple, acte d'amour et sacrifice : « Le Vicomte place Necelle sur l'autel ; c'est-à-dire qu'il l'étend sur l'ottomane de la manière plus commode pour être sacrifiée. […] Le Vicomte lui met le poignard dans le sein, et elle perd toute connaissance, excepté celle du plaisir. »

22. La distinction entre « aimer » et « plaire » rappelle le jeu des synonymes qui fait fureur à Paris à l'époque du roman ainsi qu'en témoignent les lettres de Mme de Créqui ou les écrits de jeunesse de Mme de Staël, par exemple.

Lettre XI.

1. Sur cette lettre, voir René Pommier, « Laclos », *Explications littéraires*, Eurédit, 2005, t. II, p. 113-158.

2. L'idée que la campagne inspire une conduite plus droite et naturelle se trouve par exemple chez Rousseau. Saint-Preux rappelle qu'il « faut être villageois au village, ou n'y point aller » (*La Nouvelle Héloïse*, p. 602).

3. « Honnête femme, honnête fille se dit proprement d'Une femme, d'une fille qui est irréprochable dans sa conduite, qui a toujours été chaste » (*Acad.*). — L'enthousiasme est une « émotion extraordinaire de l'âme, causée par une inspiration qui est ou qui paraît divine » (*ibid.*).

4. « Finesse signifie aussi, Ruse, artifice, et se prend presque toujours en mauvaise part » (*Acad.*).

Lettre XIII.

1. Le piquet se joue à deux avec trente-deux cartes. Les deux femmes feront donc équipe contre Belleroche et joueront pour de l'argent.

Lettre XIV.

1. La forme pronominale du verbe déplaire signifie « s'ennuyer, se chagriner, s'attrister » (*Acad.*).
2. Dans le manuscrit, on trouve « cela » à plusieurs reprises, au lieu de « ça », dont Laclos va faire un terme caractéristique du style négligé de Cécile.
3. La forme verbale, plus rare que « je vais » (leçon du manuscrit), n'est pas incorrecte. La marquise s'en sert (LXIII, p. 151), tout comme Laclos lui-même dans sa correspondance.

Lettre XV.

1. À la mort d'Alexandre le Grand, en 323 av. J.-C., on ne sait à qui doit revenir son empire et la discorde règne parmi ses lieutenants. Personne n'est capable de maintenir ce que le souverain défunt a conquis.
2. Au départ le mot désignait un domestique chargé de la chasse. Par la suite il a été utilisé pour un serviteur revêtu d'un costume de chasse plutôt que de la livrée de son maître.

Lettre XVI.

1. Dans le manuscrit figure l'indication suivante : « Placez ici les lettres 20, 21, 22 et 23, puis revenez à la lettre 19, puis à la lettre 16 ». L'édition accomplit les modifications indiquées (voir la Notice, p. 792) en procédant aux nécessaires changements de dates.
2. Les échanges de courriers secrets entre amants offrent aux romanciers l'occasion de renouveler une topique éculée. Les missives sont déposées dans des troncs d'arbre creux, dans des sacs à ouvrage, entre les pages d'un livre ou même, dans *Aline et Valcour* de Sade, renfermées dans un échaudé, un petit biscuit, accroché au collier d'un chien. Les lettres sont en général pliées et scellées avec un cachet de cire. Voir aussi XXXIV, n. 3. Le billet de Danceny étant dans l'étui de harpe de Cécile, fermé à clef, il n'a pas besoin d'être cacheté.

Lettre XVII.

1. Ainsi que le remarque L. Versini (Laclos, *OC*, n. 1, p. 40), cette lettre paraît calquée sur les déclarations de Saint-Preux au début de *La Nouvelle Héloïse* de Rousseau (voir p. 32, 35, 37, etc.) avec en particulier les références au *crime* et à la *félicité*.

Lettre XVIII.

1. Le verbe, qui signifie « jouer un prélude », est parfois utilisé dans un sens libre pour évoquer les préliminaires amoureux.

2. La formule « Ce n'est pas ma faute » figure chez Marivaux (dans *L'Heureux Stratagème*, acte I, sc. v) ou, sous forme interrogative, chez Rousseau (dans l'*Émile*, p. 777). Elle est, avec quelques variations, un leitmotiv des *Liaisons dangereuses*. Laclos la confie à Cécile ici, mais aussi, dans ses justifications face à Danceny, lettres xxx : « Je suis bien fâchée que vous êtes encore triste à présent, mais ce n'est pas ma faute » (p. 76) ; lxxxii : « Si M. de Valmont ne vous a pas écrit, ce n'est pas ma faute » (p. 213) et « sans qu'il y ait du tout de ma faute » (*ibid.*) ; cxvii : « si je fais mal, il n'y aura pas de ma faute » (p. 324) ; à Mme de Merteuil narquoise (lettre cvi au vicomte : « malgré votre citation polie, vous voyez bien qu'il faut encore attendre ; et vous conviendrez, sans doute, que ce n'est pas ma faute », p. 292) et accusatrice (lettre li à Valmont : « ce qui est fait est fait ; et c'est votre faute », p. 128), avant de devenir le point nodal de la rupture entre le vicomte et la présidente. Dans la lettre cxxxviii, Valmont écrit à la marquise : « je ne suis point amoureux ; et ce n'est pas ma faute si les circonstances me forcent d'en jouer le rôle » (p. 381). Il empruntera ensuite le « petit modèle épistolaire » rythmé par la formule pour signifier son congé à Mme de Tourvel (lettre cxli, p. 389), ce qui lui vaudra la réplique suivante de Mme de Merteuil, glorieuse de son succès : « Si je me suis trompée dans ma vengeance, je consens à en porter la faute » (lettre cxlv, p. 397), rare acceptation de responsabilité dans un roman où les expressions circulent et se démonétisent, où les personnages rechignent à endosser une quelconque responsabilité pour leurs actions.

Lettre xix.

1. La signature est absente du manuscrit. Laclos ajoute, après un renvoi raturé : « Revenez à la lettre 19 » (voir xvi, n. 1). Sur le manuscrit, la lettre est datée du 21.

Lettre xx.

1. Sur le manuscrit, se trouve ici un appel qui renvoie à la note suivante : « Cette lettre, qui répond à la lettre 15, s'est croisée avec les lettres 17 et 18 [xxii et xxiii]. On a préféré de la placer après pour que le lecteur connût la situation du vicomte de Valmont quand il la reçut. »

2. On dit figurément, en langage familier, *Bail d'amour* « pour dire, un engagement d'amour ou de galanterie » (*Acad.*).

3. Expression consacrée qui a généralement une valeur ironique. On la trouve entre autres chez Mme de Sévigné, Marivaux, Rousseau ou Voltaire.

4. Cette phrase de la marquise annonce des passages des lettres xxxviii, xxxix, liv, lv, lvii et lxiii qui peuvent laisser croire à une relation saphique esquissée entre elle et Cécile.

5. Ici le manuscrit indique : « Passez à la lettre 16. »

Lettre xxi.

1. Le terme désigne « les ustensiles et tout ce qui sert à garnir, à orner une maison, et qui n'en fait point partie » (*Acad.*).

2. « En termes de Finances, se dit d'une certaine imposition de deniers qui se lève sur toutes les personnes qui ne sont pas Nobles, Ecclésiastiques, ou jouissant de quelque exemption » (*Acad.*).

3. *À toute course* : à toute vitesse.

4. Le percepteur des impôts : « Celui qui est nommé en chaque Paroisse pour y recueillir les tailles » (*Acad.*).

5. Un louis d'or vaut 24 livres ou francs. La dette des paysans n'était que d'un peu plus de deux louis. Valmont leur offre ainsi, selon Mme de Tourvel qui rapporte la scène, « une somme d'argent assez considérable », dont il fera parvenir l'équivalent à Azolan pour ses frais de surveillance de la Présidente à Paris (voir CI, p. 274). Dix louis est également le montant remis par Dolmancé au valet vérolé qui, sur ses instructions, a violé Mme de Mistival à la fin de *La Philosophie dans le boudoir* (1795) de Sade.

6. Les propos de Valmont traduisent un intérêt pour la bienfaisance et les scènes édifiantes. En témoignent notamment les œuvres de Greuze ou les drames bourgeois dont *Le Fils naturel* (1757) et *Le Père de famille* (1758) de Diderot sont des exemples. Les Goncourt écrivaient déjà (*L'Art du XVIIIe siècle*, 3e éd., Paris, Quantin, 1880, t. I, p. 293) : « Au milieu de ce grand livre de corruption, *Les Liaisons dangereuses*, il est une page inattendue, et qui fait contraste avec tout ce qui la précède, tout ce qui la suit, tout ce qui l'entoure. C'est la scène où Valmont va, dans un village, sauver de la saisie du collecteur les meubles d'une pauvre famille qui ne peut payer la taille. [...] Cette page dans le livre de Laclos, c'est Greuze dans le XVIIIe siècle. »

7. Richardson racontait une scène similaire dans la lettre XCIII de *Clarisse Harlove* et on en retrouve ailleurs comme dans *Lina, ou les Enfants du Ministre Albert*, par Joseph Droz, 2e éd., Paris, Fain, Mongie, Colnet, Debray, 1805, p. 65 où un libertin se vante ainsi : « je sais unir à des dehors brillants, les manières affables et simples qui plaisent à ma jeune amie. Je cherche à connaître ses goûts, pour les flatter, et pour les imiter. Le premier de tous est la bienfaisance, elle voudrait que personne ne souffrît autour d'elle. Du matin au soir, mon valet de chambre cherche des gens que je puisse obliger ; et j'ai soin qu'il y mette autant de secret qu'il en faut pour obtenir les honneurs du mystère. Amour ! je donne en ton nom, j'attends de toi ma récompense ».

Lettre XXII.

1. « Trait, se dit d'une action qui marque une intention favorable ou nuisible à quelqu'un. [...] Il se dit en général des actions qui ont quelque chose de singulier » (*Acad.*).

2. Voir la Notice, p. 797.

3. Le manuscrit donne : « Du château de ... 18 août 17.. » (voir XVI, n. 1).

Lettre XXIII.

1. La tapisserie est un passe-temps noble. À la Cour, tapisser permettait de rester assis même en présence des souverains. L'occupation envahit les salons et il n'est jeune fille de bonne famille, jusqu'à

Marie-Antoinette elle-même, qui ne s'occupe à l'occasion de travaux d'aiguille.

2. « *Historien.* Ce mot est fort injurieux et satyrique, lorsqu'on le dit à une personne, et on ne s'en sert guère sans y joindre le mot de plaisant, et pour lors il signifie sot, ignorant, fat, ridicule » (*Le Roux*).

3. Le mot s'utilise au singulier pour désigner « l'action et le mouvement du corps, et principalement des bras et des mains dans la déclamation, dans la conversation » (*Acad.*).

4. Le féminin n'est pas attesté par le *Dictionnaire de l'Académie.* L'expression vient tout droit de *La Nouvelle Héloïse* où elle se retrouve à plusieurs reprises, comme dans ce propos de Julie (p. 124) : « Je me doute bien qu'à l'exemple de l'Inséparable, tu m'appelleras aussi *la prêcheuse.* »

5. La conjonction entre pénombre et confidences, voire séduction est topique. Crébillon évoque, dans *Le Sopha*, un demi-jour qui « rend la pudeur moins timide, et lui laisse accorder plus à l'amour » (Desjonquères, 1984, p. 257). Voir M. Delon, *Le Savoir-vivre libertin*, Hachette, coll. « Littératures », 2000, p. 146-157.

6. Tout ce propos de Valmont annonce le double langage de la lettre XLVIII.

7. Les romanciers du temps, se souvenant peut-être de la Junie de *Britannicus* devant Néron, aiment à montrer le pouvoir des larmes qui embellissent la pleureuse (« il y a de la beauté dans ses pleurs », dit Lovelace de Clarisse) et émeuvent le séducteur. Sade demande, à propos de l'héroïne malheureuse de *La Nouvelle Justine* : « devait-elle ignorer que les larmes ont un attrait de plus aux yeux des libertins ? » (*Œuvres*, t. II, p. 609) et les débauchés d'*Aline et Valcour* commentent la volupté d'une femme *saisie* dans les pleurs (*Œuvres*, t. I, p. 976 et 1039).

8. Le « moment » désigne l'occasion à saisir pour un séducteur à la mode des héros de Crébillon et figure dans le titre d'un dialogue de l'auteur, *La Nuit et le Moment* (1755).

9. Claire met en garde sa cousine dans *La Nouvelle Héloïse* (p. 45) : « tu veux bien t'ôter le pouvoir de succomber, mais non pas l'honneur de combattre ».

10. Dans *Clarisse*, Lovelace refuse déjà de se conduire en « braconnier de l'amour ». « On dit *Forcer une fille, forcer une femme*, pour dire, La prendre de force, la violer. Et en termes de Chasse, *Forcer une bête*, pour dire, La prendre avec des chiens de chasse après l'avoir courue et réduite aux abois » (*Acad.*).

11. Dans *Clarisse*, Lovelace regarde l'héroïne à travers le trou de la serrure de sa chambre, à genoux, le visage et les bras levés vers le ciel.

12. « On dit avec le pronom personnel, *S'observer*, pour dire, Être fort circonspect dans ses actions, dans ses paroles » (*Acad.*).

13. Sur le manuscrit on lit : « Du château de… le 18 *[surchargé en* 19*]* août 17.., 3 heures du matin. » Une note ajoute : « passez à la lettre 24, etc. ».

Lettre XXIV.

1. La même association de mots se retrouve dans la lettre CXXV

(p. 344) qui annonce à Mme de Merteuil la chute de Mme de Tourvel. Valmont se demande : « Serai-je donc, à mon âge, maîtrisé comme un écolier, par un sentiment involontaire et inconnu ? Non ; il faut avant tout le combattre et l'approfondir. »

2. Le manuscrit date la lettre du 19 (voir XVI, n. 1).

Lettre XXV.

1. « On appelle *Bulletin*, un billet par lequel on rend compte chaque jour de l'état actuel d'une affaire intéressante, d'une maladie, etc. » (*Acad.*). Le Roux donne la définition suivante : « Pour petit billet, poulet, billet doux, ou billet qu'on donne aux soldats pour être logés chez le bourgeois. Mais au sens libre et métaphorique signifie le membre viril. »
2. *Honnêtement* : poliment ou civilement.
3. Il s'agit de la lettre XXVI. On trouve *inhumaine* pour désigner une maîtresse cruelle chez Voiture ou Molière.
4. Le manuscrit donne : « 20 août ».

Lettre XXVI.

1. « Ah malheureuse ! », voir la lettre XXIII, p. 63 et n. 7.
2. Un lieu désert, loin du monde, pas nécessairement un désert au sens géographique du terme.
3. Mme de Tourvel garde cependant une copie de cette lettre qu'elle a dû prendre elle-même sur l'original (voir XLIV, p. 108).
4. Le manuscrit donne : « 19 Août ».

Lettre XXVIII.

1. Sur le manuscrit, se trouve ici un appel qui renvoie à la note suivante : « Cette lettre est celle dont Cécile Volanges envoie copie à Mme de Merteuil ; comme elle redit en partie les mêmes choses que les deux précédentes, on a cru qu'elle suffisait pour ne pas grossir inutilement ce recueil. »
2. *Intéresser* signifie ici toucher.

Lettre XXX.

1. Le mot, en italique, était réclamé par Danceny dans la lettre XXVIII (p. 74). Voir aussi les lettres XXXVIII et XXIX.
2. Voir XVIII, n. 2.

Lettre XXXII.

1. Voir la Notice, p. 797-799. Cette occurrence répond précisément à l'utilisation de « danger des liaisons » par Mme de Tourvel dans la lettre XXII (p. 60).
2. D'un retour à la vie réglée.
3. L'expression vient du premier livre de Samuel, XVI, 7.
4. Rousseau évoque « ces tas de désœuvrés qu'on appelle bonne compagnie » (*La Nouvelle Héloïse*, p. 553). André Chénier, dans l'*Essai*

sur les causes et les effets de la perfection et de la décadence des lettres et des arts, définit ainsi la locution, récurrente dans les écrits de l'époque : « "La bonne compagnie" est un mot qui, dans chaque coterie, est employé à désigner les membres qui la composent, et ces membres exclusivement. "Cet homme ne voit point la bonne compagnie" signifie que c'est un homme que je ne connais point et que je ne veux point connaître. Quelquefois cependant, tous les quartiers, toutes les coteries se réunissent pour donner à ces expressions une acception plus générale et alors elles désignent un homme qui n'a point de chevaux ni de voiture, qui ne joue pas et qui ne donne point à souper » (André Chénier, *Œuvres complètes*, Bibl. de la Pléiade, p. 640). Le chapitre CII du tome I du *Tableau de Paris* de Mercier s'intitule « Bonne Compagnie ». Mme de Merteuil, dans la lettre LXXXVII à Mme de Volanges (p. 232), assure qu'ayant croisé Prévan chez la Maréchale de…, elle se sentait bien autorisée « à le croire bonne compagnie ».

Lettre XXXIII.

1. Voir XXIII et n. 8.
2. L'expression est proverbiale. Un poème célèbre à l'époque, souvent attribué à Pierre Corneille, s'intitule « L'Occasion perdue et recouvrée ». Il est repris par exemple au tome IV des *Œuvres* de Grécourt (Luxembourg, 1767). Dans la lettre CLV, adressée à Danceny, Valmont contredit le propos de la marquise en se rangeant à la sagesse populaire : « ce serait véritablement l'occasion manquée, et elle ne revient pas toujours » (p. 420).
3. « École » a ici le sens de sottise. L'expression vient du jeu de trictrac dans lequel elle signifie « Oublier de marquer les points qu'on gagne, ou en marquer mal à propos » (*Acad.*). Le manuscrit montre que Laclos a préféré cette expression du champ lexical du jeu à l'évocation d'un « trait d'écolier ».
4. *Julie ou la Nouvelle Héloïse* de Rousseau, roman que nombre de contemporains, à l'instar de Laclos, placent au-dessus de tous les autres pour la vérité des sentiments qui y sont dépeints. Voir *Cecilia ou les Mémoires d'une héritière* (Laclos, *OC*, p. 469) où l'écrivain juge que le livre de Rousseau est « le plus beau des ouvrages produits sous le titre de roman ».
5. En ouverture de la lettre XXVI, p. 68.
6. La même idée figure dans *La Nouvelle Héloïse* (p. 250) à propos du sentiment : « il s'en exhale tant dans le discours qu'il n'en reste plus pour la pratique », ou encore dans *Les Heureux Orphelins* (1754) de Crébillon : les prudes « accoutumées à se présenter l'idée du péril lorsqu'il n'existe pas, […] usent toutes leurs forces dans des combats imaginaires, et ne s'en trouvent plus dans les occasions réelles » (*Œuvres complètes*, Londres, 1777, t. V, p. 319). Le jeu de mots de la marquise est courant à l'époque comme en témoigne un poème attribué à Lattaignant (1697-1779), « Le Mot et la Chose » (*Anthologie de la poésie française*, t. II, p. 98-99 : « Madame, quel est votre mot / Et sur le mot et sur la chose ? / On vous a dit souvent le mot, / On vous a fait souvent la chose […] »). En 1752, un roman de Dominique Campan intitulé *Le Mot et la Chose* utilise l'expression en désignant par le *mot* la bonne compagnie que doit apprendre à connaître le héros.

Voir aussi « La Différence du mot à la chose », un texte anonyme du *Nouveau recueil de chansons choisies*, Genève, 1785 ou encore *L'Enfant de mon père, ou les Torts du caractère et de l'éducation*, an VII (1799) : « Qu'importe le mot, si la chose existe. Un notaire, un prêtre, des témoins pour rendre nos nœuds plus solennels, les rendront-ils plus durables ? »

7. Dans le manuscrit, la date donnée est le « 22 août 177. ». Il s'agit de l'un des rares cas dans lesquels Laclos va au-delà des deux chiffres 17 du siècle en proposant ici la décennie 1770-1779 comme date des faits racontés.

Lettre XXXIV.

1. La scène de bienfaisance de Valmont a eu lieu le 20 août. Dans le manuscrit, l'épisode de charité du vicomte était daté du 18. Son hommage appuyé à la belle aurait eu lieu le lendemain, donc le 19, selon ce calendrier.

2. « La première » : la lettre XXIV (p. 65) dont Valmont raconte la remise au chevet de Mme de Tourvel « malade » (XXV, p. 67) ; « la seconde » : il s'agit de la lettre XXXV (p. 87).

3. L'enveloppe telle que nous la connaissons n'est pas encore en usage au XVIIIe siècle. Le plus souvent, la feuille sur laquelle est écrite la lettre est pliée et scellée, l'adresse étant rédigée au verso du texte. Les courriers plus importants sont parfois entourés d'une autre feuille qui, elle, sert seule à l'adresse et est dûment scellée d'un cachet de cire. C'est là ce que l'on appelle l'enveloppe.

4. Environ trois kilomètres.

5. Mme de Rosemonde possède l'ancêtre d'une boîte postale dans le relais de poste le plus proche de sa propriété. Le modèle en a été conçu à la suite de la réinvention de la Petite Poste de Paris par Piarron de Chamousset : des boîtes étaient déposées chez divers commerçants pour que l'on y laisse ses lettres. Le facteur seul en avait la clef. Voir Louis Lenain, *La Poste de l'Ancienne France, des origines à 1791*, 1965.

6. *Les gens*, c'est-à-dire les domestiques.

7. Parmi les définitions de « timbre », le *Dictionnaire de l'Académie* donne : « La marque particulière que chaque bureau des postes imprime sur les lettres qui partent de ces bureaux. » Il n'est pas clair, d'après les détails donnés, si le président de Tourvel siège au Parlement de Bourgogne (même si un autre passage pourrait le laisser croire, voir XLIV) ou s'il y est pour une affaire personnelle. Les Tourvel possèdent en tout cas une résidence parisienne, celle dans laquelle sera consommée l'infidélité de la Présidente avec Valmont.

8. Les personnages des romans du temps déguisent leur écriture ou font recopier une lettre par un tiers pour qu'elle arrive à bon port. Le procédé est éculé. Valmont use d'un raffinement additionnel avec l'allusion à Dijon grâce à la marque postale contrefaite.

9. Les lettres XXXV et XXXVI.

10. « Minutes » signifie ici les brouillons des lettres.

Lettre XXXV.

1. Si Laclos respectait toujours le point de vue du destinataire, cette lettre porterait le numéro XXVII. Placée ici, elle met en évidence la transmission du brouillon à Mme de Merteuil, qui l'a donc bien lue, et le long silence de la Présidente.

2. Il y a peut-être ici un écho de l'*Imitation de Jésus-Christ* traduite en vers français par Pierre Corneille (1652 ; éd. de 1673, p. 94). En effet, au chapitre XXIV, « Du Jugement et des peines du péché », nous lisons : « Ô que la patience est un grand Purgatoire / Pour laver de ce cœur la tache la plus noire ! / Que l'homme le blanchit plus qu'il le dompte au point / De souffrir un outrage et n'en murmurer point. » *Murmure* « se prend plus ordinairement pour Le bruit et les plaintes que font des personnes mécontentes » (*Acad.*).

3. C'est-à-dire : « qu'est-ce qui ».

Lettre XXXVI.

1. Cette précision ne figure pas sur le manuscrit.

2. *Produire*, c'est se faire connaître, mais aussi « Donner par écrit les raisons, les moyens qu'on a pour soutenir sa cause, avec les pièces justificatives » (*Acad.*).

3. Pour me convaincre de séjourner chez elle.

4. Voir la lettre XXIII (p. 62) : « Vous trouverez la clef de ma conduite dans un caractère malheureusement trop facile. »

5. *Étonner* signifie « figurément ébranler » (*Acad.*), l'étymon renvoyant au tonnerre.

6. « *Poison.* Se dit quelquefois en bonne part, et surtout en parlant d'amour, et de choses qu'on aime. Alors il signifie, appas, charme, enchantement : "C'est vous qui donnez le poison, / Qui chasse ma faible raison", Voiture, *Poésies* » (*Le Roux*).

7. Le verbe a le double sens de « connaître » et de « reconnaître ».

8. Laclos réutilise la formule plus bas (voir la lettre LXXVII, p. 188).

9. La formule annonce le chantage au suicide de Valmont ébauché dans la lettre CXXV.

Lettre XXXVII.

1. Le manuscrit donne la date du 24. Laclos a harmonisé les dates de tous les courriers qui tournent autour de la lettre faussement timbrée de Dijon et ses conséquences (les lettres XXXIV à XLI).

Lettre XXXVIII.

1. L'expression est familière selon le *Dictionnaire de l'Académie.*

2. Baudelaire, qui signale ailleurs les talents de portraitiste de la marquise, voit dans ces lignes qu'il cite un « Excellent portrait de la Cécile » (« La fortune des *Liaisons dangereuses* », p. 635).

3. Voir la lettre XXX, p. 76. L'expression précise ne s'y trouve pas, mais Cécile assure Danceny de son amour avec la caution de la marquise. Voir aussi l'indication dans la note à la lettre XXXIX (p. 97) de

l'existence, entre les deux jeunes gens, d'une correspondance qui n'est pas retranscrite.

4. Une « Réponse » de Garnier à des « Vers extraits d'une lettre écrite à la campagne » par Fontanes enjoint le destinataire de rester loin de la ville « où la vertu court des hasards, / Surtout chez les femmes honnêtes ; / Où les gens d'esprit sont si bêtes, / Et les ignorants si bavards » (*Almanach des Muses* pour 1783, p. 39-40). Dans *Le Mariage de Figaro* (1784, acte I, sc. 1), Suzanne s'exclame : « Que les gens d'esprit sont bêtes ! », et Figaro de lui répondre : « On le dit. »

5. « Figurément on dit, qu'*On mènera un homme bon train ; qu'on le fera aller bon train, beau train, grand train*, pour Que dans la suite d'une affaire on le poursuivra vivement et sans relâche » (*Acad.*).

6. *S'en sauve* : s'échappe ou, ici, nous échappe.

7. La table sur laquelle sont posés les apprêts destinés à la toilette d'une femme.

Lettre XXXIX.

1. L'expression désigne un homme d'une noblesse distinguée.

2. L'écart d'âge entre les deux époux potentiels — 21 ans — n'a rien d'exceptionnel à l'époque.

3. Le sens grivois du terme ayant été utilisé à plusieurs reprises dans le roman (voir II, n. 18), la présence du mot, employé ici dans son sens premier, et repris par Cécile d'une lettre de Sophie, ainsi qu'en témoignent les italiques, tient du clin d'œil au lecteur.

Lettre XL.

1. Voir X, n. 10.

2. *Mutin* : « Opiniâtre, querelleur, obstiné, têtu » (*Acad.*).

Lettre XLI.

1. Cette note ne figure pas sur le manuscrit.

Lettre XLII.

1. Dans les *Lettres de Miladi Juliette Catesbi* de Mme Riccoboni, la concession d'une belle, qui autorise un libertin à lui écrire, entraîne sa chute.

2. Le manuscrit donne : « 25 Août ».

Suite de la lettre XL.

1. Selon le *Dictionnaire de l'Académie*, pédant se dit « de celui qui affecte trop d'exactitude, trop de sévérité dans des bagatelles, et qui veut assujettir les autres à ses règles ».

2. *Saigner du nez* a également une valeur métaphorique et proverbiale. « On le dit aussi en général d'Un homme qui ayant pris quelque engagement, manque de parole, lorsqu'il s'agit de le remplir » (*Acad.*).

3. Les poches sont détachables, montées sur une ceinture ou un ruban, de manière à pouvoir être portées avec toutes les tenues.

Celles de Marie-Antoinette, par exemple, sont confisquées en 1793 pendant sa détention et le contenu en est inventorié.

4. Le filou est celui qui vole avec adresse, plutôt que d'avoir recours à la force.

5. Le manuscrit donne, comme pour la lettre XLIII : « 26 Août ».

Lettre XLIII.

1. Sur le manuscrit un appel renvoie à cette note biffée : « On n'a pas trouvé de réponse à cette lettre. »

Lettre XLIV.

1. On note qu'il s'agit de la même (forte) somme que celle distribuée par Valmont aux pauvres dont il avait payé la taille (XXI, p. 57).

2. Voir VI, n. 7.

3. *Avoir de l'humeur*, c'est être exaspéré.

4. *Métromanie*, acte II, sc. VIII. Dans cette pièce très appréciée de 1738, Damon parle ainsi de son domestique Mondor. M. Delon souligne (*Les Liaisons dangereuses*, Le Livre de Poche, 2002, p. 145) que Lovelace dit de son valet Will Somers : « J'ai porté envie à l'éloquence du maraud. »

5. On dit « *Je dirai telle chose à un tel, j'en ferai ma Cour*, pour dire, Je lui dirai une chose qui lui plaira, et qui me rendra agréable » (*Acad.*). Laclos utilise une variante de ce sens-là.

6. Le propos est péjoratif, « chambrière » signifiant, selon le *Dictionnaire de l'Académie* : « Servante de personnes de petite condition. »

7. *Comporter* : « Permettre, souffrir » (*Acad.*).

8. Référence à un épisode de l'histoire romaine raconté par Polybe et Tite-Live (XXVI, 50). Scipion (Publius Cornelius Scipion, *dit* l'Africain) rend, après la capitulation de Carthagène, une jeune captive désirable à son amant plutôt que de la garder pour lui. L'anecdote est un *exemplum* souvent évoqué dans la littérature ou représenté par des peintres comme Bellini, Le Moyne, Poussin ou Van Dyck.

9. On désigne ainsi, au XVIIIe siècle, l'« Officier établi pour agir en justice au nom de ceux qui plaident » (*Acad.*).

10. « On dit, *Réparer le temps perdu, réparer la perte du temps*, pour dire, Profiter mieux du temps qu'on n'a fait par le passé, en faire un meilleur usage, redoubler son travail, son étude, pour faire en peu de temps ce qu'on avait négligé de faire jusqu'alors » (*Acad.*).

11. *Visiter* signifie ici examiner quelque chose avec soin.

12. La fatigue physique résultant de la chasse.

13. La lettre XXXVI, déchirée publiquement par Mme de Tourvel. Voir le récit que Valmont fait de la scène (XXXIV, p. 86).

14. *Mégère* : « [...] femme méchante et emportée » (*Acad.*).

15. Au point où j'en suis.

16. Sur le manuscrit, on trouve cette indication : « Passez à la lettre 48 », c'est-à-dire, pour nous, la lettre XLV.

Lettre XLV.

1. Sur le manuscrit, on trouve l'indication suivante : « Revenez à la lettre 45 », c'est-à-dire la lettre XLVI dans le texte imprimé.

Lettre XLVI.

1. Il s'agit à nouveau (comme « qui peut », 4 lignes plus bas) de la tournure classique correspondant à « Qu'est-ce qui » (voir également la lettre XXXV, p. 88).

2. Première occurrence d'un terme essentiel pour comprendre le fonctionnement de la vie mondaine. Utilisé d'abord pour qualifier les séances des princesses et duchesses assises en cercle autour de la reine, le substantif désigne « Des assemblées d'hommes et de femmes qui se tiennent dans les maisons des particuliers pour la conversation » (*Acad.*).

3. Cette note, qui ne figure pas sur le manuscrit, rappelle *La Nouvelle Héloïse* dont la « Seconde préface » (p. 15) assure, à propos des redites et longueurs propres au langage du cœur : « ceux qui ne sentent rien, ceux qui n'ont que le jargon paré des passions, ne connaissent point ces sortes de beautés et les méprisent ». Duclos écrivait déjà, dans ses *Considérations sur les mœurs de ce siècle* (1751, chap. I, « Sur les mœurs en général », p. 23) : « Que ceux qui n'ont jamais aimé se tiennent pour dit, quelque supériorité d'esprit qu'ils aient, qu'il y a une infinité d'idées, je dis d'idées justes, auxquelles ils ne peuvent atteindre, et qui ne sont réservées qu'au cœur. »

4. Le *Dictionnaire de l'Académie* ne reconnaît pas cet usage métaphorique du terme. Il s'agit selon toute probabilité d'un souvenir de Rousseau et de sa *Nouvelle Héloïse* (p. 264 et *passim*) : Julie y désigne ainsi son portrait pour Saint-Preux exilé. Laclos, consulté par son épouse à ce sujet en mai 1794, définit le mot « talisman » : « un morceau de métal, pierre ou autre matière, sur lequel sont gravés certains caractères qui sont censés avoir telle ou telle vertu ». Il ajoute : « En style de féerie ou d'enchantement, on peut avoir des talismans pour le jeu, et on gagne ; pour l'amour, et on plaît ; pour la richesse, et on est riche ; etc., etc. Tu as donc fort bien pu (en style figuré) dire à ton fils, en lui parlant de nos cheveux que tu lui as donnés : *qu'ils soient pour toi le talisman de la vertu*, car c'est lui dire, en d'autres termes, *qu'ils servent d'une manière efficace à rappeler toutes les vertus dans ton cœur* ; et c'est, en effet, ce que tu as voulu exprimer » (Laclos, *OC*, p. 813).

5. Le manuscrit précise que la lettre est écrite à Paris.

Lettre XLVII.

1. La périphrase désigne des femmes de petite vertu.

2. L'indication allusive pourrait renvoyer à Passy, alors un village aux alentours de Paris dans lequel on aime à prendre l'air et à abriter des amours clandestines. Pantin est une autre possibilité, suggérée par R. Pomeau (Imprimerie nationale, t. I, p. 319).

3. Hollandais et Allemands sont raillés par les romans libertins pour leur rustrerie et leur mauvais français. Un exemple du baragouinage

d'un tel personnage, qui se veut galant envers une dame, figure dans la *Correspondance d'Eulalie* : « Je suis grandement beaucoup content de son figoure. L'y sera-t-elle complaisante à moi ? » Mlle Julie d'ajouter : « Que ces gens sont rustres et grossiers ! Je ne crois pas qu'ils aient jamais connu l'amour » (*Anthologie érotique*, p. 722).

4. « On appelle ainsi les premiers magistrats de quelques villes de Flandres, de Hollande et d'Allemagne » (*Acad.*, à l'article « Bourgmestre »).

5. « Haut, relevé. Il n'est usité qu'en parlant Des choses morales et intellectuelles [...] *Esprit sublime. Âme sublime* » (*Acad.*).

6. « On dit familièrement d'un homme qui boit beaucoup qu'il entonne bien » (*Acad.*). Ici, le Hollandais est réifié et rendu passif car ce sont les deux complices qui l'entonnent.

7. « Se dit des paroles ou des actions folâtres que disent ou que font les jeunes personnes » (*Acad.*). Le terme figure à plusieurs reprises dans le roman et Laclos y revient dans une de ses lettres à Mme Riccoboni (p. 470).

8. « On appelle figurément, *Résurrection*, Une guérison surprenante, inopinée » (*Acad.*).

9. La situation n'est pas sans antécédent dans la littérature. « Il faut que loin de m'oublier / Il m'écrive avec allégresse, / Ou sur le dos de son greffier / Ou sur le cul de sa maîtresse. // Ah datez du cul de Manon, / C'est de là qu'il me faut écrire / C'est le vrai trépied d'Apollon, / Rempli du feu qui vous inspire. // Écrivez donc ces vers divins, / Mais en commençant votre épître / La plume échappe de vos mains / Et vous foutez votre pupitre », lit-on dans une lettre de Voltaire à Cideville du 20 septembre 1735 (*Correspondance*, Bibl. de la Pléiade, t. I, p. 632). Dans un registre similaire, Grécourt signe un poème leste intitulé « Le Pupitre » dans lequel un scripteur qui vient d'être saigné car il a la fièvre entreprend d'écrire à sa belle. Il sent ses forces renaître en songeant à elle et pense réchapper de sa maladie « Puisqu'en écrivant cette épître, / L'Amour me dresse mon Pupitre » (II, 26).

10. Le cachet porte traditionnellement des armoiries, dans le cas d'un épistolier noble, un chiffre, un motif, parfois accompagné d'une devise, ou encore une tête à l'antique. Ces derniers exemples sont, pour le courrier, l'équivalent d'un domestique sans livrée : on ne peut deviner d'où il vient.

11. Comédiens très appréciés, les Italiens furent renvoyés par Louis XIV en 1697, mais rappelés par le Régent. Ils créent des pièces de Dufresny et Marivaux entre autres. À l'époque à laquelle Laclos écrit, ils sont réunis à l'Opéra-Comique de Favart. Leur théâtre a toujours été considéré comme un lieu d'innovations et un espace de liberté. C'est aux Italiens qu'a eu lieu, le 19 juillet 1777, la seule représentation publique d'*Ernestine*, un opéra-comique dont la musique était du chevalier de Saint-George et le livret de Laclos (voir LXXXV, n. 7).

Lettre XLVIII.

1. La phrase est reprise textuellement à l'intérieur d'un roman dont l'épître dédicatoire « Aux âmes sensibles » fait explicitement référence

à Valmont : A.C.L. Condren-Susanne, *Confidence d'un jeune homme*, Paris, Maradan, an III (1795), p. 16.

2. Benjamin Constant parodie ce passage dans une lettre à Isabelle de Charrière datée de janvier 1794 : « Votre lettre est charmante comme vous, madame, et je suis digne que vous m'envoyiez tout ce qui sort de votre délicieuse plume, par le plaisir exquis que je prends à lire ce que vous voulez bien m'envoyer. J'ai été obligé madame d'interrompre plusieurs fois la lecture de cette intéressante lettre pour donner un libre cours à l'émotion qu'elle a excitée dans mon âme et dans mes sens » (Benjamin Constant, *Œuvres complètes, Correspondance générale*, II, Tübingen, Max Niemeyer Verlag, 1998, p. 232).

3. La phrase contient des échos ironiques d'une lettre de Julie à Saint-Preux (*La Nouvelle Héloïse*, p. 102) : « nous avons recherché le plaisir et le bonheur a fui loin de nous. Ressouviens-toi de ces moments délicieux où nos cœurs s'unissaient d'autant mieux que nous nous respections davantage ».

Lettre XLIX.

1. Malgré ce que croit Cécile, un chevalier de Malte qui n'avait pas prononcé ses vœux définitifs pouvait quitter l'ordre et se marier (voir VII, n. 2).

Lettre L.

1. Une version remaniée de cette phrase sert d'épigraphe à Pouchkine pour *Eugène Onéguine* ; voir Larissa Volpert, « L'Ironie romantique dans *Eugène Onéguine* et *Le Rouge et le Noir* », *L'Universalité de Pouchkine*, Paris, Institut d'Études slaves, 2000, p. 58.

Lettre LI.

1. Avant le Directoire, *merveilleux*, comme adjectif ou substantif, désigne déjà des personnes à la mode. On le trouve par exemple dans *Le Méchant* de Gresset (acte III, sc. x). Féraud estime qu'« il y a de l'afféterie à employer à tout propos ce mot, comme on le fait aujourd'hui. C'est un ton de faux enthousiasme pour des riens, qui caractérise ce siècle : tout est *merveilleux* ou *affreux*. [...] Aujourd'hui on le dit substantivement des personnes, dans le sens de petit-maître et de petite-maîtresse ». L'italique paraît souligner cet emploi et restituer, tout comme pour *indécemment*, un terme prononcé dans la conversation.

2. Voir la lettre LXXXI, p. 209.

3. *Capucinade* « Se dit d'Un plat discours de morale ou de dévotion. [...] Il est familier » (*Acad.*).

4. Bien que non encore lexicalisé à l'époque de Laclos, l'adjectif est utilisé au moins depuis 1729. On le trouve dans *Angola* de La Morlière : « Almaïr, plus *usagé* que lui [le prince], minaudait » (*Romanciers libertins du XVIIIe siècle*, Bibl. de la Pléiade, t. I, p. 703). Il qualifie quelqu'un qui connaît parfaitement les usages du monde.

5. Le céladon est un « Homme à beaux sentiments, passionnés et délicats, comme un Berger de ce nom au Roman de *l'Astrée* » (*Acad.*).

Pour Féraud : « On dit, d'un homme à beaux sentiments, en matière de galanterie, que c'est un *Céladon.* » Le terme est souvent utilisé à l'époque de Laclos pour se moquer de qui soupire inutilement après une belle.

6. Voir XVIII, n. 2.

7. Les chevaliers de Malte avaient la réputation de n'être pas chastes, ainsi qu'en témoigne par exemple l'*Histoire du commandeur de *** pour servir à l'histoire de l'ordre de Malte*, de l'abbé Prévost, dans lequel leur est attribuée « une avidité extrême pour les femmes » (*Œuvres choisies* de Prévost, 1783, t. XIII, p. 61).

8. « En Poésie Pastorale, *Berger* et *Bergère*, se disent figurément pour Amant et Amante » (*Acad.*).

9. Cette note est absente du manuscrit.

Lettre LII.

1. Le mot doit son origine à une piécette de Grandval intitulée *Persiflès* (voir Élisabeth Bourguinat, *Le Siècle du persiflage 1734-1789*, PUF, 1998). L'honnête homme de l'abbé Prévost l'explique ainsi : « Le persiflage, autant que j'ai pu le comprendre dans la suite, est l'art de railler agréablement un sot pour des raisonnements et des figures qu'il n'entend pas, ou qu'il prend dans un autre sens » (*Mémoires d'un honnête homme*, 1745 ; Paris, Grabit, 1816, t. XXXIII, p. 153). Pour Féraud, *persiflage* et les termes de la même famille sont des « Mots nouveaux et fort en vogue. » *Le Dictionnaire de l'Académie* juge que *Persiflage*, *persifler* et *persifleur* sont « des termes modernes, que la dépravation des mœurs et du goût n'ont mis que trop à la mode ».

2. « On dit figurément dans le discours familier, qu'*On en appelle*, Quand on ne consent pas à quelque chose, à quelque proposition. *Vous me condamnez à cela, j'en appelle* » (*Acad.*).

3. *Positivement* : précisément.

4. Voir VIII, n. 2.

Lettre LIII.

1. « Sonder, […] chercher à pénétrer dans les choses cachées. *Scruter la pensée de quelqu'un* » (*Acad.*).

Lettre LIV.

1. « On dit figurément d'Un homme qui est dans de grandes inquiétudes et dans de grandes impatiences, *Il est sur des épines, sur les épines* » (*Acad.*).

2. La ligne mesure un douzième d'un pouce, soit environ 2,25 mm.

3. L'expression est familière à l'époque et signifie « inspirer fortement une résolution à quelqu'un » (*Acad.*).

4. « Surprise » : ici, trouble des sens.

5. Le glissement du pronom est autorisé dans la langue classique.

6. Voir X, n. 8.

Lettre LVI.

1. On a voulu voir ici (Laclos, *OC*, n. 1, p. 114) un souvenir d'Hippolyte : « Moi [...] / Qui des faibles mortels déplorant les naufrages, / Pensais toujours du bord contempler les orages » (*Phèdre*, acte II, sc. II, v. 531-534).

2. Le sentiment fait écho au « Présente, je vous fuis ; absente, je vous trouve » d'Hippolyte (*ibid.*, v. 542).

3. « Qui tend à induire en erreur et à surprendre par quelque belle apparence. Il ne se dit que Des raisonnements, des discours » (*Acad.*).

4. « Voici la dernière lettre que vous recevrez de moi », écrivait Julie, devenue Mme de Wolmar, à Saint-Preux (*La Nouvelle Héloïse*, p. 375).

Lettre LVII.

1. « Confiance, tranquillité d'esprit bien ou mal fondée, dans un temps, dans une occasion où il pourrait y avoir sujet de craindre » (*Acad.*).

2. Le genre d'*amour* au pluriel n'est pas encore fixé au XVIIIe siècle.

3. Voir LI, n. 4.

4. *Prise* : dépucelée.

5. Voir la lettre XX, p. 54.

6. Ce « billet de La Châtre » désigne par extension analogique une promesse non tenue : on raconte que Ninon de Lenclos aurait remis une promesse écrite de fidélité à l'un de ses amants, le marquis de La Châtre. Chaque fois qu'elle manquait à son engagement, elle se serait exclamée : « Ah ! le bon billet qu'a La Châtre ! » L'anecdote est évoquée par Bussy-Rabutin et Saint-Simon. Bret la reprend dans ses « Mémoires sur la vie de Ninon de Lenclos » ainsi que Tilly dans ses *Mémoires* (1828, t. II, p. 353). Les Souvenirs apocryphes de Mme de Caylus utilisent la locution. À l'époque de Laclos, La Maisonfort raconte qu'il a rédigé une petite comédie qui « finissait par une pièce de vers où je retournais avec quelques grâces le bon billet qu'a La Châtre de Ninon » et fut jouée en présence d'une Mme de La Châtre, future comtesse de Jaucourt (Antoine-Philippe de La Maisonfort, *Mémoires d'un agent royaliste sous la Révolution, l'Empire et la Restauration 1763-1827*, Mercure de France, coll. « Le Temps retrouvé », 1998, p. 47).

7. Sous l'adjectif à la mode (voir LI, n. 1), transparaît un sens grivois qui fait allusion aux prouesses sexuelles de Belleroche.

Lettre LVIII.

1. Voir XXXV, n. 2.

2. « La cause du mal trouvée indique le remède », écrit Rousseau (*Émile*, *Œuvres complètes*, Bibl. de la Pléiade, t. IV, p. 384) alors qu'il envisage les moyens de guérir son jeune élève de ses frayeurs nocturnes. L. Versini ajoute que « la référence se trouve de surcroît vérifiée par l'allusion aux "fantômes" qui précède dans le texte de Jean-Jacques comme dans celui de Laclos. Reste pour justifier la note que les lectures de la Présidente sont plutôt l'*Imitation* et les *Pensées*

chrétiennes que l'*Émile*» (Laclos, *OC*, n. 1, p. 118). Mme de Merteuil fait également allusion à ce passage de l'*Émile* dans la lettre LXIII (p. 149). La note de Laclos ne va pas sans rappeler l'une de celles de Rousseau dans *La Nouvelle Héloïse* (p. 373) : « Je serais bien surpris que Julie eût lu et cité La Rochefoucauld en toute autre occasion. Jamais son triste livre ne sera goûté des bonnes gens. » Voir Aurelio Principato, « Mme de Tourvel avait-elle lu *Émile* ? », *Deux siècles de « Liaisons dangereuses »*, p. 51-66, ainsi que son article, « La marchesa di Merteuil, il visconte di Valmont, e il patto con il teatro », *Studi di cultura francese ed europea in onore di Lorenza Maranini*, G. Giorgi, A. Principato, E. Biancardi, M. C. Bertoletti, éd., Fasano, Schena, 1983, p. 299-313. — Le manuscrit donne « Je crois ».

Lettre LIX.

1. *Récitatif obligé* : « C'est celui qui, entremêlé de ritournelles et de traits de symphonie, *oblige* pour ainsi dire le récitant et l'orchestre l'un envers l'autre, en sorte qu'ils doivent être attentifs et s'attendre mutuellement » (Rousseau, *Dictionnaire de musique*). *Ariette* : « Ce diminutif venu de l'italien, signifie proprement *petit air*. Mais le sens de ce mot a changé en France, et l'on y donne le nom d'*ariette* à de grands morceaux de musique d'un mouvement pour l'ordinaire assez gai et marqué, qui se chantent avec des accompagnements de symphonie » (*ibid.*).
2. Au théâtre, « réclame » désigne les derniers mots d'une tirade qui donnent à l'interlocuteur le signal de la réplique.

Lettre LXI.

1. La révélation des lettres échangées par Danceny et Cécile, provoquée par Mme de Merteuil, rappelle la découverte de la correspondance de Saint-Preux à Julie à la fin de la seconde partie de *La Nouvelle Héloïse* (p. 306).
2. On trouve dans le manuscrit une ébauche de rédaction de cette lettre, datée « 9 septembre 17.. » et numérotée « 62 », dont certains éléments seront repris dans le billet de Cécile à la marquise après son viol ; d'autres annoncent la référence à la « consolation » dans la lettre LXIII de Mme de Merteuil à Valmont (p. 152).

Lettre LXII.

1. Les « procédés » désignent ici les bonnes manières.

Lettre LXIII.

1. Plutarque dans les *Œuvres morales* (*Instructions pour ceux qui manient les affaires d'État*, v) et Montaigne, dans les *Essais* (I, xxv, « De l'instruction des enfants », Bibl. de la Pléiade, p. 176), racontent l'anecdote qui est reprise par Rousseau dans *La Nouvelle Héloïse* (p. 405).
2. Le terme est encore de style familier à l'époque.
3. Nouvelle allusion à l'*Émile* (voir la lettre LVIII, p. 143 et n. 2).
4. L'adjectif est à mettre en réseau avec « merveilleux » (voir LI et n. 1).

5. Cf. La Rochefoucauld, maxime 425 : « La pénétration a un air de deviner qui flatte plus notre vanité que toutes les autres qualités de l'esprit. »

6. « On dit *chambrer quelqu'un* pour dire [...] le Tirer à l'écart, l'entretenir en particulier » (*Acad.*).

7. *Le Méchant* (acte II, sc. I) est parfois considéré comme l'une des sources de Laclos dans la mesure où la pièce met en scène un scélérat méthodique.

8. Allusion à l'Épître de Jacques, I, 27.

9. Cf. *Britannicus* : « J'aimais jusqu'à ses pleurs que je faisais couler » (acte II, sc. II, v. 402).

10. Ce passage a été souvent interprété comme une scène d'amours saphiques entre Mme de Merteuil et Cécile et a donné lieu à des illustrations sans équivoque, notamment de Van Maele, Sauvage, Barbier ou Hérouard, ainsi qu'à quelques développements romanesques en particulier chez Laurent de Graeve.

11. La petite poste, qui fonctionne à partir de 1759, sert à porter les lettres dans Paris et la banlieue proche. Le port est aux frais de l'expéditeur et non plus du destinataire, comme pour la poste royale. Il y a deux tournées par jour, le matin et l'après-midi. Deux cents facteurs sont employés à la tâche. Pour les expéditions en province, on a généralement recours à l'*ordinaire*, service du courrier créé à l'époque de Richelieu.

12. À la recherche d'un plus grand naturel sur la scène, les défenseurs du drame critiquent le rôle des confidents dans la tragédie classique.

13. Le propos anticipe sur la citation de *La Pucelle* de Voltaire dans la lettre LXVI (p. 161).

Lettre LXIV.

1. Voir LXII, p. 148.

Lettre LXV.

1. Cette note est absente du manuscrit.

Lettre LXVI.

1. Le sens est à mettre en relation avec celui de « finir » dans la lettre V (voir n. 14).

2. Au moment où Laclos écrit son roman, *La Pucelle* de Voltaire (dont le titre est donné dans le manuscrit mais supprimé dans la note imprimée) circule, y compris dans des éditions de petit format, les « Cazin », mais le poème est encore auréolé d'une réputation sulfureuse. Y faire une allusion, fût-elle voilée, c'est esquisser une complicité avec son lecteur, d'autant plus si l'on considère le passage d'où est tirée la citation, celui qui traite des amours de Charles VII et d'Agnès Sorel. Le couple est reçu par le conseiller Bonneau : « Il eut l'emploi qui certes n'est pas mince, / Et qu'à la cour, où tout se peint en beau, / Nous appelons être *l'ami du prince*, / Et qu'à la ville, et surtout en province, / Les gens grossiers ont nommé maquereau » (chant I, v. 56-60).

3. Le *Dictionnaire de l'Académie* ne reconnaît pas cette substantivation.

4. Le terme, qui signifie « infecter, gâter », « se dit figurément dans les choses morales » (*Acad.*). Les lexicographes jugent le verbe vieilli. « Le mot ne doit guère sortir de la conversation. Il est encore mieux de ne l'y point faire entrer » (*Trévoux*).

5. Dans le manuscrit figure la note suivante : « Le lecteur ne sera point à même de juger de la vérité de cette observation ; on a mieux aimé le laisser dans le doute que de grossir ce recueil d'une multitude de lettres presque toutes mal écrites, et que Valmont avait raison de trouver ennuyeuses. Au reste, la possibilité d'un pareil abus peut se remarquer dans presque toutes les correspondances d'amour. »

6. La « Ville » désigne Paris, sur le modèle du latin pour lequel *Urbs* signifie Rome.

Lettre LXVII.

1. Dans le manuscrit la lettre porte le numéro « 64 » et précède ainsi les actuelles lettres LXIV, LXV, LXVI, numérotées alors « 65 », « 66 » et « 67 ». La permutation encadre cette lettre de Mme de Tourvel par deux lettres de Valmont mettant en évidence le piège qui commence à se refermer, d'autant plus que la dénonciation par la marquise de la correspondance entre Cécile et Danceny les précède.

Lettre LXVIII.

1. Un poncif de l'éducation chrétienne, cité par exemple dans les *Mémoires* du maréchal duc de Raguse, un contemporain de Laclos, assure qu'il vaut mieux « mériter sans obtenir qu'obtenir sans mériter » (Paris, Perrotin, 1857, t. I, « Naissance de Marmont »).

2. Sur cette « énergie de sentiments » héritée de Rousseau, voir Michel Delon, *L'Idée d'énergie au tournant des Lumières, 1770-1820*, PUF, 1988.

3. *Le désespérer* : lui faire perdre l'espoir.

4. « Tarissez s'il se peut la source du poison qui me nourrit et me tue. Je ne veux que guérir ou mourir », écrit Saint-Preux (*La Nouvelle Héloïse*, p. 33). Voir Jean Starobinski, *Le Remède dans le mal. Critique et légitimation de l'artifice à l'âge des Lumières*, Gallimard, 1989.

Lettre LXIX.

1. « La différence qu'il y a entre lettre et billet, c'est que dans un billet on se dispense des formules et des compliments qu'on emploie ordinairement dans les lettres » (*Acad.*).

Lettre LXX.

1. Sur l'intrigue autour de Prévan et ses effets d'annonce de certains aspects du dénouement du roman, voir Joyce O. Lowrie, « The Prévan Cycle as Pre-Text in Laclos' *Les Liaisons dangereuses* », *Sightings. Mirrors in Texts – Texts in Mirrors*, Amsterdam, Rodopi, 2008, p. 77-100.

2. « Suivre » signifie ici « Aller après pour prendre, pour attraper » (*Acad.*). C'est la source de la « mauvaise plaisanterie » relevée par Valmont : la métaphore filée avec l'évocation des six chevaux que Prévan compte crever pour rattraper la marquise. Dans « Stendhal et sa famille sous la terreur » (*Revue de Paris*, 1er juin 1923, p. 681), Paul Ballaguy se demande « si la singulière gageure de Prévan [...] ne contient pas une allusion ironique à l'infirmité de Mme de Montmaur [elle était boiteuse] ». Selon Stendhal, Mme de Montmaur serait le modèle de Mme de Merteuil (voir *Vie de Henry Brulard*, *Œuvres intimes*, Bibl. de la Pléiade, t. II, p. 593). Sur ces questions, voir également la Notice, p. 805.

3. « *Crever un cheval.* C'est le faire mourir, à force de le fatiguer » (*Le Roux*). Mme de Merteuil revient sur l'image dans la lettre LXXIV (p. 177-178).

4. « On dit proverbialement qu'*Un* averti, qu'*un bon averti en vaut deux*, pour dire qu'En toutes sortes d'affaires, un homme qui est instruit, qui est informé, a un grand avantage sur celui qui ne l'est pas. [...] Il se dit aussi De quelqu'un qui, étant menacé, se tient sur ses gardes » (*Acad.*).

5. Le terme, qui revient à plusieurs reprises dans le roman, en particulier dans la lettre LXXXI (p. 209), est lexicalisé : « On dit figurément que *Le monde est un grand théâtre* ; et d'Un homme qui est dans un grand emploi, *Il est exposé sur un grand théâtre* » (*Acad.*).

6. « Noyer, s'emploie figurément en diverses phrases. Ainsi on dit, qu'*Un homme est noyé à la Cour*, pour dire, qu'il est perdu dans l'esprit du Prince. Et d'Un homme dont les affaires sont en mauvais état, ou qui a perdu toute espérance de s'avancer, on dit, que *C'est un homme noyé* » (*Acad.*).

7. Voir X, n. 4.

8. Depuis la publication des lettres de Mme de Sévigné, on considère que la femme peut avoir des talents dans le genre épistolaire, mais Boileau n'assurait-il pas déjà : « ce sexe va plus loin que le nôtre dans ce genre d'écrire » (« Des ouvrages de l'esprit » [1689], I, 37). À l'époque de Laclos, plusieurs femmes, comme Mme Élie de Beaumont ou Mme Riccoboni, sont des auteurs de romans épistolaires à succès.

9. Dans le manuscrit, une page de titre intermédiaire indique : « Les Liaisons dangereuses / 2e Partie. » Laclos a donc dû concevoir à l'origine son œuvre comme un roman en deux tomes (dont le premier se terminait ici) et non en quatre parties (voir la Notice, p. 792).

Lettre LXXI.

1. « Carton plié en deux, couvert de peau ou de quelque étoffe, et servant à renfermer des papiers » (*Acad.*).

2. Le terme est familier. « *Cet ouvrage n'est qu'un réchauffé de tel autre* » (*Acad.*).

3. Les détails ont une double valeur, romanesque et libertine. Dans la tradition de Fielding et de Richardson, ils authentifient la fiction, comme le laisse entendre Valmont à Cécile en évoquant la serrure à huiler (lettre LXXXIV, p. 219). Dans l'accumulation libertine, ils sont ce qui donne du piquant à chaque conquête nouvelle, comme le dit la

marquise, qui avoue se répéter quelquefois dans ses amours avant d'ajouter « mais je tâche de me sauver par les détails » (lettre CXIII, p. 312). Trévoux définit ainsi ce sens de *Détails*, « en parlant d'affaires, et dans le récit qu'on fait d'une chose, se dit des circonstances, des particularités qui accompagnent un fait, une affaire ».

4. Dans le manuscrit, le personnage porte le nom de Pressac, peut-être abandonné car il s'agit d'un patronyme noble attesté. Sur la forme retenue, Vressac, voir la Notice, p. 802.

5. *Honnêteté* : politesse ou compliment.

6. Voir IV, n. 13.

7. *Britannicus*, acte II, sc. II, v. 389-390.

8. Cf. *L'Avare*, acte IV, sc. VII.

9. *Passa tout d'une voix* : fut accepté à l'unanimité.

10. Le rat sert parfois d'emblème du sexe masculin, en particulier dans les contes en vers. Voir Jacques Berchtold, *Des rats et des ratières. Anamorphoses d'un champ métaphorique de saint Augustin à Jean Racine*, Genève, Droz, 1992 et M. Delon, « Des rats dans les catacombes de l'esprit », *Le Mythe en littérature. Essais en hommage à Pierre Brunel*, Y. Chevrel et C. Dumoulié éd., PUF, 2000, p. 331-341. Il y a ici un sens figuré : « *Rat.* Pour fantaisie, vertige, caprice, pensée fantastique et bizarre, boutade. *Avoir des rats.* Se dit en France d'une personne qui est éveillée, réjouie, qui fait des plaisanteries. Signifie avoir l'esprit folâtre, drôle, bouffon, étourdi, avoir un grain de folie, être léger, escarbillard, étourdi, polisson. On peut dire à une personne qu'*elle a des rats*, sans craindre de la choquer. C'est une manière de parler familière, et *avoir des rats*, c'est le plus souvent une marque d'esprit » (*Le Roux*).

11. La « publication » des affaires libertines est un ressort fréquent des romans du temps. On en trouve plusieurs exemples dans la *Correspondance d'Eulalie*. Des ecclésiastiques demandent à des prostituées avec lesquelles ils ont eu une relation le secret. En vain : ces demoiselles « n'ont rien eu de plus pressé que de publier l'aventure ». Un marquis prie Violette de taire leur relation. Elle refuse : « elle la conta à toutes ses connaissances, et en moins d'une demi-heure, tout ce qui était au bal savait l'histoire » (*Anthologie érotique*, p. 752 et 797).

Lettre LXXII.

1. *Me sauvera* : m'épargnera.

2. Même formule dans les correspondances de Laclos à son épouse (Laclos, *OC*, notamment p. 913, 953, 961 et 978).

Lettre LXXIII.

1. La Clarisse de Richardson, privée d'instruments d'écriture, a recours à une telle cachette. Valmont a garni celle de Cécile après le café à son arrivée chez Mme de Rosemonde (voir la lettre LXXXVI, p. 219).

Lettre LXXIV.

1. Voir la lettre LXX (p. 167).

2. Voir XLVII, n. 7.

3. Une liaison avec Prévan serait agréable à la marquise, entre autres, parce qu'il est *un agréable*, terme substantivé qu'utilise Laclos (LXXIX, p. 193) à la suite de Gresset, Chevrier ou La Morlière. « *Faire l'agréable auprès d'une* femme ; chercher à lui plaire. *Rem[arque]*. Depuis quelque temps, on appelle l'agréable d'une femme son complaisant, un diminutif du *sigisbée* des dames génoises. *J.-J. Rousseau* dit des femmes de ce siècle : "On les flatte sans les aimer : on les sert sans les aimer : on les sert sans les honorer : elles sont entourées *d'agréables*, mais elles n'ont plus d'amants." — Je ne sais si cette mode dure encore ; mais on ne le dit que des hommes à l'égard des femmes » (*Féraud*). Laclos utilise plus loin (lettre CI, p. 273) la locution « faire l'agréable ».

4. La métaphore juridique est filée. Les Mémoires racontent les faits en défendant le point de vue de l'une ou l'autre des parties d'un procès.

5. Il s'agit de la seule allusion dans le roman à ce voyage que les femmes du monde entreprenaient parfois pour des raisons de santé — afin de consulter Théodore Tronchin et se faire inoculer, comme Mme d'Épinay ou pour voir Voltaire.

6. Allusion détournée à un vers de Térence extrait du *Bourreau de soi-même* (*Héautontimorouménos*, acte I, sc. I, v. 25), *Homo sum, humani nil a me alienum puto* (« Je suis homme, rien de ce qui est humain ne peut m'être étranger »), dans lequel on a voulu voir l'une des devises possibles des Lumières (voir M. Delon, « *Homo sum*... : un vers de Térence comme devise des Lumières », *Dix-huitième siècle*, n° 16, 1984, p. 279-296).

7. *La Nouvelle du jour ou les Feuilles de la Chine*, titre d'un roman de Gabriel Mailhol (1753), emblématise le goût de la nouveauté qui caractérise une aristocratie oisive au cours du siècle.

8. Voir XXXIII, n. 2.

Lettre LXXV.

1. L'indication, conforme au manuscrit et à la première édition, est antérieure à la modification apportée par Laclos — ou par l'éditeur — dans les *errata* de l'édition originale (voir la Notice, p. 792), et témoigne d'une organisation différente de celle, en quatre volumes, qu'adoptent la plupart des versions imprimées.

Lettre LXXVI.

1. Voir LII, n. 1.
2. *De la seconde main* : indirectement.
3. Voir LVII, n. 1.
4. Expression proverbiale. Méry l'explique ainsi : « Celui qui compte trop sur son habileté dans une affaire échoue, celui qui se fie trop à ses forces succombe » (*Histoire générale des proverbes, adages, sentences, apophtegmes*, Paris, Delongchamps, 1828).
5. Voir XXXIII, n. 2.
6. On trouve dans *Les Malheurs de l'inconstance* (I, XVI) de Dorat une phrase qui paraît avoir servi de modèle à celle de Valmont : « Je ne

conçois pas Mme de Syrcé. Cette femme est désespérante » (*Romanciers libertins du XVIIIe siècle*, t. II, p. 463). Voir également Laclos, *OC*, n. 4, p. 151. Concevoir veut ici dire « comprendre ».

7. *Traverser* : « Susciter des obstacles pour empêcher le succès de quelque entreprise » (*Acad.*).

8. Voir la lettre XLIV, p. 112.

9. Cf. la lettre dans laquelle Julie raconte le retour de Saint-Preux : « Il semble que nous ayons une convention tacite pour nous considérer alternativement. Chacun sent, pour ainsi dire, quand c'est le tour de l'autre et détourne les yeux à son tour » (*La Nouvelle Héloïse*, p. 428).

10. Toute personne qui n'est pas touchée par les événements.

Lettre LXXVIII.

1. Sur le sens actuel s'en greffe un autre : « *Poursuivre.* Tâcher d'avoir. *Soit que vous poursuiviez Évêché, femme ou fille, hâtez-vous lentement.* Voiture, *Poésies* » (*Le Roux*).

2. Les liens du mariage.

3. Le manuscrit donne ensuite l'annonce biffée d'une lettre : « De Cécile Volanges au Chevalier Danceny. Du château de..., le 15 septembre 17.. ». Il s'agit de la « dernière lettre » de la jeune fille dont il est question sous la plume de Danceny (lettre LXXX, p. 199) et qui ne nous est pas livrée.

Lettre LXXIX.

1. Claire, dans *La Nouvelle Héloïse*, est « l'inséparable » de Julie, comme Anna de Clarisse chez Richardson. On a beaucoup parlé, à l'époque de Laclos, de Marie-Antoinette et de ses amies inséparables, la princesse de Lamballe puis Mme de Polignac. M. Delon rappelle (*Les Liaisons dangereuses*, p. 232) que l'expression se trouve déjà dans *La Promenade du sceptique* de Diderot (1747) : « Bélise était une intime amie de Caliste ; toutes deux étaient jeunes, sans maris, adorées de mille amants, et décidées pour les plaisirs. On les voyait ensemble au bal, au cercle, aux promenades, à l'opéra. C'étaient des inséparables » (*Promenades de Cléobule*, *Œuvres philosophiques*, Bibl. de la Pléiade, p. 110).

2. Voir LXXIV, n. 3.

3. Les calomnies qui attribuent à Marie-Antoinette des liaisons avec la princesse de Lamballe ou Mme de Polignac nourrissent l'imaginaire saphique de la fin de l'Ancien Régime.

4. *Faire tête* : tenir tête.

5. Versailles et Paris, c'est-à-dire l'ensemble du grand monde.

6. Cf. *Britannicus*, « C'était beaucoup pour moi, ce n'était rien pour vous » (acte IV, sc. II, v. 1138).

7. « On appelle figurément *L'heure du Berger*, Le moment favorable aux Amants » (*Acad.*).

8. *Coup de lumière* : révélation.

9. Un cartel est un « Défi par écrit pour un combat singulier » (*Acad.*).

10. Il y a une surenchère dans la comptabilité érotique qui fait le fond de nombreux contes en vers et épigrammes comme « Le Juste »

de Piron (« Sept fois par jour, au moins, le Juste pèche, / Disait, en chaire, un fils de Loyola. / Sept fois ! reprit une vieille pimbêche ; / Est-il encor bien de ces Justes-là ? » ; *Poésies badines et facétieuses*, 1800, p. 141). Pour d'autres exemples, voir M. Delon, *Le Savoir-vivre libertin*, p. 261-263.

11. « Il n'est guère d'usage que dans les phrases suivantes : *Avoir l'air cavalier, la mine cavalière*, pour dire, Avoir l'air libre, aisé, dégagé, tel que l'ont les gens de guerre » (*Acad.*).

12. Remporter, dans les jeux de la bassette ou du pharaon, sept fois la mise initiale.

13. Le lendemain est l'objet de nombreux commentaires lestes, en particulier dans des contes en vers. Parny ouvre ses *Poésies érotiques*, dans l'édition de 1781 sur « Le Lendemain » (1778). Voir M. Delon, *Le Savoir-vivre libertin*, p. 197-209, ainsi que son article, « Le Lendemain », dans Dolores Jiménez et Jean-Christophe Abramovici éd., *Éros volubile*, Desjonquères, 2000.

14. La contenance est l'« habitude du corps, relative à certaines circonstances, qui marque qu'on a vraiment les dispositions, soit dans le cœur, soit dans l'esprit, convenables à la position où l'on se trouve » (*Trévoux*).

15. La triple vengeance est un topos gaillard qui figure par exemple dans *Les Erreurs de l'amour-propre* (1754) de La Place ou *Les Faits et gestes du Vicomte de Nantel* (1747) de Caylus.

Lettre LXXX.

1. À partir de cette lettre, le manuscrit est rédigé sur un papier bleuté. L'écriture est plus serrée encore et plus difficile à déchiffrer (voir la Notice, p. 790).

2. Il s'agit d'une réponse à la lettre LXXII de Danceny, réponse que Laclos avait prévu de rédiger (voir LXXVIII, n. 3).

3. La lieue est une mesure de valeur variable. 10 lieues de poste équivalent à environ 39 kilomètres, distance de Paris au château de Mme de Rosemonde. C'est le seul détail géographique que nous avons sur la situation de cette propriété à la campagne.

Lettre LXXXI.

1. Par sa place et son sujet, cette lettre peut être rapprochée de l'autobiographie épistolaire de Julie (*La Nouvelle Héloïse*, p. 340-365). M. Delon voit dans la « Confession d'une jolie femme » de Parny une réécriture de la lettre LXXXI (« Laclos aujourd'hui », *Deux siècles de « Liaisons dangereuses »*, p. 19).

2. « On dit figurément et dans un sens de critique, *Un ton doctoral, une morgue doctorale*, pour exprimer le ton tranchant, la vanité ridicule de certains savants » (*Acad.*).

3. André Maurois (« *Les Liaisons dangereuses* », *Sept visages de l'amour*, 2e éd., La Jeune Parque, 1947, p. 103) entend ici un écho de Corneille : « Et qu'a fait après tout ce grand nombre d'années / Que ne puisse égaler une de mes journées » (*Le Cid*, acte I, sc. III). D'autres rappellent la scène d'explication entre Agrippine et Néron (*Britannicus*, acte IV, sc. II).

4. Au-delà de l'argot des Halles, le jargon désigne le langage particulier à un groupe, mais aussi une aisance acquise par l'expérience. Saint-Preux à Paris évoque le « jargon de société » (*La Nouvelle Héloïse*, p. 248).

5. Comme l'écrit le cardinal de Bernis (Épître II, « Sur les mœurs ») : « Oui, cette gloire diffamante / Qu'on cherche dans le changement, / Est, à la honte de l'amante, / Un vice applaudi dans l'amant » (cité dans François-Étienne Gouge de Cessières, *L'Art d'aimer, Nouveau poème en six chants*, Londres, Aux dépens de la Compagnie, 1775, p. XXXI).

6. Laclos s'interroge sur un problème voisin dans ses ébauches d'essais *Des femmes et de leur éducation* (Laclos, *OC*, p. 390) : « La question est donc de savoir si [...] dans l'état actuel de la société une femme telle qu'on peut la concevoir formée par une bonne éducation ne serait pas très malheureuse en se tenant à sa place et très dangereuse si elle tentait d'en sortir. »

7. La présence d'une variante dans le manuscrit (« Sultans » pour « Tyrans ») laisse entendre qu'il s'agit en effet de vers de la marquise plutôt que d'une citation non attribuée même si elle reprend une idée développée dans le *Tableau* de Cébès qui suit ordinairement les éditions d'Épictète où les passions, autrefois les maîtres, deviennent les esclaves de l'homme raisonnable (« Il s'est rendu à la liberté, et maintenant ces monstres, de ses tyrans sont devenus ses esclaves »). Deuxième élément en faveur de l'hypothèse d'une attribution du texte à l'épistolière : dans le manuscrit, les vers ne sont pas détachés. À plusieurs reprises, l'on peut isoler des alexandrins blancs sous la plume de tel ou tel des épistoliers. On peut se demander si Laclos n'a pas décidé tardivement de mettre en évidence ceux-ci.

8. Ce passage a fait l'objet de diverses analyses. L'*Année littéraire* (voir « La fortune des *Liaisons dangereuses*, p. 512), en 1782, affirme : « La lettre où la marquise trace rapidement son histoire, depuis ses premières années est encore un de ces morceaux qui révoltent ; le vice et l'hypocrisie ne sauraient aller plus loin ; elle est un chef-d'œuvre de perversité. » Dominique Aury (préface des *Liaisons dangereuses*, Lausanne, La Guilde du Livre, 1959) y voit un manifeste féministe avant la lettre, tout comme L. Versini qui parle de « la charte d'un féminisme individualiste » (Laclos, *OC*, n. 2, p. 167) ; Pierre Fauchery fait de Mme de Merteuil « un Monsieur Teste de la sexualité » (*La Destinée féminine dans le roman européen du XVIIIe siècle*, Colin, 1972, p. 666) alors qu'elle était pour A. Augustin-Thierry « un La Rochefoucauld en jupons » (*« Les Liaisons dangereuses » de Laclos*, Malfère, 1930, p. 55). Jean Fabre relève une « autoglorification sans trace d'autocritique » (« *Les Liaisons dangereuses*, roman de l'ironie », *Idées sur le roman. De Mme de Lafayette au marquis de Sade*, Klincksieck, 1979, p. 143-165) impossible à interpréter « en termes de manifeste ni même d'analyse ». Pour Anne Deneys-Tunney, en revanche, « L'ensemble de cette lettre — récit autobiographique d'un autoengendrement — est comme une réécriture sur le mode ironique des premières parties du *Discours de la méthode* » et « ne prend tout son sens que si on la rapporte au discours cartésien, dont elle constitue la parodie, jusque dans ses plus infimes détails » (*Écritures du corps. De Descartes à Laclos*, PUF, 1992, p. 306).

9. « On dit [...] au figuré, que *Les têtes, les esprits fermentent*, pour dire, qu'ils sont dans l'agitation » (*Acad.*). Le terme « fermentation » figure chez Rousseau (« la fermentation de mes esprits », *Émile et Sophie*, *Œuvres complètes*, t. IV, p. 899).

10. La marquise prend à sa façon pour modèle Ninon de Lenclos. Duclos en parle ainsi : « La célèbre Ninon de Lenclos, amante légère, amie solide, honnête homme et philosophe, se plaignait de la bizarrerie et de l'injustice du préjugé à cet égard [L'éducation inégale des sexes]. "J'ai réfléchi, disait-elle, dès mon enfance sur le partage inégal des qualités, qu'on exige dans les hommes et dans les femmes ; je vis qu'on nous avait chargées de ce qu'il y avait de plus frivole, et que les hommes s'étaient réservé le droit aux qualités essentielles : dès ce moment je me fis homme." Elle le fit, et le fit bien » (*Les Confessions du comte de* ***, p. 183). Plusieurs commentateurs, dont Roger Vailland, rapprochent l'attitude de la marquise de celle que prône le *Paradoxe sur le comédien* de Diderot. Voir pour des parallèles avec des passages de Crébilllon la note de L. Versini, Laclos, *OC*, n. 1, p. 171.

11. Dans ses ébauches d'essais sur l'éducation des femmes, Laclos affirme que « Plus malheureuses que les hommes, elles durent penser et réfléchir plus tôt qu'eux » (*De l'éducation des femmes*, Laclos, *OC*, p. 421).

12. Un tel travail sur soi est caractéristique du libertin. L'héroïne de *Vénus en rut, ou Vie d'une célèbre libertine* (1771) se vante de ses compétences : « Le plus habile physionomiste est trompé au calme séducteur de mes traits ; coloris, attitude, son de voix, rien ne me trahit », et elle ajoute : « Ce que je dis, en passant, doit devenir l'étude des adolescentes qui veulent entrer dans la carrière galante ; une femme qui ne sait pas commander à ses muscles, à ses nerfs, n'est pas faite pour en tirer longtemps parti : il est des positions où la courtisane la plus connue a besoin de dissimuler ; nous avons notre politique ; elle vaut mieux que celle de Machiavel » (À Interlaken, chez William Tell, l'an 999 de l'Indépendance suisse, t. I, p. 14-15).

13. Comprendre : « Personne ne me portait intérêt ».

14. Citant ces deux phrases, Baudelaire ajoute « George Sand et autres » (« La fortune des *Liaisons dangereuses* », p. 636).

15. Clémentine, dans *Aline et Valcour* de Sade (*Œuvres*, t. I, p. 781), paraît appliquer la même approche : « il faut être froide avec les hommes pour les connaître, et il est bien plus important pour nous de les *savoir*, que de les *aimer* ».

16. *Jouer quelqu'un* : tromper quelqu'un ou le rendre ridicule.

17. Voir VIII, n. 2.

18. Le langage gazé permet ici à Mme de Merteuil de faire allusion à des amours ancillaires. Le Roux note que « Champ » peut faire allusion à « la nature d'une femme ».

19. « La lecture est réellement une seconde éducation qui supplée à l'insuffisance de la première » (Laclos, *Des femmes et de leur éducation*, *OC*, p. 434) et doit comprendre des livres d'histoire, des œuvres rédigées par les poètes et les orateurs, des récits de voyage, des romans et des pièces de théâtre.

20. Voir LXXIV et n. 3.

21. *Tracasserie* : « Chicane, mauvais incident [...], propos, rapport qui tend à brouiller les gens » (*Acad.*). — *Intérieure* : domestique.

22. Le coup qui permet d'emporter une partie. On trouve l'expression par exemple chez Duclos : « une telle démarche est un coup de partie » (*Les Confessions du comte de* ***, p. 37).

23. Dans *Les Malheurs de l'inconstance* (1772) de Dorat (II, XIII), la mère de Mme de Syrcé lui conseille une telle démarche : « Songe à te montrer quelquefois avec celles [les femmes] qui donnent le ton, et qui compensent par une raison aimable ce que leurs années leur enlèvent d'agréments. En te couvrant de leur considération, et intéressant leur société à tes succès, tu pourras te permettre beaucoup de choses qui te feraient tort sans ce politique abri » (*Romanciers libertins du XVIIIe siècle*, t. II, p. 530).

24. Sur la thématique du secret qui parcourt le roman, voir Georges Daniel, *Fatalité du secret et fatalité du bavardage au XVIIIe siècle*, Nizet, 1966.

25. Voir Juges, XVI, 1-21.

26. Participe passé de l'ancien verbe *tistre* qui concurrence *tissé*, le terme serait remplacé, de nos jours, dans une expression comparable, par « ficelé ».

27. La relation est en effet jugée importante. On connaît bien à l'époque le cas de Joseph Weber, frère de lait de Marie-Antoinette, qui a laissé des *Mémoires*.

28. Le *Dictionnaire de l'Académie* propose parmi les exemples à « hérissé » : « Un pédant hérissé de grec, de latin, Qui cite à tout propos du grec, du latin. » Dans *Angola* de La Morlière (*Romanciers libertins du XVIIIe siècle*, t. I, p. 738), nous trouvons la vertu « soutenue par les préjugés *et hérissée* de bienséances », mais la combinaison paraît bien être de l'invention de Laclos. Un roman libertin de 1794 utilise deux fois « hérissé de scrupules » (*Lettres galantes et philosophiques de deux nonnes*).

29. Allusion à une lettre de cachet qui permettait de faire enfermer quelqu'un *De par le Roy*, par exemple pour mauvaise conduite. Dans le cas d'une femme, il s'agissait le plus souvent de débauche ou — cause probable des menaces qui pèsent sur Victoire — d'un soupçon d'infanticide. La relation entre la marquise et Victoire semble une inversion ironique de celle entre Julie d'Étange et Fanchon Regard dans *La Nouvelle Héloïse*, Mme de Merteuil obtenant par une forme de chantage une loyauté que Mlle d'Étange doit à sa seule générosité.

30. S'agit-il d'un souvenir de Maurepas qui vient de mourir (en 1781) ? Après avoir eu un premier portefeuille à 24 ans, il s'est distingué à la tête de la Marine puis de la Maison du roi. Il a été exilé de la Cour en 1749 pour avoir commis des vers contre Mme de Pompadour. Sur les conseils de sa tante, Madame Adélaïde, Louis XVI le rappelle en 1774 au début de son règne. Maurepas a alors soixante-treize ans.

31. *Punition authentique* : châtiment « Muni de l'autorité publique et revêtu de toutes ses formes » (*Acad.*).

32. L'adjectif a une connotation péjorative : « Qui s'attache aux minuties, qui s'en occupe, et y donne trop d'attention » (*Acad.*).

33. La formule figure au chant VII (v. 263) de *La Pucelle* de Voltaire : c'est un cri de guerre de Sacrogorgon. Selon certaines sources, Turenne aurait prononcé les mêmes mots avant la bataille de Bléneau le 7 avril 1652. Valmont, s'adressant à Mme de Tourvel, offrira une

variation sur cette remarque : « Vous posséder ou mourir » (CXXV, p. 347).

Lettre LXXXIII.

1. L'expression revient, en italique, dans la lettre CLI (p. 411), pour désigner Valmont surprenant le tête-à-tête de la marquise avec Danceny ; elle serait calquée, selon L. Versini (Laclos, *OC*, n. 4, p. 346), sur un lieu commun de la comédie italienne de la Renaissance, *il terzo incommodo.*
2. Le manuscrit donne : « ce 23 Septembre 1780 » ; peut-être s'agit-il de l'année de la rédaction du premier jet.

Lettre LXXXIV.

1. *À son défaut* : faute de l'avoir.
2. Le repas du matin.
3. Il existe un réseau de sens allusifs et lestes associés à l'image de la clef et de la serrure. « *Vous avez la clef et nous avons la serrure.* Signifie, qu'on peut se rendre maître du bien d'autrui, nonobstant toutes les précautions qu'il peut prendre. / *Serrure.* Dans le sens libre signifie, la nature de la femme, qui sert de serrure à celle de l'homme, qui en est la clef » (*Le Roux*).
4. Domestique dont la charge principale est de frotter les planchers.
5. *Tracas* : « mouvement accompagné d'embarras, le plus souvent dans de petits objets » (*Acad.*).
6. Le manuscrit donne : « 24 septembre 178. ».

Lettre LXXXV.

1. La lice est un « Lieu préparé pour les courses de tête ou de bague, pour les tournois, les combats à la barrière, et autres pareils exercices » (*Acad.*).
2. Les jours, généralement fixés d'avance dans la semaine, au cours desquels une personne reçoit. À l'époque de Laclos, Mme Necker reçoit ainsi le vendredi pour ne pas rentrer en concurrence avec les lundis et les mercredis de Mme Geoffrin (morte en 1777), les mardis d'Helvétius, les jeudis et les dimanches du baron d'Holbach.
3. Les italiques marquent la valeur proverbiale de la phrase qui est lexicalisée.
4. Ce jeu de cartes, longtemps considéré comme populaire, a gagné la faveur des classes aisées dans la deuxième moitié du XVIIIe siècle.
5. Le salon, comme il est habituel dans les hôtels particuliers, se situe au premier, l'étage *noble.* La salle à manger, une invention récente, se trouve donc, chez la maréchale, au rez-de-chaussée. Il est possible, à cette date, qu'il n'y ait pas de pièce spécifique consacrée à cet effet et que l'on dresse des tables dans une salle du rez-de-chaussée.
6. Au XVIIIe siècle, ainsi que le montre par exemple Montesquieu dans ses *Lettres persanes*, le spectacle est autant dans la salle que sur scène, au théâtre et à l'opéra. Y aller constitue un rendez-vous

mondain et ne témoigne pas forcément d'un goût ou d'une culture dramatique ou opératique.

7. Un spectacle n'est pas gardé à l'affiche pour une période déterminée d'avance, comme de nos jours, mais maintenu tant que dure la faveur du public, ce qui explique la présence de claques ou de siffleurs. Une pièce tombe (cesse d'être jouée) lorsqu'elle ne jouit pas des suffrages des spectateurs. En 1777, *Ernestine*, un opéra-comique fondé sur un roman de Mme Riccoboni, avec un livret de Laclos et une musique du chevalier de Saint-George, n'est joué qu'une fois à la Comédie-Italienne, la réplique de l'un des personnages, « Ohé ! Ohé ! », répétée par la reine et reprise en chœur par la foule, ayant conduit à la juger ridicule.

8. Voir x, n. 19.

9. Un domestique annonce l'arrivée d'une visite.

10. *Intérieure* : domestique.

11. La réplique, tirée de *Zaïre* de Voltaire (acte IV, sc. II), constate l'amour de l'héroïne pour Orosmane : ses larmes sont considérées comme la traduction de ses sentiments véritables. Souvent représentée sur les scènes publiques et privées, la tragédie est très célèbre à l'époque. En 1777, Laclos a rédigé des vers « Sur cette question proposée dans un *Mercure* : Orosmane fut-il plus malheureux quand il se crut trahi par Zaïre, que quand après l'avoir tuée, il l'eut reconnue innocente ? » (*Pièces fugitives*, p. 491).

12. Le domestique qui garde la porte, souvent d'origine suisse.

13. *Le gagner* : le soudoyer.

14. Les intimes peuvent être invités oralement. En revanche, les nouvelles connaissances doivent, selon les usages, être priées par écrit de se rendre à un souper.

15. Adaptée d'un conte de Marmontel, *Annette et Lubin* (1762) de Mme Favart et l'abbé de Voisenon est une petite pièce en un acte et en vers. Les deux héros s'aiment. L'affreux Bailli, épris d'Annette, leur reproche des plaisirs innocents. Après le refrain « Eh ! mais, oui-da, / Comment peut-on trouver du mal à ça ? », Annette continue : « Mais voilà tout pourtant ; il [le vilain Bailli] dit que c'est un crime » (sc. VII).

16. Ce jour fatal (« grand jour » dans *ms.*) est le vendredi 24 septembre, dix jours après la première rencontre, le mardi 14, à l'opéra, de la marquise et de Prévan. Ils se sont ensuite vus le vendredi 17 chez la maréchale, le lundi 20 au théâtre, les 22 et 23 chez Mme de Merteuil, puis le 24, toujours chez la marquise, pour le souper, les cartes et les retrouvailles intimes dans les appartements de la jeune femme.

17. La locution « mots parasites » se trouve chez Jean-Baptiste Rousseau : « Fuir les longueurs, éviter les redites, / Bannir enfin tous ces mots parasites / Qui, malgré vous, dans le style glissés, / Rentrent toujours, quoique toujours chassés » (« Aux Muses », *Œuvres*, Genève, Slatkine, 1972, t. I, p. 10). Utilisé dans un contexte rhétorique le terme désigne des mots superflus ou surabondants.

18. Dans le vocabulaire militaire, garder les arrêts signifie ne pas sortir du lieu où l'on se trouve.

19. Le manuscrit indique : « Paris, le 25 septembre 1780, 7 heures du soir. » Notre édition (1787) corrige une erreur : l'édition originale

(1782) donne pour lieu le « Château de… », alors que Mme de Merteuil est bien chez elle à Paris.

Lettre LXXXVI.

1. La vertu thérapeutique des bains est mise en avant par nombre de médecins du XVIIIe siècle, chez soi ou dans des établissements thermaux d'abord, au bord de la mer par la suite. Marie-Antoinette est au nombre des partisans des bains. Sur cette mode, voir Alain Corbin, *Le Territoire du vide. L'Occident et le Désir de rivage 1750-1840*, Aubier, 1988, et Georges Vigarello, *Le Propre et le Sale. L'hygiène du corps depuis le Moyen Âge*, Le Seuil, 1985.
2. Les avancements militaires ou les nominations à des bénéfices ecclésiastiques, par exemple, étaient souvent préparés par des parents ou proches qui faisaient, à Versailles, le siège des ministres ou de personnalités bien en cour auprès des princes.
3. Le manuscrit donne, comme à la lettre précédente : « 1780 ».

Lettre LXXXVII.

1. L. Versini note ici un discret pastiche de Mme de Sévigné (Laclos, *OC*, n. 2, p. 194).
2. Voir XXXII, n. 4.
3. « Se faire écrire dans la liste du portier, afin que le maître sache qu'on a été chez lui » (*Acad.*).
4. Plusieurs éditions du roman ne sont qu'en deux parties, la première terminant ainsi. Voir par exemple : *Les Liaisons dangereuses*, Dublin, de l'imprimerie de Luc White, Dame-Street, 1784 ou la petite édition, là encore sans illustrations, à Londres, Chez G. G. & J. Robinson, Paternoster Row, 1797.

Lettre LXXXVIII.

1. Les lettres LXXXVIII et LXXXIX de l'édition portaient, dans le manuscrit, les numéros 90 et 91 (les numéros 88 et 89 étant affectés aux actuelles lettres XC et XCI). Laclos en demande dans une note le déplacement et corrige dans la lettre 91 (LXXXIX) le quantième de la date, « 27 » en « 26 » septembre.
2. L'expression *avoir bien aisé* n'est pas lexicalisée dans le *Dictionnaire de l'Académie* de 1798. L. Versini la dit populaire (Laclos, *OC*, n. 1, p. 198).

Lettre LXXXIX.

1. Dans notre édition, le numéro de la lettre est absent ; nous le rétablissons.

Lettre XC.

1. Le manuscrit donne : « ma chute ». Selon le livre des Proverbes, XVI, 18, l'orgueil précède la chute.
2. *Murmure* : protestation.

3. Sur le manuscrit, « 1780 » est corrigé en « 17.. ». Voir la Notice, p. 801.

Lettre XCII.

1. Voir LXXI, n. 3.

Lettre XCIII.

1. *Candeur* : pureté d'âme.

Lettre XCV.

1. Dans le manuscrit, la lettre se terminait par un post-scriptum : « P.S. Quand vous aurez cette clef, je vous prie de prendre garde que personne ne la voie, car ce serait bien dangereux. »

Lettre XCVI.

1. « On dit figurément *Filer une intrigue, une scène, une reconnaissance, etc.*, pour dire, Les conduire progressivement et avec art » (*Acad.*).
2. Valmont contredit ce que lui prédisait Mme de Merteuil dans la lettre V : des « demi-jouissances » (p. 24).
3. *Outrager* : « Offenser cruellement » (*Acad.*).
4. Allusion aux méthodes de Mme de Merteuil décrites dans les lettres LXXXI et LXXXV.
5. *La joindre* : l'atteindre.
6. Voir les lettres LXXXIX et XCIII.
7. « On appelle *Lanterne sourde*, une sorte de lanterne faite de telle façon, que celui qui la porte voit sans être vu, et qu'il en cache entièrement la lumière quand il veut » (*Acad.*).
8. *Comportait* : permettait.
9. Le siècle s'est délecté de récits libertins dans lesquels l'être aimé est pris pour un sylphe ou un songe (voir *Le Sylphe, ou Songe de Mme de R*** écrit par elle-même* de Crébillon [1730] ou « Le Rêve » de Boufflers [*circa* 1780], par exemple). Musset se souvient de la scène dans « Les Deux Maîtresses » (1837) : Valentin, face à Mme de Parnes assoupie, « eut envie, comme dit Valmont, d'essayer de passer pour un songe » (*Œuvres complètes*, La Renaissance du Livre, s. d., p. 74).
10. « Liberté, se prend encore pour Manière d'agir libre, familière, hardie. Dans cette acception, il [...] s'emploie surtout au pluriel » (*Acad.*).
11. *Garder* : défendre.
12. Le choix de termes joue peut-être sur un double sens du mot « Champ » (voir LXXXI, n. 18).
13. Le *poste* est un terme de guerre, désignant le « Lieu [...] où l'on a placé des troupes, ou propre à en recevoir, pour une opération militaire » (*Acad.*). « Dans le sens libre et de débauche de femme, ce mot signifie coup, décharge, injection, lorsque l'homme achève le plaisir qu'il prend avec une femme. *Faire une poste ;* C'est en terme de débauché, f.... un coup » (*Le Roux*).

14. Allusion à un propos de Mme de Merteuil : « votre Présidente vous mène comme un enfant » (LXXXI, p. 203).

15. « Composition signifie encore, Accommodement, dans lequel l'une des deux Parties, ou toutes les deux ensemble, se relâchent d'une partie de leurs prétentions. [...] *Entrer en composition* » (*Acad.*).

16. Léon Daudet commente ainsi la scène : « Il eśt un passage des *Liaisons* qu'il faut recommander tout particulièrement. C'eśt celui où Cécile Volanges, surprise de nuit par Valmont qui abuse de sa candeur, se donne à lui en défendant sa bouche qu'il n'attaque pas résolument et en abandonnant le reśte qui eśt l'objet de son ardent désir. Jamais peut-être, dans la littérature amoureuse, la śtratégie ne s'eśt jointe à la tactique dans un aussi savant contact et la connaissance de la femme par un homme expert et lent n'a abouti à un pareil délabrement de la personnalité physique » (*Sauveteurs et incendiaires*, Flammarion, 1941, p. 19).

17. Sur l'*occasion* dans le syśtème du libertinage chez Crébillon, voir la lettre XXIII, n. 8.

18. Topos libertin, la mine de lendemain eśt considérée comme la preuve physique des amours de la veille (voir LXXIX, n. 13).

19. Jeu de mots sur les expressions « prêter des soins » et « un prêté pour un rendu ».

Lettre XCVII.

1. *De l'intérêt* : de la sollicitude.

Lettre XCIX.

1. Rousseau se sert de l'image dans une lettre à Voltaire le 10 septembre 1755 : « Il vient un temps où le mal eśt tel que les causes qui l'ont fait naître sont nécessaires pour l'empêcher d'augmenter ; c'eśt le fer qu'il faut laisser dans la plaie, de peur que le blessé n'expire en l'arrachant. » L'allusion vient de l'*Iliade* ; la lance d'Achille blesse puis guérit Télèphe : avec la rouille qui s'y trouve, Ulysse fabrique un onguent grâce auquel la plaie cicatrise. Sur la lance d'Achille, voir Jean Starobinski, *Le Remède dans le mal. Critique et légitimation de l'artifice à l'âge des Lumières*, p. 191-200. Dans la lettre supprimée, datée du 4 décembre et adressée par Valmont à Mme de Volanges, une image similaire revient : « J'ai enfoncé le poignard dans le cœur de votre amie, mais je peux seul retirer le fer de la blessure ; seul je connais les moyens de la guérir » (section « Documents », p. 810).

2. Lors de son premier séjour, Valmont était nécessaire aux parties de cartes pour former un carré avec sa tante, Mme de Tourvel et le curé. Avec l'arrivée de Mme de Volanges, il ne manque plus de quatrième joueur pour les parties de whiśt.

3. La réaction de Mme de Tourvel, avec les mouvements involontaires et irréguliers de ses muscles, correspond à l'une des formes de crises d'hyśtérie que les médecins commencent à décrire et à analyser. Voir notamment « Maux de nerfs », dans l'*Essai sur les maladies des gens du monde* de Samuel-Auguśte-André-David Tissot, 3e éd., Lyon, Jean-Marie Bruyset, 1771, en particulier p. 142-143.

4. *Nanine, ou Le Préjugé vaincu* (1749) ; réplique du comte d'Olban

dans le cadre d'un éloge de l'héroïne : « Et je suis juste, et ne suis point galant » (acte I, sc. VII).

Lettre C.

1. Valmont paraît décalquer un propos de Lovelace au début de la lettre 219 de *Clarisse Harlove* (traduit par l'abbé Prévost) : « Malédiction ! Fureur ! Désespoir ! Ton ami est perdu, trahi, assassiné ! Clarisse a disparu. »

2. Possible écho de Catulle, « *Odi et amo [...]* » : « Je hais et j'aime. Vous demandez peut-être pourquoi je le fais. Je ne le sais, mais je le sens et je suis dans les tourments » (*Carmina*, 85).

3. *Froid* « se dit figurément, pour dire, Un air sérieux et composé, et qui ne marque nulle émotion » (*Acad.*).

4. *Travailler* veut dire « façonner », mais aussi « tirer son profit » de quelque chose ou de quelqu'un.

5. Jacques de Vaucanson (1709-1782) et Pierre Jacquet-Droz (1721-1790), entre autres, ont créé des automates qui accomplissaient des tâches dévolues aux humains : jouer d'un instrument, écrire, dessiner, etc. Le siècle est fasciné par ces figures qui paraissent mettre à mal les frontières séculaires entre l'homme et l'objet. Par extension, on appelle « automate » un « homme stupide » (*Acad.*). Cf. Rousseau : « Ma sœur n'était point de ces automates apparentes, de ces idiotes factices en qui le calme extérieur ne fait que concentrer l'orage, au-dedans » (*Le Petit Savoyard, ou la Vie de Claude Noyer*, *Œuvres complètes*, t. II, p. 1201-1202).

Lettre CI.

1. Le valet de Valmont porte le nom du héros d'un conte en vers de Voltaire, *Azolan, ou le Bénéficier* (1764) dont Lemonnier a tiré un ballet héroïque avec musique de Floquet, *Azolan, ou le Serment indiscret* (1774). Sur l'onomastique, voir la Notice, p. 803. Pour « chasseur », voir XV, n. 2.

2. La domestique de Mme de Tourvel porte le prénom de l'héroïne de Rousseau, très à la mode dans les années qui ont suivi la publication de *La Nouvelle Héloïse.*

3. L'autre amant de Julie.

4. On comparera cette somme, employée à ses manœuvres de séduction, aux dix louis que Valmont a offerts aux pauvres lors de sa scène de charité (lettre XXI, p. 57) puis à Julie pour qu'elle lui livre le contenu des poches de sa maîtresse (lettre XLIV, p. 108).

5. Voir LXXXI, n. 32.

6. Donc à 5 lieues (moins de 20 kilomètres) de Paris.

7. *Prenez garde de perdre* : faites attention à ne pas perdre.

Lettre CII.

1. L'héroïne des *Malheurs de l'inconstance* de Dorat avouait pareillement à son amie : « J'aime !... oui ; j'aime, mais j'aurai la force de le cacher » (*Romanciers libertins du XVIIIe siècle*, t. II, p. 444).

2. Wolmar se lamente à Julie mourante : « Est-ce ainsi que vous lisez dans mon cœur ? » (*La Nouvelle Héloïse*, p. 719).

Lettre CIII.

1. Le manuscrit plaçait ici trois lettres de Mme de Merteuil : les lettres 103 (CIV, à Mme de Volanges), 104 (CV, à Cécile) et 105 (CVI, à Valmont). Cette lettre CIII portait le numéro 106 et la date du « 4 » octobre, surchargée en « 3 », probablement au moment où Laclos en demande dans une note le déplacement.

2. Caroline Fischer propose une interprétation intéressante de la position ambiguë de Mme de Rosemonde face aux amours de son neveu et de la Présidente qu'elle paraît encourager (« Est-il bon ? Est-elle méchante », *Europe*, n° 885-886).

3. *Débile* : faible.

Lettre CIV.

1. *Errer* : « Se tromper, avoir une fausse opinion » (*Acad.*).

2. Dans son discours *Des femmes et de leur éducation*, prévu pour le concours de l'académie de Châlons-sur-Marne, Laclos affirme : « Ou le mot éducation ne présente aucun sens, ou l'on ne peut l'entendre que du développement des facultés de l'individu qu'on élève et de la direction de ces facultés vers l'utilité sociale » (Laclos, *OC*, p. 390).

3. *Monter une maison*, c'est « La pourvoir de tout ce qui lui est nécessaire » (*Acad.*) ; à la différence de Gercourt, Danceny ne possède pas de propriété immobilière, semble-t-il.

4. Mme de Merteuil laisse entendre que le coût de la vie est tel qu'on ne peut plus faire passer les bons sentiments avant le pragmatisme en matière matrimoniale. Il y a peut-être une référence au mariage de Mlle de Sévigné avec M. de Grignan : la marquise assure, à propos de son gendre, dans une lettre au comte de Bussy, le 4 décembre 1688 : « nous ne le marchandons point ». Elle sera par la suite entraînée dans d'importants démêlés financiers. Les lettres de Mme de Sévigné ont paru pour la première fois en 1725.

5. Cf. *La Nouvelle Héloïse* (p. 230-231) : « je ne serai point tenté d'employer en vaines dépenses l'excédent de mon entretien. [...], tant que quelqu'un manque du nécessaire, quel honnête homme a du superflu ? »

6. En construction absolue, *faire ses preuves* veut dire obtenir la confirmation de sa noblesse, préalable nécessaire pour avoir accès aux honneurs de la Cour et donc chasser avec le roi ou monter dans les carrosses. Avant le mariage, pour rassurer la belle-famille putative, nombre de nobles s'occupaient de faire leurs preuves.

7. Voir XXXII, n. 4.

8. L'homme crapuleux se complaît dans des excès répréhensibles de nourriture et de boisson.

9. Un auteur comme Diderot, dans ses *Salons* et ses *Essais sur la peinture*, évoque le décalage entre l'individu véritable, souvent misérable, qui sert de modèle et la divinité ou le héros qu'il est censé figurer.

Lettre CV.

1. *Sagesse* : « modestie, pudeur, chasteté » (*Acad.*).

2. Il faut comprendre le verbe au sens littéral : « enfermer dans un couvent ».

3. Allusion à un conte en vers de La Fontaine intitulé « Comment l'esprit vient aux filles » (La Fontaine, *Œuvres complètes*, Bibl. de la Pléiade, t. I, p. 811-814) et dans lequel Lise est déniaisée par le père Bonaventure grâce à son « esprit ». On trouve des variations sur le thème au XVIIIe siècle, par exemple « Comme l'esprit vient » dans *Anacréon en belle humeur* (Paris, Desnos, s. d., p. 18-20).

4. *Consistance* est un terme de physique : littéralement, « épaisseur ». « On dit aussi qu'un esprit n'a point de *consistance*, pour dire qu'il n'est pas ferme dans ses résolutions et qu'il en change aisément » (*Acad.*). Milord Édouard, s'occupant de Saint-Preux, malheureux d'avoir quitté Julie, assure qu'il ne le laissera pas avant de voir l'âme de son ami « dans un état de consistance » sur lequel il puisse compter (*La Nouvelle Héloïse*, p. 195).

5. Dans ses lettres, Laclos formulera de nombreuses critiques similaires à l'égard de son fils Étienne dont il blâme le style et les fautes (voir notamment la lettre du 10 avril 1803, Laclos, *OC*, p. 1092-1093).

Lettre CVI.

1. Sur le lendemain, voir II, n. 13.

2. *Brave* : « euphémisme galant qui dès le XVIIe siècle visait des talents dont les champs de bataille sont ceux de la guerre d'alcôve », selon L. Versini (Laclos, *OC*, n. 2, p. 244).

3. Après le « philosophe subalterne » du *Spectateur français* de Marivaux (1721-1724), le « fat subalterne » du *Méchant* (acte II, sc. IX) de Gresset (1745) ou le « géomètre subalterne » du *Discours sur les sciences et les arts* de Rousseau (1750), on trouve encore, dans *Le Colporteur* de Chevrier (1761) et *Julie ou l'Heureux Repentir* de Baculard d'Arnaud (1787), une « grisette subalterne », ancêtre direct de cette « intrigante subalterne ».

4. *Spécifique* : « quelquefois substantif, [...] signifie Remède propre à quelque maladie » (*Acad.*). On saisit sans difficulté le sens grivois.

5. La machine désigne le corps dans la langue classique, mais ici, il y a une réification volontaire de l'être avec cette image qui atteste de l'intérêt croissant pour l'ingénierie, la mécanique et la physique. Le matérialisme conduit La Mettrie à évoquer *L'Homme-machine* (1747).

6. Se devine en filigrane l'image de l'automate (voir C, n. 5). La machine est en effet « Certain assemblage de ressorts dont les mouvements et les effets se terminent à cet assemblage même » (*Acad.*). Nous lisons dans *La Nouvelle Héloïse*, à propos des gens isolés vivant dans l'indépendance : « machines qui ne pensent point, et qu'on fait penser par ressorts » (p. 234).

7. *Marche* : progression.

8. Voir la clausule de la lettre C, p. 272.

Lettre CVII.

1. Héritière du roman anglais — on songe aux missives de Joseph Leman, le serviteur de Lovelace, dans *Clarisse Harlove* — la fiction française multiplie les lettres de domestiques, de Fanchon Regard

dans *La Nouvelle Héloïse* à Bertrand, le valet de Saint Alban dans *L'Émigré* de Sénac de Meilhan (1797). Voir sur le style correct, mais naïf de ces personnages subalternes, Jacques Proust, « Les maîtres sont les maîtres », *Romanistische Zeitschrift für Literaturgeschichte*, n° 2, 1977.

2. Sur le sens financier se greffe une valeur métaphorique : « On dit figurément [...] *tenir compte de quelque personne*, ou *de quelque chose*, pour dire, L'estimer, l'avoir en quelque considération » (*Acad.*).

3. *Cabaret* : « Taverne, maison où l'on donne à boire et à manger à toutes sortes de personnes pour de l'argent » (*Acad.*).

4. Nom traditionnel de valet que l'on trouve dans des pièces comme *La Gageure imprévue* de Sedaine (1769) ou *Le Glorieux* de Destouches (1763), et dont Sade se servira dans *Les Cent Vingt Journées de Sodome*, *La Nouvelle Justine* ou encore *La Philosophie dans le boudoir*.

5. Le second valet.

6. La lettre CII de Mme de Tourvel à Mme de Rosemonde, datée du « 3 octobre 17** à 1 heure du matin ».

7. Le potage est à l'époque du bouillon dans lequel on fait tremper des tranches de pain.

8. Valmont n'a pas écrit à Mme de Tourvel depuis son départ ; il s'agit de la lettre CIII envoyée par Mme de Rosemonde ainsi que le confirme la lettre CVIII de la Présidente à la tante de Valmont.

9. Toute la fin du paragraphe (à partir de « et des trois », 7 lignes de la fin) ne figure pas sur le manuscrit.

10. Il s'agit peut-être des *Pensées ou réflexions chrétiennes pour tous les jours de l'année*, par le jésuite François Nepveu.

11. *Clarisse Harlove* de Richardson, dont la traduction française par l'abbé Prévost avait paru en 1751. Le seul nom de *Clarisse* figure probablement sur la pièce de titre ; Laclos a supprimé, dans le manuscrit, le patronyme de l'héroïne dont il avait d'abord écrit le nom en entier. C'est d'ailleurs le titre habituel donné au roman. Sur Laclos lecteur de Richardson, voir, outre *Laclos et la tradition* de Laurent Versini (p. 481-519), Aurelio Principato, « *Les Liaisons dangereuses* ou *Clarisse* remodelé. Hommage à Jean Sgard », *Recherches et travaux*, n° 49, 1995 ; Shelly Charles, « *Clarisse* ou le Dessous des *Liaisons* », *Poétique*, 121 ; et Martha J. Koehler, *Models of Reading. Paragon and Parasites in Richardson, Burney and Laclos*, Lewisburg, Bucknell University Presses, 2005. Voir également Laclos, *Des femmes et de leur éducation*, *OC*, p. 440.

12. Comme l'indique le célèbre tableau de Barthélemy Ollivier exposé au Salon de 1777, *Le Thé à l'anglaise chez la princesse de Conti*, la consommation de thé devient un rituel mondain. L'infusion est par ailleurs considérée comme ayant des vertus prophylactiques.

13. Le couvent des Cisterciens, surnommé les Feuillants de la rue Saint-Honoré, se situait sur l'emplacement des actuels 229-235 de cette rue, au sud, en direction du jardin des Tuileries. C'est dans ce couvent que se trouve le confesseur de Mme de Tourvel. Voir également V, n. 4.

14. Il s'agit de la lettre CVIII.

15. *Tournebride* : « Espèce de cabaret, établi auprès d'un château ou d'une maison de campagne, pour recevoir les domestiques et les chevaux des étrangers qui y viennent » (*Acad.*).

16. Les titres ducaux sont les plus élevés des titres de la noblesse

française. Ce snobisme contre la noblesse de robe semble résister plus chez les domestiques que dans la noblesse d'épée dont paraissent être issus les personnages principaux de l'intrigue, autres que Mme de Tourvel. C'est à partir de cette allusion *a priori* que Baudelaire, suivi en cela par d'autres, a voulu voir en Mme de Tourvel une bourgeoise (voir « La fortune des *Liaisons dangereuses* », p. 632).

17. Sur le manuscrit, on trouve, après la signature, un post-scriptum biffé : « P.S. C'est de la chambre de Mlle Julie que je me fais l'honneur d'écrire à M[onsieur], elle est à présent à coucher sa maîtresse ; et si je n'ajoute rien à ma lettre, c'est qu'il n'y aura rien eu de nouveau et qui mérite l'attention de M[onsieur]. »

Lettre CVIII.

1. Mme de Tourvel répond à une remarque de la lettre CIII (p. 278) : « en me parlant de *lui* tout le temps, vous n'avez pas écrit son nom une seule fois ».

2. La lettre, donc, ne nous est pas livrée.

Lettre CIX.

1. Dans la lettre XXXVIII (p. 95), Mme de Merteuil dit avoir beaucoup prêché Cécile sur la fidélité conjugale.

Lettre CX.

1. Il s'agit des mots qui ouvrent la lettre V de la première partie de *La Nouvelle Héloïse* (p. 41). Saint-Preux y célèbre son bonheur. Une correction sur le manuscrit — « infortune » corrigé en « douleur » — laisse entendre que dans un premier temps Laclos avait cité le roman de Rousseau de mémoire.

2. *Partagé* : doté.

3. Les lettres CII et CVIII.

4. Dans *La Nouvelle Héloïse*, Rousseau qualifie l'esprit de Milord Bomston d'« un peu rêche » et explique en note : « Terme du pays, pris ici métaphoriquement. Il signifie au propre une surface rude au toucher et qui cause un frissonnement désagréable en y passant la main, comme celle d'une brosse fort serrée ou du velours d'Utrecht » (p. 124).

5. Lovelace, dans *Clarisse Harlove*, finit par violer Clarisse, après l'avoir droguée à l'opium. D'autres séducteurs ont recours à ce stratagème en le variant. On saoule sa victime, comme dans « La Jolie Bonnetière » (1780) de Rétif de La Bretonne ou l'« Histoire de Pauline » de M.D.C.L., en qui d'aucuns ont voulu reconnaître Laclos (*Mercure de France*, 1789). On se souvient encore de *La Marquise d'O* (1808) de Kleist, plus, en tout cas, que de l'*Olinde* (1784) du marquis de Luchet séduite grâce à un tabac aux propriétés soporifiques.

6. Citation approximative de la lettre IX de la première partie (p. 49) dans laquelle Julie évoque « les plaisirs du vice et l'honneur de la vertu ». Dans le manuscrit, la note se poursuit ainsi : « Ce M. de Valmont paraît aimer à citer J.-J. Rousseau, et toujours en le profanant par l'abus qu'il en fait. »

7. L'élégie, considérée alors comme un poème dont le sujet était « triste et tendre », est très à la mode, en particulier à la suite des *Amours* de Bertin (1780) et de l'édition augmentée des *Poésies érotiques* de Parny (1781).

8. « On dit, *Chamarrer quelqu'un de ridicules*, pour dire, Le charger, le couvrir de ridicules » (*Acad.*).

9. L'expression a frappé Musset qui y fait allusion à plusieurs reprises, notamment dans *Emmeline* : « Je crois que c'est dans un livre, aussi dangereux que les liaisons dont parle son titre, que se trouve une remarque dont on ne connaît pas assez la profondeur : "Rien ne corrompt plus vite une jeune femme, y est-il dit, que de croire corrompus ceux qu'elle doit respecter" » (« Emmeline » [1837], *Œuvres complètes*, p. 19). Sur Musset et Laclos, voir Valentina Ponzetto, *Musset ou la Nostalgie libertine*, Genève, Droz, 2007.

10. Incohérence de Laclos : Valmont se rend pour la deuxième fois seulement chez Cécile dans la nuit du 10 au 11 octobre. Le manuscrit donne une première version, biffée : « Voilà déjà deux nuits ».

11. *Les précautions* sont des techniques visant à empêcher la procréation ; les *complaisances* sont des pratiques sexuelles hors normes (voir aussi la lettre CXV, p. 319) ou contre-nature — le terme est également utilisé dans ce sens par Sade dans *La Philosophie dans le boudoir* (*Œuvres*, t. III, p. 42).

12. Les *vapeurs*, « affections hypocondriaques et hystériques », selon le *Dictionnaire de l'Académie*, sont à la mode ; Mme de Merteuil raillera Valmont de ce procédé sans originalité (CXIII, p. 312).

13. *Folies amoureuses* (1704), acte II, sc. XI et XII. L. Versini note (Laclos, *OC*, n. 5, p. 256) que Laclos a pu voir la pièce à Grenoble où elle était à l'affiche en décembre 1771. Le calendrier électronique des spectacles d'Ancien Régime (CESAR) signale également une représentation à Paris le 21 novembre 1776.

14. Michel Delon (*Les Liaisons dangereuses*, n. 2, p. 354) signale que paraît, en 1782, un *Catéchisme à l'usage des gens mariés* du Père Féline, interdit par l'Église parce que trop libre, et que la Révolution verra fleurir des textes pornographiques comme le *Catéchisme libertin, à l'usage des filles de joie et des jeunes demoiselles qui se décident à embrasser cette profession* (1791) attribué à Théroigne de Méricourt.

15. Le langage gazé permet de tout dire sans rien nommer. Le mot propre, en matière sexuelle, devient le territoire des prostituées et de la littérature pornographique. Pidansat de Mairobert met ce propos dans la bouche d'une tenancière de bordel qui s'adresse à une recrue : « Il faut d'abord vous apprendre la langue du métier dont l'usage nous est indispensable et de la plus grande importance ; le terme propre placé à propos, produit souvent plus d'effet, frappe, émeut, aiguillonne plus vivement les sens que l'image galante qu'y substitue par une longue circonlocution, une belle parleuse. Je vous donnerai ensuite la définition de chaque mot que vous n'entendez pas » (*Confession d'une jeune fille*, *Romanciers libertins du XVIIIe siècle*, t. II, p. 1186).

16. L'adjectif « bizarre », utilisé par Mme de Tourvel dans la lettre LXXVIII dans son sens courant, renvoie de plus en plus à une recherche de plaisirs sexuels hors normes. En témoignent la Bois-Laurier, personnage de *Thérèse philosophe* (voir *Romanciers libertins du*

XVIIIe siècle, p. 942), *L'Esprit des mœurs au XVIIIe siècle, ou la Petite Maison* de Mérard de Saint-Just (Lampsaque, 1790, p. 13) ou encore *Aline et Valcour* de Sade (*Œuvres*, t. I, p. 976). Voir Christine Belcikowski Ta Minh, « L'Idée de bizarre dans *Les Liaisons dangereuses* », *Laclos et le libertinage*, p. 199 et suiv.

17. *Me sauvera* : m'épargnera.

18. « En parlant d'Une femme rude à ses amants, on l'appelle *Tigresse*. C'est une injure amoureuse du bas comique » (*Acad.*). La forme adjectivale est rare.

Lettre CXI.

1. La Corse ; voir la lettre IX (p. 34 et n. 2).

2. Naples est la capitale du royaume des Bourbons de Sicile. Le « rappel » laisse entendre que le cousin de Gercourt y était peut-être ambassadeur. En 1782, justement, le marquis de Clermont d'Amboise, qui y représentait la France depuis 1776, quitta son poste, laissant une partie des dossiers entre les mains de son conseiller d'ambassade Vivant-Denon.

Lettre CXII.

1. « Trouver à dire, signifie, trouver qu'il manque quelque chose [...], Trouver à reprendre » (*Acad.*).

2. Voir I, n. 7.

3. La domestique de Mme de Rosemonde porte le prénom de l'une des filles de Louis XV, Madame Adélaïde (1732-1800). Voir également X, n. 9.

Lettre CXIII.

1. Il faut attendre l'édition de 1832 du *Dictionnaire de l'Académie* pour trouver ce sens lexicalisé : « *Afficher une femme*, Rendre public le commerce de galanterie qu'on a ou qu'on veut passer pour avoir avec elle. »

2. Voir Luc, XVI, 21.

3. Il s'agit en réalité d'un opéra-comique en un acte (1761) de Sedaine et Montigny — le manuscrit donne bien « op[éra] com[ique] » — selon lequel enfermer des jeunes filles dans un couvent loin de Paris, sans aucun moyen de communiquer, n'est pas suffisant pour les empêcher de tomber amoureuses. La citation est approximative. Dans le livret, différents remèdes et aliments sont décrits comme propres « à sustenter la vertu et à corroborer la sagesse ».

4. Voir la lettre LXXXI, p. 209 et n. 23.

5. Dans la lettre V (p. 25), alors qu'elle essayait déjà de faire revenir Valmont de la campagne de Mme de Rosemonde, Mme de Merteuil persiflait ainsi : « vous vous enterrez dans le tombeau de votre tante ».

6. Appeler quelqu'un par son nom de famille est considéré comme familier. En parlant d'un tiers ami dans une lettre, on évoquera ainsi *Valmont*, plutôt que *M. de Valmont*.

7. Voir la lettre LXXI, p. 170.

8. « *Manœuvre*. On appelle ironiquement un homme fin et adroit,

un rusé manœuvre » (*Le Roux*). Ce « manœuvre d'amour » rejoint les « facteurs » et « commissionnaires » que Valmont évoque (CXXXIII, p. 369) et paraît être le complément masculin des « machines à plaisir » (CVI, p. 291) comme Cécile.

9. *Quitter prise* : nous dirions « lâcher prise ».

10. « On dit figurément et familièrement, *C'est un meurtre*, pour dire, C'est grand dommage » (*Acad.*).

11. Le manuscrit donne : « 15 8bre 1781 ».

Lettre CXIV.

1. Il n'est pas rare, dans une noble maison, d'avoir un médecin à demeure dès lors que l'un des habitants a des problèmes de santé.

2. Les consultations indirectes de médecins sont alors fréquentes. On trouve en particulier dans les archives Tronchin ou Tissot des lettres dans lesquelles des malades ou leurs proches exposent des symptômes en demandant au spécialiste son diagnostic.

3. Cf. Mme de Genlis, *Adèle et Théodore ou Lettres sur l'éducation*, Paris, 1782, t. V, p. 281 : « Adieu, ma chère amie, adieu. Plaignez-moi, aimez-moi. »

Lettre CXV.

1. La locution sert à distinguer de la foule des soupirants celui dont est épris la belle. On la trouve fréquemment dans les romans, en particulier ceux de Mme Riccoboni.

2. La distinction entre inconstance et infidélité est fréquente au XVIIIe siècle. L'inconstant est volage, mais n'a pas de liens fixes avec l'être qu'il quitte. L'infidèle est déloyal : il trompe l'être aimé avec un autre. Pour certains, l'infidélité est considérée comme une erreur unique et donc plus pardonnable que l'inconstance qui paraît mener à une vie de débauche. Pour d'autres, c'est le contraire : la marquise du *Hasard du coin du feu* de Crébillon dit son amant infidèle, mais constant et ajoute « à mon sens, c'est beaucoup plus ». Dans *L'Enfant de mon père* de Dumaniant (1798), nous lisons, dans la bouche d'un homme qui, au moment d'une liaison stable avec une jeune femme, cède à une passade avec une princesse : « la gloire de ma bonne fortune ne m'éblouit point, j'étais infidèle, je n'étais point inconstant ». En 1808, l'héroïne d'*Amélie de Saint-Far ou la Fatale Erreur*, attribué à Mme Guyot ou à Mme de Choiseul-Meuse, dit : « j'ai été infidèle, sans être inconstante » (s. l., chez tous les libraires français, 1882, t. II, p. 135). Sur cette distinction, voir aussi la lettre CXXX de Mme de Rosemonde (p. 361), ainsi que la réponse qu'y fait Mme de Tourvel dans la lettre CXXXIX (p. 384).

3. *Marche* : parcours.

4. *Deux ans* : la durée écoulée depuis le mariage de la Présidente.

5. La lettre CXIV ainsi que la lettre du 11 [octobre] qui « ne s'est pas retrouvée » (voir CXII, p. 307).

6. *Ce succès* : la promesse de renouer avec Valmont.

7. La question est la torture donnée aux criminels pour les faire avouer la vérité. *Boire*, « Dans un sens figuré, se dit de même que souffrir avec patience, endurer un affront sans murmurer, et oser se plaindre » (*Le Roux*).

8. *Je me suis mis sur un ton* : « j'ai pris un rythme », dirions-nous.
9. *L'époque* : le moment de la menstruation.
10. La première nuit passée par Valmont avec Cécile est celle du 30 septembre au 1er octobre (lettres XCVI et XCVII). Malgré de grands progrès en matière gynécologique, le siècle connaît encore des hésitations sur la durée et la confirmation des grossesses. L'annonce des espérances du vicomte paraît prématurée.
11. L'allusion indique que Gercourt est l'aîné, donc un parti très désirable.
12. La lettre CXVII.

Lettre CXVI.

1. Les locutions sont consacrées. On trouve par exemple des « délices de l'amour » passagères et des « douceurs de l'amitié » dont on s'entretient dans *Manon Lescaut.*
2. La proposition « rien n'est impossible à l'amour » figure dans un propos d'Hésiode, personnage des *Muses galantes* de Rousseau (1743).

Lettre CXVII.

1. Voir XVIII, n. 2.

Lettre CXVIII.

1. Le calendrier. À la fin de l'Ancien Régime, se multiplient des volumes appelés *almanachs* qui contiennent le calendrier de l'année ainsi que des poèmes, des gravures ou des histoires. L'un des plus célèbres est l'*Almanach des Muses* qui publie plusieurs pièces en vers de Laclos (voir la Notice des *Pièces fugitives*, p. 901).
2. Voir, à propos du sens leste de (dés)occuper, II, n. 18.
3. La lettre supprimée censément écrite par Mme de Tourvel au faîte de ses amours avec Valmont contenait la phrase : « apprenez-moi maintenant à vivre loin de vous » (section « Documents », p. 811).
4. Le manuscrit porte la date du « 19 » octobre.

Lettre CXIX.

1. *Le joindre* : le rattraper.
2. *Manie* : « Délire, aliénation d'esprit sans fièvre, et qui va quelquefois jusqu'à la fureur » (*Acad.*).

Lettre CXX.

1. Voir V, n. 4.
2. *Désire de réparer* : désire réparer ses fautes passées.

Lettre CXXI.

1. *Simplesse* : simplicité. « Il n'est guère d'usage que dans le discours familier » (*Acad.*).
2. « On appelle [...] *Protocole*, chez les Secrétaires d'État, et chez les

Secrétaires des grands Princes, un formulaire contenant la manière dont les grands Princes traitent dans leurs lettres ceux à qui ils écrivent » (*Acad.*). Voir aussi le « protocole des amants » dans le poème de Laclos intitulé « Sur cette question proposée dans un *Mercure* » (*Pièces fugitives*, p. 493).

3. Plutôt que *Le Roman du jour, pour servir à l'histoire du siècle* (1754) du chevalier d'Arcq, l'attaque vise ici les romans sentimentaux médiocres qui se multiplient à la fin de l'Ancien Régime.

4. Formule consacrée par laquelle le roi termine ses lettres. On la trouve par exemple dans des courriers de Frédéric II à Voltaire.

Lettre CXXII.

1. L'homme du monde ne sort pas sans avoir des cheveux largement poudrés ou une perruque ainsi qu'une tenue habillée fort éloignée de la robe de chambre qu'il peut porter chez lui.

2. *Articuler* : « affirmer positivement et circonstancier un fait » (*Acad.*).

3. Voir CXIX, n. 2.

4. La menace du suicide qui traverse ce passage pourrait, d'après Jean Mistler, constituer un souvenir du *Werther* de Goethe, traduit en 1776 (*Les Liaisons dangereuses*, Monaco, Éditions du Rocher, 1948, p. XXV).

5. Rousseau fait écrire à Julie qui s'adresse à Saint-Preux : « l'amour sera la grande affaire de notre vie » (*La Nouvelle Héloïse*, p. 109).

6. Il n'est pas rare, à l'époque, d'appeler « Madame » une parente, même proche, nettement plus âgée que soi.

Lettre CXXIII.

1. Voir le post-scriptum de la lettre CXX, p. 329.

2. Sous-entendu, un retour *à Dieu*.

3. Le 28 octobre tombait un jeudi en 1779. Sur la chronologie du roman, voir la Notice, p. 801.

Lettre CXXIV.

1. *Pour le diriger* : pour être son directeur de conscience.

2. Allusion à la parabole du Fils prodigue racontée dans l'Évangile selon Luc (XV, 11-32).

3. J. Mistler (p. 301) rapproche encore ce passage de *Werther*.

4. Le topos du poison d'amour figure à plusieurs reprises dans *La Nouvelle Héloïse* : « Tarissez s'il se peut la source du poison qui me nourrit et me tue. Je ne veux que guérir ou mourir », écrit Saint-Preux (p. 33), ou encore : « je sentis le poison qui corrompt mes sens et ma raison » (p. 39). Dans sa dernière lettre, Mme de Tourvel fait référence à la haine, qui a remplacé l'amour : « comme elle corrode le cœur qui la distille » (CLXI, p. 431).

5. *Me ramènera* : me fera revenir à la raison — et par extension à la religion.

Lettre CXXV.

1. La formule « elle est à moi » sert de refrain à un rondeau de

Laclos dont la date de composition reste incertaine (voir *Anthologie de la poésie française*, t. II, p. 1338). On la trouve ailleurs, notamment dans *Les Amours* (1780) de Bertin (« Elle est à moi ! Divinités du Pinde, / De vos lauriers ceignez mon front vainqueur. / Elle est à moi » (*ibid.*, p. 315), ainsi que chez Armand Charlemagne ou chez Simon. Voir C. Seth, « Elle est à moi... », *Europe*, n° 885-886, p. 81-93.

2. Le début du propos de Valmont est démarqué dans la lettre XXIII d'*Honorine Clarins, Histoire américaine* de Nougaret : « Félicitez-moi, brave et galant Capitaine, couronnez-moi de roses, de myrtes, ou plutôt apprenez que j'ai remporté la victoire, et que je me suis couronné de mes propres mains. [...] Je la tiens donc en mon pouvoir cette beauté, si dédaigneuse à mon égard, qui avait l'insolence d'aimer un autre que moi ; elle est soumise, elle est subjuguée, je la tiens dans ce degré d'humiliation où son sexe devrait toujours être pour nous rendre véritablement heureux » (Paris, Louis, 1792, p. 95-96).

3. Saint-Preux notait que « le charme de la jouissance était dans l'âme ; il n'en sortait plus ; il durait toujours » (*La Nouvelle Héloïse*, p. 148). Rousseau ajoute encore, dans une note : « Femme trop facile, voulez-vous savoir si vous êtes aimée ? examinez votre amant sortant de vos bras. Ô amour, si je regrette l'âge où l'on te goûte, ce n'est pas pour l'heure de la jouissance ; c'est pour l'heure qui la suit » (*ibid.*, p. 149).

4. Nouvelle confirmation que Mme de Tourvel est mariée depuis deux ans (voir CXV, n. 4).

5. *Jour préfix* : le jour déterminé.

6. *Timide* : craintif, peureux.

7. *Le local* : « La disposition des lieux » (*Acad.*).

8. *Chambre* « se dit De la plupart des pièces d'une maison » (*Acad.*), pas simplement de la chambre à coucher.

9. Voir X, n. 19.

10. Lorsque Laclos est en prison à Paris, sous la Révolution, son épouse rapporte qu'elle a mis le portrait de l'écrivain à une place d'honneur dans son logement versaillais. Lui de répondre : « Il fallait bien une révolution pour que, dans un logement de cour, le portrait du mari se trouvât dans le boudoir de la femme » (Laclos, *OC*, p. 802-803).

11. L'*Essai sur les moyens de plaire en amour* (Paris, 1797, p. 19-20) de Joseph-Alexandre de Ségur évoque cet épisode dans un passage intitulé « La Victoire » : « Ô Valmont, à regret je te cite toujours ; / Eh ! qui ne connaît pas ton crime, tes amours : / À l'instant où Tourvel attendrie, éperdue, / Te résistant encore était déjà rendue ? / Un calcul incroyable au moment d'être heureux, / T'avertit qu'un portrait est présent à ses yeux : / Ce portrait est celui d'un époux respectable. / Il ne faut qu'un regard, elle n'est plus coupable. / Voir le danger, le fuir, pour toi n'est qu'un moment. / Et tes bras enlacés enlevant mollement / Ta maîtresse tremblante, et qui respire à peine, / Tu rends loin du portrait ta victoire certaine. / J'admire ton adresse, et déteste tes torts. / Ose nous avouer tes tourments, tes remords ; / En vain tu fus barbare : une telle victime, / En déchirant nos cœurs, dut effrayer ton crime. / Oublions tes forfaits et ton silence affreux : / Qui l'adopte, Valmont, ne saurait être heureux. » —

L'idée du portrait comme soutien à la bonne conduite est topique. Saint-Preux voyait déjà celui de Julie comme un talisman susceptible d'encourager la vertu, et Laclos écrit, de prison, à sa femme, sous la Révolution : « J'ai toujours été persuadé qu'un homme ne ferait pas une bassesse en face du portrait de sa maîtresse, si celle-ci était vertueuse » (Laclos, *OC*, p. 809).

12. Voir XXXVI, n. 5.

13. Le chantage au suicide est un lieu commun. Voir par exemple *La Petite Maison* de Jean-François de Bastide (1763) : « Cruelle ! je mourrai à vos pieds, ou j'obtiendrai... » (p. 135-136).

14. La réplique annonce le « Hé bien ! la guerre » de Mme de Merteuil (lettre CLIII, p. 417). Elle rappelle l'affirmation de Saint-Preux à Julie : « il n'y a rien, non rien que je ne fasse pour te posséder ou mourir » (*La Nouvelle Héloïse*, p. 92).

15. La tournure, empruntée au vocabulaire des prédicateurs, est un lieu commun du temps que l'on trouvera par exemple chez Lavater ou Mme de Staël.

16. *Enthousiasme* : « Émotion extraordinaire de l'âme, causée par une inspiration qui est ou qui paraît divine » (*Acad.*).

17. Malgré ce que Valmont avait prévu, il prend donc possession pour la première fois de Mme de Tourvel alors qu'elle est évanouie, devenant ainsi un nouveau Lovelace. Dans *Les Nœuds enchantés* (Rome, 1789, p. 21), Fanny de Beauharnais rappelle que, pour une femme de qualité, « un évanouissement, finement amené dans une circonstance critique, [est] la chose du monde la plus commode... C'est le fard de la pudeur préparé des mains de la volupté... ».

18. Frédéric II de Prusse (1712-1786), grand chef militaire et auteur, entre autres, d'un *Art de la guerre*. La comparaison avec des héros militaires (Turenne, Frédéric II et Hannibal, ici ; Alexandre, dès la lettre XV) est habituelle. Lovelace se voit en César ou en Alexandre.

19. Après avoir vaincu les Romains, Hannibal, général carthaginois, s'arrête à Capoue. Accoutumés aux dures marches et aux combats, ses soldats découvrent une vie de luxe et d'agréments qu'ils commencent à juger préférable à leur existence guerrière habituelle. Ils s'amollissent et sont battus par les Romains.

20. L'expression de Valmont rappelle la *Carte de Tendre* et toutes les représentations, depuis le XVIIe siècle, des étapes de l'existence humaine, comme celle des amours, sous la forme d'éléments topographiques, fleuve, montagne, marécage... Le narrateur de *Point de lendemain* (1777) de Vivant-Denon évoque « la grande route du sentiment ».

21. Le héros des *Malheurs de l'inconstance* de Dorat confie à la bien-aimée qui vient de céder : « C'est là que le bonheur survit à l'ivresse » (p. 187).

22. *Se travailler* : se tourmenter.

23. *Son Corps* : son régiment.

Lettre CXXVI.

1. Voir XXXV, n. 2.
2. Voir lettre CXXIII, p. 335.

Lettre CXXVII.

1. Voir IV, n. 1.

2. Le terme file la métaphore orientale, *Hautesse* est le « Titre qu'on donnait au Sultan » (*Acad.*).

3. Terme de théâtre qui désigne un emploi subalterne réservé à un comédien sans lustre à la différence des premiers et seconds rôles.

Lettre CXXVIII.

1. Voir le commentaire de Philip Stewart, *Le Masque et la Parole : Le Langage de l'amour au* XVIIIe *siècle*, Corti, p. 113.

2. C'est ici que pourrait prendre place, comme le suggère L. Versini (Laclos, *OC*, var. *l*, p. 300), la lettre de Mme de Tourvel à Valmont, dont le brouillon très raturé figure à la fin du manuscrit (fo 127 ro). Nous le reproduisons dans la section « Documents », p. 811. On peut observer que dans la version publiée ne figure aucune lettre d'amour de Mme de Tourvel à Valmont. Le lecteur en est privé, tout comme Mme de Merteuil, qui attend cette preuve. Jean Goldzink commente ainsi cette absence : « Laclos [ne] nous donne jamais à lire une seule lettre d'amour adressée directement par la Présidente à son démoniaque et pourtant amoureux amant ! Comme si le romancier le plus éclatant du libertinage voulait préserver, malgré tout, le cri blanc de la passion amoureuse, la langue native du cœur incandescent, royaume réservé du seul romancier qui en soit digne Jean-Jacques Rousseau en sa *Nouvelle Héloïse.* [...] cette lettre, Laclos n'a pas voulu, ou pas pu l'écrire. Rêve secret ou tendre chimère d'une langue vraie, d'une langue passionnée, transparente, signe pur de la pure passion, que son absence obstinée dérobe à toute dégradation » (« Liaisons et chimères », *Europe*, no 885-886, p. 49).

Lettre CXXIX.

1. Voir lettre CXXI, p. 331-332.

2. Voir LXXXI, n. 32.

3. Voir CV, n. 4.

Lettre CXXX.

1. Voir CXV, n. 2.

2. Dans *Les Confessions du comte de* *** de Duclos (1732), le héros dit à son ami Senecé : « Puis-je trouver mauvais que vous soyez amoureux ? ce serait reprocher à quelqu'un d'être malade » (p. 119).

3. Le manuscrit propose un millésime : « 1780 ».

Lettre CXXXI.

1. Voir la lettre LXXVI et n. 8.

2. La lettre XX (p. 54) avait posé cette condition au renouvellement du lien entre la marquise et le vicomte.

3. Voir la lettre LXVI, p. 162.

Lettre CXXXII.

1. L'intimité conduit désormais Mme de Tourvel à évoquer Valmont et non plus M. de Valmont. Voir les remarques de Mme de Merteuil sur Cécile écrivant « Danceny » et « M. de Valmont » (CXIII, n. 6).

2. Il s'agit d'un topos : « si le Ciel nous avait destinés... » s'imagine Saint-Preux dans sa première lettre à Julie (*La Nouvelle Héloïse*, p. 33).

Lettre CXXXIII.

1. En été, la bonne société part à la campagne et il y a donc moins d'occasions de rencontres mondaines. Voir la référence à la disette dans la lettre CXV, p. 319.

2. *Le grand courant* : la vie mondaine.

3. Le facteur est chargé de commercer pour un tiers, mais dès 1762, le *Dictionnaire de l'Académie* ajoute : « On appelle aussi *Facteur*, Celui qui porte par la ville les lettres de la Poste, & les distribue à leurs adresses ». Le Commissionnaire est celui qui se charge de l'achat ou du débit de marchandises pour un particulier. Les deux termes s'utilisent le plus souvent dans la langue du négoce.

4. Voir CXXXIV, n. 1.

5. *Quelques fleurettes* : quelques compliments.

6. Sur la distinction entre la constance et la fidélité, voir CXV, n. 2.

7. Pièce à succès de Pierre-Laurent Buirette, dit de Belloi ou du Belloi, *Le Siège de Calais* (1765) met en scène un Français, le comte d'Harcourt, qui, après avoir servi le roi d'Angleterre, revient à la cause du roi de France et s'entremet pour sauver les bourgeois de Calais. Réplique du comte à sa fiancée pour expliquer son retour (acte II, sc. III), le vers cité a acquis une valeur proverbiale et est souvent repris dans les correspondances ou encore au détour d'évocations de récits de voyage (voir par exemple le compte rendu du *Voyage à l'Île de France* de Bernardin de Saint-Pierre dans le *Mercure de France* en mars 1773). Dans *Le Tableau de Paris* (1781), Mercier affirme que « La vérité de ce vers se réalise pour le Parisien qui voyage » (Jean-Claude Bonnet éd., Mercure de France, 1994, t. II, p. 1774).

Lettre CXXXIV.

1. Selon une célèbre maxime (102) de La Rochefoucauld, « L'esprit est toujours la dupe du cœur » (1665). L'idée est souvent reprise par les romanciers.

2. C'est-à-dire un accord à l'amiable.

3. « On dit en termes de Pratique, *Mettre hors de Cour*, ou *hors de Cour et de procès*, pour dire, Renvoyer les Parties, ou une des Parties, comme n'y ayant pas sujet de plaider » (*Acad.*).

4. « Les frais qui se font dans la poursuite d'une affaire » (*Acad.*). « Frais compensés » ou « dépens compensés » sont des locutions lexicalisées dans le langage juridique.

Lettre CXXXV.

1. L'Opéra occupe le Palais-Royal puis la salle des Menus-Plaisirs, rue Bergère, avant d'intégrer un bâtiment neuf, avec une salle de 1 800 places, construit sous la direction de Nicolas Lenoir près de la porte Saint-Martin et inauguré le 27 octobre 1781.

2. Les spectacles se terminent vers 10 heures du soir, et l'on part ensuite souper.

3. Une « fille » est une prostituée. L. Versini (Laclos, *OC*, n. 2, p. 316) signale que cette situation « est un lieu commun que l'on peut trouver dès 1673 dans *Le Roman des lettres* de l'abbé d'Aubignac (Paris, J.-Baptiste Loyson, p. 279), ou chez Mouhy (*La Mouche*, Paris, L. Dupuis, 1736, t. I, p. 136), et dont la fortune se perpétue jusqu'à *L'Éducation sentimentale*. Laclos a pu s'inspirer plus précisément du *Danger des liaisons* de Mme de Saint-Aubin (Genève, 1763, t. III, 2, p. 247), à moins qu'il ne songe à la scène du *Doyen de Killerine* où Sara aperçoit Patrice en compagnie de Mlle de L ... (t. III, s. l., 1739, p. 211).

4. *Navrer* : affliger extrêmement.

5. Dans la lettre CXXXVIII, Valmont évoque « des éclats de rire d'un scandale à en donner de l'humeur » (p. 382). Voir Mathilde Cortey, « Le Rire de la courtisane », *Europe*, n° 885-886, p. 116-127.

6. Entendre : « Je renvoyai mon domestique ».

Lettre CXXXVII.

1. *Déçue* : trompée.

2. Cf. Saint-Preux : « Quel que soit mon châtiment, il me sera moins cruel que le souvenir de mon crime » (*La Nouvelle Héloïse*, p. 297).

Lettre CXXXVIII.

1. Voir XVIII, n. 2.

2. Un bal qui a lieu avant le début véritable de la nouvelle saison mondaine.

3. *Vint exactement ranger* : se mit à la même hauteur que.

4. *Embarras* : bouchon.

5. Cette note ne figure pas sur le manuscrit.

6. Le billet ne nous est pas livré.

Lettre CXXXIX.

1. Voir CXV, n. 2.

Lettre CXL.

1. « *Faire revenir.* Se dit d'une personne qui est évanouie, et qu'on fait revenir à force de remèdes. Mais dans un sens libre, chatouiller quelqu'un aux parties naturelles, pour le faire revenir de sa léthargie » (*Le Roux*).

2. La chute occasionne un avortement spontané alors que Cécile ignore son état. Il y a là un souvenir abâtardi de *La Nouvelle Héloïse* et

de la fausse couche de Julie évoquée en ces termes par l'héroïne de Rousseau : « Vous avez su quel accident détruisit, avec le germe que je portais dans mon sein le dernier fondement de mes espérances » (p. 345).

3. L'époque est à la délimitation des champs d'action en matière médicale. Le médecin a fait des études universitaires longues. Le chirurgien est l'héritier des anciens barbiers et se charge en particulier du traitement des plaies, des fractures, etc.

4. *Le plus lestement* : avec adresse.

5. Le médecin a laissé entendre que Cécile souffrait d'une maladie précise, de manière à donner le change à ceux qui ne sont pas dans la confidence.

6. « *Rancune tenante.* Se dit d'une réconciliation simulée » (*Le Roux*).

Lettre CXLI.

1. *Gêner* garde un sens fort, proche de son étymologie (« torturer ») : « Tenir en contrainte, mettre quelqu'un dans un état violent en l'obligeant de faire ce qu'il ne peut pas, ou en l'empêchant de faire ce qu'il veut » (*Acad.*).

2. Voir V, n. 12.

3. « Femme du sérail destinée aux plaisirs du Sultan » (*Acad.*).

4. La phrase sert d'épigraphe au *Mauvais Genre* (2000) de Laurent de Graeve, l'une des réécritures modernes des *Liaisons dangereuses* (voir « La fortune des *Liaisons dangereuses* », p. 781).

5. Le *Dictionnaire de l'Académie* définit ainsi le verbe *Empêtrer* : « Embarrasser, engager » et cite parmi les exemples d'emplois figurés : « *Pourquoi m'avez-vous empêtré de cette femme-là ?* »

6. Voir XVIII, n. 2. Jean Garagnon, dans « "Ce n'est pas ma faute" : une nouvelle source pour *Les Liaisons dangereuses* ? » (*French Studies Bulletin*, 89, 2003, p. 7-9), propose un rapprochement avec *Le Siège de Calais* de Mme de Tencin (1737 ; Desjonquères, 1983, p. 76) : « Que voulez-vous ? répliqua M. de Granson, ce n'est pas ma faute ; après tout, où prenez-vous qu'on doive toujours être amoureux de sa femme ? Ce sentiment est si singulier qu'il faudrait, si je l'avais, le cacher avec soin. Je vous l'avouerai encore, la passion de ma femme, dont je reçois tous les jours de nouvelles marques, m'embarrasse et ne me touche plus. »

7. Dans *Les Confessions du comte de* *** de Duclos (1741), le héros décrit ainsi une rupture : « Je renvoyai à la marquise ses lettres et son portrait avec un billet qui, je crois, était fort impertinent, puisqu'il était dicté par Mme de Rumigny » (p. 37).

8. Mme de Staël relève, dans « De l'influence de l'esprit de chevalerie... » (*De l'Allemagne*, 1813 ; GF, 1968, t. I, p. 72), cette formule comme caractéristique du climat de l'œuvre : « *On se lasse de tout, mon ange*, écrit M. de La Clos dans un roman qui fait frémir par les raffinements d'immoralité qu'il décèle. » Dans la lettre CXXV (p. 352), Valmont, pour l'unique fois dans le roman, s'adressait à Mme de Merteuil en l'appelant « Mon ange ».

9. « En vain votre cœur en murmure ; / C'est la bonne vieille nature / qui fit tous ces arrangements », lit-on dans « À Chloé » de Parny (*Almanach des Muses* pour 1783, p. 26).

10. Ce bref paragraphe sert d'épigraphe à *Nous sommes cruels*, roman de Camille de Peretti imité des *Liaisons dangereuses* (Stock, 2006).

11. La durée est hyperbolique et emblématise l'ennui supposément ressenti par le scripteur : la liaison entre Mme de Tourvel et Valmont n'a commencé qu'à la fin d'octobre, depuis moins d'un mois, donc ; elle renvoie aux débuts des entreprises du vicomte qui se disait, le 5 août, occupé de séduire la belle depuis 4 jours. Le refus de la durée dans une liaison se lit, sur un mode badin, dans le « Billet de rupture d'un fat » de Duval : « On en rira, belle Émilie : / Moi, deux mois entiers ton Amant ! / Sois infidèle, je t'en prie ; / Je me lasse d'être constant » (*Almanach des Muses* pour 1783, p. 166).

12. Il s'agit d'un lieu commun de la poésie lyrique. La même source antique inspire à la Lampe d'André Chénier les vers suivants : « Je cessai de brûler. Suis mon exemple cesse. / On aime un autre amant, aime une autre maîtresse » (André Chénier, *Œuvres poétiques*, Georges Buisson et Édouard Guitton éd., Orléans, Paradigme, 2005, t. I, p. 229). Le « Billet de rupture d'un fat » (*Almanach des Muses* pour 1783, p. 166) de Duval propose un échange à l'amante abandonnée : « De Mondor la tendre Maîtresse / Va te remplacer dans mon cœur. / Mondor est beau : s'il t'intéresse, / Choisis-le pour mon successeur. »

13. *Ainsi va le monde* est le titre d'un roman de Nougaret publié en 1769. « On dit communément, *Ainsi va le monde, il faut laisser aller le monde comme il va*, pour dire, C'est ainsi que les hommes se gouvernent, il ne faut pas entreprendre de réformer les abus que nous trouvons dans la société » (*Acad.*).

14. Le terme est récent et considéré comme ressortissant au langage diplomatique.

15. *La Gazette de médisance* : les ragots mondains. *La Nouvelle Héloïse* parle de « la chronique scandaleuse » (p. 247).

16. Dans *Fanfare* d'Emmanuel Adely (Paris, Stock, 2002), un personnage s'exprime ainsi : « J'avais été jusqu'à entamer adolescent quelques liaisons subalternes il est vrai, pour le seul plaisir de les clore par cette lettre CXLI des *Liaisons dangereuses*, abruptement. »

Lettre CXLII.

1. Voir la lettre CXLI, p. 388.

2. Sacrifier une femme à une autre est un topos du roman libertin. Dans *Les Confessions du comte de* *** de Duclos, Mme de Valcourt parle ainsi à son amant : « Je veux le sacrifice de la marquise, j'exige le plus éclatant, et tel que je le prescrirai » (p. 36).

3. *Politiquement* : « D'une manière fine, adroite, cachée » (*Acad.*).

4. Voir la lettre CXXV, p. 352.

Lettre CXLIII.

1. La phrase a des échos bibliques, rappelant la déchirure du voile du Temple lors de la mort du Christ. On la trouve également dans une tragédie de Voltaire, *Adélaïde du Guesclin* (acte V, sc. II) et dans *La Nouvelle Héloïse* (p. 279 et, surtout, p. 317) : « Enfin le voile est déchiré ; cette longue illusion s'est évanouie ». Lecteur de Laclos,

Nougaret la reprend dans un roman épistolaire (*Les Mœurs du temps, ou Mémoires de Rosalie Terval* [1802], t. II, p. 167) et la met sous la plume d'une femme séduite : « Hélas ! le voile est déchiré, l'illusion est dissipée, je connais toute la profondeur de l'abîme où je suis... lumière tardive et funeste ! », puis sous celle de son séducteur, un roué qui joue les bonnes âmes : « le voile est actuellement déchiré, punissez le vice enveloppé du manteau de l'hypocrisie » (*ibid.*, p. 197).

2. « Voici la dernière lettre que vous recevrez de moi », écrivait Julie dans *La Nouvelle Héloïse* (p. 375).

Lettre CXLIV.

1. Dans le manuscrit on lit : « Le vicomte de Valmont à la [Présidente Tourvel *biffé*] Marquise de Merteuil ».

2. Comme le rappelle Mme de Merteuil dans la lettre LXXXI (p. 208), il était fréquent que les veuves partissent loger dans un couvent au moins pendant le temps de leur deuil. Une telle institution est également la résidence réservée à l'une des trois inséparables déshonorées par Prévan (lettre LXXIX).

3. Voir la lettre CXIII (p. 308).

4. Dans une variante de la lettre LXXXI (var. *a*, p. 204) Laclos faisait référence à des femmes *sentimentaires*. Carmontelle évoque des femmes sentimentaires dans *Le Triomphe de l'amour sur les mœurs de ce siècle*, 1773, t. I, p. 27. Le prince de Ligne utilise l'adjectif pour qualifier ses *Mélanges militaires, littéraires et sentimentaires* (1785). *Sentimental* est alors un néologisme dû à la traduction du *Voyage sentimental* de Sterne (1769).

Lettre CXLV.

1. La lettre CXLV portait dans le manuscrit le numéro 147 (le numéro 145 étant affecté à l'actuelle lettre CXLVII). Laclos en demande le déplacement et corrige le quantième de la date, « 30 », en « 29 » novembre.

2. Dans la lettre LVIII (p. 143), « un sage » désigne Rousseau. Peut-être est-ce également lui qui est visé ici. En effet, on lit dans *La Nouvelle Héloïse* : « Si jamais la vanité fit quelque heureux sur la terre, à coup sûr cet heureux-là n'était qu'un sot » (p. 575).

3. Le terme ressortit au langage juridique. On l'emploie au sens figuré pour « Les subtilités captieuses dont on se sert dans les disputes de l'École, et pour les contestations mal fondées que l'on fait, soit au jeu, soit en autre chose » (*Acad.*).

4. Voir la lettre XLIV, p. 108.

5. Voir XVIII, n. 2.

Lettre CXLVI.

1. Dans le manuscrit, on lit : « La Marquise de Merteuil [au Vicomte de Valmont *biffé*] au Chevalier Danceny ». Erreur de Laclos ou projet initial de mettre ici la lettre CXLV (147 du manuscrit) ?

2. Allusion à un topos que l'on trouve dans *L'Astrée* d'Honoré d'Urfé ou dans les *Idylles* (1766) de Léonard.

3. La citation est imprécise. Le héros du conte moral « Alcibiade ou le Moi » (1755) se plaint à Socrate de ne pas trouver de femme qui l'aime pour lui-même. Le philosophe de répondre : « J'aime bien qu'on vienne à moi dans l'adversité. » Une partie des propos de la marquise paraphrase un passage du conte de Marmontel. Par ailleurs, Alcibiade est un exemple de débauché amoral au moins depuis Plutarque et donne son nom à l'un des personnages des *Lettres athéniennes* (1771) de Crébillon.

4. Voir II, n. 18.

Lettre CXLVII.

1. Ici, transport au cerveau : « Délire passager, qui est ordinairement la suite d'une fièvre violente » (*Acad.*). Le manuscrit donnait une première leçon, biffée : « délire ».

2. La réglementation conventuelle détermine qui peut loger dans quelles parties du monastère ; Mme de Tourvel ne devrait désormais séjourner que dans l'un des appartements de femmes mariées, et plus dans une chambre de pensionnaire. Pour déroger à cette règle, il faut une dispense des autorités ecclésiastiques.

3. Le couvent est donc situé à Paris ou dans les proches environs. La lettre CXLIX (p. 407) nous apprend qu'on a envoyé quérir le père Anselme, qui est accouru sur-le-champ. Dans la mesure où il est religieux aux Feuillants de la rue Saint-Honoré, l'établissement dans lequel la Présidente s'est réfugiée ne doit guère en être éloigné.

4. Voir la lettre IX, p. 32-33.

5. La léthargie est un « Assoupissement profond qui ôte l'usage de tous les sens, et qui est presque toujours suivi de la mort » (*Acad.*). Nous parlerions de coma.

Lettre CXLVIII.

1. Francis Carco, observant l'« admirable cadence » de la phrase de Laclos dont « les mots s'enlacent amoureusement avec un charme tout classique », commente ainsi ce paragraphe : « Quelle fluidité ! Quel sens du rythme ! Nul, comme Laclos ne sait donner aux mots un prolongement plus tendre, plus nuancé. Son style est comme le déshabillé galant de la Merteuil "qui ne laisse rien voir et qui, pourtant laisse tout deviner". Le passage qui précède, ne semble-t-il pas du La Fontaine et du meilleur : celui de *Psyché* ? » (Introduction à son édition des *Liaisons dangereuses*, À la cité des livres, 1931, t. I, p. XII).

2. Saint-Preux se justifiait auprès du père de Julie avec ces mots : « Sachez qu'entre deux personnes de même âge il n'y a d'autre suborneur que l'amour » (*La Nouvelle Héloïse*, p. 326).

Lettre CXLIX.

1. La *révolution* est « Un mouvement extraordinaire dans les humeurs, qui altère la santé » (*Acad.*).

2. *Entendait* : comprenait.

3. L'extrême-onction, dont l'administration vaut reconnaissance du danger mortel dans lequel se trouve le patient.

Lettre CL.

1. Le fait d'être stagnant. Le terme n'est pas lexicalisé à l'époque mais connaîtra un certain succès dans le domaine économique.
2. « *La tristesse resserre le cœur, mais la joie le dilate* », comme le rappelle le *Dictionnaire de l'Académie.*
3. *Séduire* : tromper.

Lettre CLI.

1. *Prendre le change*, locution qui vient de la vénerie et « signifie, figurément, se laisser tromper, ou par ignorance, ou par simplicité » (*Acad.*).
2. Voir la lettre LXXXI, p. 205.
3. Voir la lettre LXXXIII, p. 217 et n. 1.
4. Les grands collèges d'Ancien Régime organisaient chaque année des exercices publics pour mettre en valeur leurs meilleurs élèves dans des débats ou des travaux rhétoriques. Des programmes imprimés étaient préparés pour le public. L'image file la métaphore scolaire.
5. De telles mises en garde d'un complice à un autre au moment où leurs relations se désagrègent sont un topos romanesque. Voir par exemple les *Lettres de Stéphanie* (Paris, Dériaux, 1778) de Fanny de Beauharnais dans lesquelles Florizène écrit à Félici : « Croyez que nous aurions tort, quels que soient nos sentiments et notre pénétration réciproque, de nous désunir jamais » (t. III, p. 68). Bastide, dans les *Mémoires de la Baronne de Saint-Clair* (La Haye, 1753, t. I, p. 112), faisait dire à un personnage : « Madame, tâchons de ne nous pas brouiller, mon sort dépend peut-être de vous, mais le vôtre dépend sûrement de moi. »
6. Dans la petite maison de la marquise. Le terme, avec ses italiques, indique une complicité.
7. Il s'agit de qualités que Mme de Merteuil reconnaissait à Valmont dans la lettre LXXXI (p. 202).
8. Voir CV, n. 4.

Lettre CLII.

1. La remarque laisse entendre que le « secret » de Valmont est une forme de disgrâce probablement due à une compromission politique, mais le lecteur reste sur sa faim, Mme de Merteuil ne livrant jamais de détails sur la question, même après avoir été déshonorée.
2. *Marital* : « Terme de Pratique [de droit]. Qui appartient au mari » (*Acad.*).
3. Voir LXXVI, n. 6.
4. La deuxième partie de la phrase est à comprendre comme une litote : Mme de Merteuil a trouvé piquant de savoir que son histoire avec Danceny déplaît à Valmont au point qu'il s'agite pour tenter d'en connaître les détails.
5. Allusion aux personnages des jumeaux de Plaute. L'antonomase désigne donc un alter ego ou un double. La pièce latine a été imitée

par Regnard (*Les Ménechmes, ou les Jumeaux*, 1705). La comédie de Regnard est souvent jouée à l'époque de Laclos.

Lettre CLIII.

1. Cf. « Hé bien ! la mort ! » (lettre CXXV, p. 348 et n. 14). Tristan Florenne commente ainsi les mots de Mme de Merteuil : « La figure est devenue réalité, la communication est interrompue : la marquise écrit sa réponse sur la lettre même de Valmont, qu'elle lui retourne. Là où cesse la rhétorique, advient le silence et la mort » (*La Rhétorique de l'amour dans « Les Liaisons dangereuses »*, SEDES, 1998, p. 28).

Lettre CLIV.

1. Cette lettre figure dans le manuscrit. Nous la reproduisons dans la section « Documents », p. 810.

Lettre CLV.

1. Dans le manuscrit, cette lettre CLV est précédée d'une lettre portant le même numéro (155) et entièrement biffée : « Le vicomte de Valmont à Mme de Volanges ». C'est à cette missive que fait allusion Mme de Volanges dans la lettre CLIV qu'elle adresse à Mme de Rosemonde. On en trouvera la transcription dans la section « Documents », p. 810.
2. Le comte de Tilly évoque le libertin vieilli comme un homme « nommé si improprement homme *à bonnes fortunes* » (*Mémoires*, p. 293).
3. Voir XXXIII, n. 6.
4. Le vicomte détourne le propos que la marquise dit avoir tenu à Belleroche au sujet de sa petite maison (X, p. 38).
5. *Scélérat* : libertin. L'usage adjectival est récent.
6. Voir LI, n. 4.
7. Voir la lettre XXXIII et n. 2.
8. Voir la lettre LXXVI, p. 183 et n. 4. « Se raccrocher aux branches » figure, en 1808, dans un *Dictionnaire du bas langage*.

Lettre CLVII.

1. *La surprendre* : la tromper, l'induire en erreur.
2. « Le plaisir imite un peu l'amour », d'après Duclos (*Les Confessions du Comte de ****, *Romanciers du XVIIIe siècle*, Bibl. de la Pléiade, t. II, p. 291).
3. Voir la lettre CXLVIII, p. 441.

Lettre CLVIII.

1. Reprise ironique d'un certain nombre de termes qui ont déjà figuré dans les échanges persifleurs des deux libertins à propos de Mme de Tourvel (heureuse, illusion, etc.).
2. « On dit figurément, *Avoir le tact fin*, *exercé*, *sûr*, *etc.*, ou absolument, *Avoir du tact*, pour dire, Juger finement, sûrement en matière de goût, avoir du goût » (*Acad.*).

3. Reprise de la formule de la lettre CLVII, p. 424.
4. Voir CLI, n. 5.

Lettre CLIX.

1. Voir LXIX, n. 1.
2. À la suite de cette lettre, Laclos note dans le manuscrit : « Passez à la lettre 161 ». Dans le manuscrit, la lettre CLX portait en effet le numéro 161 (le numéro 160 étant affecté à l'actuelle lettre CLXI).

Lettre CLX.

1. *Paquet* : « Une ou plusieurs lettres enfermées sous une enveloppe » (*Acad.*).

Lettre CLXI.

1. Cette dernière épître de Mme de Tourvel, adressée à personne, porte le même numéro que la superbe lettre d'adieu de Roxane qui clôt les *Lettres persanes*. Voir Delia Gambelli, « Désordre annoncé et trames secrètes : les motifs de la dernière lettre », *Deux siècles de Liaisons dangereuses*, p. 39-49. La forme de la lettre n'est pas sans rappeler les fragments de Saint-Preux au début de la deuxième partie de *La Nouvelle Héloïse* (p. 196-197).
2. Voir la lettre CXLVII, p. 402.
3. Le président de Tourvel.
4. Le « tu » est destiné à Valmont, désigné sous le pronom de la troisième personne quelques lignes plus haut.
5. *Appareil* : « Apprêt, préparatif de tout ce qui a de la pompe, de la solennité, du spectacle. Il se dit aussi De la chose même ainsi préparée. [...] *Appareil lugubre* » (*Acad.*). Saint-Preux, dans son songe (*La Nouvelle Héloïse*, p. 616), utilise la même expression : « Toujours ce spectacle lugubre, toujours ce même appareil de mort ».
6. Mme de Rosemonde et Mme de Volanges.
7. *Corroder* est un emprunt récent au vocabulaire scientifique ; « il se dit des humeurs malignes et des substances qui, par une qualité caustique, rongent quelque partie du corps » (*Acad.*).

Lettre CLXII.

1. La lettre CLVIII envoyée à la marquise.
2. Voir CXXXV, n. 4. Wolmar dit à Julie mourante : « Vous avez navré mon cœur » (*La Nouvelle Héloïse*, p. 719).

Lettre CLXIII.

1. La lettre CLXII.
2. Il a été suggéré, entre autres par J. Faurie dans son édition des *Liaisons dangereuses* (Paris, Audin, 1948, p. VII), que Valmont devait être doué pour le maniement de l'épée et donc qu'il se serait laissé tuer. D'aucuns ont préféré voir l'intervention d'une justice immanente

mettant à mort le libertin, étape essentielle d'un dénouement qui punit les coupables.

3. *Brave* veut dire « vaillant, courageux ». *Galant*, « Qui a de la probité, civil, sociable, de bonne compagnie, de conversation agréable. [...] Dans le style familier, on dit à un homme, qu'*Il est un galant homme*, pour marquer La satisfaction qu'on a de ce qu'il a fait » (*Acad.*).

4. Voir la lettre LXIV.

5. Dans *Clarisse Harlove*, le colonel Morden tue Lovelace en duel.

6. Le vieux domestique du baron d'Étange, arrivant pour trouver Julie morte, se lamentait : « hélas quand je vous vis naître, était-ce pour vous voir mourir ?... » (*La Nouvelle Héloïse*, p. 736).

7. La disposition légale qui faisait de Valmont l'héritier de Mme de Rosemonde. Voir la lettre II, p. 17.

Lettre CLXIV.

1. Le duel est interdit mais souvent pratiqué. Le comte d'Artois, futur Charles X, se battit ainsi contre Louis-Henri de Bourbon-Condé. Nombre de romans contiennent des scènes de combat singulier, à l'instar de *Jacques le fataliste* de Diderot, ou d'*Aline et Valcour* de Sade. Dans *La Nouvelle Héloïse*, Julie dénonce longuement le duel dans une lettre à Saint-Preux, qui entend se battre contre Milord Édouard : « Si les Peuples les plus éclairés, les plus braves, les plus vertueux de la terre n'ont point connu le duel, je dis qu'il n'est pas une institution de l'honneur, mais une mode affreuse et barbare digne de sa féroce origine. [...] Gardez-vous donc de confondre le nom sacré de l'honneur avec ce préjugé féroce qui met toutes les vertus à la pointe d'une épée, et n'est propre qu'à faire de braves scélérats » (*La Nouvelle Héloïse*, p. 155).

2. En tant que juriste, le président peut conseiller Mme de Rosemonde sur les dispositions à prendre à la suite du duel.

Lettre CLXV.

1. « C'est pour donner le dernier mot à l'amour que Laclos intervertit l'ordre des morts qui terminaient *Clarisse Harlove* [l'héroïne meurt avant son séducteur], tout en continuant de laisser à Valmont le secret d'un repentir que Lovelace avait le temps d'exprimer après la disparition de *Clarisse* », remarque L. Versini (Laclos, *OC*, n. 1, p. 367).

2. Voir CXLIX, n. 1.

3. L'extrême-onction.

4. Lors des adieux de Julie, Claire espère soulager ses sanglots par des pleurs qui ne viennent pas. Rousseau ajoute : « Ces moments n'ont ni mots ni larmes » (*La Nouvelle Héloïse*, p. 724).

Lettre CLXVI.

1. « Ministère public, se dit au Palais des fonctions qui sont réservées aux Avocats et Procureurs généraux, et à leurs Substituts. [...] C'est aussi le nom collectif des Magistrats qui sont chargés de ces fonctions » (*Acad.*).

Lettre CLXVII.

1. « On appelle *Les Gens du Roi*, Les Procureurs et Avocats Généraux, les Procureurs et Avocats du Roi » (*Acad.*).
2. Les sûretés sont des cautions prévues dans le cadre de traités ou de négociations.
3. Le procureur général ou ses substituts.

Lettre CLXVIII.

1. Sa deuxième femme de chambre, d'un rang inférieur à celui de Victoire.
2. La saison mondaine étant bien engagée, les nobles propriétaires ont tous quitté leur campagne pour rentrer à Paris.
3. *Ses gens* : ses domestiques.
4. La lettre CLXVII.

Lettre CLXIX.

1. La lettre LXXXI.
2. La lettre LXXXV.
3. Voir la lettre CLXIII, p. 433.
4. *Compte* est ici un terme de négoce et désigne le registre dans lequel on note les dettes et créances. M. Delon souligne dans son édition (p. 528) que la formule provient des *Lettres de Ninon de Lenclos* de Damours (1757, t. I, p. 80) : « Dans le commerce de la galanterie, les deux sexes ont toujours un compte ouvert entre eux : chacun combine sa mise et celle de son associé ; et l'on ne s'engage jamais guère sans savoir pourquoi, ou même, disons-le franchement, sans espérer de faire une dupe. »
5. Établissement affecté à l'ordre de Malte.
6. Chevalier de l'ordre de Malte pourvu du bénéfice d'une commanderie.
7. L'édition de 1782 donne « Paris ». L. Versini précise que le lieu est évidemment fautif (Laclos, *OC*, n. 1, p. 375).

Lettre CLXX.

1. *Visiter* : fouiller.
2. *Hardes* : tout ce qui est nécessaire à l'habillement. Le terme n'a aucun caractère péjoratif à l'époque.
3. Jeune femme qui engage des démarches pour être admise au nombre des religieuses.

Lettre CLXXI.

1. *Fauteur* : « Celui, celle qui favorise, qui appuie un parti, une opinion. Il ne se dit guère qu'en mauvaise part » (*Acad.*).
2. *Publicité* : révélation (voir aussi LXXI, n. 11).

Lettre CLXXIII.

1. Voir la « Préface du rédacteur », n. 9.

2. Le verbe doit se comprendre avec son double sens : « être trompé » et « avoir été entraîné à accorder des faveurs sexuelles ».

3. Cette note est absente du manuscrit.

4. Voir LXXXV, n. 7. La Comédie-Italienne occupe l'Hôtel de Bourgogne et fusionne à partir de 1762 avec l'Opéra-Comique.

5. Voir LXXXV, n. 6. Dans *Les Confessions du comte de* ***, la marquise, quittée, ne se rend pas moins le lendemain à l'Opéra. Elle tente ainsi de démentir les rumeurs.

6. La seule pièce de Laclos, *Ernestine*, étant tombée à la Comédie-Italienne (voir LXXXV, n. 7), ce n'est peut-être pas par hasard que la marquise a eu à subir les huées de la foule dans ce même théâtre.

7. La *petite vérole* — à ne pas confondre avec la *vérole* tout court qui désigne les maladies sexuellement transmissibles — est, au XVIIIe siècle, le nom courant de la variole. Dans la petite vérole *confluente*, les boutons se rejoignent pour former sur le corps une masse purulente. Les survivants de la variole sont souvent gravement défigurés. Sur ce fléau du siècle, voir C. Seth, *Les Rois aussi en mouraient. Les Lumières en lutte contre la petite vérole*, Desjonquères, 2008. Les jeux de mots sur les deux véroles, l'une une maladie contagieuse qui s'attrape par les voies respiratoires, l'autre une pathologie inavouable, sont courants à l'époque. Lorsque Louis XV meurt en 1774 de la petite vérole, un bon mot court les salons : « il n'y a rien de petit chez les rois ». Le sort de la marquise semble être une version dégradée de celui de Julie : la scène de l'inoculation de l'amour s'inscrit dans l'épisode variolique de *La Nouvelle Héloïse* et, dans la mort, l'héroïne est transfigurée.

Lettre CLXXIV.

1. Dans le manuscrit, on lit : « Le Chevalier Danceny [à la Marquise de Merteuil *biffé*] [à Madame de Volanges *biffé*] à Madame de Rosemonde ».

2. Les chevaliers de l'ordre, auquel appartient Danceny, sont en possession de l'île et le resteront jusqu'en 1798.

Lettre CLXXV.

1. Le sentiment est parfois formulé par les contemporains. Belle de Zuylen, la future Isabelle de Charrière, s'exprime ainsi sur une connaissance atteinte de la variole : « Je plaindrais moins Mme de Ségur si elle aime, de mourir, que de perdre sa beauté et de n'être plus aimée. » La petite vérole confluente est plus susceptible de déformer que les versions moins sévères de la maladie et peut abîmer de manière définitive un beau visage. Les flétrissures de la variole déshumanisent. Les victimes de la maladie perdent souvent un œil. Dans de nombreux textes une héroïne déformée par la petite vérole est obligée de se retirer du monde, comme le faisaient effectivement nombre de victimes du mal.

2. Voir Alain Grosrichard, « L'Inoculation de l'amour », *De l'amour*, Alain Badiou, Roger Dragonetti, Alain Grosrichard et *al.* éd., Flammarion, 1999.

3. Revenus des terres ou de rentes touchés pendant que Mme de Merteuil jouissait des propriétés concernées.

4. Les *mineurs* sont les adversaires de Mme de Merteuil dans le procès. Voir la lettre CXIII (p. 313). À la fin des *Sacrifices de l'amour* (1771) de Dorat, Mme d'Ercy perd aussi son procès et, avec lui, les trois quarts de sa fortune.

5. *En poste* veut dire « à la hâte ». *Aller en poste* signifie « voyager avec des chevaux de poste ». Les deux sens sont compatibles ici.

6. Les dettes de Mme de Merteuil s'élèvent à près d'une année de revenus confortables.

7. *Y concourir* : solder une partie des dettes, pour préserver l'honneur de la famille.

8. Voir la Notice, p. 797. Mme Roland paraît répondre dans ses *Mémoires particuliers* à cette observation : « que les mères considèrent avec effroi l'étendue de la vigilance qui leur est imposée. Tout conspire contre les tendres dépôts qui leur sont confiés, et la conservation de leur intégrité n'appartient qu'à une rare prudence. L'étourderie de l'enfance ou les inspirations précoces de la nature, l'ignorance ou l'inclination, l'ingénuité même de l'innocence exposent un sexe timide, dès avant son adolescence, à l'ardeur inconsidérée, à la corruption si commune, aux dangereuses séductions ou aux entreprises audacieuses d'un autre sexe, impétueux et toujours brutal quand une heureuse éducation ne lui a pas donné des mœurs sévères ou inspiré une grande délicatesse » (*Mémoires*, Mercure de France, 1966, p. 337).

9. Mme de Volanges semble reformuler deux « vérités » contenues dans la « Préface du Rédacteur » (voir p. 10) : « toute femme qui consent à recevoir dans sa société un homme sans mœurs, finit par en devenir la victime ; [...] toute mère est au moins imprudente, qui souffre qu'une autre qu'elle ait la confiance de sa fille. »

10. Laclos paraît se ménager ici la possibilité de continuer les aventures de ses personnages, cas assez fréquent à l'époque. Dans le manuscrit, cette note, attribuée à l'éditeur, est ajoutée d'une autre main, sur un papier inséré après coup. On peut se demander, plutôt que l'auteur, si c'est le libraire qui l'a souhaitée, flairant la bonne affaire commerciale.

CORRESPONDANCE ENTRE MADAME RICCOBONI ET L'AUTEUR DES LIAISONS DANGEREUSES

NOTICE

La présence de la correspondance échangée par Laclos et Mme Riccoboni au lendemain de la publication des *Liaisons dangereuses* est l'un des apports essentiels de l'édition de 1787[1] et, constituant un argument de vente important, est signalée dès la page de titre de chacun des volumes. Nous savons, grâce à la longue lettre de Duchastellier à Laclos (2 mars 1787) conservée dans les papiers du romancier à la Bibliothèque nationale de France[2], que ce dernier a fait des lectures de cet échange avant de le publier.

Fille illégitime d'un nobliau excommunié pour bigamie, Christophe de Laboras, et de Marguerite Pujac, Marie-Jeanne Laboras de Mézières est élevée dans un couvent jusqu'à l'âge de 14 ans. En 1734, elle épouse Antoine-François Riccoboni, qui appartient à une famille d'acteurs renommés associée au théâtre italien : il est le fils du célèbre Lélio (Luigi Riccoboni). Elle est elle-même actrice jusqu'en 1760 mais elle ne connaît pas de véritable succès dans cette profession. Elle devient, en revanche, célèbre à partir de 1757 comme romancière avec les *Lettres de Mistress Fanni Butlerd* puis d'autres œuvres, souvent épistolaires, comme ses *Lettres de Milady Juliette Catesby* (1758). Les titres abrégés de ces livres souvent réimprimés devaient être identifiables pour les lecteurs du temps ainsi que l'indique l'allusion au « charmant Auteur de *Catesby* » dans l'« Avertissement du libraire » (p. 6). Mme Riccoboni connaît la famille de l'écrivain selon ce qu'elle affirme elle-même[3]. Son *Ernestine* (1765) avait servi de base à l'œuvre, aujourd'hui disparue, de Laclos et Saint-George qui en portait le titre et tomba après une seule représentation publique en 1777 à la Comédie-Italienne[4]. René Pomeau, dans un article paru en 1968, proposait de voir cette adaptation théâtrale comme l'une des étapes importantes de la formation du futur auteur des *Liaisons dangereuses*. Il suggérait en outre que la romancière, prenant la plume cinq ans après cet échec théâtral auquel elle était indirectement mêlée, pour évoquer le roman nouveau de Laclos, réagissait peut-être par dépit d'y lire à certains égards une parodie de son *Ernestine*, témoignant ainsi de

1. Pour une description de cette édition, voir la Notice des *Liaisons dangereuses*, p. 795.
2. Ms. Ffr. 12845, f° 33.
3. Voir lettre I, p. 463.
4. Voir *Les Liaisons dangereuses*, XLVII, n. 11. Pour une liste des pièces conservées, on pourra consulter le *Catalogue des œuvres du Chevalier de Saint-George* par Alain Guédé, Association Le Concert de M. de Saint-George.

susceptibilités en tant que femme, mais aussi, et surtout, en tant qu'écrivain[1].

L'échange entre les deux auteurs est éclairant[2] : il offre l'occasion de pénétrer dans le laboratoire du romancier, qui apporte des aperçus sur la création de son œuvre. Il montre deux conceptions de la fiction s'affrontant par la voix d'une femme et d'un homme, d'une personne âgée, d'un individu plus jeune. Au sentimentalisme soutenu par l'une répond le cynisme affiché de l'autre. La question de la valeur édifiante possible de la peinture du mal n'a pas fini de nous interroger, et le personnage de la marquise de Merteuil, détesté par la romancière, a fait depuis couler beaucoup d'encre. Mme Riccoboni n'en était pas à son coup d'essai dans la critique littéraire par correspondance : elle avait en effet rédigé une longue lettre de commentaire sur *Le Père de famille* de Diderot.

Il est impossible de savoir si elle avait supposé, au moment d'entamer sa conversation épistolaire avec Laclos, en avril 1782, que celle-ci pourrait être diffusée, voire publiée. Le « libraire », auteur de l'Avertissement qui ouvre l'édition de 1787, assure que non en offrant une raison pour le moins surprenante mais caractéristique de son ton persifleur : « il nous semble que cette correspondance aurait pu tenir un rang distingué parmi les ouvrages polémiques, si, malheureusement, les deux Adversaires n'avaient oublié de se dire des injures. Cette négligence nous fait croire que ces lettres n'avaient point été destinées à voir le jour » (p. 6).

Les lettres autographes de Mme Riccoboni ainsi que les brouillons des réponses de Laclos sont conservés à la Bibliothèque nationale de France sous un intitulé qui n'est pas sans faire songer au « *compte ouvert entre la Marquise de Merteuil et le Vicomte de Valmont* » des *Liaisons dangereuses*[3] : *Correspondance manuscrite entre Mme Riccoboni et M. de Laclos*[4]. Les dates — seules trois des lettres de Mme Riccoboni sont datées — sont portées à la fin des lettres après la signature. Il y a quelques menus repentirs dans les brouillons de réponse de Laclos.

La conformité entre le manuscrit et la version imprimée laisse penser que Laclos a lui-même fourni le texte des lettres, et que par conséquent il a exercé un contrôle — sans que l'on puisse être précis quant à la nature de ce contrôle — sur l'édition de 1787[5]. L'édition offre une note pour identifier la statue de Pigalle dont il est question et développe la plupart des noms propres (M. en Merteuil, L. en Laclos, etc.).

1. R. Pomeau, « D'Ernestine aux *Liaisons dangereuses* : le dessein de Laclos », *RHLF*, mai-août 1968, p. 618-632.

2. Une adaptation cinématographique de cette correspondance, vue comme « *mode d'emploi* de lecture des *Liaisons* », a été préparée par Anielle Weinberger dans le cadre de sa thèse de doctorat, *Le Danger des Liaisons*, Paris VIII, 2000. Voir son article « *Le Danger des Liaisons*. Le film d'après la Correspondance entre Mme Riccoboni et M. de Laclos. Un contexte *coupé* pour le cinéma », dans *Deux siècles de « Liaisons dangereuses »*, M. Delon et Francesco Fiorentino éd., Tarente, Lisi, 2005, p. 141-154.

3. Lettre CLXIX, p. 445.

4. Ms. Ffr. 12845, ffos 12 ro-17 vo et 24 ro-31 vo.

5. La correspondance fait partie des manuscrits offerts par la belle-fille de Laclos en 1849 à la Bibliothèque nationale (voir la Notice du roman, p. 789).

NOTES

Lettre I.

1. Jean-Ambroise Choderlos, dont le père Thomas Choderlos a acheté la charge anoblissante de secrétaire du roi (voir Jean-Paul Bertaud, *Choderlos de Laclos l'auteur des « Liaisons dangereuses »*, Fayard, 2003, p. 15). Les Choderlos habitent depuis 1751 dans le quartier du Temple — et les grands-parents de l'écrivain semblent avoir entretenu des relations de voisinage, voire d'amitié, avec les Riccoboni.

2. L'esthétique de l'*utile dulci* ou du *docendo delectat*, qui associe l'agrément à l'utilité, est, depuis Horace au moins, un lieu commun littéraire (voir la « Préface du rédacteur », n. 7).

3. Voir *ibid.*, p. 9.

Réponse (à la lettre I ; p. 464).

1. Richardson, l'auteur de *Clarisse* (1748). L'adaptation française de l'abbé Prévost avait paru en 1751.

2. Crébillon fils. Le roman est publié en 1735.

3. Le manuscrit et l'édition donnent « Pigal » ; nous corrigeons.

4. En 1776, Pigalle avait complété le mausolée du maréchal de Saxe, placé dans l'église Saint-Thomas de Strasbourg plutôt qu'à Saint-Denis en raison de l'origine étrangère et, surtout, de la religion luthérienne du héros militaire mort en 1750. Parmi les figures, celle de la Mort, représentée comme l'indique Laclos sous la forme d'un squelette entouré de draperies, soulève la pierre du tombeau. La maquette du mausolée, conservée actuellement au Louvre, avait été exposée au Salon de 1756. Le romancier a pu voir le tombeau lors de son propre séjour en Alsace (1766-1769). La note de bas de page ne figure pas dans *ms.* et constitue un ajout de *1787*.

5. Voir la Notice, p. 898.

Réponse (à la lettre II ; p. 468).

1. *Reprochées* : critiquées.

Lettre III.

1. On la trouve dans le manuscrit après la dernière lettre de Mme Riccoboni (f° 32) : « À Monsieur / Monsieur de Laclos / À l'hôtel de la Garde de Paris / rue Mellée / À Paris ».

2. Laclos commet en effet une erreur dans sa lettre précédente : Elmire est la belle-mère et non la mère de Mariane, que Tartuffe aspire à épouser. Mariane et Damis sont les enfants d'Orgon et de sa première épouse décédée.

Réponse (à la lettre III, *p. 474).*

1. Claude-Joseph-François Vernet (1714-1789) a peint à plusieurs reprises des scènes de tempêtes et de calmes, reprenant parfois le même cadre pour former des espèces de diptyques. La plupart des scènes de tempête sont antérieures, dans la production du peintre, aux représentations du calme.

2. Rousseau, *La Nouvelle Héloïse*, *Œuvres complètes*, Bibl. de la Pléiade, t. II, p. 716.

Seconde réponse à la même lettre (p. 476).

1. Laclos écrit d'abord « Elmire » qu'il corrige en « Marianne ».

Lettre IV.

1. Louis Martin-Chauffier inclut dans ses *Correspondances apocryphes* une « Lettre de Choderlos de Laclos à Madame Riccoboni », censée s'insérer à la fin des échanges connus et mettant en relief le désaccord entre l'écrivain et une lectrice qui blâme « le fond même de l'ouvrage » et les intentions de l'auteur : « Il est permis de croire, écrit-il, que Mme Riccoboni fut accablée, sinon sous la vertu de ses raisonnements, du moins sous un entêtement supérieur au sien, qui ne reculait pas à l'assassiner de cinq grandes pages in-folio et en promettait le triple, quand la bienséance eût été de se taire. En tout cas, on ne connaît pas sa réplique, si, d'aventure, elle en fit une » (*Correspondances apocryphes*, Paris, Plon-Nourrit & Cie, 1923, p. 59 et suiv.).

PIÈCES FUGITIVES

NOTICE

À l'instar de nombreux jeunes gens cultivés de son temps, Laclos taquine la muse[1]. S'il n'a jamais publié de volume de poésie, des vers dont il est l'auteur ont circulé : il a donné des poèmes à un recueil collectif comme l'*Almanach des Muses* et, surtout, il en a fait inclure onze dans l'édition de 1787 des *Liaisons dangereuses*, que nous suivons ici. La présence au côté du roman, non seulement de la correspondance avec Mme Riccoboni, mais encore de certains poèmes alors inédits, offre une nouvelle preuve de l'implication de Laclos dans cette publication. Le titre de *Pièces fugitives*, choisi pour la petite sélection d'écrits versifiés, renvoie à une esthétique courante à l'époque, celle

1. Voir l'article de Laurent Versini, seul à traiter des œuvres poétiques de l'auteur : « Laclos poète », dans *L'Éveil des Muses. Poétique des Lumières et au-delà. Mélanges offerts à Édouard Guitton*, Catriona Seth éd., Rennes, Presses universitaires de Rennes, 2002.

de vers occasionnels, qui ne sont pas nécessairement destinés à la postérité. Comme très souvent, leur impression vient contredire cette posture littéraire et témoigne pour le lecteur de l'importance accordée par l'auteur à cette partie négligée de sa production. Les premiers à avoir regroupé l'ensemble des poèmes de Laclos, à partir des manuscrits et de l'édition de 1787, sont Arthur Symons et Louis Thomas[1]. Dans son édition des *Œuvres complètes* publiée dans la Bibliothèque de la Pléiade (1979), Laurent Versini reprend ces textes en en bouleversant l'ordre pour tenter d'esquisser un développement chronologique difficile à établir en l'absence d'informations précises sur plusieurs pièces de vers — certaines de celles qui sont présentées ici ont été composées une quinzaine d'années avant que l'écrivain ne les recueille. L'ordre de l'édition ne paraît reposer ni sur un classement par dates ni par genres, et il est difficile d'y déceler une quelconque logique. Le manuscrit de la Bibliothèque nationale de France (Ffr. 12845) contient le texte de deux pièces reproduites dans l'édition de 1787 (« Épître à la mort » et « Le Bon Choix »), mais pas de la totalité des poésies incluses ; d'autre part il en comprend six qui ne figurent pas ici, soit qu'elles aient été écartées par l'auteur ou par l'éditeur, soit qu'elles aient été rédigées plus tard. D'autres poèmes imprimés dans différents ouvrages collectifs ont également été attribués à Laclos.

Duchastellier, qui a entendu l'écrivain lire l'échange avec Mme Riccoboni avant sa publication, reçoit de Laclos l'édition de 1787 et salue les vers qu'il y lit : « Je connaissais, Monsieur, plusieurs des pièces fugitives que vous avez eu la bonté de m'adresser ; mais je suis charmé de les voir *en tête de votre ouvrage*, parce qu'on ne sera plus embarrassé de savoir si c'est à Voltaire ou à vous qu'il faut les attribuer[2]. » Malgré ce compliment — Voltaire est alors considéré comme le plus grand poète du temps —, il faut avouer que, dans l'ensemble, les vers de Laclos ne font pas preuve d'une grande originalité. Nombre de ses personnages portent des prénoms conventionnels mythologisants comme Églé, Pamphile, Zélis, Glicère, ou des noms traditionnels de bergers : Lisette et Silvandre.

Laclos pratique la poésie pastorale avec des textes proches de ces églogues et idylles dont se moque Valmont dans le manuscrit[3] ainsi que le conte en vers dans la tradition de La Fontaine, auteur qu'il apprécie particulièrement. Les pièces de circonstance sont également représentées dans le choix proposé ici, en particulier avec le petit compliment destiné à une enfant prodige du temps, Philippine de Sivry, ainsi que la réponse à la question posée par La Harpe (1777) dans le *Mercure de France* à propos du héros d'une tragédie de Voltaire.

Les chansons de Laclos ne sont pas dénuées de charme. Certaines ont été mises en musique, dont l'une, nous l'avons découvert, par le collaborateur de l'écrivain pour *Ernestine*, le talentueux chevalier de Saint-George. Une recherche poussée dans les périodiques musicaux et recueils de romances de la fin de l'Ancien Régime permettra peut-

1. Arthur Symons et Louis Thomas, *Poésies de Choderlos de Laclos*, Paris, Dorbon l'Aîné, 1908.

2. Ms. Ffr. 12845 (f° 33v°). Sur la place variable des différentes sections dans l'édition de 1787, voir la Notice du roman, p. 796-797.

3. Voir lettre cxv, var. *d*.

être un jour d'en localiser d'autres versions. Un seul morceau, plus long, montre une ambition possible de Laclos de s'imposer comme poète sérieux, son « Épître à la mort ». Symons et Thomas offrent dans leur édition des poèmes une conclusion que le lecteur moderne n'aura pas de mal à partager : « Nous serions au regret, si l'on nous prêtait le dessein de vouloir faire passer Choderlos de Laclos pour un grand poète. C'est un homme du XVIIIe siècle, qui a écrit des vers dont quelques-uns sont charmants, d'autres plus graves, mais tous selon la mode du temps ; il se trouve que c'est aussi l'auteur d'un des trésors de notre littérature ; c'est pourquoi rien de ce qu'il a écrit ne peut nous être indifférent[1]. »

NOTES

LES SOUVENIRS
Épître à Églé

La première publication connue, « Par M. C. D. L. », figure dans l'*Almanach des Muses* pour 1773 (p. 125), ce qui en fait remonter la composition, au plus tard, au dernier trimestre de l'année précédente, le volume ayant paru en décembre 1772. La version initiale contient quelques variantes qui entraînent en particulier des phénomènes d'hétérométrie.

1. Mme Castel-Çagarriga (« Les Clefs des *Liaisons dangereuses* », *RDM*, 15 avril 1961) propose de voir en Églé Mme de Montmaur, parfois proposée comme modèle de Mme de Merteuil (voir la Notice du roman, p. 805).
2. Le directeur de conscience est l'abbé auquel l'on se confesse en général.
3. *Sa révérence* : titre d'honneur donné aux prêtres.

ÉPÎTRE À MARGOT

La pièce figure, sous la signature de Mérard de Saint-Just, dans *L'Occasion et le Moment*, un recueil collectif daté (probablement faussement) de 1770 (p. 21-24). Elle est commentée dans les *Mémoires secrets*[2] à la date du 4 février 1774, plus proche certainement du moment de la composition. Les *Nouvelles à la main sur la comtesse Dubarry trouvées dans les papiers du comte de* ***, publiées par Émile Cantrel[3], évoquent, à la date du 18 février 1774, le morceau, paru « au début de cette année » et attribué à Boufflers, qui s'en est défendu personnellement auprès du scripteur ; à Dorat qui en a rédigé une réfutation[4] ; et à

1. *Poésies de Choderlos de Laclos*, p. 9.
2. *Mémoires secrets pour servir à l'histoire de la République des Lettres en France depuis 1762 jusqu'à nos jours.*
3. Paris, Henri Plon, 1861.
4. La Harpe (voir « La fortune des *Liaisons dangereuses* », p. 529) évoque en 1777 (*Correspondance littéraire, adressée à Son Altesse Impériale Mgr le grand-duc, aujourd'hui empereur de Russie, et à M. le comte André Schowalov, chambellan de l'impératrice Catherine II, depuis 1774 jusqu'à 1789*, Paris, Migneret, an XII (1804), 2e éd. [la première est de 1802], t. II, p. 47-48) : « l'*Épître à*

Laclos. Selon le nouvelliste, « personne n'a eu le courage de s'en reconnaître l'auteur ». Le poème est repris dans l'*Almanach des Muses* pour 1776 — avec l'indication : « cette épître a été corrigée par l'auteur » —, et dans *Les Fastes de Louis XV*[1] en 1782 ainsi que dans nombre de recueils collectifs à la fin du XVIIIe siècle et tout au long du XIXe siècle. Parmi les éléments attestant de sa circulation, notons le choix que fait Pouchkine, lui-même grand lecteur des *Liaisons dangereuses*, roman auquel il doit, rappelons-le, l'épigraphe d'*Eugène Onéguine*[2], d'en emprunter les deux premiers vers comme épigraphe de son poème « À Natalie ».

La *Correspondance littéraire* assure que l'*Épître à Margot* manqua faire à son auteur « une tracasserie assez sérieuse à cause d'une allusion peu obligeante pour Mme la comtesse du Barry, dont la faveur, alors au comble, voulait être respectée ». La question de savoir si la maîtresse du roi était ou non directement visée a été débattue. Les diminutifs sont encore associés à l'époque, comme pour les paysannes de Molière, aux personnes d'humble naissance. Ainsi de Margot (pour Marguerite)[3], que l'on trouve dans *Margot la ravaudeuse* (1750), le roman de Fougeret de Monbron, et dans *Margot des Pelotons* (1775) d'Huerne de La Mothe, comme de Manon (pour Marie) dans *Manon Lescaut* (1731) de l'abbé Prévost, ou de Marion (pour Marie) Delorme, entre autres. Les *Mémoires secrets* ont souligné que les remarques persifleuses du poète pouvaient s'adresser à nombre de courtisanes dont les charmes avaient permis l'ascension sociale, mais que l'angle politique potentiel expliquait sans doute la vogue d'un texte « dont l'auteur est obligé par la raison ci-dessus de garder l'incognito ». Certaines sources affirment que la maîtresse du roi aurait lu le texte, qui lui aurait déplu. Ajoutons encore que la reprise des vers peu après la disparition de Louis XV dans l'*Almanach des Muses*, avec la signature d'un homme qui n'avait plus à craindre désormais les foudres du monarque disparu, puis dans une chronique scandaleuse consacrée aux *Fastes* du roi et à sa vie dissolue, confirme que l'interprétation générale tendait bien à y voir un texte visant la dernière favorite du Bien-Aimé.

Si l'attribution à Laclos a été discutée, la présence du texte au sein de l'édition de 1787, qu'étaie la signature « M. de la Cl* » de l'*Almanach des Muses* pour 1776, nous paraît la confirmer. La pièce serait ainsi la première publication véritablement scandaleuse — certes anonyme et sous le manteau, dans un premier temps — d'un auteur dont d'autres écrits, *Les Liaisons dangereuses* mais aussi la *Lettre à Messieurs de l'Académie française sur l'Éloge de Vauban*[4], allaient susciter l'indignation de certains. La Harpe ou Grimm, au détour de commentaires sur *Lison revenait au Village*, d'*Ernestine* ou encore des *Liaisons dangereuses*, ne manquent pas de rappeler que leur auteur est également celui de l'*Épître à Margot*.

Margot [...] qu'on attribua d'abord à Dorat, et qu'il s'empressa de désavouer d'une manière très méprisante, ce qui était d'autant plus déplacé que cette pièce vaut beaucoup mieux que les trois quarts des pièces de Dorat ».

1. Bouffonidor [Ange Goudar], *Les Fastes de Louis XV, de ses maîtresses, généraux et autres notables personnages de son règne*, Villefranche, 1782.

2. Voir la lettre L, p. 123 et n. 1.

3. Notons qu'il y a une autre Margot chez Laclos, dans son « Épître à Mme la marquise de Montalembert » (voir Laclos, *OC*, p. 559-564).

4. Laclos, *OC*, p. 569 et suiv.

1. L'allusion à « la chose » a une connotation sexuelle évidente. Voir les évocations du mot et de la chose au sein des *Liaisons dangereuses* (notamment lettre XXXIII, p. 83 et n. 6). Laclos, commentant dans une lettre à sa femme de Milan, le 15 novembre 1800, le titre d'un roman nouveau, *Le Danger d'un tête-à-tête*, le trouve vague et ajoute : « Au surplus, c'est le cas de répéter ce vers de l'*Épître à Margot* : "Que fait le nom ? la chose est tout" » (Laclos, *OC*, p. 991).

2. Louis-Pierre d'Hozier et son fils Antoine-Marie firent paraître l'*Armorial général de la France, ou Registres de la noblesse de France* (1738-1768). On consultait cette famille de généalogistes pour établir le droit de tel ou tel à revendiquer une naissance illustre ou de prétendre aux honneurs de la Cour.

3. La même locution revient dans « Le Bon Choix » (p. 488).

4. Il faut entendre les « quartiers de noblesse ». Le *Dictionnaire de l'Académie* donne les exemples suivants : « *Pour être reçu Chevalier de Malte, il faut faire preuve de huit quartiers, quatre de père et quatre de mère. Il y a plusieurs Chapitres où l'on ne peut être reçu sans prouver seize quartiers* ». Une Dame qui a seize quartiers ne compte que des nobles dans ses ascendants, jusqu'à ses arrière-arrière-grands-parents.

5. Allusion transparente au devenir de certaines favorites royales comme Mme de Pompadour, créée marquise après s'être appelée Jeanne-Antoinette Poisson, et Mme Dubarry, Jeanne Bécu, devenue comtesse par mariage (voir la Notice, p. 904).

6. Ce vers manque dans l'édition de 1787. Nous le suppléons d'après l'*Almanach des Muses* pour 1776.

7. D'autres textes à la même époque revendiquent des échelles de valeurs au-delà de la naissance ou de la richesse comme dans les « Stances à Agathe enfant trouvé » que reproduit la *Correspondance* secrète de Mettra en 1784.

8. « On appelle *Beaux esprits*, Ceux qui se distinguent du commun par l'agrément de leurs discours ou de leurs ouvrages. *Bel esprit. Il croit que cela lui est dû à titre de bel esprit. Il y a de beaux esprits qui n'ont pas le sens commun.* / On dit quelquefois par ironie : *Les beaux esprits. Messieurs les beaux esprits* » (*Acad.*).

9. *Porter les fers*, c'est être esclave.

10. Le myrte symbolise l'Amour, les lauriers le triomphe guerrier ou la gloire. Voir *Les Liaisons dangereuses*, lettre IV, p. 22 et n. 4.

LE BON CHOIX

Avant de figurer parmi les *Pièces fugitives* retenues en 1787, le texte avait déjà paru dans l'*Almanach des Muses* pour 1779 (p. 245-250) avec la signature « Par M. de La Clos » et l'indication additionnelle, dans la table des matières, « officier du Corps Royal de l'Artillerie ». La composition du texte remonte donc, au plus tard, au dernier semestre de 1778. Une copie manuscrite sans titre, numérotée 22, figure dans les papiers de l'auteur conservés à la Bibliothèque nationale de France (Ffr. 12845, ffos 2 ro-5 ro).

1. Voir *Épître à Margot*, n. 8.

2. La loterie royale offre une série de métaphores, au siècle des Lumières, dès qu'il s'agit de questions de hasard.

3. La suppression des pronoms sujets, caractéristique du style marotique, introduit un conte enchâssé.

4. Le nom grec signifie « qui aime tout ». La Bruyère s'en sert dans un sens qui deviendra courant pour désigner un homme de peu de valeur.

5. Marmontel définit le *bouquet* comme une « petite pièce de vers adressée à une personne le jour de sa fête ». C'est le plus souvent une chanson ou un madrigal.

6. Nombre de familles ajoutent à la fin du siècle des noms de terre pour se donner une apparence noble.

7. Isidore est ici un prénom féminin, comme par exemple dans le roman de Françoise-Thérèse Aumerle de Saint-Phalier, *Le Porte-feuille rendu, ou Lettres historiques* (1749) où la jeune femme ainsi nommée tombe enceinte de son amant et se retrouve, sans vocation, au couvent.

8. Le motif de deux amis rivaux en amour est récurrent au siècle des Lumières. Songeons en particulier à des nouvelles de Saint-Lambert et Diderot. Voir Michel Delon, « Les Deux Amis selon Diderot et Meister », dans *Les Écrivains suisses alémaniques et la Culture francophone au* XVIII*e siècle*, Michèle Crogiez *et al.* éd., Genève, Slatkine, 2007, p. 165-173.

9. « On dit [...] d'Une chose aisée et facile, que *Ce n'est pas une affaire* » (*Acad.*).

10. Voir *Les Liaisons dangereuses*, XXXIII, n. 2.

11. On trouve une justification semblable dans la « Chanson » qui commence par « Lison revenait au Village... » (p. 505).

12. Duchastellier, dans sa lettre du 2 mars 1787 (ms. Ffr. 12845, f°33 v°), félicite Laclos : « Je ne crois pas qu'il existe deux plus jolis vers que ceux-ci. »

13. Le peintre Pietro Albani (1578-1660), référence fréquente dans les textes des Lumières.

14. Un célèbre poème de Boufflers, intitulé « Les Cœurs », en fait, comme ici, la métaphore des organes sexuels.

SUR CETTE QUESTION PROPOSÉE DANS UN « MERCURE »

Le *Mercure de France* reste, à l'époque de Laclos, l'un des principaux périodiques du royaume. On y trouve aussi bien des poèmes que des énigmes, des comptes rendus de livres que des informations sur les activités des différentes Académies, etc. Le point de départ du texte de Laclos ne va pas sans rappeler les défis lancés lors de soirées mondaines avec le jeu des « Questions » auxquelles chacun tentait d'apporter la meilleure réponse. Il témoigne par ailleurs de l'immense succès rencontré par la tragédie de Voltaire, *Zaïre* (1732), si souvent montée sur les scènes privées et publiques, et à laquelle, on s'en souvient, Mme de Merteuil elle-même fait référence dans une lettre à Valmont (lettre LXXXV, p. 226). Drame de la jalousie, *Zaïre* a certains points communs avec l'*Othello* de Shakespeare. Le sultan Orosmane est amoureux de Zaïre, une captive, née chrétienne mais élevée dans la religion musulmane. Elle découvre sa propre identité en rencontrant son père Lusignan et son frère Nérestan. Elle promet alors de retrouver la foi de ses ancêtres et de différer son mariage avec un hérétique. Orosmane croit à tort Zaïre infidèle : ignorant l'identité de Nérestan, il le prend pour l'amant de la jeune femme et poignarde sa bien-aimée. Découvrant son erreur, il se tue sur son corps après avoir accordé la liberté aux chrétiens. La conclusion de Laclos à la question posée se trouve dans trois vers : « N'est-ce pas une vérité / Que voir mourir l'objet qu'on aime, / Vaut mieux que d'en être quitté ? »

La Harpe dit être l'auteur de la question publiée dans le *Mercure* à propos de la pièce et insère, dans la lettre LXX de sa *Correspondance littéraire*, après une allusion à *Ernestine* qui permet de dater l'ensemble de juillet 1777, la réponse reçue de « M. de Laclos, qui est à son régiment à Valence[1] ». Il limite ainsi la circulation du morceau à une correspondance manuscrite confidentielle et s'en explique : « M. de Laclos a pris la chose gaiement ; aussi ne veut-il pas que j'imprime sa pièce, quoique dans le genre si facile du persiflage, elle ne soit pas mauvaise. » L. Versini[2] suppose que Laclos a peut-être demandé la confidentialité à La Harpe afin de pouvoir lui-même publier son poème ; il ne faut pas cependant minorer l'incompréhension que l'auteur pouvait craindre du manque de révérence avec lequel il évoquait une tragédie tant aimée des Français. Après l'inclusion du morceau dans l'édition de 1787 des *Liaisons dangereuses*, d'autres la reproduisent sous des titres divers (« Vers d'un officier d'artillerie », *Correspondance littéraire* de Grimm ; « Vers. *Sur cette question* : Vaut-il mieux voir mourir ce qu'on aime, que d'en être quitté ? » ou « Vers sur la jalousie », *Almanach des Muses* pour 1788). Rivarol, à l'article « Delaclos (M.) » de son *Petit almanach de nos grands hommes*, paru en 1788, écrit : « Ses vers *sur la jalousie* en ont donné à tout le monde. »

1. Voir *Les Liaisons dangereuses*, XXXII, n. 4.

2. Ces deux derniers vers sont en italique chez La Harpe avec la note suivante : « Pris mot pour mot de la prose de J.-J. Rousseau. » Laclos démarque ici en effet un propos de Rousseau dont la *Lettre sur les spectacles* évoque, parmi les types humains, « l'ami Philinte », qui est de ceux que Dieu « a doués d'une douceur très méritoire à supporter les malheurs d'autrui ».

3. Voir *Les Liaisons dangereuses* (lettre IV, n. 1), pour l'analogie entre le monde du sérail et celui des amours parisiennes. Le monde turc reste par ailleurs associé, dans l'imaginaire des Français du temps, à la violence.

4. Voir *Les Liaisons dangereuses*, CXXI et n. 2.

ÉPÎTRE À LA MORT

Le manuscrit (lacunaire) de ce long poème figure dans les papiers de Laclos conservés à la Bibliothèque nationale de France (Ffr. 12845, ffos 18 ro-vo et 22 ro-23vo). Le texte a été publié en premier lieu dans

1. La Harpe, *Correspondance littéraire*, t. II, p. 129.
2. Laclos, *OC*, p. 1505.

l'*Almanach des Muses* pour 1777 avec la signature « Par M. de La Clos » et l'indication, dans la table des matières, que l'auteur est « officier du Corps Royal d'Artillerie ». La pièce peut être datée approximativement grâce à un indice interne : la référence à Pierre-Joseph Bernard, dit « Gentil-Bernard » (voir n. 2), qui meurt le 1er novembre 1775 après 4 ans de folie — à moins que l'auteur soit resté dans l'ignorance de ce décès. La publication dans l'*Almanach des Muses* pour 1777, sorti à la fin de 1776, rend probable une composition antérieure de peu à la mort de Gentil-Bernard, plutôt qu'au moment de la découverte de son aliénation.

Poème le plus ambitieux de Laclos, le texte offre en peu de mots une galerie de portraits d'écrivains (Corneille, Racine, Gentil-Bernard), après l'évocation d'hommes politiques, et laisse percevoir en filigrane un écho de la frustration du petit aristocrate, militaire sans guerre. Si l'on peut croire le témoignage de Tilly, l'auteur lui aurait confié avoir composé d'autres textes du même tonneau : « quelques élégies de morts qui n'en entendront rien, quelques épîtres en vers, dont la plupart ne seront jamais imprimées[1] ». Par sa thématique, l'œuvre n'est pas sans faire songer à la vogue de l'*École du cimetière* lancée par des poètes anglais comme Gray ou Young.

1. *Pulchérie* (1672) et *Suréna* (1674), les deux dernières pièces de Corneille, furent loin de rencontrer le succès de ses tragédies antérieures, alors que Racine termine glorieusement sa carrière avec *Esther* (1689) et *Athalie* (1691).

2. Pierre-Joseph Bernard (1708-1775) que Voltaire surnommait Gentil-Bernard, auteur d'un *Art d'aimer* très attendu, mais dont la publication fut un demi-échec. Sur son œuvre, voir Stéphanie Loubère, *« L'Art d'aimer » au siècle des Lumières*, Oxford, Voltaire Foundation, 2007, et Sylvain Menant, « Art d'aimer, art de séduire ? Ovide et Pierre-Joseph Bernard », *Littérature et séduction, mélanges en l'honneur de Laurent Versini*, Roger Marchal, François Moureau et Michèle Crogiez éd., Klincksieck, 1998. Sur son échec, voir Catriona Seth, « La Poésie de salon ou l'Impossible Œuvre complète », *Vie des salons et activités littéraires, de Marguerite de Valois à Mme de Staël*, Roger Marchal éd., Nancy, Presses universitaires de Nancy, 2001, p. 293-301.

3. À partir d'ici et jusqu'à « le terme n'est pas loin » (10 vers plus bas, p. 496), le manuscrit est lacunaire.

4. Le motif de l'impuissance est récurrent en littérature à l'époque. Voir sur la question les travaux d'Yves Citton, notamment *Impuissances : défaillances masculines et pouvoir politique de Montaigne à Stendhal*, Aubier, 1994.

5. Suivent dans le manuscrit huit vers biffés : « Ainsi dans un verger une jeune bergère / Vient cueillir au matin les fruits qu'elle préfère ; / Elle arrive, elle hésite, et son choix incertain / Laisse errer quelque temps et ses yeux et sa main ; / Tous les fruits sont offerts aux regards de la belle, / Quelques-uns seulement sont préférés par elle ; / Les autres, malheureux, tristes jouets des vents, / Restent abandonnés aux outrages du temps. »

1. *Mémoires*, 1828, t. I, p. 227.

6. Le thème rappelle celui qu'a traité Laclos dans la réponse à la question posée dans le *Mercure* à propos d'Orosmane et de Zaïre (voir p. 491).

À MADEMOISELLE ***

[Dois-je croire...]

Poème paru pour la première fois dans les *Pièces fugitives*. L. Versini[1] propose, sans qu'il soit possible de confirmer ou d'infirmer cette hypothèse, de croire que « ces reproches à une rieuse infidèle après un départ récent se réfèrent à l'époque des garnisons de Laclos, à Toul [1763], Strasbourg [1765-1769], Besançon [1775] ou Grenoble [1769-1775] », ce qui en ferait probablement le plus ancien des poèmes recueillis dans l'édition.

1. Les almanachs du temps regorgent de poèmes brefs sur la mort des animaux de compagnie de telle ou telle femme du monde.
2. Mme de La Suze (1618-1673), née Henriette de Châtillon de Coligny, fut une hôtesse de salon célèbre. Elle laisse un volume de *Poésies* (1648) plusieurs fois réédité, dont les élégies sont les plus célèbres.
3. L'élégie est un genre remis à la mode par Parny (voir *Les Liaisons dangereuses*, CX, n. 7).

À MADEMOISELLE ***

[Jeune Aglaé...]

Cette pièce fut publiée pour la première fois en 1787, comme la précédente. L. Versini[2] la rattache également à la période « où Laclos faisait partie des sémillants officiers qui, à leur arrivée dans une nouvelle garnison, entendaient succéder à leurs prédécesseurs dans les faveurs des belles ».

1. Titre d'un traité philosophique hédoniste de La Mettrie (1753).
2. La question de jouissances inconnues et nouvelles préoccupe les écrivains du temps. On lit par exemple dans *La Nouvelle Héloïse* (p. 115) : « Que de délices inconnues tu fis éprouver à mon cœur ! » Voir M. Delon, « Un débat au siècle des Lumières : peut-on inventer un plaisir nouveau ? », dans *Le XVIIIe Siècle. Histoire, mémoire et rêve. Mélanges offerts à Jean Goulemot*, Didier Masseau dir., Champion, 2006, p. 229-245.
3. *Veuve* est utilisé ici au sens large : toute femme qui a été quittée. Valmont évoque avec le même terme la Présidente réfugiée dans un couvent (*Les Liaisons dangereuses*, CXLIV, p. 394).

À MLLE DE SIVRY

Marie-Philippe-Agnès (dite Philippine) de Sivry devait connaître une petite célébrité comme poète. Fille d'un président au Parlement

1. Laclos, *OC*, p. 1495.
2. *Ibid.*, p. 1496.

de Lorraine, elle serait née le 19 juillet 1774[1] à Nancy ; elle meurt en Lorraine le 13 octobre 1851. La fillette aurait donc eu 12 ans en 1786-1787. Petit prodige, elle avait été fêtée dès l'enfance, en Lorraine comme à Paris. Elle aurait ébloui François de Neufchâteau, frappé d'étonnement d'Alembert et les Necker. En outre, « Delille lui fit hommage de ses *Jardins*, et Roucher de son poème des *Mois* ; Marmontel, Sedaine, Palissot, Lemierre, Mme du Bourdic, Mme du Bocage, le duc de Nivernais, le comte de Tressan, etc., se montrèrent enthousiastes de la petite de Sivry. La Harpe surtout fut frappé de ce phénomène, et il inséra dans le *Mercure* des vers fort remarquables qu'elle venait de lui adresser. Il les a réimprimés dans sa *Correspondance russe* à côté de petites pièces de vers qu'il lui avait lui-même adressées ; ce qui pourrait passer pour un acte de modestie de la part du Quintilien moderne, car la comparaison n'est pas à son avantage » (*Biographie universelle, ancienne et moderne*, 1843).

On trouve dès 1783 dans la *Correspondance littéraire* de Grimm des traces de l'activité littéraire de l'enfant avec des « Vers de Cerutti au nom de la duchesse de Brissac à Mlle de Sivry et la réponse de celle-ci » (en avril), un « Impromptu de Mlle de Sivry âgée de 8 ans à Mme de Montesson qui jouait le principal rôle dans une comédie de sa composition intitulée *L'Hôtesse de Marseille* ou *L'Hôtesse coquette* » (en mai), puis, le mois d'après, des « Vers de Mlle Philippine de Sivry à La Harpe ». Laclos n'innove donc pas en consacrant des vers à la fillette. Ses papiers comprennent un autre texte également dédié à Mlle de Sivry[2] qui paraît être recopié d'une main autre que celle de Laclos et n'a jamais paru sous sa signature de son vivant.

Devenue Mme de Vannoz, la jeune femme publie encore des poèmes bien reçus dont un certain nombre sont favorables à la monarchie comme ceux sur *La Profanation des tombes royales de Saint-Denis en 1793* (1804).

Le poème de Laclos a été publié de manière anonyme, quelques semaines avant l'édition de 1787, dans l'*Almanach des Muses* pour 1787[3]. On trouve également le texte, toujours sans signature, et sous le titre *À Mlle de Sivry, qui, à l'âge de 12 ans, cultive les lettres, sait le grec et le latin, et fait de fort jolis vers* dans *L'Esprit des journaux* de décembre 1786. Le texte étant identique à celui qui a paru dans l'*Almanach des Muses*, on peut supposer que *L'Esprit des journaux* reprend la version du périodique lyrique annuel.

1. Pour lire Homère, Mlle de Sivry aurait appris, après le latin, le grec, suivant en cela les conseils de La Harpe.
2. Les neuf Muses.

CHANSON

Nous ne connaissons ni manuscrit ni prépublication de cette pièce.

1. Les sources divergent en la faisant naître entre 1772 et 1775. Nous avons adopté le millésime qui correspond aux indications d'âge données par les différents auteurs de vers destinés à la fillette.
2. Voir Laclos, *OC*, p. 565-566.
3. *Almanach des Muses* pour 1787, p. 207.

1. La rose est évidemment l'emblème de l'amour ; le cyprès, celui de la mort.

AUTRE

[L'amour lui-même a créé ma Bergère...]

Il n'y a pas de manuscrit pour ce poème dont nous ne connaissons aucune publication antérieure à celle de l'édition de 1787. L'hétérométrie fait songer à des modèles célèbres. Nombre de poètes écrivaient leurs textes sur un schéma permettant de leur adjoindre un timbre connu et de les transformer ainsi instantanément en romances.

AUTRE.

LES QUATRE PARTIES DU JOUR

Il n'y a pas de copie de ce poème dans les manuscrits de Laclos, et nous n'en connaissons aucune publication antérieure à l'édition de 1787. L'*incipit* est celui de deux œuvres pour voix et piano dans deux tonalités différentes (*fa* dièse majeur et *la* majeur) du catalogue de la musique du chevalier de Saint-George[1]. Le texte rappelle la mode des poèmes fondés sur les divisions des mois, des saisons ou des jours.

AUTRE

[Lison revenait au Village...]

La Harpe donne le texte dans la lettre LX de sa *Correspondance littéraire* (t. II, p. 47), avec la présentation suivante : « Voici une chanson nouvelle qui m'a paru jolie, au moins quand on la chante ; elle est de M. de Laclos, auteur de l'*Épître à Margot.* » On peut dater la rubrique, grâce à des indications périphériques, du début de 1777. Cette chanson a donc dû être écrite au plus tard à la fin de l'année précédente. Jean-Benjamin de Laborde qui en recueille le texte, assorti d'une musique à quatre parties gravée par Mme Moria (un allégretto en *sol* majeur), dans le chapitre XII de son *Essai sur la musique ancienne et moderne*[2], entre une chanson de M. Mougenot, « Une jeune batelière du village de Lonchamp... » et « Le Fameux Air suisse appelé le rans *[sic]* des vaches », la date de 1776[3]. Alternant quatre fois des octosyllabes et quadrisyllabes à rimes croisées, avant un refrain qui reprend les quatre quadrisyllabes, cette pièce constitue, selon L. Versini, « probablement [l]a plus charmante réussite » de Laclos, poète[4].

1. Comme « Margot », « Lison » est un diminutif. Il désigne une jeune paysanne.

2. Parmi les poèmes du temps qui utilisent des vers brefs et ont

1. G 145 et G 150 du *Catalogue des œuvres du Chevalier de Saint-George.*

2. *Essai sur la musique ancienne et moderne*, Paris, Pierres et Onfroy, 1780, t. II, n° 62, p. 104-105.

3. « Par M. Choderlaus [*sic*] de La Clos en 1776 ».

4. Laclos, *OC*, p. 1504.

pu inspirer Laclos, il faut citer « L'Heure du Berger » de Parny, entièrement écrit en vers de quatre syllabes, et dont l'héroïne s'appelle Lisette (*Poésies érotiques*, 1778, p. 57-62).

3. *Il la joint* : il la rejoint.

LA FORTUNE DES « LIAISONS DANGEREUSES »

NOTICE

La correspondance avec Mme Riccoboni, que Laclos livre au public, dans l'édition de 1787 de son roman, après en avoir fait des lectures à ses proches, pose déjà la question de la réception de l'œuvre. L'avertissement cynique du « libraire », présent en ouverture, y voit un résumé de tout ce qui peut être dit pour et contre l'ouvrage, particulièrement utile, donc, à ceux qui voudraient en parler, sans se donner la peine de le lire... L'anthologie qui suit, consacrée à la fortune des *Liaisons dangereuses*, se propose, quant à elle, de permettre à chacun de prolonger son parcours en découvrant, par le biais d'exemples choisis, une idée de la richesse et de la diversité de l'accueil fait au roman, depuis les rares textes critiques qui en saluent la parution dès 1782, jusqu'aux illustrations et suites. Nous avons accordé une place importante, dans notre sélection, aux réactions premières : les articles parus dans la presse manuscrite et imprimée, les prolongements poétiques et musicaux, les illustrations initiales — dont certaines n'avaient jamais été reproduites. Nous avons ensuite souhaité marquer de grandes étapes, par l'image et par le texte, des moments de lecture et de création. Plusieurs séries émergent à l'intérieur de ce dossier. Elles se répartissent pour l'essentiel en trois grands ensembles : des commentaires du roman, des illustrations de l'œuvre, des adaptations et réécritures.

Au-delà des articles examinant, dans les périodiques manuscrits et imprimés, une nouvelle parution dont il est beaucoup parlé dans le Tout-Paris de 1782, la critique qui salue *Les Liaisons dangereuses* devient rapidement une critique d'écrivain, ainsi que le montrent certains des extraits que nous avons retenus : Arsène Houssaye, avec son portrait fin et perceptif d'un homme complexe qu'il ne veut pas voir oublier, Charles Baudelaire avec des notes fragmentaires mais passionnantes sur un roman interdit qu'il aimerait rééditer, expriment un intérêt pour une œuvre dont le pouvoir réprime alors la diffusion. Heinrich Mann, traducteur d'un livre dont il existe déjà plusieurs versions allemandes lorsqu'il s'attelle à la tâche, mais aussi André Gide et André Suarès, Jean Giraudoux, André Malraux ou André Maurois, au cours de la première moitié du XXe siècle, sont de ceux dont les textes offrent de belles échappées sur le roman de Laclos, l'analysant et le commentant, mettant en place, dans plusieurs cas, des lectures qui n'ont pas cessé d'influencer notre regard sur l'ouvrage. Nombre d'autres noms auraient pu figurer à leurs côtés : il n'est guère d'écrivain important, depuis la fin du XIXe siècle au moins, qui n'y soit allé de sa phrase sur *Les Liaisons dangereuses* ou sur son auteur. Pour éviter les allusions passagères nous avons privilégié des textes qui prennent véritablement l'œuvre pour sujet et qui en éclairent durablement la lecture, plutôt que d'en rappeler simplement les grands traits.

Des gravures d'Ancien Régime à celles qu'a créées Pointeau il y a trois décennies déjà, les planches montrent des approches multiples du livre. Elles peuvent le tirer du côté de l'histoire sentimentale ou de la littérature de second rayon, tendre (sous l'Ancien Régime déjà) vers un néoclassicisme de bon aloi ou vers une intemporalité revendiquée, et viser des collectionneurs fortunés amateurs de séries limitées luxueuses, ou le large public qui achète les tirages courants. Si les premières images connues du roman, deux scènes de Lavreince gravées par Girard en 1785 — prolongées par deux autres illustrations en 1788 — ne semblent pas avoir été destinées à une édition, comme le démontrent leur format et l'échelonnement des dates de parution[1], les volumes rehaussés de planches se sont multipliés à partir de 1786. C'est cette année-là, en effet, qui se lit sur la page de titre des quatre tomes portant l'adresse — probablement fausse — de Genève et dans lesquels se trouvent quatre gravures anonymes[2] des *Liaisons dangereuses*. Il s'agit, en l'état actuel de nos connaissances, de la première édition illustrée du roman. Nous ne l'avons jamais vue reproduite. Nous en livrons les quatre planches, tout comme les gravures de Lavreince et Girard, puis l'original de Touzé, en couleurs. Deux autres séries des débuts de l'illustration des *Liaisons dangereuses* sont également proposées, en totalité ou en partie : la première, due à Le Barbier, avec son esthétique Louis XVI de bon ton, dans de petites gravures de belle facture, fut plusieurs fois reprise après sa publication initiale en 1792 ; la seconde, insérée dans une édition très diffusée de 1796, réunit Monnet, Marguerite Gérard et Fragonard fils. Elle a marqué les esprits et a souvent été incluse dans des traductions ou des rééditions du roman, jusqu'à nos jours. Suit une sélection d'images qui permettent d'avoir une idée des inspirations multiples et des styles variés des artistes qui ont donné à voir les personnages de Laclos.

Toutes les scènes du roman n'ont pas été traitées de manière égale par les illustrateurs. La volonté d'offrir une vision allégorique, dans la lignée des frontispices de Monnet, est présente chez certains, parmi les plus talentueux, comme Alastair (1929) ou Pointeau (1981). Parfois les planches représentent simplement un personnage écrivant, des domestiques écoutant aux portes, une lettre… Plus souvent, il est aisé de déterminer à quel épisode précis il est fait allusion. Les légendes, généralement des phrases extraites du texte de Laclos, facilitent à l'occasion la tâche du lecteur. Le public visé conditionne parfois les scènes choisies ou dicte certaines contraintes. Les possibles approches saphiques de la marquise émoustillée par la jeune Cécile ou la

1. Voir p. 923.
2. Nous ne croyons pas à l'attribution à Le Barbier, illustrateur et signataire de l'édition de 1792, proposée dans le catalogue de la BNF. Voir p. 924.

rédaction par Valmont, dans le lit même d'une « fille », Émilie, entre deux étreintes, d'une lettre à la présidente, ne sont pas oubliées dans des collections destinées aux amateurs de curiosa[1].

Le troisième ensemble montre le texte de Laclos devenant la matrice d'écrits ultérieurs. Imitations et transpositions témoignent de l'intérêt trouvé par les lecteurs dans une œuvre que la critique officielle a longtemps peiné à reconnaître. Les premiers jalons — les vers de Le Brun ou de Laya, ainsi que les romances retrouvées de La Maisonfort — servent de relais à des passages du livre qui mettent en relief l'écartèlement du public entre une vision sentimentale des intrigues réunissant Cécile et Danceny, la présidente et Valmont, et une fascination parfois révulsée pour la marquise de Merteuil. Ailleurs, les personnages sont invités à vivre de nouvelles aventures : Cécile narre son histoire dans un amusant roman-mémoires de 1926 dû à Charles Lucas de Pesloüan, et la marquise traverse les générations et les frontières, entre Pays-Bas et Royaume-Uni, dans une série d'écrits souvent imaginatifs comme ceux de Hella Haasse, Christiane Baroche, Pascal Quignard ou Laurent de Graeve. La floraison des adaptations théâtrales et cinématographiques est elle aussi remarquable, depuis le film inaugural de Roger Vadim (1959), resté une référence pour le jeu des acteurs, l'intelligence du scénario, la netteté éblouissante des plans.

Les critiques ont souvent évoqué une logique implacable et quasi géométrique du roman ou encore l'abstraction de l'écriture de Laclos. Le succès de son ouvrage auprès des artistes, mais aussi des dramaturges et des cinéastes, témoigne à la fois de l'approche spectaculaire, au sens propre, avec laquelle certains personnages abordent la narration de leurs aventures — l'évocation de l'embarras de carrosses devant l'Opéra qui conduit Mme de Tourvel à surprendre Valmont avec Émilie en est un parfait exemple —, mais aussi des possibilités en apparence infinies offertes par *Les Liaisons dangereuses* que tant de lecteurs — car les critiques, adaptateurs et illustrateurs sont, en tout premier lieu, des lecteurs — ont souhaité s'approprier. Des mélodies d'Ancien Régime aux versions pour grand écran, en passant par des réécritures romanesques parfois divertissantes, la variété des inspirations est pour le moins remarquable.

Lorsque Laclos affirme, interrogé par son fils en 1802 : « l'édition à estampes dont tu me parles, est la plus fautive des mille et une contrefaçons qu'on a faites de ce roman[2] », c'est peut-être parce que l'illustration laisse moins de liberté à l'imagination que le texte et qu'il ne voyait pas, dans les planches gravées, ses propres créations. Si tous les documents que nous reproduisons sont, à leur façon, des hommages à l'auteur des *Liaisons dangereuses*, gageons qu'il aurait parfois eu du mal à y retrouver ses petits…

1. L'important travail de Michel Delon et de Michèle Sajous D'Oria, *Laclos en images. Éditions illustrées des « Liaisons dangereuses »* (Paris-Bari, PUPS et Mario Adda, 2003), première étude d'ensemble des éditions françaises illustrées, dans laquelle les reproductions sont données lettre par lettre, permet de pointer les passages qui ont arrêté le pinceau des peintres, le burin des graveurs.
2. Laclos, *OC*, p. 1079.

*

Au terme de l'élaboration de ce travail, deux sentiments s'imposent : le regret et la gratitude. Nous aurions souhaité inclure nombre d'illustrations et de textes pour lesquels il a été impossible d'obtenir des droits de reproduction ou des copies de qualité. Nous sommes en revanche consciente de l'immense chance que nous avons eue à la fois de compter sur des suggestions et remarques de collègues ou de conservateurs et d'avoir obtenu des uns et des autres des conseils ou des autorisations de reproduction qui nous permettent de livrer un dossier riche, dans lequel chacun, fût-il le meilleur connaisseur de la fortune des *Liaisons dangereuses*, devrait trouver du nouveau[1].

NOTES

ABBÉ ROYOU (?)
COMPTE RENDU
DES « LIAISONS DANGEREUSES »

Compte rendu des *Liaisons dangereuses*, *Année littéraire*, 1782, III, p. 145-163.

Continuation des *Lettres sur quelques écrits de ce temps* (1749-1754), l'*Année littéraire* est, sous la direction d'Élie-Catherine Fréron, puis de son fils Louis-Stanislas et de sa veuve, l'un des principaux périodiques du royaume de France. Il se caractérise par des opinions tranchées en matière littéraire — c'est un adversaire forcené de Voltaire et des philosophes en général —, mais aussi artistique ou encore médicale. Le journal paraît tous les dix jours. Au moment où un extrait rend compte du roman de Laclos, c'est la veuve de Fréron, Anne-Françoise Royou, qui est propriétaire du périodique. Son frère, Thomas-Marie Royou (1743-1792), enseignait à Louis-le-Grand et on lui attribue parfois l'article.

1. L'*Année littéraire* prend la forme de lettres adressées à un destinataire fictif désigné simplement grâce à l'appellatif « Monsieur ».
2. Lovelace, en qui l'on a vu l'un des ancêtres littéraires de Valmont, est le séducteur de l'héroïne dans le roman épistolaire de Samuel Richardson *Clarisse Harlowe* (1748), traduit en 1751 par l'abbé Prévost.
3. Nicolas Boileau, *Art poétique* (1674), III, v. 1-2.

1. Nous souhaitons en particulier remercier Stéphane Barsacq, Raymond Bellour, Philippe Chométy, Michel Delon, Thierry Dubois (BGE), Aude Henry-Gobet, Ghislaine Hoog, Amélie Legrand, Frank Lestringant, Irène Lindon, Dominique Lucas de Pesloüan, Marie-Gabrielle Mavros, Anna-Lee Pauls, David Rose, Marie-Françoise Rose, Linda Zatlin, le personnel de la Lilly Library (Indiana University, Bloomington) et de Manhattan Rare Books. – Françoise Marcassus-Combis et Sabrina Valy ont été d'un secours irremplaçable dans la coordination de l'ensemble.

MEISTER (?)

COMPTE RENDU DES « LIAISONS DANGEREUSES »

Compte rendu des *Liaisons dangereuses*, avril 1782, *Correspondance littéraire, philosophique et critique, adressée à un souverain d'Allemagne, pendant une partie des années 1775-1776, et pendant les années 1782 à 1790 inclusivement*, par le baron de Grimm et par Diderot, 3e et dernière partie, tome Ier, Paris, Buisson, 1813, p. 373-379.

L'un des plus importants périodiques manuscrits, la *Correspondance littéraire*, lancée en 1753, n'avait qu'une quinzaine d'abonnés au maximum, mais c'étaient des princes européens avides de nouvelles parisiennes comme Stanislas de Pologne ou Catherine II de Russie. Friedrich Melchior Grimm, l'amant bavarois de Mme d'Épinay, leur offrait des inédits extraordinaires — les *Salons* ou encore *La Religieuse* de Diderot ont été donnés pour la première fois par lui. Par leur liberté de ton, les comptes rendus tranchent souvent avec ceux qui paraissent dans la presse imprimée de l'époque. L'extrait concernant *Les Liaisons dangereuses* n'est pas signé. On l'attribue souvent à Jacques-Henri Meister (1744-1826) qui dirigeait depuis 1773 la revue. Fils d'un pasteur zurichois et d'une protestante d'origine française, il parle couramment dès l'enfance les langues de ses deux parents. Il fréquente à Paris Mme de Vermenoux et les Necker. Le billet que lui adresse Mme d'Épinay à propos du roman (voir l'Introduction, p. XII) laisse entendre qu'il y a probablement eu des discussions autour de l'ouvrage avant la rédaction, par l'un ou l'autre, de la recension diffusée aux lecteurs, recension qui révèle le nom de l'auteur (« Chauderlos de La Clos ») masqué par l'astéronyme sur la page de titre des volumes, dit l'insatisfaction ressentie à un dénouement postiche et souligne le danger d'un roman séduisant et pernicieux.

Ajoutons encore qu'en 1794 la *Correspondance littéraire* évoque la *Justine* de Sade en ces termes : « On attribue cet infâme livre à M. de Laclos l'auteur des *Liaisons dangereuses* : il est assez digne d'une âme aussi corrompue que la sienne, mais sous quelques rapports je suis tenté de le croire au-dessous et sous d'autres parts au-dessus de son talent. »

1. Allusion à l'héroïne du roman épistolaire de Samuel Richardson *Clarisse Harlowe* (1748), que séduit Lovelace.

2. Sur les duos Valmont/Azolan et Lovelace/Joseph Leman, voir l'article de Jacques Proust, « Les maîtres sont les maîtres », *Romanistische Zeitschrift für Literaturgeschichte*, n° 2, 1977.

MOUFLE D'ANGERVILLE (?)

QUATRE NOTES SUR « LES LIAISONS DANGEREUSES »

« Nouvelles littéraires » (29 avril, 14 mai, 28 mai, 13 juin), *Mémoires secrets pour servir à l'histoire de la république des lettres depuis 1762 jusqu'à nos jours*, Londres, J. Adamson, 1777-1789, t. XX, p. 211, 250, 271 et 299.

Objets d'un intérêt de la critique depuis quelques années, grâce à l'équipe dirigée, à Grenoble, par Christophe Cave, les *Mémoires secrets* offrent nombre d'informations intéressantes sur l'époque. On suppose que cette chronique rétrospective des années 1762 à 1789 a eu pour source un registre manuscrit collectif. On cite comme contributeur principal, au moment où paraissent les allusions de 1782 aux *Liaisons dangereuses*, Barthélemy-François-Joseph Moufle d'Angerville (1728-1795), un polygraphe auquel sont attribués plusieurs textes scandaleux comme *Les Cannevas de la Pâris* (avec Rochon de Chabannes) et qui a séjourné deux fois à la Bastille.

Les quatre notices (une sorte d'annonce tardive qui tient compte du succès immédiat du livre ; une évocation des lectures à clef et de l'interdiction de faire la publicité de l'ouvrage ; des remarques sur les préfaces ; et une ébauche de jugement d'ensemble) témoignent de l'intérêt soutenu du public parisien pour *Les Liaisons dangereuses* entre la fin du mois d'avril et le milieu du mois de juin 1782.

1. Horace, *Satires*, I, IV : « Il a du foin dans les cornes, fuyez au loin ! »

FRANÇOIS METTRA

SUR « LES LIAISONS DANGEREUSES »

François Mettra, « Nouvelles littéraires, le 8 mai 1782 », *Correspondance secrète, politique et littéraire ou Mémoires pour servir à l'Histoire des Cours, des Sociétés et de la Littérature en France, depuis la mort de Louis XV*, Londres, John Adamson, 1788, t. XIII, p. 22-24.

Tout paraît incertain dans la vie de Louis-François Mettra (1738 ? - 1805 ?). Les exégètes ne s'accordent ni sur sa date de naissance ni sur celle de sa mort. Il fut l'homme-orchestre d'un hebdomadaire, la *Correspondance secrète, politique et littéraire* (1775-1793), qui était imprimé clandestinement et croisait des nouvelles littéraires ou politiques avec des commentaires sur la mode ou des ragots de société. Nous reproduisons ici un extrait de la *Correspondance secrète* dans laquelle les textes de Mettra sont panachés avec des passages de nouvelles à la main versaillaises[1].

1. Allusion à l'*Histoire de Dom B[ougre], Portier des Chartreux* (1741), attribuée à Gervaise de Latouche.

2. Charles-Georges Coqueley de Chaussepierre (1711 ? - 1791 ?) a été censeur royal dès 1762. Il a été chargé en particulier d'examiner des textes juridiques, mais aussi des pièces de théâtre dont *Le Mariage de Figaro*. Cet article est le seul à indiquer qu'il aurait eu à rendre un avis sur le roman de Laclos. Voir, pour une présentation d'ensemble du personnage, l'article « Coqueley de Chaussepierre » d'Hervé Guénot, *Dictionnaire des Journalistes (1600-1789)*, Jean Sgard dir., Voltaire Foundation, 1999, t. I, p. 247-250. Aucune indication n'est livrée sur sa vie conjugale.

1. Voir Jean-Robert Armogathe et François Moureau, *s.v.* « Mettra », *Dictionnaire des journalistes*, Jean Sgard dir., Oxford, Voltaire Foundation, 1999, t. II, p. 572.

LE BRUN PINDARE

POÈMES DIVERS

« Portrait de Madame de *** » et « Autre de la même », dans les *Œuvres* de Le Brun, éditées à titre posthume, Paris, Warée, 1811, t. III, p. 114. — « Malheur à ce Valmont… », publié par Georges Buisson, « Le Brun Pindare, mentor d'André Chénier », dans *L'Éveil des Muses. Poétique des Lumières et au-delà, Mélanges offerts à Édouard Guitton*, Catriona Seth éd., Rennes, P.U.R., 2002, p. 107.

La célébrité de Ponce-Denis Écouchard Le Brun (1729-1807), *dit* Le Brun Pindare, était due à des lectures et à la circulation de poèmes courts, dont de mordantes épigrammes, ou d'extraits de textes plus importants : il ne devait jamais faire paraître un volume de vers. C'est en 1811 que son ami Ginguené publie quatre tomes de textes recueillis dans une édition chez Warée. Le Brun a bénéficié de protections et de pensions de plusieurs grands du monde. Il était connu pour ses polémiques avec Fréron (voir p. 915) ou La Harpe (voir ci-dessous). Plus tard il s'engagea dans de violentes saillies en vers contre les femmes auteurs. Il a été le maître en poésie d'André Chénier.

1. Le terme est lexicalisé. Il désigne, selon le *Dictionnaire de l'Académie française* (1762) : « Celui qui fait la chronologie, qui enseigne la chronologie, qui écrit sur la chronologie. »
2. Première version sur le manuscrit : « jouet impérieux ».

LA HARPE

NOUVELLES LITTÉRAIRES DU PRINTEMPS 1782

La Harpe, nouvelles littéraires du printemps 1782, *Correspondance littéraire, adressée à Son Altesse Impériale Mgr le grand-duc, aujourd'hui empereur de Russie, et à M. le comte André Schowalov, chambellan de l'impératrice Catherine II, depuis 1774 jusqu'à 1789*, Paris, Migneret, an XII (1804) 2e édition [la première est de 1802], t. III, p. 339.

Jean-François de La Harpe (1739-1803) est un homme de lettres qui a laissé une œuvre critique importante. Dramaturge célèbre (*Le Comte de Warwick* [1763] et *Mélanie ou les Vœux forcés* [1770] sont en particulier de grands succès), il fréquente Voltaire et lui emboîte le pas dans la lutte contre l'Infâme. Il écrit pour de nombreux journaux. Il envoie à partir de 1781 au futur Paul Ier et au comte Schowalov [Chouvalov] des informations littéraires de Paris dont celle sur *Les Liaisons dangereuses*, datée du « printemps 1782 ». Après la Révolution, La Harpe recueille une partie de ces nouvelles manuscrites dont la publication fait scandale. Il publie également une importante somme critique, le *Lycée ou Cours de littérature* (1799), dont les dix-huit volumes, qui mettent en évidence sa culture considérable, reprennent l'essentiel des leçons publiques prononcées au Lycée.

1. Dans *Les Égarements du cœur et de l'esprit* (1736) de Crébillon fils, Versac est le libertin confirmé qui sert de mentor au héros, Meilcour.
2. Le roman n'indique pas la règle suivie dans le couvent où Cécile trouve refuge.

HENRI-DAVID CHAILLET

COMPTE RENDU

DES « LIAISONS DANGEREUSES »

Henri-David Chaillet, compte rendu des *Liaisons dangereuses*, *Journal helvétique ou Annales littéraires et politiques de l'Europe, et principalement de la Suisse, dédié au roi*, Neuchâtel, Imprimerie de la Société typographique, décembre 1782, p. 26-54.

Henri-David Chaillet (1751-1823), théologien et publiciste, est le principal rédacteur, à partir de 1779, du *Journal helvétique*. Le mensuel, qui porte, au moment de la sortie du compte rendu des *Liaisons dangereuses*, le titre de *Journal de Neuchâtel, ou Annales littéraires et politiques de l'Europe, et principalement de la Suisse*, connaît une période faste sous la direction du pasteur. Ce dernier signe ses textes « *C* ». Des recensions intéressantes d'œuvres de Rétif de La Bretonne mais aussi des réflexions sur la littérature contemporaine de langue allemande comptent parmi les contributions de Chaillet au périodique. On s'accorde pour saluer le style et l'acuité des remarques de cet homme de lettres, dont les longs articles constituent souvent, comme ici, des réflexions sur l'art du journaliste ou la portée de la critique, tout autant que sur l'œuvre recensée.

Voir l'article de Christophe Stoecklin, « Laclos jugé par le *Journal helvétique* », *RHLF*, 1976, p. 979-985.

1. L'adjectivation du participe présent est tolérée au XVIIIe siècle.
2. On trouve chez Virgile « *semper ad eventum festinat* » (« il se hâte toujours vers son but »).
3. *Julie ou La Nouvelle Héloïse* de Rousseau, roman auquel l'épigraphe de l'édition de 1782 des *Liaisons dangereuses* est empruntée (voir p. 1, n. 2).
4. Héros d'un célèbre poème de Jean-Baptiste Gresset publié en 1734, le perroquet Ver-Vert a été élevé chez les sœurs.
5. Horace, *Art poétique* : « Il mélange la vérité à la fausseté ».
6. Voir la lettre XCIX, n. 1.
7. Citation du *Ver-vert* de Gresset.
8. Allusion à un opéra-comique de Samuel Arnold, sur un livret de George Colman le Jeune, *Inkle and Yarico*. Le marchand anglais Inkle fait naufrage dans les Caraïbes. Il s'éprend de l'indigène Yarico qui s'occupe de lui, mais il projette, une fois rentré en Europe, de la vendre comme esclave et d'épouser une femme d'une meilleure condition, Narcissa. Il abandonne son projet pour unir son sort à celui de Yarico. Créé à Londres en 1787, le spectacle fut très apprécié des contemporains.
9. « Donc ton désir sera tourné vers ton époux et il te commandera » (Genèse, III, 16).
10. Ni le catalogue de la Bibliothèque nationale de France ni la

Bibliographie du genre romanesque français 1751-1800 de Martin, Mylne et Frautschi (Londres, Mansel, 1977) ne recensent de roman de ce titre.

11. Dans *Le Paradis perdu.*

12. Allusion à l'éventualité soulevée par la « Note de l'Éditeur » (voir p. 459).

13. Citation tronquée d'une des *Odes* d'Horace (III, 29) : « Un fleuve qui emporte des pierres polies, des arbres déracinés, des troupeaux et des maisons avec les échos des collines et des forêts voisines alors que le déluge sauvage agite les paisibles ruisseaux. »

14. La note de Rousseau, qui termine la sixième et dernière partie de *La Nouvelle Héloïse,* est la suivante : « En achevant de relire ce recueil, je crois voir pourquoi l'intérêt, tout faible qu'il est, m'en est si agréable, et le sera, je pense, à tout lecteur d'un bon naturel : c'est qu'au moins ce faible intérêt est pur et sans mélange de peine ; qu'il n'est point excité par des noirceurs, par des crimes, ni mêlé du tourment de haïr. Je ne saurais concevoir quel plaisir l'on peut prendre à imaginer et composer le personnage d'un scélérat, à se mettre à sa place tandis qu'on le représente, à lui prêter l'éclat le plus imposant. Je plains beaucoup les auteurs de tant de tragédies pleines d'horreurs, lesquels passent leur vie à faire agir et parler des gens qu'on ne peut écouter ni voir sans souffrir. Il me semble qu'on devrait gémir d'être condamné à un travail si cruel : ceux qui s'en font un amusement doivent être bien dévorés du zèle de l'utilité publique. Pour moi, j'admire de bon cœur leurs talents et leurs beaux génies ; mais je remercie Dieu de ne me les avoir pas donnés » (*Rousseau, Œuvres complètes*, Bibl. de la Pléiade, t. II, p. 745).

LESUIRE

SUR « LES LIAISONS DANGEREUSES »

Robert-Martin Lesuire, « Succès marqués », *Histoire de la république des Lettres et Arts en France. Année 1782*, À Amsterdam et se trouve à Paris, chez Quillau l'aîné, la Veuve Duchesne et Esprit, 1783.

Robert-Martin Le Suire (ou Lesuire), poète et romancier, né à Rouen en 1737, mort à Paris en 1815, a été membre de l'Académie de Rouen et lecteur de l'infant duc de Parme. Il a été le rédacteur exclusif de l'*Histoire de la République des Lettres et Arts en France* pour les années 1779-1783 (publiées entre 1780 et 1785), une sorte de tableau annuel rétrospectif des publications littéraires, scientifiques et artistiques. Son article sur *Les Liaisons dangereuses* figure dans le chapitre I du volume consacré à 1782, juste après une évocation d'*Adèle et Théodore* de Mme de Genlis.

1. Comédie en 5 actes de Jean-Baptiste Gresset (1747), citée dans *Les Liaisons dangereuses* (lettre LXIII, p. 151), et dans laquelle on a voulu voir un des modèles de Laclos pour la figure du scélérat méthodique.

LA MAISONFORT

« LES ADIEUX DE LA PRÉSIDENTE DE TOURVEL AU VICOMTE DE VALMONT »

Antoine-François-Philippe de La Maisonfort, « Les Adieux de la Présidente de Tourvel au vicomte de Valmont, romance », *Étrennes de Polymnie*, 1788. Accompagnement de Henri-Joseph Rigel, *Feuilles de Terpsichore ou Journal composé d'ouvertures, d'airs arrangés et d'airs avec accompagnement pour le clavecin*, Paris, 1re année [1784], n° 41.

Témoignage d'un succès populaire des romans, les romances offrent le plus souvent l'écho de moments cruciaux de l'intrigue. *Paul et Virginie* de Bernardin de Saint-Pierre, publié en 1787, est l'un des textes de fiction qui sera pareillement prolongé par des chansons destinées à être jouées et chantées dans la bonne société.

La publication en 1998 des mémoires du marquis de La Maisonfort nous livre des informations importantes : « Ce fut à Pezai que je fis d'un seul jet, en me promenant dans le parc, la romance devenue presque célèbre parce que la reine Marie-Antoinette aimait à la chanter, des *Adieux de la présidente de Tourvel à Valmont.* M. Daubais, musicien qui avait été attaché au collège de Vendôme, passait sa vie à Herbault où le célèbre Charles était aussi. Cet automne il cherchait des paroles, on s'arrachait alors *Les Liaisons dangereuses* et je choisis pour lui les adieux de la Présidente et les reproches de Cécile Volange. Le succès de ces deux bagatelles m'a servi longtemps de recommandation auprès des dames ; une entre autres, Mme la comtesse de Vau…, me fit chercher par tout Paris pour avoir à souper l'auteur de ces deux romances[1]. » *Le Petit Almanach de nos grands hommes* de Rivarol confirme ce triomphe à l'article « La Maisonfort » : « [il] a fait les "Adieux de Madame de Tourvel au vicomte de Valmont". Nous n'avons encore trouvé personne qui ne les sût par cœur[2]. » Parmi les airs composés pour ces paroles, il y a ceux de Daubais ou d'Obet[3], de Rigel (que nous reproduisons), de Martini (voir p. 551-552).

Henri-Joseph Rigel (1741-1799), compositeur d'origine allemande, a étudié auprès de Jommelli et écrit, pour le Concert spirituel de Paris qu'il dirigea un temps, nombre d'oratorios. On lui doit des symphonies, des quatuors, des sonates. Il a enseigné le solfège à l'École royale de chant, puis le piano au conservatoire après la Révolution.

Le périodique dont nous extrayons la partition se dit « dédié aux dames » et avance de « l'agréable » à « l'aisé » et au « difficile », pour accompagner les élèves dans leurs progrès au clavecin ou à la harpe selon la formule de l'abonnement choisi. Il témoigne de l'essor de la pratique privée de ces instruments.

1. Marquis de La Maisonfort, *Mémoires d'un agent royaliste sous la Révolution, l'Empire et la Restauration 1763-1827*, Mercure de France, 1998, p. 197.

2. *Le Petit Almanach de nos grands hommes pour l'année 1788*, Paris, Léopold Collin, 1808, p. 122.

3. La romance sur l'air de « d'Obet » figure avec ligne vocalique dans les *Étrennes de Polymnie*, 1788, t. IV, p. 180-185.

JACQUES BRISSOT DE WARVILLE

« THE DANGERS OF CONNECTIONS, &C. OU LES LIAISONS DANGEREUSES »

Jacques Brissot de Warville, « *The Dangers of Connections, &c.* Ou *Les Liaisons dangereuses* ; roman traduit du français en anglais, Houkham », *Journal du Lycée de Londres ou Tableau de l'état présent des sciences et des arts en Angleterre*, Paris, Perisse le Jeune, et Londres, 1784, vol. 1, nº 6.

L'histoire se souvient surtout de Jacques-Brissot de Warville (1754-1793) — sans la particule ni le nom, légèrement révisé, de son village d'origine, Ouarville, près de Chartres — pour son rôle de député girondin pendant la Révolution, et pour sa fin sur l'échafaud. Avide de culture, il étudie le droit mais résout très tôt de devenir homme de lettres. Il écrit pour plusieurs journaux. Il fonde à Londres, où il séjourne de 1782 à 1784, un périodique qui se veut le relais de la culture britannique en France et le prolongement de discussions érudites, le *Journal du Lycée de Londres*. C'est ainsi qu'il est amené à commenter la première traduction anglaise des *Liaisons dangereuses*. Brissot a connu des déboires financiers avec un associé, ce qui a mis fin au beau rêve du *Lycée* : il a été emprisonné pour dettes et embastillé. Grand voyageur, il s'est notamment rendu en Suisse, en Hollande, aux États-Unis. En 1784 il rencontre Mirabeau avec lequel il avait été en correspondance. Ce sera pour lui une influence décisive. Relais du déisme, des idées scientifiques nouvelles, des critiques d'aspects institutionnels de la France d'Ancien Régime, Brissot fut à l'origine, en 1788, de la Société des amis des Noirs.

1. Version francisée du nom de l'éditeur londonien Hookham.
2. Brissot confond le nom de l'ingénue Cécile et celui de son amie de couvent, Sophie Carnay, destinatrice de différentes lettres de Mlle de Volanges.
3. Le roman d'Adam Beuvius, *Henriette oder der Husarenraub. In Briefen* avait paru en 1779 à Berlin et Leipzig chez Decker. Une traduction française sortit en 1782 à Genève chez Nouffier de Rodon sous le titre *Henriette de Gerstenfeld, ou Lettres écrites pendant la dernière guerre de 1779 pour la succession de Bavière, &c.*

LA MAISONFORT

« CÉCILE VOLANGES AU CHEVALIER D'ANCENIS »

Antoine-François-Philippe de La Maisonfort, « Cécile Volanges au Chevalier d'Ancenis par l'Auteur des "Adieux de la Présidente de Tourvel" », Musique de M. Martini, *Feuilles de Terpsichore*, 2ᵉ année [1785], nº 42.

Pour l'évocation des circonstances de composition du texte et du périodique dans lequel la romance est publiée, voir p. 921.

Martini, de son vrai nom Johann Paul Ägidius Martin (1741-1816), est un compositeur d'origine bavaroise resté célèbre de nos jours pour *Plaisir d'amour* plutôt que pour ses opéras, son *Te Deum* ou son *Requiem.*

ROMAIN GIRARD
D'APRÈS LAVREINCE

« MRS. MERTEUIL AND MISS CECILLE VOLANGE »
« VALMONT AND PRESID^TE DE TOURVEL »

Nicolas Lavreince et Romain Girard, *Mrs Merteuil and Miss Cecille Volange* et *Valmont and Presid^te de Tourvel*, 1785.

Quatre scènes illustrant le roman sont gravées par Romain Girard. Elles sont diffusées (et selon toute vraisemblance préparées, donc) en ordre dispersé, pour être encadrées probablement, plutôt que pour une édition qui n'aurait pas vu le jour, d'autant que leur taille (40,5 × 32 cm) ne correspond pas aux formats d'impression des romans. Le catalogue de l'exposition Lavreince (Bibliothèque nationale, 1949) rappelle que la mode des gravures anglaises conduit à donner des titres en anglais à des planches qui, comme celles-ci, sont françaises : elles portent toutes l'adresse du graveur parisien, Romain Girard (rue de Savoye, n° 21).

Les trois premières scènes, qui représentent Valmont écrivant, lors de sa nuit d'amour avec Émilie, une lettre à Mme de Tourvel (voir p. 567, et la notule, p. 924), la marquise consolant une Cécile dépoitraillée, et une présidente suppliante à genoux devant un Valmont auquel elle va céder, sont dues au célèbre artiste d'origine suédoise, Niklas Lafrensen, dit Nicolas Lavreince (1737-1807). L'histoire éditoriale de ces planches est compliquée. Le *Supplément* au *Journal de la librairie*, le *Mercure de France*, le *Journal de Paris* ainsi que l'étude d'Emmanuel Bocher, *Les Graveurs français du XVIIIe siècle, ou Catalogue raisonné des estampes, eaux-fortes, pièces en couleurs, au bistre et au lavis de 1700 à 1800. Premier fascicule. Nicolas Lavreince* (Paris, Librairie des bibliophiles, et Rapilly, 1875), permettent de la reconstituer ainsi. La première gravure mise sur le marché serait *Mrs. Merteuil and Miss Cecille Volange* annoncée par le *Journal de Paris* le 12 janvier 1785 (selon Bocher) et par le *Journal de la librairie* le 13 janvier 1787 ; le dessin original à l'encre de Chine, rehaussé de gouache, est passé en vente publique en 1883, 1886 et 1899. Viendrait ensuite la troisième dans l'ordre du roman, celle qui illustre la lettre CXXV. Elle est annoncée le 27 décembre 1785 dans le *Mercure de France*, le 23 juin 1787 dans le *Journal de la librairie* et le 27 août 1787 dans le *Journal de Paris.* Elle est intitulée *Valmont and Présid^te de Tourvel.* Il existe deux versions de ces deux estampes, l'une avant la lettre, l'autre avec la légende. Elles sont vendues, en noir et blanc (6 livres pièce), et en couleurs (9 livres pièce).

JEAN-LOUIS LAYA

« LES DERNIERS MOMENTS
DE LA PRÉSIDENTE DE TOURVEL
À VALMON »

Jean-Louis Laya, « Les Derniers Moments de la présidente de Tourvel à Valmon, héroïde », dans Laya et Legouvé, *Essais de deux amis, contenant le Discours de la mère des Brutus à Brutus, son mari, revenant du supplice de ses deux fils [par Legouvé] ; Les Derniers Moments de la Présidente de Tourvel, … une Lettre de Didon à Énée [par Laya]*, Londres et Paris, Belin et Brunet, 1786.

Cette héroïde, du nom d'un genre dans l'air du temps, livre sur le modèle des épîtres héroïques d'Ovide un monologue intense reprenant le plus souvent, comme ici, les plaintes d'une amoureuse[1]. Laya (1761-1833) s'inspire de la lettre CLXI des *Liaisons dangereuses*. Quelques lignes présentent son projet : « C'est donc l'amante et la femme religieuse que j'ai voulu peindre dans la Présidente de Tourvel, luttant à son dernier soupir, contre une image trop chère qui la dispute à son Dieu. » Laya devait connaître une carrière marquante dans le monde des lettres. Ses pièces *Jean Calas* (1790) et *L'Ami des lois* (1793) furent particulièrement appréciées.

ANONYME
Édition de Genève, 1786

Parmi les éditions des *Liaisons dangereuses*, bon nombre portent de fausses adresses. « Genève », sans nom d'imprimeur, qui figure sur celle-ci datée de 1786, en fait sans doute partie. L'édition comprend une gravure dans chacun des quatre tomes. D'une facture peu soignée, ces planches sont attribuées, dans le catalogue de la Bibliothèque nationale de France, à Le Barbier. Elles ne sont pas signées et ne ressemblent guère à la série dont il est l'auteur six ans plus tard. Elles nous font passer d'un cabinet élégant et féminin (t. I) au vestibule dans lequel est porté un Valmont mourant (t. IV). Les deux scènes intermédiaires montrent chacune un couple dans une chambre à coucher. L'histoire de la vicomtesse de M. offre le sujet de la première (t. II). Dans la seconde (t. III), loin de subir un viol, Cécile semble se précipiter vers Valmont. Il s'agit *a priori* de la première édition illustrée des *Liaisons dangereuses*.

ROMAIN GIRARD
D'APRÈS LAVREINCE
« VALMONT AND EMILIE »

Nicolas Lavreince et Romain Girard, *Valmont and Emilie*, 1788.

Sur les quatre gravures de R. Girard, voir p. 923. Présentées comme les troisième et quatrième sujets tirés des *Liaisons dangereuses*, deux estampes faisant pendant sont annoncées dans le *Journal de Paris* du lundi 8 décembre 1788. Nous évoquons la deuxième page 925. La première du diptyque représente Valmont et Émilie (*Valmont and Emilie*, avec la conjonction de coordination en anglais, selon l'annonce dans la presse) et correspond aux lettres XLVII et XLVIII. Le deuxième état, après la lettre, de cette première estampe a une légende tirée du texte de Laclos. Les deux planches mises en circulation par Girard en 1788 s'obtiennent directement chez lui. Elles coûtent 9 livres en couleurs, 4 en noir et blanc.

1. Voir l'étude de Renata Carocci, *Les Héroïdes dans la seconde moitié du XVIIIe siècle (1758-1788)*, Nizet, 1988.

JACQUES-LOUIS-FRANÇOIS TOUZÉ
« JEUNE FEMME COUCHÉE... »

Jacques-Louis-François Touzé, *Jeune femme couchée remet avec un geste d'effroi une lettre à une soubrette*, 1788.

Nous donnons non la quatrième estampe gravée par Girard pour illustrer *Les Liaisons dangereuses* (voir p. 923 et 924), mais l'original à la gouache et à l'encre brune, jamais reproduit, dû à Jacques-Louis-François Touzé (1747-1807), qui contribua à la décoration du salon des Jeux de Marie-Antoinette à Fontainebleau. Conservé au Louvre, ce dessin (33 × 26,7 cm) représente Mme de Tourvel sur son lit de mort, partagée entre la correspondance clandestine d'un côté et la vertueuse Mme de Volanges de l'autre. La planche gravée par Girard d'après cette illustration a été mise en vente avec celle qui est intitulée « Valmont and Emilie » et aux mêmes conditions (9 livres en couleurs, 4 en noir et blanc).

JEAN-JACQUES LE BARBIER
Édition de Genève, 1792

Jean-Jacques Le Barbier, illustrations pour l'édition de Genève, 1792. Gravures de Dambrun, Delignon, Halbou, Simonet et Thomas.

Les huit planches figurent dans une édition portant la fausse adresse de « Genève, 1792 » et sont redonnées, avec ou sans légende, à plusieurs reprises au cours des années qui suivent (en particulier avec les adresses de « Maradan, l'an second de la République » ou de « Genève 1801 »). D'une belle facture, elles sont resserrées le plus souvent sur deux ou trois personnages. Mme de Rosemonde observe, sur un fond de paysage montagneux qui fait songer à certaines vues incluses dans des éditions de *La Nouvelle Héloïse*, Valmont aidant la présidente à sauter le fossé (lettre VI). Danceny place la harpe d'une Cécile assise sous les yeux de Mme de Volanges (lettre XVIII). Valmont à genoux fait sa cour à Mme de Tourvel (lettre XXIII). La marquise recueille dans ses bras une Cécile abandonnée, ses vêtements en désordre (lettre LXIII). Mme de Merteuil, les bras tendus comme pour se défendre, voit ses domestiques terrasser Prévan qui brandit inutilement une épée (lettre LXXXV). La vieille Mme de Rosemonde se lève devant un Valmont décoiffé et défait (lettre CXXII). Dans une inversion de la scène illustrant la lettre XXIII, la présidente, un genou à terre, les bras écartés, semble vouloir se défendre encore contre Valmont (lettre CXXV). Debout derrière son amie alitée, Mme de Volanges soutient la mourante qui joint les mains et lève les yeux au ciel (lettre CLXV). — Nous reproduisons ici quatre de ces planches.

Formé à l'école de dessin fondée dans sa ville natale, Rouen, par Jean-Baptiste Descamps, Jean-Jacques Le Barbier (1738-1826) fut élève du graveur Lebas et du peintre Pierre. Il voyagea en Italie et en Suisse. Ovide, Rousseau, Marmontel ou Delille comptent parmi les auteurs dont il a illustré les œuvres.

ANONYME
Édition de Genève, 1793

Anonyme, illustrations pour l'édition de Genève, 1793.

L'adresse « Genève 1793 » est probablement fausse, tout comme l'indication selon laquelle il s'agit d'une « Nouvelle édition corrigée et augmentée ». Les gravures sont d'une facture beaucoup plus grossière que celles de Le Barbier et ornent une édition en quatre volumes qui se vendait peut-être moins cher. La première gravure (t. I, p. 16) que nous donnons illustre la lettre de Cécile à Sophie Carnay (lettre I), et met d'emblée en exergue une lecture grivoise du texte avec la réplique de Mme de Volanges : « Eh bien ! qu'avez-vous ? Asseyez-vous et donnez votre pied à Monsieur. » La seconde (t. II, p. 49) illustre à nouveau une missive de Cécile à Sophie (lettre LXI) : « Elle me demanda la clef de mon secrétaire. » Cécile est ici encore en position de faiblesse, au centre de l'image, face à sa mère. L'édition comprend quatre planches, une par volume (les deux que nous ne reproduisons pas ont pour légende : « Et pendant que je me défendais, comme c'est naturel il a si bien fait que... » [lettre XCVII] et « Enfin nous restâmes seuls, et j'entrai en matière » [lettre CXXV]). Rares sont les exemplaires qui en ont survécu.

ALEXANDRE-ÉVARISTE FRAGONARD, MARGUERITE GÉRARD ET CHARLES MONNET
Édition de Londres, 1796

Alexandre-Évariste Fragonard, Marguerite Gérard et Charles Monnet, quinze planches pour l'édition de Londres, 1796. Gravures de Bacquoy, Duplessis-Bertaux, Duppréel, Godefroy, Langlois, Le Mire, Lingée, Masquelier, Patas, Pauquet, Simonet et Trière.

Les quinze images[1] — deux frontispices et treize illustrations — ont servi de source d'inspiration à des illustrateurs du début du XIXe siècle. C'est peut-être à cette édition in-octavo très diffusée que fait allusion Laclos lorsqu'il condamne, dans une lettre à son fils, les versions illustrées de son roman (voir la Notice des *Liaisons dangereuses*, p. 795).

Les deux frontispices allégoriques donnent du texte une lecture intellectualisée. Il ne s'agit point ici de représenter une scène particulière, mais de donner les fondements de l'histoire. Au tome I, le vicomte de Valmont, à l'avant de l'image et muni d'un masque qui dénote son hypocrisie, est soutenu par la marquise de Merteuil et piétine sa victime, Mme de Tourvel, dont l'attribut symbolique est un agneau christique. Le paysage tourmenté, le ciel d'orage viennent redoubler la violence du geste. En tête du tome II — l'édition est en deux volumes —, une planche répond à ce premier frontispice. C'est

1. Voir Philip Stewart, *Engraven Desire. Eros, Image and Text in the French 18th century*, Durham, Duke University Press, 1992.

désormais Valmont qui est à terre. Mme de Merteuil est visible et dévoilée grâce aux lettres que brandit le vicomte. La vérité la chasse. La lumière est faite. L'inversion est complète. Le but moral est mis en évidence dans ces deux estampes dues à Monnet, alors que les autres gravures ponctuent les épisodes d'arrêt sur images.

Les circonstances de commande des gravures ne sont pas connues. Le tome I, à une exception près, a pour illustrateur Monnet. Marguerite Gérard, la talentueuse élève et belle-sœur de Fragonard, est l'artiste des scènes du tome II. C'est à son neveu, Fragonard fils, que revient l'illustration de la lettre XXI. La scène de bienfaisance à la Greuze y est réinterprétée à la lumière des serments peints de David. Dans les planches de la première moitié du roman, les gestes sont amples sous le regard complice d'un amour porte-flambeaux (lettre X), les corps se dénudent, comme celui de Julie face à Valmont tout habillé (lettre XLIV), s'enchevêtrent, comme celui de la complaisante Émilie qui offre son flanc pour pupitre à un vicomte en chemise (lettre XLVIII), s'attirent, comme ceux de Cécile et de la marquise enlacées sous le regard d'un autre *putto* photophore (lettre LIV), s'exhibent au spectateur, comme celui de la vicomtesse partiellement dévêtue lorsque Valmont enfonce d'un violent coup de pied la porte de sa chambre (lettre LXXI), se restreignent, comme celui de Prévan, maîtrisé par les domestiques d'une Mme de Merteuil impérieuse (lettre LXXXV). Au tome II, les décors sont plus stylisés. Valmont s'introduit dans le coin supérieur gauche d'une gravure représentant Cécile endormie innocemment, ses mains croisées laissant apercevoir le bouton d'un sein (lettre XCVI). Il enlace Mme de Tourvel assise, habillée à l'antique, appuyée contre lui (lettre XCIX). Il est derrière Cécile debout devant un secrétaire, et dont la robe reflète déjà la mode du Directoire (lettre CXV). Il retient de ses bras une présidente affolée, les élégants nœuds de sa culotte et de sa cravate répondant aux draperies désordonnées de la dame (lettre CXXV). C'est Valmont encore, dans un univers exclusivement masculin, qui tient un linge sur sa blessure d'une main en donnant l'autre à Danceny, lorsqu'il prend congé de son entourage et de la vie (lettre CLXIII). La dernière scène est, elle, dévolue aux femmes. Elles ne sont plus que deux : peut-être déjà morte, tout au moins évanouie, Mme de Tourvel est abandonnée dans les bras de Mme de Volanges ou d'une suivante (lettre CLXV). Les couples sont défaits. Le cadre est totalement stylisé. La planche emprunte le vocabulaire des pietà et répond à la dernière vision qui nous a été livrée de Valmont.

MME DE BOURDIC-VIOT

« LA PRÉSIDENTE DE TOURVELLE À VALMONT »

Mme de Bourdic-Viot, « La Présidente de Tourvelle à Valmont, romance », *Almanach des Muses* pour 1802, p. 241.

Marie-Henriette Payan de L'Estang (1746-1802) est une poétesse française, née à Dresde, connue sous ses noms d'épouse : marquise d'Antremont, puis Mme de Bourdic et finalement Mme de Bourdic-Viot. Ses nombreux poèmes, souvent des romances ou des textes édifiants, se retrouvent au détour de recueils comme l'*Almanach des Muses*. Elle n'a publié qu'un volume, ses *Poésies* (Amsterdam, 1770)[1].

ÉTIENNE PARISET

« NOTICE SUR LE GÉNÉRAL DE LA CLOS »

Étienne Pariset, « Notice sur le Général de La Clos », *Le Moniteur*, 13 septembre 1803.

Un exemplaire de cette Notice, l'un des premiers textes à tenter de présenter de manière objective à la fois le militaire et l'écrivain, figure dans les papiers remis par la belle-fille de Laclos à la Bibliothèque nationale. Étienne Pariset (1770-1847) — futur médecin des infirmeries de Bicêtre et l'un des fondateurs de la Société Protectrice des Animaux — est plus connu pour ses ouvrages scientifiques que pour ses commentaires littéraires. Il a rédigé de nombreux éloges, le plus souvent de ses confrères. Pariset aurait été un ami des Laclos depuis l'époque de ses études médicales. Il aurait peut-être fait leur connaissance par le biais de Mme Pourrat[2].

CANU

Édition de Paris, 1811

Canu, deux illustrations pour l'édition de Paris, Duprat-Duverger, 1811.

Jean-Dominique-Étienne Canu (1768-1843 ?), élève de Delaunay, est connu pour des portraits au pointillé de grands personnages de l'époque révolutionnaire — de Marie-Antoinette à Robespierre — et de l'Empire, ainsi que pour des illustrations d'histoire naturelle. Nous reprenons deux scènes. Prévan, son épée à la main, saisi par le valet de chambre d'une marquise de Merteuil aux seins découverts, extraite du tome II ; et, tirée du tome IV, Valmont mourant, entouré d'hommes, pardonnant à Danceny, dont il tient la main. Ces deux gravures sont fortement inspirées par celles de Monnet et de Marguerite Gérard pour l'édition de 1796. Elles témoignent de la circulation des illustrations et de la reprise directe (comme dans la première des deux scènes) ou inversée (comme dans la seconde) d'illustrations existantes.

ANONYME

Édition de Paris, 1811

Anonyme, illustrations pour l'édition de Paris, Duprat-Duverger, 1811.

L'édition dont nous extrayons ces deux gravures anonymes de facture grossière est identique à la précédente ; seule l'illustration change. Nous reproduisons la lutte d'une Cécile alitée avec un Val-

1. Voir l'*Anthologie de la poésie française*, Bibl. de la Pléiade, t. II, p. 286, 287 et 1344.
2. Voir Jean-Paul Bertaud, *Choderlos de Laclos*, Fayard, 2003, p. 439.

mont en chapeau venu, de nuit, la forcer à se donner à lui (t. III) et le même Valmont, introduit auprès d'une présidente de Tourvel assise, au début de la scène racontée dans la lettre CXXV (t. IV).

ACHILLE DEVÉRIA

Édition de Paris, 1820

Achille Devéria, illustrations pour l'édition de Paris, Imprimerie Cellot, 1820.

Les six illustrations de Devéria (desquelles les noms des dessinateur et graveur sont parfois absents) ont été reprises dans bon nombre d'éditions des *Liaisons dangereuses* parues au cours des années qui ont suivi[1], souvent avec de petites modifications ou des inversions qui trahissent des copies à partir de tirages et non des planches originales.

Connu pour ses vignettes et lithographies, qui comprennent de nombreuses planches érotiques, Achille Devéria (1800-1857) a gravé des portraits, entre autres d'écrivains comme Mme de Sévigné et Racine, et de nombreuses illustrations de livres dont le *Faust* de Goethe ou les *Fables* de La Fontaine. Il a été élève de Girodet-Trioson.

Nous reproduisons trois illustrations : Valmont rédigeant la lettre XLVIII à Mme de Tourvel sur le corps de la prostituée Émilie ; la mort du vicomte ; les derniers instants de la présidente.

ALEXANDRE DE TILLY

SOUVENIRS SUR LACLOS

Alexandre de Tilly, *Mémoires du comte Alexandre de Tilly pour servir à l'histoire des mœurs de la fin du XVIIIe siècle*, Paris, Chez les Marchands de Nouveautés, 1828, t. I, p. 318-327.

Le comte de Tilly (1764-1816) tenait de l'aventurier par ses goûts et à la vieille noblesse provinciale par sa naissance. Sa fidélité à la monarchie le conduisit à s'exiler. Il voyagea en Angleterre puis aux États-Unis, en Hollande et en Prusse. Ses *Mémoires*, publiés à titre posthume, tracent le portrait d'un Valmont au petit pied, séduisant et spirituel, mais capable de noirceurs. Tilly et Laclos ont pu, comme l'affirme le mémorialiste, se croiser à Paris, puis à Londres, mais rien ne permet de juger de l'exactitude des propos rapportés de l'auteur des *Liaisons dangereuses*, propos qui ont fait couler beaucoup d'encre parmi les exégètes.

1. Tilly vient d'évoquer un épisode tragique concernant la sœur d'un de ses amis proches : la jeune femme, alors au couvent près d'Arras, a été séduite, comme au moins une de ses compagnes, par un jeune homme qui a escaladé les murs de l'institution religieuse. Enceinte, elle a demandé à sortir et s'est donné la mort en absorbant du poison.

1. Voir par exemple les éditions de Paris, Parmentier, 1823 (2 vol., petit in-8), ou Chez les Marchands de Nouveautés, 1833-1834 (4 vol., petit in-12).

2. Il est question de Heyman dans une lettre de Marie-Antoinette à Axel de Fersen le 7 décembre 1791 (Archives nationales, 440 AP1, dossier 1, pièce 2), et un baron de Heymann ou Heyman a été inspecteur divisionnaire pour la cavalerie dans la 8e division (Basse-Alsace) en 1789 ; il est devenu général par la suite. Peut-être est-ce le même qu'ici. Jean-Joseph-Gui-Henri Bourguet de Guilhem, marquis de Travanet, est un riche spéculateur, actionnaire de la Compagnie des Eaux de Paris, proche de la Cour et du duc d'Orléans ; il acquiert de nombreux biens d'émigrés et du clergé sous la Révolution — entre autres la célèbre Abbaye de Royaumont.

3. Charles-Alexandre de Calonne (1734-1802) qui a été contrôleur-général des finances et ministre de Louis XVI.

4. Morte en 1832, Louise-Marthe de Conflans d'Armentières, marquise de Coigny, est surtout connue de nos jours comme destinataire de lettres du prince de Ligne.

5. Il s'agit du futur George IV (1762-1830) qui était en effet un esthète et arbitre des élégances.

6. Sur les poèmes de Laclos, voir la Notice des *Pièces fugitives*, p. 901-903.

7. Le détail allusif a ouvert la voie à plusieurs identifications, en particulier celle de Valmont à Dolomieu ou à Monge (voir la Notice du roman, p. 805).

8. On a proposé de lire sous ces initiales « La Tour du Pin de Montmaur ».

9. Rochechouart ou Rochechinard ont été proposés comme patronymes possibles.

10. Pietro Aretino, *dit* l'Arétin (1492-1556), dont les *Ragionamenti* et sonnets luxurieux, illustrés de planches de Jules Romain représentant des postures amoureuses, sont considérés comme une œuvre emblématique de la pornographie.

FRANÇOIS ANCELOT ET XAVIER SAINTINE

« LES LIAISONS DANGEREUSES »

François Ancelot et Xavier Saintine, *Les Liaisons dangereuses*, drame en trois actes, mêlé de chant, représenté pour la première fois, à Paris, sur le Théâtre national du Vaudeville, le 20 février 1834. Acte I, scène XIII, p. 11-12.

François Ancelot (1794-1854) a écrit des tragédies, des vaudevilles, des comédies légères. Il a aussi été poète et romancier à ses heures. Il a perdu son poste de conservateur de l'Arsenal et de bibliothécaire du roi au moment de la Monarchie de Juillet. On retient aussi son implication dans la négociation du copyright international. Joseph-Xavier Boniface, *dit* Saintine (1798-1865), auteur du roman *Picciola*, a été un dramaturge prolifique qui a publié ses œuvres sous des pseudonymes divers.

La pièce se déroule dans un pavillon de chasse chez le chevalier de Chavigny, puis chez la présidente de Tourvel, et, pour finir, au domicile du vicomte de Valmont. La liste des personnages est la suivante : Le vicomte de Valmont, le chevalier de Chavigny, le chevalier d'Anceny, l'abbé Anselme, le comte de Crissé, Préval, Georges (valet de chambre de Valmont), la présidente de Tourvel, Mlle Guimard (danseuse à l'Opéra), Mme de Rosemonde, Cécile de Volanges, Julie (femme de chambre de Mme de Tourvel). Le chevalier de Chavigny est « irrésistible », Valmont le plus brillant de ses élèves. Le snobisme de Georges, le valet, se traduit par ses commentaires sur Julie de qui il est devenu l'amant suivant les instructions de son maître : « C'est sans esprit, sans manières, ça tient à la noblesse de robe ; et si ce n'était par égard pour M. le vicomte, je n'aurais pas gardé ça plus de huit jours. » La pièce reprend certains morceaux de bravoure du roman. La scène de bienfaisance de Valmont est narrée à la présidente et à Mme de Rosemonde. Les jeux de dupes s'écartent un peu de ce que raconte Laclos. Lorsque tombe le rideau, Mme de Tourvel, affolée, vient de voir mourir le vicomte à la suite de son duel.

EUSÈBE GIRAULT DE SAINT-FARGEAU

SUR « LES LIAISONS DANGEREUSES »

Eusèbe Girault de Saint-Fargeau, « Laclos », *Revue des romans, recueil d'analyses raisonnées des productions remarquables des plus célèbres romanciers français et étrangers, contenant 1 100 analyses raisonnées, faisant connaître avec assez d'étendue pour en donner une idée exacte, le sujet, les personnages, l'intrigue et le dénouement de chaque roman*, Paris, Firmin-Didot, 1839.

Eusèbe Girault de Saint-Fargeau (1799-1855) est un polygraphe qui produit des ouvrages nombreux et divers dont certains concernent la cartographie des provinces françaises. Sa *Revue des romans* annonce 1 100 analyses et offre en effet des points de vue rapides, mais souvent éclairants, sur des œuvres de fiction du temps. Dans le cas des *Liaisons dangereuses*, étudiées dans un article intitulé « Laclos », un véritable jugement est mis en avant. Le critique reste scandalisé par une œuvre — alors interdite — dont il commente « l'horrible succès ». On notera qu'il se trompe sur le nom de la marquise, rebaptisée ici Verteuil, et sur le lieu et la date de la mort de l'auteur.

ARSÈNE HOUSSAYE

« LE CHEVALIER DE LA CLOS »

Arsène Houssaye, « Le Chevalier de La Clos », *Le Constitutionnel* (1846), repris dans la *Galerie de portraits du XVIIIe siècle*, Paris, Charpentier, 1848, vol. III, p. 222-228.

François-Arsène Housset (1815-1896), *dit* Arsène Houssaye, est un critique fin et imaginatif qui apprécie l'élégance et l'esprit du siècle des Lumières. Son bref texte sur Laclos a dû être la première — parfois la seule — présentation de l'auteur et de son œuvre principale à un public privé des *Liaisons dangereuses* dans une société dont le climat moral n'en permettait pas une libre circulation. Comme tous les écrits de cet auteur inattendu, qui fut meunier avant de suivre des comédiens ambulants et de finir membre de l'Institut, les lignes qu'il consacre à Laclos contiennent nombre de formules frappantes.

1. Sophie Arnould (1740-1802) est l'une des plus célèbres actrices et chanteuses du temps. Elle a débuté en 1757.

2. Mlle Beaumesnil reprit certains des rôles de Sophie Arnould et est restée célèbre pour avoir été la maîtresse de La Belinaye et de son neveu le marquis de La Rouerie, futur héros de l'Indépendance américaine et commandant royaliste sous la Révolution.

3. Le roman de Diderot fut publié à titre posthume en 1796. Il n'a paru, en 1779, qu'en feuilleton dans la *Correspondance littéraire*, le périodique manuscrit de Grimm.

4. La physiognomonie de Johann Kaspar Lavater (1741-1801) est censée permettre de lire les caractères d'après la physionomie des individus.

5. Le duc d'Orléans, futur Philippe Égalité.

6. Jules Janin (1804-1874) inclut dans « Les Deux Filles de Séjan », au sein de son roman intitulé *Barnave* (1831), une scène qui fait intervenir Laclos.

7. Un portrait de Laclos attribué à Kucharski est conservé à Versailles. Le Carmontelle, gravé, sert de frontispice à l'édition des *Liaisons dangereuses* d'Ad. van Bever en 1908.

8. La mère de Laclos s'appelait Victoire-Marie-Catherine Gallois. Le nom « La Clos » viendrait d'un fief acquis par son grand-père, trésorier de l'extraordinaire des guerres (voir Jean-Paul Bertaud, *Choderlos de Laclos*, p. 15).

9. Voir les *Pièces fugitives*, p. 485.

10. Joseph Bologne de Saint-George est né à la Guadeloupe, ce qui lui vaut d'être désigné comme Américain.

11. La scène est controuvée. Le café de la Régence se trouve au Palais-Royal et est le rendez-vous des joueurs d'échecs.

12. Allusion à la *Correspondance littéraire* de Grimm et aux *Mémoires secrets* dits de Bachaumont, deux périodiques confidentiels manuscrits qui furent imprimés ultérieurement.

13. Le duc de Richelieu, maréchal de France (1715-1788), s'était rendu célèbre par sa vie débauchée.

14. Laclos ne s'est marié qu'en 1786. On suppose que sa liaison avec sa future épouse remonte à la fin de l'année 1782 et est donc postérieure à la publication de son roman.

15. Catherine-Soulange a épousé le lieutenant-colonel Jean-Baptiste Duret de Tavel. Ses deux frères ont fait carrière dans l'armée, Étienne-Fargeau est mort à la bataille de Berry-au-Bac en 1814. Charles-Ambroise est décédé en 1844. Il n'y a eu de postérité que du côté de Catherine-Soulange Choderlos de Laclos.

16. Le texte de Laclos s'intitule non *Mémoire*, mais *Lettre à Messieurs de l'Académie française sur l'éloge de M. le maréchal de Vauban, proposé pour sujet du prix d'éloquence de l'année 1787*. L'épigraphe, que cite correctement Houssaye, est donnée en grec et en français et attribuée à Phocylide plutôt qu'à Polybe.

17. Voir le compte rendu essentiellement favorable à Laclos dans le *Journal des Savants* pour 1786, p. 556.

18. La citation omet une partie du texte de Laclos sans le signaler (voir Laclos, *OC*, p. 577-578).

19. Le 22 juin 1785, Laclos avait été élu académicien titulaire de l'Académie de La Rochelle.

20. *Pièces fugitives*, p. 491.
21. Alphonse Rabbe (1784-1829), l'un des principaux auteurs de la *Bibliothèque universelle et portative des contemporains* et notamment l'article « Laclos » (Paris, Chez l'Éditeur, 1837, t. III, p. 27), met effectivement en avant l'idée d'une composition par Laclos des discours de Robespierre.
22. Sur les inscriptions funéraires du monument de Laclos, voir M. Stefania Montecalvo, « Laclos à Tarente : le monument funèbre et l'épigraphe », *Deux siècles de « Liaisons dangereuses »*, M. Delon et Francesco Fiorentino éd., Tarente, Lisi, 2005, p. 111-123.
23. Il s'agit de Charles-Ambroise, le fils de Laclos, qui meurt en 1844.
24. Ou plus exactement « D. de T... » : Jean-Baptiste Duret de Tavel, mort en 1861.
25. Jacques Clinchamps de Malfilâtre (1732-1767) et Nicolas-Joseph-Florent Gilbert (1750-1780) sont des figures emblématiques du poète malheureux, ancêtre littéraire du poète maudit.
26. La correspondance a été publiée. L'édition la plus récente est celle de Laurent Versini (Laclos, *OC*).

CHARLES BAUDELAIRE

NOTES SUR « LES LIAISONS DANGEREUSES »

Charles Baudelaire, notes sur *Les Liaisons dangereuses*, 1866.

Les notes de Baudelaire sur *Les Liaisons dangereuses* semblent renvoyer au projet inabouti d'une réédition du roman chez Poulet-Malassis, réédition pour laquelle l'auteur des *Fleurs du Mal* aurait prévu de rédiger une préface. En 1856, il soutient devant son éditeur, contre Crébillon, un écrivain qu'il considère comme l'un des « romanciers forts[1] » au même titre que Diderot, Hoffmann, Poe ou Goethe. Dans les lignes qu'il rédige dix ans plus tard — entre le 29 janvier et le 20 mars 1866 selon Claude Pichois[2] —, toujours en espérant voir sortir *Les Liaisons dangereuses*, Baudelaire retrouve l'idée, formulée par certains lecteurs dès 1782, d'une sorte de satanisme du roman. Il est aussi le premier à faire de Mme de Tourvel une bourgeoise, victime des manigances aristocratiques des libertins. Les notes de Baudelaire ont été révélées en 1903 à la suite de l'édition des ébauches d'essais sous le titre *De l'éducation des femmes* par Édouard Champion (Paris, A. Messein, 1903). André Guyaux en a récemment transcrit le manuscrit, grâce à une copie fournie par Thierry Bodin[3].

1. Le nom d'André-Robert Andrea de Nerciat (1739-1800) est associé à la littérature libertine et notamment à des romans comme *Félicia ou mes fredaines* et *Le Doctorat impromptu*.
2. Joseph de Maistre (1753-1821) est bien connu pour ses écrits contre-révolutionnaires auxquels Baudelaire fait allusion ici.

1. Baudelaire, *Œuvres complètes*, Bibl. de la Pléiade, t. II, p. 247.
2. *Ibid.*, p. 1115. Voir aussi Claude Pichois, « La Date des notes sur *Les Liaisons dangereuses* », *Bulletin baudelairien*, août 1983.
3. Voir « Les *Liaisons* selon Baudelaire », *Deux siècles de « Liaisons dangereuses »*, p. 67-88 (la transcription se trouve aux pages 77-88).

3. Chateaubriand écrit dans *Les Natchez* : « Je suis vertueux sans plaisir ; si j'étais criminel, je le serais sans remords. »

4. L'observation de Baudelaire n'est étayée par aucun élément textuel. Par son mariage, Mme de Tourvel tient en effet à la noblesse de robe, mais nous n'avons aucune indication sur ses propres origines. L'interprétation de Baudelaire a ouvert la voie à une lecture du roman de Laclos comme une revanche sur la société d'Ancien Régime (voir par exemple celle, marxisante, de Roger Vailland, et la notule, p. 943).

5. Les « barbes » sont les bandes de dentelles dont se coiffent les femmes.

6. Jules Champfleury (1821-1889) a participé au débat autour du réalisme et du moralisme des *Liaisons dangereuses.*

CH. TESTA ET A. BESSON
Édition de Paris, 1894

Ch. Testa et A. Besson, illustrations pour l'édition de Paris, Boulanger, 1894.

Dans la première édition illustrée du roman de Laclos à paraître en France après la période d'interdiction de circulation qui avait débuté une soixantaine d'années plus tôt, on trouve quatre planches, sans compter l'image de couverture qui représente, sur fond d'un bouquet coloré, une femme nue à l'exception d'une draperie qui lui couvre le bas du corps[1]. Nous donnons la scène qui, comme l'indique la légende (« J'ai trouvé plaisant d'envoyer une lettre écrite du lit même »), se rapporte à la rédaction de la lettre XLVIII telle que la raconte le vicomte à la marquise dans le courrier précédent. Un Valmont habillé, à plat ventre, s'appuie sur la jambe droite recourbée d'Émilie pour écrire son épître à la présidente de Tourvel. Dans l'édition de 1894, les gravures sont entourées de fleurons vert d'eau.

AUBREY BEARDSLEY
« COUNT VALMONT »

Aubrey Beardsley, « *Count Valmont* », *The Savoy*, n° 8, 1896.

Mort en 1898 de la tuberculose, à l'âge de 25 ans, Aubrey Beardsley avait eu pour intention d'illustrer *Les Liaisons dangereuses* qu'il avait lu dans l'édition bruxelloise de 1869, probablement pour la version anglaise de Dowson. Le projet a été abandonné en cours de route. Seule une planche est parvenue jusqu'à nous. Nous remercions David Rose et Linda Zatlin de leur aide dans la localisation d'une copie de l'illustration.

1. Voir *Laclos en images*, p. 14.

HEINRICH MANN

INTRODUCTION
À LA TRADUCTION ALLEMANDE
DES « LIAISONS DANGEREUSES »

Heinrich Mann, « Introduction », *Gefährliche Freundschaften*, Leipzig, Insel Verlag, 1905 ; traduction française de Chantal Simonin, dans Heinrich Mann, *L'Écrivain dans son temps. Essais sur la littérature française*, Villeneuve d'Ascq, Presses universitaires du Septentrion, 2002.

Frère aîné de Thomas, Heinrich Mann (1871-1950) est dessinateur, auteur et traducteur. Amateur de littérature française, il traduit *Les Liaisons dangereuses* (alors qu'il en existe déjà plusieurs versions allemandes à l'époque) pour une édition publiée à Leipzig en 1905, souvent réimprimée et où manquent l'« Avertissement de l'éditeur » et la « Préface du rédacteur ». Il offre en revanche une introduction comprenant une critique du roman, une approche de sa réception et une biographie de Laclos. Nous en donnons un extrait d'après la traduction (révisée pour les citations) de Chantal Simonin. Heinrich Mann a quitté l'Allemagne lors de la montée du nazisme. Il a vécu en France, puis aux États-Unis où il est mort.

1. Pour la « Suite de la Lettre XL », voir p. 105.
2. Valérie Marneffe est un personnage de *La Cousine Bette* de Balzac.

FERNAND NOZIÈRE

« LES LIAISONS DANGEREUSES »

Fernand Nozière, *Les Liaisons dangereuses. Pièce en 3 actes*, Paris, Société générale d'éditions illustrées, 1908, acte III.

La pièce de Fernand Nozière, de son vrai nom Fernand Weyl (1874-1931), a été jouée d'abord sur une scène privée, à Maisons-Laffitte chez Robert de Clermont-Tonnerre le 14 octobre 1907. La première publique a lieu au Femina, le 12 novembre 1907. Quelques libertés sont prises avec l'intrigue comme l'explique l'auteur dans un texte liminaire : « En tirant une comédie des *Liaisons dangereuses*, j'ai voulu faire œuvre de moraliste. Il faut, comme chacun sait, que l'auteur dramatique soit un professeur de vertu, et c'est ce que je n'ai garde d'oublier. Nos contemporains ne viennent pas au théâtre pour se divertir des soucis quotidiens : ils veulent en emporter un utile enseignement. Ils souhaitent que le vice ne triomphe pas et ils se détournent avec horreur des personnages vils et pervers. [...] Les hommes ne peuvent ressentir que du mépris pour le vicomte de Valmont qui conduit à sa perte la pieuse Présidente de Tourvel et qui abuse de la petite Cécile Volanges. Mais [...] M. de Valmont est tué d'un coup d'épée, — ce qui prouve que la justice n'est pas un vain mot. » Ce beau projet a ses limites. Nozière refuse d'infliger à la marquise la variole[1] qu'il

1. Il écrit curieusement : « À la vérité, je n'ai pas voulu que Mme de Merteuil mourût, comme dans le roman, de la petite vérole », alors que rien n'indique dans le roman une issue mortelle à la maladie de la marquise, bien au contraire.

considère comme la maladie romanesque des belles, une revanche cruelle accordée par les romanciers aux laides restées sages : « Nombre d'honnêtes femmes se sont réjouies en songeant que des figures jolies et triomphantes avaient été, — enfin — ravagées par un microbe équitable. Je n'ai pas eu le courage de leur accorder cette satisfaction et j'ai respecté l'irrésistible grâce de la divine Marquise. » Nozière est ému par le personnage de Mme de Merteuil qui mériterait la pitié du lecteur. Il trouve désolant qu'elle n'ait pas rencontré en temps voulu un homme qui pût « à la fois, contenter sa sensibilité et son intelligence ». Le propos continue en regrettant les inégalités entre les sexes.

LUBIN DE BEAUVAIS
Édition de Paris, 1908

B. Lubin de Beauvais, eaux-fortes illustrant l'édition de Paris, Ferroud, 1908.

Lubin de Beauvais a illustré, au tournant des XIXe et XXe siècles, outre *Les Liaisons dangereuses*, plusieurs livres d'auteurs comme Godard d'Aucourt ou Musset. Il a collaboré à de nombreux périodiques et créé des planches pour des volumes de littérature enfantine et des bandes dessinées, souvent dans l'esprit des images d'Épinal. Nous reproduisons trois scènes, extraites de l'édition Ferroud de 1908, qui compte en tout 21 lithographies : Cécile écrivant à son nouveau secrétaire ; un Valmont tout habillé auquel Émilie tend, en guise de pupitre, une fesse complaisante, pour rédiger la lettre XLVIII ; Cécile, sur les genoux de Valmont, lisant un billet destiné à Danceny.

ANDRÉ GIDE
« LES DIX ROMANS FRANÇAIS QUE... »

André Gide, « Les Dix Romans français que... », *La Nouvelle Revue française*, avril 1913.

Les Liaisons dangereuses n'est pas simplement pour André Gide, comme il l'indique dans cet extrait d'un article paru pour la première fois en avril 1913 dans *La Nouvelle Revue française*, l'un des dix — voire l'un des deux — romans qu'il aime le plus, mais également un texte vers lequel il est souvent revenu. En 1940, il donne ainsi une préface pour une édition anglaise publiée par la Nonesuch Press, et il fait à plusieurs reprises référence aux héros de Laclos dans sa correspondance. Il se voit lui-même en Valmont lorsqu'il entreprend la séduction de Marc Allégret alors qu'il est un ami du pasteur Allégret, père du jeune homme.

1. Gide fait allusion ici aux *Amours du chevalier de Faublas* (1760-1797) de Jean-Baptiste Louvay de Couvray, roman libertin qui narre les aventures à rebondissements d'un jeune homme.

SIMON

Édition de Berlin, 1914

Simon, frontispices de l'édition de Berlin, Wilhelm Borngräber, 1914.

Dues à Erich M. Simon (1892-1978), les quatre estampes de l'édition berlinoise de 1914, dans la traduction d'August Brücher, sont resserrées sur des couples. Sur la première, on aperçoit un couple sortant d'une petite maison ou d'un pavillon. La seconde se déroule dans un univers luxueux devant le portrait d'un noble décoré. La troisième met en évidence l'échange de regards entre une femme allongée découverte et un homme debout tout habillé. La quatrième, la plus facile à mettre en rapport avec une scène précise du roman, montre Valmont, au côté d'une Émilie aux seins nus, dans son carrosse armorié. L'ambiance n'est pas sans rappeler un XVIIIe siècle à la mode de la Vienne des premières décennies du XXe comme pouvaient l'imaginer, à la même époque, Hugo von Hofmannstahl et Richard Strauss dans *Der Rosenkavalier* (1910).

GEORGES JEANNIOT

Édition de Paris, 1914-1918

Georges Jeanniot, eaux-fortes illustrant l'édition de Paris, L. Carteret, 1914-1918.

Pierre-Georges Jeanniot (1848-1934) a commencé sa vie professionnelle comme militaire, mais il pratiquait le dessin depuis l'enfance, grâce à son père Pierre-Alexandre Jeanniot, qui dirigea l'École des beaux-arts de Dijon. Il se consacre pleinement à l'art à partir de 1881 et fréquente à Paris de grands peintres du temps comme Degas, Manet ou Puvis de Chavannes. Illustrateur de talent, il a collaboré à *La Vie moderne* et donné des planches pour de très nombreux ouvrages dont *Adolphe* de Constant, *Candide* de Voltaire ou *Tartarin de Tarascon* de Daudet. Il a également laissé des croquis mémorables de la vie parisienne de son époque. Les 54 eaux-fortes en noir et en couleurs conçues pour *Les Liaisons dangereuses* figurent dans une édition préparée par Carteret dès 1914, mais diffusée en 1918[1]. Nous reproduisons celle qui montre Valmont surprenant Julie et Azolan.

ANDRÉ SUARÈS

« LES LIAISONS DANGEREUSES »

André Suarès, *Xénies*, Émile-Paul, 1923, chap. XII, p. 109-114 ; repris dans *Âmes et visages. De Joinville à Sade*, Michel Drouin éd., Gallimard, 1990, p. 269-271[2].

Isaac-Félix Suarès, *dit* André Suarès (1868-1948), est un élève

1. Voir *Laclos en images*, p. 107.
2. Nous tenons à remercier Stéphane Barsacq de nous avoir signalé cette source.

brillant qui échoue à l'agrégation d'histoire, un reclus qui sera patronné par les plus grands, un auteur secret qui révèle au grand jour sa pensée originale et profonde au détour de plus de quatre-vingts livres rédigés, pour la plupart, en marge de ses activités à *La Nouvelle Revue française*. Dans un recueil de portraits intellectuels, il rapproche *Les Liaisons dangereuses* de *Madame Bovary*. Ce serait un livre dangereux — le seul peut-être — justement parce qu'il est froid et calculateur au lieu d'être grivois ou libertin. Suarès s'est composé une bibliothèque ou un musée individuel, le garnissant de portraits en mots d'écrivains admirés, de Sade à Benjamin Constant ou de Laclos à Verlaine. Ses propos, toujours incisifs et originaux, témoignent d'une qualité de lecture qui s'allie à une écriture à la fois pondérée et précise.

[CHARLES LUCAS DE PESLOÜAN]
« LES VRAIS MÉMOIRES DE CÉCILE DE VOLANGES »

[Charles Lucas de Pesloüan,] *Les Vrais Mémoires de Cécile de Volanges*, Paris, J. Fort, 1926, t. I, p. 64-67.

L'ouvrage anonyme en deux tomes, édité en 1926 puis à nouveau en 1927, rehaussé de gravures de Fragonard et d'autres, est attribué par les Delmas[1] à [Charles] Lucas de Pesloüan (1878-1952), attribution confirmée par les descendants de l'auteur. Cécile y fait le récit à la première personne de ses aventures. Elle corrige certains aspects du texte de Laclos, reprochant en particulier au romancier de la faire passer pour plus sotte qu'elle ne l'était réellement. Le passage que nous donnons raconte sous un angle inédit la scène qui, chez Laclos, correspond au viol de Mlle de Volanges par Valmont. Ici, une Cécile tout sauf naïve feint l'innocence pour arriver à ses fins. Le deuxième tome des *Vrais Mémoires* donne une suite à l'histoire narrée dans *Les Liaisons dangereuses*. Cécile voyage, goûte aux amours ancillaires, accouche d'un fils, rencontre Laclos en prison, se venge de Mme de Merteuil et finit par épouser un certain Trivulce.

1. Voir p. 580.
2. Dans cette réécriture des *Liaisons dangereuses*, Bathilde est une amie de couvent de Cécile.

MAURICE BERTY
Édition de Paris, 1927

Maurice Berty, illustrations pour l'édition de Paris, Nilsson, 1927.

Né dans une famille noble de rentiers, Jean de Lamberty, *dit* Maurice Berty (1884-1946), a été blessé en 1914 lors de la bataille de la Marne. L'illustration était pour lui un passe-temps avant d'être une profession. Il a travaillé pour différents éditeurs et conçu des publicités. Son ouvrage sur *Louis XIV, roi de France, 1638-1715* (1936) a été bien reçu de la critique. Il a donné des planches pour de nombreux

1. *À la recherche des « Liaisons dangereuses »*, Mercure de France, 1964.

livres d'auteurs aussi divers que Prévost, Chateaubriand, Constant, Dickens ou Andersen. Ses illustrations pour l'édition Nilsson de Laclos s'arrêtent après la scène montrant Prévan renvoyé par la marquise. Nous la reproduisons ainsi que celle dans laquelle un Valmont en robe de chambre et bonnet de nuit obtient de Julie la promesse qu'elle lui livrera les poches de Mme de Tourvel.

ALASTAIR
Édition de Paris, 1929

Alastair, Illustrations pour l'édition de Paris, Black Sun, 1929.

Né en 1887 et mort en 1969, Hans Henning Voigt, *dit* Alastair, est un personnage mystérieux qui multiplia les affirmations sur ses origines et ses occupations : il fut illustrateur — entre autres de *Manon Lescaut* de Prévost, de *Salomé* d'Oscar Wilde et de *La Chute de la maison Usher* de Poe —, mais aussi poète, danseur et mime, dit-on. Artiste autodidacte, il fut influencé par Beardsley, mais ses planches baignent dans une ambiance étrange et souvent maléfique. Celles qu'il a préparées pour *Les Liaisons dangereuses* sont au nombre de quatorze, sept pour chacun des deux tomes. Souvent, elles sont allégoriques ou emblématiques plutôt que narratives. Nous en reproduisons quatre : trois tirées du premier tome (Cécile entre les bras de la marquise ; Valmont s'apprêtant à enfoncer la porte de la chambre de la vicomtesse avec laquelle il vient de passer la nuit ; un couple japonisant derrière une ombrelle) et une extraite du tome II représentant une femme défaillante — probablement la présidente — au-dessus de laquelle se tient un perroquet sur son perchoir.

ARPAD JAROSY
Édition de Vienne et Berlin, vers 1930

Arpad Jarosy, illustrations pour l'édition de Vienne et Berlin, Trianon Verlag, sans date.

Avec quatre planches coloriées, dont l'esthétique rappelle celle des chromos, Arpad Jarosy illustre une édition des *Liaisons dangereuses* parue sans date, mais probablement vers 1930. Nous reproduisons la planche qui montre un Valmont habillé s'appuyant, pour écrire sa lettre XLVIII à la présidente, sur le dos d'une Émilie nue.

JEAN GIRAUDOUX
« CHODERLOS DE LACLOS »

Jean Giraudoux, « Choderlos de Laclos », *La Nouvelle Revue française*, décembre 1932, p. 854-870.

L'auteur de *La guerre de Troie n'aura pas lieu*, Jean Giraudoux (1882-1944) a également été, comme le montre cet article de *La Nouvelle Revue française*, un fin critique. Dans l'extrait choisi, il se concentre sur la question du couple en montrant l'extraordinaire originalité de celui formé par la marquise et le vicomte des *Liaisons dangereuses*.

GEORGE BARBIER

Édition de Paris, 1934

George Barbier, illustrations au pochoir pour l'édition de Paris, Le Vasseur et Cie, 1934.

Artiste raffiné, George Barbier (1882-1932) aime beaucoup le XVIIIe siècle pour ses illustrations — il a donné des scènes de Casanova par exemple ou encore illustré les *Fêtes galantes* de Verlaine. Il a été célèbre en son temps pour ses gravures de mode aux couleurs vives. Quel que soit le sujet qu'il choisit, l'esthétique prime sur tout chez Barbier. L'édition Le Vasseur des *Liaisons dangereuses*, en deux tomes, comprend 27 compositions posthumes de l'artiste, dont 20 en pleine page. Toutes sont coloriées au pochoir. Après le bandeau de la lettre première, nous reproduisons la marquise accueillant Belleroche dans sa petite maison au décor anthropomorphisé (lettre X), Cécile à sa harpe (lettre XVIII), la même à l'Opéra avec la marquise (lettre XXXIX), Valmont surprenant Azolan et Julie au lit (lettre XLIV), la marquise séduisant Cécile (lettres LIV et LXIII), Prévan et les « inséparables » (lettre LXXIX), Valmont s'apprêtant à violer Cécile (lettre XCVI).

ANDRÉ MALRAUX

« LACLOS »

André Malraux, « Laclos », *Tableau de la littérature française. De Corneille à Chénier*, Gallimard, 1939.

En 1939, André Malraux (1901-1976) livre ce que Jean-Luc Seylaz décrit comme « L'analyse la plus pénétrante qu'on ait donnée de la signification des *Liaisons*[1] ». Malraux a repris le texte dans son recueil de *Scènes choisies* (Gallimard, 1946) puis l'a inclus, après l'avoir révisé, dans *Le Triangle noir* (1970) qui porte pour sous-titre *Laclos, Goya, Saint-Just*. Parmi les éditions des *Liaisons dangereuses* dans lesquelles figurent les propos de Malraux sur Laclos, citons celle du Livre de Poche (1958), celle de la collection « Folio classique » (2006, avec notice et notes de Joël Papadopoulos). Voir Pierre Brunel, « Malraux, lecteur des *Liaisons dangereuses* », *Littérature et séduction. Mélanges en l'honneur de Laurent Versini*, Klincksieck, 1997, p. 851-860.

1. Allusion aux propos de Tilly ; voir p. 607.
2. Mme Riccoboni. Allusion à la correspondance à propos du roman (voir p. 462). Nous ignorons si Laclos a envoyé son livre à la romancière ou si elle l'a acquis par d'autres moyens.
3. L'idéologue Antoine Destutt de Tracy (1754-1836).
4. Personnage des *Frères Karamazov* de Dostoïevski, Ivan est le rationaliste solitaire qui se laisse ronger par un sentiment de culpabilité.
5. La Vaubyessard est la noble propriété dans laquelle Emma Bovary et son époux sont invités le temps d'une soirée.

1. *« Les Liaisons dangereuses » et la Création romanesque chez Laclos* (1958), Genève, Droz, 1998, p. 9.

6. L'analogie entre Laclos et Machiavel est proposée déjà par les frères Goncourt dans *La Femme au XVIIIᵉ siècle* (1862).
7. Mambrino ou Mambrin est le chevalier au casque d'or dans *Don Quichotte* de Cervantes.
8. Seconde allusion aux propos de Tilly (voir p. 607).

CHAS LABORDE
Édition de Londres, 1940

Chas Laborde, illustrations pour *Dangerous Acquaintances*, Londres, The Nonesuch Press, 1940.

Chas [Charles] Laborde, né en 1886 en Argentine, est mort en 1941. Orphelin de mère à deux ans, il est élevé dans un château béarnais. Enfant, il aime dessiner. Il est renvoyé du collège à 17 ans pour avoir bu. Il va alors rejoindre à Paris l'un de ses frères aînés qui a toujours encouragé son goût pour l'art et lui permettra de suivre des cours aux Beaux-Arts et dans une académie privée. Il vend des caricatures et croquis humoristiques à la presse. Mobilisé pendant la guerre, au cours de laquelle meurent deux de ses frères, il respire du gaz moutarde. La fin des hostilités lui permet de retrouver le dessin. Soutenu par Carco et Mac Orlan, entre autres, il grave sur cuivre des planches pour *Jocaste et le Chat maigre* d'Anatole France, les *Claudine* de Colette ou *Nana* de Zola. L'édition des *Liaisons dangereuses* qu'illustre Laborde paraît à Londres en 1940, accompagnée d'une préface d'André Gide. En tête de chaque lettre, de petits personnages représentent emblématiquement auteur et destinataire, et des planches en pleine page ponctuent le volume. Nous donnons deux scènes : Valmont rédigeant la lettre XLVIII depuis le lit d'Émilie, et Cécile nue s'apprêtant à retrouver le vicomte.

CHÉRI HÉROUARD
Édition de Paris, 1946

Chéri Hérouard, illustrations pour l'édition de Paris, Colbert, 1946.

Chéri-Marie-Aimé-Louis Haumé (1881-1952), *dit* Chéri Hérouard, est l'auteur d'un grand nombre d'illustrations, souvent grivoises, pour des éditions de textes littéraires. Ses planches pour *Les Liaisons dangereuses* dépeignent parfois des scènes dont il n'est pas question dans le roman, comme une visite de la marquise de Merteuil chez ses avocats. D'autres paraissent restituer un climat, plutôt que renvoyer à un épisode précis. Dans l'image reproduite, Valmont habillé et assis sur un tabouret utilise pour pupitre le haut du corps d'une Émilie partiellement dénudée pour écrire à la présidente la lettre XLVIII.

ANDRÉ MAUROIS
« LES LIAISONS DANGEREUSES »

André Maurois, « Les Liaisons dangereuses », *Sept visages de l'amour*, La Jeune Parque, 1946.

André Maurois, de son vrai nom Émile Herzog, naît à Elbeuf en 1885 et meurt en 1967. Il préfère les études de lettres à des responsabilités dans l'entreprise familiale. Interprète militaire pendant la guerre, c'est un anglophile confirmé qui donnera, parmi ses biographies très appréciées, des vies de Disraeli, Shelley ou Fleming. Les pages qu'il consacre aux *Liaisons dangereuses* dans ses *Sept visages de l'amour* sont structurées en sections intitulées : « L'Auteur » ; « Le Livre » ; « Les Personnages » ; « Le Moraliste ». Nous donnons la première de ces quatre parties.

1. Lovelace est le héros scélérat de *Clarisse Harlowe* de Richardson.
2. Voir p. 529.

KARL STAUDINGER

Édition de Stuttgart, Vienne et Saint-Gall, 1950

Karl Staudinger, illustrations pour l'édition parue à Stuttgart, Vienne et Saint-Gall, Chez Janus, « Bibliothek der Weltliteratur », 1950.

Dans cette traduction allemande, les croquis de Karl Staudinger (1874-1962), artiste célèbre et directeur d'écoles des beaux-arts, en Allemagne comme en Colombie, apportent par endroits une lecture fraîche et insolente du texte. Dans la scène reproduite, Émilie tend sa croupe à Valmont qui paraît méditer, papier et plume à la main, au moment de composer pour la présidente la lettre XLVIII.

PAUL ACHARD

« LES LIAISONS DANGEREUSES »

Paul Achard, *Les Liaisons dangereuses. Pièce en huit tableaux* inspirée de Choderlos de Laclos, *Paris Théâtre*, septembre 1952, tableau VII.

Le 15 mars 1952, *Les Liaisons dangereuses. Pièce en huit tableaux* était créée sur la scène du théâtre Montparnasse-Gaston Baty, sous la direction de Marguerite Jamois, qui avait auparavant présenté avec succès des drames historiques « de Madame Capet à Manon Lescaut et Marie Stuart[1] ». L'action est située vers 1780, successivement au château de Mme de Rosemonde, dans l'oratoire de la présidente de Tourvel, dans le boudoir de Mme de Merteuil, au couvent des Feuillantines, puis de nouveau dans la propriété de la tante de Valmont. La distribution comprend treize personnages : le vicomte, la marquise, Cécile et sa mère, Danceny, la présidente, Mme de Rosemonde, Azolan, Julie la camériste de Mme de Tourvel, le père Anselme, un « valet campagnard » nommé Nicolas et une religieuse.

Paul Achard (1897-1962), né à Alger, est un homme de lettres français. Il a reçu le Grand prix littéraire de l'Algérie (1938) et a été nommé secrétaire général des théâtres lyriques nationaux (1945-1948). Outre *Les Liaisons dangereuses*, il a également adapté *La*

1. François Ribadeau Dumas, « Introduction » à la pièce, *Paris Théâtre*, septembre 1952, p. 5.

Célestine de Fernando de Rojas et des pièces de Ben Jonson ou de Tchékhov.

ROGER VAILLAND

« LACLOS PAR LUI-MÊME »

Roger Vailland, *Laclos par lui-même*, Le Seuil, 1953, p. 51-54.

Le petit volume de Roger Vailland (1907-1965), *Laclos par lui-même*, a marqué durablement la critique laclosienne. Grand lecteur, Vailland devient journaliste et côtoie le Tout-Paris des lettres. Pendant la guerre, il part pour Lyon et entre en résistance. Il recevra en 1945 le prix Interallié pour *Drôle de jeu*, le roman qu'il a écrit pendant l'Occupation après avoir lu *Lucien Leuwen*. Il vit alors dans une austérité qui confine parfois à la pauvreté, mais est célébré par les intellectuels parisiens. Au moment où il rédige ses pages sur Laclos, Vailland vient de prendre sa carte de membre du Parti communiste français. Cet engagement politique, qui prendra fin avec le soulèvement de Budapest en 1956, informe sa vision des *Liaisons dangereuses* dont il fait une lecture marxiste, voyant dans l'écrit le roman de la revanche d'un officier brimé sur une société aristocratique dont il se sent exclu ou méprisé.

1. Voir p. 916.

ROGER VADIM ET ROGER VAILLAND

« LES LIAISONS DANGEREUSES 1960 »

Un film de Roger Vadim, *Les Liaisons dangereuses 1960*, 1959. — Adaptation de Roger Vadim et Roger Vailland. Avec la collaboration de Claude Brulé. Dialogues de Roger Vailland d'après le roman de Choderlos de Laclos, Julliard, 1960.

Porté par un couple de grands acteurs, Jeanne Moreau et Gérard Philipe, entourés, entre autres, de Jean-Louis Trintignant, d'Annette Vadim et de Boris Vian, *Les Liaisons dangereuses 1960* sort en 1959 après avoir bien failli ne pas voir le jour à cause de la censure. L'ajout de *1960* à la suite du titre du roman de Laclos est l'un des éléments imposés pour en autoriser la diffusion. L'histoire se déroule entre Paris et Megève. Le film est servi par un scénario qui adapte intelligemment Laclos au XXe siècle. Il offre une lecture originale et pertinente de l'intrigue, qui passa par plusieurs moutures pendant le travail préparatoire, avec, entre autres, un Valmont coureur automobile et une Tourvel épouse d'un vieux médecin ou encore du secrétaire d'État à l'Afrique noire[1]. Vailland, qui a accepté « avec un délicieux plaisir » de collaborer à l'entreprise, voit une « logique profonde » dans le souhait qu'a eu Vadim d'adapter le roman : « L'artilleur-géomètre de 1782 et le jeune cinéaste de 1958 se retrouvaient dans la même ingénuité à l'égard du style et de l'amour[2]. » Nous reproduisons

1. Claude Brulé, « Mon journal des *Liaisons* », *Les Liaisons dangereuses 1960*, Julliard, 1960, p. 153-168.
2. Roger Vailland, « En toute ingénuité », *ibid.*, p. 12.

une des affiches du film, ainsi que le texte de deux scènes (extraites des première et septième parties) qui montrent comment le téléphone permet de moderniser l'intrigue tout en en préservant l'essentielle perversité.

« LES LIAISONS DANGEREUSES 1960 »
« Mon film », n° 685, février 1961

D'après Roger Vadim et Roger Vailland, planches de « ciné-roman », *Les Liaisons dangereuses 1960*, *Mon film*, n° 685, février 1961.

Le mensuel *Mon film* transforme certaines des grandes productions des années 1950 et 1960 en romans-photos ou en « ciné-romans » (de format 24 × 31 cm) à partir de photographies de plateau plutôt que de photogrammes. *Les Liaisons dangereuses 1960* n'échappe pas à ce sort, non plus que *Les Tricheurs* de Marcel Carné, *Et Dieu créa la femme*, *Moderato cantabile* ou *Les Demoiselles de Rochefort*, entre autres. L'adaptation aplatit l'intrigue, lui ôte de sa sophistication, mais propose une sorte de réduction géométrique dans laquelle la blancheur des scènes enneigées de paysages alpins contraste avec la lumière artificielle et l'obscurité des soirées mondaines. Nous donnons les deux dernières pages du roman-photo qui se clôt avec un gros plan du visage de Juliette (le personnage modelé sur la marquise de Merteuil et joué par Jeanne Moreau), défigurée par les flammes alors qu'elle tentait de détruire, après la mort de Valmont, des documents compromettants.

HILDE SCHLOTTERBECK
Édition d'Olten, Stuttgart et Salzbourg, 1962

Hilde Schlotterbeck, illustration pour l'édition d'Olten, Stuttgart et Salzbourg, Fackelverlag, 1962.

Dans le dessin au trait qui représente la rédaction de la lettre XLVIII telle que l'imagine Hilde Schlotterbeck (1912-1995) pour l'édition allemande du roman parue en 1962, Émilie n'est pas une belle jeune fille, mais une prostituée sur le retour, l'air blasé, allongée pour permettre à Valmont d'écrire sa missive à la présidente. L'artiste, qui a travaillé à la Gedokhaus de Stuttgart, a également illustré Crébillon.

RAYMOND HAWTHORN
Édition de Londres, 1962

Raymond Hawthorn, illustrations pour l'édition de Londres, The Folio Society, 1962.

Raymond Hawthorn a illustré, outre *Les Liaisons dangereuses*, *Abelard et Heloïse* ainsi que la *Vie des douze Césars* de Suétone pour la Folio Society, un cercle britannique d'amateurs de livres précieux. Nous reproduisons quatre bois gravés. On y voit Cécile tour à tour songeuse à son secrétaire, assoupie lors d'une réception donnée par sa mère, et endormie lorsque Valmont, armé de sa lanterne sourde, s'introduit auprès d'elle. La dernière planche représente Mme de Tourvel arrivée au couvent, entourée de religieuses qui s'affairent autour d'elle.

PAULETTE DEBRAINE

Édition de Paris, années 1960

Paulette Debraine, illustrations pour l'édition de Paris, Club du Livre sélectionné, sans date.

Nerval, Balzac et George Sand comptent parmi les artistes dont Paulette Debraine a illustré les œuvres. Dans les planches que nous avons extraites d'une édition sans date proposée aux lecteurs du Club du Livre sélectionné, Valmont écrit la lettre XLVIII en s'appuyant sur le dos d'une Émilie nue et agenouillée, puis s'introduit, une lanterne à la main, auprès d'une Cécile couchée.

HELLA S. HAASSE

« UNE LIAISON DANGEREUSE »

Hella S. Haasse, *Une Liaison dangereuse. Lettres de La Haye*, 1976 ; traduction française d'Anne-Marie de Both-Diez, Le Seuil, 1995, p. 125-126.

Née en 1918 en Indonésie, Hella Haasse est un écrivain néerlandais dont les œuvres ont été traduites en de nombreuses langues. Auteur de poèmes, d'essais, de récits et de pièces de théâtre, elle est surtout célèbre en France, pays où elle a résidé entre 1981 et 1990, pour deux romans historiques. *Het Woud der verwachting* (*En la forêt de longue attente*) a pour héros Charles d'Orléans. *Een gevaarlijke verhouding of Daal-en-Bergse brieven* (*Une Liaison dangereuse. Lettres de La Haye*, dont le sous-titre d'origine renvoie non à La Haye, mais au nom de la propriété d'une marquise installée en Hollande après les événements narrés dans *Les Liaisons dangereuses*, *Daal-en-Berg* ou Val-et-Mont) connaît depuis sa publication en 1976 une certaine renommée, rehaussée par la vogue actuelle des *Liaisons dangereuses* et des différentes adaptations qui en ont été réalisées. Le roman fait dialoguer, par lettres, Mme de Merteuil réfugiée en Hollande, et une femme du XXe siècle. À l'instar de Dominique Aury dans son article fondateur de 1951 [1], Hella Haasse fait de la marquise une inspiratrice possible pour les lectrices modernes.

1. La lettre CXLI.

MAURICE-FRANTZ POINTEAU

Édition de Paris, 1981

Maurice-Frantz Pointeau, illustrations pour l'édition de Paris, Imprimerie nationale, René Pomeau éd., 1981.

Une série d'illustrations de Pointeau accompagne cette édition des

1. « La Révolte de Mme de Merteuil », *Cahiers de la Pléiade*, n° XII, printemps-été 1951, p. 91-101.

Liaisons dangereuses. Les jeux sur les couleurs et les effets fondus rehaussent les deux frontispices allégoriques et les planches qui représentent plusieurs scènes importantes du roman. Nous donnons le frontispice du tome I ainsi que deux planches du tome II, au verso desquelles figurent les légendes suivantes : « Mme la Présidente est allée l'après-midi dans la bibliothèque… elle n'a fait que… rêver… » (lettre CVII) et « On croit qu'elle [Mme de Merteuil] a pris la route de la Hollande » (lettre CLXXV).

HEINER MÜLLER
« QUARTETT »

Heiner Müller, *Quartett*, Henschelverlag, 1981 ; traduction française de Jean Jourdheuil et Béatrice Perregaux, Éditions de Minuit, 1983.

Pièce de théâtre allemande de Heiner Müller (1929-1995) créée à Bochum en 1982, *Quartett* — littéralement *Quatuor* — a été montée en français dès 1985[1]. Les personnages sont réduits à deux, Merteuil et Valmont, et la période indiquée comme : « Un salon d'avant la Révolution française. / Un bunker d'après la troisième guerre mondiale ».

Dans ce texte violent, partition d'affrontements, de souvenirs, d'oublis, chacun prête sa voix à d'autres : Merteuil se fait Cécile ou Valmont alors que le vicomte joue le rôle de la présidente. Pour exprimer cet enchevêtrement d'identités, répliques vulgaires et poétiques se côtoient. Les ressorts romanesques sont parfois détournés. La marquise donne à son plaisir solitaire le nom de Valmont, lequel lui reproche d'en vouloir au président de Tourvel qui lui aurait préféré son épouse. *Quartett*, pièce grinçante dont la réplique finale revient à Merteuil, « À présent nous sommes seuls cancer mon amour », est l'un des écrits les plus originaux dérivés du roman de Laclos. Nous en donnons intégralement la traduction française.

Jeanne Moreau, qui fut Isabelle Valmont — la Merteuil de l'adaptation cinématographique de Vadim — en 1959, est l'une des actrices qui a incarné le même personnage chez Müller, à l'occasion d'un spectacle monté pour célébrer, en 2007, les soixante ans du festival d'Avignon. La pièce, dans laquelle elle avait pour partenaire Sami Frey, a été donnée à nouveau à Paris en 2008. Deux ans plus tôt, Bob Wilson l'avait mise en scène à l'Odéon-Théâtre de l'Europe avec Isabelle Huppert et Ariel Garcia-Valdès. Elle a également été jouée à la Comédie-Française et mise à l'affiche dans plusieurs villes de province.

1. Voir Pierre Frantz, « *Quartett.* Variations sur le roman de Laclos. Heimliche, unheimliche *Liaisons dangereuses* », *Deux siècles de « Liaisons dangereuses »*, p. 125-140.

CHRISTOPHER HAMPTON

« LES LIAISONS DANGEREUSES »

Adaptation française de Jean-Claude Brisville

Christopher Hampton, *Dangerous Liaisons* (*Les Liaisons dangereuses*) d'après Choderlos de Laclos, 1985. Adaptation française de Jean-Claude Brisville, Papiers, 1988, p. 71-72 (17. [La mort de Valmont]).

Les Liaisons dangereuses doit en partie sa célébrité internationale actuelle à des films qui s'inspirent d'une autre pièce de théâtre. Œuvre d'un Anglais diplômé de lettres françaises d'Oxford et traducteur d'œuvres théâtrales à ses heures, Christopher Hampton (né en 1946), une adaptation du roman de Laclos a été créée à Stratford-upon-Avon le 18 septembre 1985. Vingt-trois représentations étaient alors prévues, dans le petit théâtre de la Royal Shakespeare Company, *The Other Place*. Le succès fut immédiat ; transférée à Londres, puis à New York et à Paris, la pièce a remporté de nombreux prix et séduit le public. En 1988, elle a été montée à Paris, dans une adaptation française de Jean-Claude Brisville. Bernard Giraudeau en vicomte de Valmont y donnait alors la réplique à Caroline Cellier en marquise de Merteuil. Nous reproduisons l'avant-dernière des 18 scènes de cette version. On y découvre un Valmont sincèrement amoureux de la présidente et qui tente, par l'entremise de Danceny, de lui faire une déclaration *post-mortem*.

CHRISTIANE BAROCHE

« L'HIVER DE BEAUTÉ »

Christiane Baroche, *L'Hiver de beauté*, Gallimard, 1987 ; « Folio », p. 72.

Christiane Baroche, biologiste et romancière française née en 1935, s'est expliquée sur ses choix et ce qu'elle appelle l'*outrecuidance* d'avoir puisé dans *Les Liaisons dangereuses* la matière d'un roman : « En fait le personnage central seul me captivait, et je cherchais à lui inventer une *résurrection*, ou plutôt une négation plausible de cette "mort" annoncée que Laclos lui inflige en une seule page, à savoir la laideur, la chute sociale, ce qui déjà n'augure pas d'un avenir en cette fin du XVIIIe siècle, et pire, la honte de la fleur de lys et de l'exil en Louisiane pour peu qu'on la rattrape sur les routes du Nord, en possession des bijoux emportés indûment[1]. »

Deux femmes jouent un rôle central dans ce roman, Mme de Merteuil et Queria dos Haguenos, sa lointaine descendante, au visage déformé comme celui de l'ancêtre dont elle découvre la vie dans les archives familiales.

1. Voir *Deux siècles de « Liaisons dangereuses »*, p. 159 et suiv.

STEPHEN FREARS

« LES LIAISONS DANGEREUSES »

Scénario de Christopher Hampton

Un film de Stephen Frears, *Dangerous Liaisons* (*Les Liaisons dangereuses*), 1989. Scénario de Christopher Hampton, adapté en français par E. Kahane, Jade-Flammarion, 1989.

La célébrité actuelle des *Liaisons dangereuses*, même parmi des personnes qui n'ont jamais entendu parler de Laclos, est due en grande partie au film de Stephen Frears, sur un scénario de Christopher Hampton, sorti l'année du bicentenaire de la Révolution[1] (le 22 mars 1989). L'adaptation, qui tente de rester au plus près du roman, est servie par des costumes somptueux, des décors luxueux et des acteurs remarquables, en particulier Glenn Close et John Malkovich dans le rôle des deux libertins.

Les séquences 141 à 161, qui composent la fin du film de Frears, ont frappé les spectateurs. Le duel qui oppose Valmont à Danceny est interrompu par d'autres scènes qui permettent notamment de mettre en parallèle les derniers instants du vicomte et ceux de la présidente. Dans les deux ultimes séquences, la marquise est d'abord huée par les autres spectateurs à l'opéra, puis rentre chez elle et, seule devant son miroir, se démaquille, mettant ainsi en évidence, pour la première fois, son véritable visage.

Nous donnons également deux photos : la mort de Valmont et la déchéance de Mme de Merteuil.

STEPHEN FREARS

« LES LIAISONS DANGEREUSES »

Découpage par Pierre Kandel

Un film de Stephen Frears, *Dangerous Liaisons* (*Les Liaisons dangereuses*), 1989. Découpage, après montage, par Pierre Kandel, *L'Avant-scène cinéma* (janvier 2001), n° 498.

La scène dont nous offrons le découpage réunit l'auteur de la lettre XLVIII, Valmont (John Malkovich), son témoin complaisant, la prostituée Émilie (Laura Benson), et la destinatrice innocente, Mme de Tourvel (Michelle Pfeiffer). Nous accompagnons le texte de photos du film.

1. Voir M. Delon, « Le Succès actuel des *Liaisons dangereuses* ou la Mise à l'épreuve des Lumières », *Op. cit.*, n° 11, novembre 1998, p. 109-116, et Laurent Versini, « Des liaisons dangereuses aux liaisons farceuses », *Travaux de littérature*, Adirel/Klincksieck, 1993. Voir également Brigitte Humbert, « De la lettre à l'écran, *Les Liaisons dangereuses* », Amsterdam, Rodopi, 2000.

PHILIPPE SOLLERS

« APOLOGIE
DE LA MARQUISE DE MERTEUIL »

Philippe Sollers, *Apologie de la marquise de Merteuil*, *Le Monde*, 28 avril 1989 ; repris dans *La Guerre du Goût*, Gallimard, 1994.

Philippe Joyaux, *dit* Philippe Sollers, est né en 1936. Fondateur de *Tel quel* et de *L'Infini*, il a joué un rôle important comme écrivain et critique dès la parution de ses premiers ouvrages. On devine dans de nombreux textes son goût affirmé pour un XVIIIe siècle élégant, spirituel et raffiné jusque dans ses noirceurs. En témoigne cette « Apologie de la marquise de Merteuil », publiée pour la première fois en 1989 dans *Le Monde*, à l'occasion de la sortie du film de Stephen Frears, et recueillie en volume dans *La Guerre du Goût* (1994).

1. Si Freud est bien né en 1856, les notes de Baudelaire sur *Les Liaisons dangereuses* datent de 1866. Un projet initial de réédition du roman aurait été envisagé une dizaine d'années plus tôt.

2. Voir p. 697.

3. Allusion à la formule « Madame Bovary, c'est moi », souvent prêtée à tort à Flaubert.

4. Les lettres LXVII et LXVIII.

MILOS FORMAN

« VALMONT »

Un film de Milos Forman, scénario de Jean-Claude Carrière, *Valmont*, 1989.

Valmont porte à l'écran les manigances des héros de Laclos en en modifiant les enjeux et les dénouements. Les tromperies sont divertissantes. Les personnages survivent à leurs aventures — interdites aux moins de 18 ans dans plusieurs pays. Le château de La Motte-Tilly dans l'Aube, l'Abbaye aux Hommes de Caen et l'Opéra-Comique ont fourni des décors aux acteurs. Nous reproduisons la célèbre affiche.

PASCAL QUIGNARD

« SUR LA FIN DES LIAISONS »

Pascal Quignard, « Sur la fin des Liaisons », *La Haine de la musique*, Calmann-Lévy, 1996.

Pascal Quignard est né en 1948. Homme de lettres et violoncelliste talentueux, il a livré de nombreux textes qui unissent son goût des lettres et de la musique. Il a participé à l'écriture du film d'Alain Corneau, *Tous les matins du monde*, adapté de son roman du même titre (1991). Le délicieux texte intitulé « Sur la fin des Liaisons » offre un regard inédit sur une marquise de Merteuil vieillissante amenée, au fin fond de la campagne anglaise, à croiser deux jeunes filles, Cassandra l'aînée, et la cadette Jane, dont le père est le pasteur Austen. Nous reprenons le texte de l'édition Folio.

1. Célèbre loge maçonnique fondée à Paris avant la Révolution et dont ont été membres nombre d'hommes de lettres et d'artistes.
2. Nom ancien du Havre.
3. Petit village du Hampshire, proche de Basingstoke. Les parents de Jane Austen y vécurent de 1764 à 1768.
4. Jane Austen est née à Steventon dans le Hampshire en 1775 et a passé les vingt-cinq premières années de sa vie à la cure dont son père était titulaire. Sa sœur Cassandra était de deux ans l'aînée de Jane.
5. William Jackson d'Exeter (1730-1803) est un compositeur et organiste anglais qui a mis en musique des vers de Pope, Milton, etc.
6. George Crabbe (1754-1832), poète et entomologiste anglais de renom.
7. Les chouettes-effraies.
8. Ville johannique du Val de Loire, à 17 kilomètres d'Orléans, Jargeau est tristement célèbre de nos jours pour avoir abrité un camp ouvert en 1941 sur ordre des nazis pour enfermer des prostituées, des tziganes et des marginaux.
9. Benjamin Franklin est mort en 1790.
10. « Who can from joy refrain ? », *incipit* du *Birthday Ode for the Duke of Gloucester* (1695, paroles de Nahum Tate) de Purcell, qui est également l'auteur de *O Solitude, my sweetest Choice* (1687, paroles de Katherine Philips).

LAURENT DE GRAEVE

« LE MAUVAIS GENRE »

Laurent de Graeve, *Le Mauvais Genre*, Monaco, Éditions du Rocher, 2000 (extrait).

Laurent Chapeau (1969-2001), *dit* Laurent de Graeve, était un écrivain belge. Il est décédé des suites du SIDA alors qu'il avait déjà acquis une certaine renommée littéraire. Son roman *Le Mauvais Genre* donne à lire le journal de Mme de Merteuil au lendemain de la mort de Valmont. La réécriture astucieuse de certaines scènes dans une langue souvent canaille introduit des effets de décalage amusants. Les liaisons entre les personnages se complexifient : Cécile est la fille naturelle de Valmont, qui devient donc un père incestueux aux tendances bisexuelles. Dans une lettre, à l'issue de ses réflexions diaristiques, la marquise propose à Mlle de Volanges de s'enfuir avec elle. Nous donnons, en amont, un passage du journal de Mme de Merteuil.

1. Dans le roman de Laclos, *Pensées chrétiennes* et *Clarisse* [*Clarissa Harlowe*] sont les volumes que la présidente, repartie précipitamment de la campagne à Paris, prend, à son retour, sur les rayons de sa bibliothèque (lettre CVII).
2. Dans le roman de Laclos, Valmont rembourse les 56 livres dues par les paysans. Il dit ensuite leur avoir donné tout ce qu'il avait pris ce matin-là, à savoir 10 louis (240 livres).

LEE JAE-YONG, KIM DAE-WOO,
KIM HYUN-JEONG
« SCANDALE »

Un film de Lee Jae-yong, scénario de Lee Jae-yong, Kim Dae-woo et Kim Hyun-jeong, *Scandale*, 2003.

Dans un film aux couleurs lumineuses et aux contours précis, Lee Jae-yong réinterprète *Les Liaisons dangereuses* en en situant l'intrigue dans la Corée du XVIIIe siècle. La séduction de l'innocente Soh-ok, future concubine de l'époux de Lady Cho, et celle de la vertueuse veuve catholique Lady Sook constituent des transpositions dans le cadre de la dynastie Choson des enjeux du roman de Laclos. Nous reproduisons une photo du film.

HERVÉ LE TELLIER
« BRÈVES LIAISONS »

Hervé Le Tellier, « Brèves liaisons. Tentative de réécriture des *Liaisons dangereuses* en carte postale », dossier *« Correspondances d'écrivains »*, *Le Magazine littéraire*, n° 442, mai 2005, p. 43.

Né en 1957, Hervé Le Tellier, mathématicien, journaliste et écrivain, a été coopté à l'Oulipo en 1992. Il est l'auteur de nombreux textes de genres divers, et notamment d'un roman par lettres, *Le Voleur de nostalgie* (1992). Comme le montrent ces trois cartes postales, il a un esprit qui s'accommode admirablement de la forme brève et de la réécriture allusive. Les auditeurs de France-Culture peuvent apprécier son humour dans l'émission *Les Papous dans la tête* et les abonnés du *Monde* goûter les courts billets d'humeur qu'il fait paraître sous le titre « Papier de verre » dans la lettre électronique du journal.

Les cartes ont paru dans *Le Magazine littéraire* sous le titre « Lettres inattendues », qui coiffait également deux documents dus au même auteur et tout aussi authentiques : la lettre à Jacques Prévert d'une Brestoise prénommée Barbara et le remerciement du concierge de l'école secondaire de Mézières à un ancien élève qui vient de lui envoyer deux poèmes : Arthur Rimbaud.

BIBLIOGRAPHIE

Il ne s'agit pas de proposer au lecteur une bibliographie exhaustive. La popularité actuelle des *Liaisons dangereuses* a suscité une avalanche de réactions critiques dont toutes n'ont pas la même valeur. Nous offrons ici une orientation d'ensemble ainsi que quelques pistes suggestives.

PRINCIPALES ÉDITIONS MODERNES

Œuvres complètes, Maurice Allem éd., Bibl. de la Pléiade, 1951 (première édition à tenter de cerner l'ensemble du corpus des œuvres de Laclos).

Œuvres complètes, Laurent Versini éd., Bibl. de la Pléiade, 1979 (édition de référence pour la correspondance, etc., elle comprend en outre un relevé complet des variantes du manuscrit du roman).

Les Liaisons dangereuses, Maurice Allem éd., Bibl. de la Pléiade, 1932.

Les Liaisons dangereuses, Jean Mistler éd., Monaco, Éditions du Rocher, 1948 (comprend un choix de variantes).

Les Liaisons dangereuses, Yves Le Hir éd., Classiques Garnier, 1961 (reproduit le texte du manuscrit).

Les Liaisons dangereuses, René Pomeau éd., illustrations de Maurice-Frantz Pointeau, Imprimerie nationale, 1981 (comprend un appendice iconographique intéressant).

Les Liaisons dangereuses, Michel Delon éd., Librairie Générale Française, coll. « Classiques de Poche », 2002 (reproduit les illustrations de l'édition de 1796 et contient un important dossier critique).

Poésies de Choderlos de Laclos, Arthur Symons et Louis Thomas éd., Paris, Chez Dorbon l'Aîné, 1908 (première édition à regrouper l'ensemble des vers qui peuvent être attribués à Laclos).

MANUSCRIT, QUESTIONS ÉDITORIALES ET BIIBLIOGRAPHIQUES

BRUN (Max), « Contribution bibliographique à l'étude des éditions des *Liaisons dangereuses* portant le millésime 1782 », *Bulletin du bibliophile*, 1958, n° 2-4, p. 49-173.
—, « Bibliographie des éditions des *Liaisons dangereuses* portant le millésime 1782 », *Le Livre et l'Estampe*, n° 33 (1963), p. 1-64.
CHOMARAT (Michel), « Les 16 éditions des *Liaisons dangereuses* publiées en 1782 », *Passion privée*, n° 9, janvier 2002.
COWARD (David), « Laclos Studies, 1968-1982 », *SVEC*, n° 219, Oxford, Voltaire Foundation, 1983, p. 289-330.
CROCE (Sara), « La Première Édition ignorée des *Liaisons dangereuses* dans une traduction inachevée », *Belfagor*, XIII, n° 6 (1958), p. 704-714.
DUCUP DE SAINT-PAUL (Henri), *Essai bibliographique sur les deux véritables éditions originales des « Liaisons dangereuses » de Choderlos de Laclos et sur d'autres éditions françaises intéressantes de ce roman*, Giraud-Badin, 1928, 70 p. Voir aussi le *Bulletin du bibliophile*, 1927, p. 537-543 ; 1928, p. 111-134.
KOPPEN (Erwin), *Laclos' Liaisons dangereuses in der Kritik (1782-1850)*, Wiesbaden, Franz Steiner, 1961.
POMEAU (René), « Le Manuscrit des *Liaisons dangereuses* », dans *La Fin de l'Ancien Régime. Sade, Rétif, Beaumarchais, Laclos. Manuscrits de la Révolution*, t. I, Béatrice Didier et Jacques Neefs éd., Presses universitaires de Vincennes, coll. « Manuscrits modernes », 1991, p. 191-196.
VERGER MICHAEL (Colette), *Choderlos de Laclos. The Man, his Works and his Critics. An Annotated Bibliography*, New York et Londres, Garland, 1982.
VERSINI (Laurent), « Le Cas Laclos » dans *La Fin de l'Ancien Régime*, t. I, p. 175-189.
WILLEMETZ (Gérard), « La Véritable Deuxième Édition originale des *Liaisons dangereuses* », *Bulletin du bibliophile*, 1957, n° 2, p. 45-52.

LACLOS ÉPISTOLIER

HUSSON (Jules-François-Félix), *dit* CHAMPFLEURY, « Correspondance inédite de Laclos et de Mme Riccoboni », *Revue de Paris*, 25 septembre 1864, p. 572-585.
CHARRIER-VOZEL (Marianne), « Féminin et masculin : la pluralité des genres selon Mme Riccoboni et Choderlos de Laclos », dans *Féminités et masculinités dans le texte narratif avant 1800. La Question du « gender »*, Suzan van Dijk et Madeleine van Strien-Chardonneau éd., Louvain, Peeters, 2002, p. 245-256.
COOK (Malcolm), « Laclos : an Unpublished Letter of 1793 », *British Journal for Eighteenth-Century Studies*, n° 8 (1985), p. 93-96.
—, « Laclos : two Unpublished Letters », *British Journal for Eighteenth-Century Studies*, n° 23 (2000), p. 37-42.
HUMBERT (Brigitte E.), *De la lettre à l'écran. « Les Liaisons dangereuses »*, Amsterdam, Rodopi, 2000.

MIGEOT (François), « Rapport de places et imaginaire dans les lettres de Laclos et Mme Riccoboni », dans *Le Rapport de places dans l'épistolaire*, Jürgen Siess et Séverine Hutin éd., Besançon, PUFC, 2005, p. 113-126.

SOL (Antoinette), « Why write as a Woman ? The Laclos-Riccoboni Correspondence », *Women in French Studies*, n° 3 (octobre 1995), p. 33-44.

VANPÉE (Janie), « Dangerous Liaisons 2 : The Riccoboni-Laclos Sequel », *Eighteeenth-Century Fiction*, n° 9 (octobre 1996), p. 51-70.

VERSINI (Laurent), « Laclos épistolier ou la Préméditation », *Cahiers de l'Association internationale des études françaises*, 1977, p. 187-203.

ÉLÉMENTS BIOGRAPHIQUES[1]

BERTAUD (Jean-Paul), *Choderlos de Laclos l'auteur des « Liaisons dangereuses »*, Fayard, 2003.

DARD (Émile), *Le Général Choderlos de Laclos, auteur des « Liaisons dangereuses », 1741-1803*, Perrin, 1905.

DERLA (Luigi), « Gli itinerari italiani di Choderlos de Laclos (1800-1801 e 1803) », dans *Contributi del Seminario di Filologia moderna, Serie Francese*, II, Milan, Vita e Pensiero, 1991, p. 11-71.

POISSON (Georges), *Choderlos de Laclos ou l'Obstination*, Grasset, 1985.

POMEAU (René), « Le Mariage de Laclos », *Revue d'histoire littéraire de la France*, janvier-mars 1964, p. 60-72.

NUMÉROS SPÉCIAUX ET VOLUMES COLLECTIFS[2]

Laclos. Revue d'histoire littéraire de la France, juillet-août 1982, n° 4 (articles de P. Stewart, M. Therrien, J.-L. Seylaz, V. Mylne, R. C. Rosbottom, H. Coulet, L. Versini).

Laclos et le libertinage, 1782-1982. Actes du colloque du bicentenaire des « Liaisons dangereuses », préface de René Pomeau, PUF, 1983 (articles de W. Perkins, A. Siemek, S. Mason, T. Smiley Dock, J. Rousset, B. Bray, D. Masseau, M. Delon, A.-M. Jaton, J.-M. Goulemot, H. Coulet, J. Biou, C. Belcikowski Ta Minh, J. Gillet, E. Lehouck, J.-L. Seylaz, R. Fleck, S. Davies, R. Béziau, C. Crossley, J. Bessières, L. Versini).

Europe. Choderlos de Laclos, n° 885-886, janvier-février 2003 (études et textes de M. Delon, G. Macchia, D. Masseau, J. Goldzink, L. Vázquez, C. Seth, C. Fischer, J. Herman, J.-C. Abramovici, M. Cortey, Y. Bénot, P. Ysmal, D. Jiménez, M.-L. Colatrella).

Deux siècles de « Liaisons dangereuses », Michel Delon et Francesco Fiorentino éd, Tarente, Lisi, 2005 (articles de F. Fiorentino, M. Delon, D. Gambelli, A. Principato, A. Guyaux, D. Fernandez, A. Beretta Anguissola, S. Montecalvo, P. Frantz, A. Weinberger, P. Roger, C. Baroche, L. Carcereri, D. Jiménez, M.-L. Colatrella).

1. Voir aussi les études d'ensemble de Pomeau et Vailland, ci-dessous.
2. Nous ne détaillons pas les articles de ces collectifs qui regroupent certaines des études les plus stimulantes sur *Les Liaisons dangereuses*.

OUVRAGES CONSACRÉS À LACLOS

BAYARD (Pierre), *Le Paradoxe du menteur. Sur Laclos*, Éditions de Minuit, 1993.
BELCICKOWSKI (Christine), *Poétique des « Liaisons dangereuses »*, Corti, 1972.
CONROY (Peter V.), *Intimate, Intrusive and Triumphant. Readers in the « Liaisons dangereuses »*, John Benjamins, Purdue University Monographs, 1987.
DELON (Michel), *P.-A. Choderlos de Laclos. Les Liaisons dangereuses*, PUF, coll. « Études littéraires », 1986.
DELON (Michel) et SAJOUS D'ORIA (Michèle), *Laclos en images. Éditions illustrées des « Liaisons dangereuses »*, Paris - Bari, PUPS et Mario Adda, 2003.
DELMAS (André et Yvette), *À la recherche des « Liaisons dangereuses »*, Mercure de France, 1964.
DIDIER (Béatrice), *Choderlos de Laclos. « Les Liaisons dangereuses ». Pastiches et ironie*, Éditions du Temps, 1998.
FLORENNE (Tristan), *La Rhétorique de l'amour dans « Les Liaisons dangereuses »*, SEDES, 1999.
FONTANA (Biancamaria), *Politique de Laclos*, Kimé, 1996.
GOLDZINK (Jean), *Le Vice en bas de soie ou le Roman du libertinage*, Corti, 2001.
HAGEN (Kirsten Von), *Intermediale Liebschaften. Mehrfachadaptationen von Choderlos de Laclos' Briefroman « Les Liaisons dangereuses »*, Tubingen, Stauffenburg, 2002.
JACOT GRAPA (Caroline), *Les Liaisons dangereuses de Choderlos de Laclos*, Gallimard, coll. « Foliothèque », 1997.
JATON (Anne-Marie), *Le Corps de la liberté. Lecture de Laclos*, Vienne, L'Âge d'homme - Karolinger, 1983.
MCCALLAM (David), *L'Art de l'équivoque chez Laclos*, Genève, Droz, 2008.
POMEAU (René), *Laclos ou le paradoxe*, Hachette, 1985.
SEYLAZ (Jean-Luc), *« Les Liaisons dangereuses » et la création romanesque chez Laclos*, Genève, Droz, 1958.
STIEHLER (Henri), *Littérature et mass-medias. Choderlos de Laclos « Les Liaisons dangereuses »*, Iaşi, Timpul, 1997.
VÁZQUEZ (Lydia) et ALTARRIBA (Antonio), *La Paradoja del libertino : sobre las amistades peligrosas y otras perversas relaciones dieciochescas*, Madrid, Liceus, 2008.
VAILLAND (Roger), *Laclos par lui-même*, Le Seuil, 1953.
VERSINI (Laurent), *Laclos et la tradition. Essai sur les sources et la technique des « Liaisons dangereuses »*, Klincksieck, 1968.

ARTICLES ET ÉTUDES

AURY (Dominique), « La Révolte de Mme de Merteuil », *Cahiers de la Pléiade*, nº XII, printemps-été 1951, p. 91-101.
BLUM (Léon), « Impressions et commentaires : *Les Liaisons dangereuses* », *Grande Revue*, 10 mai 1908, p. 156-168.

BRULÉ (Claude), « Mon journal des *Liaisons* », *Les Liaisons dangereuses 1960*, Julliard, 1960, p. 153-168.

BRUNEL (Pierre), « Malraux, lecteur des *Liaisons dangereuses* », *Littérature et séduction. Mélanges en l'honneur de Laurent Versini*, Klincksieck, 1997, p. 851-860.

CAMPION (Pierre), « La Catégorie de l'ennemi dans *Les Liaisons dangereuses* », *Poétique*, n° 101, février 1995 ; repris dans *La Littérature à la recherche de la vérité*, Le Seuil, 1996, p. 252-276.

CAZENOBE (Colette), « De Lenclos à Laclos : une étape vers *Les Liaisons dangereuses* », *Revue d'histoire littéraire de la France*, mars-avril 1985, p. 217-233.

CHARLES (Shelly), « *Clarisse* ou le Dessous des *Liaisons* », *Poétique*, n° 121 (février 2000), p. 21-47.

CORNILLE (Jean-Louis), *La Lettre française*, Louvain, Peeters, 2001.

COUDREUSE (Anne), « Les Stratégies du pathos dans *Les Liaisons dangereuses* », dans *Op. cit.*, n° 11, novembre 1998, p. 99-107.

COULET (Henri), « Analyse et sentiment dans *Les Liaisons dangereuses* », dans *Le Siècle de Voltaire. Hommage à René Pomeau*, Christiane Mervaud et Sylvain Menant éd., Oxford, Voltaire Foundation, 1987, t. I, p. 305-312.

COWARD (David), « *Les Liaisons dangereuses* à Londres avant la Révolution », *Littérature et séduction. Mélanges en l'honneur de Laurent Versini*, Klincksieck, 1997, p. 829-838.

DAGEN (Jean), « D'une logique de l'écriture : *Les Liaisons dangereuses* », *Littératures*, n° 4, 1981, p. 33-52.

DANIEL (Georges), *Fatalité du secret et fatalité du bavardage au XVIIIe siècle : la Marquise de Merteuil, Jean-François Rameau*, Nizet, 1966.

DAVIES (Simon), « An early Irish Reader of *Les Liaisons dangereuses* », *Bulletin of the British Society for Eighteenth-Century Studies*, printemps-été 1984, p. 13-14.

DELON (Michel), « La Harpe de Cécile ou le Silence des *Liaisons dangereuses* », *Rivista di Letteratura moderne e comparate*, LVIII, 1, 2005, p. 21-31.

—, « Le Succès actuel des *Liaisons dangereuses* ou la Mise à l'épreuve des Lumières », *Op. cit.*, n° 11, nov. 1998, p. 109-115.

—, « Le Discours infrapaginal dans *Les Liaisons dangereuses* », *Les Notes de Voltaire. Une écriture polyphonique* (SVEC 2003:03), Nicholas Cronk et Christiane Mervaud éd., Oxford, Voltaire Foundation, 2003, p. 138-145.

DÉMORIS (René), « La Symbolique du nom de personne dans *Les Liaisons dangereuses* », *Littérature*, 1979, n° 36, p. 104-119.

DENEYS-TUNNEY (Anne), *Écritures du corps. De Descartes à Laclos*, PUF, 1992.

DURANTON (Henri), « *Les Liaisons dangereuses* ou le Miroir ennemi », *Revue des Sciences humaines*, n° 153, 1974, p. 125-143.

—, « Laclos a-t-il lu Proust ? », *Le Siècle de Voltaire*, t. I, p. 447-459.

EHRARD (Jean), « La Société des *Liaisons dangereuses* : l'espace et le temps », dans *Le Siècle de Voltaire*, t. I, p. 461-469.

FABRE (Jean), « *Les Liaisons dangereuses*, roman de l'ironie », *Missions et démarches de la critique. Mélanges offerts au professeur J.-A. Vier*, Klincksieck, 1973, p. 651-672.

FRIEDRICH (Sabine), « Die Ästhetisierung des Bösen im Zeichen moralistischer Anthropologie in Laclos' *Les Liaisons dangereuses* », *Die Imagination des Bösen : zur narrativen Modellierung der Transgression bei Laclos, Sade und Flaubert*, p. 50-101.

GARAGNON (Jean), « Ce n'est pas ma faute : une nouvelle source pour *Les Liaisons dangereuses* ? », *French Studies Bulletin*, n° 89 (2003), p. 7-9.

GÉRAUD (Violaine), « Discours rapporté et stratégies épistolaires dans *Les Liaisons dangereuses* », dans *La Lettre entre réel et fiction*, Jürgen Siess dir., SEDES, 1998, p. 177-198.

GUYON (Bernard), « La Chute d'une honnête femme », *L'Anneau d'or*, mai-août 1948, p. 167-172.

HARTMANN (Pierre), « Laclos ou le contrat méconnu », *Essai sur la subjectivité amoureuse dans le roman des Lumières*, Champion, 1998.

HERMAN (Jan), « Miroitements intertextuels et structure métaphorique dans *Les Liaisons dangereuses* », *Studies on Voltaire*, n° 292 (1991), p. 337-346.

JACKSON (Susan K.), « In Search of a Female Voice : *Les Liaisons dangereuses* », *Writing the female Voice. Essays on Epistolary Literature*, Allin Elizabeth Goldsmith éd., Boston, Northeastern University Press, 1989, p. 154-171.

JATON (Anne-Marie), « *Les Liaisons dangereuses*, une odyssée de la conscience sexuée », *Saggi e ricerche di letteratura francese*, n° 15 (1977), p. 299-350.

KEMP (Robert), « Autour de Mme de Merteuil (Choderlos de Laclos) », *La Vie des livres*, Albin Michel, 1955, p. 28-35.

KOEHLER (Martha J.), *Models of Reading. Paragon and Parasites in Richardson, Burney and Laclos*, Lewisburg, Bucknell University Press, 2005.

LELY (Gilbert), « Sade a-t-il été jaloux de Laclos ? », *La Nouvelle Nouvelle Revue française*, 1er juin 1953, p. 1124-1129.

LOWRIE (Joyce O.), « The Prévan Cycle as Pre-Text in Laclos' *Les Liaisons dangereuses* », *Sightings. Mirrors in Texts – Texts in Mirrors*, Amsterdam, Rodopi, 2008.

MAUZI (Robert), « Sur la genèse des *Liaisons dangereuses* », *Mélanges de littérature générale et de critique romanesque offerts à Henri Coulet*, Aix-en-Provence, Publications de l'université de Provence, p. 191-206 ; repris dans *Maintenant sur ma route*, Orléans, Paradigme, 1994.

MAY (Georges), « Racine et *Les Liaisons dangereuses* », *French Review*, mai 1950, p. 452-461.

PIZZORUSSO (Arnaldo), « La Struttura delle *Liaisons dangereuses* », *Annali della Facoltà di Lettere e Filosofia e di Magistero dell'Università di Cagliari*, Città di Castello, 1952, p. 1-41 ; repris dans *Studi sulla letteratura dell'età preromantica in Francia*, Pise, 1956, p. 1-41.

POMEAU (René), « D'*Ernestine* aux *Liaisons dangereuses* : le dessein de Laclos », *Revue d'histoire littéraire de la France*, mai-août 1968, p. 618-632.

PRINCIPATO (Aurelio), « La marchesa di Merteuil, il visconte di Valmont, e il patto con il teatro », *Studi di cultura francese ed europea in onore di Lorenza Maranini*, G. Giorgi, A. Principato, E. Biancardi, Bertoletti éd., Fasano, Schena, 1983, p. 299-313.

—, « La lettera LXXXV delle *Liaisons dangereuses* » dans *Il Senso del Nonsenso. Scritti in memoria di Lynn Salkin Sbiroli*, M. Streiff Moretti, M. Revol Cappellini et O. Martinez éd., Naples, Edizioni Scientifiche Italiane, 1994, p. 157-170.

—, « *Les Liaisons dangereuses* ou *Clarisse* remodelé », *Le Roman dans l'histoire. L'histoire dans le roman*, Hommage à Jean Sgard, *Recherches et travaux*, n° 49 (1995), p. 187-195.

PROUST (Jacques), « Les Maîtres sont les maîtres », *Romanistische Zeitschrift für Literaturgeschichte*, n° 2, 1977 ; repris dans *L'Objet et le Texte*, Genève, Droz, 1979, p. 245-276.

ROULSTON (Christine), *Virtue, Gender and the Authentic Self in Eighteenth-Century French Fiction : Richardson, Rousseau and Laclos*, Gainesville, University Press of Florida, 1998.

ROUSSET (Jean), « Une forme littéraire : le roman par lettres », *La Nouvelle Revue française*, mai-juin 1962, p. 830-841 et 1010-1022 ; repris dans *Forme et signification. Essai sur les structures littéraires de Corneille à Claudel*, Corti, 1962, p. 65-103.

SETH (Catriona), « Traduire le double langage amoureux. Réflexions sur la lettre XLVIII des *Liaisons dangereuses* », *La traduction du discours amoureux, 1660-1830*, Annie Cointre, Florence Lautel-Ribstein et Annie Rivara dir., Metz, UPV, CETT, 2006, p. 143-153.

—, « Genre et "gender" : des *Liaisons dangereuses* (1782) au *Mauvais Genre* (2000) », *D'un genre à l'autre*, M. Guéret-Laferté et D. Mortier éd., Rouen, PURH, 2008, p. 163-177.

VAN CRUGTEN-ANDRÉ (Valérie), « Le Roman épistolaire, imitation des *Liaisons dangereuses* », *Le Roman du libertinage 1782-1815. Redécouverte et réhabilitation*, Champion, 1997.

VERNIÈRE (Paul), « *Les Liaisons dangereuses* : d'une morale des faits à une morale de la signification », *Studies in Eighteenth-Century French Literature presented to Robert Niklaus*, Exeter, University of Exeter Press, 1975, p. 295-305 ; repris dans *Lumières ou clair-obscur ? Trente essais sur Diderot et quelques autres*, PUF, 1987.

VERSINI (Laurent), « *Les Liaisons dangereuses* à la scène et à l'écran », *Mélanges offerts à Jacques Robichez*, SEDES, 1987.

—, « Des *Liaisons dangereuses* aux liaisons farceuses », *Travaux de littérature*, VI, Klincksieck, 1993, p. 211-224.

—, « Laclos poète », dans *L'Éveil des Muses. Poétique des Lumières et au-delà. Mélanges offerts à Édouard Guitton*, Catriona Seth éd. (textes présentés par Madeleine Bertaud et François Moureau), Rennes, Presses universitaires de Rennes, 2002.

ZANELLI QUARANTINI (Franca), *Il Testo e l'immagine. Indagine sulle « gravures » d'accompagnamento a « Manon Lescaut », « La Nouvelle Héloïse », « Les Liaisons dangereuses »*, Bologne, CLUEB, 2002.

—, « *Liaisons dangereuses* et *belles fidèles* », dans *Narrare/Rappresentare. Incrocio di segni fra immagine e parola*, Diego Saglia et Giovanni Silvani éd., Bologne, CLUEB, 2003, p. 51-80.

—, « Roman, iconographie, représentation : le cas des *Liaisons dangereuses* », *CAIEF*, n° 57 (2005), p. 133-152.

ZAWISKA (Elisabeth), « Le Jeu masculin/féminin dans *Les Liaisons dangereuses* de Laclos et l'*Histoire d'Ernestine* de Mme Riccoboni », dans *Féminités et masculinités dans le texte narratif avant 1800*, p. 257-270.

TABLE DES MATIÈRES

LA FORTUNE DES « LIAISONS DANGEREUSES »

L'*intitulé des illustrations apparaît ci-dessous en caractères italiques.*

NOTICES, NOTES ET VARIANTES

LA FORTUNE DES « LIAISONS DANGEREUSES »

Table des copyrights et des crédits photos

Pages 551-552. Partition des *Adieux de la présidente de Tourvel* : © BNF.

Page 557. Romain Girard d'après Lavreince, *Mrs. Merteuil and Miss Cecille Volange* : © BNF.

Page 558. Romain Girard d'après Lavreince, *Valmont and Presid^te de Tourvel* : © BNF.

Pages 563-566. Anonyme, gravures pour l'édition de Genève, 1786 : © BNF.

Page 567. Romain Girard d'après Lavreince, *Valmont and Emilie* : © BNF.

Page 568. Jacques-Louis-François Touzé, *Jeune femme couchée remet avec un geste d'effroi une lettre à une soubrette* : © RMN / Thierry Le Mage.

Pages 569-572. Le Barbier, illustrations pour l'édition de Genève, 1792 : Coll. part.

Pages 573-574. Anonyme, illustrations pour l'édition de Genève, 1793 : © Collections de la Bibliothèque municipale de Rouen. Photographie Thierry Ascencio-Parvy.

Pages 575-589. Alexandre-Évariste Fragonard, Marguerite Gérard et Charles Monnet, illustrations pour l'édition de Londres, 1796 : © Bibliothèque municipale de Versailles Res E 58 et 59.

Pages 600-601. Anonyme, illustrations pour l'édition de Paris, Duprat-Duverger, 1811 : © Bibliothèque municipale de Versailles F. G. 95 et 96.

Pages 602-604. Achille Dévéria, illustrations pour l'édition de Paris, Imprimerie Cellot, 1820 : Coll. part.

Page 637. Ch. Testa et A. Besson, illustration pour l'édition de Paris, Boulanger, 1894 : © BNF.

Page 638. Aubrey Beardsley, *Count Valmont*, *The Savoy*, n° 8, 1896 : Coll. part.

Page 639. Heinrich Mann, « Introduction à la traduction allemande des *Liaisons dangereuses* » : © Presses universitaires du Septentrion, 2002, pour la traduction française de Chantal Simonin.

Pages 651-653. B. Lubin de Beauvais, eaux-fortes pour l'édition de Paris, Ferroud, 1908 : © Bibliothèque de Genève.

Page 654. André Gide, « Les Dix Romans français que… » : © Éditions Gallimard, 1999.

Pages 656-659. Simon, frontispices de l'édition de Berlin, Wilhelm Borngräber Verlag, 1914 : Coll. part. Tous droits réservés.

Page 660. Georges Jeanniot, eau-forte de l'édition de Paris, L. Carteret, 1914-1918 : © BNF.

Page 661. André Suarès, « Les Liaisons dangereuses » : © Scam, 2011.

Page 664. Charles Lucas de Pesloüan, *Les Vrais Mémoires de Cécile de Volanges* (extrait) : © Héritiers de Charles Lucas de Pesloüan.

Pages 667-668. Maurice Berty, illustrations pour l'édition de Paris, Nilsson, 1927 : Coll. part. Tous droits réservés.

Pages 669-672. Alastair, illustrations pour l'édition de Paris, Black Sun, 1929 : © Courtesy, The Lilly Library, Indiana University, Bloomington, Indiana.

Page 673. Arpad Jarosy, illustration pour l'édition de Vienne et Berlin, Trianon Verlag, sans date : Coll. part. Tous droits réservés.

Page 674. Jean Giraudoux, « Choderlos de Laclos » : © Succession Jean Giraudoux.

Pages 676-684. George Barbier, illustrations pour l'édition de Paris, Le Vasseur et Cie, 1934 : Coll. part.

Page 685. André Malraux, « Laclos » : © Éditions Gallimard, 1970.

Pages 698-699. Chas Laborde, illustrations pour *Dangerous Acquaintances*, Londres, The Nonesuch Press, 1940 : Coll. part.

Page 700. Chéri Hérouard, illustration pour l'édition de Paris, Colbert, 1946 : Coll. part. Tous droits réservés.

Page 701. André Maurois, « Les Liaisons dangereuses » : © Héritier d'André Maurois.

Page 704. Karl Staudinger pour l'édition de Stuttgart, Vienne et Saint-Gall, 1950 : Coll. part. Tous droits réservés.

Page 705. Paul Achard, *Les Liaisons dangereuses* (tableau VII) : © Héritiers de Paul Achard.

Page 711. Roger Vailland, *Laclos par lui-même* (extrait) : © Éditions du Seuil, 1953.

Page 714. *Les Liaisons dangereuses 1960*, un film de Roger Vadim, affiche : © DR / Bridgeman Giraudon.

Page 715. *Les Liaisons dangereuses 1960*, un film de Roger Vadim, photo : © Rue des Archives / Collection CSFF.

Page 716. Roger Vadim et Roger Vailland, *Les Liaisons dangereuses 1960*, adaptation de R. Vadim et R. Vailland, dialogues de R. Vailland, Julliard, 1960 : Tous droits réservés.

Pages 723-724. Planches du ciné-roman, d'après Roger Vadim et Roger Vailland, *Les Liaisons dangereuses 1960*, *Mon film*, n° 685, 1961 : Tous droits réservés.

Page 725. Hilde Schlotterbeck, illustration pour l'édition d'Olten, Stuttgart et Salzbourg, Fackelverlag, 1962 : Coll. part. Tous droits réservés.

Pages 726-729. Raymond Hawthorn, illustrations pour l'édition de Londres, The Folio Society, 1962 : Coll. part. Tous droits réservés.

Pages 730-731. Paulette Debraine, illustrations pour l'édition de Paris, Club du Livre sélectionné, sans date : Coll. part. Tous droits réservés.

Page 732. Hella S. Haasse, *Une liaison dangereuse. Lettres de La Haye* (extrait) : © Éditions du Seuil, 1995, pour la traduction d'Anne-Marie de Both-Diez.

Ce volume,
portant le numéro six
de la « Bibliothèque de la Pléiade »
publiée aux Éditions Gallimard,
a été mis en page par Interligne
à Loncin,
et achevé d'imprimer
sur Bible des Papeteries Bolloré Thin Papers
le 24 janvier 2011
par l'imprimerie Darantiere
à Quetigny
et par CPI Aubin Imprimeur
à Ligugé,
et relié en pleine peau,
dorée à l'or fin 23 carats,
par Babouot à Lagny.

ISBN : 978-2-07-011937-0.

N° *d'édition :* 155708. N° *d'impression :* L 74127.
Dépôt légal : janvier 2011.
Imprimé en France.